2 -
2004

Von Wolf Serno sind außerdem erschienen:

Der Wanderchirurg   Die Liebe des Wanderchirurgen
Tod im Apothekenhaus   Das Spiel des Puppenkönigs
Hexenkammer
Die Mission des Wanderchirurgen
Der Balsamträger
Der Puppenkönig

Zum Buch:

Vitus von Campodios, der »Wanderchirurg«, könnte nun glücklich und zufrieden mit seinem Leben sein, denn endlich hat er in England seine Verwandten gefunden und kennt das Geheimnis seiner Herkunft. Doch ihm ist kein langes Glück beschieden, denn schon kurze Zeit nach seiner Ankunft auf dem Sitz seiner Vorfahren geht es mit seinem Großonkel Lord Collincourt zu Ende. Auf dem Totenbett fleht er seinen jungen Verwandten an, sich auf die Suche nach seiner Enkelin Arlette zu machen, die er zusammen mit Vitus als seine Erbin eingesetzt hat.
Vitus lässt sich nicht lange bitten, denn er hat Arlette bereits auf der Überfahrt nach England kennengelernt und sich unsterblich in sie verliebt. Bis er seine Liebste jedoch endlich in die Arme schließen darf, muss Vitus noch viele aufregende Abenteuer bestehen und so manche chirurgische Herausforderung annehmen.

Über den Autor:

Wolf Serno ist Mitte fünfzig und hat lange als Werbetexter in großen Agenturen und 20 Jahre als Creative Director in einer bedeutenden Hamburger Agentur gearbeitet. Doch seine Leidenschaft gilt der Geschichte, die er in seinen Romanen meisterhaft verarbeitet hat. Wolf Serno lebt mit seiner Frau und seinen zwei Hunden in Hamburg.
Der Wanderchirurg, sein erster Roman, war auf Anhieb ein Bestseller. Auch *Tod im Apothekenhaus*, *Hexenkammer* und *Die Mission des Wanderchirurgen* sind große Erfolge.
Besuchen Sie auch die Homepage des Autors: www.wolf-serno.de

RNO

urg

von Campodios

Roman

Knaur Taschenbuch Verlag

Bitte besuchen Sie uns im Internet:
www.knaur.de

Vollständige Taschenbuchausgabe 2004
Knaur Taschenbuch. Ein Unternehmen der Droemerschen
Verlagsanstalt Th. Knaur Nachf., GmbH & Co. KG, München
Copyright © 2003 bei
Droemersche Verlagsanstalt Th. Knaur Nachf., München
Alle Rechte vorbehalten. Das Werk darf – auch teilweise –
nur mit Genehmigung des Verlages wiedergegeben werden.
Umschlaggestaltung: ZERO Werbeagentur, München
Umschlagabbildung: FinePic
Satz: Buch-Werkstatt GmbH, Bad Aibling
Druck und Bindung: CPI – Clausen & Bosse, Leck
Printed in Germany
ISBN 978-3-426-62661-0

Nähme ich Flügel der Morgenröte
und bliebe am äußersten Meer,
so würde mich doch Deine Hand
daselbst führen und Deine Rechte mich halten.
Psalm 139, 9-10

Die Operationen und Behandlungen in diesem Buch spiegeln den wissenschaftlichen Stand des 16. Jahrhunderts wider. Zwar gab es schon damals Eingriffe, die sich im Prinzip bis in unsere Tage nicht verändert haben, und auch die Kräuter wirken heute nicht anders als vor über vierhundert Jahren, doch sei der geneigte Leser dringend vor Nachahmung und Anwendung gewarnt.

Für mein Rudel:
Micky, Fiedler, Sumo und Buschmann

PROLOG

Nur die Augen verrieten, dass Leben in dem Mann steckte. Es waren dunkle Augen voller Glut und Hass, und sie gehörten zu einem Gesicht, das auf Wangen und Schläfen mit grellroten Winkeln bemalt war. Der Schädel des Mannes war kahl rasiert bis auf einen Kamm schwarzen Haars, der sich von der Stirn bis in den Nacken hinabzog. Sein Hals, die Oberarme und die Schenkel waren reich tatauiert. Über seinem Hinterkopf ragte steil eine einzelne Adlerfeder empor.

Der Mann war ein Algonkin. Und er war auf dem Kriegspfad.

Den ganzen Morgen schon hielt er sich in dem zähen Buschwerk verborgen, das nach Osten und Süden hin den Blick auf einige ausgedehnte Tabakfelder freigab. Nur wenige Male hatte er durch Handzeichen Kontakt zu seinen Stammesbrüdern aufgenommen, die am Westufer der Insel abwartend in ihren Birkenrindenkanus saßen – seetüchtigen Booten, mit denen sie vom Festland herübergepaddelt waren.

Doch die Zeit für den Angriff war noch nicht gekommen, obwohl die Sonne bereits im Zenit stand und Wolken von Stechmücken aus den Sümpfen aufgestiegen waren, um sich auf alles zu stürzen, was warm und voll Blut war.

Die scharfen Augen des Spähers verfolgten die mühsame Arbeit der schwarzen Sklaven, die mit hölzernen Hacken das Unkraut aus dem Boden schlugen, damit es den Tabakpflanzen nicht das Licht nahm. Eine junge Frau, weißhäutig und mit Haaren, die so rot waren wie das Kupfer, aus dem sein Halsanhänger bestand, beaufsichtigte sie. Die Rothaarige saß auf einem riesigen Tier, das die Weißen Pferd nannten. Der Späher hatte solche Tiere schon einige Male gesehen, und jedes Mal war er tief beeindruckt von ihrer Erscheinung gewesen. Ihnen wohnte ein mächtiger Zauber inne, der dafür sorgte, dass sie eins wurden mit dem Reiter, dessen Kraft und Schnelligkeit dadurch um ein Vielfaches anwuchs. Dazu kam, dass manche Reiter mit donnernden Feuerstöcken bewaffnet waren, die den Tod schon auf weiteste Entfernung bringen konnten. Einen solchen Stock hatte die Frau zwar nicht, aber Vorsicht war trotzdem geboten. Es würde besser sein zu warten, bis sie fortgeritten war. Oder bis Pferd und Reiterin sich wieder geteilt hatten.

Jetzt lachte sie, denn einer der Schwarzen zeigte ihr eine fingerlange grüne Raupe, die sich, von ihrer Fressarbeit aufgeschreckt, heftig hin- und herwand. Der Sklave lächelte scheu zurück, aber er vermied es, der Frau in die Augen zu sehen. Stattdessen warf er die Raupe in einen Sammelkorb und nahm eifrig seine Arbeit wieder auf.

Die Mundwinkel des Spähers zuckten verächtlich. Schwarze Feiglinge! Wagten es nicht, sich gegen den weißen Mann zu erheben, der sie zwang, den *uppowoc* anzubauen. Undenkbar für einen Algonkin-Krieger! Der Schamane seines Dorfes hatte die Zeichen für günstig befunden und ihm und seinen Brüdern einen Sieg prophezeit. Einen großen Sieg. Aber er hatte noch mehr gesehen. Er hatte gesehen, dass weiße Männer wieder über das Meer kommen würden. Irgendwann, in nicht allzu ferner Zeit. Viele weiße Männer und Frauen und Kinder. Zehnmal, ja zwanzigmal so viele, wie eine Hand Finger hatte. Doch einen tapferen Krieger durfte das nicht schrecken.

Unwillkürlich fasste der Späher an seinen Gürtel, in dem die Kriegskeule steckte. Der Gürtel war ein *wampum*, gefertigt aus weißen und violetten Meeresmuscheln, die ihm als Tausch- und Zahlungsmittel dienten. Die violetten hießen bei den Fremden Peak, die weißen Roanoke.

Wieder verfiel er in absolute Starre, doch innerlich tobte die Wut in ihm. Roanoke!, dachte er grimmig. So, wie die Eindringlinge die weißen Muscheln nannten, so nannten sie auch die Insel, die er mit seinen roten Brüdern noch an diesem Tag zurückerobern wollte:

Roanoke Island.

»Bei den verdammten zwölf Aposteln! Ich zieh dir eins mit der Peitsche über deinen verdammten Niggerrücken, wenn du

den Blasebalg nicht schneller drückst! So wahr ich der Ober-
aufseher dieser verdammten Insel bin!«

»Ja, Massa Murphy.« Der Schwarze, der Inkpot gerufen wurde, nickte ängstlich. Er stand vor einem lodernden Feuer, das
er an der Mündung des Doughs Creek entzündet hatte.

»Drücken, drücken, drücken! Die Glut muss weiß sein, sonst
wird das Brenneisen nicht heiß genug und die verdammten
Neunigger kriegen kein anständiges Brandzeichen! Hab's dir
schon hundertmal gesagt!« Murphy nahm seine Tonpfeife aus
dem Mund und deutete damit auf die vor ihnen liegende Shal-
lowbag Bay, in der kurz zuvor ein Sklavenfahrer Anker geworfen hatte.

Inkpot verstärkte seine Bemühungen. Er war ein hagerer Alter
mit grauem Kraushaar und einem Rücken, den er sich auf den
Feldern krumm geschuftet hatte. Langsam wurde die Glut heller und mit ihr das darinliegende Brenneisen. Es zeigte an seinem Ende die Buchstaben TC – TC wie Thomas Collincourt,
dem Herrn der Insel und Besitzer der Tabakpflanzung.

»Dass ihr faules Niggerpack nur die Sprache der Peitsche versteht«, brummte Murphy. Er steckte die Pfeife wieder in den
Mund und stieß dicke Qualmwolken aus. »Wenn's darum
geht, eure verdammten Weiber zu drücken, seid ihr doch auch
nicht so zimperlich. Nur schade, dass so verdammt wenig dabei herauskommt!« Er lachte meckernd über seinen eigenen
Witz. »Dabei wär's Master Thomas verdammt recht, wenn eure Weiber häufiger werfen würden, er müsste dann nicht dau-
ernd für teuren Nachschub sorgen.«

In der Tat war Thomas Collincourt schon mehrfach nach
Habana gereist, um dort auf dem Sklavenmarkt neue Arbeitskräfte zu kaufen. Am Anfang hatte er es mit Indianern versucht, aber Sklaven aus Afrika waren williger und widerstands-
fähiger. Dennoch: Die Hitze, das Fieber und die schmale,
eintönige Kost ließen auch sie selten länger als ein paar Jahre
überleben.

In diesem Jahr war Collincourt wieder auf Kuba gewesen und
hatte dort acht neue Sklaven erworben. Sieben Männer und
eine junge Frau. Die Frau hatte er zunächst nicht kaufen wollen, dann aber, angesichts ihrer straffen, vollen Brüste und der
Tatsache, dass sie noch Jungfrau war, sich eines anderen be-

sonnen. Anschließend war er umgehend nach Roanoke Island zurückgekehrt, jedoch nicht, ohne vorher dem Händler zur Auflage gemacht zu haben, ihm die Ware auf seine Insel nachzuschicken.

Der Segler in der Bucht, eine flachgehende Pinasse namens *Santissima Trinidad*, hatte unterdessen das mitgeschleppte Beiboot klargemacht, damit die neuen Sklaven an Land gerudert werden konnten. Murphy, der früher einmal zur See gefahren war, erkannte, dass die Matrosen mit den Riemen nicht sonderlich gut umzugehen wussten. Wasser spritzte auf. Im nahen Schilf flogen einige Enten protestierend davon. »Will zur Hölle verdammt sein, wenn's nicht noch 'ne Weile dauert, bis die Teufelsbrut an Land ist«, knurrte er und wandte sich an einen zweiten Schwarzen, der eben einen Karren herangezogen hatte. »He, Chopper, hast du die verdammten Jochhölzer mit?«

»Ja, Massa. Chopper haben vier Jochhölzer mit, wie Massa gesagt.« Chopper nahm sich das lederne Zuggeschirr von den Schultern und begann abzuladen.

»Und die Querstangen für die Gabeln? Wie viele verdammte Querstangen hast du mit?« »Acht, Massa. Wie Massa gesagt.« »Hm.« Murphy war fürs Erste zufrieden, zumal Inkpot sich nicht hatte ablenken lassen und den Blasebalg weiter heftig drückte. Wenn die Neuen gebrannt wurden, würde es lustig brutzeln.

Dann, plötzlich, verzog der Aufseher voller Ekel die Nase. Der bis dahin ablandige Wind war umgesprungen und blies ihm einen bestialischen Gestank nach Urin, Schweiß und Kot ins Gesicht. Er kam von dem Boot, das sich jetzt zügig näherte. Murphy schluckte und würgte. »Ihr verdammten Sklavenfahrer!«, schrie er hinüber. »Schmeißt die Nigger ins Wasser, damit der verdammte Gestank aufhört!«

Der Bootssteurer lachte. Er hatte olivfarbene Haut und keine Zähne im Mund, obwohl er kaum dreißig Jahre zählte. »Seit wann bist du so zart besaitet, Murphy?«

»Ach, du bist's, José! Hab dich nicht gleich erkannt.«

José, ein Halbblut, das Spanisch, Englisch und einige afrikanische Dialekte gleichermaßen beherrschte, gab den Matrosen einen Wink, woraufhin sie die Schwarzen, die bislang am Bootsboden gekauert hatten, kurzerhand über Bord warfen. Murphy schätzte, dass die Entfernung zum Strand nur noch dreißig oder vierzig Yards betrug, denn der größte der Schwarzen konnte bereits im Wasser stehen. Er war ein Mann von herkulischer Gestalt, mit ebenmäßigen Gesichtszügen und geschmeidigen Bewegungen. Er wirkte, ebenso wie seine Gefährten, keineswegs unterernährt. Der Sklavenhändler in Habana musste seine Ware tüchtig hochgepäppelt haben, nachdem sie die Überfahrt von Afrika überlebt hatte. Murphy sah es mit Befriedigung.

Einige der Schwarzen schluckten viel Wasser; sie heulten, japsten und jammerten zum Steinerweichen. Das Waten mit gefesselten Händen fiel ihnen schwer, doch sie kamen näher. Als die Wellen ihnen nur noch bis zur Hüfte gingen, griff Murphy zur Peitsche. »Halt, ihr schwarzen Teufel! Bevor ihr auch nur einen einzigen verdammten Schritt auf Roanoke Island setzt, will ich sicher sein, dass keiner mehr stinkt. Also, wascht euch gegenseitig ab!«

Die Schwarzen drängten sich zusammen und blickten ihn verständnislos an. Nur der Größte stand aufrecht da.

»Ihr sollt euch waschen, verdammte Höllenbrut!« Murphy ließ die Peitsche über den Köpfen knallen. Die Neuankömmlinge stammelten irgendein Kauderwelsch, gehorchten aber nicht.

»Ihr wollt nicht? Dann will ich euch das Tanzen lehren! Vielleicht werdet ihr dadurch sauber! Hüpft, ihr verdammten Heiden!« Jetzt machte Murphy ernst. Das lederne Ende mit den harten Knoten landete klatschend auf Nasen, Mündern und Wangen. Die Schwarzen schrien auf und duckten sich unter den Hieben. Nur der Größte stand weiter aufrecht da.

»Gib dir keine Mühe.« José sprang an Land, während sich der Steven des Beiboots knirschend in den Sand grub. »Sie verstehen dich nicht. Sie verstehen sich nicht einmal untereinander. Jedenfalls die meisten. Sie sind von ganz verschiedenen Stämmen: Temne, Kru, Ibo, Coramantier und Nupe. Der portugiesische Kapitän hat sie im Golf von Guinea auf einer Länge von über tausend Meilen zusammengekauft. Hier steht's.«

Murphy guckte stirnrunzelnd auf das Dokument, das José ihm unter die Nase hielt. Alle Schwarzen waren darauf mit Namen und Herkunft vermerkt. »Hmja, wenn's so ist.«

»Verlass dich drauf. Willst du den Empfang der Ware hier unten gegenzeichnen? Ich habe Feder und Tinte dabei.« José grinste zahnlos. Er machte sich einen Spaß daraus, die Frage zu stellen, denn er wusste genau, dass Murphy nicht einmal in der Lage war, seinen eigenen Namen zu schreiben. »Das Datum von heute habe ich schon eingetragen«, fuhr er fort und zeigte auf die Zeile:

21. Tag des Monats Juni, Anno Domini 1577

»Hm, hm. Wieso bist du eigentlich so verdammt spät dran mit den Niggern? Der Master ist schon seit einem Monat aus Habana zurück«, versuchte der Aufseher abzulenken.
José rollte das Dokument zusammen. »Als ob du das nicht genau wüsstest! Thomas Collincourt ist nicht der Einzige, der ungern mit stinkenden Sklaven zusammen reist. Schon gar nicht auf einer so langen Überfahrt wie dieser. Sind immerhin mehr als fünfhundert Meilen hier herauf, und in Florida gibt es ebenso Pflanzer, die ich beliefere. Da war ich natürlich zuerst.« Er drückte Murphy die Rolle in die Hand. »Zeig das Master Collincourt, dann wird er sehen, dass alles seine Richtigkeit hat.«

»Abmarsch! Und keine Sperenzchen!«, brüllte Murphy. Er saß auf dem Karren, vor den Chopper sich bereits gespannt hatte, und hielt eine Muskete in der Hand, die er unverwandt auf die Schwarzen richtete. Auch wenn diese Teufel seine Worte nicht verstanden – er wusste, die Drohung war eindeutig genug.
Vorhin, als das weiß glühende Brenneisen sich in ihre Schultern hineingefressen hatte, war noch einmal ein großes Gezeter ausgebrochen. Inkpot hatte das Brenneisen geführt, und gezischt hatte es, wie wenn ein Kübel Wasser ins Feuer gekippt wird. Murphy hatte den Geruch nach verbrannter Haut genüsslich wahrgenommen, und während die Teufel schrien, war ihm ein Schauer den Rücken hinuntergelaufen. Fast hatte er es bedauert, dass Inkpot so schnell fertig geworden war.
Doch jetzt hatten die Gemüter sich wieder beruhigt. Die Schwarzen standen da wie gelähmt – einer hinter dem anderen. Den Schluss bildete der Riese. Chopper und Inkpot hatten jeweils zweien von ihnen die Jochhölzer angelegt: schwere Äste, die an beiden Enden gabelförmig auseinander liefen. Die Gabeln umschlossen den Hals und wurden am offenen Ende

mit einer Querstange geschlossen. Okumba, so wurde der Riese gerufen, hatte das Jochholz zusammen mit der Frau. Sie war fast zwei Köpfe kleiner als er, was beim Anlegen einige Schwierigkeiten bereitet hatte. Murphy sah, dass sie Brüste wie Melonen hatte, voll und schwer, und er hätte gern mehr von ihrer Weiblichkeit erspäht, aber leider trug sie, wie auch die männlichen Sklaven, einen Lendenschurz.

»Abmarsch!«, brüllte Murphy noch einmal. Chopper legte sich ins Zeug, und der Karren kam rumpelnd ins Rollen. Der Weg führte sie in nordwestliche Richtung durch flaches Grasland. Der Boden war staubig, und Murphy sehnte sich nach einem anständigen Schluck Brandy. Die Schwarzen trotteten mit gesenkten Köpfen neben dem Wagen her. Nur der Riese Okumba ging hoch aufgerichtet und blickte sich aufmerksam um.

Du willst die Gegend studieren, Nigger!, fuhr es Murphy durch den Kopf. Schmiedest schon Pläne für deine Flucht, wie? Na warte, den Gedanken werde ich dir versalzen! Er griff zu seiner Peitsche, holte aus und landete einen klatschenden Hieb auf Okumbas Rücken. Zu seinem Ärger reagierte der Riese kaum. Er murmelte irgendetwas, straffte sich und ging einfach weiter.

»Verdammter Hurensohn!« Murphy schlug erneut zu, diesmal kräftiger, doch der Schwarze tat, als wäre er Luft.

»Massa Murphy!« Der neben den Sklaven einhertrottende Inkpot meldete sich unterwürfig. »Wir gehen Weg vorbei an Hügel, oder?«

»Wie, was?« Der Aufseher blickte nach rechts vorn, wo inzwischen einige Landerhebungen aufgetaucht waren. »Natürlich, du schwarzes Scheusal, es gibt ja keinen anderen Weg nach Collincourt's Tobacco Plantation, was fragst du so dämlich?«

»Ich nur wissen wollen.«

»Pah, du mit deinem Niggerhirn musst überhaupt nichts wissen«, blaffte Murphy, dessen eigene Geisteskraft nicht ausgereicht hatte, um zu erkennen, dass er nur abgelenkt werden sollte. »Chopper, beweg deinen verdammten Arsch, damit wir endlich ankommen. Ich verglühe hier oben!«

»Ja, Massa.« Chopper verfiel für wenige Augenblicke in eine Art Laufschritt, dann bremste er langsam wieder ab. Die Sklavenkolonne, die etwas zurückgeblieben war, konnte wieder aufschließen.

Nach anderthalb Meilen, die Hügel zur Rechten waren inzwischen passiert, hatten sie den oberen Teil des Eilands erreicht. Hier war der Boden fester als im Süden, wo große Sumpfflächen das Inselbild bestimmten. Vor ihnen lag das Hauptgebäude der Plantage, Collincourt House. Es hatte die Form eines Ls, wobei die längere Seite vielleicht zwanzig Schritt maß. Ursprünglich war es aus starken Bohlen errichtet worden, doch hatte der Zahn der Zeit tiefe Risse ins Holz gegraben. Der Türsturz war niedrig, und kurz darüber begann schon das Dach – stumpfwinklig in seiner Form, um den von See heranpeitschenden Hurrikans weniger Angriffsfläche zu bieten. Die Fenster waren schmal und mit Läden verrammelt.

In früherer Zeit mochte das Haus den Ausdruck »stattlich« verdient gehabt haben, doch jetzt war es nur noch alt und morsch und von ungepflegtem Äußeren.

Hinter der langen Seite des Ls befand sich, der Feuergefahr wegen, ein eigenes Holzhaus für die Küche. Daneben lagen die Wohnungen der Aufseher und einige große Schuppen. Sie dienten im Herbst dem Trocknen der Tabakblätter. Aus einem dieser Schuppen stürzte plötzlich ein halbwüchsiger Schwarzer heraus, verfolgt von einem rotblonden, vierschrötigen Mann. Der Mann stolperte fast über seine eigenen Füße. Offensichtlich hatte er schon zu dieser Tageszeit dem Alkohol zugesprochen. Er war nicht mehr jung, doch kräftig von Gestalt. Über seinem Leib spannte sich ein erdfarbenes Wollwams, dazu trug er halb lange Köperhosen und feine, lederne Stiefel. Es war ein Schuhwerk, das seiner Eitelkeit dienlich sein mochte, nicht aber der schnellen Fortbewegung. »Warte, Nichtsnutz, ich werde dich Mores lehren!«, rief er mit schwerer Zunge. »Hast sämtliches Holz für die Darren falsch zugeschnitten, ich …«

Thomas Collincourt verhielt mitten im Satz, denn die Schwarzen waren in sein Blickfeld gerückt. »Aaah, die neuen Nigger. Dachte schon, sie kämen überhaupt nicht mehr!«

Er schnaufte, wackelte mit dem Kopf, als könne er dadurch Ärger und Alkohol gleichermaßen abschütteln, und kam näher. Kurz vor Murphys Karren baute er sich auf, sichtlich um Haltung bemüht. »Stehen die Nigger gut im Saft, Murphy? Keine Krankheiten oder Verletzungen oder so was?« Gern hätte er auch gefragt, ob das Mädchen nach wie vor Jungfrau war, doch verbot sich dies natürlich von selbst.

»Soviel ich sehen konnte, ja, Sir.« Murphy sprang vom Karren. »Sind bereits alle gebrannt, die schwarzen Teufel, wie Ihr befohlen habt, Sir.«

»Gut, gut.« Der Plantagenbesitzer löste die Augen von der Gruppe. »Was habt Ihr da für ein Dokument, Murphy? Sind das die Eintragungen der Namen und der Stammesherkunft?« Murphy konnte sich nicht mehr genau erinnern. »Die Rolle ist von José, Sir, damit, äh … alles seine Richtigkeit hat.«

Collincourt nahm Einsicht in das Dokument. »Scheint alles in Ordnung zu sein.« Er unterdrückte einen Rülpser und gab die Rolle an Murphy zurück. Wieder fiel sein Blick auf die Gruppe. Die junge Negerfrau mit den prachtvollen Brüsten war Coramantierin, sie war die Schwester von diesem Riesen, der Okumba hieß, und ihm fiel ein, dass er bei ihrem Kauf extra darauf geachtet hatte. Weil das die Sache vereinfachte …

»Die Niggermänner gehen heute nicht mehr aufs Feld, es würde nicht lohnen«, sagte er laut. »Bis sie eingewiesen sind, ist der Tag vorbei. Inkpot und Chopper, nehmt ihnen die Jochhölzer runter, danach ab mit ihnen in die Hütten.« Collincourt deutete in nördliche Richtung, wo in einiger Entfernung ein paar armselige Behausungen standen.

»Jawohl, Massa.«

Während die beiden Schwarzen sich beeilten, den Befehl ihres Herrn auszuführen, stand Collincourt leicht schwankend und sich den Hosenbund zurechtrückend da. In seinen rotgeränderten Augen glitzerte es. Endlich war es so weit. Alle Schwarzen konnten sich frei bewegen.

»Die Negerfrau bleibt hier. Sie hilft der alten Mary ab morgen in der Küche.« Er trat auf das Mädchen zu und ergriff es am Oberarm. »Komm mit, mein schwarzes Täubchen, der Massa will dir etwas zeigen.«

Doch kaum hatte Collincourt Okumbas Schwester angefasst, sprang dieser vor und versetzte dem Tabakpflanzer einen Faustschlag ins Gesicht. Collincourt taumelte zurück. Abermals schlug der Riese zu. Collincourt sank auf die Knie, was aussah, als wolle er in der Kirche beten. Stattdessen stieß er einen unartikulierten Laut aus und hielt sich schützend die Arme vors Gesicht. Der dritte Schlag jedoch blieb aus. Murphy hatte seine Muskete abgefeuert. Mit ohrenbetäubendem Knall strich das Geschoss dicht über Okumbas Kopf und bohrte sich in die Tür des Wohnhauses. Der Riese erstarrte zur Salzsäule. Ungläubig quollen seine Augen aus den Höhlen. Nie zuvor schien er Ähnliches erlebt zu haben.

»Verdammter Nigger, ich blas dir's Hirn aus dem Kopf, wenn du überhaupt eins hast!« Murphy sprang auf den Schwarzen zu und fesselte ihn eigenhändig, dann half er Collincourt auf die Beine. »Seid Ihr unverletzt, Sir?«

»Ahem … ja.« Collincourts Stimme klang belegt. Er begann sich den Staub von der Hose zu klopfen, wobei er Okumba hasserfüllt musterte. »Murphy, Ihr sorgt dafür, dass dieser schwarze Satan morgen früh drei Dutzend Hiebe bekommt. Die Strafe soll vor den anderen Niggern vollzogen werden, noch bevor sie aufs Feld gehen. Ich will, dass er sich wünscht, er wäre nie geboren. Doch achtet darauf, dass er nicht krankgeschlagen wird. Er hat mich eine Stange Geld gekostet, und er soll arbeiten, bis ihm das Wasser in seiner Niggerfurche kocht!«

Abermals, diesmal unbehelligt, packte Collincourt die junge Frau am Arm und schob sie in Richtung seines Wohnhauses. Okumbas Schwester zitterte am ganzen Körper.

> »Ho, tobacco, ho!
> Go, go, go!
> Goin' to, goin' fro,
> through a furrow
> with a bow.
> Ho, tobacco, ho!
> Go, go, go!
>
> Ho, tobacco, ho!
> Go, go, go!
> Goin' zig, goin' zag,
> whip make crack
> on my back.
> Ho, tobacco, ho!
> Go, go, go!«

Der schwermütige Singsang der Sklaven drang zu der rothaarigen Reiterin herüber, die abgesessen war und sich mit ihrem Pferd einem starken Pfahl näherte. An dem Pfahl hing in Mannshöhe der Magen einer Bisonkuh. Er diente den Schwarzen als Wasserbehälter.

»Darf ich meinem Braunen ein wenig von eurem Wasser geben?«, rief die Frau ihnen freundlich zu.

Ein paar der Sklaven hoben die Köpfe. Sie standen, einer hinter dem anderen, tief gebückt in den Furchen des Felds, wo sie in Dreiergruppen arbeiteten. Jeder hatte seine spezielle Aufgabe: Der erste hackte das Unkraut fort, damit die Tabakpflanzen Licht und Luft bekamen, der zweite pflückte die Spitzen ab, damit sie keine Blüten trieben, und der dritte sammelte Raupen, Käfer und sonstige Schädlinge von den Blättern.

»Oh ja, Ladymissu Arlette!« Ein dürrer Schwarzer mit sehnigen Armen richtete sich auf und stapfte herbei. »Brauchen Wasser nicht mehr, ist bald Ende Arbeit diesen Tag, Mbamo tut Rücken weh, merken daran!« Der Dürre deutete auf seine Hinterseite und grinste. »Ich helfen Ladymissu.«

Arlette lächelte und beobachtete Mbamo, wie er vorsichtig den Kuhmagen herunternahm und seinen Inhalt in einen bereitstehenden Holzeimer goss. Der Mann nannte sie hartnäckig »Ladymissu«, seit sich herumgesprochen hatte, dass sie die Enkelin eines echten englischen Lords war. Dabei sah sie alles andere als ladylike aus: Statt eines Kleids nach der neuesten Londoner Mode trug sie eine lederne Reiterkluft, die ihren Körper vor Dornen und Buschwerk schützte. Statt eines Spitzenkragens und juwelenbesetzter Ketten trug sie ein Schweißtuch um den Hals. Und statt eines züchtigen Damensattels bediente sie sich eines Männersattels, der sie zwang, beim Reiten die Beine weit zu grätschen. Nicht, dass ihr das besonders viel ausgemacht hätte – doch sie war froh, dass niemand aus dem sittsamen alten England ihr dabei zusah.

Das einzig Weibliche an ihr war der große, mit grünen Bändern geschmückte Hut, der mit seiner breiten Krempe vor der Sonneneinstrahlung schützte. Als Rothaarige hatte sie eine besonders zarte weiße Haut, und sie erinnerte sich noch gern an die vielen Komplimente, die man ihr wegen ihres guten Aussehens gemacht hatte.

Das alles lag kaum ein Jahr zurück.

Vieles war seitdem passiert, und das wenigste davon hatte ihr gefallen. So schön Roanoke Island landschaftlich auch war – das Leben hier war unerträglich. Die Hitze war mörderisch, die Mücken allgegenwärtig, die Fiebergefahr hoch, die Arbeit eintönig, die Abende immer gleich. Wer sich nach Abwechslung wie Musik, Tanz oder Konversation sehnte, wurde bitter enttäuscht. All das gab es auf Roanoke nicht.

Und dann war da noch Thomas Collincourt, der ewig unzufriedene Trinker, der zu allem Unglück ein entfernter Onkel von ihr war. Dass in seinen Adern ebenfalls adliges Blut floss, konnte sich niemand, der ihn sah, auch nur im entferntesten vorstellen.

Als kleines Mädchen hatte sie immer davon geträumt, eines Tages der Enge des englischen Landlebens zu entfliehen und zu Thomas in die Neue Welt zu segeln. Sie hatte von Abenteuern geschwärmt und von einem Märchenprinzen, der hier um ihre Hand anhalten würde.

Doch es war anders gekommen.

Zwar hatte sie auf der Überfahrt einen jungen Mann kennen gelernt, der sich Vitus nannte und in den sie sich Hals über Kopf auf das heftigste verliebt hatte, aber dieser Vitus war ein Hochstapler und ein Dieb gewesen. Sie hatte ihn auf frischer Tat in ihrer Schiffskabine ertappt – mit der Hand in ihrer Kleidertruhe. Damit nicht genug, hatte er noch ernsthaft behauptet, er sei ein gebürtiger Collincourt! Sie hatte ihn hinausgeworfen und anschließend wie ein Schlosshund geheult. Später, viel später, waren ihr Zweifel gekommen, und sie hatte sich dabei ertappt, wie sie sich ein ums andere Mal nach ihm sehnte … Doch da war sie schon lange auf Roanoke, und niemand konnte die Zeit zurückdrehen.

Ihre Gedanken kehrten zu Thomas Collincourt zurück. Sie wusste, er war alles andere als ein erfolgreicher Pflanzer, und nur den regelmäßigen Zuwendungen ihres Großvaters hatte er es zu verdanken, dass er sich gerade so über Wasser halten konnte.

An den wenigen Abenden, da Thomas nicht betrunken war, hatte er ihr erzählt, wie damals, vor über fünfundzwanzig Jahren, alles begonnen hatte: Er war mit großen Erwartungen und einer stattlichen Menge Geldes in die Neue Welt gereist. Von Anfang an hatte er eine Insel sein Eigen nennen wollen, denn der Gedanke, Nachbarn wie in England zu haben, war ihm ein Gräuel gewesen. So hatte er sich mit Aufsehern und Arbeitern auf Roanoke niedergelassen und zunächst sein Glück mit dem Anbau von Tabak versucht. Doch seine Unerfahrenheit hatte sich alsbald gerächt. Nach mehreren Missernten hatte er seine Bemühungen eingestellt. Zuckerrohr schien Erfolg versprechender zu sein. Er hatte weite Flächen urbar machen lassen und Jahr um Jahr auf den großen Durchbruch gehofft. Auch dieser Versuch war letztendlich fehlgeschlagen, denn auf dem Land schien kein Segen zu liegen. Fieberseuchen und Indianerüberfälle hatten ein Übriges getan. Aber Thomas hatte nicht aufgegeben. Seit zwei Jahren galten seine Bemühungen wieder dem Kultivieren ausgedehnter Tabakfelder, und er hoffte, seine Ware im nächsten Jahr erstmals verkaufen zu können. Zunächst im karibischen Raum, später vielleicht sogar nach England.

Das Pferd hatte unterdessen gesoffen. Es nahm den Kopf aus dem Eimer und schüttelte ihn schnaubend. Ein paar kräftige Wasserspritzer trafen Mbamo ins Gesicht. Der Schwarze riss den Arm hoch und verzog dabei vor Schmerzen das Gesicht.

»Ist etwas mit deinem Arm, Mbamo?« Arlette war die Reaktion nicht entgangen.

Der Sklave setzte ein gleichmütiges Gesicht auf. »Nichts, Ladymissu. Ich nur erschreckt.«

»Unsinn, du hast doch da was. Lass mal sehen.« Die Frau nahm den Arm und untersuchte ihn. Dann sah sie die Ursache: Halb in der Achsel saß eine schwärende Wunde. Die violetten Ränder waren aufgequollen, winzige Fliegen saßen darauf. »Wie ist das passiert?«

»Nicht schlimm, nicht schlimm. Wachsen zu von selbst.«

Arlette bog vorsichtig die Wunde auseinder, um Art und Ausmaß der Verletzung besser einschätzen zu können. Der Schwarze zog vor Schmerz die Luft durch die Zähne. »Es sieht aus, als wäre die Wunde durch eine Hacke hervorgerufen worden. Dein Vordermann könnte sie nach hinten durchgeschwungen und dich getroffen haben. War es so, Mbamo?«

»Ja, Ladymissu. Ich zweiter Mann in Reihe. Ich hinter Bongo.

Aber Bongo keine Schuld. War Unfall.« Mbamo wurde nervös. »Bongo keine Schuld.« Er wusste, dass die Arbeitskraft eines Sklaven von alles überragender Wichtigkeit war. Wer sie schwächte, ob bei sich selbst oder bei anderen, lief Gefahr, sich ein Dutzend Peitschenhiebe einzuhandeln.

»Ich glaube dir ja. Aber warum, um Jesu Christi willen, bist du nicht früher zu mir gekommen?« Ohne Mbamos Antwort abzuwarten, nahm sie aus der Satteltasche ihres Braunen etwas Verbandszeug. Sie hatte es sich zur Gewohnheit gemacht, derlei mit sich zu führen, denn es kam bei der Feldarbeit immer wieder zu Verletzungen.

Während sie die Wunde schnell und geschickt säuberte, wanderten ihre Gedanken abermals zurück zu dem Mann, der sich Vitus nannte und ein Collincourt sein wollte. Er hatte sich, das musste sie einräumen, damals nach dem Seegefecht gegen die Spanier prachtvoll verhalten. Stunde um Stunde hatte er geschuftet, um die zahllosen Verwundeten zu versorgen, und nicht wenige von ihnen verdankten ihm ihr Leben. Er war, so seine Behauptung, ein Cirurgicus. Und sie, Arlette Collincourt, hatte ihm gern bei seiner Arbeit geholfen …

Sie verscheuchte die müßigen Gedanken, nahm eine zinkhaltige Salbe zur Hand und bestrich damit die Wunde. Dann legte sie eine Kompresse an, die sie mit einigen Leinenstreifen fixierte. »Fertig.«

Mbamo reagierte nicht.

»Hallo, Mbamo, träumst du?«

»Mbamo traurig. Alles falsch sein. Sowieso.«

»Wie? Was soll falsch sein?« Sie blickte ihn forschend an. Die Stimmungen der Schwarzen, die sich häufig von Augenblick zu Augenblick wandelten, würden ihr ein ewiges Rätsel bleiben.

»Egal, Ladymissu. Ladymissu freundlich. Egal.«

»Jetzt aber heraus mit der Sprache!« Sie schüttelte ihn sanft, damit er zu sich kam.

Mbamo zögerte. Schließlich sprach er: »Mbamo denken, Tabak nix gut schmecken. Letzte Jahr genauso. Herbst kommen Ernte. Viel Arbeit. Tabak darren. Fässer packen. Viel Arbeit. Gut Arbeit. Nix Verschnitt, nix Steine, nix Feuchtigkeit. Aber Tabak nix schmecken. Massa nehmen Kot, düngen Feld. Deshalb so.«

Arlette staunte. »Willst du damit sagen, dass Felder, die mit, äh … Kot gedüngt werden, schlecht schmeckenden Tabak hervorbringen?«

»Kot schlecht! Immer schlecht. Nix gut düngen. Ich wissen!« Mbamo nickte heftig.

»Nun, ich erinnere mich, dass im Frühjahr damit gedüngt worden ist.« Ihr Blick wanderte über die Felder, die sich in alle Himmelsrichtungen ausdehnten. Der Aufseher Murphy, fiel ihr ein, hatte einmal gesagt, die Größe der Felder allein mache noch keine gute Tabakplantage aus. Ebenso wichtig sei die Möglichkeit, regelmäßig neue Felder anlegen zu können. Allerdings seien dazu riesige Flächen nötig. Genau da schien der Hase im Pfeffer zu liegen: Die Anbaufläche auf Roanoke war nur allzu begrenzt. Statt neuen, nicht ausgelaugten Boden nutzen zu können, musste Thomas den alten düngen – mit Kot.

Sollten seine Bemühungen damit endgültig gescheitert sein? Musste ihr Großvater die hohen Summen, mit denen er wieder und wieder die Plantage unterstützt hatte, in den Wind schreiben?

Sie seufzte innerlich. Wenn hier alles zu Ende ging, würde ihr nichts anderes übrig bleiben, als nach England zurückzukehren, dorthin, wo der alte Lord seinen Familiensitz hatte – nach Greenvale Castle. Er würde wissen wollen, warum sie ihm die ganzen Monate kein Wort geschrieben hatte. Und es würde nicht leicht werden, ihm zu erklären, dass sie sich zu sehr geschämt hatte. Weil sie damals einfach fortgegangen war, ohne ihm die Gründe zu nennen. Und weil alles, was überhaupt schief laufen konnte, auch schief gelaufen war. Sie hatte einen großen Fehler gemacht, und sie durfte nicht auf sein Verständnis hoffen.

Sie machte sich daran, das Verbandszeug und die Salbe in der Satteltasche zu verstauen. »Ich sehe mir die Wunde morgen Vormittag noch einmal an. Wenn sie dann nicht besser geworden ist, musst du ein, zwei Tage mit der Arbeit aussetzen.«

»Ladymissu, oh Ladymissu!« Die Stimme von Mbamo klang aufs höchste erschreckt.

»Nanu, was ist daran so schlimm?« Arlette sah auf und erkannte, dass Mbamos Ausruf nicht ihrem letzten Satz gegolten hatte. Er starrte voller Angst nach Norden, wo das dichte Buschwerk den Blick zur Küste verwehrte.

Davor stand ein Indianer.

Arlette stockte der Atem. Noch nie hatte sie einen Wilden leibhaftig zu Gesicht bekommen. Dieser da sah zum Fürchten aus. Er war grell bemalt und bis an die Zähne bewaffnet. Den Flachbogen trug er quer über der Schulter, den Speer hatte er in der Hand, in seinem Gürtel steckte eine Kriegskeule mit messerscharfer Steinklinge. Unwillkürlich ergriff sie Mbamos Hand. »Es ist nur ein einzelner«, versuchte sie sich und den Schwarzen zu beruhigen.

Zwei weitere Indianer traten aus dem Buschwerk hervor.

Arlette spürte, wie auch in ihr die Angst emporkroch. Dann sah sie gleich mehrere Wilde hinter einer Bodenwelle auftauchen. Der Abstand zwischen ihnen und ihr betrug höchstens dreihundert Schritte. Da! Von Westen her kamen weitere Wilde. Und dort! Noch mehr! Wie viele mochten es schon sein? Fünf Dutzend? Sechs Dutzend? Sie hatten einen weiten Halbkreis gebildet und umschlossen die gesamte Stirnseite des Tabakfelds.

Auch die anderen Sklaven hatten die Gefahr bemerkt. Unter großem Geschrei ließen sie alles stehen und liegen und kamen herbeigestürzt, um bei Arlette Schutz zu finden.

Bleib ruhig!, ermahnte sie sich. Gib den Schwarzen ein gutes Beispiel! Ihre Hand tastete zum Gürtel, in dem eine Radschlosspistole steckte. Thomas hatte sie ihr einst gegeben und sie dabei ermahnt, die Waffe stets geladen und gespannt mit sich zu führen. Umständlich hatte er von Federn, Zähnen, Zündkraut und Pyrit geredet, und sie hatte kein Wort verstanden, nur dass sie zum Schießen dreierlei tun musste: den Deckel der Pfanne entfernen, den Hahn absenken und den Abzughebel betätigen. Dann passierte alles gedankenschnell – und dennoch nützte es ihr hier, im Angesicht der zahlreichen Feinde, überhaupt nichts.

Jetzt hob der erste Indianer die Arme und stieß einen lang gezogenen, gutturalen Schrei aus. Das schien das Angriffssignal zu sein. Wie ein Mann liefen alle Krieger auf sie zu.

Arlettes Gedanken rasten. Was konnte sie tun? Sollte sie kämpfen? Zusammen mit den Schwarzen? Nein, die Überlegung war lächerlich. Also Flucht? Ja, aber wohin? Die einzige freie Seite ging nach Süden, ja, nach Süden mussten sie fliehen!

Dort befanden sich auch die Hütten der Schwarzen und, noch weiter entfernt, Thomas' Wohnhaus. »Höre, Mbamo! Du und deine Leute, ihr lauft so schnell ihr könnt zu euren Behausungen. Ich glaube nicht, dass die Wilden es auf euch abgesehen haben, aber verrammelt auf jeden Fall die Türen! Und haltet eure schweren Hacken bereit. Gott sei mit euch!«

»Ja, Ladymissu, ja!« Mbamos Stimme war heiser vor Furcht.

»Ich reite zum Wohnhaus und alarmiere Master Thomas und die anderen. Der Allmächtige gebe, dass wir alle am Leben bleiben!«

Mit katzenhafter Kraft schwang sie sich in den Sattel und galoppierte davon.

Als nach kurzem, scharfem Ritt das Anwesen von Thomas Collincourt in ihr Blickfeld rückte, bot sich Arlette ein Bild voller Frieden. Nur ein Ziegenbock, der in der Nähe des Küchenschuppens angepflockt war, meckerte ein paar Mal. Keine Menschenseele war zu sehen. Doch da: Ein ihr unbekannter Schwarzer eilte über den Hof und schlüpfte durch die niedrige Haustür ins Innere des Gebäudes. Der Schwarze war von riesiger Gestalt, und als er verschwand, blitzte etwas in seiner Hand auf.

Seltsam!, schoss es ihr durch den Kopf, was hat der Kerl dort zu suchen? Doch sie war viel zu aufgeregt, als dass sie lange darüber hätte nachdenken können.

Kurz darauf stand sie selber vor dem Haus. Schon wollte sie die Tür aufstoßen, da meckerte der Ziegenbock erneut. Ein ungutes Gefühl beschlich sie. Was zögerst du?, fragte sie sich. Warum schreist du nicht um Hilfe? Stattdessen machte sie ihre Pistole schussbereit.

Sie holte tief Luft und öffnete die Tür. Drinnen im großen Raum, der dem Hausherrn als Wohn- und Schlafzimmer diente, war es sehr dunkel. Arlette blinzelte, während sie den schweren Eisenriegel vorschob. Thomas hatte wieder einmal die Fensterläden fest verschließen lassen, damit die Gluthitze keinen Einlass fand. Aber wo war Thomas? Er musste im Haus sein; es gab keine andere vernünftige Erklärung. Abermals blinzelte Arlette und blickte suchend in die Runde.

Dann sah sie ihn.

Er lag bäuchlings auf seinem großen Bett an der gegenüberliegenden Wand. Er war nackt, und sein Rücken war rot von

Blut. So rot wie das Messer, das der riesige Schwarze über ihm in der Hand hielt.

Arlette schrie auf.

Der Schwarze rief irgendetwas, das sie nicht verstand, und sprang zur Seite.

Beide musterten einander.

»Indianer«, sagte Arlette endlich und war sich augenblicklich der Unsinnigkeit dieser Warnung bewusst. Ihre Hand hob die Radschlosspistole. Der kalte Griff der Waffe hatte etwas Beruhigendes. Sie richtete den Lauf auf den Riesen. »Warum hast du den Massa umgebracht?«, fragte sie mit einer Stimme, die sie selbst nicht kannte. »Ich werde dich töten.«

Im Gesicht des Schwarzen, dessen Ausdruck eben noch wild entschlossen gewesen war, ging eine Verwandlung vor sich. Seine Augen quollen aus den Höhlen, und hastig trat er einen Schritt zurück.

»Ich werde dich töten«, wiederholte Arlette und spürte, dass sie niemals dazu in der Lage sein würde.

Der Riese wich einen weiteren Schritt zurück. Ohne recht zu wissen, was sie tun sollte, ging sie vor und trat auf der anderen Seite neben das Bett.

Plötzlich vernahm sie ein Schluchzen, das von unten zu ihr hinaufdrang und deshalb keineswegs von dem Schwarzen stammen konnte. Sie senkte den Blick und entdeckte ein Bein: das schwarze Bein einer Negerin, die begraben unter Thomas' schwerem Leib lag. Wieder das Schluchzen. Es war jenes Geräusch, das tagtäglich tausendfach auf dieser Welt zu hören ist und das jede Frau instinktiv erkennt: das Schluchzen einer vergewaltigten Frau.

Arlette war versucht, der Schwarzen zu helfen, aber sie wusste nicht, wie. Wenn sie die Leiche von der Frau heben wollte, würde sie dazu beide Hände brauchen, was bedeutete, dass sie die Pistole aus der Hand legen musste. Das kam auf keinen Fall in Frage. Unschlüssig verharrte sie.

Nachdem eine kleine Ewigkeit vergangen war, schien sich der Schwarze sicherer zu fühlen. Er trat einen Schritt heran und stieß abermals unverständliches Zeug aus.

»Bleib, wo du bist.« Arlette richtete ihre Waffe auf seinen Kopf. Der Riese sprang zurück.

»Ich beginne zu begreifen, warum du den Massa getötet hast. Wahrscheinlich ist die Schwarze deine Frau oder Freundin. Trotzdem wird man dich für diese Tat hängen.« Arlette wusste jetzt, was sie wollte. Sie bewegte sich rückwärts gehend zur Tür, wobei sie den Riesen nicht aus den Augen ließ. »Aber die Frau tut mir von Herzen Leid. Los, nimm den Massa von ihrem Körper herunter.«

Erst nachdem sie mehrmals eine erklärende Handbewegung gemacht hatte, nickte der Riese verstehend. Er packte Thomas bei den Schultern und drehte ihn um. Der willenlose Leib entglitt seinem Griff und sackte vom Bett. Arlette sah, dass Thomas' Penis noch immer halb aufgerichtet war. Ekel erfasste sie. Fort, nur fort von dieser Stätte des Grauens! Rasch wandte sie sich um – und zuckte am ganzen Körper zusammen.

Vor ihren Augen, krachend und alles zersplitternd, fraßen sich Kriegskeulen durch die Tür.

DER EXAMINATOR BANESTER

»Donnerwetter, schon so spät? Nun, ich muss gestehen, dass ich mich eines kleinen Hungergefühls nicht ganz erwehren kann.«

arvey Blossom war ein kleiner Mann mit einer Gesichtshaut, der man ansah, dass sie nicht häufig mit dem Tageslicht in Berührung kam. Seine Hände, mit denen er gestenreich zu reden pflegte, waren knochig, sein Gesicht faltig und sein Kopf nahezu kahl. Er zählte dreiundvierzig Jahre, und einen Großteil dieser Jahre hatte er als Hausdiener des Sehr Ehrenwerten John Banester verbracht – seines Zeichens Lizentiat von Oxford, Professor in London und Cirurgicus Ihrer Majestät Königin Elisabeth I. von England.

An diesem trüben Morgen, da wieder einmal Nebel die Ufer der Themse einhüllte, näherte sich Harvey vorsichtig der Tür zum Allerheiligsten seines Herrn. Er wusste, dass Banester zu unwirschem Gebaren neigte, wenn er in seinem Arbeitsraum gestört wurde, dies umso mehr, wenn er unpässlich war.

Der Diener klopfte und trat, ohne eine Antwort abzuwarten, ein. »Sir, ich darf Euch melden ...«, hob er an und brach augenblicklich wieder ab. Zu ungewöhnlich war der Anblick, der sich seinen Augen bot. In der Mitte des Raums, einem Felsblock gleich, saß Banester unter einem riesigen, ihn zur Gänze bedeckenden Tuch. Seine sich abzeichnenden Ellenbogen standen weit gespreizt auf dem Arbeitstisch vor ihm. Keine Bewegung verriet, ob Leben in dem Felsblock wohnte, doch einige mühsam schniefende Laute, die unter dem Tuch hervorklangen, sprachen dafür.

»Was gibt's, Harvey?«, krächzte eine Stimme, die klang, als würde ihrem Besitzer die Nase zugepresst. Banester schlug das Tuch zurück. Wabernde, aus einer Schüssel aufsteigende Inhalationsdämpfe wurden sichtbar. Sie umspielten ein verquollenes Gesicht, das an das Aussehen eines Ochsenfrosches erinnerte. Kein Zweifel: Der Professor war schwer erkältet.

»Sir, ich darf Euch melden, dass der Prüfling soeben eingetroffen ist. Er befindet sich bereits im Examiniersaal, wo auch die Herren des *Collegium medicum* schon auf Euch warten.« Der Diener deutete vage hinter sich, um anschließend mit einer dramatischen Geste fortzufahren: »Oh, Sir, bei meiner armen Seele! Wenn ich auch nur geahnt hätte, wie schlecht Euer Befinden heute Morgen ist, hätte ich ...«

»Schon gut, lass die Faxen.« Banester stand auf, wickelte sich mit einiger Anstrengung aus dem Tuch und schritt zur Tür. Er war, wenn nicht gerade eine Erkältung sein Gemüt belastete, ein Mann von freundlicher Wesensart. Er hatte einen klaren Verstand und kleine, scharf beobachtende Augen, in denen dann und wann ein guter Schuss Humor aufblitzte. Banester war erst Ende dreißig und hatte trotz seiner verhältnismäßig jungen Jahre schon eine Reihe beachtlicher Erfolge auf dem Gebiet der Cirurgia erzielt. Unter anderem als Dreiundzwanzigjähriger, als er in der englischen Flotte beim Angriff auf Le Havre diente.

In London, diesem Pfuhl der Klatschmäuler und Alleswisser, waren seine Taten seit Jahren in aller Munde, nicht nur bei der Admiralität und im Navy Office, sondern auch im St. Bartholomew's Hospital und anderen Krankenhäusern – eine Reputation, die letztlich sogar die Königin veranlasst hatte, sich seiner Künste zu versichern.

»Mein Befinden ist in der Tat schlecht, Harvey. Wir schreiben heute den 7. Oktober, und nicht weniger als 1577 Jahre sind seit unseres Heilands Geburt vergangen, doch noch immer hat es die medizinische Wissenschaft nicht verstanden, ein Mittel gegen etwas so Lächerliches wie den Schnupfen zu finden. Dennoch: Eine Absage des Prüfungstermins kommt nicht in Frage, zumal, wie du sagst, Clowes und Woodhall schon eingetroffen sind. Können's wohl kaum abwarten, die beiden, unsere Aspiranten zu zwiebeln.«

Banester hielt inne, um den ordnungsgemäßen Sitz seiner Kleidung zu überprüfen. Er war nicht eitel, doch legte er Wert auf ein gepflegtes Äußeres. An diesem Tag trug er, einer alten Gewohnheit zufolge, bauschige englische Seemannshosen, die kurz unter dem Knie endeten, dazu ein Hemd mit Spitzenkragen, Weste, Wams und Schnallenschuhe – alles gut sitzend und aus feinsten Materialien zugeschnitten. Und alles, bis auf das weiße Hemd mit Kragen, in glänzendem Schwarz.

Harveys Hände hoben sich, als wollten sie wogende Wellen glätten. »Oh, Sir, mit Verlaub: Wie ich bereits sagte, haben wir es heute Morgen nur mit einem einzigen Examinanden zu tun, sein Name ist, äh … Vitus, glaube ich. Den Nachnamen habe ich vergessen.«

»Richtig, jetzt fällt's mir wieder ein. Vitus von Campo … Camposowieso. Ich kann mir den Namen nicht merken. Der verdammte Katarrh raubt mir noch den Verstand.« Neben seiner unzweifelhaften Tüchtigkeit hatte der Professor eine weitere lobenswerte Eigenschaft: Er konnte Fehler und Schwächen eingestehen.

Er wandte sich um und schritt zu seinem Arbeitstisch zurück, auf dem neben der Inhalationsschüssel und Stapeln von Papieren ein in kunstvollen Frakturlettern abgefasster Brief lag. Das Schreiben war neun Wochen alt, es datierte vom 2. August, und sein Absender war ein Zisterzienserpater namens Thomas. Banester ergriff den Brief und überflog noch einmal seinen Inhalt. Nach mehreren Seiten, in denen der Absender, der ebenfalls Arzt war, ihn seiner Hochachtung versicherte, sowie ausführlichen Erläuterungen über das Kloster Campodios, welches sich im Nordspanischen befand, war Pater Thomas endlich auf das zu sprechen gekommen, um dessentwillen er den Brief offenbar geschrieben hatte:

… Ich erlaube mir, Sehr Ehrenwerter Professor, Euer Augenmerk auf einen jungen Mann zu lenken, den ich persönlich in der ärztlichen Kunst unterrichtet habe:
Vitus, so sein Name, wurde auf Campodios seit frühester Jugend in den Artes liberales unterwiesen, wobei er sich ein ums andere Mal auszuzeichnen wusste. Seine besondere Passion jedoch gilt einem Fach, welches gemeinhin nicht den Artes liberales zugeordnet wird: Es ist die Cirurgia. Hier war er mein vorzüglichster Schüler, der zu den größten Hoffnungen Anlass gab.
Doch hat es dem Allmächtigen in seinem unergründlichen Ratschluss gefallen, den Jüngling nach Abschluss des Studiums zweifeln zu lassen, was unter anderem dazu führte, dass er die Ordensgelübde nicht ablegte und stattdessen in die Welt hinauszog. Dieses trug sich im Jahre 1576 zu, und seitdem ist von ihm nur selten Kunde nach Campodios gedrungen. Dennoch weiß ich,

dass er so bald nicht wieder in den Schoß der Kirche zurückkeh-
ren wird, vielmehr sich sehnlichst wünscht, auch von weltlicher
Seite den Grad seiner ärztlichen Kunst bestätigen zu lassen.
Dies am liebsten als Schiffschirurg …

Banester ließ den Brief sinken und zog vernehmlich die Nase
hoch. Was glaubt das Jüngelchen eigentlich, wie es auf einem
englischen Schiff zugeht?, dachte er grimmig. Besonders,
wenn es eine Schlacht zu schlagen gilt? Da fließen Blut,
Schweiß und Tränen! Da wird geschrien, gelitten und gestorben! Und der Schiffschirurg ist immer mittendrin. Er schient,
renkt, kautert und amputiert! Alles Tätigkeiten, die ein bisschen anders sind, als den Furunkel an einem Mönchshintern
aufzustechen!
Sein Sinn für Gerechtigkeit meldete sich und sagte ihm, dass es
einem Gentleman nicht gut anstand, den Stab über einen Prüfling zu brechen, nur weil er aller Wahrscheinlichkeit nach ein
verweichlichter Klosterjüngling war. Der Bursche hatte sich
ordnungsgemäß zum Examen angemeldet, und eine Ausbildung hatte er auch, denn an den Worten seines Fürsprechers
war nicht zu zweifeln. Im Übrigen konnte er, Banester, froh
sein, dass es überhaupt Männer gab, die sich einem Examen
zum Schiffschirurgen stellten. Noch immer konnte sich jeder
hergelaufene Knochenflicker ungestraft Wundchirurg nennen,
was dazu führte, dass nach wie vor mit der Gesundheit der
englischen Seefahrer Schindluder getrieben wurde.
Ein anerkannter Abschluss musste endlich her, doch sein Ruf
nach offiziellem Studium und Examen war zwar gehört worden, aber, wie überall auf der Welt, im zähen Mahlstrom der
Behörden untergegangen. Nicht einmal die Tatsache, dass Ihre Majestät seinen Forderungen wohlwollend gegenüberstand,
hatte daran etwas ändern können.
Also hatte er selbst die Initiative ergriffen und zusammen mit
Clowes und Woodhall ein *Collegium medicum* gegründet, das
regelmäßig Prüfungen durchführte. Sie nannten das Ganze
Einschiffungsexamen – eine Prozedur, die in den weitläufigen
Räumen von Banesters Haus stattfand und, dank des hervorra-
genden Leumunds der drei Examinatoren, zumindest halboffi-
ziellen Charakter erlangt hatte. Dass ihr Bemühen sich mittler-

weile bis nach Spanien herumgesprochen hatte, gab Banester neuen Schwung.

»Wirst du ein paar Kerle von den Kais auftreiben können, Harvey?«, fragte er und begab sich erneut zur Tür. »Du weißt schon, wozu wir sie brauchen.«

»Aber natürlich, Sir, das wird mir gelingen!« Der Diener klatschte theatralisch in die Hände. »Ich werde sie über Mittag beschaffen. Falls Ihr sie erst später am Nachmittag braucht, sperre ich sie solange in die Abstellkammer!«

»Schön, heute Vormittag magst du der Prüfung folgen. Aber stumm wie ein Fisch, wenn ich bitten darf. Und wehe, du machst Faxen!«

»Guten Morgen, Gentlemen!« Banester betrat, Harvey im Gefolge, gemessenen Schrittes den Examiniersaal, einen schmucklosen Raum, der fünfundzwanzig mal dreißig Fuß im Geviert maß und auf der Südseite drei hohe, zur Themse hinausgehende Fenster aufwies. An der hinteren Wand standen zwei lange Bänke, auf die man Gegenstände von unterschiedlichster Größe und Beschaffenheit gelegt hatte. Die Gegenstände waren nicht genau zu erkennen, denn große Stoffbahnen deckten sie ab.

Der Hausherr nickte den Anwesenden zu. Wie angekündigt saßen da bereits Clowes und Woodhall, seine beiden Co-Examinatoren. Sie wirkten noch etwas schläfrig zu dieser Stunde und nickten deshalb nur kurz zurück. Man kannte sich. Einige Schritte entfernt saß der Prüfling Vitus von Campodios.

Der Mann, das fiel sofort ins Auge, entsprach in seinem Äußeren keineswegs dem Vorstellungsbild eines Klosterbruders. Banester, der schwammige Gesichtszüge und einen von reichlicher Speise gerundeten Leib erwartet hatte, runzelte überrascht die Stirn. Der Bursche war von fester Statur mit gut proportionierten Gliedmaßen. Er hatte blonde Locken, eine gerade Nase und einen ausdrucksstarken Mund. In der Mitte des Kinns saß ein Grübchen, das gewissermaßen den Abschlusspunkt unter den klaren Gesichtslinien bildete.

Auch seine Kleidung durfte als bemerkenswert bezeichnet werden. Zwar fiel sie nicht aus dem Rahmen, denn eine gepolsterte Oberschenkelhose und ein gut sitzendes ausgestopftes Wams waren auf Londons Straßen nichts Ungewöhnliches, doch war sie aus kostbaren Tuchen hergestellt. Banester hatte ein Auge für so etwas.

Zu seiner Verwunderung wurde sein Blick ganz offen erwidert. Im Gegensatz zu den meisten Prüflingen, die ängstlich und aufgeregt waren und den direkten Blickkontakt mieden, musterte dieser Examinand ihn genauso sorgfältig. Wobei weder Anmaßung noch fehlender Takt in seinen grauen Augen lag, lediglich eine gute Portion Neugier.

Banester fühlte sich bemüßigt, etwas zu sagen. »Nun, Sir«, sprach er mit voller Nase, »ich nehme an, Ihr seid Vitus von Campodios.«

»So ist es, Professor. Ich freue mich, Eure Bekanntschaft zu machen.« Der Mann sprang auf und verbeugte sich höflich. »Den beiden anderen Herren habe ich mich bereits vorgestellt.«

»Sehr schön. Ihr habt Euch also entschlossen, vor diesem Prüfungsausschuss das Einschiffungsexamen abzulegen – warum?« Banester nahm ächzend zwischen Clowes und Woodhall Platz. Ein schwerer Eichentisch, auf dem ein Totenschädel mit kreisrunden Trepanationslöchern lag, trennte ihn jetzt von dem Examinanden.

»Nun, wenn Ihr gestattet, Professor, hole ich dazu etwas aus: Noch vor gar nicht langer Zeit, innerhalb der Klostermauern, galt meine ärztliche Kunst ganz selbstverständlich als gutes, gottgefälliges Werk – heute jedoch, außerhalb der Mauern, wird sie häufig schief angesehen. Man misstraut meiner Arbeit, ja, man beschimpft mich mitunter sogar. Warum ist das so? habe ich mich immer wieder gefragt und endlich die Ursache erkannt: Mir fehlt ein Titel, Sir, denn ohne Titel gilt niemand etwas in diesem Land. Einen Medicus, als welchen ich mich dem Wissen nach verstehe, darf ich mich nicht nennen, und alle anderen Titel kommen für mich nicht in Frage, denn als Bader, Feldscher, Schneidarzt, Bruchschneider, Wundstecher, Zahnbrecher oder sonst wie kann sich jedermann bezeichnen, ohne eine Ausbildung nachweisen zu müssen. Etwas Schriftliches in der Hand zu haben, das ist es, worauf es meiner Meinung nach ankommt.«

»Sehr wahr«, meldete sich William Clowes zu Wort. Er war ein kleiner, unscheinbarer Mann mit Halbglatze und schmalen

Schultern. Dass er einer der besten Militärchirurgen und Anatomen Englands war, sah ihm niemand auf den ersten Blick an. »Doch wenn Ihr Euch als Medicus versteht, solltet Ihr wissen, dass die Kunst eines solchen mehr darin zu sehen ist, den menschlichen Corpus in seiner Gesamtheit zu erkennen: das Funktionieren der Organe beispielsweise, ihre Verflechtung miteinander und ihr Zusammenwirken mit den Adersträngen, der Muskulatur, den Nerven et cetera, et cetera – der Cirurgicus indessen ist eher für das Grobe, das Äußere zuständig. Bei ihm fallen Dinge wie Diagnose, Therapie und Indikation kaum ins Gewicht, von den Geheimnissen der Vier-Säfte-Lehre oder der Harnschau gar nicht zu reden … Nun, all das sind Gründe, warum ein Medicus an der Universität aus der *Anatomie* des Galenos zwar liest, aber keinesfalls die entsprechenden Schnitte am Körper des Leichnams vornimmt. Diese Arbeit überlässt er seinem Gehilfen, dem Prosektor. Oder dem Cirurgicus.«

»Das ist mir bekannt, Sir«, antwortete der Examinand respektvoll. »Ich darf wohl behaupten, dass ich in Theorie und Praxis gleichermaßen bewandert bin. Mein Herz jedoch schlägt für die Praxis. Ich operiere lieber eine Hasenscharte, als dass ich eine lange Vorlesung halte, doch gebe ich zu: Beides hat seine Berechtigung.«

»Wenn ich Euch recht verstehe«, bemerkte nun Woodhall scheinbar nebenbei, »habt Ihr das Wissen eines Medicus, wollt aber lieber mit Blut und Eisen arbeiten. Heißt das nicht Perlen vor die Säue werfen?«

Das war eine kleine, wohl überlegte Provokation.

Sie war Teil des Examens und typisch für Woodhall. Dem sechs Fuß langen, mit seinen hängenden Armen an eine Trauerweide erinnernden Arzt machte es diebische Freude, derartige Pfeile abzuschießen. Doch hatte das Ganze auch einen konkreten Hintergrund, denn die Gentlemen wollten wissen, wie leicht ihre Prüflinge aus der Fassung zu bringen waren. Brausten sie auf oder wurden sie gar laut, war das kein gutes Zeichen, sondern ein Indiz dafür, dass sie sich auch bei anderer Gelegenheit nicht unter Kontrolle haben würden – zum Beispiel bei einem chirurgischen Eingriff. Man durfte gespannt sein, wie dieser Vitus von Campodios reagieren würde. Banester und Clowes beugten sich neugierig vor.

»Keineswegs, Sir.« Die grauen Augen des Examinanden blitzten, während sein Mund lächelte. »Wie ich bereits sagte, ist mir das Praktizieren lieber als das Theoretisieren. Wobei ich der Meinung bin, dass ohne Theorie keine praktische Arbeit möglich ist – und umgekehrt. Beides ist gleich wichtig einzuschätzen. Wenn also der Medicus seinen Prosektor ob dessen Arbeit geringer achtet, ist er in meinen Augen selber gering zu achten. Oder, um es mit dem großen Doctorus Paracelsus zu sagen: ›Wo er nit ein Chirurgus darzu ist, so steht er do wie ein Ölgöz, der nichts ist als ein gemalter Aff.‹«

»Hört, hört!«, entfuhr es Banester. Der Prüfling hatte nicht nur den Pfeil abgewehrt, sondern es gleichzeitig verstanden, einen eigenen in Richtung Woodhall abzuschießen. Gerade so, als hätte er geahnt, dass der lange, dürre Mann derjenige unter ihnen war, der sich am ehesten etwas auf seinen Status einbildete.

»Es gibt noch einen weiteren Grund, warum ich ein examinierter Schiffschirurg werden möchte«, fuhr der blonde Mann freundlich fort, »es ist der Wunsch meines Großonkels, denn wir kommen aus einer Seefahrerfamilie.«

»Und wie heißt Euer Großonkel, wenn man fragen darf?« Woodhalls Stimme klang säuerlich; er hatte sich noch nicht von dem Treffer erholt.

»Lord Collincourt, Sir. Wir leben zusammen auf Greenvale Castle, einem kleinen Schloss an der Kanalküste.«

»Lord Collincourt? Das ist nicht Euer Ernst!«, platzte Clowes heraus. »Seine Lordschaft habe ich persönlich vor ein paar Jahren von den Qualen eines *ulcus* befreit … äh, nebenbei, Herr Prüfling: Ihr wisst doch, was ein *ulcus* ist?«

»Ja, Sir, ein Magengeschwür.«

»Wenn der Herr Prüfling mit Lord Collincourt verwandt ist, wird er wahrscheinlich ebenfalls Collincourt heißen – und nicht ›von Campodios‹. Sehe ich das richtig?« Woodhall blickte fragend in die Runde. Man hörte ihm an, dass er langsam wieder Oberwasser bekam. Dann wandte er sich direkt an den Examinanden: »Warum habt Ihr Euch für diese Prüfung unter dem Namen Vitus von Campodios angemeldet, wenn Ihr in Wahrheit anders heißt?«

»Nun, Sir«, der Prüfling zögerte kurz, »wie Ihr wisst, wuchs ich im Kloster Campodios auf. Ich war als Findelkind anno 1556 von dem alten Abt Hardinus, dessen Seele der Allmächtige gnädig sein möge, vor dem Haupttor gefunden worden. So wuchs ich unter Mönchen auf, betete, lernte, studierte viel, und die Kirche war Vater und Mutter zugleich für mich. Doch als ich zwanzig Jahre zählte und immer sicherer wurde, dass ich kein Mönch werden wollte, machte ich mich auf, meine Herkunft zu ergründen. Auf einer langen, gefahrvollen Reise, deren Einzelheiten zu erzählen hier zu weit führen würde, fand ich heraus, dass ich ein Collincourt bin. Es muss so sein. Denn alles, was dafür spricht, habe ich Punkt für Punkt zusammengetragen. Und dennoch fehlt mir das letzte Beweisstück in der Kette, eine Winzigkeit, die weder mich noch Seine Lordschaft stört, aber letztlich der Grund dafür ist, warum ich nicht offiziell den Namen Collincourt führe.«

»Und was ist das für eine Winzigkeit?«, bohrte Woodhall nach, doch Banester, der endlich mit der Prüfung beginnen wollte, unterbrach:

»Lasst es gut sein, Woodhall. Wir wollen nicht die Namen dieses jungen Mannes erforschen, sondern sein medizinisches Wissen. Er heißt Vitus von Campodios, so viel ist sicher, schließlich habe ich den Brief von diesem Pater Thomas aus dem Kloster. Alles andere soll uns hier nicht interessieren. Fangen wir an.«

Banester schnaufte, zog ein großes Schnupftuch hervor und schnäuzte sich geräuschvoll. Dann, das Tuch wieder wegsteckend, hob er an: »Nun, Vitus von Campodios, lasst mich Euch zunächst erklären, wie das Ganze abläuft. Wir werden Euch viele Fragen stellen: Fragen zur Medizin im Allgemeinen und zur Cirurgia und ihren Instrumenten im Besonderen, ferner zum menschlichen Körper und seinen Funktionen und nicht zuletzt zur Kräuterheilkunde und ihrer praktischen Anwendung. Doch wird das Collegium seine Fragen nicht immer in Komplexen stellen, sondern mitunter auch bunt durcheinander, ganz wie es ihm beliebt. So wollen wir gleichzeitig Eure Geistesgegenwart prüfen – eine Eigenschaft, die dem Schiffschirurgen in vielerlei Hinsicht zugute kommt. Wohlan, zu Beginn eine aktuelle Frage: Sicher habt Ihr gehört, dass der *Morbus gallicus*, jene Plage aus Neu-Spanien, die auch als Lues oder Syphilis bekannt ist, immer weiter um sich greift. Was wisst Ihr über sie, und wie bekämpft Ihr sie?«

Der Prüfling schien etwas überrumpelt, fing sich aber rasch. »Nun, Professor, die Syphilis ist eine tückische Krankheit, die den Patienten über viele Jahre hinweg quälen kann. Man sagt, sie werde durch die, äh … Fleischeslust übertragen und begänne sich zuerst in Form eines scharfrandigen dunkelroten, feuchten Geschwürs am Geschlechtsteil zu zeigen, doch sind diese Erkenntnisse keineswegs unumstritten. Fest steht, dass der *Morbus gallicus* nach mehreren Jahren zu nässenden, juckenden Pusteln am ganzen Körper führt und später zu Verblödung, Lähmung und Tod.«

»Gut.« Banester klang knapp. »Soweit zu den Symptomen. Nun zur Therapie: Welche Maßnahmen könnt Ihr ergreifen, um das Leben des Patienten zu retten?«

»Nur wenige, und diese wenigen helfen kaum, denn die Syphilis ist praktisch unheilbar. Und wenn sie von Fall zu Fall doch kuriert werden kann, dann nur unter Inkaufnahme anderer Krankheiten. In concreto: Ich verordne Quecksilberschmierungen. Dabei wird der Patient am ganzen Körper mit Quecksilbersalbe eingerieben, eine Prozedur, die über kurz dazu führt, dass schwärende Wunden in Rachen und Gaumen entstehen, zudem bilden sich Geschwüre an den Lippen, und die Zähne fallen sämtlich aus. Von den wenigen Patienten, die auf diese Weise geheilt werden, stirbt jeder vorher tausend Tode.«

Woodhall mischte sich ein: »Wie viele Syphiliskranke habt Ihr schon behandelt, Herr Prüfling?«

»Keinen, Sir.«

»Keinen?« Woodhall schnaubte misstrauisch. »Und woher habt Ihr dann Euer Wissen?«

»Aus einem Werk namens *De morbis hominorum et gradibus ad sanationem.* Es ist ein Buch, das die wichtigsten Erkenntnisse aller großen Ärzte der Vergangenheit und der Gegenwart zusammenfasst. Pater Thomas ist der Herausgeber, doch muss ich hinzufügen, dass er selbst ebenfalls eine Reihe hervorragender Heilvorschläge beigesteuert hat. Im Falle der Syphilis sind es Abkochungen vom Guajakholz sowie die Verordnung der Salsaparriwurzel.«

»Ein interessanter Therapieansatz«, nickte Clowes beifällig. »Es wäre reizvoll, sich mit dem Pater darüber auszutauschen. Doch zurück zu Euch. Ihr habt die Quecksilberkur trefflich beschrieben. Dem, so denke ich, ist nichts hinzuzufügen. Lasst uns deshalb zu etwas kommen, bei dem wir Ärzte mehr ausrichten können.« Er wandte sich um und blickte auf die Wand in seinem Rücken. »Seht Ihr diese große Bildtafel, Herr Prüfling?«

»Jawohl, Sir.«

»Dann sagt mir, worum es sich dabei handelt.«

»Gern, Sir. Die Tafel zeigt einen so genannten Wundenmann – eine Figur zur Demonstration verschiedener durch Waffengewalt verursachter Verletzungen.«

»Richtig erkannt. Es ist eine Abbildung, die der berühmte Anatom und Cirurgicus Hanns von Gersdorff für sein Werk *Feldtbuch der Wundartzney* anfertigen ließ. Ein Werk von anno 1517, sehr beachtlich, auch wenn es seinerzeit nur auf Deutsch erschien.« Clowes erhob sich und trat an die Bildtafel heran. Sie zeigte die Strichzeichnung eines Mannes, der nackt bis auf einen kleinen Schurz dastand. In seinen Gliedmaßen steckten die unterschiedlichsten Waffen. »Ich weise auf die Verletzung hin, und Ihr, Vitus von Campodios, sagt mir, ob sie, normalen Heilverlauf vorausgesetzt, *curabilis* oder *incurabilis* ist. Ich nehme an, Ihr wisst, was diese Ausdrücke bedeuten?«

»Selbstverständlich, Sir. Zu den Fächern, die jeder Klosterschüler erlernen muss, gehört auch die lateinische Sprache. *Curabilis* bedeutet heilbar, *incurabilis* unheilbar.«

»Hm. Nun gut.« Clowes wurde sich bewusst, wie überflüssig seine Frage gewesen war. Dennoch: Es gab viele Examinanden, die ihren Caesar nicht gelesen hatten und sich in der Sprache der Wissenschaft nicht ausdrücken konnten. Dass manche trotzdem das Examen bestanden hatten, stand auf einem anderen Blatt. Clowes wies auf den Oberschenkel des Wundenmannes, in dem ein Pfeil mit eiserner Spitze steckte. »Was haltet Ihr von dieser Verletzung, Herr Prüfling?«

»*Curabilis*. Rechtzeitige und fachmännische Behandlung vorausgesetzt, um dem Gangrän vorzubeugen.«

»Recte!« Clowes registrierte zufrieden, dass der Examinand die Hauptgefahr bei dieser Art Verletzung, den Wundbrand, unaufgefordert erwähnt hatte. »Und was sagt Ihr zu diesem Oberarm, der von einer Keule getroffen wird?«

»*Curabilis*. Stumpfe Schlagwaffen erzeugen meistens einfache Frakturen. Der Oberarmknochen dürfte sauber zusammenheilen, vorausgesetzt, eine ordentliche Bruchlade kommt zur Anwendung.«

»Ihr könnt mit einer Bruchlade umgehen?«

»Jawohl, Sir.«

»Was unternehmt Ihr, wenn Ihr nur eine Lade habt, aber zwei Brüche versorgen müsst?«

»Ich gehe nacheinander vor. Erst versorge ich den leichteren Bruch, ziehe mit der Lade die Knochen wieder in ihre Position, schiene sie und lege einen festen Verband an. Dann setze ich die Lade beim zweiten Bruch ein.«

»Warum kümmert Ihr Euch zuerst um die leichtere Fraktur? Wäre es umgekehrt nicht besser?«

»Pragmatische Gründe, Sir. Bei einem schweren Bruch kann das Armstrecken und Einpassen der Knochen langwierig sein. Kümmere ich mich aber zunächst um den leichteren Bruch, habe ich die erste Behandlung schon geschafft. Außerdem mag sich der Verletzte mit dem schwereren Bruch dadurch ermutigt fühlen.«

»Hm. Zurück zum Wundenmann: Dieser Dolch steckt tief in seiner Brust, was sagt Ihr dazu?«

Der Prüfling zögerte. »Wenn Ihr gestattet, schaue ich mir die Abbildung aus der Nähe an.« Er trat an die Tafel und studierte eingehend den Sitz der Wunde. »*Incurabilis*. Der Dolch sitzt so, dass die Lunge mit Sicherheit getroffen ist. Wahrscheinlich auch die eine oder andere Ader. Der Verletzte verblutet innerlich, oder aber er erstickt.«

»Dieser Armbrustpfeil im Hals?«

»Nun, der Pfeil steckt etwas seitlich. Vielleicht *curabilis*, sofern nicht der Kehlkopf oder Hauptadern getroffen sind. Da dies aber selten der Fall ist, wohl *incurabilis*.«

»Die durch den Morgenstern eingedrückten Rippen?« Clowes fragte jetzt immer schneller.

»*Curabilis*. Ein Streckverband und einige Wochen Ruhe genügen in der Regel.«

»Das Handgelenk, das von diesem Schlachtmesser nahezu durchtrennt wurde?«

»Die Hand ist nicht zu retten, wohl aber der Mann. Deshalb: *curabilis*.«

»Was tut Ihr im Einzelnen?«

»Ich trenne mit dem Skalpell die Hand ganz ab, dabei lasse ich …«

»Halt! Habt Ihr nicht etwas vergessen?«

»Äh … wie meint Ihr?« Der Prüfling war für einen Augenblick verwirrt. Dann fasste er sich. »Natürlich! Ich binde dem Verletzten als Erstes den Arm ab, damit der Blutfluss unterbrochen wird.«

»Und dann?

»Dann trenne ich mit dem Skalpell die Hand ganz ab, wobei ich einen Hautlappen überstehen lasse …«

»Wozu?«

»Damit ich die Wunde später besser vernähen kann. Vorher jedoch brenne ich die blutführenden Gefäße aus.«

»Womit macht Ihr das?«

»Mit dem Kauter.«

»Gut. Wenn Ihr die Wunde kauterisiert und vernäht habt, was macht Ihr dann?«

»Ich trage eine Honigsalbe auf und verbinde sie. Anschließend lege ich den Arm in eine Schlinge, um ihn ruhig zu stellen.«

»Ist das alles?«

»Ja.«

»Nein. Ihr habt vergessen, dass der Arm noch immer abgebunden ist.«

»Verzeihung, äh … Selbstverständlich habe ich den Abbinderiemen vorher gelöst.«

»In der Cirurgia, mein Bester, ist nichts selbstverständlich.« Der Prüfling schluckte. »Jawohl, Sir.«

»Welche Vorteile bietet ein Verband?«

»Ein Verband?«

»Ihr habt recht gehört, ein Verband.«

»Nun, Sir«, in den Gesichtszügen des Mannes arbeitete es, doch er brauchte nicht lange, um sich zu besinnen, »ein Verband schützt die Wunde vor äußeren Einflüssen, zum Beispiel vor Staub und Ausdünstungen, ferner saugt er die Wundausscheidungen auf und hält Salben oder sonstige Auflagen an ihrem Ort.«

»Ist das alles?«

»Nein, Sir, zu den Aufgaben des Verbands gehören außerdem

das Ausüben von Druck oder Zug auf das kranke Glied und das Ruhigstellen beweglicher Teile.«

»Recte.« Clowes zeigte sich zufrieden. »Wenden wir uns wieder dem Wundenmann zu: Sein linkes Auge wird durch glühendes Eisen geblendet. *Curabilis?*«

»Das Auge leider nicht, Sir. Doch denke ich, dass die Wunde geheilt werden kann. Ich empfehle eine Behandlung mit abgekochtem Leinsamen.«

»Warum Leinsamen? Warum nicht einfach ein gutes Unguentum?«

»Eine Salbe nimmt der Wunde nicht genug Hitze.«

»Wieso?«

»Nun, Sir, die Hitze durch Feuer ist immer eine besondere: Sie ist besonders stark und besonders wild. Nach der Vier-Säfte-Lehre des Galenos bekämpft man sie am besten durch einen Stoff, der gegensätzlich wirkt – in diesem Fall durch den Lein, denn Lein ist warm und sanft. Man kocht Leinsamen in Wasser und durchtränkt mit der so gewonnenen Flüssigkeit ein Tuch. Das Tuch legt man auf die Wunde, dann wird der Lein sämtliche Giftstoffe herausziehen und dafür sorgen, dass die Hitze entweicht.«

»Recte.« Clowes war nicht unbeeindruckt.

»Wohl gesprochen.« Auch Banester blickte zufrieden. Er hatte seinen massigen Leib hochgewuchtet und war neben den Prüfling getreten. »Und weil das so ist, will ich Euch aus den Fängen von Clowes erretten. Folgt mir.« Der schwere Mann schritt zum anderen Ende des Saals, wo die Bänke mit den verhüllten Gerätschaften standen. »Harvey! Komm her!«

Der Hausdiener, der bislang still in einer Ecke gesessen hatte, wieselte heran und hielt sich die Hand hinters Ohr. »Ich höre, Professor?«

Banester wies auf die linke Bank. »Nimm die Stoffbahn herunter, aber vorsichtig.«

Harvey tat wie ihm geheißen. Metall blitzte auf. Eine Fülle prächtiger medizinischer Instrumente wurde sichtbar.

Der Prüfling staunte.

»Nicht wahr, das ist ein hübsches Sortiment!«, schnaufte Banester. »Ich möchte sehen, ob … ob …« Er hielt inne. Seine Nase kräuselte sich, seine Oberlippe zitterte, und in seine Augen traten Tränen. »… ob … haaatschschschä!«

»Gesundheit!«, lächelte der Examinand, während Banester sich abwandte und in höchster Not sein Schnupftuch hervornestelte.

»Er möchte sehen, ob Ihr wisst, was da im Einzelnen vor Euch liegt«, ergänzte Clowes, der mit Woodhall gefolgt war.

»Sie sind wunderschön.« Fast andächtig wanderten die Augen des Prüflings über die blitzenden Geräte. »Es geht nichts über gutes Werkzeug.«

»Nicht wahr!« Banester, der sich ausgiebig geschnäuzt hatte, wischte sich abschließend die Nase. »Doch bevor Ihr ins Schwärmen geratet, werdet Ihr mir sagen, wie dieses Instrument heißt.« Er griff nach einem Gerät, das an einem Ende in ein längliches, zungenförmiges Blatt mündete. »Was ist das?« Der Prüfling zögerte nicht einen Augenblick. »Ein Spatel, Sir. Man kann ihn für vielerlei verwenden. Der Form nach eignet dieser sich am besten, um die Zunge herunterzudrücken, damit der Blick in Gaumen und Rachen frei wird.« Er wies hinüber zur Bank. »Ich sehe, Ihr habt eine ganze Reihe davon. Spatel werden in erster Linie zum Herunter- und Auseinanderdrücken verwendet, man kann mit ihnen aber auch Arzneien verrühren oder verreiben, ja, sogar zum Kauterisieren eignen sie sich.«

»Fürwahr, Ihr lasst mir kaum Gelegenheit zu fragen, wenn Ihr die Antworten stets vorwegnehmt«, knurrte Banester. Doch insgeheim gefiel ihm die Art, wie der Mann sich für die Instrumente begeisterte. Wer sein Werkzeug liebte, ging auch gern und geschickt damit um. »In der Tat sind es eine ganze Menge Spatel. Aber wie Ihr seht, sind auch andere Instrumente reichhaltig vertreten.«

Nacheinander hielt er Sonden, Skalpelle, Nadeln, Sägen, Knochenmeißel, Wundhaken, Zangen, Lanzetten, Trepane und viele andere Werkzeuge hoch, und jedes Mal wusste der Prüfling nicht nur ihre Bezeichnung, sondern kannte auch genau ihre Beschaffenheit und Einsatzmöglichkeiten.

Endlich nahm der Examinator ein besonders merkwürdiges Werkzeug auf. Es hatte drei eiserne, abgerundete Stäbe, die so dicht beieinander standen, als würden Daumen, Zeige- und Mittelfinger zusammengepresst. An einem der Finger befand sich, rechtwinklig abgehend, ein Gewinde. Die beiden anderen waren durch Schenkel mit dem Gewinde verbunden. »Wisst Ihr, was das ist?«

»Jawohl, Sir.« Der Prüfling nahm das Instrument und deutete auf die drei Finger. »Diese Konstruktion nennt man *priapiscus*. Einer der Finger kann über das Gewinde zurückgeschraubt werden, wobei sich die beiden anderen mittels der Schenkel automatisch auseinander bewegen. Das Ganze ist ein Spreizapparat und nennt sich Speculum.«

»Sehr schön. Wo kommt das Speculum zum Einsatz?«

»Im Anus und in der Vagina. Es gibt verschiedene Größen, meistens besteht der *priapiscus* aus zwei oder drei Fingern, manchmal aber auch aus vier. Immer jedoch ist die Spreizstellung zu fixieren, damit der Cirurgicus in Ruhe arbeiten kann.«

»Das vierfingrige Speculum ist das stärkste. Wisst Ihr, wobei es häufig Verwendung findet?«

»Äh … offen gesagt, nein, Sir.«

»Bei der Geburt. Habt Ihr schon einmal einer Frau in ihrer schwersten Stunde geholfen?«

»Nein, Sir.«

»Nein? Nun …«

»Nun, lieber Banester, das dürfte bei einem Schiffschirurgen kaum ins Gewicht fallen«, schaltete Clowes sich unerwartet ein. Er hatte sich in den letzten Minuten zunehmend gelangweilt und wollte nun für Abwechslung sorgen. »Es gibt keine weiblichen Matrosen, und die wenigsten Männer sind jemals niedergekommen. Schon gar nicht auf See!« Er kicherte über seinen eigenen Witz.

»Wie meint Ihr?« Banester verstand im ersten Augenblick nicht. Dann lachte auch er. »Männer, die auf See niederkommen! Abstruser Gedanke, hahaha!«

Woodhall grinste mühsam.

»Nun kommt schon, Woodhall!« Banester knuffte dem langen Mann in die Seite. »Das ist doch komisch, oder?«

»Gewiss, Banester, gewiss. Doch würde auch ich noch gern ein paar Fragen stellen. Wisst Ihr, was eine *Spongia somnifera* ist, Herr Prüfling?«

»Jawohl, Sir. Ein Schlafschwamm.«

»So ist es.« Woodhall lebte auf. Die Kräuterkunde, und hier insbesondere die betäubenden und schmerzstillenden Mittel, war eines seiner Steckenpferde. Er wollte gerade zu einer eingehenden Befragung ansetzen, da klopfte es an der großen Flügeltür des Saals. Ein junger Bursche, der Kleidung nach ein Küchengehilfe, trat ein und verbeugte sich scheu in Richtung Banester:

»Ich soll von der Köchin sagen, dass in Kürze ein Mittagsmahl bereitsteht, Sir.« Nach einer abermaligen Verbeugung verschwand er hastig.

»Donnerwetter, schon so spät? Nun, ich muss gestehen, dass ich mich eines leisen Hungergefühls nicht ganz erwehren kann.« Der Hausherr strich sich über seinen ausladenden Leib. »Clowes und Woodhall, bitte folgt mir in mein Speisezimmer, ein herzhaftes Mahl wird uns gut tun.« Im Hinausgehen wandte er sich noch einmal dem Examinanden zu. »Vitus von Campodios, bitte entschuldigt uns, solange wir zu Tisch sind. Ich rate Euch, ebenfalls etwas zu essen, vielleicht in einem der Wirtshäuser hier in der Nähe. Dann habt Ihr die rechte Grundlage für den zweiten Teil des Examens. Seid so freundlich und findet Euch gegen drei Uhr am Nachmittag wieder hier ein.«

»Jawohl, Sir, ich ...« Der Prüfling verstummte, wollte noch etwas sagen, unterließ es dann aber. Stattdessen verbeugte er sich höflich. »Dann empfehle ich mich.«

»Ja, tut das.« Banester war in Gedanken schon bei Pastete und Braten.

»Du wirst den Hund nicht kämpfen lassen!«, befahl der kleine, drahtige Mann mit überraschend tiefer Stimme. In seinem Auftreten lag eine Sicherheit, wie sie bei Männern seiner Größe selten war.

»Wer sagt das?« Der Angesprochene reckte sein Kinn. Er war ein grobschlächtiger Kerl mit dem roten Gesicht eines Säufers. Ein Schläger, mit dem man sich besser nicht anlegte, denn er hatte Fäuste, die aussahen, als könnten sie Eisen verbiegen. Die eine hielt einen Kampfhund, ein großes, stumpf dreinblickendes Tier, das ein kehliges Knurren vernehmen ließ. Die andere schoss jetzt vor und wollte den kleinen Mann packen, doch plötzlich trat ein weiterer, noch kleinerer Mann dazwischen:

»Nich so rapid, Tierschächter! Willst gneißen, wer dir die Abkoche vermasselt? So will ich's dir stecken: 's is der berühmte Ramiro García, Magister der Rechte aus La Coruña im Spanischen – studiert, gelehrt und hochverehrt!«

»Wa-was?« Dem Grobschlächtigen, der nicht gerade das Pulver erfunden hatte, fiel die Kinnlade herab. Der Winzling vor ihm war nicht nur zwergenklein, er hatte auch einen fassähnlichen Buckel. Dazu rötliche Haarbüschel auf dem Kopf, die in seltsamem Gegensatz zu seinem himmelblauen Rock standen. Der Mund, der so befremdliche, rotwelsche Worte formte, glich dem eines Fischleins.

»Halt's Maul!«, sagte der Grobschlächtige endlich, denn derlei pflegte er bei solchen Anlässen immer zu sagen.

»Schränk die Labbe! Halt's selber, Protzpup!«, fistelte das Fischmündchen zurück.

Abermals fehlten dem Grobschlächtigen die Worte. Mit der Scheu, die viele Menschen angesichts verkrüppelter, verwachsener oder monströser Leiber befällt, trat er einen halben Schritt zurück. Der Winzling hüpfte vor, griff zum Halsband des Kampfhundes und nahm ihn beiseite. Zur Verblüffung der Neugierigen, die sich mittlerweile um die Streitenden geschart hatten, ließ der Hund sich dies wie selbstverständlich gefallen. Ja, man hatte sogar den Eindruck, dass er dem Zwerglein freudig folgte.

»Mach Sitz!«, befahl der Bucklige, und wiederum staunten die Leute, denn der Hund gehorchte aufs Wort. Er setzte sich und gähnte gelangweilt, so, als ginge ihn das alles nichts mehr an. Dann beugte er den Kopf und leckte sich ausgiebig den Brust- und Bauchbereich, wo große, kaum verheilte Bisswunden erkennbar waren.

»Am besten, mein Freund, du gehst deiner Wege«, sprach jetzt wieder der kleine, als Magister García vorgestellte Mann. »Ich kenne mich im Londoner Gesetzeswald nicht gut aus, aber ich bin sicher, dass die hiesigen Stadtväter nicht viel für Hundekämpfe übrig haben.« Er wies auf eine Grube, die in einiger Entfernung ausgehoben worden war und in der die Kämpfe stattfinden sollten. Sie lag am Ende der schlammigen Gasse, unweit der Themse, und war halb verdeckt von einigen baufälligen Hütten. Der faulige Gestank des Flusses wehte herüber.

Langsam fand der Grobschlächtige seine Sprache wieder. »Ich schlag dir die Fresse grün und blau«, drohte er, während er in seine Pranken spuckte.

»Eben deswegen, mein Freund.«

»Hä?«

»Eben deswegen, mein Freund, dürften deine Stadtväter etwas gegen Hundekämpfe haben: Weil sie immer zu Schlägereien führen.«

Einige der Umstehenden lachten. Die Sache begann spannend zu werden. Nichts ging über eine deftige Rauferei. Rufe wurden laut:

»He, Pigger, in die Hände spucken kann jeder, wo bleibt deine gefürchtete Rechte?«

»Er hat Angst vor dem Paragraphenreiter, hahaha!«

»Uuuh, gleich macht er sich in die Hose!«

»Seht nur, Leute, der Hund neben dem Zwerg – lammfromm! Und damit wollte Pigger einen Kampf gewinnen!«

Der grobschlächtige Pigger lief purpurrot an. Es durfte nicht sein, dass er zum Gespött der Leute wurde! Daran war nur dieser aufgeblasene Rechtsverdreher schuld! Der blöde Fatzke trug ein Gestell auf der Nase, wie man es jetzt manchmal in London sah. Es sollte die Sehkraft stärken, und dieser Gernegroß schien das auch nötig zu haben, denn immer wieder blinzelte er heftig. Pigger nahm sich vor, als Erstes das Gestell herunterzuschlagen. Das würde ihm einen Vorteil bringen. Mit Prügeleien kannte er sich aus. »Grün und blau schlag ich dir die Fresse!«

Doch dann, plötzlich, erstarrte der große, starke Pigger.

Der kleine Mann hatte ein Messer hervorgezogen. Kein gewöhnliches Messer, sondern ein besonders langes. Genauer betrachtet sogar ein Entermesser, eines, wie es auf den Kriegsschiffen Ihrer Majestät Verwendung fand.

»So läuft der Hase also. Du kleine Mistratte willst Pigger drohen?« In die Augen des Grobschlächtigen trat ein tückischer Glanz. »Na warte! Das werden wir gleich haben!«

Er steckte zwei Finger in den Mund und pfiff mehrere Male gellend. Kurz darauf kam Leben in die baufälligen Hütten neben der Kampfgrube. Männer traten heraus, zwielichtige Gestalten mit Utensilien in den Händen, die erkennen ließen, dass sie soeben ihre Hunde für die Kämpfe präpariert hatten. Töpfe mit Rinderfett waren darunter, um die Gliedmaßen ihrer Schützlinge glitschiger und schlechter anpackbar zu machen, spitze Stachelhalsbänder, um den Gegner zu verletzen, und sogar Wacholderschnaps, mit dem die Aggressivität der Tiere gesteigert werden sollte.

»He, Kumpels, hier ist einer, der was gegen Hundekämpfe hat. Will mich mit 'nem Messer bedrohen, das Schwein!«, schrie Pigger.

»Waaas? Mit 'nem Messer?«, tönte es zurück. Die Männer ließen alles stehen und liegen und stürzten herbei. Augenblicke später waren sie da, drängten die Neugierigen beiseite und bildeten einen Kreis um den kleinen Gelehrten. Urplötzlich war er in höchster Gefahr. Der Kreis wurde enger. Klingen blitzten auf. Ein Qualster landete dicht vor des Magisters Füßen.

»Du kleiner Wichser«, kam es von irgendwoher. »Mischst dich in Angelegenheiten, die dich einen Scheißdreck angehen.«

»He!«, rief ein anderer. »Der kleine Wichser will nicht, dass unsere Hunde kämpfen, vielleicht will er lieber selber in die Grube?«

Pigger, der sich jetzt sehr stark fühlte, brüllte: »Ja, ja! Stoßen wir ihn rein! Mal sehn, ob er dann immer noch so'n großes Maul hat!«

Der Magister richtete sich zu voller Höhe auf. »Aber vorher, ihr feiges Gelichter, müsst ihr mich da hineinkriegen!« Er ließ sein Entermesser durch die Luft sausen. Jeder Unparteiische hätte ihm an dieser Stelle ein bewundernswertes Maß an Unerschrockenheit bescheinigt, denn er besaß nicht den Hauch einer Chance. Er war dem Pack auf Gedeih und Verderb ausgeliefert. »Nun, wer will es versuchen?«

»Niemand!«

Jählings war der Kreis gesprengt worden. Ein kräftiger Mann mit blonden Locken sprang in die Mitte, genau dorthin, wo der Magister stand. Er stellte sich neben ihn und stieß die Spitze seines langen Degens gegen Piggers Kehle. »Dieser Mann, der meinen Freund in die Grube zu den Hunden schicken will, ist des Todes, wenn auch nur einer von euch sich muckst. So wahr ich Vitus von Campodios heiße!«

Das Gesindel wich zurück. Die Männer guckten böse und

steckten trotz der Warnung die Köpfe zusammen. Sie waren ihrer zwanzig oder dreißig, und dies hier war nur einer, wenn man von der halben Portion des Magisters einmal absah. Schließlich blickten sie wieder auf, und in ihren Augen stand Mordlust.

Sie zogen den Kreis wieder enger zusammen.

»Halt, sage ich!« Der Blonde nahm die Degenspitze von Piggers Kehle und hielt die Waffe halbhoch vor sich. »Glaubt mir, ich verstehe damit umzugehen.«

Der Ring schloss sich noch weiter.

Und dann ging alles blitzschnell.

Der Blonde schoß vor, und ehe die Halunken sich's versahen, hatte ein kreisförmiger Hieb ihnen die Hemden aufgeschlitzt. Niemand wurde dabei ernsthaft verletzt, doch aus mehreren Schnittwunden sickerte Blut. Pigger, der ebenfalls getroffen worden war, schrie auf und wandte sich zur Flucht. In seinem Bemühen, schnell von dem Blonden fortzukommen, prallte er gegen einen baumlangen Seemann, der von hinten einen Blick zu erhaschen suchte.

»Du Tölpel!«, schrie der Lange. »Erst verdeckst du mir die Sicht, und jetzt trittst du mir noch auf die Füße!« Er versetzte Pigger einen mächtigen Haken.

Pigger schüttelte sich, um den Schlag zu verdauen. Die Angst vor dem Blonden war für einen Augenblick vergessen. Dies war eine Situation, wie er sie kannte – und gern hatte. Er duckte sich und schlug zurück. Es war ein tückischer Schlag, mitten in die Magengrube. Der lange Seemann klappte nach unten wie eine Falltür. Pigger atmete durch und wollte seine Flucht fortsetzen, doch ein weiterer Seemann stellte sich ihm in den Weg. Der Neue machte nicht viel Federlesens. Ohne ein Wort zu sagen, schlug er zu. Pigger taumelte. Endlich kamen ihm seine Kumpane zu Hilfe und prügelten auf den langen Seemann und seinen Kameraden ein. Der keilte zurück. Der ursprüngliche Streit war vergessen. Fäuste flogen. Flüche und Verwünschungen wurden laut. Im Nu war eine Massenschlägerei im Gange.

Der kleine Gelehrte packte seinen Retter am Ärmel. »Komm, Vitus, man scheint auf unsere Anwesenheit keinen Wert mehr zu legen!« Zielstrebig bahnte er sich einen Weg aus dem Getümmel.

Hundert Schritte weiter, als der Kampflärm nur noch wie durch einen Filter zu ihnen drang, verschnaufte der Magister kurz. »Danke, Vitus, das war knapp! Hätte mich vielleicht nicht einmischen sollen, aber diesem Mistkerl Pigger wollten Enano und ich unbedingt das Handwerk legen.«

»Es ist ja noch mal gut gegangen. Wo ist Enano überhaupt?« Vitus blickte sich suchend um.

»Ja, wo steckt er denn schon wieder?« Auch der kleine Gelehrte machte einen langen Hals. »Egal, den Tag, an dem der Wicht verloren geht, muss Gott der Allmächtige erst noch werden lassen. Enano versteht's wie kein anderer, auf sich selber aufzupassen. Wahrscheinlich sitzt er längst wieder im Black Swan und fragt sich grienend, wo wir bleiben.«

The Black Swan, ein Wirtshaus der besseren Sorte, dessen Eigentümer auch Zimmer vermietete, lag in der Thames Street, Ecke Water Mark Lane, unweit des Towers. Hier hatten Vitus und seine Freunde Quartier bezogen, als sie vor zwei Tagen eingetroffen waren. Die Unterkunft hatte den Vorteil, dass sie einerseits ganz in der Nähe von Banester House lag, andererseits nur wenige Yards von den Kais und Anlegern entfernt war, einem Gebiet, wo das Leben Tag und Nacht pulsierte.

Eigentlich, so war es abgesprochen gewesen, hatten der Magister und der Zwerg im großen Gastraum warten sollen, bis Vitus mit seiner Prüfung fertig war, doch hatte ihnen das zu lange gedauert, und sie waren zum Themse-Ufer gegangen, um sich die Beine zu vertreten. Dass sie dabei in Lebensgefahr geraten würden, hätten sie sich nicht träumen lassen – und doch war es so gekommen.

Nur der Tatsache, dass Vitus sie so schnell aufgespürt hatte, verdankten sie ihr Leben.

Wie der Magister prophezeit hatte, saß der Zwerg bereits bei einer kräftigen Mahlzeit, als die beiden Freunde kurze Zeit später das Wirtshaus betraten. Im Schankraum herrschte um diese Zeit schon drangvolle Enge, so dass es schwer fiel, einen Fuß vor den anderen zu setzen. An langen, auf Böcken liegenden Holzbrettern saßen die Zecher und scheuchten die Mägde umher. Man lachte, scherzte, schmatzte, rülpste und furzte ungeniert. Gespräche wurden lautstark geführt, Zoten und

Witze gerissen, und in einer Ecke sang jemand schwermütig ein Lied. Über alles hinweg tönte die Fistelstimme des Zwergs: »Dullen Tag, ihr zwo!«, rief er fröhlich, während er ohne Pause Soße und Fleischbrocken aus einer großen Holzschüssel in sein Fischmündchen schaufelte. »Ein Ohrhansel Gelbling gefällig? Wui, ich stech euch einen!«

»Ein Bier? Warum nicht.« Die beiden zwängten sich neben ihn auf die Bank, holten ihre Löffel hervor und begannen übergangslos zu essen – die sicherste Methode, genügend abzubekommen, wenn der Zwerg mit am Tisch saß.

Als der erste Hunger gestillt war, legte der Magister seinen Löffel zur Seite und nahm einen Schluck Bier aus dem Humpen, den eine der Mägde unterdessen gebracht hatte. »Sag mal, Vitus«, hob er an, »wieso hast du Enano und mich eigentlich so schnell gefunden?«

»Ganz einfach, ich kenne euch doch«, lächelte Vitus. Er nahm ebenfalls einen Schluck Bier, allerdings einen kleinen, denn er wollte einen klaren Kopf behalten. »Als ich von Banesters Haus zurückkam und euch nicht vorfand, habe ich mir gleich gedacht, dass ihr zur Themse hinunter seid, weil da mehr Trubel ist. Und wie ihr seht, hatte ich Recht.«

»Das hattest du. Dein Riecher war Gold wert.« Der Magister aß bereits wieder.

»Wui, wui!«, bestätigte der Zwerg.

Schweigend schmausten sie eine Zeit lang weiter, bis die große Holzschüssel fast geleert war. Dann ergriff der Magister einen Kanten Brot und wischte damit akribisch den Boden aus. »Es ist fast wie damals bei den Gauklern«, grunzte er zufrieden, »da hatten wir auch immer so leckere Eintöpfe. Weißt du noch, Vitus?«

»Hm, klar.«

»Weißt du auch noch, wie Arturo eines Tages die Flusskrebse anschleppte, die der Quacksalber Bombastus Sanussus ganz alleine auffressen wollte?«

»Ja, es war eine schöne Zeit. Und Arturo war ein guter Freund.«

»Und ein erstklassiger Fechtmeister dazu. Wenn er dir seine Kunst nicht so gut beigebracht hätte, dann …« Unvermittelt brach der kleine Gelehrte ab, denn ihm war etwas eingefallen:

»Sag mal, du Zwerg, wo hast du eigentlich den Hund von diesem Pigger gelassen?«

»Den Beller? Wui, den hab ich 'nem greisen Muttchen gestochen!« Der Winzling hob mit beiden Händchen seinen Bierhumpen an und nahm den letzten Schluck.

»Bist du verrückt? So ein Kampfhund ist doch viel zu gefährlich für eine alte Frau!«

»Iwo, der Altrischen passiert nix. Hab mit dem Beißer gesprochen. Hat die Lauscher aufgemacht, der Bullich, un kapiert, was Enano will. Soll seine Spählinge aufs Muttchen halten, un er wird's tun. Dafür hattse mir'n paar Mücken geschuckt. Hätt sonst wohl keinen Gelbling geschmettert!« Das Männchen guckte Vitus und den Magister spitzbübisch an.

Vitus lachte. »Danke für das Bier, Enano.« Er stand auf und rückte seinen Degen zurecht. »Ich fürchte, ich muss dich und den Magister noch mal allein lassen.«

»Wiewo?«

»Nun, ich hatte auch gedacht, spätestens heute Mittag sei es mit der Prüfung vorbei, aber das war ein Irrtum. Die gestrengen Herren beabsichtigen, mich noch weiter zu prüfen.«

»Was, noch mehr?« Der Magister blinzelte erschreckt hinter den Beryllen seines Nasengestells. »Ich wette, sie haben dich heute Morgen schon gehörig ausgequetscht.«

»Wie einen Apfel beim Mosten. Aber jetzt will ich den letzten Teil auch noch hinter mich bringen. Passt auf euch auf, während ich weg bin, und haltet eure Zunge im Zaum. Adios, Freunde!« Gewandt schlüpfte Vitus zwischen den Leibern der Zecher hindurch zum Ausgang.

»Adios.« Der Magister schürzte die Lippen. »Haltet eure Zunge im Zaum! Wie das der Herr Cirurgicus wohl meinte? Recht muss immer noch Recht bleiben, und Unrecht muss beim Namen genannt werden, da beißt die Maus keinen Faden ab, was, Enano?«

»Wui, wui, gewisslich doch, gewisslich.«

Banester saß allein am schweren Eichentisch im Examiniersaal und vetrieb sich die Wartezeit, indem er versuchte, drei Finger gleichzeitig in die Trepanationslöcher des Totenschädels zu stecken. Er fühlte sich mehr als gesättigt, denn er hatte ein üppiges Mahl hinter sich, unter anderem bestehend aus Wachteln vom Bratspieß, Wildschweinpastete, Käse, Obst und Bier. Zum krönenden Abschluss hatte es noch ein paar lecker gewürzte Oblaten gegeben – von seiner Köchin frisch mit dem Waffeleisen gebacken.

Kein Wunder, dass Clowes und Woodhall, die kräftig mitgehalten hatten, sich erst einmal erleichtern mussten. Nun, wenn die Notdurft verrichtet war, würden sie schon erscheinen. Banester, dessen Einhaltvermögen legendär war, gelang es, den Mittelfinger durch das Loch im Stirnbein zu stecken und mit der Fingerkuppe durch die vordere knöcherne Nasenöffnung wieder herauszukommen.

Harvey war ebenfalls entschuldigt. Er versuchte, ein paar menschliche Anschauungsobjekte aufzutreiben.

Der Prüfling ließ noch auf sich warten, doch konnte ihm daraus kein Vorwurf gemacht werden, denn die große Räderuhr in seinem Speisezimmer hatte eben noch eine Viertelstunde vor drei angezeigt. Überhaupt war dem Prüfling nichts vorzuwerfen. Er hatte sich am Vormittag achtbar geschlagen, das musste jeder, der neutral sein wollte, einräumen. Auch Woodhall. Banester seufzte. Woodhall mit seinem Fimmel für die betäubenden und schmerzstillenden Mittel. Wenn er das Thema erst einmal am Wickel hatte, konnte ihn so leicht nichts mehr bremsen. Banester nahm den Mittelfinger aus der Nasenöffnung und steckte ihn durch die linke Augenhöhle. Er würde bei Woodhall dazwischengehen müssen, um das Verfahren abzukürzen.

»Da bin ich wieder, Sir.« Vitus von Campodios war neben Banester getreten, ohne dass dieser es bemerkt hatte. »Ich habe Euch hoffentlich nicht erschreckt?«

»Nicht im Geringsten«, erwiderte der Hausherr, obwohl dies nicht ganz der Wahrheit entsprach. Er legte den Schädel zurück und beschloss, einer Eingebung folgend, sofort mit der Prüfung fortzufahren. So blieb ihm ein persönliches Gespräch mit dem Examinanden erspart. Derlei Konversation, das war Banesters Überzeugung, hatte bei einer Prüfung nichts verloren. »Wisst Ihr, was das für Löcher hier im Schädel sind, Vitus von Campodios?«

»Jawohl, Sir. Es sind Bohrlöcher, die mittels eines Trepans hergestellt wurden.«

»Wozu ist so etwas nütze?«

»Schädelöffnungen, Sir, sind manchmal notwendig. Beispielsweise nach einem Unfall, wenn der Patient unter Sehstörungen, Schwindel, Ohrensausen oder unerträglichem Kopfschmerz leidet. Meistens ist ein Hämatom, das aufs Gehirn drückt, die Ursache. Aber auch eine Geschwulst kann der Grund für die genannten Symptome sein.«

»Sehr schön, die nächste Frage …«

»Die nächste Frage, mein lieber Banester, stelle ich. Denn wie Ihr Euch sicher erinnern könnt, war ich zuletzt dran.« Woodhall stand da wie der Fleisch gewordene Vorwurf. Neben ihm Clowes, der sich bemühte, mit Finger und Spucke einen Saucenfleck aus seinem Wams zu reiben.

»Sicher, sicher«, gab sich Banester friedlich. Er fühlte leichte Verärgerung, dass er auch Woodhalls Erscheinen nicht bemerkt hatte. Das lag alles nur an diesem verdammten Katarrh, der ihm die Sinne vernebelte! »Setzt Eure Befragung nur fort, Woodhall.«

»Das werde ich. Wenn ich dann bitten darf.« Woodhall stelzte voran und begab sich zum hinteren Bereich des Saals, wo die zweite Bank noch ihrer Enthüllung harrte. Er nahm das Tuch ab, und eine Fülle von Behältnissen, in denen sich die unterschiedlichsten Pflanzen, Pulver und Wässer befanden, kam zum Vorschein.

»Wie Ihr vielleicht wisst, Herr Prüfling, hat man sich den Cirurgicus in Ausführung seiner Arbeit keinesfalls nur mit Schermesser, Skalpell, Aderlasseisen oder Knochensäge vorzustellen – er muss vielmehr auch in der Lage sein, seine Arzneien selber zu präparieren.« Woodhall wies auf einige Utensilien, die ebenfalls auf der Bank standen, darunter Mörser, Reibsteine, Siebe und Trichter.

»Jawohl, Sir.«

»Nun, wenn ich nicht irre, waren wir beim Stichwort *Spongia somnifera* stehen geblieben, beim Schlafschwamm also. Ich will wissen, wie Ihr ihn anwendet. Doch nennt mir zunächst die Ingredienzen für die Flüssigkeit und zeigt sie mir hier auf der Bank.«

»Jawohl, Sir. Es gibt verschiedene Rezepturen für die Herstellung, jedoch sind die Säfte von Opium, Bilsenkraut, Alraune,

Schierling und wildem Efeu fast immer dabei. Das Mischungsverhältnis ist von Fall zu Fall verschieden.« Vitus zeigte auf die Flaschen und Glashäfen, in denen sich die aufgezählten Liquores befanden.

»Gut. Tränkt Ihr als Nächstes den Schwamm mit der Flüssigkeit, oder wie geht Ihr vor?«

»Ja, Sir, wenn ich einen habe. Habe ich keinen, kann der Patient die Dämpfe auch so einatmen. Häufig aber ist er dazu nicht in der Lage, dann ist ein Schwamm vonnöten. Er muss dem Kranken direkt an die Nase gepresst werden, damit die Flüssigkeit besser an die Schleimhäute gelangt.«

»Stimmt. Angenommen, Ihr hättet morgen und übermorgen wieder Patienten für die *Spongia somnifera,* taucht Ihr den Schwamm dann jedes Mal aufs Neue in die Flüssigkeit, oder wie macht Ihr das?«

»Die Flüssigkeit, Sir, ist hochtoxisch. Jedes der Ingredienzen hat eine starke schmerzstillende oder berauschende Wirkung. Es ist deshalb angezeigt, nur eine einzige Dosis herzustellen und sie vom Schwamm zur Gänze aufnehmen zu lassen. Ist das geschehen, legt man ihn in die Sonne, so lange, bis er vollkommen durchgetrocknet ist. Wenn er später gebraucht wird, wässert man ihn einfach, und der Effekt ist derselbe. Allerdings nur für wenige Male.«

»Schön, schön. Ihr habt nun Euren Patienten operiert, und er befindet sich noch im Dämmerschlaf. Wie weckt Ihr ihn wieder auf? Mit dem Holzhammer?«

Der Prüfling gestattete sich ein Lächeln. »Sicher nicht, Sir. Ich verabreiche dazu den Saft der Fenchelwurzel.«

Woodhall nickte gnädig und winkte den Prüfling zur anderen Seite der Bank. Auf eine Dose deutend, fragte er: »Wie heißen diese blauschwarzen Beeren?«

Vitus roch an den erbsengroßen Kügelchen, besah sie sich von allen Seiten, wog sie in der Hand und sagte endlich: »Ich vermute, es sind die Beeren des Kreuzdorns, Sir.«

»Soso. Ihr vermutet. Vermutungen reichen aber nicht, Herr Prüfling.« Woodhall hätte es im Leben nicht zugegeben, aber diese erste deutliche Unsicherheit des Examinanden tat ihm gut. Einen, der alles wusste, gab es nicht. Durfte es nicht geben. Und er, Woodhall, wollte schon dafür sorgen, dass die

Schwächen des Mannes aufgedeckt wurden. »Ihr wisst es also nicht, nun …«

»Verzeihung, Sir, es gibt viele Sträucher, die dunkle Beeren in dieser Größe hervorbringen. Wenn es erlaubt ist, würde ich Euch fragen, ob der Strauch dieser Beere kleine ovale Blätter hat und weiße Blüten bildet.«

»Nun, äh … so ist es.«

»Dann, Sir, ist es Kreuzdorn.«

Woodhall fühlte fast so etwas wie Enttäuschung. »Und wozu dienen die Beeren?«

»Aus ihrem Pulver lässt sich ein starkes Abführmittel gewinnen, Sir. Wenn jemand nach einem reichhaltigen Mahl über Völlegefühl oder Blähungen klagt, dann …«

»Nun, hahaha, das mögen andere tun, wir aber nicht, was, Woodhall?«, schob sich Banester unerwartet dazwischen. Er glaubte, das passende Stichwort für eine Unterbrechung gefunden zu haben. »Bis jetzt sind wir noch immer so zu Stuhle gekommen, jedenfalls bis vorhin, was, Woodhall? Hahaha!« Er legte dem langen Mann die Hand auf die Schulter und wandte sich gleichzeitig an Clowes. »Nicht wahr, Clowes?«

Doch Clowes antwortete nicht. Er war, in Ermangelung eines Verdauungsschläfchens, im Stehen eingenickt.

»Auch gut. Ich denke, Woodhall, das war's. Ihr habt den Mann nach allen Regeln der Kunst examiniert, und ich muss sagen, dass ich selten so gern einer Befragung gefolgt bin. Nein …«, er wehrte Woodhalls Protest ab, »wirklich, alter Junge, ausgezeichnet, ganz ausgezeichnet!«

Ehe Woodhall doch noch Widerworte fand, rief Banester lautstark: »Harvey! Harvey! Zum Donnerwetter, Harvey, wo steckst du Herumtreiber?«

Statt einer Antwort öffnete sich die große Flügeltür des Saals, und drei Gestalten wurden von kräftigen Händen hereingestoßen. Es waren Männer von der Straße, in Lumpen gekleidet, unrasiert, ungewaschen und unangenehm riechend – mit rot entzündeten Augen, in denen der Suff stand.

Einer dieser Männer war Pigger.

»Oh, Sir, oh, Sir!« Mit weit ausgebreiteten Armen kam Harvey hinterhergeeilt. »Glaubt mir, ich habe die Burschen so schnell es ging besorgt.« Er legte die Handflächen wie zum Gebet zusammen und beugte das Haupt. »Vergebt mir, wenn es zu lange dauerte.«

»Lass die Faxen!«, befahl Banester barsch, doch insgeheim gratulierte er sich, dass der Diener so schnell mit dem Gesindel erschienen war. Woodhall mit seinem Kräuterkram war damit endgültig abgemeldet. Jetzt konnte zum praktischen Teil der Prüfung übergegangen werden. »Die Kerle sollen sich in der Mitte des Raums aufstellen, damit wir sie besser sehen können.«

»Jawohl, Sir!« Harvey stieß die Männer ins Licht. Jeder von ihnen hatte mehr oder weniger starke Verletzungen am Körper. Es sah ganz so aus, als hätten sie an einer heftigen Prügelei teilgenommen.

»*Fer aut feri, ne feriaris feri*«, stellte Banester trocken fest, nachdem er die drei Gestalten eingehend gemustert hatte. »Ertrage oder schlage, willst du nicht geschlagen sein, so schlage! Das, ihr Halunken, ist der Wahlspruch unserer geliebten Königin, der ein langes Leben beschieden sein möge. Doch wie ich sehe, habt ihr euch nicht daran gehalten. Ihr dürftet mehr eingesteckt als ausgeteilt haben.«

In der Tat boten die Männer ein Bild des Jammers. Einer von ihnen hielt sich fortwährend den rechten Arm, der schlaff und kraftlos herabhing. Die Nase des zweiten war blau angelaufen und geschwollen, und der dritte, es war Pigger, hatte einen Finger, dessen oberstes Glied in unmöglichem Winkel abstand. Alle bluteten aus mehreren Schlag- und Risswunden. Piggers Kopf zierte zudem eine Riesenbeule.

»Habt ihr Geld dabei, ihr Halunken?«, fragte Banester. »Glaubt ja nicht, dass ihr umsonst verarztet werdet.«

Die drei schüttelten die Köpfe.

»Das dachte ich mir. Nun, dann nennt mir eure Namen, damit Harvey sich morgen oder übermorgen das Honorar von euch holen kann.«

Die drei schwiegen.

»Die Namen, zum Donnerwetter!« Banester war zwar Arzt aus Berufung, und er hatte schon oftmals Patienten umsonst behandelt, doch hasste er es, für dumm verkauft zu werden. Natürlich hatte der Abschaum da vor ihm Geld, das war so sicher wie das Amen in der Kirche. Männer wie diese kamen immer wieder zu ein paar Pennies, sei es durch Aushilfsarbeiten, Diebstahl oder Betrügereien. Nur zogen sie es vor, das Geld zu versaufen, und genau das sah Banester nicht ein.

Noch immer schwiegen die drei. Pigger schielte ängstlich auf Vitus, von dem er wusste, dass er seinen Namen kannte.

»Nun, Banester«, meinte Woodhall unverhofft, »bis dieses Geschmeiß es sich überlegt hat, könnte ich mit der Befragung des Prüflings fortfah…«

»Nein! Das wird, äh … nicht nötig sein, ich meine, die drei werden ihre Namen sagen, das wäre ja noch schöner, und überhaupt …« Banester wusste nicht recht weiter.

Vitus rettete die Situation. »Sir, wenn Ihr einverstanden seid, behandele ich die drei Burschen erst einmal so. Der eine von ihnen«, er wies auf Pigger, »ist mir persönlich bekannt. Ich bin sicher, dass er Euch bis heute Abend das Honorar für alle gebracht haben wird. Nicht wahr, Pigger?«

Pigger nickte mit zusammengebissenen Zähnen.

»Ihr habt seltsame Bekannte, wie ich feststellen muss. Doch ich bin einverstanden.« In Banesters Stimme schwang Erleichterung mit. »Bitte beginnt mit Eurer Behandlung bei diesem Pigger und schildert, was Ihr im Einzelnen macht.«

»Jawohl, Sir. Tritt vor, Pigger.« Vitus nahm als Erstes die Hand und betrachtete das abstehende Fingerglied von allen Seiten. Dann befahl er Pigger, es gerade zu machen. Der versuchte es, doch es gelang ihm nur halb. »Tut das weh?« Vitus zog sachte daran.

Pigger schrie auf.

»Nun, Gentlemen, die Diagnose ist klar. Es handelt sich um eine Luxation im oberen Bereich des Ringfingers. Die Behandlung besteht darin, dass ich das letzte Fingerglied zunächst geraderichte und anschließend den Finger fixiere.« Unter den interessierten Blicken des Collegiums und Piggers lauten Klageschrcien nahm Vitus den ersten Schritt vor. Dann, nachdem er sich Verbandstoff hatte geben lassen, setzte er seine Ausführungen fort: »Das Fixieren geschieht durch Zusammenbinden mit dem Mittelfinger.«

»Einfach, aber probat«, lobte Clowes, der mittlerweile wieder wach war. »Das Ruhigstellen beweglicher Teile ist eine wichtige Funktion des Verbands, wie Ihr heute Vormittag richtig erwähntet.«

»Jawohl, Sir! Danke, Sir!«

»Wie lange muss der Finger fixiert bleiben?«

»Ungefähr zehn bis vierzehn Tage, Sir.«

»Recte.«

Nachdem Vitus auch Piggers andere Verletzungen, darunter die Ritzwunde durch seinen Degen, die Beule auf dem Kopf sowie etliche Quetschungen und Prellungen, versorgt hatte, fragte Banester: »Welchen der Burschen nehmt Ihr als Nächsten dran, Herr Prüfling?«

»Diesen, Sir.« Vitus wies auf den Mann mit der stark geschwollenen Nase.

»Warum?«

»Weil er die größeren Schmerzen haben dürfte, Sir.«

»Gut, fangt an.«

Die Vorgehensweise bei der geschwollenen Nase ähnelte der beim gebrochenen Finger. Auch hier betastete Vitus zunächst vorsichtig die Verletzung. Dann verkündete er: »Die Nase ist gebrochen, Gentlemen, zudem ist sie verformt. Wie beim Fingerglied werde ich sie wieder in die richtige Position bringen und anschließend dafür sorgen, dass sie so verheilt.«

Er begann die Nase zu richten. Behutsam drückte er zunächst die Bruchstücke des Nasenbeins wieder in die korrekte Lage, wobei es ein-, zweimal hörbar knackte und der Bursche scharf die Luft durch seine Zähne zog. Dann nahm er sich den Dreiecks- und den Flügelknorpel vor. Als auch diese wieder richtig platziert waren, stellte er zu seiner Zufriedenheit fest, dass sich das Septum automatisch seinen alten Platz gesucht hatte: Die Scheidewand saß jetzt wieder gerade zwischen den beiden Nasenlöchern.

Der Bursche, dem das Riechorgan gehörte, schien aus hartem Holz geschnitzt zu sein, denn kein Laut war während der ganzen Zeit über seine Lippen gekommen, obwohl seine Augen vor Schmerzen tränten.

Die Nase hatte, wenn auch immer noch stark geschwollen, auf ganzer Länge ihren alten Sitz zurückgewonnen. Vitus nahm zwei schmale, ungefähr drei Zoll lange Holzröhrchen zur Hand.

»Diese Röhrchen, Gentlemen, werden in die Nasenlöcher geschoben, ihre Funktion ist zweifach: Sie helfen, die Nase gerade zu halten, und ermöglichen gleichzeitig ein freies Atmen.«

Er tat wie angekündigt, und auch diese Prozedur ließ der Mann klaglos über sich ergehen. »Die Röhrchen müssen so weit wie möglich hochgeschoben werden, am besten bis zum Nasendach, damit sie fest sitzen. Wenn die Schwellung zurückgeht, lockern sie sich möglicherweise, in diesem Fall sind sie durch andere, dickere zu ersetzen. Das Nasenbein braucht zwei bis drei Wochen, um wieder zusammenzuwachsen.« Er wandte sich direkt an den Burschen. »Wenn ich du wäre, würde ich mir mit der nächsten Prügelei allerdings etwas länger Zeit lassen.«

»Seid Ihr sicher, Herr Prüfling, dass der Mann eine gebrochene Nase hat?«, äußerte sich Woodhall skeptisch. »Ich habe ihn nicht daraus bluten sehen.«

»Eine Nase kann durchaus auch dann gebrochen sein, Sir, wenn sie nicht blutet. Ich will aber gerne einräumen, dass die meisten Rhinofrakturen zu Blutungen führen. Mit Eurer Erlaubnis, Gentlemen, nehme ich mir jetzt den letzten Patienten vor.«

Banester schnaufte: »Nur zu, nur zu!«

Vitus besah sich den herabhängenden rechten Arm und kam wenig später zu dem Schluss, dass die Schulter ausgekugelt war. Er stellte sich seitlich vor den Mann und befahl ihm, den Arm so gerade und steif wie möglich zu machen und gleichzeitig sicheren Stand zu suchen. Dann packte er mit der linken Hand die Schulter und mit der rechten den Unterarm.

»Ganz gerade und steif machen«, befahl er nochmals, und dann, mit einer ruckartigen Bewegung, riss er den Arm nach oben. Es gab einen dumpfen Laut, als die Gelenkkugel wieder in die Pfanne rutschte. Der Mann schrie auf.

»Ich glaube, es ist geschafft.« Vitus tastete das Kugelgelenk ab. »Alles ist da, wo es sein soll. Bewege mal den Arm, Bursche! Gut, die Funktion ist wiederhergestellt. Erledigt.«

»Ihr sagt es, Vitus von Campodios.« Banester lächelte freundlich, fast kollegial. »Ihr wisst es nicht, deshalb sage ich es Euch: Die Behandlung so genannter, äh … Straßenfälle bildet stets den Abschluss unserer Prüfung. Wenn Ihr also eben ›erledigt‹ gesagt habt, hattet Ihr damit im doppelten Sinne Recht.«

»So ist es, mein Junge.« Clowes pflichtete dem Hausherrn bei und ergriff Vitus' Rechte. »Ich will Euch zunächst nur dazu gratulieren, dass Ihr das Examen hinter Euch habt.« Seine

Stimme klang warm. »Ob und wie Ihr bestanden habt, unterliegt natürlich dem Ratschluss des *Collegium medicum*.«

»So ist es.« Woodhall rang sich ein Lächeln ab und gab Vitus ebenfalls die Hand.

»Gentlemen, ich … ich danke Euch! Würdet Ihr mir glauben, wenn ich sage, dass ich ziemlich froh bin, es hinter mir zu haben?«

Banester lachte dröhnend und schlug dem Prüfling auf die Schulter. »Hoho, mein Bester, darauf wären wir nie gekommen. Was, Clowes, was, Woodhall?«

Die beiden bestätigten das. Gute Laune machte sich breit.

»Harvey, du Gestenreicher, führe die drei Halunken hinaus. Das Tagewerk ist vollbracht!« Banester zerrte abschließend sein Schnupftuch hervor und blies lautstark hinein. »Scheint so, als würde sogar mein Katarrh nachlassen! Darauf steht ein großer Schluck!« Er wollte nach der Dienerschaft läuten, doch in diesem Augenblick erschien abermals der Küchengehilfe, eine Verbeugung andeutend. »Ich soll den Gentlemen von der Köchin melden, dass eine kleine Stärkung bereitsteht.« Wie am Morgen wollte er sich schleunigst verdrücken, doch Banesters Ruf hielt ihn auf:

»Richte Mrs Snapper aus, ich wüsste ihre Fürsorge zu schätzen!«

»Jawohl, Sir. Werd's weitersagen.«

»Tja, dann wollen wir mal.« Die Aussicht auf kommende Tafelfreuden ließ die Augen des Hausherrn leuchten. »Ich darf darauf zählen, dass Ihr mithaltet, Gentlemen?« Ohne eine Antwort abzuwarten, begab er sich eilig in Richtung Ausgang. Kurz bevor er ihn erreichte, drehte er sich nochmals um. Sein Blick fiel auf Vitus, und ein Lächeln umspielte seine Lippen:

»Auch Ihr seid an meiner Tafel willkommen – Herr Kollege!«

»Wie kann ein einzelner Mann nur so viel essen!« Vitus hielt sich stöhnend den Bauch, der sich, dank Banesters Gastlichkeit, gewaltig spannte. Ein ums andere Mal war er genötigt worden nachzunehmen. »Was der Professor in sich hineinzuschlingen vermag, geht auf keine Ochsenhaut.«

»Was gab's denn?« Der Magister bemühte sich, interessiert zu klingen. Er und Enano hatten den ganzen Nachmittag in der

Gaststube des Black Swan verbracht und sich, eingedenk Vitus' Ermahnungen, in Wort und Tat zurückgehalten. Als Ausgleich dafür hatte das eine oder andere Bier durch ihre Kehle laufen müssen, wodurch der Kopf ihnen schwerer und schwerer geworden war.

Vitus stöhnte abermals. »Es gab nichts, was es nicht gab. Eine Suppe von Bohnen, Erbsen und Möhren …«

»Bauerndegen, Böllerlein un Ziehlinge? Ein Süppchen davon würd auch mir jetzt schmerfen«, unterbrach müde der Zwerg.

»Na ja, dann Fleisch, Pastete, geröstete Fische und so weiter und so weiter …«

»Fette Mast un gefünkelter Grätling, wui, wui …« Der Winzling schlief schon fast.

Der Magister gähnte. »Will nur hoffen, dass sich die Warterei gelohnt hat. Wenn's nach mir gegangen wäre, hättest du diese Prüfung überhaupt nicht gemacht. Hast du wenigstens bestanden?«

»Ich bin nicht sicher. Banester und Clowes waren mir gewogen, bei Woodhall allerdings liegt der Fall anders. Der Mann ist einer von jenen, die es nicht gerne sehen, wenn außer ihnen auch andere etwas wissen. Immerhin hat der Professor mich ›Herr Kollege‹ genannt, als er mich anschließend zum Essen einlud. Andererseits: Vielleicht war es auch nur ein Scherz. Übermorgen wissen wir mehr.«

»Übermorgen?«

»Übermorgen. Denn morgen muss das *Collegium medicum* beraten und, sofern ich bestehe, die Urkunde ausfertigen lassen. Also, fassen wir uns in Geduld.«

»Geduld«, seufzte der Magister, »ist nicht gerade meine Stärke. Aber das weißt du ja.«

Banester schob den Totenschädel mit den Trepanationslöchern zur Seite, legte an die Stelle einen Stoß Papiere und nahm umständlich am Eichentisch Platz. Harvey, der seinem Herrn den Stuhl unter das mächtige Gesäß geschoben hatte, entfernte sich tänzelnd. Er war bei dem, was kommen würde, nicht vonnöten. Der Hausherr blätterte in seinen Unterlagen, während Clowes zu seiner Linken und Woodhall zu seiner Rechten keine Miene verzogen.

Geraume Zeit verging.

Vitus, der den dreien gegenübersaß, klopfte das Herz bis zum Hals. Er wusste, dass wichtige Ereignisse ihre Vorbereitung brauchten und dass Hast der Würde eines Examinators nicht anstand. Doch warum raschelte der Professor so lange mit den Dokumenten? War etwas nicht in Ordnung? Und warum blickten die Co-Examinatoren so steinern?

Gab es Zweifel an seiner Leistung?

Die kritischen Fragen und Bemerkungen von Woodhall fielen ihm ein. Hatte der Mann sich dafür gerächt, dass er, Vitus, nicht immer so ergeben reagiert hatte, wie es sich vielleicht geziemt hätte? Hatte Clowes es doch nachteiliger bewertet, dass er vergessen hatte, bei den Amputationsschritten das Lösen des Abbinderiemens zu erwähnen?

Hatte, hätte, hatte … Heilige Mutter Gottes, lass mich nicht durchgefallen sein!

»Verzeiht, dass es etwas länger dauerte.« Banester hüstelte kurz. Sein Katarrh war heute schon wesentlich besser. Wie überhaupt dieser Tag zu bester Laune Anlass gab. Die Sonne schien, es ging auf zwölf, und ein reichhaltiges Mahl von Mrs Snapper lockte. Dazu kam, dass die Urkunde, deren Inhalt er eben noch einmal sorgfältig überprüft hatte, von sehr erfreulichem Inhalt war. »Aber gut Ding will Weile haben. Und dieses Ding«, er hielt eine schwere, pergamentene Urkunde hoch, »ist nicht nur gut, sondern ausgezeichnet.«

Er erhob sich schnaufend, und seine beiden Co-Examinatoren taten es ihm gleich.

Auch Vitus stand auf.

»Ihr, Vitus von Campodios, habt das Examen zum Galeonenchirurgen vor diesem Ehrenwerten *Collegium medicum* mit *magna cum laude* bestanden. Ich gratuliere Euch herzlich, willkommen im Kreis der Skalpellkünstler!«

Banester schritt um den Tisch herum und bearbeitete Vitus' Rechte wie einen Pumpenschwengel. »Allzeit ein glückliches Händchen, Herr Kollege, und, wenn Ihr auf See seid, eine Handbreit Wasser unter dem Vorsteven!«

»Das ist's, worauf es ankommt. Macht's gut, alter Junge!«

»Schließe mich den Worten meiner Vorredner an.« Woodhalls Glückwünsche fielen bei weitem nicht so freudig aus, dennoch drückte auch er Vitus' Hand.

»Gentlemen, ich danke Euch. Ich danke Euch! Ich weiß gar nicht, was ich sagen soll. Höchstens, dass ich am liebsten schon morgen anheuern würde …«

»Was Ihr nicht sagt!« Banester stemmte angenehm überrascht die Fäuste in die Hüften. »Wie gut, dass schon gestern drei Empfehlungsschreiben des Collegiums hinausgegangen sind, in denen wir Euch Eure außerordentlichen Fähigkeiten bescheinigen: eines an die Herren des Hansekontors im Stalhof, eines an die Admiralität Ihrer Majestät und eines an die Londoner Kaufmannschaft. Und alle von uns persönlich unterschrieben und gesiegelt.«

»Wie auch die Urkunde, die Ihr nun endlich übergeben solltet, Banester«, grinste Clowes.

»Gemach, gemach!« Der Hausherr lehnte sich ächzend über den Tisch und ergriff das Dokument. Noch einmal überflog er den Inhalt, eine kleine Falte bildete sich auf seiner Stirn, und sein Blick streifte Woodhall. »Es gibt da noch etwas, das ich Euch sagen möchte, Vitus von Campodios: Wenn es nach mir gegangen wäre, hättet Ihr das Examen sogar *summa cum laude* bestanden, aber unsere Benotung muss, wie Ihr wisst, einstimmig erfolgen, äh … nun ja. Nochmals meinen herzlichen Glückwunsch!«

»Ergebensten Dank, Sir.« Vitus nahm das dicht beschriebene, schwere Dokument und hielt es auf Armeslänge vor sich. Zwei in Versalien geschriebene Wörter sprangen ihm sofort ins Auge; es waren die Wörter, für die er gekämpft hatte:
CIRURGICUS GALEONIS.

DER STALLBURSCHE KEITH

»Hier, eine Möhre, weil du so tapfer warst.«

O dysseus hat ein geschwollenes Vorderbein. Sieh dir das mal an, Keith.« Catfield war vor den Stallungen des zu Greenvale Castle gehörenden Gutes abgesessen und übergab die Zügel des schwarzen Hengstes. »Anschließend kommst du in meine Schreibstube und berichtest mir.«

»Jawohl, Sir!« Keith, ein sommersprossiger, drahtiger Neunzehnjähriger, dessen hervorstechendstes Merkmal seine abstehenden Ohren waren, nickte eifrig. Er war um einen strammen Tonfall bemüht, denn er wusste, dass mit Catfield nicht gut Kirschen essen war, wenn die Antwort auf einen seiner Befehle zu lässig ausfiel. Vielleicht lag das daran, dass der Mann früher einmal Seeoffizier gewesen war. »Wird gemacht, Sir!«

Keith klopfte Odysseus den Hals und beobachtete, wie Catfield sich entfernte. Der Mann war erst seit wenigen Monaten Gutsverwalter, doch beileibe kein schlechter, wie man zugeben musste, denn er war von morgens früh bis abends spät auf den Beinen. Wenn er nicht draußen die Felder, Wälder und Weiden inspizierte, sah er in den einzelnen Gebäuden nach dem Rechten, und wenn er das nicht tat, fand man ihn, emsig arbeitend, in seiner Schreibstube. Es schien, als wäre er immer im Dienst. Trödeleien und Nachlässigkeiten, wie sie während der alten Gutsverwaltung häufig an der Tagesordnung gewesen waren, duldete er nicht.

Den Altgedienten unter dem Gesinde war es zunächst sauer angekommen, dass man ihnen fortwährend auf die Finger sah, besonders Mrs Melrose, der launischen Köchin, doch Keith dachte anders. Er arbeitete gern und geschickt, und die Welt war für ihn in Ordnung, solange er nur bei den Pferden sein konnte. »Komm, Odysseus, lass mal sehen, was du da hast.« Er griff nach dem Vorderbein des Hengstes und strich mit der Hand sacht darüber. Die Adern fühlten sich gut durchblutet und normal an, keine schien verstopft zu sein.

»Hm, das ist es nicht.« Er tastete das Röhrbein ab und achtete darauf, wie druckempfindlich der Hengst reagierte. Odysseus schnaubte. Keith bewegte das Bein vorsichtig hin und her. Der Hengst schnaubte abermals. »Ich tippe auf eine Sehnenentzündung, mein Alter.«

Er führte das Pferd in den Stall, nahm den Sattel ab und rieb es trocken. Dann begann er mit der Behandlung. Er holte frisches, kaltes Wasser vom Brunnen und kühlte die Stelle mit einem Lappen, den er wieder und wieder anfeuchtete. Geraume Zeit später, als er das Gefühl hatte, das Bein sei kalt genug, legte er einen Druckverband an. Dass er dies konnte, verdankte er dem jungen Herrn Vitus, der es ihm einmal gezeigt hatte. »Du bleibst ein paar Tage im Stall und ruhst dich aus, mein Alter.« Odysseus spielte mit den Ohren.

»Hier, eine Möhre, weil du so tapfer warst.« Keith strich dem Hengst über die Nase und ging hinüber zum Haupthaus, in dem die Schreibstube von Catfield lag.

Als er nach kurzem Klopfen eintrat, fand er den Verwalter beim Prüfen der Rechnungsbücher vor. Er nahm seine Kappe ab und blieb stumm wie ein Fisch neben der Tür stehen. Catfield ließ sich Zeit und setzte erst noch ein paar Unterschriften, bevor er aufsah. »Nun, Keith, wie sieht's aus mit Odysseus?«

»Wenn Ihr mich fragt, Sir, ist es eine Sehnenentzündung. Im Bein ist zu viel Hitze, und die muss erst mal raus. Ich habe deswegen die Stelle gekühlt und einen Verband angelegt. Wenn nichts dazwischenkommt, Sir, kann Odysseus in einer Woche wieder geritten werden.«

»Das höre ich gern. Du weißt ja, dass Odysseus der Lieblingshengst des alten Lords ist.«

»Jawohl, Sir!« Natürlich wusste Keith das. Schließlich war er sein Leben lang schon auf dem Gut. Er war zusammen mit Odysseus aufgewachsen und konnte sich genau erinnern, wie gern Seine Lordschaft ihn immer geritten hatte. Zuletzt war das, wenn er sich recht erinnerte, vor ungefähr einem Jahr gewesen. Da hatte der alte Herr sich noch bester Gesundheit erfreut und nicht unter der verteufelten Zitterkrankheit gelitten, die ihn in den letzten Wochen ans Bett fesselte. Keith tat das von Herzen Leid, denn er mochte den Lord.

Er hatte den Verlauf der tückischen Krankheit mitverfolgt und, wie alle anderen der Dienerschaft, jeden Sonntag in der Kirche für die Gesundheit seines Herrn gebetet. Doch ihre Bitten waren nicht erhört worden. Die Krankheit hatte sich immer weiter verschlimmert. Zunächst waren es nur die Hände, die der Lord nicht hatte ruhig halten können. Dann war der Kopf hinzugekommen. Einige Zeit später, als alle schon hofften, sein Zustand würde sich nicht verschlechtern, hatte die Krankheit erneut zugeschlagen: Die Schritte des alten Herrn waren kürzer und kürzer geworden; er war nicht mehr in der Lage gewesen, einen Fuß vor den anderen zu setzen. Stuhl und Bett wurden seine dauernden Aufenthaltsorte. Und ganz zuletzt, um das Maß seines Leidens voll zu machen, hatte die Krankheit ihm die Stimme genommen. Sie glich nur noch einem Wispern.

Vitus, der junge Herr auf Greenvale Castle, hatte seine ganze ärztliche Kunst aufgeboten, um die Krankheit zu besiegen, doch was er auch versuchte, nichts hatte Linderung gebracht.

»Vielleicht wäre es nett, Sir, wenn ich Seiner Lordschaft ein bisschen was von Odysseus erzähle«, sagte Keith. »Die Sache mit dem Bein muss ich ja nicht unbedingt erwähnen.«

»Gute Idee, Keith, tu das. Aber achte darauf, dass du Seine Lordschaft nicht zu sehr anstrengst.«

»Gewiss, Sir!«

»Dann schwirr ab. Und wenn du zurückkommst, meldest du dich bei mir. Dein Tagewerk ist noch nicht zu Ende.«

»Jawohl, Sir!« Keith setzte seine Kappe wieder auf und stürmte hinaus. Er lief über das Gutsgelände hinüber zum Schloss, nahm auf der Freitreppe immer zwei Stufen auf einmal und befand sich wenig später im ersten Stockwerk, wo das Krankenzimmer für den alten Herrn eingerichtet worden war. An der Tür prallte er mit Hartford, dem persönlichen Diener Seiner Lordschaft, zusammen. Hartford neigte, da er die Dienste für seinen Herrn höher bewertete als alle anderen Arbeiten im Schloss, zu einiger Blasiertheit, doch in diesem Moment war davon nichts zu bemerken. Seine Augen waren schreckgeweitet. »Ich glaube, es geht bald zu Ende!«, stammelte er.

»Was sagst du?« Keith mochte nicht glauben, was er da gehört hatte. »Heute Morgen hat der Lord doch noch gut gegessen, jedenfalls brüstete sich die dicke Mrs Melrose damit. Erzähl schon!«

»Du sollst mich nicht immer duzen!« Selbst in dieser Situation achtete Hartford auf Distanz. »Ich habe es dir schon tausendmal gesagt. Nenne mich ›Sir‹.«

»Ja doch, in Gottes Namen, ›Sir‹, und jetzt erzählt mir, was dem Lord fehlt.«

Hartford sank auf einen Stuhl, der neben der Tür stand, und vergrub das Gesicht in den Händen. Seine hochnäsige Art fiel von ihm ab wie ein alter Mantel. »Wenn ich das nur wüsste ... Er ist nicht mehr ansprechbar ... atmet ganz flach ... was mach ich nur, was mach ich nur ...«

Keiths Gedanken überschlugen sich. Er unterdrückte den Impuls, ans Krankenbett des Lords zu eilen, denn er wusste, er würde dort nichts ausrichten können. Er verstand zwar einiges von Pferdemedizin, aber die ärztliche Kunst, die sich mit dem menschlichen Leib beschäftigte, war für ihn ein Buch mit sieben Siegeln. Trotzdem: Sachkundige Hilfe musste her, und zwar so schnell wie möglich! Er kam zu einem Entschluss:

»Ich reite ins Dorf zu Doktor Burns!« Burns war zwar ein hochbetagter Mann, von dem es hieß, er habe mehr alchemistische als heilende Fähigkeiten, doch war er immerhin Arzt. Der Versuch, ihn zu holen, musste unternommen werden. »Und wenn ich schon auf dem Weg bin, reite ich gleich weiter nach London, um den jungen Herrn und seine Freunde zu benachrichtigen!«

»Allmächtiger, das sind ja fünfzig Meilen!«

»Und wenn schon. Ich schaffe es bestimmt. Wenn ich die Nacht durchreite, kann ich morgen Vormittag in London sein. Ich werde die drei schon auftreiben. Warte du hier auf Doktor Burns. Und lass Mister Catfield ausrichten, dass ich fort bin.« Ohne weiter Zeit zu verlieren, drehte Keith sich um und schoss davon.

»Ja, gut, Junge.« Verzweiflung übermannte Hartford und ließ ihn nicht wahrnehmen, dass er schon wieder geduzt worden war.

Mein lieber Vitus,
wenn du diesen Brief liest, wird die Krankheit meinen Körper
endgültig zerstört haben, nicht aber, so es des Allmächtigen
Wille ist, meine unsterbliche Seele.
Ich bin glücklich, dir im Vollbesitz meines Verstandes diese letz-

ten Zeilen schreiben zu können, oder, um genau zu sein, schreiben zu lassen. Der Advocatus Hornstaple hatte die Freundlichkeit, mir seine Hand für diesen Zweck zu leihen. Er ist es auch, bei dem ich mein Testament hinterlegt habe. Lass es dir von ihm persönlich überreichen.

Mein letzter Wille ist einfach. Ich möchte, dass du mit Arlette glücklich wirst. Im Falle, dass sie trotz meiner zahllosen Gebete tot sein sollte, wirst du alles erben. Lebt sie aber, was der Allmächtige geben möge, ist es mein Wunsch, dass du und Arlette zu gleichen Teilen erbt. Du, Vitus, sollst mein Schloss, das Gut und alle Ländereien haben, Arlette als meine Enkelin eine entsprechende Summe. Sie ist bei einem Londoner Bankhaus hinterlegt. Die näheren Einzelheiten findest du im Testament.

Ich habe nicht mehr viel Zeit, mein Vitus, gehe deinen Weg, und mache unserem Namen Ehre, denn mein Herz weiß, dass du ein echter Collincourt bist.

Lebe wohl, und finde sie …

Dein dich liebender Großonkel
Odo Collincourt
Greenvale Castle, 3. August, Anno Domini 1577.

Die Buchstaben der Unterschrift waren kaum zu entziffern, und das nicht nur wegen des flackernden Lichts, das drei Wachskerzen in einem Silberleuchter spendeten. Es ging auf Mitternacht zu. Mit Tränen in den Augen legte Vitus den Brief, den er wieder und wieder gelesen hatte, zurück auf die Truhe neben dem Totenbett. Er war froh, in diesem Augenblick allein mit dem Verstorbenen zu sein. Nicht wegen der Tränen, denn ihrer schämte er sich nicht, sondern weil er Zwiesprache halten wollte mit einem Mann, den er nur ein kurzes Jahr gekannt hatte und der ihm dennoch so nahe gekommen war wie kaum ein Mensch zuvor.

Behutsam nahm er die Hände des Toten und legte sie gekreuzt auf seine Brust. »Es wird alles so geschehen, wie du es wünschst«, flüsterte er. »Das Erbe ist mir nicht wichtig, das weißt du, wichtig ist, dass alles auf Greenvale Castle in deinem Sinne weiterläuft. Und das wird es. Dafür werde ich mit Gottes Hilfe sorgen.

Ich verspreche dir, dass ich alles Erdenkliche tun werde, um Arlette wiederzufinden – um deinet- und um meinetwillen. Ich verspreche dir, dass ich mich so rasch wie möglich auf den Weg machen werde. Ich verspreche dir, dass ich auf mich aufpassen werde. Du weißt, ich habe gute Freunde, die mir helfen werden. Wertvolle Freunde. Denn je mehr Menschen man verliert, desto wichtiger werden diejenigen, die einem bleiben.«

Er küsste den Toten auf beide Wangen, faltete die Hände und sprach ein Gebet. Als er geendet hatte, fühlte er sich seltsam gestärkt. Er schlug das Kreuz. Dann nahm er den Silberleuchter, verließ den Raum und schritt die Marmortreppe hinab zum großen Esssaal, wo er schon erwartet wurde.

Er trat ein und stellte den Leuchter auf die zweitürige Kredenz, in der das schwere Tafelsilber verwahrt wurde. Im fahlen Licht der Kerzen wirkte der große Raum unheimlich und unwirklich, was durch die schweren Ritterrüstungen in den Ecken, die dann und wann durch das Flackern der Kerzen aufblinkten, noch verstärkt wurde.

Vitus setzte sich wortlos an den Platz, der ihm von nun an zustand: den Platz an der Stirnseite der großen Tafel. Langsam ließ er seinen Blick schweifen. Sie waren alle versammelt: Doktor Burns, der nur noch den Tod des alten Lords hatte feststellen können, der Advocatus Hornstaple aus Worthing, ein Studierter der Jurisprudenz mit gleichermaßen würdevollem wie wichtigtuerischem Gehabe, Catfield, sein Gutsverwalter, der ihm besonders ergeben war, Hartford, kummervoll dreinblickend, ebenso wie die dicke Mrs Melrose, Köchin auf Greenvale Castle seit Jahrzehnten und ebenso lange unbeliebt bei jedermann. Dann seine Freunde: der Magister, der betreten vor sich hin blinzelte, und Enano der Zwerg, dem es tatsächlich die Sprache verschlagen hatte.

»Ich danke allen, dass sie gekommen sind.« Abermals blickte Vitus in die Runde. Keiner entgegnete etwas. Es war so still, dass er sein eigenes Blut in den Ohren rauschen hörte. »Das Herz war es«, sagte er dann, »es hatte einfach nicht mehr die Kraft, der Krankheit zu trotzen.«

Ein Seufzen ging durch die Anwesenden.

»Ich nehme an, verehrter Doktor Burns, Ihr seid zu demselben Ergebnis gekommen?«

Burns nickte unsicher. Er war ein alter Mann, und der vergangene Tag mit all seiner Hektik hatte ihn mehr als mitgenommen. Nur eine Viertelstunde nach Keiths Hilferuf war er auf dem Schloss eingetroffen, aber da war es schon zu spät gewesen. Der Lord hatte entseelt dagelegen, mit halb geöffnetem Mund und blassen Lippen. Alle Anzeichen hatten darauf hingedeutet, dass die Atmung ausgeblieben war, aber warum und wodurch, darauf hatte Burns sich keinen Reim machen können, zumal er eine unüberwindliche Scheu davor verspürte, den Leib eines Toten, der dem Hochadel angehörte, nackt zu untersuchen. So hatte er sich darauf beschränkt, den Tod festzustellen und dem Verstorbenen die Augen zu schließen.

Zwei Stunden später, Burns verweilte noch immer neben dem Toten, war der junge Herr mit seinen Freunden ins Sterbezimmer gestürmt, atemlos und über die Maßen erregt, denn Keith hatte ihnen den kritischen Zustand des Lords getreulich übermittelt – kaum zwanzig Meilen von Greenvale Castle entfernt, wo er auf sie gestoßen war.

Burns hatte den Ankömmlingen nur noch sein Beileid aussprechen können. Er wünschte von Herzen, er hätte mehr zu tun vermocht … »Sicher, junger Herr, sicher war es das Herz.«

Vitus fuhr fort: »Ich möchte nicht weiter über den Befund sprechen, denn es wäre nicht im Sinne meines Onkels gewesen. Wer ihn kannte, weiß, dass es nicht seine Art war, über Krankheiten zu reden – geschweige denn, darüber zu klagen. Umso mehr lag ihm immer das Wohl von Greenvale Castle und aller seiner Menschen am Herzen. Ich wünsche deshalb, dass auf dem Schloss und auf dem Gut alles so weiterläuft wie bisher.«

Er wandte sich an Hornstaple: »Ich habe Euch hergebeten, Herr Advocatus, weil ich einige Auskünfte von Euch erbitte und weil ich mich bedanken möchte für die Freundlichkeit, meinem Onkel Eure Hand zur Verfügung gestellt zu haben. Ihr habt für ihn seinen Abschiedsbrief an mich geschrieben. Nicht zuletzt deshalb ist Euch natürlich bekannt, dass ich seine Besitztümer erben soll. Bitte sagt mir, ob in seinem Testament, abgesehen von Einzelheiten, etwas anderes steht.«

Hornstaples Lippen, die zunächst noch ein selbstzufriedenes Lächeln umspielt hatte, verschlossen sich zu einem Strich.

»Mit Verlaub, Sir, so einfach ist das nicht. Ich kann diesbezüglich keine Auskünfte erteilen. Streng genommen darf ich Euch an dieser Stelle nicht einmal mitteilen, ob Ihr für das Erbe vorgesehen seid oder nicht. Dazu bedarf es der Testamentseröffnung – eines Vorgangs mit streng vorgeschriebenen Abläufen, etwa die Anwesenheitsfeststellung der Personen, Überprüfung der Identität derselben, Feststellung der Zahl der anwesenden Personen, Festhalten des Ortes, des Datums et cetera, et cetera. Als Advocatus bin ich verpflichtet, dafür Sorge zu tragen, dass alles das peinlich genau eingehalten wird. Darüber hinaus sollten ausschließlich die erbberechtigten Personen respektive Parteien ...«

»Verzeiht, dass ich Euch unterbreche. Wenn der Inhalt des Abschiedsbriefs mit dem Testament übereinstimmt, wovon ich überzeugt bin, gibt es nur zwei Erben – Lady Arlette und mich. Da Lady Arlette aber nicht anwesend ist, vielmehr nicht einmal bekannt ist, ob sie noch lebt, bin ich der Einzige, den das Testament etwas angeht. Oder haben außer uns noch andere geerbt?«

»Nein, Sir, das nicht, aber ...« Hornstaple stockte und lief vor Ärger rot an. Ohne es zu wollen, hatte er einen der Inhalte des Testaments preisgegeben.

»Gut, wenn dem so ist und wenn im letzten Willen meines Onkels nichts anderes als in seinem Abschiedsbrief steht, denke ich, können wir hier auf die Testamentseröffnung verzichten ...«

»Hier? Wo denkt Ihr hin, junger Herr!« Hornstaples Stimme ließ keinen Zweifel daran, wie unerhört er das eben Gesagte fand. »Ein derart wichtiger juristischer Akt sollte selbstverständlich nicht in diesem Saal, sondern in meiner Kanzlei stattfinden!«

»Er wird überhaupt nicht stattfinden, Sir, jedenfalls nicht heute Nacht. Denn, freiheraus gesagt, Einzelheiten sind für mich nicht wichtig, ebenso wie sie niemals für Seine Lordschaft von Interesse waren.« Vitus überlegte kurz. »Außerdem werde ich aus Gründen der Zeitersparnis meinen Verwalter Richard Catfield schriftlich bevollmächtigen, damit er alle meine Rechte und Pflichten aus dem Testament wahrnehmen kann.«

Catfield erhob sich langsam. In seinem Gesicht standen Freu-

de und Überraschung zugleich. »Sir, oh, Sir! Das ist eine große Ehre für mich!« Er verbeugte sich. »Und eine große Verantwortung! Selbstverständlich werde ich alles tun, um dieser
Aufgabe gerecht zu werden.«

»Ich weiß, dass ich mich auf Euch verlassen kann.«

»Junger Herr!« Hornstaple erhob sich ebenfalls. Das Gespräch
hatte einen Verlauf genommen, den er nicht dulden konnte.
Er war es gewohnt, dass man seinen Ausführungen ehrfurchts-
voll lauschte und seine Ratschläge wie Befehle hinnahm. »So
geht es wirklich nicht! Es ist in höchstem Maße unangemessen, hier einfach vor Krethi und Plethi zu bestimmen, wer statt
Eurer das Testament in die Tat umsetzt! Ich bestehe darauf,
dass dies in meiner Kanzlei geschieht! Schriftlich und in der
gebührenden Form! Im Übrigen darf ich darauf verweisen,
dass ich das Testament selbstverständlich nicht bei mir trage.
Als einer der erfahrensten, wohl angesehensten, erfolgreichsten Advocaten Englands versichere ich Euch ...«

»*Deforme est de se ipsum praedicare.*« Der Magister hatte lange
geschwiegen, doch jetzt war es ihm zu bunt geworden. »Hässlich ist es, von sich selbst rühmlich zu sprechen, oder, wenn
Ihr das besser versteht, Herr Kollege: Eigenlob stinkt! Ich bin
zwar nur ein kleiner Rechtsgelehrter, erwarb auch nur das
Magister-Examen, habe außerdem nur ein Jahrzehnt in La
Coruña an der dortigen Privatschule doziert und bin überdies
lediglich im spanischen Recht zu Hause, doch so ahnungslos,
dass ich nicht wüsste, dass es auch in diesem Land möglich ist,
einen Erbbevollmächtigten an beliebigem Ort vor Zeugen einzusetzen, so ahnungslos bin ich nicht.«

Hornstaples Mund ging auf und zu, während er sich, der Worte unfähig, wieder setzte.

»Und was heißt überhaupt Krethi und Plethi?« Der kleine Gelehrte kam jetzt richtig in Fahrt. »Seid Ihr Euch eigentlich klar
darüber, dass Ihr damit die hier Anwesenden verunglimpft?«

Vitus ging dazwischen. »Lass gut sein, Magister. Ich möchte
keinen Streit, kaum dass mein Onkel tot ist. Herr Advocatus:
Ich werde in den nächsten Tagen zusammen mit meinem Ver-
walter in Eurer Kanzlei erscheinen. Dort mögt Ihr für ihn eine
Bevollmächtigung aufsetzen und beurkunden. Ferner bitte ich
Euch, Mister Catfields Verwalterkontrakt dahingehend auszu-

weiten, dass er künftig auch für das Schloss zuständig ist. Bitte
bereitet das Dokument entsprechend vor. Die mit der Aufga-
benerweiterung verbundene Erhöhung seiner Bezüge wird
vor Ort eingetragen.«

Catfield konnte sein Glück kaum fassen.

Hornstaple brummte etwas in seinen Bart wie: »Warum nicht
gleich so ...«

»Dann wäre das ja geklärt. Gibt es noch irgendetwas, Herr
Advocatus?«

»Nun, ahem.« Hornstaple nestelte umständlich eine kleine
Schatulle aus der Rocktasche hervor. »Da Ihr Wert darauf zu
legen scheint, alles *coram publico* zu vollziehen, übergebe ich
Euch hiermit den Siegelring Seiner Lordschaft.«

»Ich danke Euch. Ich hatte ihn schon an der Hand meines
Onkels vermisst.«

»Es war der ausdrückliche Wunsch Seiner Lordschaft, dass Ihr
den Ring zu jeder Zeit tragt. Das Stück ist Familienbesitz seit
vier Generationen, was durch entsprechende urkundliche Er-
wähnungen ohne weiteres bewiesen werden kann.«

»Das wird heute Nacht nicht nötig sein.« Vitus nahm den
Ring und streifte ihn sich über den Finger. »Nanu! Er passt, als
wäre er für mich gemacht!«

Hornstaple nickte steif. »Nun, in gewisser Weise ist er das
auch. Seine Lordschaft vetraute mir an, dass er den Ring auf
Eure Fingerstärke weiten ließ, bevor er ihn mir übergab.«

»Soso. Aha.« Vitus blickte fasziniert auf das Wappen des
Rings. Es war kreisförmig und wies im oberen Bereich einen
sich schlangengleich windenden, fauchenden Löwen auf, darunter war ein stilisiertes Schiff zu erkennen, dessen zwei dreieckige Segel einander spiegelverkehrt gegenüberstanden. Es
war jenes unverkennbare Wappen, das ihm den Weg von Spanien nach England gewiesen hatte. Das war jetzt bald zwei
Jahre her ...

Er zwang seine Gedanken zurück an den Tisch. »Hartford,
nun zu dir. Deine Aufgabe bestand bisher in der persönlichen
Betreuung Seiner Lordschaft. Da diese Arbeit nun entfällt und
ich keinen persönlichen Diener brauche, wirst du ab morgen
Mister Catfield als Assistent bei der Verwaltung zur Verfügung
stehen. Du wirst dich in deine neuen Aufgaben so schnell wie

möglich einarbeiten und sie genauso gut bewältigen wie die bisherigen.«

»Aber Sir! Ich ... äh, nein, aber ... Jawohl, Sir.«

»Freut mich, dass du einverstanden bist. Die restliche Dienerschaft wird wie bisher eingesetzt. Nun zu Keith, dem Stallburschen, der so beherzt gehandelt hat. Ich möchte, dass er ... Wo ist er überhaupt?« Vitus blickte sich suchend um.

»Nun, Sir, niemand hat ihn in diese Runde gebeten, deshalb dürfte er jetzt schon tief und selig schlafen«, schmunzelte Catfield.

»Natürlich. Hartford, lauf hinüber zu den Stallungen und hole den Jungen, aber rasch!«

»Äh ... jawohl, Sir.« Hartford zog eine Grimasse, als hätte er rohen Fisch verschluckt, doch er fügte sich in das Unvermeidliche.

»Da bin ich, Sir!«, rief Keith kurze Zeit später. Er stand in der großen Flügeltür und trat von einem Bein aufs andere.

»Komm her, Keith, setz dich neben Mister Catfield. Ich habe dir etwas mitzuteilen.«

»Sir?« Die Ohren von Keith, der alle Blicke auf sich spürte, nahmen die Farbe von Klatschmohn an.

»Zunächst einmal möchte ich dir dafür danken, dass du so umsichtig gehandelt hast.«

»Ich hab getan, was getan werden musste, Sir.«

»Wahrhaftig, das hast du. Doch nun zu etwas anderem: Nachdem Pebbles, der alte Stallmeister, vor einiger Zeit verstorben ist, brauchen unsere Stallungen einen neuen Vorsteher.« Vitus machte eine Pause. »Kennst du jemanden, der dafür in Frage käme, Keith?«

»Ich, Sir? Hm, lasst mich mal überlegen.« Die Stirn des Jungen legte sich in Falten, dann zuckte er mit den Schultern. »Um offen zu sein, Sir, mir fällt kein geeigneter ein.«

»Aber mir. Ich habe mich, auf Anraten von Mister Catfield, für dich entschieden.«

»Was, für mich, Sir?« Die Ohren des Jungen wurden vor Freude noch röter. Mehrmals hob er an, seine Dankbarkeit zum Ausdruck zu bringen, doch er brachte kein Wort hervor.

»Gut, dann ist es abgemacht. Ich komme nun zu den unabänderlichen Dingen, die ein Todesfall mit sich bringt ...«

In der nächsten Stunde besprach Vitus eingehend die geistlichen und weltlichen Notwendigkeiten, die im Rahmen einer standesgemäßen Beisetzung zu erledigen waren, und als schließlich alles bis in die kleinste Einzelheit geklärt und schon mancher am Tisch eingenickt war, schloss er:

»Für heute mag es genug sein, denn wir alle haben einen langen Tag hinter uns. Vielleicht nur noch eines, das alle Anwesenden betrifft: Sowie mein Großonkel in der Familiengruft ruht und die letzten Feierlichkeiten beendet sind, werde ich alles daransetzen, ihm seinen Herzenswunsch zu erfüllen: Es ist der Wunsch, Lady Arlette zu finden und heimzuführen.«

»Das wünschen der Zwerg und ich dir auch!«, rief der Magister spontan. »Ich hoffe nur, dass es dir mit Gottes Hilfe gelingen wird.«

»Wui, wui!«

»Mit Gottes Hilfe – und mit eurer.«

DIE WIRTIN POLYHYMNIA

»Man müsste eine Seele aus Stein haben, um nicht zu spüren,
dass es eine Frau ist, die du suchst.«

Im Gegensatz zu den meisten Herbergen der Hafenstadt Plymouth wurde das Polly's Wharf von einer Frau betrieben. Polly, eine ehemalige Hure, war es als einer der wenigen ihres Gewerbes vor Jahren gelungen, dem ewigen Kreislauf aus Prostitution, Alkohol und Dieberein zu entrinnen. Jetzt war sie Anfang vierzig – selbstbewusst, resolut und trotz eines kräftezehrenden Arbeitslebens noch immer vor Gesundheit strotzend. Sie trug Kleidung wie ein Mann, sprach wie ein Mann und pflegte zudem eine Passion, die man gewöhnlich nur bei Männern antraf: Sie rauchte Pfeife.

Ihre zuweilen etwas brüske Art war nicht bei allen Gästen beliebt, doch war sie wesentliche Voraussetzung für den friedlichen Ablauf ihres Schankbetriebs. Wer in Polly's Wharf lamentierte oder gar Händel anfing, bekam es mit ihr zu tun. Polly dabei zu beobachten, wie sie mit scharfer Zunge und beachtlicher Körperkraft ungebetene Zecher vor die Tür warf, war ein Genuss für sich. Nicht wenige ihrer Stammgäste fanden sich deshalb erst zu fortgeschrittener Stunde ein, zu einem Zeitpunkt also, wo die Wahrscheinlichkeit am größten war, dass Krakeeler die Wirtsstube aufsuchten und Polly in Aktion trat.

An diesem Abend wuchtete Polly gerade ein neues Brandyfässchen auf den Zapfbock, als fünf unbekannte Burschen den Gastraum betraten. Mit raschem Blick taxierte sie die Ankömmlinge und kam zu dem Schluss, dass sie harmlos waren, obwohl keiner von ihnen so aussah, als verdiene er sein Brot wie andere friedliche Menschen auch: als Bauer, Handwerker oder Händler. Ein recht passabler jüngerer Mann mit hellblonden Locken schien unter ihnen das Sagen zu haben, denn er entschied, wo sie sich niedersetzten. Er trug feste, gut geschnittene Reisekleidung, die allerdings im auffälligen Gegensatz zu seiner mehrfach ausgebesserten Kiepe und seinem alten, mannshohen Stecken stand. Ein kleinerer Mann mit Nasengestell, so um die dreißig, war noch dabei, dann ein rothaariger Zwerg mit Buckel und zwei Kerle mit O-Beinen, die das Gepäck hereinschleppten. Letztere waren die Einzigen, die einen Bart trugen.

Polly steckte sich die Pfeife in den Mund, stieß ein paar dicke Qualmwolken aus und beschloss, der Gruppe ein wenig auf den Zahn zu fühlen. Sie ging hinüber und stemmte die Arme in die Hüften. »He, Gabriel, was treibt dich und deine Leute so spät noch in meinen Laden?«, herrschte sie den Blonden an. Der musterte sie verdutzt. Er hatte kluge, graue Augen und ein Grübchen im Kinn. »Gabriel? Wieso nennst du mich Gabriel?«

»Du hast blonde Locken wie der Erzengel Gabriel. Deshalb!« Der Blonde lachte. »Eigentlich heiße ich Vitus, aber wenn es dir Spaß macht, nenne mich Gabriel!«

»Sag ich doch. Und ich heiße Polyhymnia. Für meine Freunde Polly.« Pollys Mutter war es, wie vielen Müttern aus der Gosse, bei der Geburt ziemlich egal gewesen, wie ihr uneheliches Kind heißen sollte. Diese Gleichgültigkeit allerdings war vom Kindesvater, einem ältlichen Buchhausierer, der die Lateinschule besucht hatte, keineswegs geteilt worden. Er hatte darauf bestanden, das Neugeborene nach der griechischen Muse der Lyrik und Musik zu nennen. Wie sich später herausstellte, gab es kaum einen Namen, der weniger zu Polly passte.

Jetzt meldete sich der mit dem Nasengestell: »Und ich bin Barnabas.«

»Barnabas?« Polly nahm die Pfeife aus dem Mund. »Komischer Name. Heißt du wirklich so?«

»Nein, aber ich habe so braune Haare wie der Barnabas aus der Bibel.«

Polly brauchte einen Augenblick, um zu erkennen, dass sie auf die Schippe genommen worden war, doch dann brüllte sie auf vor Lachen. »Du gefällst mir, der Punkt geht an dich!« Sie schlug dem kleinen Mann krachend auf die Schulter. »Also, wie heißt du wirklich, und was trinkst du?«

»Magister und Brandy.«

»Hä? Also hör mal, Freundchen, wenn du mich schon wieder auf den Arm ...«

»Aber Frau Wirtin! Wie könnte ich!« Der kleine Gelehrte blinzelte und rückte grienend sein Nasengestell zurecht. »Alle Welt nennt mich Magister, und Brandy ist mein Lieblingstrank.«

»Also Brandy für alle!«, fasste Polly zusammen. »Die erste Runde geht auf mich.« Sie drehte ab und nahm Kurs auf das Fässchen.

Der Magister beugte sich hinüber zu Vitus und flüsterte: »Das kann ja heiter werden. Mir war eigentlich gar nicht nach Brandy zumute, eher nach einer kräftigen Mahlzeit, aber da dieses Mannweib sich gerade an dem Fässchen zu schaffen machte, dachte ich ...«

»Sooo, die Brandys.« Die Wirtin war schon wieder zurück. Schnelligkeit war eines der Geheimnisse ihres Erfolgs. Geräuschvoll stellte sie ein Tablett mit fünf gefüllten Bechern ab, wobei sie die Rufe der anderen Zecher wie »He, Polly, seit wann hast du die Spendierhosen an?« und »Mach gleich hier weiter, oder sollen deine Stammgäste verdursten?« gutmütig überhörte.

»Cheers, ihr Burschen!«

Der Blonde nahm einen Becher. »Cheers, Polly, trinkst du selbst nichts?«

»Erraten, Gabriel. Ich trinke nie mit Gästen. Unumstößliches Gesetz.«

Vitus nahm einen Schluck. »Dein Brandy ist gut, Polly. Steif wie ein Nordwest, der aus dem Bristol Channel hereinfegt! Erlaube mir, dass ich dir die anderen drei unserer Gruppe vorstelle. Dies hier ist Enano der Zwerg, bewandert in den Künsten der Elixier- und Arcanumherstellung, der junge Bursche dort ist Keith und der Letzte ist Wat, ein Freund von Keith.«

Polly nickte den Männern zu, wobei ihr Blick etwas länger an dem Zwerg haften blieb. »Hast du die Kriegskasse schon von Geburt an, Kamerad?« fragte sie. In ihrem Ton lag weder Herablassung noch Hohn, nur freundliches Interesse, wie eine gute Wirtin es ihren Gästen schuldet.

»Wui, wui, Frau Zapfhenne! Grad so, wie dir die Backen festgewachsen am Gesess.«

Polly schmunzelte. »Bist nicht aufs Maul gefallen, Enano.« Sie wandte sich wieder an Vitus. »Du verstehst dich auszudrücken, Gabriel. Männer wie du kommen nicht oft in meinen Laden, deshalb noch mal die Frage, denn so schnell lass ich nicht locker: Was treibt dich und deine Leute so spät noch hierher?«

»Wir sind vorhin erst in Plymouth eingetroffen, Polly. Und wir wollten eine Herberge unmittelbar am Hafen.«

»Hm.« Polly blickte Vitus forschend ins Gesicht. Dann entschied sie: »Ich glaube dir.«

»Drei anstrengende Tagesritte liegen hinter uns. Wir kommen aus der Nähe von Worthing, östlich von Portsmouth, und suchen eine Schiffspassage nach Westindien. Doch zuerst brauchen wir etwas zu essen und ein Zimmer für die Nacht.«

»Ein Zimmer und was zu futtern könnt ihr kriegen. Aber wieso habt ihr's nicht in Portsmouth versucht, wenn ihr eine Passage in die Karibik wollt, das wär für euch doch viel näher gewesen?« Polly war nicht auf den Kopf gefallen.

»Es heißt, der Korsar Francis Drake läge hier im Hafen mit einem Verband Schiffe. Und es heißt weiter, er wolle nächster Tage ankerauf gehen und in die Karibik segeln. Ich möchte mit meinen Freunden die Gelegenheit nutzen und mitfahren.«

»Nun mal langsam und der Reihe nach.« Polly setzte sich, was sie höchst selten tat, zu ihren neuen Gästen. »Dass Drake am 15. November in See stechen will, pfeifen die Spatzen von den Dächern, so viel ist sicher. Dass er in die Karibik segelt, erzählt man sich allerdings nicht, man munkelt, es ginge nach Panama.«

»Auch das wäre mir recht. Hauptsache, wir sind erst einmal in der Neuen Welt, alles andere wird sich finden.«

Polly runzelte die Stirn. »Ich glaube nicht, dass Drake noch Platz für fünf weitere hungrige Mäuler hat, selbst wenn sie dafür zahlen. Seit seiner märchenhaft erfolgreichen Kaperfahrt anno 72 muss er nur mit den Fingern schnipsen, und alle Salzbuckel Englands laufen ihm zu, ohne einen Penny dafür zu verlangen. Mannschaftssorgen kennt dieser Teufelskerl jedenfalls nicht.«

»Wir sind nur zu dritt. Keith und Wat reiten morgen zurück und nehmen unsere Pferde mit.«

Polly blickte skeptisch. »Nun ja, ihr müsst's ja wissen.«

»Wui, wui, das tun wir, Frau Zapfhenne, un ebenso gewisslich is, dass wir all den Tag Luftklöße und Windsuppe geschnappt haben. Der Speisfang grimmt, wie steht's mit manschen?« Der Zwerg grinste treuherzig und machte eine unmissverständliche Essbewegung mit seinem Kinderhändchen.

»Hast Recht.« Pollys mütterliches Herz regte sich. »Ich geh schnell in die Küche und guck, was noch zu beißen da ist.«

»Knäbbig, knäbbig!«

»Die *Pelican* dürfte von Drakes Schiffen das größte sein«, stellte der Magister fest, nachdem er das aus fünf Seglern bestehende Geschwader kritisch in Augenschein genommen hatte. Es war der Morgen nach ihrer Ankunft im Polly's Wharf. Der kleine Gelehrte stand mit Vitus und dem Zwerg auf dem Ausrüstungskai und fröstelte in der kaltfeuchten Luft. Um sie herum herrschte, selbst zu dieser frühen Stunde, schon emsiges Treiben. Befehle, Rufe und Pfiffe erklangen. Fässer wurden abgeladen, rumpelnd über das Kopfsteinpflaster gerollt und über einen Kranbalken an Deck gehievt; Seekisten wurden aufs Schiff geschleppt, Ersatzspieren an Bord genommen, Proviant aller Art in den Ladeluken verstaut. Überall wurde geflucht und geschuftet, und es gab kaum einen Platz, an dem nicht noch gemalt, gehämmert, gezimmert und letzte Hand angelegt wurde.

»Sie hat höchstens hundert bis hundertzwanzig Tonnen«, fuhr der Magister fort, »nicht besonders beeindruckend, wenn man sie mit spanischen Kriegsgaleonen vergleicht, aber immerhin. Ob sie allerdings mit ihren achtzehn Kanonen auf der Reise viel hermachen kann, werden wir sehen – oder auch nicht. Je nachdem, ob der Herr Korsar geruht, uns mitzunehmen.«

Vitus lachte. Weißer Atem stand ihm dabei vor dem Mund. »Aus dir spricht der Spanier, du altes Unkraut! Ich verstehe ja, dass du auf Drake nicht gut zu sprechen bist, nachdem er die spanischen Schatzgaleonen ausgenommen hat wie eine Festtagsgans, dennoch: Wo bleibt dein Gerechtigkeitssinn? Drake hat nur erbeutet, was deinen Landsleuten ebenfalls nicht gehörte.«

Der Magister knurrte: »Dass meine Landsleute sich das amerikanische Gold unrechtmäßig anzueignen pflegen, macht Drakes Handlungsweise nicht besser. Diebstahl bleibt Diebstahl, aber lassen wir das. Wir müssen erst einmal feststellen, auf welchem Schiff sich der Herr überhaupt aufhält, immerhin sind da noch die *Elizabeth* und die *Marygold*, nicht zu vergessen die zwei Versorger.«

»Ein Kommandant dürfte auf seinem Flaggschiff zu finden sein, und das ist die *Pelican* zweifellos, man sieht es an dem bunten Wimpel dort am Mast. Aber vielleicht wissen wir es gleich ganz genau.« Vitus, der an diesem Morgen Kleidung trug, die ihn als Mann von Stand auswies, trat auf eine Kutsche zu, der ein wettergegerbter Seemann schwankend entstieg. »Verzeiht, dass ich Euch anspreche, Sir. Könnt Ihr mir sagen, ob der Kommandant Francis Drake sich zur Zeit auf der *Pelican* befindet?«

»Das wird er wohl.« Der Neuankömmling schnaufte mehrmals. Saurer Weindunst entströmte seinem Mund. »Wenn's nicht so wär, würd ich jetzt noch bei meiner Hafenschwalbe liegen und nicht an Bord müssen. Drake beordert einen zu den unmöglichsten Tages- und Nachtzeiten zu sich. Ich bin übrigens Thomas Cuttill, wenn's beliebt, der Kapitän der *Pelican*.«

»Sehr angenehm. Mein Name ist Vitus von Campodios. Dürfen wir uns Euch anschließen, Captain? Ich habe etwas sehr Dringendes mit dem Kommandanten zu besprechen.«

»Warum nicht? Jeder will heutzutage was von Drake. Folgt mir.« Leicht schlingernd bahnte Cuttill sich seinen Weg zum Schiff.

In der geräumigen Kommandantenkajüte von Francis Drake herrschte ein ziemliches Durcheinander: Die in die Innenwand der Steuerbordseite eingebaute Koje war zerwühlt, auf den drei Stühlen davor lag achtlos hingeworfene Kleidung, und aus einer großen, offenen Kiste, deren schwere eiserne Beschläge sie als spanische Schatztruhe auswiesen, starrten Äxte, Entermesser und Piken hervor. An der Backbordwand hing, neben dem Wappen der Königin, auch das von Sir Christopher Hatton mit der goldenen Hirschkuh, und in der Mitte, auf dem alles dominierenden Tisch, türmten sich Stapel von Seekarten, Insel- und Küstensilhouetten, nautischen Tabellen und Plänen von Befestigungsanlagen. Dahinter stand, in Gesellschaft von drei weiteren Männern, »Der Drache« oder *El Dragón*, wie die Spanier Drake nannten.

Drake war ein Mann von mittelhohem Wuchs, mit energischen Bewegungen und flinken, hellwachen Augen. Er hatte dunkelblondes, lockiges Haar, das er kurz trug und das an den Seiten in einen nachlässig gestutzten Vollbart überging. Die Oberlippe zierte ein prächtiger Knebelbart. »Wer mit mir auf Abenteuer geht«, rief er in diesem Augenblick, während sein Knöchel auf eine Karte des Isthmus von Panama pochte, »wird sein Geld sechs- und siebenfach zurückbekommen …«

»Da bin ich, Drake«, unterbrach Cuttill, in dessen Fahrwasser Vitus mit eingetreten war. Der Wachtposten vor der Tür hatte nur ihn eingelassen, nicht ohne ihm vorher seinen Degen abzunehmen.

Drake und die Männer am Tisch blickten auf.

»Habe hier einen Gentleman«, setzte Cuttill, um Haltung bemüht, hinzu, »der Euch unbedingt sprechen will.«

»Was Ihr nicht sagt.« Drake schien nicht erbaut über die Unterbrechung.

»Erlaubt, dass ich mich vorstelle, Sir.« Vitus trat vor und verbeugte sich. »Mein Name ist Vitus von Campodios.«

»Der meine dürfte wohl bekannt sein«, erwiderte Drake, während er Vitus von oben bis unten musterte. »Hier«, er wies auf einen gut aussehenden, gepflegt gekleideten Mann, »seht Ihr Thomas Doughty, Offizier Ihrer Majestät, Gentleman und Abenteurer in einer Person, daneben meinen jüngsten Bruder Thomas und meinen Vetter John Drake. Thomas Cuttill kennt Ihr ja bereits.«

Mein Gott, in diesem Raum heißt jeder Zweite Thomas!, schoss es Vitus durch den Kopf, während er seine Gedanken zu ordnen versuchte. »Jawohl. Er war so liebenswürdig, mich mit an Bord zu nehmen. Nun, Sir, ich möchte Euch nicht lange aufhalten. Frank und frei heraus gesagt, ist der Grund meines Besuchs die Bitte an Euch, mich und zwei Freunde mit in die Neue Welt zu nehmen.«

Wenn Drake von diesem Anliegen überrascht war, so zeigte er es jedenfalls nicht. Seine Rechte fuhr zwischen seine Beine, wo er sich ungeniert kratzte. »Aha. So ist das also. Dann hört mir mal zu, Herr Vitus von Campodios. Ich habe insgesamt fünf Schiffe, kleine Schiffe wohlgemerkt, weshalb jedes einzelne bis unters Schanzkleid voll gestopft ist, ich habe insgesamt einhundertvierundsechzig Mann, darunter nicht nur Matrosen und Soldaten, sondern auch Wissenschaftler und Maler und Gentleman-Abenteurer wie meinen Freund Thomas Doughty, ich habe ferner eine hohe Verpflichtung bei Hofe, deren Art ich nicht näher erläutern will, ich habe Mut, ich habe Verstand, ich habe Gottvertrauen – das alles und noch viel mehr habe ich, verehrter Herr, aber das Einzige, was ich nicht habe, ist Platz!«

Vitus schluckte. »Ich verstehe, Sir. Doch meine Freunde und ich wollen die Überfahrt natürlich nicht umsonst.«

»So viel Geld, wie Euch die Reise kosten würde, könnt Ihr gar nicht haben.«

»Ich würde nicht mit Geld bezahlen. Ich würde Euch meine ärztliche Kunst für die Dauer der Fahrt zur Verfügung stellen. Ich bin examinierter Schiffschirurg.«

Drake ließ knarrend einen Wind fahren und wurde damit seinem Ruf, nichts auf die feinen Sitten zu geben, einmal mehr gerecht.

Vitus bezwang seinen aufkommenden Ärger. »Ich habe mein Examen bei Professor John Banester in London abgelegt, Sir«, hakte er nach. »Wie Ihr sicher wisst, ist der Professor so reputierlich, dass selbst Ihre Majestät die Königin sich seiner Künste versicherte.«

»Bei Banester habt Ihr Examen gemacht? Soso, der Mann versteht sein Handwerk …« In Drakes Gesicht arbeitete es. Dann, plötzlich, sprang er zur Seite, riss die Kleider von einem der Stühle, ließ seine Seemannshose herunter und setzte sich. »Dann schaut Euch das mal an.«

Vitus blickte verständnislos.

Drake streckte das Bein vor und wies auf seinen Schenkel. »Vor fünf Jahren war's, beim Angriff auf Nombre de Dios, als mir einer der verdammten Dons eine Kugel ins Bein jagte. Das Ding sitzt noch immer drin. Könnt Ihr es rausholen?«

Vitus kniete nieder und betrachtete das haarige Männerbein. Die Wunde war seinerzeit zweifellos kaum oder gar nicht versorgt worden, aber dennoch recht gut verheilt. Unter der sich spannenden Narbenhaut schimmerte es blauschwarz, unterbrochen von einigen dunklen Sprenkeln, die von Schießpulver herrühren mochten. Er tastete die Stelle ab. An einem bestimmten Punkt zuckte Drake leicht zusammen. »Habt Ihr Schmerzen, wenn ich hier drücke?«

»Nein.« Die Antwort kam so kurz und knapp, dass sie auf keinen Fall stimmte. Wahrscheinlich wollte *El Dragón* sich vor seinen Männern keine Blöße geben.

»Nun gut.« Vitus' Hände untersuchten weiter. Die Kugel saß seiner Schätzung nach mindestens einen Zoll tief im Fleisch. Sie herauszuholen, würde nicht ganz einfach sein. Er richtete sich auf. »Es ist machbar, Herr Kommandant, wenn auch nicht ganz leicht.«

»Was werdet Ihr tun?«

»Ich werde einen ziemlich langen Schnitt vornehmen müssen, denn das Geschoss steckt tief unter der Haut. Der Schnitt muss so angesetzt werden, dass möglichst wenig Muskelfleisch in Mitleidenschaft gezogen wird. Auf die Beinschlagader, die sich in unmittelbarer Nähe befindet, muss besonders geachtet werden. Darin liegt die eigentliche Schwierigkeit. Die Kugel herauszupräparieren ist eher Formsache. Dazu bedarf es nur ein paar guter chirurgischer Instrumente, wie Wundhaken, Wundspreizer, Kugelholer und so weiter, aber das alles habe ich selbstverständlich.«

»Schön, was Ihr sagt, deckt sich mit den Erkenntnissen meines Arztes.«

»Verzeihung, Sir, aber wenn Ihr einen Arzt habt, warum hat er Euch nicht längst behandelt?«

Statt einer Antwort sagte Drake: »Angenommen, ich wollte mich von Euch operieren lassen, wie schnell kann ich danach wieder an Deck stehen und mein Geschwader führen?«

Vitus ahnte, worauf das Ganze hinauslief. »Wenn Ihr lebensmüde seid, Sir, noch am selben Tag. Wenn nicht, wartet Ihr eine Woche, bis sichergestellt ist, dass kein Wundbrand auftritt.«

»Schön«, sagte Drake abermals. »Auch das deckt sich mit der Meinung meines Arztes. Und jetzt, da ich zwei so gleich lautende Stellungnahmen habe, kann ich sicher sein, dass die erste Meinung stimmt – und alles beim Alten lassen.« Er stand auf und zog sich die Hose wieder hoch. »Oder glaubt Ihr im Ernst, ich hätte die Zeit, noch eine Woche hier im Hafen zu vertrödeln?«

»Sir!« Vitus lief puterrot an vor Zorn. »Ihr habt mich lediglich dazu benutzt, eine Meinung zu erhärten! Ihr habt zu keiner

Zeit ernsthaft daran gedacht, mich und meine Freunde mitzunehmen, Sir, Ihr seid, Ihr seid …«

»Sagt lieber nicht, was ich bin«, unterbrach ihn Drake kalt. »Das haben andere schon getan, und den wenigsten ist es gut bekommen. Aber niemand soll behaupten, der Korsar Francis Drake sei undankbar.« Er trat an den Tisch und wischte ein paar Karten zur Seite. Eine kleine Schatulle wurde sichtbar. Seine Hand fuhr hinein und kam mit einem Goldkettchen heraus, das er dem widerstrebenden Vitus um den Hals hängte.

»Hier, für Euch. Ich habe das Stück an jenem Tag im August 72, als mich die Kugel traf, erbeutet.«

»Sir, das kann ich nicht …«

»Nehmt die Kette an, bevor ich es mir anders überlege. Und nun entschuldigt mich, ich habe zu tun.«

Vitus grüßte ohne ein weiteres Wort und verließ die Kajüte. Draußen empfing er seinen Degen wieder, nickte dem salutierenden Wachtposten zu und betrachtete die Kette zum erstenmal richtig. An ihrem unteren Ende entdeckte er eine wundervoll gearbeitete Miniatur, die so klein war, dass er sie ganz nah ans Auge halten musste, um Einzelheiten zu erkennen. Sie zeigte die Mutter Gottes mit einer winzigen Inschrift: *Madre dolorosa.*

Am Abend des 17. November betraten Vitus, der Magister und Enano müde und hungrig die Gaststube von Polly's Wharf. Wie in den vergangenen Tagen waren sie wieder von Schiff zu Schiff gelaufen und hatten sich um eine Passage in die Neue Welt bemüht. Und wie in den vergangenen Tagen war es vergebens gewesen. Die Empfehlungsschreiben des *Collegium medicum* an den Stalhof, an die Admiralität und an die Kaufmannschaft in London waren in Plymouth so viel wert wie eine Pflugschar im Wasser.

Trotz der späten Stunde herrschte bei Polly noch Hochbetrieb. Fast jeder Platz war besetzt und die Luft zum Schneiden dick. Ein kräftiges Feuer prasselte im Eckkamin und trieb den Zechern den Schweiß auf die Stirn, was allerdings eher begrüßt als bedauert wurde, denn dem Schwitzen konnte auf angenehme Weise abgeholfen werden: durch Bestellung starker, kühler Getränke – ganz im Sinne der Wirtin.

Im hinteren Bereich des Raums, gleich neben der Küche, in der Polly die Mägde hin- und herscheuchte, saßen ein paar Matrosen, deren Aufmerksamkeit nicht nur ihren Bierkrügen galt, sondern auch zwei jungen Frauen ganz in der Nähe. Die Mädchen trugen knapp sitzende bunte und ein wenig schäbige Kleider, was jedoch in dem schummrigen Licht kaum auffiel.

»He, Kleine!«, rief gerade ein Bär von einem Mann, »kannst du mir sagen, wo hier die schönsten Glocken hängen?« Lachend wölbte er seine riesigen Pranken und deutete das Anheben zweier Brüste an.

»Nee, kannich nich, Süßer!«, gab die größere der beiden, eine vollbusige Brünette mit Püppchengesicht, zurück. »Aber ich weiß, wo 'n richtiger Klöppel hängt!«

»Hä?«

»In deiner Hose jedenfalls nich.« Einige der Umsitzenden, besonders die Frauen, kreischten auf.

»Die hat's dir aber gegeben, Bruce!«, freute sich ein anderer Matrose. »Wie heißt du, mein Täubchen?«

»Das geht dich 'n feuchten Kehricht an, aber wennde einen für mich un«, sie wies auf ihre Freundin, eine blasse, blutarme Person, »diese Dame da springen lässt, sach ich's.«

»Wird gemacht.«

»Also gut, ich heiß Phoebe, un das is Phyllis, un trinken tun wir Brandys, aber große!«

»Jaja, große«, bestätigte Phyllis.

Wie versprochen bestellte der Matrose das Gewünschte, und als Polly wenig später die Becher brachte, wurde sie gewahr, dass Vitus mit seinen Freunden noch immer in der Tür stand und nach einem Platz Ausschau hielt. »Warum setzt ihr euch nicht, Jungs?«, rief sie mit starker Stimme. »Seid ihr zu schüchtern? Rückt mal, Leute, aber ein bisschen dalli!«

Ihrem Befehl wurde umgehend Folge geleistet, etwas anderes war bei Polly undenkbar.

»Ich habe euch was besonders Feines zum Futtern aufgehoben, Jungs!«, verkündete sie, nachdem sie den Brandy bei den Mädchen abgestellt und die Freunde sich gesetzt hatten. »Ich bring's gleich.«

Kurz darauf war sie zurück und präsentierte stolz ein wagenradförmiges braunes Gebilde, das, so seltsam es aussah, verführerisch duftete. »Wildbrettorte! Eine Spezialität von mir. Ich habe sie heute extra zur Feier des Tages hergestellt. Ihr wisst doch, welch besonderer Tag heute ist?«

Die Freunde blickten sich an und zuckten mit den Schultern.

»Um die Wahrheit zu sagen, nein«, erwiderte Vitus schließlich.

»Ihr seid mir vielleicht Banausen! Aber darin unterscheidet ihr euch in nichts von den meisten Säufern hier. Heute ist doch die neunzehnte Wiederkehr der Thronbesteigung unserer Jungfräulichen Königin!« Sie winkte einer der Küchenmägde, während sie begann, die Wildbrettorte kunstgerecht zu zerteilen. »He, Sue, hole den Herren drei Humpen Rotwein!« Und leiser: »Von dem guten, dem samtigen aus Bordeaux ...«

»Von irgendwelchen Feierlichkeiten zum Thronbesteigungstag war im Hafen aber nichts zu sehen«, meinte der Magister, der bereits ein Stück Torte in der Faust hielt und genüsslich davon abbiss. »Aber es ist mir auch schnurz, solange sie dir Anlass zur Herstellung derartiger Köstlichkeiten geben.«

»Ham, ham!« Das Fischmündchen stülpte sich über einen fast gleich großen Brocken.

»Plymouth ist eben nicht London«, seufzte Polly. »Was meint ihr wohl, was dort den Tag über los war! Bestimmt hat Ihre Majestät sich wieder dem Volk gezeigt, genau wie damals vor neunzehn Jahren. Ich selbst war seinerzeit gerade über zwanzig und ziemlich unbedarft, arbeitete als ... nun ja, das tut nichts zur Sache, jedenfalls erzählte man sich im ganzen Land, wie die Königin vom Tower nach Whitehall gebracht wurde. Vier Ritter trugen sie in einer Sänfte, die über und über mit goldenem Brokat ausgeschlagen war. Das Volk machte lange Hälse und war zu Hunderten auf extra errichtete Schaugerüste geklettert. Frauen reichten ihr Kuchen und Marzipan in die Sänfte, und sie bedankte sich, indem sie viele schorfige Arme berührte, denn seit altersher ist bekannt, dass die aufgelegte Hand einer Königin heilt.«

Polly war unbeabsichtigt ins Schwärmen gekommen, und vielleicht war das der Grund, warum sie ein weiteres Mal ihre ehernen Gesetze durchbrach und sich zu den Freunden setzte. »Warum isst du nicht auch, Gabriel? Hast du keinen Hunger?«

»Doch, Polly, der Kopf steckt mir nur voller Gedanken. Ich mache mir Sorgen, weil wir kein Schiff finden.«

»Dadurch, dass du nichts isst, treibst du auch keines auf. Greif schon zu, Wildbrettorte ist etwas Herzhaftes, die würde auch unserer Königin schmecken.«

Vitus gehorchte und biss in ein Stück der cremigen, würzigen Pastete.

»Cheers, salute und sehr zum Wohle!«, rief der Magister, denn der Rote war inzwischen gekommen. Ihn als unverbesserlichen Optimisten schien die vergebliche Suche nicht weiter zu belasten. Ebenso wenig den Zwerg.

Während sie aßen und tranken, erzählte Polly, die wie alle Frauen ihrer Herkunft eine Schwäche für Königshäuser hatte, unaufgefordert weiter: »Überhaupt schätzt unsere Herrscherin das Deftige. Morgens nimmt sie lieber einen Hering und ein gewürztes Bier zu sich als heiße Schokolade. Wisst ihr, was Schokolade ist? Der neueste Modetrank in London. Ich kenne ihn nicht, aber er soll aus einem Zeugs namens Kakao hergestellt werden und sündhaft teuer sein. Manche böswilligen Zungen behaupten allerdings, die Königin wär zu geizig, um sich Schokolade zu leisten, aber daran glaube ich nicht. Nur ein Narr würde jemanden, der sich ein oder zwei Dutzend der prachtvollsten Kleider auf einmal anfertigen lässt, als geizig bezeichnen!«

Polly schaute Beifall heischend in die Runde und begann sich eine Pfeife zu stopfen. Als sie damit fertig war, schritt sie zum Kamin und entzündete den Tabak mit einem Kienspan. Die Gaststube lichtete sich allmählich. Es ging auf Mitternacht zu. Sich wieder zu den Freunden setzend, fuhr sie fort: »Jetzt, wo die Weihnachtszeit heranrückt, wird unsere Jungfräuliche Majestät wieder reichlich Gelegenheit haben, ihre Garderobe auszuführen. Wie man hört, finden täglich Gesellschaftsspiele bei Hofe statt, dazu werden Maskenfeste und Turniere veranstaltet; der Adel tanzt Pavane, Coranto und Galliarde und genießt die kurzweiligen Darbietungen von Sängern und Akrobaten. Ach ja …«, Polly sog so heftig am Stiel, dass es im Pfeifenkopf brutzelte und zischte, »wie gern wäre ich einmal, nur ein einziges Mal, dabei, es heißt nämlich, dass keineswegs immer nur Höflinge eingeladen werden!«

Die letzten Gäste verließen die Gaststube.

»Wenn die Königin mich nach Whitehall rufen würde, ich

könnte jederzeit zu ihr gehen, habe den Hofknicks geübt und sogar etwas Passendes anzuziehen: einen Traum aus gelbem Atlas mit spanisch-gefälteltem Kragen und tief heruntergezogenem Mieder auf einem Gestell aus echtem Fischbein. Marble Pitts aus der King Street hat mir das Kleid auf den Leib geschneidert, und Schuhe und Strümpfe habe ich auch, nur eine Parfumkugel fehlt mir noch. Alle Hofdamen haben Parfumkugeln, um sich gegen Schweiß- und Mundgerüche zu schützen ... Holla, habt ihr noch Hunger, Jungs?« Polly war wieder in die Wirklichkeit zurückgekehrt.

»Nein«, gab Vitus lächelnd zur Antwort. Er hatte sich gerade ausgemalt, wie Polly, die große, starkknochige Polly, in einem spitzenbesetzten Atlaskleid aussehen würde. Wahrscheinlich ähnlich elegant wie ein Tanzbär auf der Tenne ... Die Selbsteinschätzung der Menschen ging nun einmal seltsame Wege, und jeder hatte seine eigenen Schrullen.

»Weder Hunger noch Durst, Polly«, gähnte der Magister. »Nur Sehnsucht nach Morpheus' Armen.«

»Wui, wui, Frau Zapfhenne!«

»Dann gute Nacht, ihr zwei.« Polly nickte den beiden freundlich durch die Rauchschwaden ihrer Pfeife zu.

»Gute Schwärze!«

»Gute Nacht, Polly!«

»Gute Nacht«, wünschte auch Vitus, der sitzen blieb.

Der kleine Gelehrte und Enano steuerten die Stiege an, die zu den Schlafstuben im oberen Stockwerk führte. Als sie verschwunden waren, fragte Polly: »Ist es Zufall oder Absicht, dass du nicht mitgehst, Gabriel?«

Vitus zuckte mit den Schultern und blickte auf den Grund seines Humpens. »Ich weiß es nicht. Ich mache mir Sorgen, große Sorgen. Wir brauchen so dringend ein Schiff, und mit jedem Tag, den das Jahr vorrückt, werden die Chancen, eines zu finden, geringer. Kein Kapitän sticht während der Winterstürme in See, wenn er nicht unbedingt muss.«

Aus dem Augenwinkel sah Vitus, wie Polly aufstand und einen Krug Wein und einen weiteren Humpen herbeiholte. Sie goss sich und ihm ein. »Nimm das erst mal.«

»Danke. Seit wann trinkst du mit deinen Gästen?«

»Du bist kein Gast. Jedenfalls kein gewöhnlicher. Hab's gleich

gemerkt, als du das erste Mal zur Tür reinkamst. Du bist ... du
bist was Besseres, so etwas wie ein feiner Herr.«
»Und du bist ein feiner Kerl, Polly.«
»Scheinst es drauf abzusehen, mich in Verlegenheit zu brin-
gen.« Polly räusperte sich umständlich. »Aber ich will ver-
dammt sein, wenn es dir gelingt.«
Vitus starrte in seinen Humpen.
»Sag mal, Gabriel, es geht mich ja nichts an, aber warum willst
du unbedingt noch in diesem Jahr in die Neue Welt?«
Vitus starrte weiter. Dann, fast widerstrebend, antwortete er:
»Ich muss dort jemanden finden.«
Polly schwieg. Nur dicke Rauchwolken verließen ihren Mund.
»Man müsste eine Seele aus Stein haben, um nicht zu spüren,
dass es eine Frau ist, die du suchst.«
»Ja, Polly.«
»Wenn du magst, erzähle mir von ihr. Ich habe Zeit.«
»Es ist aber eine sehr lange Geschichte.«
»Ich habe sehr viel Zeit.« Polly erhob sich abermals und legte
einen neuen Scheit aufs Feuer. »Fang an.«
Vitus zögerte. »Also gut.« Er nahm einen großen Schluck
und stierte wieder in den Humpen, gerade so, als würden die
Bilder der Erinnerung darin auftauchen. Anfangs sprach er
stockend, dann flüssiger, und schließlich sprudelten die Worte
nur so aus ihm hervor. Er berichtete von seiner Jugend im spa-
nischen Kloster Campodios, von den frommen Zisterziensern
und ihren Zielen, der Mühsal des Mönchslebens, von seiner
Ausbildung zum Cirurgicus und dem Rätsel um seine Herkunft.
Das Reden tat ihm sichtlich gut. Er nahm noch einen Schluck.
»Es gab nur einen einzigen Hinweis auf mein Elternhaus – ein
Wappen auf einem roten Damasttuch.«
»Ein Wappen auf einem roten Damasttuch?« Pollys Augen
leuchteten. »Wie aufregend!«
»Eigentlich war es ein Wickeltuch. Der alte Abt Hardinus fand
mich darin vor dem Klostertor. Ich wuchs bei den Mönchen
auf und lernte alles, was ein Klosterschüler wissen muss. Doch
als ich zwanzig war, spürte ich, dass ich die Gelübde nicht ablegen wollte. Ich konnte mir ein Leben als Mönch nicht vorstellen. Mich zog es hinaus, um nach meiner Familie zu su-

chen. Das Wappen wies mir den Weg von Spanien nach England, und während dieser Reise lernte ich den Magister und den Zwerg kennen. Mit dem …«

»Halt, halt, nicht so schnell«, unterbrach Polly. »Wie sah das Wappen denn aus?«

Vitus streckte seine Hand vor. »So wie auf diesem Siegelring.« Polly beugte sich vor und betrachtete ihn eingehend. »Blitz und Donner, ist der schön! Und bestimmt ungeheuer wertvoll!«

»Hmja, das ist er wohl. Mit dem Magister jedenfalls verbindet mich eine tiefe Freundschaft; wir haben immer alles gemeinsam durchlitten, seit den Folterungen durch die spanische Inquisition. Der Magister mit seinem Galgenhumor sagte vor den Torturen immer ›Unkraut vergeht nicht!‹, weshalb ich ihn noch heute manchmal ›Du Unkraut!‹ nenne. Er seinerseits tut dasselbe mit mir.«

»Du warst unter der Folter der Inquisition? Bei meiner Seele! Hier, trink!« Polly schenkte großzügig nach. »Gott sei Dank scheinst du sie leidlich überstanden zu haben, sonst säßest du nicht hier. Und wo hast du nun die Kleine kennen gelernt, die du in der Neuen Welt suchen willst?«

»Auf See. Wir fuhren unter dem Korsaren Sir Hippolyte Taggart …«

»Taggart?«, rief Polly ungläubig aus. »Mein Gott, Taggart! Der alte Bärbeiß ist hier an der Küste bekannt wie ein bunter Hund. Bin stolz, dass er schon des Häufigeren Glanz in meine Hütte gebracht hat. Wie geht es ihm?«

»Vor fünf Monaten, als er den letzten Brief an mich abschickte, ging es ihm gut, obwohl er beklagte, dass die Frachträume seiner *Falcon* noch immer nicht voll mit spanischem Gold seien und er deshalb bis zum nächsten Frühjahr in den westindischen Gewässern bleiben müsse.«

»Hm. Und was passierte weiter?«

»Nach einem Seegefecht, in dem die *Falcon* zwei englischen Schiffen gegen die Spanier zu Hilfe geeilt war, sah ich sie zum ersten Mal. Ich hatte mein Lazarett in der Kapitänskajüte der *Argonaut* eingerichtet, als Arlette plötzlich in der Tür stand.«

»Arlette? Sie heißt also Arlette?«

»Ja, das ist ihr Name. Sie hatte sich von der *Phoenix* herüberrudern lassen, einem Kauffahrer, dessen Ziel die Neue Welt war. Sie wollte mir bei der Versorgung der Verwundeten helfen. Ich wusste damals noch nicht, aus welchem Holz sie geschnitzt ist, deshalb sagte ich zu ihr so etwas wie: ›Das, was hier drinnen geschieht, ist nichts für schwache Nerven, Lady, Ihr würdet nur zersplitterte Knochen zu sehen kriegen und jede Menge Blut.‹ Und weißt du, was sie mir darauf zur Antwort gab? ›Wir Frauen sehen jeden Monat Blut.‹«

»Waaas? Das ist doch ... Hoho!« Polly prustete los. »Die Dame ist nach meinem Geschmack! Wusste, was sie wollte! Komm, erzähl weiter, ich schwärme für Liebesgeschichten.«

Vitus starrte in seinen Humpen. »Eine Liebesgeschichte ist es wohl kaum«, sagte er schwer. »Zumindest keine mit glücklichem Ausgang. Ich lernte Arlette näher kennen bei einem Abendessen, das der Kapitän der *Phoenix* an Bord seines Schiffs gab. Zu vorgerückter Stunde wurde sie an Deck vom Ersten Offizier der *Argonaut* bedrängt. Ich rettete sie aus dieser Situation. Der Mann hat sich später tausendmal dafür entschuldigt und die *Argonaut* in vorbildlicher Weise nach England zurückgesegelt. Heute ist er mein Verwalter auf Greenvale Castle, und ein sehr guter dazu, aber das ist wieder eine eigene Geschichte. Ich jedenfalls blieb über Nacht ...«

»Ja? Du bliebst über Nacht? Wo bliebst du über Nacht? Komm, Gabriel, spann mich nicht so auf die Folter!«

»Nun ja, warum soll ich es dir nicht erzählen. Ich blieb also über Nacht bei Arlette, und es war die schönste Nacht, die ich je erlebt habe. Am anderen Morgen, als ich erwachte, war ich allein in ihrer Kabine. Ich sah mich um. In einer Ecke entdeckte ich eine Truhe, eine ganz normale Kleidertruhe, und dennoch glaubte ich, meinen Augen nicht zu trauen, denn auf dem Deckel war mein Wappen abgebildet. Mein Wappen! Ich wollte, ja ich musste Näheres wissen und griff hinein – und in diesem Augenblick kam Arlette zurück. Sie war zuvor an Bord schon bestohlen worden und dachte nun, auch ich wäre ein Dieb. Ein Wort gab das andere. Als ich ihr schließlich sagte, dass wir beide wahrscheinlich verwandt seien, war sie vollends überzeugt, es mit einem Betrüger und Hochstapler zu tun zu haben. Sie warf mich hinaus. Mir blieb nichts anderes übrig, als mich zur *Argonaut* übersetzen zu lassen, um dort die Verwundeten weiter zu versorgen. Als ich später am Tag zurückwollte, um mit Hilfe des Magisters und Enanos das Missverständnis aufzuklären, war die *Phoenix* fort. Und mit ihr Arlette.«

»Und du hast sie seitdem nie wieder gesehen?«

»Nie wieder.« Vitus umklammerte den Humpen, die Augen dunkel vor Kummer. »Ich fuhr mit meinen Freunden nach England und traf kurz danach mit ihnen auf Greenvale Castle ein. Dort lebte der alte Lord Collincourt, der sich als mein Großonkel herausstellte, denn mein Wappen ist das der Collincourts ...«

»Moment!« Polly stand der Mund offen. »Du will doch damit nicht etwa sagen ... bist du etwa ... du bist, äh ... seid Ihr, Sir, etwa aus dem Geschlecht der Collincourts?«

Vitus legte Polly die Hand auf den Arm. »Beruhige dich, ja, es ist so. Es muss so sein, denn es gibt nur einen einzigen Grund, der dagegen spricht: die Möglichkeit, dass irgendjemand den Säugling in dem Tuch vertauscht hatte, bevor Abt Hardinus ihn vor dem Klostertor fand. In diesem Fall wäre ich nicht von Adel, sondern irgendein spanisches Findelkind. Aber egal, wir sollten weiter beim Du bleiben, meinst du nicht auch?«

»Ja ... äh, du. Aber warum um alles in der Welt sollte jemand den Säugling vertauscht haben?«

»Das weiß ich auch nicht. Es ist außerordentlich unwahrscheinlich.«

»Oder so wahrscheinlich, wie Mittag und Mitternacht zusammenfallen!«

»Dennoch besteht ein letzter Zweifel an meiner Herkunft, und solange ich den nicht ausgeräumt habe, nenne ich mich Vitus von Campodios – und nehme die Peerswürde nicht an.«

»Puh, Vitus, darauf muss ich erst mal einen zwitschern.« Polly trank mit durstigen Zügen, wischte sich mit dem Handrücken den Mund ab und knallte den Humpen zurück auf den Tisch. »Und nun erzähle weiter.«

»Unglücklicherweise bekam mein Onkel ein paar Monate später die Zitterkrankheit. Ein Leiden, das unweigerlich zum Tod führt. Vor ein paar Wochen ist er daran gestorben. Mir blieb nichts anderes übrig, als zu regeln, was zu regeln war. Und nun bin ich hier und suche ein Schiff in die Neue Welt, um Arlette zu finden.«

»Das alles tut mir so Leid, Gabriel.« Die weiche Seite von Polly trat zutage – wie immer, wenn sie eine traurige Geschichte hörte. »Sag, bist du mit Arlette wirklich verwandt?«

»Ja, sie ist eine Cousine sechsten Grades von mir, die Enkelin von Odo Collincourt, meinem Großonkel.«

»Eine Cousine sechsten Grades? Na, fabelhaft!«, rief Polly betont munter, »dann könnt ihr doch ohne weiteres heiraten! Du brauchst sie nur noch zu finden und in die Arme zu schließen. Und wie ich dich kenne, wird dir das auch gelingen, so wahr ich Polyhymnia heiße!«

»Ich traue mir schon zu, sie zu finden«, entgegnete Vitus düster. »Vorausgesetzt, sie ist noch am Leben. Von meinem Onkel, bei dem Arlette bis zu ihrem Aufbruch in die Neue Welt lebte, weiß ich, dass sie nach Roanoke Island wollte, einer dem neuen Kontinent Amerika vorgelagerten Insel. Dort hat unser Verwandter Thomas Collincourt eine Plantage. Ihn wollte sie aufsuchen, wohl aus Abenteuerlust oder um in der Neuen Welt einen Mann zu finden. Ich weiß es nicht. Ich weiß noch nicht einmal, ob sie mich liebt.«

»Wie? Na hör mal! Natürlich liebt sie dich.«

»Aber warum sollte sie? Sie denkt, ich bin ein Dieb.«

»Was sie denkt und was sie fühlt, Gabriel, kannst du nicht beurteilen, denn du bist ein Mann«, stellte Polly kategorisch fest. »Arlette ist, so wie du sie beschrieben hast, eine kluge, energische junge Frau, die genau weiß, was sie will. Hat sie sich etwa an der Lazarettür von dir aufhalten lassen? Siehst du, das hat sie nicht. Und genauso wusste sie in jener Nacht in ihrer Kabine, was sie wollte – nämlich dich.«

»Aber … aber sie wollte auch, dass alles aus war, als sie mich mit der Hand in ihrer Truhe entdeckte.«

»Unsinn, ob ich mit jemandem schlafe, weil ich ihn liebe, oder ob ich ihn rausschmeiße, weil ich glaube, ihn beim Klauen erwischt zu haben, ist ein großer Unterschied. Das eine ist Liebe, das andere Temperament. Wahrscheinlich hat sie es mittlerweile schon Hunderte von Malen bereut, dass sie dich einfach fortschickte.«

»Du meinst … du meinst, sie liebt mich trotzdem?«

»Aber natürlich, ich schwör's bei allem, was mir heilig ist.«

»Oh, Polly, ich danke dir, ich danke dir so sehr!« Vitus

schluckte und fuhr sich mit der Hand über die Augen, während seine Schultern zu zucken begannen. Ohne etwas dagegen tun zu können, fühlte er, wie die Anspannung der letzten Wochen übermächtig wurde und sich in einem Strom von Tränen entlud. Geraume Zeit saß er so und weinte, und er spürte, wie gut es ihm tat; und als er glaubte, es wäre genug, sagte er aufblickend: »Ich weiß auch nicht, was in mich gefahren ist, Polly, entschuldige bitte mein albernes Verhalten.«
Doch Polly war fort.

DER MÖNCH AMBROSIUS

*»Eher geht in der Hölle das Fegefeuer aus, als dass ich dir etwas
ersetze, Schandbube! Doch sei gewiss, es wird nicht ausgehen,
denn du sollst ja noch darin braten!«*

Im späten November verlor der Hafen von Plymouth Tag
für Tag mehr von seiner Geschäftigkeit. Die kalte, raue
Jahreszeit nahte, und die Zahl der in See stechenden
Schiffe sank beständig. Vitus und seine Freunde wanderten die
Kais auf und ab, fragten hier, erkundigten sich dort, doch nirgendwo fand sich eine hochseetüchtige Galeone, die Kurs auf
die Neue Welt nehmen wollte.

»Es ist nicht ganz leicht«, räumte der kleine Gelehrte kurz vor
der Mittagsstunde ein, »lasst uns deshalb auch diese, nicht
besonders einladende Kaianlage abklappern!« Er wies auf ein
abseits gelegenes, unübersichtliches Hafenbecken, an dessen
Ende neben Küstenseglern zwei oder drei Großgaleonen vertäut lagen.

Sie gingen weiter und bahnten sich ihren Weg durch Abfall,
ausgesondertes Schiffsmaterial und altes Tauwerk. Nur wenige
Menschen ließen sich hier blicken. Links im Hafenbecken
schwammen einige tote Fische, rechter Hand roch es nach fet-
tem Hammel aus einer Garküche. Die Freunde machten, dass
sie weiterkamen, und stießen nach einiger Zeit überraschend
auf eine Menschenmenge. Der Grund des Auflaufs war nicht
erkennbar, nur eine schrille, unsichtbare Stimme schrie: »Die
Pest in Plymouth! Die Pest in Plymouth!«

»Die Pest? Beim Blute Christi! Folgt mir, Freunde, wollen
doch mal sehen, wer das verkündet.« Der Magister schob seinen drahtigen Körper zielstrebig durch die Menge, wobei er
die eine oder andere Verwünschung über sich ergehen lassen
musste. Endlich standen die drei vor dem Urheber des Ge-
schreis. Es war ein Krüppel ohne Beine, der sich flink auf einem hölzernen Rollbrett fortbewegte. Der Bursche war von
schmieriger Erscheinung, mit strähnigen Haaren und Pocken-

narben im Gesicht. Sein Blick wirkte beschwörend. Jetzt erhob er wieder die Stimme: »Die Pest in Plymouth! *Sacrificium, sacrificium*!«

»Was tarrt der Stelzlose uns spinnen?«, fragte der Zwerg.

»Er scheint ein Opfer für die Pest zu wollen. Möchte wissen, was er … Da, seht ihr's? Der Bursche hat eine Ratte in der Hand!«

Tatsächlich hielt der Beinlose mit festem Griff eine Ratte hoch. Es war ein Riesentier, sein Körper maß wohl zwei Drittel Fuß, wobei der Schwanz noch um einiges länger war. »*Rattus, rattus!*«, rief der Mann. »Die Ratte ist die Sünderin. Die Ratte, die Ratte, allein die Ratte! Sie ist schuld, dass Plymouth an der Pest erstickt!«

»Der Kerl ist ein Spinner«, stellte der Magister fest. »Erstens gibt es gottlob nur in London einige Pestfälle, zweitens weiß kein Mensch genau, woher die Seuche kommt, was, Vitus?«

»Stimmt.« Nachdenklich betrachtete Vitus den Krüppel, der geschickt mit einer Hand sein Rollbrett um die eigene Achse drehte und dabei die Ratte weiter hochhielt.

Der Beinlose schrie: »Wenn Gott ein Opfer will, ihr Leute, dann ist es die Ratte! Sie ist es, die sterben muss, damit die Menschen leben, ganz so, wie Gottes Eingeborener Sohn für uns gestorben ist, damit wir erlöst werden.«

»Jetzt versündigt er sich«, stellte der Magister erschrocken fest. Er beeilte sich, ein Kreuz zu schlagen. »Aber er weiß es nicht, denn er ist nicht bei Sinnen.«

»Oder er tut nur so«, entgegnete Vitus.

Inzwischen hatte der Krüppel einen Stock zur Hand genommen und der Ratte damit eins übergezogen. Jetzt hing sie schlaff in seiner Hand. Er legte sie auf seinen Schoß, stieß sich mit den Fingerknöcheln vom Boden ab und rollte die wenigen Schritte zur Tür einer baufälligen Hütte. Auf die Tür war mit Kreidestrichen ein Kreuz gemalt worden. »Ans Kreuz mit dir, Ratte, wie weiland Jesus Christus, unser Herr!« Der Beinlose nahm das benommene Tier an beiden Vorderläufen, spreizte sie und hielt sie über den Querstrich des Kreuzes. Durch den herabhängenden Körper war die Ratte jetzt selbst zum Kreuz geworden – zu einem lebenden Sühnemal.

»Hinter dieser Tür, ihr guten Leute, sind vergangene Woche

sieben brave Bürger, sieben gläubige Christen, vom schwarzen Tod dahingerafft worden, und noch immer befinden sich vier im Haus. Sie liegen in den letzten Zügen. Oh, Gott, Du Allmächtiger, nimm unser Opfer an, und errette diese armen Menschen!« Während der Krüppel dies schrie, hatte er einen Hammer und mehrere Stifte zur Hand genommen und die Ratte ans Kreuz genagelt. »*Sacrificium, sacrificium, sacrificium!*«

»Das seh ich mir nicht länger an!«, zischte der kleine Gelehrte. »Ratten sind ein übles Geschmeiß, gewiss, aber sie ans Kreuz zu nageln, ist widerlich und außerdem Blasphemie!«

»Nein, warte! Siehst du den bulligen Kerl dort hinten an der Eckwand, den mit der ausgefransten Körperhose?«

»Nein, seh ich nicht.« Der Magister blinzelte durch seine Berylle. »Doch halt, ja, jetzt hab ich ihn entdeckt! Was ist mit dem Burschen?«

»Ich glaube, er steckt mit dem Krüppel unter einer Decke, denn zu seinen Füßen steht ein Käfig, und darin dürften weitere Ratten sein, für die nächste und übernächste Vorstellung. Die Herren wollen sich ihr grausames Spiel bezahlen lassen. Mal sehen, ob ich Recht behalte.«

»Einverstanden.«

Durch die zugefügten Torturen war die Ratte wieder bei vollem Bewusstsein, sie drehte und wand sich verzweifelt, zerrte an ihren festgenagelten Vorderläufen, und ihr Schwanz schlug heftig hin und her.

»*Sacrificium, sacrificium, sacrificium!*« Plötzlich hatte der Krüppel eine Peitsche in der Hand, die er mehrmals durch die Luft schwang, bevor er sie auf den Rücken des Tieres niedersausen ließ. Es gab einen hellen, klatschenden Laut. Ein Riss im Fell wurde sichtbar, aus dem alsbald mehrere Blutstropfen sickerten. Abermals sauste die Peitsche auf den kleinen Körper nieder, und ein Raunen ging durch die Gaffer, lüsterne Erwartung machte sich breit. Wie lange würde die Ratte, diese zähe, verfluchte Vorratsräuberin, das aushalten können? Hoffentlich eine hübsche Weile! Schließlich war man nicht zimperlich, beileibe nicht, man war es gewohnt, Mörder und Diebe ihr Leben aushauchen zu sehen. Das Hängen, Köpfen, Rädern, Vierteilen, das Abhacken einer Hand, das Herausschneiden einer Zunge, das Blenden eines Auges gehörten zum Alltag, es waren Prozeduren, die man kannte, und nicht einmal kleine Kinder ließen sich mehr von einem am Straßenrand aufgespießten Kopf abschrecken – aber das hier, das war etwas Neues, nie Gesehenes!

»Sacrificium, sacrificium, sacrificium!« Die Ratte kämpfte. Sie warf ihren Kopf in alle Richtungen, zeigte ihre messerscharfen Zähne und schnappte in die Luft, doch der Feind in ihrem Rücken war feige. Er stellte sich nicht.

»Sacrificium, sacrificium, sacrificium!«

Das gequälte Tier begann schrille Schreie auszustoßen. Sie klangen fast menschlich, ganz so wie die eines gepeinigten Kindes. Schauer liefen der Menge über den Rücken. Bei manchen Männern zog sich lustvoll das Skrotum zusammen. Weiter so, nur weiter! Der Krüppel holte erneut mit der Peitsche aus, aber zu seiner Verblüffung gelang ihm der Schlag nicht, denn wie aus dem Erdboden gewachsen stand neben ihm ein Mönch, der mit eisernem Griff seine Rechte umschloss.

»He, was soll das, Pfaffe!«, schrie der Beinlose erbost.

Der Gottesmann antwortete nicht. Nur in seinen schwarzen Augen stand Kampfeslust. Sie blickten aus großer Höhe auf den Krüppel herab, denn er war so lang aufgeschossen, wie Gott nur selten einen Mann wachsen lässt: wohl sechseinhalb Fuß groß, dabei knochig wie ein Klepper und dennoch, ganz offensichtlich, von gewaltiger Körperkraft. Er wirkte jugendlich, obwohl der Haarkranz um seine Tonsur schon einiges Grau zeigte. Seine Kutte dagegen war so verwaschen, dass niemand zu sagen vermocht hätte, von welcher Farbe sie einstmals gewesen war.

»Lass endlich los, Pfaffe!«, schrie der Krüppel. »Oder, oder …«

»Oder was, mein Sohn?« Der Mönch sprach mit hartem ausländischem Akzent. »Willst du mir etwa drohen? Mich bedrohen heißt die Kirche bedrohen, und die Kirche bedrohen heißt Gott bedrohen. Willst du also Gott bedrohen, du elender Sünder?«

Ohne eine Antwort abzuwarten und immer noch die Rechte des Krüppels umklammernd, richtete er sich zu voller Höhe auf. »*Non pecca peccator!,* spricht der Herr: Sündige nicht, Sünder! Und dieser Mann hat gesündigt! Er hat eine Ratte auf dieselbe Weise traktiert wie einst Jesus Christus Unser Herr auf dem Hügel zu Golgatha traktiert wurde. Er hat sie ans

Kreuz genagelt, und indem er dies getan, hat er sie auf eine Stufe gehoben mit dem Sohn des Allmächtigen. Das ist Sünde, Sünde, Sünde!«

Die Menge, ein ungehobelter, überwiegend aus Männern zusammengesetzter Haufen, schwieg betreten.

Der Magister stellte leise fest: »Dieser Mönch, zu welchem Orden er sich auch immer zählen mag, argumentiert so glattzüngig wie alle Glaubensstreiter. Immerhin: Diesmal tut er's für einen guten Zweck.«

Jetzt begann die Ratte, die sich für einige Augenblicke ruhig verhalten hatte, abermals zu zappeln, wobei sie spitze Schmerzensschreie ausstieß.

»Ich werde diese arme Kreatur von ihrem Leiden befreien! *In nomine Patris et Filii et Spiritus Sancti!*« Der Mönch ließ den Krüppel los, zog einen Dolch hervor und stieß ihn mitten durch den Körper des Tieres. Die Ratte bäumte sich noch einmal auf, dann rührte sie sich nicht mehr.

Ein Ruck ging durch die Menge.

»Was hast du gemacht, Pfaffe!«, kreischte der Krüppel. »Die Ratte war mein, mein war sie, du musst mir den Schaden ersetzen!«

»Eher geht in der Hölle das Fegefeuer aus, als dass ich dir etwas ersetze, Schandbube! Doch sei gewiss, es wird nicht ausgehen, denn du sollst ja noch darin braten!« Die schwarzen Augen des Mönchs schienen den Beinlosen zu durchbohren. »Und jetzt werde ich dich Mores lehren, so despektierlich mit einem Gottesdiener zu sprechen!«

Er packte den Krüppel am Hemd, riss ihn mit kraftvollem Schwung hoch und hielt ihn vor sich wie einen Humpen Ale. »Steh auf und gehe!«

Zum grenzenlosen Erstaunen des Publikums begann der Beinlose jählings mit zwei Beinen zu zappeln. Doch war das erst der Anfang: Er hatte nicht nur Gehwerkzeuge, er war auch in der Lage, sie zu benutzen, denn als der Mönch ihn absetzte, machte er zwei, drei schnelle Schritte, um nicht das Gleichgewicht zu verlieren. Die Menge kicherte, der Krüppel war zum Hampelmann geworden.

»Und jetzt auf die Knie mit dir, Sünder! Bete zu deinem Schöpfer, damit er dir deinen blasphemischen Auftritt verzeihe. Auf die Knie!«

Doch der ehemalige Krüppel war zäher als gedacht. Statt zu gehorchen, erhob er nun selbst gewaltig die Stimme: »Genug ist's, Pfaffe! Wie alle deiner Sorte setzt du dich mit dem Herrgott gleich. Wo warst du, Kuttengeier, als in dieser Hütte sieben brave Christen an der Pest verstarben? Wo war dein Gott, als sie ihre armen Seelen aushauchten? Du kannst es nicht sagen, oder du willst es nicht. Du willst nur eines, wie alle deinesgleichen: das Volk knebeln, es knechten und dir zum Diener machen. Ich scheiß auf dich und dein Latein! Gib mir 'nen Shilling für eine neue Ratte, oder es setzt Hiebe!«

Es waren keine leeren Worte, die er ausstieß, denn mittlerweile war sein bulliger Komplize herangetreten und spuckte sich voller Vorfreude in die Fäuste. »Lass mich das machen, Cripple, ich polier ihm die Fresse, bis sein Jesus sich darin spiegeln kann, wenn er nicht …«

»Gar nichts tust du, Gotteslästerer! Du gehst jetzt hübsch nach Hause, und deinen Scheinkrüppel nimmst du gleich mit. Die Vorstellung ist beendet.« Vitus war kaltblütig zwischen den Bullen und den Mönch getreten. Seine Stimme klang gefährlich leise, während sein Degen zischend aus der Scheide fuhr. »Ich sag's nur einmal, ihr Gotteslästerer, nur dieses eine Mal!«

Cripples Augen wurden schmal. Seine Gesichtszüge verzerrten sich und ließen in rascher Folge die unterschiedlichsten Gefühle zu Tage treten: Hass, Rachsucht, Geldgier, Fassungslosigkeit und – Angst. Dann, ohne ein weiteres Wort, packte er sein Rollbrett, klemmte es unter den Arm und zog seinen Komplizen mit sich fort. Er wusste, wann er verloren hatte.

Der Mönch sah es mit Befriedigung und wandte sich erneut an die Menge: »Und ihr, ihr Gaffer und Sünder, die ihr euch an den Qualen eines armseligen Tieres geweidet habt, werdet jetzt mit mir beten. Senkt die Köpfe und faltet die Hände, und wehe, einer von euch macht sich aus dem Staub, bevor ich fertig bin!«

Er selbst faltete ebenfalls die Hände, und die drei Freunde taten es ihm gleich. Dann begann er: »*Pater noster qui es in coelis, sanctificetur …*«

Als er geendet hatte, kam sein Amen laut und fest. »Und nun, ihr Schafe Gottes, geht, ein jeder an seinen Platz! Und betet selbst zum Herrn, auf dass er euch vergebe, und ihr werdet Vergebung erfahren.«

Die Menge verzog sich, der eine oder andere schlug noch scheu ein Kreuz. Als alle fort waren, trat der Mönch auf die Freunde zu, neigte kurz sein Haupt und sprach, mehr zu sich selbst: »*Laudetur Jesus Christus!*«

Umso überraschter war er, als er von Vitus umgehend die vorgeschriebene Antwort erhielt: »*In aeternum, amen.*«

»Ihr seid gekleidet wie ein Edelmann, Sir, versteht es aber, wie ein Geistlicher zu reden. Welchem von beiden darf ich für die tatkräftige Hilfe danken?«

Vitus lachte. »Wohl gesprochen, Vater! Dankt einem Mann, der ehemals Klosterschüler war: Mein Name ist Vitus. Vitus von Campodios, und das sind meine Freunde.« Er stellte den kleinen Gelehrten und den Zwerg vor.

»Ich freue mich, Euch kennen zu lernen.« Der Mönch schob die Hände in die Ärmel seiner Kutte. »Ihr sagtet ›Campodios‹, Sir, darf ich fragen, ob es sich dabei um ein Kloster handelt?«

»Ja, Vater, es ist ein Zisterzienserkloster. Es liegt in Nordspanien, genauer gesagt, in einem lieblichen Tal der Sierra de la Demanda. Darf ich nun meinerseits fragen, wie Euer Name ist und welchem Orden Ihr zugehörig seid? Die Farbe Eurer Kutte lässt keinen Schluss zu, sie ist, äh … etwas verwaschen.«

»Verzeiht, ich vergaß, mich vorzustellen. Ich bin Bruder Ambrosius aus dem Orden der Augustiner. Mein Heimatkloster liegt in Erfurt, im Thüringer Land, drüben auf dem Kontinent. Ich legte in jungen Jahren die Gelübde ab, empfing später die Priesterweihe und brachte es bis zum Amt des Klosterpredigers. Dann jedoch trat etwas ein, das mein Leben von Grund auf änderte. Ich wurde krank auf den Tod, von einem auf den anderen Tag, und niemand konnte mir helfen, geschweige denn sagen, um welches Leiden es sich handelte. In einem der wenigen klaren Augenblicke, die das Fieber mir ließ, schwor ich zu Gott, dass ich, sollte ich jemals wieder gesund werden, in die Neue Welt hinausziehen und missionieren wollte. Und der Herr gab, dass ich genas. Deshalb bin ich hier und … Oh, allmächtiger Vater, warum hast du mir mein Gedächtnis genommen?«

Ambrosius blickte gen Himmel und rang in komischer Verzweiflung die Hände. »Wie konntest du mich vergessen lassen, dass ich Vitus von Campodios und seinen Freunden Dank für die erwiesene Hilfe schulde?«

Und, wieder nach unten schauend, fuhr er fort: »Also, vergelt's Gott, Gentlemen, dass Ihr mich vor einer Tracht Prügel bewahrt habt!«

»Wiewo, Kappenhans?«, meldete sich Enano, der wie alle anderen bemerkt hatte, über welch ungewöhnliche Körperkraft der Mönch verfügte. »Hättst nur dem Bulligen 'n paar Maulschellen verpasst un dem Stelzlosen 'n paar Kracher, un 's wär geritzt gewesen.«

»Gewiss, Enano, mein Sohn. Aber ich lebe in Armut, Demut, Keuschheit und nicht zuletzt Friedfertigkeit. Denn wie heißt es bei Matthäus 5, Vers 39? Wenn dich jemand auf deine rechte Backe schlägt, biete ihm auch die andere dar.«

Der Magister grinste: »Irgendwo, Vater, heißt es aber auch in der Schrift: Der Geist ist willig, aber das Fleisch ist schwach! Seid Ihr sicher, dass Ihr es geschafft hättet, Euch zurückzuhalten?«

Ambrosius seufzte. »Da sprecht Ihr einen heiklen Punkt bei mir an, Herr Magister. Wenn der Zorn mich übermannt, tue ich Dinge, die ich nicht tun sollte. Wie oft schon musste ich für meine Untugenden büßen!«

Der Magister grinste noch breiter. »Lasst es Euch nicht verdrießen, Vater, zumal es keine einzige Stelle in der Schrift gibt, die den Besuch einer gastlichen Stätte verbietet, und genau das möchte ich hiermit anregen, vorausgesetzt, Euch liegt etwas daran, ein wenig länger mit uns zu plaudern.«

»Ich schätze praktisch denkende Menschen wie Euch! Ich war zwar gerade auf dem Weg zur … Ach was, so viel Zeit muss einfach sein!«

»Dann schlage ich …«

»Polly's Wharf vor«, ergänzte Vitus. »Stimmt's, du Unkraut?«

»Du liest meine Gedanken wie ein offenes Buch.«

Wenig später standen sie vor der Tür des Gasthauses. Sie traten ein und stellten fest, dass der Schankraum noch angenehm leer war. Polly erschien aus den Tiefen ihrer Küche, musterte Ambrosius von oben bis unten, verbiss sich eine Bemerkung und fragte stattdessen, was sie bringen solle.

»Brandy mit heißem Wasser, auch für Bruder Ambrosius«, antwortete Vitus. »Das Wetter ist zwar schön, aber der Wind bläst einem durch alle Knochen.«

»Wollt ihr die großen Becher?«

»Ja.«

»Bin schon unterwegs.«

»Sie ist ein Goldstück«, wandte Vitus sich lächelnd an Ambrosius, »ohne sie ginge es uns nicht so gut. Doch gestattet mir eine Frage, die vielleicht nicht ganz unberechtigt ist, da Ihr aus jenem Kloster kommt, in dem auch Doktor Martin Luther wirkte: Seid Ihr katholischen oder protestantischen Glaubens?«

Eine leichte Unmutsfalte erschien auf der Stirn des Mönchs, doch gleich darauf glättete sie sich wieder. »Nun, Vitus von Campodios, warum solltet Ihr die Frage nicht stellen … Danke, Frau Wirtin, Ihr seid sehr gütig.« Ambrosius nahm seinen Becher hoch und prostete seinen neuen Bekannten zu. »Und auch Euch gilt mein Dank! Prosit, oder vielmehr: Cheers!, wie man hier zu Lande sagt.«

Sie tranken, und der heiße Brandy wärmte ihnen tüchtig die Glieder durch.

Ambrosius setzte schnaufend den Becher ab. »Wo war ich stehen geblieben? Ach ja, um Eure Frage zu beantworten: Ich bin nach wie vor ein gläubiger Katholik, was ich freimütig gestehe in einem Land, in dem man schnell als Papist beschimpft wird.«

»Oder getötet«, setzte Vitus ernst hinzu. »Richard Grenville, der Sheriff von Cornwall, hat in diesem Jahr einen Priester zur Abschreckung hängen, ausweiden und vierteilen lassen, seitdem gilt Südengland als katholikenfrei. Ihr seid zwar kein Engländer, Vater, und nur auf der Durchreise, aber seht Euch trotzdem vor.«

»Oh! Danke für die Warnung.« Ambrosius war nicht unbeeindruckt. »Aber das darf mich nicht abhalten. Ich bin mit jeder Faser meines Herzens Katholik, immer gewesen, obwohl manches in der Lehre Luthers mich nicht unberührt lässt. Ich predige Barmherzigkeit und Nächstenliebe, in meinen Augen sind alle Menschen gleich, denn vor Gott sind sie es auch, woher also sollte ich das Mandat nehmen, beispielsweise gegen die Juden zu wettern, so, wie es der Herr Luther getan hat?«

Ambrosius nahm einen weiteren Schluck. »Doch ich will Euch nicht langweilen, will nur so viel sagen, dass jemand, der ehrlich ist und ein gottgefälliges Leben führt, mir tausendfach lieber ist als einer, der von morgens bis abends vor sich hin frömmelt. Wusstet Ihr, Herr Vitus, dass es auf dieser Welt

Tausende von Gesetzen, Vorschriften, Verordnungen, Artikel und Erlasse gibt?«

»Nun, Vater, ich …«

»Es gibt sie. Und alle nur, damit die zehn Gebote eingehalten werden. Die zehn Gebote, Sir! Sie sind es, worauf es ankommt. Und sie sind es auch, die ich unter jene bringen will, die nach Gottes Lehre dürsten, drüben in der Neuen Welt.«

»Ihr habt das Herz auf dem rechten Fleck, wenn ich so sagen darf, Vater«, lächelte Vitus. Ihr vertretet eine tolerante Kirche, geradeso wie ich. Erlaubt, dass ich Euch die Hand schüttele.« Er beugte sich über den Tisch und packte Ambrosius' Rechte. »Doch gestattet mir noch eine rein weltliche Frage: Habt Ihr schon ein Schiff, das Euch hinüberbringt nach Neu-Spanien?«

»Aber natürlich, Sir. Ich segle mit der *Gallant* unter Kapitän Archibald Stout.«

»Waaas?« – »Augenblick mal!« – »Das gibt's doch nicht!« Die Freunde redeten vor Aufregung alle auf einmal.

Ambrosius war verblüfft über den plötzlichen Ausbruch. »Stimmt etwas nicht?«

»Doch, doch«, beeilte sich Vitus zu versichern. »Es ist nur, weil wir seit Tagen vergeblich nach einer Passage Ausschau halten, und Euch scheint es ohne weiteres gelungen zu sein, eine zu finden.«

»Nun, so ohne weiteres auch nicht. Ich musste Stout in die Hand versprechen, mich um das Seelenheil seiner Männer zu kümmern, musste mich ferner bereit erklären, an den Brassen mit Hand anzulegen und, damit nicht genug, noch drei Pfund für die Überfahrt berappen.«

»Drei Klumpen fürs Geschockel? Das schmerft mir nich!«, rief der Zwerg erzürnt. »Wuchrig ist's, sag ich, wuchrig!«

Ambrosius nickte. »Stout scheint seine Situation weidlich auszunutzen. Meines Wissens ist er der Einzige, der dieses Jahr noch in die Neue Welt will. Allerdings hat er kaum genug Leute für gute Seemannschaft, weshalb ich wohl auch mit an die Brassen muss.«

»Der Überfahrtspreis ist happig, das stimmt«, überlegte Vitus. »Aber ich will ihn gern bezahlen, und wenn ich unterwegs noch den einen oder anderen Kranken kurieren kann, dann soll's mir auch recht sein.«

»Ihr seid doch nicht etwa Arzt, Sir?«Ambrosius hob erstaunt die Augenbrauen.

»Doch, das bin ich. Arzt, Pharmakologe und examinierter Schiffschirurg.« Vitus bemühte sich, den Stolz über sein Patent nicht durchklingen zu lassen.

»Dann, Sir, habt Ihr Stouts Zusage schon so gut wie in der Tasche. Seine Mannschaft ist nämlich in ziemlich desolatem Zustand; über die Hälfte der Männer ist krank oder gebrechlich. Stout hat sie deshalb gar nicht erst an Land gelassen, als er vorgestern hier festmachte. Und er hat es ziemlich eilig, wieder auf See zu kommen, das kann ich Euch versichern. Jemand, der ihm während der Fahrt seine Männer wieder zusammenflickt, wäre so ziemlich das Beste, was ihm passieren kann.«

»Großartig! Wann geht Stout ankerauf?«

»Vielleicht schon morgen, Sir, wenn der Wind es gut meint, direkt nach der Vormittagsflut. Das bedeutet, dass Ihr heute Abend schon tunlichst bei ihm an Bord sein solltet. Vorhin, bevor wir uns trafen, war ich gerade auf dem Weg zur *Gallant*, nachdem ich mir am Morgen das hiesige Gotteshaus Saint Andrew angeschaut hatte, ein wunderschönes Bauwerk, wenn es auch, wie ich finde, nicht den Vergleich mit der dreitürmigen Erfurter Severikirche aushält, besonders weil …«

»Verzeiht, wenn ich unterbreche, Vater. Glaubt Ihr wirklich, dass Kapitän Stout uns drei mitnehmen könnte?«

»Wenn Ihr für die Passage zu zahlen bereit seid, so sicher, wie Gott die Erde in sechs Tagen erschuf.«

»Und haltet Ihr es für möglich, dass wir gemeinsam sofort zur *Gallant* aufbrechen?«

»Warum nicht?« Ambrosius lächelte mild. »Mein Becher ist sowieso leer.«

»Polly! Pollyyy! Pollyyyyy!« Als die Wirtin endlich erschien, strahlte Vitus sie an. »Polly, das muss ich dir erzählen! Nein, warte …« Er sprang auf und küsste sie geräuschvoll auf beide Wangen. »Rate, was sich eben ergeben hat!«

»Was, zum Teufel, ist denn in dich gefahren?« Eine sanfte Röte überflog Pollys Gesicht. »Oh, entschuldigt den Fluch, Vater.« Sie schlug das Kreuz und senkte züchtig die Augen.

»Hör zu, Polly, das ist die beste Nachricht seit langem …« In den nächsten Minuten erzählten die Freunde von der glücklichen Fügung mit der *Gallant*, versicherten ihr immer wieder, wie wohl sie sich bei ihr gefühlt hätten, aßen noch ein bißchen, leerten einige Becher auf das Wohl der Königin, dann auf Bruder Ambrosius, auf Kapitän Stout, auf Polly selbst, stiefelten anschließend leicht schwankend nach oben in ihre Kammer, kamen innerhalb kürzester Zeit wieder nach unten, zahlten und verabschiedeten sich.

Und waren fort.

Polly stand im Schankraum und kam sich vor, als wäre sie ganz allein auf der Welt. Nach einer Weile schüttelte sie den Kopf, als könne sie damit die traurigen Gedanken verscheuchen, und tat, was sie in solchen Situationen immer zu tun pflegte: Sie steckte sich eine Pfeife an und nahm die Arbeit wieder auf. Als sie die Becher vom Tisch forträumte, bemerkte sie, dass einer auf dem Kopf stand. »Was, zum Henker, hat das nun wieder zu bedeuten«, murmelte sie und nahm das Gefäß hoch. Darunter lag – eine Parfumkugel.

»Ja, da brat mir doch einer 'nen Storch!« Sie überlegte, woher die Kugel kommen konnte, und langsam dämmerte es ihr, dass sie ein Abschiedsgeschenk von Vitus darstellte. Er musste sie irgendwo am Hafen für sie aufgetrieben haben. Polly nahm die Kugel auf und schnupperte daran. Was sie roch, gefiel ihr. Wieder und wieder stieß sie die Nase in den Stoff und sog mit geschlossenen Augen den Duft nach Ambra und Lavendel ein.

»Gabriel, Gabriel, du prachtvoller Hundesohn«, flüsterte sie. Und dann heulte sie ein bisschen.

DER GEIZHALS ARCHIBALD STOUT

»Ganze Wagenladungen an Portable soup *werden in London und anderen Häfen hergestellt. Man nimmt dazu Fleischreste, meistens vom Rind oder Schwein, sodann reichlich Knochen, Knorpel, Sehnen, Hufe, Augen und anderes und kocht das Ganze zu einem dicken Gallert ein, welches anschließend in Formen gegossen wird.«*

ister Gerald, wie Ihr bemerkt haben dürftet, raumt der Wind nach Nordost, und Rame Head liegt bereits Steuerbord querab«, Stout deutete auf die äußerste Spitze der Landzunge vor Plymouth, »lasst deshalb, sobald wir uns freigesegelt haben, halsen. Neuer Kurs Südwest zu Süd.«

»Aye, aye, Sir.« Gerald, der Erste Offizier der *Gallant*, grüßte vorschriftsmäßig. Es war zwar bekannt, dass der Kapitän mehr Pfeffersack als Seemann war, aber das hieß noch lange nicht, dass er keinen Wert auf Disziplin legte.

»Und dann rauf mit dem Tuch! Und zwar alles, was das Rigg verkraftet, wenn ich bitten darf. Wäre doch gelacht, wenn wir mehr als anderthalb Monate für den Schlag über das Westmeer brauchten.«

»Aye, aye, Sir, ich kümmere mich persönlich darum!« Gerald gab die entsprechenden Befehle.

Stout, ein knorriger Endvierziger mit einem Gesicht, das aussah, als hätte der Herrgott es aus einem Holzblock geschlagen, wanderte zum achteren Flaggenstock, während seine Augen zufrieden auf der sich schnurgerade dahinziehenden Hecksee ruhten. Die Fahrt ließ sich gut an. Nur selten hatte man das Glück, in diesen Gewässern derart günstigen Wind zu erwischen, doch Stout nahm das mit großer Selbstverständlichkeit hin. Seit er nicht weniger als sieben blitzsaubere Hin- und Rückfahrten über das Westmeer absolviert und dabei jedes Mal satten Profit eingestrichen hatte, betrachtete er sich als einmaligen Glückspilz.

Gott wollte, dass er Erfolg hatte, so einfach war das.

Hätte er ihm sonst am gestrigen Abend die drei Passagiere beschert, die außer dem langen Mönch noch mitreisen wollten? Er hatte jedem von ihnen fünf Pfund für die Überfahrt abgeknöpft und erst unter scheinbarem Sträuben eingewilligt, dem Edelmann Vitus von Campodios zwei Pfund davon zu erlassen, nachdem jener sich bereit erklärt hatte, anzuheuern und während der Überfahrt als Arzt zu arbeiten. Zwei Fliegen mit einer Klappe hatte er so geschlagen: erstens einen Schiffsarzt bekommen und zweitens auch noch Geld dafür kassiert. Alle Wetter! Insgeheim hatte Stout sich gratuliert.

Immerhin: Später hatte er sich großzügig gezeigt und den drei Neuen die Kammer von Gerald zugewiesen, der zähneknirschend bei Powell, dem Bootsmann, und Ó Moghráin, dem frisch angeheuerten Steuermann, einziehen musste. Da Gerald Offizier war, ging das eigentlich nicht, aber Stout pflegte, wenn er einmal etwas beschlossen hatte, so unnachgiebig zu sein wie eine Gouvernante, die ihre Jungfernschaft verteidigt.

Der Kapitän schritt nach Luv, seinem angestammten Platz, und beobachtete, wie Powell die Mannschaft an die Brassen pfiff. »Fertig machen zur Halse!«, schrie der Bootsmann über Deck, und die Backbordwache stolperte herbei. Die Männer waren nicht gut im Saft, das sah ein Blinder mit dem Krückstock, doch Stout focht das nicht an. Matrosen jammerten immer, ob mit oder ohne Grund. Sie hatten ihre Arbeit zu erledigen und sonst nichts. Ärgerlich nur, dass so viele wegen Krankheit ausgefallen waren, doch das würde sich bald ändern, dank seines neuen Schiffsarztes.

Langsam wanderte der Bug der *Gallant* nach Steuerbord aus. Stout sah, wie die Männer sich an den Backbordbrassen zu schaffen machten, mitten unter ihnen der Mönch Ambrosius, der so kraftvoll wie kein anderer zupackte.

Abermals gratulierte sich Stout. Der Gottesmann war eine unschätzbare Hilfe, obwohl er einen Palstek nicht von einem Trossenstek unterscheiden konnte. Aber wen scherte das schon, solange er eine Spillspake vorwärtsschieben und ein Deck schwabbern konnte! Dasselbe galt auch für die beiden kleinen Neuen, den Magister und den seltsamen Zwerg. Sie hatten ihre Passage zwar voll bezahlt, aber er würde schon Mittel und Wege finden, sie zu beschäftigen.

Das Manöver war beendet, mehr schlecht als recht, wie Stout zugeben musste, andererseits war man hier nicht auf einem Kriegsschiff, wo alles wie am Schnürchen klappen musste. Worauf es letztlich ankam, war gutes Wetter und guter Wind, und beides würde ihn auch diesmal nicht im Stich lassen. »Mister Gerald!«

»Aye, Sir!« Der Erste, der gerade die Reparaturarbeiten an der steuerbordseitigen Hauptnagelbank kontrollieren wollte, eilte herbei.

»Einen Mann ans Handlog, ich will wissen, wie viel Knoten wir machen.«

»Aye, aye, Sir!« Gerald verschwand.

Stout begab sich zum Mann am Ruder, der steif wie ein Ölgötze dastand und nur Augen für den vor ihm befindlichen Kompass hatte. Neben ihm stand Ó Moghráin, der Steuermann, ein für seinen Posten vergleichsweise junger Bursche mit schwarzen Haaren und stahlblauen Augen.

»Kurs Südwest zu Süd liegt an, Sir«, meldete der Rudergänger.

»Schön. Lass mich mal.« Stout packte selbst den Kolderstab und genoss die Unmittelbarkeit, mit der sich die Kräfte der See über das Ruder und die Pinne seiner Hand mitteilten. Die *Gallant* machte jetzt stärkere Fahrt, das Singen im Rigg lag eine Oktave höher, und der Klang des an der Bordwand entlangrauschenden Wassers glich dem einer Stromschnelle. Wenn Stout überhaupt etwas außer Geld liebte, dann war es zügiges Segeln.

»Sie macht fünf Knoten, Sir!« Geralds Ruf kam vom Vorkastell der Galeone, einem Aufbau, der bei den englischen Schiffen flacher war als bei den spanischen und deshalb Backsdeck gerufen wurde. Es hatte den Vorteil, dass es seitlich einfallenden Winden nicht so viel Angriffsfläche bot.

»Fünf Knoten, sie läuft ganz hübsch«, knurrte Stout, sich an Ó Moghráin wendend. »Was meint Ihr, Steuermann, wann passieren wir die Scillys?«

»Nun, Sir, bei gleich bleibendem Wind dürften wir gegen Einbruch der Dunkelheit Lizard Point querab peilen, denn sie läuft wirklich schnell! *Tá siad ag siúil!* In der Nacht sollten wir zunächst Kurs beibehalten, später dann auf West gehen. Wenn Poseidon uns hold ist, sehen wir die Inseln am Morgen schon achteraus liegen.«

»Soso. Hm.« Stout war zufrieden. Der Inhalt der Antwort gefiel ihm, und die Art, wie sie gegeben wurde, auch. Das irische Kauderwelsch, das der Steuermann manchmal temperamentvoll einflocht, störte ihn nicht weiter, hatte er doch mit Ó Moghráin einen Mann in Plymouth aufgetrieben, der sein Handwerk verstand, und das bei einer vergleichsweise lächerlichen Heuer. Wieder einmal hatte sich ausgezahlt, dass er, Stout, sich nicht scheute, auch spät im Jahr in die Neue Welt zu segeln. Einem Seemann war es allemal lieber, für ein kleines Entgelt an Bord zu gehen, als an Land festzusitzen und am Hungertuch zu nagen. Und mit den Passagieren verhielt es sich ähnlich. Sie zahlten nicht nur einen hohen Preis, sie arbeiteten noch obendrein, und alles nur, um mit der Überfahrt nicht bis zum nächsten Frühjahr warten zu müssen. »Ich begebe mich in meine Kajüte, Ó Moghráin. Will eine Mütze voll Schlaf nehmen. Wenn etwas ist, das ich wissen sollte, wendet Euch an Mister Gerald.«

»Aye, aye, Sir!«

Stout beabsichtigte keineswegs zu schlafen, vielmehr gedachte er, eine kräftige Zwischenmahlzeit einzunehmen. Gerade schnitt er sich voller Vorfreude eine dicke Scheibe geräucherten Schinkens ab, als es energisch an der Kajütentür klopfte. Er blickte auf. Automatisch überprüften seine geschärften Sinne die Fahrt des Schiffs, konnten aber nichts Außergewöhnliches feststellen. Alles schien in schönster Ordnung. »Ich bin jetzt nicht zu sprechen!«, rief er unwirsch.

»Es ist aber wichtig, Sir!«

Stout erkannte die Stimme des Vitus von Campodios. Rasch schlang er die Scheibe hinunter und spülte mit einem großen Becher Gin nach. Anschließend ließ er Schinken und Ginflasche in einem Schapp an der Steuerbordseite verschwinden. Niemand brauchte zu wissen, welche Köstlichkeiten er sich einverleibte, während seine Offiziere und Mannschaften nur mit billigsten Nährmitteln vorlieb nehmen mussten: Saubohnen, Erbsen, Hartbrot – und am Sonntag mal ein Stück Pökelfleisch. Wenn überhaupt. Die übliche abendliche Ration Brandy hatte er schon bei der vorletzten Reise abgeschafft, zu teuer auf die Dauer ... »Herein!«

»Verzeiht die Störung, Sir, aber ich muss Euch dringend sprechen.« Vitus verbeugte sich kurz und musterte die Kajüte des Kapitäns. Sie war spartanisch eingerichtet. Stout schien sich nur das Nötigste zu gönnen, und dieses Wenige war in schlechtem Zustand: von dem alten Mahagonitisch, der dem Kartenstudium diente, blätterte der Lack ab, und der Vorhang, der den Kackstuhl züchtig verdeckte, war mehrfach geflickt, ein Zustand, den er mit der wollenen Decke, die über die Koje gebreitet war, gemeinsam hatte. Damit nicht genug, machte der Waschtisch unter dem Backbordbalkenknie einen schäbigen Eindruck; Schüssel und Krug darauf waren nur aus einfachem Steingut. Sie wiesen tiefe Risse auf, ein Zeichen dafür, wie oft sie schon herabgefallen und anschließend wieder geklebt worden waren.

Stout selbst bildete in dieser Umgebung keine Ausnahme. Seine Kleidung, ein Mittelding zwischen Zivilanzug und Uniform, war an vielen Stellen abgeschabt und ausgebessert. Von den Knöpfen seiner Weste glich kaum einer dem anderen.

»Schießt los, Cirurgicus, meine Zeit ist begrenzt.« Der Kapitän unterließ es, Vitus einen der mit rissigem Leder bespannten Stühle anzubieten. Vielleicht ahnte er, dass die Unterredung nichts Angenehmes zum Gegenstand haben würde.

»Nun, Sir. Um es kurz zu machen: Der Gesundheitszustand der Leute ist alles andere als gut. Von den siebenunddreißig Mannschaften und Decksoffizieren leiden nicht weniger als zweiundzwanzig an Scharbock, einer Erkrankung, deren Ursache nicht genau bekannt ist, viele Ärzte allerdings sind der Meinung, dass schlechte Ernährung ...«

»Ich weiß, was Scharbock ist«, unterbrach Stout. »Die Männer sollen sich nicht so anstellen. Die paar blauen Flecken und das bisschen Bluten im Zahnfleisch! Seit Jahrhunderten befahren Matrosen die Meere, und der Scharbock gehört zu ihnen wie der Teredowurm zum Kiel. Daran ist nichts zu ändern.«

»Gewiss, Sir, darf ich dennoch vorschlagen, den Männern in den nächsten Tagen Frischfleisch ...«

»Nein, Cirurgicus, das dürft Ihr nicht!« Abermals unterbrach

Stout. Eine Ader an seiner Schläfe begann zu pochen. Frischfleisch für die Mannschaft! So weit kam es noch! Das Schaf, das in einem Käfig an Deck untergebracht war, hatte er für seinen persönlichen Bedarf angeschafft, denn er hatte eine Schwäche für Hammelfleisch. Teuer genug war es gewesen, sündhaft teuer sogar, weshalb er angeordnet hatte, keine weiteren Tiere mehr zu kaufen. Einzig Powell hatte irgendwo im Hafen noch einen Hahn zum Spottpreis ergattert. Stout stellte ihn sich als Weihnachtsschmaus vor: sorgfältig ausgenommen, mit Feigen und Trockenpflaumen aus seinen persönlichen Beständen gefüllt und anschließend von allen Seiten knusprig braun gebraten. Das Wasser lief ihm im Munde zusammen, versiegte allerdings jählings angesichts des Gedankens, dass der Vogel ihm bis dahin die Haare vom Kopf gefressen haben würde.

»Nun, Sir, ich hörte, es geht über Madeira in die Neue Welt. Mit Eurer Erlaubnis werde ich in Funchal frisches Gemüse und frisches Fleisch an Bord nehmen lassen. Die Mannschaft braucht es.«

Stout, der es sich hinter seinem Mahagonitisch bequem gemacht hatte, sprang hoch wie von einer Stahlfeder geschnellt. »Den Teufel werdet Ihr, Herr Cirurgicus! Die Männer bekommen das, was sie schon immer bekommen haben, oder wollt Ihr die Welt neu erfinden? Ich wiederhole: Die Männer bekommen das, was sie schon immer bekommen haben, und wenn sie krank sind oder krank werden, heilt sie gefälligst. Wozu seid Ihr Arzt? Das ist ein Befehl!«

»Aye, aye, Sir.« Vitus biss die Zähne zusammen. Seine Arbeit hatte er sich anders vorgestellt. Doch es half nichts. Gleich nach Gott kam an Bord der Kapitän. Sein Wort war Gesetz, zumindest für die, die in der Musterrolle standen, und das tat er, seit er als Schiffsarzt angeheuert hatte. »Ich muss Euch auf zwei weitere, noch schwerwiegendere Fälle aufmerksam machen, Sir. Es handelt sich um Fiebererkrankungen. Die Matrosen liegen vorn im Logis unter dem Backsdeck und sind völlig apathisch.«

»Ihnen dürfte nur ein wenig Schlaf fehlen.«

»Mit Verlaub, Sir, ich fürchte, es ist schlimmer. Beide Patienten haben Hautausschlag am ganzen Körper, Leber und Milz sind eindeutig vergrößert, Zunge und Lippen bräunlich schwarz verfärbt, dabei von trockener, rissiger Beschaffenheit. Ich bin sicher, es ist eines jener vielfältigen bösartigen Fieber, gegen die ein Arzt nicht viel mehr ausrichten kann, als die Symptome zu bekämpfen.«

»Was gedenkt Ihr zu tun, Cirurgicus?« Stouts Stimme klang jetzt zugänglicher. Was ihm soeben mitgeteilt worden war, durfte nicht auf die leichte Schulter genommen werden. Zwei Männer ernstlich krank, das bedeutete zwei Totalausfälle und damit eine weitere Schwächung der Mannschaftsstärke, eine Schwächung, die sich ungünstig auf die Fahrtgeschwindigkeit auswirken konnte.

»Ich werde beiden regelmäßig einen Weidenrindentrank geben, dazu die schwache Dosis einer Substanz, die aus der Spanischen Fliege gewonnen wird, Kantharidin genannt. Die Kranken müssen viel trinken und warm gehalten werden. Ich habe mich über die verschiedenen Fieber noch einmal belesen und weiß deshalb, dass durchaus Heilungsaussichten bestehen, immer vorausgesetzt, es kommt nicht zum so genannten Schwarzen Erbrechen.«

Stout spürte ein leichtes Würgegefühl.

»Das Schwarze Erbrechen ist das schlimmste bekannte Fieber, Sir, ich möchte alles tun, um sein Auftreten an Bord zu verhindern. Mit Eurer Erlaubnis habe ich deshalb das Mannschaftslogis und die Unterkünfte der Decksoffiziere mit Essigwasser auswaschen und anschließend mit Schwefel ausräuchern lassen. Ferner habe ich dafür gesorgt, dass die beiden Kranken von den anderen Männern isoliert werden. Ich hoffe, dass diese Maßnahmen ausreichen.«

»Tja, hm, das hoffe ich auch.« Stout trommelte nervös mit den Fingern auf dem Tisch. Dann, fast anerkennend, sagte er: »Dafür, dass wir erst einen Tag auf See sind, Cirurgicus, habt Ihr schon allerhand unternommen.«

»Aye, Sir.« Vitus sparte sich die Bemerkung, dass er gern viel mehr täte, indem er der Besatzung besseres Essen gäbe. Er nahm sich vor, dass darüber noch nicht das letzte Wort gesprochen sein sollte. Laut sagte er: »Ich muss wieder zurück zu meinen Patienten, Sir, es warten noch einige Prellungen und Quetschungen auf mich.«

115

»Lasst Euch nicht aufhalten, Cirurgicus.« Stouts Blick wanderte verlangend zum Schapp mit dem Schinken.

Einen Tag später, bei vier Glasen während der Nachmittagswache, stand Vitus mit seinen Freunden auf dem Hauptdeck. Sie ließen sich den Wind um die Nase wehen, füllten die Lungen mit frischer Luft und genossen den Salzgeschmack auf den Lippen. Plötzlich entstand Leben im Heckbereich des Schiffs. Eine Personengruppe war dort erschienen, bestehend aus einem schlanken Seemann mit stahlblauen Augen und zwei junge Damen. »Ja, das sind doch ...«, entfuhr es Vitus.
Der Zwerg schirmte mit seiner Kinderhand die Augen ab, um besser sehen zu können. »Wui! Die beiden Hudelmetzen aus Polly's Wharf!«
Tatsächlich befand sich der Seemann in Begleitung von Phoebe und Phyllis. Phoebe redete kichernd und schnatternd auf ihn ein, während alle drei sich anschickten, den Niedergang zum Hauptdeck hinabzuklettern. »Bei den Knochen meiner Mutter, so 'ne Seereise is mächtich aufregend, überall flotte Jungs um einen rum, huhuuu!« Die vollbusige Phoebe winkte nach oben, wo einige Matrosen hoch über dem Krähennest die Wanten des Hauptmasts teerten.
Als Antwort erhielt sie ein paar lang gezogene, bewundernde Pfiffe.
»So stramme Jungs, da wird einem ganz kribbelig, was, Phyllis?«
»Ja, ja, kribbelig.« Das blasse Gesicht der Freundin gewann etwas Farbe.
Unterdessen war das Trio näher gekommen. »Dich hab ich doch schon mal gesehn, Winzbuckel!«, platzte Phoebe heraus.
»'s war inner Kneipe, ja, richtig, jetzt fällt's mir wieder ein, bei Polly in Plymouth war's, stimmt's oder hab ich Recht?«
»Wui, Frau Beischläferin, so mag's wohl sein. Du bist Phoebe, und deine Gackin is Phyllis.«
»Mich laust der Affe, der Zwerg wird frech! Nennt 'ne Dame Beischläferin! Hör mal, wenn ich 'ne Beischläferin bin, bist du ...«
»Enano, wenn's beliebt!« Der Winzling grinste und verbeugte sich so schwungvoll vor der Gruppe, dass seine roten Haarbüschel nach vorn flogen.

Jetzt schaltete sich der Seemann ein: »Da sich hier alle zu kennen scheinen, habe ich wohl etwas nachzuholen. Mein Name ist Ó Moghráin, Donal Ó Moghráin, Gentlemen. Ich bin Steuermann auf diesem Schiff und versuchte gerade, den beiden Damen einige Segelerklärungen zu geben.«

Vitus nickte den Mädchen höflich zu. »Ja, wir kennen die Damen. Zumindest vom Sehen.« Dann nahm er Ó Moghráins Hand. »Sehr erfreut, Eure Bekanntschaft zu machen! Ich bin Vitus von Campodios, Arzt und Cirurgicus auf der *Gallant.* Man sollte meinen, wir hätten uns bereits über den Weg laufen müssen, aber so klein, dass man einander nicht verpassen kann, ist das Schiff wohl doch nicht.«

»Fürwahr, Sir, als englische Frachtgaleone ist sie nicht klein. Allerdings ist sie ein bisschen vernachlässigt, wenn ich so sagen darf, denn an allem, was ein Schiff in Fahrt hält, scheint gespart zu werden.«

»Das Thema ist uns vertraut. Doch erlaubt, dass ich Euch noch meinen Freund, den Magister der Jurisprudenz Ramiro García, vorstelle.«

Der kleine Gelehrte trat vor und ergriff die Rechte des Steuermanns. »Sehr angenehm. Wo kommt Ihr her, Mister Ó Moghráin?«

»Ich stamme aus Irland. Mein Heimatdorf steht in der Killala Bay an der Westküste der grünen Insel.«

Plötzlich schrie Phoebe auf: »Hach nee! Guckt mal dahinten, 'n Gockel! Un daneben 'n richtiges Schaf!« Sie hatte Stouts lebende Verpflegung entdeckt, die in ihren Käfigen neben dem Großboot stand. Mit schnellen Schritten, Phyllis mit sich ziehend, eilte sie zu dem Hahn und steckte den Zeigefinger durch die Stäbe. »Put, put, put, put, put!« Der Hahn, von der Mannschaft »Jack« getauft, blickte die Frau mit schräg gelegtem Kopf an.

»Put, put, put, put, put!« Jacks Hals drehte sich mit einer eckigen Bewegung um die Achse, dann schoss sein Schnabel blitzschnell vor.

»Autsch! Mistvieh, verdammichtes!« Phoebe steckte sich den verletzten Finger in den Mund.

»Lasst mich mal sehen.« Vitus trat heran und besah sich den Finger. »Gottlob scheint es nicht schlimm zu sein. Haltet die

Kuppe einfach hoch, dann lässt die Blutung gleich nach. Wenn Ihr wollt, mache ich Euch einen Verband.«

»Verband? Bei so 'nem Kratzer? Pah! Wir Mädels aus'm Pu…, äh, ich mein, wir Damen aus Plymouth sin zäh!«

»Ja, ja, zäh«, bestätigte Phyllis.

Gleich darauf hatte Phoebe abermals Grund aufzuschreien, denn eine der das Schiff begleitenden Möwen hatte ihr auf den Hut gemacht. »Verdammich, 's is mein einziger Hut, verdammich!« Anklagend besah sie sich den Fleck.

Der Magister verbiss sich das Lachen. »Macht Euch nichts draus, Verehrteste, seid froh, dass es keine Kuh war! Im Übrigen: Möwendreck auf der Kopfbedeckung, das besagt eine alte Seemannsweisheit, bringt Glück. Der oder die Betroffene hat einen Wunsch frei.«

»Oooh! So is das? Hm.« Eine Falte entstand über Phoebes Nasenwurzel, während sie misstrauisch den kleinen Gelehrten musterte. Doch der verzog keine Miene.

»Isses wirklich so, auf Ehre un Gewissen?«

»Selbstverständlich, Verehrteste. Es würde mir nicht im Traum einfallen, Euch einen Bären aufzubinden.«

»Hm. Ich hab 'n Wunsch, 'n großen sogar, will nach Neu-Spanien un mir da 'n feinen Mann angeln, 'n piekfeinen Don, der Zaster wie Heu hat un mich auf Händen trägt, und Phyllis will's auch. Willst doch auch 'n Freier, der für immer bei dir anlegt, nich, Phyllis, aber fein musser sein, richtich fein, nich?«

»Ja, ja, fein«, bestätigte Phyllis.

»Tja, wenn das so ist, brauchen wir ja nichts weiter als eine zweite Möwe.«

Die folgenden Wochen brachten es mit sich, dass Stout zum ersten Mal an seinem Glück zweifelte. Schuld daran war ein Sturm, der die *Gallant* hartnäckig in seinen Fängen hielt und sie auf das heftigste durchpustete. Immer dann, wenn der Kapitän dachte, er sei dem Unwetter entwischt, und wieder Kurs Madeira nehmen wollte, meldeten sich die widrigen Winde zurück. Es war wie verhext. Wo blieb sein Glück? Stouts Flüche verwehten im Tosen der anbrandenden Wogen, und jeder Tag, den die *Gallant* verlor, schien ihm wie verlorener Gewinn.

Die Mannschaft, ohnehin geschwächt, musste ihr Äußerstes geben, um das Schiff zu retten, denn die Galeone war zwar stark gebaut, aber Rigg und Segeltuch schlecht in Schuss. Jetzt rächte sich, dass Stout an allem gespart hatte. Es gab nicht genug Teer, um Wanten und Webeleinen vor den Witterungseinflüssen zu schützen, es gab kaum Schmierfett, um die Rüsteisen vor Rost zu bewahren, und es gab nicht einmal – kaum glaublich zu dieser Jahreszeit – verstärkte Schlechtwettersegel. Wenige Tage vor Christi Geburtstag, an einem böigen, aber regenfreien Nachmittag, stand Vitus mit seinen Freunden wieder einmal auf dem Hauptdeck und beobachtete die Matrosen bei der Arbeit. Der Zustand der Männer hatte sich, trotz all seiner Bemühungen, nur unwesentlich gebessert, was angesichts der minderwertigen Verpflegung kein Wunder war. »Ich fürchte, auf Dauer wird der Scharbock allen den Garaus machen!«, rief er gegen den schräg einfallenden Wind. »Auch den beiden Fieberfällen geht es unverändert schlecht. Ob sie durchkommen, ist mehr als fraglich. Sie haben weiterhin Hautausschlag, und Leber und Milz sind stark vergrößert. Nachdem sie gestern erdfarbenen Auswurf hatten, bin ich fast sicher, dass sie am Schwarzen Erbrechen leiden.«

Der Magister und der Zwerg blickten erschreckt.

»Mein Kantharidin geht überdies zur Neige, und zu allem Übel ist heute Morgen noch der Koch mit hohem Fieber zusammengebrochen. Wenn das so weitergeht und wir nicht bald in Funchal frische Lebensmittel und Medikamente an Bord nehmen können, weiß ich nicht mehr weiter.«

Der Winzling spitzte sein Fischmündchen und deutete mit seinem Kinderarm zu den Tierkäfigen. »Wui, Vitus, da is doch noch der Kleebeißer, der würd 'n frischknäbbigen Brutzelbraten abgeben!«

»Das Schaf ist tabu, Enano, du weißt selbst, dass es dem Kapitän gehört.«

»Wui, wui, 's weiß ich schon …«

»Ach was, ihr zwei.« Der Magister rückte seine Berylle zurecht und blinzelte aufmunternd. »So schlimm wird's schon nicht werden. Dir, Vitus, ist bislang noch immer etwas eingefallen!«

Doch am Klang seiner Stimme war abzulesen, dass der kleine Mann selber zweifelte.

Mit einem missmutigen Grunzen schnitt Stout die letzte Scheibe vom Knochen seines Schinkens herunter. Er saß in seiner Kajüte hinter dem Kartentisch und machte sich Sorgen um den Mannschaftskoch Barks, der – aus Ersparnisgründen – gleichzeitig sein persönlicher Speisenzubereiter war. Es klopfte. Hastig schlang Stout die Scheibe hinunter. Es schien sein Schicksal zu sein, die schweinerne Räucherware nicht in Ruhe verspeisen zu können. Jetzt war sie alle – und seine Laune auf dem Tiefpunkt angelangt. Er bellte: »Ja, herein!«

»Wui, Herr Kaptein. Sollt kommen in Euer Heiligstes. Da bin ich.«

Vor Stout, der noch den blanken Knochen in der Hand hielt, stand der Zwerg.

»Schön, dass du endlich da bist, äh …« Stout unterbrach sich. Es fiel ihm schwer, die lächerliche Missgeburt da vor ihm in der gebotenen Form anzureden. Doch immerhin ging es um sein leibliches Wohl, und er hatte gehört, dass der Zwerg schon als Schiffskoch gearbeitet hatte. Ein gewisses Maß an Höflichkeit konnte deshalb nicht schaden. »… dass Ihr gekommen seid. Ich möchte etwas mit Euch besprechen.«

»Wui, wui, Herr Kaptein, hab's schon getickt, wär sonst nich hier, wie?«

Stout, der sich ärgerte, dass der Gnom ihn nicht mit »Sir« anredete und auch nicht mit »Aye, aye, Sir« antwortete, schielte auf seinen Knochen. Nun, man würde sehen; der Zweck heiligte die Mittel. »Sicher habt Ihr davon gehört, dass Barks, der Mannschaftskoch, erkrankt ist, weshalb ich mir Sorgen mache um das Wohlergehen meiner Männer, schließlich sollen sie jeden Tag etwas Anständiges zu beißen kriegen.«

Das war natürlich gelogen, denn nichts interessierte Stout weniger als das Wohl seiner Männer. Für ihn war jeder Einzelne nichts weiter als ein Stück Arbeitskraft. Eine Kraft, die möglichst für zwei schaffte und im Idealfall die Hälfte jener Menge Nahrung benötigte, die ein Mann brauchte. Natürlich kam es immer wieder vor, dass die eine oder andere Arbeitskraft verloren ging, sei es durch Hunger, durch Unfall oder durch Flucht, aber damit ließ sich leben – so lange jedenfalls, wie die anderen Kräfte in der Lage waren, die Ausfälle aufzufangen. Kritischer wurde es jedoch, wenn er selbst, Archibald Stout, betroffen war. Und genau dieser Fall lag jetzt vor. Es ging schließlich nicht an, dass er, wie die gewöhnlichen Arbeitskräfte, madigen Zwieback, schimmeligen Käse oder steinharte Bohnen zu sich nahm. Er quälte sich ein Lächeln ab und fuhr fort: »Man spricht davon, dass Ihr, äh … Mister Enano, Erfahrungen als Schiffskoch habt. Darf ich fragen, ob Ihr die Kunst des Fleischeinpökelns beherrscht?«

»Wiewo, un wenn ich's könnt?«

Das klang verheißungsvoll. »Nun, wenn Ihr es könntet«, erwiderte Stout und kam sich sehr schlau vor, »bäte ich Euch, mein Schaf zu schlachten und das Fleisch gehörig einzupökeln, damit wir alle lange etwas davon haben.«

Das war abermals gelogen, denn Stout dachte nicht daran, jetzt, wo sein Schinken alle war, das Hammelfleisch mit anderen zu teilen. Erwartungsvoll blickte er den Buckligen an.

»Ich kann's nich, Kaptein, selbst wenn ich's wollt.«

»Was sagt Ihr da?« Stout stand die Enttäuschung ins Gesicht geschrieben. Dieser kleine Mistkerl! Tat erst so, als verstünde er etwas vom Einpökeln, um ihn dann anschließend, mit einem unverschämten Grinsen, des Gegenteils zu versichern. Na warte, du Missgeburt!, fluchte er im Stillen. Laut sagte er: »Ihr seht Euch also nicht in der Lage, ein paar Stücke Fleisch einzusalzen – eine Arbeit, die jeder hergelaufene Dummkopf tun könnte. Nun, ich gebe Euch Gelegenheit, es zu erlernen. Ihr werdet ab sofort auf diesem Schiff als Koch dienen, und nicht nur das, Ihr werdet Euch zusätzlich persönlich um mein leibliches Wohl kümmern. Das ist ein Befehl.«

»Nebbich, Kaptein. Nix werd ich. Hab das Geschockel auf Euerm Kahn gezastert un brauch nich malochen.«

Stouts Faust stieß vor. Der Schinkenknochen zielte direkt auf den Zwerg. »Ihr werdet es! Sonst gnade Euch Gott! Denn wenn Ihr Euch weigert, lass ich die Peitsche auf Eurem Buckel eine Hornpipe tanzen! Dass ich die Macht dazu habe, muss ich wohl kaum betonen!«

»Wui, wui, das is wohl so.« Das Männchen taxierte Stout abschätzend. Dann lächelte es schief. »Ich will's wohl tun, Kaptein, wenn Ihr mir zwei Kracher zurückstecht.«

»Wie? Was? Zwei Kracher zurückstecht? Was soll das nun wieder heißen?«

121

»Zwei Kracher sin zwei Pfund, Kaptein. Vitus hat fürs Geschockel auch zwei Kracher retour gekriegt, weil er als Schiffsarzt malocht, un wenn ich als Schiffskoch trafacke, will ich's genauso.«

»Ich soll dir, äh … Euch zwei Pfund von den fünf für die Überfahrt gezahlten zurückgeben?« Stout merkte, wie ihm endgültig die Galle hochkam. »Eher fress ich sämtlichen Tang der Sargassosee!« Der Schinkenknochen zielte unverändert auf das Brustbein des Zwergs. »Und nun an die Arbeit! Als Erstes kocht Ihr mir diesen Knochen aus. Aber schön lange, so lange, bis auch das letzte Fettauge auf der Brühe schwimmt!«

Der Winzling schien sich geschlagen zu geben, denn er zuckte mit den Schultern. »Wui, wui, Kaptein, wenn's denn beliebt.«

»Das heißt ›Aye, aye, Sir‹, merkt Euch das. Und zwar ein für alle Mal!«

»Aye, aye, Sir.« Die vorschriftsmäßige Antwort hörte sich aus dem Fischmündchen seltsam lächerlich an. Der Zwerg verbeugte sich theatralisch und ging zur Tür. Stout dachte schon, das Gespräch hätte zu guter Letzt eine zufriedenstellende Wendung genommen, als sein Besucher sich plötzlich noch einmal umdrehte.

»'s is nur wegen dem Einpökeln, Kaptein«, sagte er, »ich kann's nich tun, weil der Kleebeißer wech is.«

Stout fiel die Kinnlade herab. »Wech?«

»Wech, davon un moll perdu.«

Man schrieb Montag, den 23. Dezember 1577, und die ungeheuerliche Eröffnung des Zwergs lag erst zwei Tage zurück. Stout saß in seiner Kajüte und hatte den Schicksalsschlag noch immer nicht verwunden. Nachdem die Missgeburt ihm von dem Verlust berichtet hatte, war er, außer sich vor Wut, auf seinen neuen Koch zugestürzt, hatte ihn bei einem seiner Kinderärmchen gepackt und hochgerissen. »Wer war das?«, hatte er ein ums andere Mal geschrien. »Sagt mir augenblicklich den Namen dieses Hundsfotts! Ich lasse den Burschen kielholen, verprügele ihn eigenhändig mit der Neunschwänzigen, hacke ihm die rechte Hand ab!«

Doch der Zwerg, diese hinterlistige Nachgeburt einer Hafenschwalbe, hatte sich seinem Griff entwunden. »Ich weiß nix, bei der Jungfernschaft der heiligen Marie, nix weiß ich.« Der

Gnom hatte die Unverfrorenheit besessen und dabei gegrinst, wobei kleine, nadelspitze Zähnchen sichtbar geworden waren. Dann, ehe Stout sich's versah, hatte er sich seinem Griff entwunden und war aus der Tür entwischt.

Umgehend hatte Stout Himmel und Hölle in Bewegung gesetzt, um wieder an sein Schaf zu kommen: Er hatte die Mannschaft zusammentrommeln lassen, war vor sie hingetreten und hatte ihr die drakonischsten Strafen angedroht. Er hatte geschrien und gewütet und immer wieder auf das 8. Gebot im 2. Buch Mose verwiesen: DU SOLLST NICHT STEHLEN!

Doch die Männer hatten mit grimmiger Miene dagestanden – eine Fleisch gewordene Mauer des Schweigens. Endlich hatte er sich den ersten Besten geschnappt, es war der Matrose Killing gewesen, und gerufen: »Einer für alle! Wenn ihr das Maul nicht aufkriegt, muss Killing dafür büßen! Er bekommt fünfzig Hiebe! Nun, wie findet ihr das?«

Doch selbst das hatte die Mauer nicht zum Einsturz gebracht. Am anderen Morgen war Killing mit nacktem Oberkörper an eine aufrecht gestellte Gräting gebunden worden. Bevor Powell mit der Bestrafung begann, hatte sich sein Schiffschirurg, Vitus von Campodios, noch einmal für den Mann verwendet. Er sei es ja nicht gewesen, und der Kapitän könne nicht ausschließen, dass Killing tatsächlich nichts wisse. Doch Stout hatte die Einwände mit einer Handbewegung beiseite gewischt. Dann war die Strafe vollzogen worden. Killing hatte die Schläge mit zusammengebissenen Zähnen über sich ergehen lassen, und kein Laut war dabei über seine Lippen gekommen. Anschließend war Stout nichts anderes übrig geblieben, als die Männer wieder auf ihre Posten zu schicken.

Und nun saß er hier und hatte schon wieder das nächste Problem: Heiligabend. Der Abend, an dem der Heiland geboren worden war.

Der Decksmann Ambrosius war am Nachmittag auf ihn zugekommen, hatte vorschriftsmäßig gegrüßt und darum gebeten, aus diesem Anlass einen Gottesdienst auf dem Hauptdeck abhalten zu dürfen. Er sei zwar katholischen Glaubens, aber der Gott, zu dem er bete, sei derselbe wie jener der Anglikaner. Geschätzte Dauer der Veranstaltung: eine Stunde, mit gemeinsamem Singen vielleicht auch anderthalb.

Stout hatte geglaubt, nicht richtig zu hören. Ein ehemaliger Priester, der seine Männer von der Arbeit abhalten wollte!

Er hatte Ambrosius fortgejagt und geglaubt, das Thema Weihnachten sei damit erledigt. Doch dann war ihm siedend heiß eingefallen, dass er am Abend des 24. Dezember die wichtigsten Persönlichkeiten an seine Kapitänstafel laden musste. Ein Brauch, der so alt war wie die christliche Seefahrt selbst und um den man sich beim besten Willen nicht drücken konnte. Das Essen würde ihn wieder Unsummen kosten!

Der Geizhals stöhnte auf und ließ nach seinem neuen Schiffskoch schicken. Wenig später erschien der Zwerg. »Wui, Herr Kaptein, wo drückt die Galosch?«

Stout überging die ungebührliche Anrede. Er hatte andere Sorgen. »Was könnt Ihr morgen, am 24., auf meine Tafel bringen? Ich werde Gäste haben.«

»Wiewo? Tafel bringen? Gäste haben?« Der neue Koch verstand nicht. Oder er stellte sich dumm.

Stout wies ungeduldig auf den Kartentisch aus Mahagoni. »An diesem Tisch pflege ich am Heiligen Abend Gäste zu empfangen. Was kann ich ihnen als Speise bieten?«

»Oh, wui! Bauerndegen, Böllerlein, Schwärmer un Bäckling, un dazu schmerftige Maden un Schimmel.«

»Redet vernünftig!« Der Kapitän merkte, wie ihm schon wieder der Kamm schwoll.

»Wui, wui!« Der Zwerg verbeugte sich. »Bauerndegen sin Bohnen, Böllerlein sin Erbsen, Schwärmer is Käse un Bäckling is Brot. Alles mies un schattnig.«

»Haltet Euch zurück!« Dass die Mannschaftsverpflegung als Speise für seinen Tisch gut genug sein sollte, kam selbstverständlich, trotz aller gebotenen Sparsamkeit, nicht in Frage. Der Geizhals grübelte fieberhaft. Seine persönlichen Bestände waren mehr als kläglich, jetzt, wo das Schaf fort war. Ein neuerlicher Strahl des Ärgers traf ihn. Er schüttelte ihn ab. Immerhin, was er noch hatte, war der Hahn, den er jedoch ganz allein zu verspeisen gedachte. Dann war da ein viertel Fässchen stark eingesalzene Schweinskopfsülze, doch das war, selbst bei knappster Zubemessung, wahrscheinlich zu wenig für die Zahl der zu erwartenden ... hoppla! Stouts Gedankenfluss kam ins Stocken. Wie viele Gäste erwartete er überhaupt?

Laut begann er zu zählen, wobei er für jede Person einen Finger umbog: »Als Gäste erwarte ich, äh ... natürlich Mister Gerald, den Ersten ...« Gerald als Offizier einzuladen war eine Selbstverständlichkeit, Gleiches galt auch für den neuen Steuermann. »Dann Mister Ó Moghráin, äh ... ferner Vitus von Campodios, meinen Schiffsarzt, weiterhin ...« Er unterbrach sich, denn er wollte Ramiro García, den Mann, den alle Magister nannten, eigentlich übergehen, andererseits war dieser ein zahlender Passagier und ein Gelehrter dazu. »... auch den Magister García, weil er, äh ... ein Freund des Arztes ist.«

»Bin auch 'n Gack vom Cirurgicus, sogar 'n guter!«

»Ihr haltet den Mund. Ihr seid Koch und sonst gar nichts.« Stout wollte sich in seinen Überlegungen keineswegs unterbrechen lassen. »Wo war ich stehen geblieben? Ach ja, beim Magister García ... nun, den hatte ich ja schon, ich glaube, das wär's.«

»Nix, nix, Herr Kaptein. Habt die beiden Hudelmetzen vergessen.«

»Die beiden Hudel... ? Ach so, Ihr meint die beiden Passagierinnen.« Das stimmte in der Tat, an die hatte er überhaupt nicht gedacht, obwohl die eine, die mit dem fülligen Busen, durchaus keinen unangenehmen Anblick bot. Die jungen Frauen würden zwei hungrige Mägen mehr sein, doch mochten sie immerhin für einige Auflockerung an der Tafel sorgen. »Nun ja, die beiden Damen sollen ebenfalls eine Einladung erhalten.«

Der Geizhals blickte auf seine umgebogenen Finger und musste feststellen, dass er mit sechs Gästen zu rechnen hatte, was bedeutete, dass sich, seine Person ausgenommen, nicht weniger als sechs Esser an seinem Tisch mästen würden.

Aber womit? Die Frage, was er anbieten konnte, war noch immer nicht geklärt. Irgendetwas musste es doch geben, das einerseits in ausreichender Menge vorhanden war, andererseits nicht aus der Mannschaftsküche kam.

Irgendetwas.

Und dann, ganz plötzlich, wusste er, was das sein konnte. Ja, das war's! Dass er darauf nicht gleich gekommen war!

Er winkte den Zwerg näher und besprach mit ihm alles Notwendige.

»Und Er gebot den Wolken droben
und tat auf die Türen des Himmels
und ließ Manna auf sie regnen zur Speise
und gab ihnen Himmelsbrot.
Brot der Engel aßen sie alle,
Er sandte ihnen Speise in Fülle.
Er ließ wehen den Ostwind unter dem Himmel
und erregte durch Seine Stärke den Südwind
und ließ Fleisch auf sie regnen wie Staub
und Vögel wie Sand am Meer;
mitten in das Lager fielen sie hinein,
rings um Seine Wohnung her.
Da aßen sie und wurden sehr satt.«

Stout, der am Kopfende des Kartentischs stand, legte die Bibel fort und blickte in die Runde. Seine Gäste hatten, während er die Verse aus dem 78. Psalm vortrug, die Augen gesenkt gehalten, doch nun, da er zum Ende gekommen war, blickten sie auf. »Amen! Guten Appetit und frohe Weihnacht!«

Übergangslos wollte Stout sich setzen, doch Vitus unterbrach sein Vorhaben, indem er sich erhob. Er nahm sein Glas auf, welches mit einem feurigen Roten, den er aus seinen eigenen Beständen beigesteuert hatte, gefüllt war, und sprach: »Ladies und Gentlemen, erlaubt mir, dass ich zuerst auf unsere geliebte Herrscherin, auf Ihre Majestät Königin Elisabeth I. einen Toast ausspreche. Der Allmächtige schenke ihr Gesundheit, Reichtum und ein langes Leben. *God save the Queen!* Cheers!«

»Cheers! Sláinte! Und frohe Weihnacht!«, kam es von allen Seiten, während man aufstand und miteinander anstieß. Die Gläser mit dem von Vitus gespendeten Roten erklangen hell.

»Ich bitte, die Gläser schonend zu behandeln«, mahnte Stout, der nicht aus seiner Haut herauskonnte, »möchte sie in der Neuen Welt noch für gutes Geld verscherbeln.«

»Ein schöner Schliff! Und ein guter Tropfen dazu.« Gerald nickte höflich, während die Gäste sich wieder setzten und auf ihre noch leeren Teller blickten. »Bin gespannt, was es zu essen gibt.«

»Eurer Neugier kann abgeholfen werden!«, rief Stout, der an diesem Abend bester Laune war. Nicht, wie man hätte vermuten können, weil die Geburt Jesu Christi gefeiert wurde, sondern weil der Wind von Südwest auf Nordost umgesprungen war und das Wetter besser zu werden versprach. »Der Koch muss jeden Augenblick mit der Festspeise hereinkommen.«

Kaum waren seine Worte verklungen, öffnete sich die Kajütentür, und der Zwerg erschien auf der Bildfläche, eine große Steingutschüssel in den Händen balancierend.

»Nur herbei, Mister Enano, schenkt uns ein von Eurer Köstlichkeit!« Stout war die Leutseligkeit selbst.

»Wui, wui, Herr Kaptein.« Der Zwerg trippelte heran und tat wie befohlen. Als er die Runde gemacht hatte und alle versorgt waren, dampfte vor jedem Gast eine schleimig braune, mit einzelnen Knorpeln durchsetzte Suppe.

»*Níl a fhios agam, níl a fhios agam*«, rätselte Ó Moghráin. »Ich weiß nicht, was das für Suppe ist.«

Der Magister schnupperte, verzog das Gesicht und meinte süffisant: »Das Volk Israel, Herr Kapitän, welches Ihr eben in Eurem Gebet erwähntet, scheint etwas üppiger gespeist zu haben als wir.«

»Aber woher denn, Herr Magister!« Des Geizhals gute Laune war nicht zu erschüttern. »Ihr scheint nicht zu wissen, was vor Euch steht. Ich darf behaupten, es ist etwas ganz Besonderes – *Portable soup.*«

»*Portable soup?*«

»Ganz recht. *Portable soup* ist eine äußerst segensreiche Erfindung und von daher trefflich geeignet, auf einer weihnachtlichen Tafel zu stehen.« Er schien völlig zu übersehen, dass sein verschrammter Mahagonitisch mit den billigen Talgkerzen keineswegs festlich, sondern eher spartanisch wirkte. »Ganze Wagenladungen an *Portable soup* werden in London und anderen Häfen hergestellt. Man nimmt dazu Fleischreste, meistens vom Rind oder Schwein, sodann reichlich Knochen, Knorpel, Sehnen, Hufe, Augen und anderes und kocht das Ganze zu einem dicken Gallert ein, welches anschließend in Formen gegossen wird.« Stout nahm einen Löffel voll auf, pustete, kostete schmatzend und tat so, als verdrehe er voller Genuss die Augen.

Der Magister murmelte kaum hörbar: »Das Zeug sieht aus wie Tischlerleim.«

Den anderen Gästen hatte es die Sprache verschlagen. Phoebe war die Erste, die sich fing. »So'n Schweinkram essich nich, Herr Kapitän, Ihr könnt sagen, was Ihr wollt, aber so'n Schweinkram essich nich.«

»Aber, aber! Vielleicht hätte ich die Inhalte der Suppe nicht aufzählen sollen, dennoch darf nicht übersehen werden, dass *Portable soup* auch ihre praktische Seite hat: Sie ist – richtig verstaut und vor Nässe und Schimmel geschützt – eine Mahlzeit, die sich über viele Jahre auf See hält. Man muss sich einfach ein Herz fassen und den ersten Löffel probieren, und sogleich wird man feststellen, dass sie insgesamt sehr gut schmeckt – viel besser als jede ihrer einzelnen Zutaten für sich. Sie schmeckt nach …«, Stout kostete jetzt ernsthaft und stellte fest, dass diese *Portable soup* tatsächlich überraschend gut mundete, »sie schmeckt nach …«

Und während der Geizhals noch nach einem passenden Vergleich suchte, schaltete sich der Zwerg ein. Er hatte die ganze Zeit an der Tür gewartet und fistelte nun: »Wui, wui, Herr Kaptein, 's schmerft nach Schaf.«

»Ja, tatsächlich. Nach Schaf. Obwohl Hammel normalerweise nicht in eine *Portable soup* gehö…« Ein ungeheurer Verdacht ließ Stout verstummen. Er schaute auf – und sah in zwei winzige, spöttisch dreinblickende Äuglein.

Und dann geschah zweierlei zur gleichen Zeit. Stout wollte aufspringen, um den tückischen Wicht zu packen, wurde aber von einem jählings einsetzenden, unerträglichen Schmerz zurückgerissen. Es war ihm, als hätte die brühheiße Suppe sich durch sein Gedärm gefressen und sei von da aus mitten hinein in die Blase gedrungen. Die Pein war so groß, dass er, wimmernde Laute ausstoßend, mit dem Kopf vornüber auf die Tafel schlug, während seine Hände sich hilflos gegen den Unterleib pressten.

Kaum einen Wimpernschlag später war Vitus schon neben ihm. »Was habt Ihr, Sir?«

Stout stöhnte nur.

»Habt Ihr Schmerzen im Unterleib?«

Stout keuchte: »Ja … Unterleib. Furchtbar. Ooohh … Ich muss piss… Verzeihung, die Damen … Ooohh …«

Vitus half dem Kapitän mit sanfter Gewalt hoch, während ein

ganz bestimmter Gedanke in ihm aufkeimte, ein Gedanke, von dem er hoffte, dass er sich nicht als wahr erweisen würde. »Kommt, wir gehen hinüber zu dem gewissen Stuhl hinter dem Vorhang.« Er stützte Stout, der nur mit kleinen Schritten zu gehen in der Lage war, und erreichte glücklich das Ziel, wo er sofort den Hosenbund des Kapitäns lockerte und das Beinkleid herabzog. »Setzt Euch auf den Rand und beugt den Oberkörper zurück.«

Der Geizhals gehorchte, soweit er es vermochte. Noch immer bohrte der Schmerz sich wie mit Messern in seinen Unterleib. Er ging vom Hodensack aus und strahlte in den gesamten Beckenraum ab, bis hin in den Bereich der Leisten.

»Magister, hol mir rasch meine Kiepe und den Instrumentenkoffer. Mister Gerald und Mister Ó Moghráin, haltet Euch zu meiner Verfügung. Enano, räum die Tafel ab und bring die, äh … Suppe fort. Die Damen ersuche ich, die Kajüte zu verlassen, es wäre unschicklich, wenn sie blieben.«

Phoebe und Phyllis verließen umgehend den Raum, erstaunlicherweise ohne eine Bemerkung der zungenfertigen Phoebe, dafür jedoch mit einem gemurmelten »Ja, ja, unschicklich« von Phyllis.

Kurz darauf war der Magister mit dem Gewünschten zurück. Der Verdacht, den Vitus von Anfang an gehabt hatte, war inzwischen zur Gewissheit geworden. Stout hatte nicht nur stechende Schmerzen im Unterleib, er verspürte auch einen kaum zu ertragenden Harndrang, einen Druck, dem keineswegs abzuhelfen war, denn der Kapitän war nicht fähig, Wasser zu lassen.

»Sir, ich fürchte, Ihr habt einen kapitalen Stein in der Blase, vielleicht auch mehrere. Der Stein bereitet Euch die Torturen, denn er sitzt vor der Öffnung zum Harnleiter und versperrt sie.«

Stout nickte mühsam. Für den Augenblick hatte der Schmerz ein Einsehen und wütete nicht ganz so stark in seinen Eingeweiden. »Was wollt Ihr tun?«

»Hattet Ihr schon einmal einen ähnlichen Anfall?«, fragte Vitus zurück.

»Ja, zwei- oder dreimal. Aber viel weniger stark. Nicht annähernd.«

»Habt Ihr danach zufällig bemerkt, dass Euer Urin leicht röt-
lich war, so, als habe sich Blut darunter gemischt?«

»Ich denke, ja.« Stout versuchte sich zu konzentrieren. »Einmal war's so. Hab mich ziemlich erschreckt damals, aber beim
nächsten Pinkeln war alles wieder normal.«

Vitus tastete den Leib unterhalb des Nabels vorsichtig ab. Im
Blasenbereich spürte er einen harten Widerstand, was seine
Diagnose zu bestätigen schien. »Die Ursache für roten Harn
können winzige Blasensteinchen sein, die beim Urinieren mit
herausgeschwemmt werden und dabei den Harnleiter verletzen. Ihr müsst wissen, dass Blasensteine in unterschiedlichster
Größe vorkommen, mal winzig klein, mal walnussgroß, wobei
die Farbe durchaus veränderlich ist – von hellgrau bis gelb, von
blass bis bräunlich. Kein Mensch weiß genau, warum das so ist.
Wenn Ihr eine Vermutung von mir hören wollt, so würde ich
sagen, die Bildung der Steine und auch ihre Farbe hängen mit
der Ernährung zusammen. Aber wie gesagt, das ist nur eine
Vermutung.« Vitus sprach absichtlich so ausführlich über das
Leiden, weil er die Erfahrung gemacht hatte, dass es beruhigend auf die Menschen wirkte, wenn man ihnen mit einfachen
Worten die Hintergründe ihrer Krankheit schilderte.

Plötzlich schossen Stouts Hände vor und umklammerten Vitus' Unterarme wie Schraubstöcke. Ein neuerlicher Schmerz-
anfall war über ihn gekommen.

Vitus befreite sich mühsam. »Rasch, Magister, gib mir das
Fläschchen mit dem Laudanum und das Weinglas des Kapitäns.« Als er beides hatte, goss er eine gehörige Menge der
opiumhaltigen Tinktur in den Wein und befahl Stout, das Glas
zu leeren.

Nur wenige Minuten später glätteten sich die Züge des Geizhalses. »Oh, Allmächtiger Vater im Himmel, ich danke dir«,
seufzte er, »der Schmerz lässt nach.«

»Könnt Ihr jetzt Wasser lassen?«, fragte Vitus.

Stout, noch immer auf dem Kackstuhl sitzend, versuchte es mit
starrer Miene. Doch sosehr er sich auch konzentrierte, nicht das
leiseste Plätschern kündete von dem Erfolg seiner Bemühungen.

»Spürt Ihr nach wie vor Druck auf der Blase?«

»Ja, schon. Und wie! Der Drang ist da, aber es ist mehr ein
dumpfes Drücken.«

»Gut. Wir werden jetzt etwas mit Euch machen, Sir, das sich schlecht mit der Würde eines Kapitäns verträgt. Dennoch muss der Versuch unternommen werden.«

»Was wollt Ihr tun?«

Vitus erklärte es ihm.

Wenig später machte Stout, von Gerald und Ó Moghráin an den Beinen gehalten, unbeholfene Kopfstände in seiner Kajüte, wobei die Offiziere sich abmühten, seinen Körper ruckartig nach oben zu reißen, immer in der Hoffnung, der Stein möge sich durch die Erschütterung lockern und den Abflusskanal in der Blase freigeben.

Endlich, nach einem Dutzend vergeblicher Versuche, sagte Vitus bedauernd: »Die Blase, Sir, ist ein Organ von begrenzter Dehnungsfähigkeit. Wir können nicht tatenlos zusehen, wie sie, bedingt durch die Tätigkeit Eurer Nieren, voller und voller wird und schließlich zu reißen droht. Ich werde deshalb einen Steinschnitt machen müssen.«

Stout jammerte: »Jesus Christus, was hat das nun wieder zu bedeuten?«

»Ich werde Eure Haut unterhalb des Skrotums öffnen, um an den Stein zu gelangen.«

»Mich aufschneiden? Dort? Kommt nicht in Frage!«

»Sir!« Vitus wurde energisch. »Wollt Ihr lieber bei lebendigem Leibe platzen?«

»Nein, äh … natürlich nicht. Gibt es denn gar keine andere Möglichkeit?«

»Ich könnte Euch katheterisieren. Das ist eine Methode, den Harn abfließen zu lassen, aber glaubt mir: Der Erfolg wäre nur von vorübergehender Dauer. Früher oder später würde der Stein den Blasenausgang wieder verschließen.«

»Dann los, in Gottes Namen.«

»Gut.« Vitus brauchte einen Augenblick, um sich zu sammeln. Die Operation eines Steins war alles andere als ein chirurgischer Spaziergang. Sie verlangte viel Geschick, höchste Konzentration und gute Nerven. »Magister, nimm die Schüssel aus dem Stuhl und stell sie auf den Boden. Gut so, und nun besorgst du zwei Laternen und hängst sie über diesem Platz auf, ich brauche mehr Licht.« Er wandte sich an den Kapitän. »Sir, seid so gut und setzt Euch wieder. Und versucht, Euch zu entspannen. Mister Ó Moghráin, zieht bitte den Vorhang fort, er behindert mich. Mister Gerald, ich brauche ein fünf Fuß langes Tau mit einer Schlinge an jedem Ende. Durchmesser der beiden Augen ungefähr fünf Zoll.«

»Verlasst Euch auf mich, Cirurgicus.« Gerald fragte nicht lange, sondern eilte davon.

Dennoch vergingen noch quälende Minuten, bis Stout, der immer wieder von Schmerzwellen gebeutelt wurde, operationsbereit war. Vitus trat vor ihn hin und schob ihm die beiden Schlingen des von Gerald bereitgestellten Taus zunächst über die Füße, dann weiter hinauf bis in die Kniekehlen. Anschließend bog er Stout den Kopf nach vorn, damit er ihm das Tau in den Nacken legen konnte. Als der Kapitän mühsam wieder hochkam, zog er automatisch mit Hilfe des Taus seine Knie an den Körper.

»Das Tau ist nur eine Vorsichtsmaßnahme«, erklärte Vitus seinen drei Helfern. Sie standen um den Kranken herum und hatten jeder eine ganz bestimmte Aufgabe. Gerald, der sich im Rücken des Kapitäns befand, sollte ihn aufrecht halten und ihm, von hinten herumgreifend, den Hodensack anheben, und Ó Moghráin und der Magister, links und rechts vor Stout postiert, sollten ihm die Beine an den Knien auseinander ziehen. »Ich bin sicher, Gentlemen, Ihr werdet Euer Möglichstes tun, dennoch: Ein Patient mit derartigen Schmerzen ist immer unberechenbar. Deshalb das Tau, mit dessen Hilfe verhindert wird, dass er plötzlich mit den Beinen nach unten tritt.«

Die drei nickten. Ihre Mienen verrieten die Anspannung. Der Geizhals stöhnte zum Gotterbarmen.

Vitus trat einen Schritt zurück und überprüfte noch einmal die bereitliegenden Instrumente. Alles schien komplett. Das Schiff machte ruhige Fahrt, gottlob, denn die Operation würde auch so schwierig genug werden. Er verabfolgte dem willenlosen Stout eine weitere Portion Laudanum und holte tief Luft. »Gentlemen, habt Ihr ihn fest im Griff? Gut. Also dann, fangen wir an.«

Stouts Skrotum war stramm nach oben gezogen und gab den Blick frei auf das Mittelfleisch, die Partie zwischen Anus und Hodensack. Die Fläche war stark behaart. Vitus ließ sich vom

Magister ein kleines Schermesser reichen und rasierte die Operationsstelle sorgfältig aus. Dann gab er das Messer zurück.

Was jetzt kam, war unangenehm, musste aber sein. Er kniete sich vor den Patienten hin und strich sich Zeige- und Mittelfinger der linken Hand dick mit Salbe ein. Dann steckte er die Finger tief in den Anus, schräg nach oben. Er versuchte, mit den Fingerspitzen an die Blase heranzureichen, was ihm auch nach kurzer Zeit gelang. Das Hohlorgan schien ziemlich voll zu sein. Er suchte, prüfte, tastete geraume Weile, und endlich spürte er etwas Hartes. Ja, das musste der Verursacher allen Übels sein! »Ich glaube, ich habe den Stein!«

Jetzt galt es, ihn so mit den Fingerkuppen zu dirigieren, dass er nach außen gegen das Mittelfleisch gedrückt wurde. Auch das gelang ihm nach einer Weile. »Der Stein muss eine kapitale Größe haben.«

Der Magister fragte: »Willst du jetzt das Lithotomon?«

»Ja.« Ohne den Blick von der Operationsstelle zu nehmen, hielt Vitus die rechte Hand nach hinten, in die der Magister prompt das Instrument legte. Das Lithotomon war ein Werkzeug, welches zwei Instrumente in sich vereinte. Es war auf der einen Seite chirurgisches Messer und auf der anderen ein Haken. Bei Eingriffen wie diesem hatte es sich immer wieder bewährt, weil der Operateur mehrfach schneiden und mehrfach das geteilte Fleisch spreizen musste, ein Vorgang, bei dem er jeweils das Instrument nur umzudrehen brauchte. Vitus setzte das Messer an und führte einige Male probehalber einen schrägen Schnitt aus.

Der Magister fragte: »Warum machst du keinen geraden Schnitt – direkt vom Skrotum zum Anus?«

»Wenn ich diagonal ansetze, kann der Einschnitt länger werden, und die Öffnung wird dadurch größer.« Vitus begann zu schneiden. Stout, halb bewusstlos, bäumte sich auf, wurde aber von Gerald, Ó Moghráin und dem Magister eisern festgehalten. Vitus, dessen linke Finger noch immer tief im Anus steckten, wo sie den Stein nach außen drückten, schnitt tiefer. Er hatte bereits die Haut durchtrennt und zerteilte jetzt das darunter befindliche Gewebe. Ab und zu drehte er das Instrument und zog mit dem Haken die Ränder der Wunde auseinander, um festzustellen, wie tief er bereits vorgedrungen war.

Endlich hatte er die Blasenwand vor sich. Mit einem entschlossenen Schnitt durchtrennte er sie. Sowie das Organ offen war, schoss Harn hervor und spritzte ihm über die Arme. Er achtete nicht darauf. Wieder wendete er das Lithotomon, um die Wunde zu spreizen. Er starrte angestrengt, doch von dem Stein war nichts zu sehen. Ein vorsichtiger, erweiternder Schnitt; der Haken trat neuerlich in Aktion. »Da! Das muss er sein!«

Rasch drückte er mit der Linken den Stein durch die geschaffene Öffnung heraus; er fiel klirrend in die bereitstehende Schüssel. »Das wär's!«

Der kleine Gelehrte staunte. »Ganz schöner Kaventsmann, hat mindestens die Größe einer Saubohne!«

»Wir wollen ihn aufheben, vielleicht möchte der Kapitän ihn sich in Spiritus einlegen lassen. Sir, könnt Ihr mich hören ... Sir?«

Stout nickte kraftlos. Er war noch nicht ganz bei Sinnen.

»Sir, ich gratuliere Euch. Ihr habt es überstanden.«

Abermals nickte Stout, doch war nicht klar, ob er die ganze Tragweite der Mitteilung verstanden hatte.

Gerald meldete sich von oben: »Ich denke, auch Euch muss man gratulieren, Cirurgicus! Wie lange muss ich den, äh ... Hodensack noch hochhalten? Mein Arm schläft langsam ein, und ich ...«

»Nur noch einen Augenblick, Mister Gerald.«

Vitus wandte sich an den Magister. »Hast du die frischen Leinenstreifen zur Hand?«

»Natürlich, großer Cirurgicus.«

»Danke.« Vitus studierte die Wunde. Wieder einmal faszinierte es ihn, wie schnell das Blut an manchen Körperstellen zu gerinnen begann. Auch hier war es so. Nur noch wenige Tropfen des roten Lebenssaftes sickerten hervor. Er tupfte sie fort. Dann legte er den Verband an, und zwar dergestalt, dass die Wundränder einander überlappten. Nachdem die Arbeit getan war, richtete er sich mühsam auf. »Mister Gerald, jetzt könnt Ihr loslassen.«

Aufatmend zog der Erste seine Hand zurück.

Vitus klopfte mit der flachen Hand gegen Stouts Wange. »Sir, könnt Ihr mich hören?«

»Ja, Cirurgicus, ja!«, krächzte der Geizhals. Seine Stimme wirkte noch benebelt.

»Schön. Also höret: Ich habe Euch soeben einen Verband angelegt, der mindestens zwei Tage draufbleiben muss. So lange dürft Ihr die Beine auf keinen Fall spreizen. Am besten, Ihr verbringt die Zeit liegend. Nehmt nur leichte Kost zu Euch, möglichst Nahrung, die keine Flüssigkeit enthält und keine Blähungen verursacht. Trinkt wenig, am besten gar nichts.«

»Jawohl, Cirurgicus. An welche Nahrung hattet Ihr gedacht?«

»Nun«, Vitus überlegte, »nehmt Schiffszwieback zu Euch oder Hartbrot. Beides dürft Ihr in Wein tunken, damit es besser hinunterzuschlucken ist. Die Speise ist nicht gerade das, was man einem Genesenden wünscht, aber Ihr werdet, bedingt durch die Nachwirkungen des Laudanums, die nächsten Tage sowieso viel schlafen.«

»Jawohl, Cirurgicus, wie Ihr meint.«

»Sind zwei Tage um, wechsle ich den Verband. Ihr werdet dann das erste Mal Wasser lassen, und zwar noch durch die Wunde. Bei dieser Gelegenheit können noch weitere Steinchen und auch feinste Partikelchen, der so genannte Sand, herausgeschwemmt werden. Das wäre nichts Ungewöhnliches. Danach richtet sich der Verbandswechsel nach dem Heilungsverlauf. Nach einer Woche solltet Ihr, wenn alles gut geht, wieder normal urinieren können, allerdings müsst Ihr Euch dabei noch die Wunde zuhalten. Nach zwei Wochen wird auch das nicht mehr notwendig sein.«

Stout schnaufte froh und überlegte für einen Augenblick, ob er dem Cirurgicus die drei Pfund, die er ihm für die Schiffspassage abgenommen hatte, aus Dankbarkeit zurückgeben sollte, gewissermaßen als Honorar. Doch er verwarf den Gedanken sogleich wieder.

So dankbar war er nun auch wieder nicht.

DER STEUERMANN Ó MOGHRÁIN

»Nehmen wir an, eine Kriegsgaleone wäre eine heran-
rauschende, vor Schmuck starrende adlige Dame mit herab-
lassendem Gehabe und spitzer Zunge, dann wäre unsere
Gallant eine derbe, gutmütige Magd, zwar in abgerissener
Kleidung, aber fleißig, tüchtig und mit festem Kern …«

Gott gebe, dass Barks nicht die Himbeerkrankheit hat«, seufzte Vitus. Er stand mit dem Magister in einer abge-
teilten Ecke des Mannschaftslogis und betrachtete den Koch, der in eine Decke gewickelt zu seinen Füßen lag. Das Fieber des Mannes hatte in den letzten Tagen zwar nachgelassen, was auch der Grund gewesen war, warum man ihn in Fun-
chal nicht an Land geschafft hatte, doch kurz darauf waren bei ihm im Gesicht unzählige kleiner himbeerfarbener Pusteln auf-
getaucht. Eine Untersuchung des Oberkörpers und der Arme hatte ergeben, dass die Läsion sich auch hier schon ausbreitete. Vitus wandte sich ab, so dass der Kranke ihn nicht hörte. »Ich könnte es nicht ertragen, wenn hier schon wieder ein hoff-
nungsloser Fall vorläge.«

In der Tat war Atkins, einer der beiden Fieberkranken, noch vor ihrer Ankunft in Funchal seinem Leiden erlegen, was Stout, dem es zu jenem Zeitpunkt schon wieder blendend ging, zum Anlass genommen hatte, die sterblichen Überreste des Mannes möglichst rasch der See zu übergeben. Die Bitte des Decksmannes Ambrosius, für die Seele des Verstorbenen eine Bibelstunde abhalten zu dürfen, war abschlägig beschieden worden. Der Geizhals, dem es darum ging, möglichst wenig Zeit zu verlieren, hatte die Sache selbst in die Hand ge-
nommen und wie folgt gesprochen:

»Es umfingen mich des Todes Bande,
und die Fluten des Verderbens erschreckten mich.
Des Totenreichs Bande umfingen mich,
und des Todes Stricke überwältigten mich.

Als mir Angst war, rief ich den Herrn an
und schrie zu meinem Gott.
Da erhörte er meine Stimme von seinem Tempel
und gab mir Frieden.
Wir übergeben Dir, oh Herr,
die Seele des Matrosen Atkins und beten darum,
dass Du ihm das ewige Leben bescheren mögest.
Amen.«

Wie immer hatte Stout sich eine Passage aus den Psalmen herausgesucht, wo sich für nahezu jedes Stichwort und jeden Anlass ein paar fromme Sätze fanden.

Der andere Fieberkranke, ein Mann namens Ellis, war bereits genesen, und das, obwohl Vitus alle Anzeichen des Schwarzen Erbrechens an ihm konstatiert hatte. Es war tröstlich zu wissen, dass diese als tödlich geltende Geißel nicht zwangsläufig zum Exitus führte.

»Erzähl mir mehr über die Himbeerkrankheit«, bat der Magister. »Ist sie *incurabilis*?«

Vitus entgegnete: »Die Frambösie, wie die Krankheit nach dem französischen *framboise* für Himbeere auch genannt wird, ist eine ansteckende Hautkrankheit, die ursprünglich aus Neu-Spanien stammt. Aus diesem Grund finde ich über sie leider nichts in meinem Sammelwerk *De morbis.* So viel allerdings ist bekannt: Die Himbeerkrankheit verläuft, ähnlich wie die Syphilis, in mehreren Stadien, welche sich über Jahre hinziehen können. Weil das so ist, vermute ich, wird für sie dieselbe Therapie empfohlen wie für die Syphilis – nämlich regelmäßige Quecksilberschmierungen. Wenn ich es richtig sehe, leidet der Koch schon länger an Frambösie und hatte überdies das Pech, sich auch noch eine Fieberkrankheit zuzuziehen. Vielleicht hat er beides, die Himbeerkrankheit und das Fieber, aus Neu-Spanien mitgebracht. Aber egal wie: Höchste Vorsicht ist geboten.«

»Verstehe. Nur gut, dass du den Mann, ähnlich wie die beiden Fieberkranken, vom ersten Augenblick an von den anderen getrennt hast. Möchte nicht wissen, wer alles sich sonst schon angesteckt hätte.«

»Pssst, nicht so laut, Magister! Matrosen haben vor nichts auf der Welt so viel Angst wie vor Syphilis und ansteckendem Fieber. Und nun komm, die anderen Patienten warten.« Ein mitleidiger Blick streifte noch einmal den Kranken. Laut sagte Vitus: »Kopf hoch, Barks, nimm nur weiter das Kantharidin und lass dir reichlich Frischwasser geben, so viel du trinken kannst. Jetzt, nach unserem Funchal-Aufenthalt, dürfte ja genügend vorhanden sein.«

Barks murmelte etwas Unverständliches und wickelte sich fester in seine Decke.

»So, und nun wollen wir mal sehen, was unsere Alltagsfälle machen.« Vitus ging, den Magister im Kielwasser, zur anderen Seite der Mannschaftsunterkunft, wo schon eine Schlange geduldig dreinblickender Männer seiner harrte. Die Matrosen waren, wie alle Matrosen dieser Welt, für jede Unterbrechung ihres eintönigen, harten Dienstes dankbar, selbst auf die Gefahr hin, bei der Behandlung ihrer Zipperlein Schmerzen ertragen zu müssen. Mit einiger Zufriedenheit stellte Vitus fest, dass die Männer, wie alle anderen auch, gesundheitlich einen besseren Eindruck machten als noch vor wenigen Wochen. Es hatte sich gelohnt, dass er in Funchal auf eigene Kosten Gemüse und Fleisch an Bord bringen ließ – die Farbe in ihren Gesichtern, das fester gewordene Zahnfleisch und das Verschwinden der Hämatome bewiesen es.

»Was macht dein Ekzem, Robson?«, fragte er den ersten Mann in der Reihe.

»Ach, 's geht so, Cirurgicus.« Der Matrose streckte seinen rechten Unterarm vor, dessen Haut auf ganzer Länge rau, rot und rissig aussah.

»Juckt es noch so stark?«

»Hmja, Sir, vielleicht ist's 'n bisschen besser.«

»Lass mal sehen.« Vitus beugte sich über den Arm. Die meisten Männer litten unter hartnäckigen Ekzemen oder Flechten. Sie nahmen es als gottgewollt hin, ähnlich wie die Plagen des Scharbocks. Vitus hatte schon in den ersten Tagen festgestellt, dass die Umstände, unter denen sie ihr Leben fristeten, dafür verantwortlich waren: das schlechte, eintönige Essen, die feuchte Luft unter Deck, das aggressive Salzwasser und die selten trocken werdende Leibwäsche. Es glich einem Wunder, dass die Mannschaft unter diesen Bedingungen noch einigermaßen Disziplin hielt – andererseits hatte sie keine andere

Wahl, denn wer nicht spurte, schmeckte die Peitsche oder, schlimmer noch, wurde in Eisen gelegt.

An der Ernährung konnte er auf die Dauer nichts ändern und ebenso wenig an der Tücke des Salzwassers, also hatte er die Leute dazu angehalten, ihre Hemden und Hosen so häufig wie möglich gegen trockene Kleidung zu wechseln, was aber leichter gesagt als getan war, denn die meisten besaßen nur das, was sie auf dem Leibe trugen. Außerdem hatte er, nach Absprache mit Gerald, verfügt, dass die Unterkunft tagsüber offen blieb – zumindest bei gutem Wetter. Ferner hatte er aus einem alten Segel einen trichterförmigen Windsack nähen und ihn so aufhängen lassen, dass er ständig eine frische Brise durch den Raum lenkte, zur Vertreibung des Miasmas – der giftigen Ausdünstungen in der Luft.

Was noch zu tun blieb, und das täglich, war die eigentliche Behandlung der Männer. Da er in Ermangelung von saurer Molke keine Bäder in dieser segensreichen Flüssigkeit verordnen konnte, versuchte er, sich mit Kalkpulver sowie einer Mischung aus Wollfettcreme und Johannisöl zu behelfen. Beide Arzneien hatte er sich in Funchal besorgt. Robsons Ekzem war ein trockenes, weshalb Vitus ihm den Arm mit Creme einrieb.

»Lass den Ärmel noch so lange aufgekrempelt, bis das Medikament vollends eingezogen ist.«

»Jawohl, Cirurgicus. Danke, Cirurgicus.«

Die feuchten Ekzeme behandelte Vitus mit Kalkpulver, immer getreu der Erkenntnis der großen Meister, nach der Feuchtes mit Trockenem und Trockenes mit Feuchtem bekämpft werden sollte.

Neben den Ekzemen und Flechten waren Quetsch- und Risswunden, verursacht durch die tägliche Arbeit, die häufigsten Beschwerden. Als Vitus mit Hilfe des Magisters auch diese versorgt hatte, trat zu seiner Überraschung als letzter Patient der Steuermann Ó Moghráin vor.

»Nanu, welch Überraschung! Ich hoffe, Euch fehlt nichts, Mister Ó Moghráin?«

»Ich fürchte, ich muss Euch enttäuschen, Cirurgicus.« Ó Moghráin wies auf sein linkes Handgelenk, das ziemlich angeschwollen war.

»Könnt Ihr die Hand bewegen?«

Statt einer Antwort bog der Steuermann, wenn auch sichtlich unter Schmerzen, die Handfläche in alle Richtungen.

»Das sieht nach einer Verstauchung aus. Wartet, das haben wir gleich.« Wenig später hatte Vitus eine schmerzlindernde Salbe aufgetragen und der Magister einen seiner kunstvollen Verbände angelegt, die sich besonders dadurch auszeichneten, dass sie fest, aber nicht zu fest saßen.

»*Go raibh maith agat!*«

Der kleine Gelehrte blinzelte verständnislos. »Äh ... wie bitte?«

»Danke.« Ó Moghráin grinste. »Ich sagte nur ›danke‹.«

»Hm.« Der Magister schielte durch seine Berylle. »Und was heißt ›gern geschehen‹ in Eurer seltsamen Sprache?«

»*Tá fáilte romhat.*«

»Also dann: *Tá fáilte romhat.*«

Der Steuermann lachte. »Eure Aussprache lässt noch etwas zu wünschen übrig, aber für den Anfang war's nicht schlecht.«

Der Magister verbeugte sich geschmeichelt. »*Go raibh maith agat*, mein Herr! Nehmt noch diese Armschlinge und hängt Eure Hand hinein, Ihr werdet sehen, das wirkt Wunder.«

Vitus ergänzte: »Vorausgesetzt, Ihr setzt für zwei oder drei Tage mit dem Dienst aus.«

Ó Moghráin, gerade im Begriff, die Hand in die Schlinge zu stecken, wurde unversehens ernst. »Cirurgicus, das wird nicht möglich sein. Das Schiff braucht mich, und solange ich noch eine heile zweite Hand habe, versehe ich meine Arbeit. Außerdem steht jetzt mein Kontrollgang durch alle Decks an, ein Weg, der unmöglich ausfallen kann, weil er Aufschluss darüber gibt, ob das Schiff Wasser macht oder nicht.«

Die Stirn des kleinen Gelehrten legte sich in Falten. »Aha, ich verstehe. Nun, Sir, es ist Eure Hand, mit der Ihr tun und lassen könnt, was Ihr wollt, aber sagt einmal ... Was hieltet Ihr davon, wenn der Cirurgicus und ich Euch begleiten würden? Die Behandlungsstunde ist vorbei, und wie ich meinen Freund kenne, wäre er einem solchen Unterfangen durchaus nicht abgeneigt.«

»Bei Gott, das wäre ich nicht!« Vitus' Augen leuchteten.

»Nun, an mir soll's nicht liegen, Gentlemen.« Ó Moghráin lächelte schon wieder, wandte sich um und verließ zielstrebig das Logis. Unterwegs wies er auf eine große Laterne. »Wenn

Ihr so gut sein wollt, die Lampe zu halten, Herr Magister? *Go raibh maith agat*. Ihr werdet sehen, es ist eine rechte Kletterpartie, und wohl dem, der sich wenigstens mit einer Hand abstützen kann.«

»*Tá fáilte romhat*, Steuermann.«

»Ich beginne meine Inspektion immer ganz unten im Laderaum und arbeite mich anschließend, Deck für Deck, wieder ans Tageslicht.«

Ó Moghráin drehte sich um und hob warnend den Finger, während er den ersten Niedergang hinabkletterte. »Zieht vor allen Dingen die Köpfe ein, ich spreche aus leidvoller Erfahrung.«

Nach unzähligen Treppenstufen, Gängen, Türen und verschachtelten Räumen, die sie häufig zwangen, in gebückter Haltung zu gehen, waren sie endlich ganz unten im Schiffsleib angekommen. Sowohl Vitus als auch der Magister hatten jegliche Orientierung verloren.

»Herr Magister, hängt die Laterne bitte an den Nagel dort.«

Der kleine Gelehrte tat wie ihm geheißen.

Das Licht erhellte schwach einen Raum, in dem es muffig nach Fleisch und abgestandenem Wasser roch. »Wir sind hier im äußersten Bug des Schiffs«, erklärte der Steuermann. »In den Säcken, die Ihr dort seht, befinden sich Pökelfleisch und Bohnen, wobei gesagt werden muss, dass es mit den Beständen unseres Pökelfleisches nicht sehr weit her ist. Nun, äh … ich denke, Gentlemen, Ihr ahnt, warum.«

»Wir ahnen es«, bestätigte der kleine Gelehrte. »Hoppla!« Er tat einen Hüpfer zur Seite, irgendetwas hatte sein Bein gestreift.

Ó Moghráin lachte. »Eine der unzähligen Ratten. Stört Euch nicht an ihnen, sie sind hier allgegenwärtig.« Er nahm mit der Rechten die Lampe herunter und leuchtete mit ihr sorgfältig die Schiffswände ab. Nach einiger Zeit gab er ein zufriedenes Grunzen von sich. »Bist ein braves Mädchen, meine *Gallant!* Hältst gut dicht, jedenfalls in diesem Bereich.«

Er bückte sich, stellte die Laterne ab und strich mit der Hand über eine Bodenwrange, was aussah, als würde er einer Matrone die Hüfte tätscheln. »Folgt mir nach achtern.«

Auf ihrem Weg zum Heck, der Magister hielt inzwischen wieder die Lampe, zeigte er den beiden Freunden Stapel von altem Tauwerk, große, liegende Fässer, in denen das Nass der wasserreichen Insel Madeira gluckerte, einige Ersatzsegel, deren schlechten Zustand er auf die Tatsache zurückführte, dass Stout sich das Anheuern eines Segelmachers gespart hatte, ferner diverses Frachtgut, bestimmt für die Neue Welt und begleitet von des Kapitäns sehnsüchtigem Wunsch, es möge dort überreichen Profit erbringen.

Darunter befanden sich metallene Geräte aller Art, wie Hacken, Schaufeln, Hämmer, Zangen, Erntegeräte, ferner zwölf fest verzurrte Vierpfünderrohre aus feinster englischer Bronze – sie würden drüben einen besonders guten Preis ergeben –, dazu ein paar Webstühle, etliche Kleidungsstücke für Klein und Groß, Schuhe, Tücher, Hüte ... kurzum alles, was man jenseits des Ozeans nicht ohne weiteres bekam und deshalb gut versilbern konnte. Den Gipfel der Kostbarkeit bildete jedoch ein Klavizimbel, ein Kielklavier von hellem, metallischem Klang, goldverziert und edel, das sich allerdings nur in immer gleicher Tonstärke spielen ließ, egal, wie stark man auf die Tasten schlug.

»Nanu, was ist denn das?« Der kleine Gelehrte leuchtete den seltsamen Gegenstand neugierig ab.

»Ein Musikinstrument, Herr Magister«, erwiderte der Steuermann, der sich davon überzeugte, dass es nach wie vor sicher vertäut war. »Wahrscheinlich für eine reiche, nach Kultur hungernde Pflanzersfrau bestimmt. Bitte folgt mir weiter.«

Er ging voran, umkurvte etliche versiegelte Weinkrüge, mehrere Kisten mit Büchern, Säcke mit Samen und kam endlich zu einigen kleineren Fässern. »Hierin befinden sich zum größten Teil die Nahrungsmittel der Mannschaft. Was das im Einzelnen ist, Gentlemen, muss ich nicht lange erklären. Vielleicht nur so viel«, er wies auf ein streng riechendes Fässchen, »darin ist Käse, doch beileibe kein normaler. Es handelt sich um Schafskäse, und zwar um jenen der billigsten Sorte. Glaubt mir, der jetzige Geruch ist nichts gegen den, der Euch in wenigen Wochen entgegenschlagen wird.«

Ó Moghráin machte eine Pause und dachte daran, wie schmackhaft seine Mutter Schafskäse zuzubereiten verstand. In seinen Kindertagen waren sie zu Hause ihrer dreizehn gewesen: der Vater, der von früh bis spät schuftete, seine Mutter, die Seele der gesamten Familie, und seine zehn Geschwister.

Die Ó Moghráins hatten nie viel ihr Eigen genannt, doch hatten sie stets satt zu essen gehabt. Das änderte sich schlagartig, als Ó Moghráin gerade elf Jahre alt geworden war. Von einem Tag auf den anderen hatte die Fieberseuche auf dem Hof Einzug gehalten. Sie war über das Vieh hergefallen, hatte es schwach und lahm werden lassen und Blasen auf Zunge, Euter und Klauen getrieben. Wenige Tage später waren alle Tiere tot gewesen.

Da der Vater kein Geld für neues Vieh gehabt hatte, war im Winter der Hunger gekommen. Er hatte in ihren Gedärmen gewütet und die Kinder entkräftet. Doch sie hatten die Zeit durchgestanden.

Im darauf folgenden Jahr war es noch schlimmer gekommen. Der Vater hatte die Pacht nicht mehr entrichten können. Schulden mussten gemacht werden, und im nächsten Winter, einem besonders harten und langen, waren zwei von Ó Moghráins Schwestern gestorben. Er hatte gewusst, dass seine Eltern ihn nie weggeschickt hätten, und trotzdem war er, erst zwölfjährig, fortgegangen. Fort in die Welt, um seiner Familie als Esser nicht länger zur Last zu fallen. Der Abschied hatte ihm schier das Herz gebrochen, denn er liebte die Seinen. Und er liebte dieses Land – mit jener stillen Kraft, die mehr bedeutet als jedes beschreibende Wort.

Sein Weg hatte ihn auf die Ostseite der grünen Insel geführt, nach Belfast, wo er als Schiffsjunge auf einem Küstensegler anheuerte. Die erste Zeit an Bord war sehr hart gewesen, denn er war zart für sein Alter. Aber es hatte regelmäßig zu essen gegeben.

In späteren Jahren hatte er sich Schritt für Schritt hochgedient, hatte sich mit der Kunst der Navigation und des Kartenlesens beschäftigt und es in diesen Disziplinen zur Meisterschaft gebracht. Zweimal schon war er als Steuermann in die Neue Welt gefahren, und jedes Mal hatte er die Schiffe sicher hin- und auch wieder zurückgeführt. Dies nicht zuletzt, weil er an Bord nichts dem Zufall überließ – und alles lieber einmal mehr als einmal zu wenig kontrollierte.

»Herr Magister, haltet die Laterne bitte hierhin.« Ó Moghráin verhielt mittschiffs und deutete auf einen gewaltigen Holzblock, der ihm bis zur Hüfte reichte. Sorgfältig kontrollierte er ihn auf Risse. »Das nennen wir die Mastspur, sie ist direkt mit dem Kiel unter uns verbunden und bildet das Endstück, in dem der Hauptmast ruht.«

Die Freunde blickten nach oben und erkannten den Mast, der wie eine hundertjährige Eiche vor ihnen emporwuchs.

»Hier lagern die Kugeln für unsere Sechspfünder. Wie Ihr vielleicht bemerkt habt, verfügt die *Gallant* über insgesamt acht Sechspfünder, vier an Steuerbord und vier an Backbord.«

Der Magister hielt die Lampe nach unten und betrachtete fasziniert die in Gestellen übereinander gestapelten Geschosse. »Die sehen aus wie erzene Kohlköpfe.«

Ó Moghráin lachte und ließ sich die Laterne zurückgeben. Dann setzte er seine Dichtigkeitsprüfung fort, indem er auch in diesem Bereich die Innenbeplankung des Schiffsrumpfs ableuchtete. Wiederum schien er mit dem Ergebnis zufrieden zu sein. »Wir befinden uns jetzt im untersten Heckraum«, erklärte er und hängte die Laterne an ein Balkenknie. »Wenn die Schiffswand hier durchsichtig wäre, könntet Ihr das Ruderblatt sehen.«

Vitus und der Magister blieben stehen und sahen sich um. Der kleine Raum im hintersten Bereich des Schiffs war nicht besonders bemerkenswert – außer ein paar faulig riechenden Netzen mit großen, als Schwimmer dienenden Korkstücken enthielt er nichts. »Was ist eigentlich unter uns?«, fragte der kleine Gelehrte und blickte auf die Planken zu seinen Füßen.

»Ballast und Bilgewasser, Herr Magister. Der Ballast besteht aus Sand und großen Steinen, damit das Schiff in schwerem Wetter nicht so leicht kentert – was übrigens auch der Grund dafür ist, warum an Bord sämtliche Ladung von Gewicht möglichst weit nach unten verlagert wird, zum Beispiel die Vierpfünderrohre, die ich Euch vorhin zeigte.«

»Macht das alles die *Gallant* nicht besonders schwerfällig?«, fragte Vitus.

»Schwerfällig wäre der falsche Ausdruck.« Der Steuermann wog seine Worte sorgfältig ab. »Tatsache ist, dass Galeonen bei stürmischer See stark zum Stampfen neigen, was nichts für Leute mit empfindlichem Magen ist, andererseits sind sie außerordentlich seetüchtig und schneller als ihre Vorgängerinnen, die Karacken und Karavellen, die im Verhältnis breiter gebaut waren. Unsere *Gallant* allerdings kann auch nicht gerade schmal genannt werden.« Ó Moghráin verhielt für einen Augenblick und sprach dann weiter:

»Nehmen wir an, eine Kriegsgaleone wäre eine heranrauschende, vor Schmuck starrende adlige Dame mit herablassendem Gehabe und spitzer Zunge, dann wäre unsere *Gallant* eine derbe, gutmütige Magd, zwar in abgerissener Kleidung, aber fleißig, tüchtig und mit festem Kern …

Doch zum zweiten Stichwort: Bilgewasser befindet sich deshalb unter uns, weil Holz stark arbeitet. Bei Wärme dehnt es sich aus, bei Kälte zieht es sich zusammen. Die Folge ist, dass Seewasser durch die Verbindungen sickert, nach unten läuft und sich in der Bilge sammelt – einem Raum, der unter Euren Füßen liegt.«

»Und der sicher auch von Ratten bewohnt wird«, ergänzte der Magister grimmig, denn eines der Tiere war ihm gerade wieder über die Schuhe gesprungen.

»Worauf Ihr Euch verlassen könnt. Ratten auf Schiffen sind, wie gesagt, allgegenwärtig, doch je tiefer Ihr in den Bauch einer Galeone hinabsteigt, desto zahlreicher werden sie.«

»Da kann's ja nur noch besser werden«, seufzte der kleine Mann. »Mit Ratten ist es überhaupt ein eigen Ding: Werden sie totgeschlagen, dauern sie einen, springen sie einem über die Füße, wünscht man sie zur Hölle.«

»Äh … wie meint Ihr?«

»Schon gut, ich habe nur laut gedacht. Gebt mir nur wieder die Laterne, damit ich zu etwas nütze bin.«

»Gern.« Ó Moghráin übergab die Lampe und schickte sich an, eine Treppe emporzusteigen. »Folgt mir diesen Niedergang hinauf, unsere nächste Station ist das Orlopdeck.«

Im Orlopdeck schien es nicht ganz so feucht zu sein, obwohl es dort nicht viel anders aussah als im Laderaum. Sie passierten zunächst wieder eine Reihe von Kisten und Fässern, bevor Ó Moghráin an einer schweren Tür Halt machte. »Die Pulverkammer, Gentlemen. Normalerweise sollte sie gut gefüllt sein, für den Fall, dass man sich eines Feindes erwehren muss, hier aber werdet Ihr höchstens vier oder fünf Fässchen finden. Nicht genug für eine Schlacht.«

Bei der nächsten Tür blieb der Steuermann abermals stehen.

»Die Waffenkammer«, erklärte er, während er demonstrativ an das schwere Holz pochte. »Verriegelt und verrammelt. Darin befinden sich einige Musketen, Entermesser, Dolche und so weiter. Kapitän Stout überzeugt sich jeden Tag persönlich, ob sie verschlossen ist.«

»Ich nehme an, er hat allen Grund dazu«, nickte der kleine Gelehrte grimmig. »Was ist das da vorn für ein metallenes Rohr?«

»Das ist die Bilgepumpe. Sie verläuft senkrecht durch alle Decks. Mit ihrer Hilfe entfernen wir von Zeit zu Zeit das Wasser, das sich über dem Kiel sammelt …«

»… und auf dem wir vorhin, zusammen mit dem Ballast, gestanden haben, richtig?«

»Richtig, Herr Magister. Ihr seid ein aufmerksamer Zuhörer«, freute sich der Steuermann. »Weiter geht's.« Nachdem sie das untere Luk passiert hatten, gelangten sie in einen größeren Raum, es war die Segelmacherei, in der allerdings niemand arbeitete. Dafür erscholl ihnen wenig später ein freundliches »Seid gegrüßt, Gentlemen« entgegen. Es kam vom Zimmermann Joshua Bride, der ihnen bereitwillig seine Werkstatt zeigte. Sie barg im hinteren Bereich stapelweise Kernhölzer, Kanthölzer, Bohlen, Bretter, Balken, Ersatzspieren und vielerlei mehr. An der Schiffswand hingen zahllose Werkzeuge, darunter Bohrer, Beitel, Ziehmesser und Schlegel jeder Größe.

»Ich arbeite gerade an Schalhölzern, die ich zur Ausbesserung der Marsplattform im Fockmast benötige«, erzählte er und wies auf ein paar passend zurechtgehobelte Buchenbretter.

»Gut, macht weiter, wir stören Euch nicht länger.« Ó Moghráin nickte freundlich, während sie sich entfernten. Sie stiegen hinauf zum Batteriedeck, wo es bereits so viel Licht gab, dass sie die Laterne nicht mehr benötigten. Die schweren, bronzenen Sechspfünder grüßten herüber. Sie standen fest verzurrt, was den Steuermann jedoch nicht davon abhielt, jedes einzelne Brooktau einer besonderen Prüfung zu unterziehen.

Im Heckbereich des Decks angekommen, erklärte er: »Dort, in Schulterhöhe, befindet sich das untere Ende des Kolderstabs. Der Stab senkt sich von oben durch das Kodergat zu uns herab. Wie Ihr seht, ist er über ein Gelenk mit der von achtern hereinragenden Ruderpinne verbunden.«

Vitus und der kleine Gelehrte beugten die Köpfe vor, um den Mechanismus besser betrachten zu können.

»Wenn der Rudergänger im Deck über uns den Kolderstab nach Steuerbord oder Backbord bewegt, teilt sich dies über das Gelenk der Pinne mit – und das Ruder reagiert entsprechend.«

Der Magister staunte: »Fürwahr, ein Wunderwerk der Technik! Aber warum dieser komplizierte Apparat? Warum steht der Mann nicht einfach hier unten an der Pinne?«

»Weil die Pinne über den Kolderstab leichter zu handhaben ist, Herr Magister. Einfaches Hebelgesetz.«

»Verstehe, verstehe. Archimedes möge mir meine Unwissenheit verzeihen.«

Kurz darauf lenkten sie ihre Schritte wieder an Oberdeck, wo eine steife Brise ihnen sogleich ins Gesicht blies. Ó Moghráin prüfte, wie es seine Gewohnheit war, umgehend Wind, Wetter und Stellung der Segel und sagte dann: »Gentlemen, ich begebe mich jetzt auf das Kommandantendeck, in einer halben Stunde glast es zur Mittagswache, und bis dahin habe ich noch einiges zu erledigen, wenn Ihr mich jetzt entschuldigen …«

»Natürlich, Mister Ó Moghráin«, unterbrach der Magister freundlich blinzelnd, »geht nur, aber nicht, ohne vorher unseren ganz besonderen Dank entgegengenommen zu haben. Es war hochinteressant, abwechslungsreich und auch, äh … teilweise ein wenig unheimlich. Insgesamt aber höchst lehrreich.«

Vitus, der dem kleinen Gelehrten die Hand auf die Schulter gelegt hatte, nickte: »Auf mein Wort, Herr Steuermann, so ist es. Es war wirklich beeindruckend. Das Schiff ist einem jetzt viel vertrauter, fast schon wie eine alte Freundin. Deshalb: *Go raibh maith agat.*«

»*Tá fáilte romhat*«, lächelte Ó Moghráin.

Der Pirat John »Jawy« Cutter

»Ich bin Jawy. Und bevor du stirbst,
darfst du noch ein Lied hören.«

Zwei Tage später, man schrieb den 19. Januar anno 1578, preschte nur fünfzig Seemeilen westlich der *Gallant* ein anderer Segler vor dem Wind. Es handelte sich um ein Kriegsschiff, das der Generation der *New Fighting Galleons* angehörte, was nichts anderes bedeutete, als dass es ein Juwel englischer Schiffbaukunst war. Es maß stolze einhundertfünfzehn Fuß in der Länge, und sowohl sein Hauptmast als auch sein Fockmast trugen jeweils drei Rahsegel, dazu kamen, der besseren Manövrierbarkeit wegen, zwei Masten mit Lateinersegeln im Heckbereich und ein riesiges Bugsprietsegel vor dem Galion.

Es war wendig und schnell und dennoch stark armiert: mit sechzehn Half-Culverins, von denen auf jeder Seite des Batteriedecks acht standen, weiteren zwölf Sakers auf dem Hauptdeck und nicht zuletzt sechs Drehbassen, verteilt über die gesamte Länge des Schanzkleids.

Die *Vigilance* war anno 1570 unter dem Jubel der Bevölkerung vom Stapel gelaufen und in jeder Beziehung ein großartiges Schiff.

Wenn auch eines mit gewaltigem Makel.

Denn die *Vigilance* hieß mittlerweile *Torment of Hell,* und die englische Fahne mit dem roten Kreuz auf weißem Grund, die einst stolz über ihren Masten auswehte, war längst verschwunden. Stattdessen führte sie die Piratenflagge, ein schwarzes Tuch, das zwei weiße gekreuzte Knochen zeigte, dazu den üblichen Totenschädel, der in diesem Fall aber nur aus einem Fragment bestand: einem riesigen Unterkiefer mit gebleckten Schneidezähnen.

Der Mann, der diese Flagge führte, stand breitbeinig auf dem Hauptdeck inmitten seiner Kumpane und blickte sich Ruhe gebietend um. Wer ihn nicht kannte, wusste spätestens jetzt, warum seine Fahne so ungewöhnlich aussah, denn er hatte den Unterkiefer eines Nussknackers – breit, knochig, alles zermalmend.

Er war groß und wuchtig gewachsen, und er bot einen Furcht einflößenden, waffenstarrenden Anblick. Der Degen, den er in einem goldblitzenden Gehänge trug, wurde auf der anderen Körperseite durch ein rasiermesserscharfes Rapier ergänzt; außerdem führte er, unübersehbar vorn in den Gürtel gesteckt, zwei Schnapphahnpistolen und einen Damaszenerdolch mit sich. Nur die wenigsten wussten, dass sein Arsenal damit noch lange nicht erschöpft war, denn in seinen Stiefeln steckte jeweils ein nadelspitzes Stilett und im Nacken, verborgen unter Wams und Hemd, ein Messer für den äußersten Notfall.

Wer John »Jawy« Cutter besiegen wollte, musste jede dieser Waffen einzeln überwinden, und das war bislang noch niemandem gelungen – eine Tatsache, der Jawy es verdankte, noch immer der Anführer und Kapitän auf diesem Schiff zu sein.

Er zog den Dolch aus dem Gürtel und lächelte maliziös, während zwei seiner Männer einen ihrer Kumpane packten und ihn zum Hauptmast zerrten. »Du hast mich bestohlen, Hewitt«, sagte er liebenswürdig. Es klang, als würde er einer schönen Frau ein Kompliment machen.

Hewitt, ein junger, kaum dem Knabenalter entwachsener Mann von zarter Gestalt, bäumte sich auf, wurde aber brutal an den Armen zurückgerissen. »Nein, Jawy, nein! Ich hab dir nichts gestohlen. Bei meiner armen Seele, glaub mir doch, ich war's nicht!«

Jawy nickte. Natürlich warst du's nicht, du kleiner Hosenscheißer, dachte er. Ich weiß genau, dass Smith und Evans, die beiden, die dich da so eifrig festhalten, mir die Diamanten aus der Kajüte geklaut haben. Das Dumme ist nur, dass sie nicht ohne Einfluss an Bord sind und gegen mich intrigieren, weshalb ich es vorziehe, dich zu bestrafen. Wie heißt es doch so schön? Beginne einen Kampf nie, bevor du sicher bist, ihn zu gewinnen. Und mit Smith und Evans bin ich noch nicht so weit. Ein paar Informationen hier, ein paar Drohungen da, und ich werde es ihnen beweisen können. Und dann reiße ich ihnen die Haut bei lebendigem Leibe ab. Bis dahin aber muss ein anderer dran glauben, sonst kommen die Männer auf dumme Gedanken. Tut mir Leid, Hosenscheißer, ich habe mich für dich entschieden.

Laut sagte er: »Du hast mir die Diamanten gestohlen, Hewitt. Gestern Nacht war's. Du bist in meine Kajüte rein, während ich an Deck war, und hast sie dir geschnappt. Smith und Evans haben dich dabei gesehen, stimmt's, Jungs?«

Die beiden Diebe schluckten überrascht. »Äh … ja, Jawy, genauso war's. Jaja!«

»Na bitte. Und du weißt ja, Hewitt, was wir mit Leuten wie dir machen.« Jawys Blick wurde seelenlos. »Los, Smith, drück dem Schweinehund von einem Dieb das rechte Handgelenk an den Mast.«

Smith gehorchte, wenn auch unter Schwierigkeiten, denn Hewitt wehrte sich verzweifelt. Immer wieder rief er: »Ich war's nicht, Jawy! Bei meiner armen Seele, ich war's nicht! Durchsuch mich doch, guck in meine Koje, guck überall nach, ich hab deine Diamanten nicht!«

Jawy blickte seine Männer an, und seine Kinnladen begannen zu mahlen. »Glaubt etwa einer das, was der Schweinehund von einem Dieb da behauptet?«

Und während ihm ein vielstimmiges Nein entgegenscholl, schritt Jawy mit hoch erhobenem Dolch zum Mast.

In Hewitts Augen trat blankes Entsetzen.

Dann stach Jawy zu, begleitet von einem lustvollen Aufstöhnen seiner Männer. Der Dolch bohrte sich mitten durch die Diebeshand und nagelte sie am Großmast fest.

Hewitt stieß einen Schrei aus, so laut, so voller Qual, dass selbst einigen der Abgebrühtesten unter den Piraten das Blut in den Adern gefror.

Jawys Kiefer mahlte. »Du kennst die Regeln, Hewitt. Wenn du dich in der nächsten Stunde selbst befreien kannst, bist du noch einmal davongekommen, ansonsten …«

Der Anführer verschwand.

»Hewitt is'n armes Schwein, Tom. Er war's nich. Der Teufel mag wissen, wer's war, aber Hewitt war's nich. Is'n armes Schwein, der Junge.«

»Pssst, Jim! Lass das bloß Jawy nich hören. Glaubst wohl, nur weil du Zimmermann bist, kannste ihm widersprechen, wie?

Fühl dich mal nich zu sicher, wenn Jawy wütend wird, serviert er jeden von uns ab.«

Die beiden älteren Männer, Jim, der Zimmermann, und Tom, sein Gehilfe, standen an der steuerbordseitigen Deckspforte, einer exakt ins Schanzkleid eingearbeiteten Tür, die sie herausgenommen hatten, um die Rahmenhölzer zu ersetzen. Sie hatten ursprünglich auf einem Handelsfahrer gedient, der von der *Torment of Hell* gekapert worden war, und ihr Überleben verdankten sie nur der Tatsache, dass Jawy glaubte, sie könnten ihm eine neue Galionsfigur anfertigen, ein Schnitzwerk, das er ihnen aufs genaueste beschrieben hatte: Er wollte eine lachende Teufelsfigur – mit Hakennase und ausgeprägtem Unterkiefer.

In der vergangenen Stunde hatten sie wohl oder übel mit ansehen müssen, wie Hewitt wieder und wieder versuchte, mit seiner Linken den Dolch aus dem Mast zu ziehen, um sich auf diese Weise zu befreien. Doch sei es, dass er durch den Schmerz zu geschwächt gewesen war, sei es, dass Jawy die Waffe zu kraftvoll ins Holz gestoßen hatte, in jedem Fall war es ihm nicht gelungen, und jetzt, nach so vielen vergeblichen Versuchen, hatte er es, halb in sich zusammengesunken, aufgegeben.

»Da kommt Jawy zurück«, sagte Jim plötzlich und wies nach achtern, wo der Anführer, den Großteil seines bunt zusammengewürfelten Haufens im Gefolge, auftauchte.

»Was jetzt passiert, is nichts für meine Augen. Nimm's mir nich übel, ich verschwinde.« Tom kletterte unter Deck. Jim jedoch blieb. Er wusste nicht genau, warum, aber er hatte das Gefühl, es müsse so sein.

Jawy trat mit wenigen Schritten an Hewitt heran, der nur noch ein menschliches Bündel aus Schmerz, Blut und Tränen war, zog mit einem Ruck seinen Dolch aus dem Mast und sprach: »Männer, wie ihr seht, ist es dem Dieb nicht gelungen, sich selbst zu befreien, womit bewiesen ist, dass er es tatsächlich war.« Sein Blick wurde steinern. »Smith und Evans, werft das Schwein über Bord.«

Die beiden wahren Diebe hoben Hewitt, der sich kaum noch selbst auf den Beinen halten konnte, ohne viel Federlesens auf die Reling und stießen ihn kopfüber in die See, begleitet von dem rohen Gelächter der Männer.

»Das passiert mit Leuten, die mich bestehlen!« Zufrieden setzte Jawy seinen Unterkiefer in mahlende Bewegung, wobei sein Blick Smith und Evans streifte. »Sie gehen zu den Haien. Merkt's euch, Leute!« Er wollte sich abwenden, wurde aber von einem plötzlichen Ruf aus dem Mars unterbrochen: »Hooo! Segel Backbord voraus! Seeeeegel!«

»Wo genau, in drei Teufels Namen?« Trotz seiner vielen Waffen sprang Jawy mit erstaunlicher Behändigkeit die Webeleinen am Hauptmast empor. Er wollte sich selbst einen Überblick verschaffen. Seine Männer taten es ihm nach. Alsbald richteten sich alle Augen auf den winzigen weißen Fleck am Horizont.

Jim, der Zimmermann, schaute in die entgegengesetzte Richtung. Er konnte den Blick nicht von dem schmalen, in der endlosen See verloren wirkenden Körper losreißen, der rasch vom Schiffsrumpf abtrieb. Die Gunst des Augenblicks nutzend und ohne weiter nachzudenken, wuchtete er die schwere Deckspforte hoch und stieß sie durch die Öffnung im Schanzkleid außenbords. Polternd und mehrfach aneckend fiel sie am Schiffsrumpf herab, streifte krachend das untere Barkholz und landete schließlich aufspritzend im Wasser.

Erst jetzt wurde Jim bewusst, was er getan hatte. Wenn Jawy mitbekam, was er da eben … Allmächtiger! Voller Angst blickte er zur anderen Schiffsseite, wo der Anführer hoch oben in den Wanten stand und, mit der Hand die Augen abschirmend, nach seiner Beute ausspähte.

»Das ist ein Kauffahrer!«, schrie Jawy schließlich nach unten. Er hatte nichts von dem bemerkt, was an Steuerbord geschehen war. »Ein Pfeffersack! Wahrscheinlich aus England, kann die Flagge gerade eben erkennen. Verflucht, den Brüdern werden wir's zeigen!«

Jawy dachte daran, dass er und seine Männer im vergangenen Jahr nicht eben vom Glück begünstigt gewesen waren, als es darum ging, spanische Schatzgaleonen aufzuspüren und auszurauben. Dazu kam, dass sie um Neujahr herum das Pech gehabt hatten, in einen fulminanten Sturm zu geraten, der sie Hunderte von Seemeilen von den Antillischen Inseln fortgeblasen hatte – nach Osten, hinaus aufs offene Meer.

Ein Erfolg musste dringend her, und wenn es nur ein kleiner war. Schon allein, um Stänkerer wie Smith und Evans auf Abstand zu halten. Bisher war ihm das noch immer gelungen, mit mehr oder weniger drakonischen Maßnahmen, aber viele Hunde sind des Hasen Tod, und irgendwann nützten einem auch die besten Waffen nichts mehr. Ein erfolgloser Anführer war so gut wie ein toter Anführer. Die Männer waren immer gleich – und wie die Geier. Beim Blute des Gehörnten! Den Segler dahinten, den würde er ihnen zum Fraß vorwerfen!

Langsam kletterte Jawy zurück an Deck, blickte seine Kumpane an und sagte: »Der verfluchte Pfeffersack soll des Piraten Segen erhalten.«

Dann tat er etwas, wofür er in der gesamten Karibik bekannt war: Er schob die Kinnlade vor und renkte mit einem hörbaren Knacken seinen Unterkiefer aus. Seine Männer stießen sich grinsend an und freuten sich auf das, was kommen würde.

Jawy begann, mittels Knochenreibung eine Melodie zu erzeugen; es war eine eingängige, kraftvolle Folge von fünf oder sechs Tönen, die von jedem seiner Männer inbrünstig mitgesungen wurde. Denn es war ihr Lied:

> *»Pirate's blessing*
> *is striking,*
> *is burning,*
> *... is ago-ni-zing!*
>
> *Pirate's blessing*
> *is hunting,*
> *is robbing,*
> *... is vio-la-ting!*
>
> *Pirate's blessing*
> *is slitting,*
> *is killing,*
> *... is maha-ssa-cring!«*

Als sie geendet hatten, renkte Jawy seinen Unterkiefer wieder ein. »Die *Torment of Hell* wird ihrem Namen alle Ehre machen und den Pfeffersäcken eine Höllenpein bescheren.« Dann ballte er die Faust:

»Klar Schiff zum Gefecht!«

»Der Kanarenstrom hat uns die letzten Tage recht brav nach Süden getragen, Mister Ó Moghráin, wann heute Morgen habt Ihr neuen Kurs festgesetzt und Ruder legen lassen?« Stout stand mit dem Steuermann auf dem Backsdeck und kniff die Augen zusammen. Das Meer zeigte sich an diesem Tag von seiner kabbeligen Seite – unregelmäßig durcheinanderlaufende, kurze Seen infolge der sich ändernden Strömungsrichtung bestimmten die Wasseroberfläche.

»Bei zwei Glasen, Sir, wir folgen dem Strom und steuern direkten Westkurs.«

»Schön.« Stout kniff weiter die Augen zusammen. »Und warum meldet mir niemand, dass Steuerbord voraus ein Segel an der Kimm steht?«

»Verzeihung, Sir. Der Ausguck im Fockmast ist nicht besetzt.« Das allerdings war dem Geizhals bekannt. Die Unterzahl der Besatzung ließ eine solche Maßnahme nicht zu. »Scheint so, als wäre ich der Einzige an Bord, der Augen im Kopf hat«, brummte er ungnädig.

»Aye, Sir.«

»Powell soll einen Mann den Hauptmast hochjagen, aber bis rauf zur Saling, wenn ich bitten darf.«

Kurze Zeit später war der Mann oben und meldete: »Dreioder viermastige Galeone, Sir. Nimmt Kurs auf uns!«

»Welche Nationalität?«, preite Stout hoch.

»Engländer, Sir.«

Stout grunzte. »Schön, ein Engländer. Wenn er direkt auf uns zuhält, soll's mir recht sein. Vielleicht kann sein Kapitän mir mit ein paar brauchbaren Hinweisen über die allgemeine Preisentwicklung in der Neuen Welt dienlich sein.«

Die Segel des Fremden waren mittlerweile näher gekommen, der Rumpf allerdings lag noch unter dem Horizont.

»Sir«, hob Ó Moghráin an, »mit allem Respekt, aber ich denke, Vorsicht ist geboten. Der Unbekannte könnte auch …«

»Der Unbekannte ist ein Engländer!«, unterbrach Stout barsch.

»Ihr hörtet es eben selbst. Aber ich will versuchen, Eure Ängste zu besänftigen.« Er legte die Hände vor den Mund und brüllte nach oben: »Kannst du die Bauart schon erkennen?«

»Nein, Sir, doch, nein, ich glaube …«

»Was denn nun, bei allen Krakenarmen!«

»Englische Bauart, Sir!«

»Da haben wir's. Ein Schiff englischer Bauart unter englischer Flagge, Mister Ó Moghráin. Seid Ihr nun beruhigt?«

»Äh … jawohl, Sir.«

Stout grunzte und lenkte seine Gedanken in angenehmere Bahnen. Die zwei neuen Schinken, die er für teures Geld in Funchal erstanden hatte, kamen ihm in den Sinn. Es war eine unerhörte Ausgabe gewesen, und er hatte sie nur deshalb getätigt, weil zwei Schinken kaum nennenswert mehr gekostet hatten als einer. Er gedachte, sich noch die eine oder andere Scheibe einzuverleiben, hauchdünn geschnitten, zartrauchig im Geschmack, bevor das Pläuschchen mit dem fremden Kapitän begann. »Wenn etwas ist, wendet Euch an Mister Gerald. Ich bin in meiner Kajüte.«

»Die Sache gefällt mir nicht, Cirurgicus«, sagte Ó Moghráin zum wiederholten Mal. »Der Fremde ist nur noch drei oder vier Kabellängen entfernt, er hält direkt auf uns zu, und noch immer wissen wir nicht, mit wem wir es zu tun haben. Der Bauart nach gehört er zu den *New Fighting Galleons*, aber der Name am Rumpf ist nicht zu entziffern, gerade so, als sei er abgedeckt worden. Wenn ich raten sollte, würde ich sagen, es handelt sich um die *Vigilance*.«

Vitus, der neben dem Steuermann auf die See hinausspähte, antwortete: »Und wenn sie es wäre?«

»Wäre das höchst verdächtig. Ein Kriegsschiff legt kein solches Gebaren an den Tag.«

Der Magister schaltete sich ein. »Habt Ihr schon das Signal *What ship?* setzen lassen, Herr Steuermann?«

»Schon mehrfach. Aber der Fremde hüllt sich hartnäckig in Schweigen. Unser Mann im Ausguck will zwar eine freundlich winkende Gestalt auf dem Kommandantendeck entdeckt haben, aber ich traue dem Frieden nicht. Gerald, der Erste, sieht es genauso. Am liebsten würde er Gefechtsbereitschaft pfeifen lassen, aber ihm sind die Hände gebunden. Ausdrücklicher Befehl vom Kapitän, ebenso wie die Anweisung, kleine Fahrt zu machen, um den Fremden nur ja nicht zu verpassen … Da! Seht! Jetzt lässt er die Segel backbrassen, um abzustoppen. Er will längsseits kommen! Ich könnte schwören, dass es die *Vigilance* ist!«

155

Der Unbekannte war nur noch eine viertel Kabellänge entfernt, als sich die Ereignisse überschlugen. Plötzlich wimmelten seine Decks vor Männern: wilden, verwegen aussehenden Gestalten mit blitzenden Waffen in den Fäusten. Musketenfeuer setzte ein, es kam von hoch oben aus den Marsen, wo Scharfschützen saßen und die Matrosen der *Gallant* wie die Hühner von der Stange schossen. Geschützpforten öffneten sich quietschend, schwere Kanonen wurden ausgerannt, Enterhaken flogen herüber und fraßen sich im Schanzkleid der *Gallant* fest. Die ersten Piraten sprangen mit gewaltigen Sätzen von Schiff zu Schiff …

> *»Pirate's blessing*
> *is slitting,*
> *is killing,*
> *… is maha-ssa-cring!«*

»Piraten sind's, gottverfluchte Piraten. Barmherzige Mutter Maria, hilf«, murmelte Ó Moghráin, sich mehrfach bekreuzigend. »Das ist das Ende.«
»Nein! Das ist erst der Anfang!«, versetzte Vitus grimmig. »Noch sind wir nicht verloren. Kommt, wir fliehen aufs Oberdeck, dort können wir besser Widerstand leisten.«
Er stürzte voran, den Magister und den Steuermann dicht hinter sich. Auf dem Weg nach achtern prallte er mit Gerald und Powell zusammen, die zwischen mehreren Toten standen und wild gestikulierend Befehle schrien, Befehle, die niemand vernahm und niemand mehr ausführte. »Sucht Euch ein paar Männer im Vorschiff, Gerald, dann geht unter Deck und besorgt Euch Waffen, wehrt Euch!«
Der Erste nickte hastig. »Aye, aye, Sir«, sagte er – und gab damit eine Antwort, die eigentlich nur einem Vorgesetzten zustand. Doch ein klarer Befehl war genau das, was er jetzt brauchte. Zusammen mit Powell lief er in Richtung Bug.
Vitus hetzte weiter. Nach oben. In die gemeinsame Kabine, wo die persönlichen Waffen lagen. »Hier, dein Entermesser, Magister, Ó Moghráin, nehmt diesen Dolch, er ist besser als nichts, ich habe meinen guten alten Degen. Und nun: vorwärts!«
Wieder an Oberdeck, musste er feststellen, dass die Piraten be-

reits auch hier über das Schanzkleid quollen. Stahl blitzte plötzlich zu seiner Linken auf. Der Reflex, mit dem er seine Klinge nach oben riss und den Schlag parierte, rettete ihm das Leben. Automatisch wich er zurück. Sein Gegner sprang ins Leere und bot ihm die offene Seite. Ohne zu zögern, stieß er ihm den Degen in die Rippen. »Ó Moghráin! Nehmt die Waffe von diesem Bastard!«

»Aye, aye, Sir!«

Er eilte in Richtung Querreling, denn er wusste: Das Geländer im Rücken würde ihnen eine bessere Verteidigung ermöglichen. Der kleine Gelehrte war neben ihm, hinter sich hörte er das Keuchen des Steuermanns. Ein paar kräftige Hiebe durch die Luft verschafften ihm Respekt bei dem mordlüsternen Pack. Lauernd wichen die Angreifer zurück. Wieder ein paar Schritte. Rundumblick. Der Gegner war jetzt vorsichtig geworden. Mit seinem Körper deckte Vitus die Kameraden ab. Flüchtig dachte er an Arturo, den *Maestro di scherma* und Wortführer der Gaukler, der ihm die Fechtkunst so trefflich beigebracht hatte. Doch wie anders war dieses Gemetzel im Vergleich zu dem strengen Reglement, nach dem er und Arturo sich gemessen hatten!

Unter sich, auf dem Hauptdeck, sah er plötzlich Gerald und Powell mit ein paar Unverzagten auftauchen. Robson war dabei und einige andere. Sie fochten Seite an Seite, hinter sich den hölzernen Rumpf des großen Beiboots, und erwehrten sich nach Kräften dem Ansturm der Piraten. Wozu, allmächtiger Vater im Himmel, habe ich mich so gemüht, ihre Gesundheit wiederherzustellen, wenn sie hier sinnlos abgeschlachtet werden? »Gerald! Haltet durch!«, schrie er und wusste im selben Augenblick, wie sinnlos sein Ruf wirken musste. Zu groß war die Zahl der Heranstürmenden.

Immerhin hatte er selbst jetzt die Querreling erreicht, links neben sich den getreuen Magister und rechts den tapfer kämpfenden Ó Moghráin. Drei weitere Angreifer stürzten jählings heran, von denen die beiden ersten durch die wütenden Parierschläge seiner Mitstreiter abgedrängt wurden. Vitus sprang nach vorn und schlug eine Finte vor dem dritten, der grinsend seine schwarzen Stummelzähne zeigte, während er ein riesiges Enterbeil schwang. Der Halunke reagierte wie gedacht, gab sich eine Blöße, und Vitus zog ihm die Klinge durch die Fratze. Der Magister gab ihm von der Seite den Rest. Der Mann taumelte zurück und sank zu Boden, doch noch bevor er lag, senkte sich zum Erstaunen von Freund und Feind eine riesige weiße Plane auf ihn herab – es war eines der beiden Lateinersegel, dessen Takelung durch Musketenschüsse zerstört worden war.

Für wenige Augenblicke war der Kampf unterbrochen, doch dann setzte er wieder mit aller Heftigkeit ein. Vitus sah, wie einige der Angreifer von der Heckgalerie zurück auf die feindliche Galeone sprangen, die Hände voller Habseligkeiten aus den Kabinen der Passagiere. Truhen, Kisten und Taschen waren darunter, ferner Kleiderkoffer und Hutschachteln der beiden »Damen« Phoebe und Phyllis, und da: Seine Kiepe! Sein Stecken! Sein Instrumentenkoffer! Was wollte dieses Pack mit seinen Sachen? Und endlich, wie um dem Irrwitz des Geschehens die Krone aufzusetzen, wurde ein einzelner rosiger Schinken von Bord geschleppt.

»Wartet, Ihr Diebespack!«, schrie er, »das zahle ich euch heim!« Voller Ingrimm focht er weiter. Seine Instrumente! Er brauchte sie! Er liebte sie! Die Skalpelle, die Lanzetten, die Nadeln … Und das Buch *De morbis*, die größte Kostbarkeit, die er besaß. Es musste um jeden Preis gerettet werden!

Neue Kräfte erwuchsen ihm, er schnellte vor und bemerkte auf dem Steuerbordgang der Galerie eine neue Gestalt – Stout! Allein kämpfend versuchte er, sich gegen vier oder fünf Mordbuben zu behaupten. Man konnte von ihm halten, was man wollte, aber in dieser Situation bewies er Mut. Einen der Angreifer hatte er wie ein Kind gepackt, hochgehoben und seinen Gegnern vor die Füße geschleudert. Die Zeit, die er dadurch gewann, nutzte er hastig, um einen armlangen Dolch vom blutgetränkten Deck aufzuheben. Entschlossen trat er damit den anderen entgegen.

Ich wünsche Euch alles Gute, Kapitän Stout!, dachte Vitus, während er selbst sich eines neuen Ansturms der Piraten erwehren musste. Ich kann Euch nicht helfen!

Einen Wimpernschlag später sah er aus dem Augenwinkel, wie ein mächtiger Streich den Kopf des Mannes traf, der von vielen nur »Geizhals« genannt wurde. So gewaltig war der Schlag, dass die Klinge den Schädel bis zur Nasenwurzel spaltete. Der Pirat, dem sie gehörte, war groß gewachsen und von beeindruckender Statur. Das Bemerkenswerteste an ihm war jedoch der starke Unterkiefer. Zwei-, dreimal versuchte er, die Klinge herauszuziehen, bis es ihm endlich gelang. Blutüberströmt, mit zuckenden Gliedern, sank Stout zu Boden.

Der riesige Pirat schrie jetzt Befehle, er schien der Anführer der Bande zu sein. Eine neue Angriffswelle des Mordgesindels wogte heran. Der Magister und Ó Moghráin wurden abgedrängt. Vitus wollte ihnen nach, doch er merkte, wie seine Kräfte nachließen. Aus dem Gewimmel der Arme und Leiber vor ihm tauchte der Kerl mit dem kräftigen Unterkiefer erneut auf. Das war der Urheber allen Übels! Vitus wollte auf ihn los, wollte ihn stellen, als er jählings auf einer Blutlache ausrutschte, vergebens mit den Händen in der Luft Halt suchte und schließlich mit dem Hinterkopf hart auf die Decksplanken schlug.

John »Jawy« Cutter hatte den Ausfall des wie ein Berserker fechtenden blonden Mannes mit Genugtuung verfolgt, zumal danach, wie auf ein Zeichen, die Kämpfe auf dem gesamten Schiff erstarben. Der Widerstand war weit stärker als erwartet gewesen.

Jetzt atmete der Mann mit dem kantigen Unterkiefer tief durch. »Gafft nicht herum! Ab in die Laderäume mit euch, sucht nach weiteren Kisten und Truhen!«, schrie er seinen Männern zu.

Die Piraten schwärmten aus. Kisten und Truhen waren immer etwas Verheißungsvolles, besonders im verschlossenen Zustand. Dann bargen sie meistens Gold … »Gold! Gold! Gold!«

Jawy trat an den blonden Burschen heran. Der Kerl hatte ihn mehrere seiner besten Männer gekostet. Dabei war er nicht viel mehr als mittelgroß, allerdings schlank und muskulös.

Und er war so gut wie tot.

Hass blitzte in Jawys Augen auf, als er den leblos Daliegenden packte, hochriss und durchschüttelte wie einen jungen Hund. Nur langsam kam der Blonde zu sich. Seine Augenlider zuckten ein paar Mal. Schließlich schien er halbwegs bei Bewusstsein.

Jawy schnappte: »Ich bin Jawy. Und bevor du stirbst, darfst du noch ein Lied hören.« Mit einem dumpfen Knacken rastete er seinen Unterkiefer aus und rieb genussvoll die Knochen aneinander.

»Pirate's blessing
is slitting,
is killing,
… is maha-ssa-cring!«

Dann holte er mit dem Degen aus.

DIE »DAME« PHOEBE

»Tu so, als gäb's dich nich, Phyllis, du bist garnich da, Phyllis,
garnich da biste, verstehste, oh, Allmächtiger, nich auch noch
mein Schmuckkästchen! Mein schönes Schmuckkästchen! Oh, ihr
Diebespack, Pest un Aussatz über euch, die Krätze sollt ihr
kriegen, die Schwänze solln euch abfaulen! Oh, oh, oh …«

Die beiden Straßenmädchen waren von dem Überfall
auf die *Gallant* völlig überrascht worden. Sie hatten in
ihrer Kabine gesessen, und Phoebe hatte versucht, die
wenigen Lese- und Schreibkenntnisse, die sie besaß, an Phyllis
weiterzugeben. »Wennde drüben inner Neuen Welt 'nen Freier fürs Leben auftun willst, musste das können«, hatte sie gesagt. »Wenigstens deinen Namen musste können, damitde bei
der Hochzeit unterschreiben kannst.«
»Ja, ja, unterschreiben«, hatte Phyllis geantwortet.
»Und wennde das kannst, dann kannste auch … Bei den Knochen meiner Mutter, was is'n das für'n Getöse un Gebrüll da?«
Phoebe war aufgesprungen, denn draußen hatte ein Höllen-
spektakel eingesetzt. »Ich glaub, mich laust der Affe!«
Sie war zur Kabinentür geeilt, die im selben Augenblick aufgestoßen wurde. Ein baumlanger Pirat hatte darin gestanden, sie
hämisch angegrinst und dann wie einen nassen Sack zur Seite
geschleudert.
»Autsch! Was soll das, du verfluchter Hurensohn!«
Der Halunke hatte nur gelacht, genauso wie das andere Mord-
gesindel, das hinter ihm hereingestürmt war.
Fast ohnmächtig vor Wut und Angst, hatten die Mädchen mit
ansehen müssen, wie ihr gesamter, nicht ohne Mühe erworbe-
ner Besitz, verstaut in Truhen und Kisten, Koffern und
Taschen, aus der Kabine geschleppt wurde, während draußen
unter dem infernalischen Gebrüll der Piraten die Männer der
Gallant einer nach dem anderen niedergemetzelt wurden.
»Großer Gott!«, hatte Phoebe, die mit ihrer Freundin in die
hinterste Kabinenecke geflüchtet war, geflüstert. »Tu so, als

gäb's dich nich, Phyllis, du bist garnich da, Phyllis, garnich da biste, verstehste, oh, Allmächtiger, nich auch noch mein Schmuckkästchen! Mein schönes Schmuckkästchen! Oh, ihr Diebespack, Pest un Aussatz über euch, die Krätze sollt ihr kriegen, die Schwänze solln euch abfaulen! Oh, oh, oh …«

Dann, unvermittelt wie ein Gewitter, war der Spuk vorbei gewesen. Phoebe und Phyllis hatten in ihrer Ecke gesessen und sich bekreuzigt.

Und jetzt, da eine merkwürdige, fast lähmende Stille auf dem gesamten Schiff eintrat, rappelte Phoebe sich auf. »Was hat 'n das nu wieder zu bedeuten?«, schimpfte sie, während sie sich den Staub aus dem Kleid klopfte. »Warte hier. Ich seh mal nach.«

Sie trat nach draußen aufs Oberdeck und erblickte ein Blutbad von solchen Ausmaßen, dass es ihr die Sprache verschlug. Als Straßenmädchen war ihr der Anblick von Toten und Sterbenden vertraut, aber das hier, das war in seiner Entsetzlichkeit mit nichts zu vergleichen.

»Jesus Christus!« murmelte sie endlich. Nur wenige Schritte von ihr entfernt hatte ein schwer bewaffneter Pirat einen vor ihm liegenden Mann hochgerissen. Er hob seinen Degen, um ihm den Todesstoß zu versetzen. Phoebe stockte unwillkürlich der Atem. Jetzt …

Nein. Er hielt inne.

Ein Lichtreflex war ihm ins Auge gesprungen. Ein kurzer, gleißender Strahl, der von einer Miniatur gekommen zu sein schien, die der Liegende um den Hals trug. Wer immer sie ihm geschenkt haben mochte, er hatte ihm damit das Leben gerettet. Wer war der Liegende eigentlich? Das war doch … Tatsächlich, der Cirurgicus!

Tausend Gedanken schossen Phoebe angesichts dieser Erkenntnis durch den Kopf, aber der wichtigste von allen war, dass es mit dem Töten ein Ende haben musste. Hier war schon genug Blut geflossen. Mehr als genug. Ihre alte Resolutheit kehrte zurück, und ohne auf ihre eigene Sicherheit zu achten, schrie sie den Schwerbewaffneten von der Seite an: »He, Totschläger, haste noch immer nich genug Leute abgemurkst? Leben leider noch'n paar, wie? Kannst den Hals nich voll kriegen, was?«

Verblüfft drehte der Pirat sich ihr zu. Er war alles in allem eine auffällige Erscheinung, aber das, was Phoebe am meisten ins

Auge sprang, war sein starker Unterkiefer. Er musterte sie. Sie spürte, wie er sie abschätzte und wie seine Augen ihre Brüste abtasteten. Dann setzte er ein maliziöses Lächeln auf.

»Für eine Hure nimmst du das Maul ganz schön voll«, sagte Jawy.

»Ich bin keine Hure nich! Ich un Phyllis sin auf der Reise inne Neue Welt, wir sin Damen, un ich besteh drauf, dass wir unsre Sachen wiederkriegen, aber'n bisschen plötzlich, Totschläger!«

»Halt's Maul und komm her. Will mal sehen, wie deine Titten sich anfühlen.«

»Komm selber her.«

Einige der umstehenden Piraten kicherten. Das Lächeln in Jawys Gesicht verschwand und machte einer finsteren Miene Platz. »Hierher, Metze, oder du lernst Jawy Cutter von einer anderen Seite ken…«

»He, Jawy, unten in den Laderäumen ist nichts, nur Werkzeug, Fressalien und 'n komisches Instrument zum Musikmachen. Keine Truhen, keine Kisten, nichts!« Die ausgeschwärmten Piraten kamen aus den Laderäumen zurück an Deck.

»Tod und Teufel!« In Jawy wallte Ärger hoch. Kein Gold, keine Juwelen! Nur die paar lächerlichen Truhen aus den Kabinen im Heck. Und auch die bargen wahrscheinlich keine Schätze. Er ließ den Blonden, den er immer noch hielt, achtlos fallen und ging auf seine Männer zu. »Wie steht's mit Waffen?«

»Die Waffenkammer ist so gut wie leer, Jawy«, antwortete ein Pirat mit feuerroter Narbe im Gesicht, »nur 'n paar alte Musketen und rostige Klingen. Dann noch 'ne Reihe Vierpfünderrohre, aber ohne Lafetten.«

»Tod und Teufel!«, sagte Jawy abermals. Sein Kiefer begann zu knirschen. Der Überfall hatte sich als Reinfall erwiesen. Seine Männer würden über kurz oder lang murren. Und Smith und Evans am lautesten. Natürlich hinter seinem Rücken. Aber wie lange noch?

Doch dann, plötzlich, kam ihm ein Einfall. Wenn es schon kein Gold gab, sollten die Männer wenigstens ihren Spaß haben. Und er, Jawy, würde dafür sorgen. »Gibt es Pulver in der Pulverkammer?«, fragte er das Narbengesicht.

»Pulver? Nicht der Rede wert, Jawy, aber 'n paar Fässchen sind es schon.«

»Das wird uns reichen.« Jawy winkte das Narbengesicht und ein paar andere Männer heran. »Hört jetzt mal genau zu …« Nachdem er ihnen seinen Plan erklärt hatte, lachten sie, stießen sich in die Seite und schlugen sich auf die Schulter. »Großartig, Jawy, großartig, das wird lustig, hahaha!«

»Mal herhören, Männer!« Jawy stand inmitten seiner Leute auf dem Hauptdeck der *Torment of Hell* und zeigte hinüber zur *Gallant*, die in drei Kabellängen Entfernung vor sich hin dümpelte. »Wir haben eine kleine Überraschung mit dem Seelenverkäufer vor, sozusagen als Dank dafür, dass er nichts Anständiges im Bauch hatte.«

Die Piraten drängten sich neugierig vor.

»Die paar Pfeffersäcke, die da drüben noch leben, werden für uns ein kleines Feuerwerk veranstalten. Sie ahnen ihr Glück noch nicht, aber sie werden dabei für uns in die Luft fliegen!«

»Wieso?« – »Was heißt das?« – »Was meinst du, Jawy?«

»Ich habe eine brennende Lunte in ihre Pulverkammer legen lassen, lang genug, dass wir uns in Ruhe dünnmachen konnten, Männer, aber jetzt müsste der Kahn jeden Moment hochgehen!«

»Hohoho!« – »Mach mal Platz!« – »Lass sehen!« Alle Piraten drängten zur Reling, während Jawy zum Kommandantendeck hochstieg. Von hier würde er einen besonders guten Ausblick haben.

»Haltet euch fest, Männer!«, schrie er hinunter. »Ich weiß nicht, wie stark die Druckwelle wird!«

Kaum waren seine Worte verklungen, als er drüben auf der *Gallant* einen Feuerball entstehen sah, und dann, nur einen Wimpernschlag später, folgte ein ohrenbetäubendes Donnern, das ihm fast die Trommelfelle zerriss.

Das musste das Ende der *Gallant* sein.

Ein Splitterregen flog in den Himmel, so gewaltig, dass manche Holzteile fast auf dem Deck der *Torment* landeten. Jawys Herz hüpfte. Ein Höllenspaß, das Ganze! Er spähte angestrengt hinüber, konnte aber beim besten Willen nichts ausmachen. Erst als die riesige schwarze Rauchwolke verflogen war, erkannte er, dass der Segler sich wider Erwarten noch über Wasser hielt. Allerdings mehr schlecht als recht. Der Bug tauchte bereits tief in die See, während das Heck, wie bei einer gründelnden Ente, steil aus dem Meer ragte.

»Tapfer, die kleine *Gallant*«, murmelte Jawy, nachdem er die erste Enttäuschung überwunden hatte. »Sie wehrt sich noch ein bisschen, aber es wird ihr nichts nützen. Früher oder später rauscht sie ab in die Tiefe.« Laut wandte er sich an seine Leute: »He, Männer, wie hat euch das gefallen?«

Die Antwort war ein zustimmendes Gebrüll.

»Hat Jawy das wieder mal gut hingekriegt?«

Abermals zustimmendes Gejohle.

»Na also. Das war's!«, verkündete er zufrieden. »Jetzt geht's mit vollen Segeln zurück in die Karibik! Drüben auf dem Wrack sind alle mausetot, dafür wette ich meinen Kopf, und der Rest ist für die Fische.«

Sein Kiefer knirschte voller Tatendrang.

Mit seiner Mutmaßung hatte Jawy sich gründlich geirrt, denn es gab einige wenige Augenpaare, die voller Hass und Verzweiflung dem davonsegelnden Piraten nachblickten.

Eines davon gehörte Vitus. Er war bei der Explosion wie von einer Riesenfaust gepackt und zwei Schiffslängen entfernt ins Meer geschleudert worden. Die Kälte der See hatte seinem halb bewusstlosen Zustand ein jähes Ende gesetzt. Er hatte gestrampelt, Wasser geschluckt und nach Luft gerungen, während es in seinen Ohren dröhnte und ein dumpfer Schmerz in seinem Hinterkopf wütete. Ansonsten war er, wie durch ein Wunder, unverletzt geblieben.

Als er prustend an die Oberfläche kam, hatte er zunächst nur die Trümmer der *Gallant* gesehen, doch dann war die *Torment of Hell* in sein Gesichtsfeld gerückt. Sie hatte bereits gewendet und lief mit steifgebraßten Segeln auf Westkurs davon.

»Warte, du Hundsfott, wie immer du heißt, wir sehen uns wieder, und dann gnade dir Gott.« Er hatte seine Faust aus dem Wasser gestoßen und dem Piraten verzweifelt hinterhergedroht.

Nach einer Zeit mühsamen Wassertretens war das Schiff plötzlich verschwunden. Ein großer, vorbeitreibender Gegenstand hatte sich zwischen ihn und die *Torment* geschoben. Der Gegenstand war hölzern, zweitürig und geschlossen, und er war einst im Besitz von Archibald Stout, dem Geizhalz, gewesen.

Es war das Schapp des Kapitäns. Und es war Vitus' Rettung. Mit großer Anstrengung hatte er sich bäuchlings auf den Schrank geschoben und es den Auftriebskräften des Holzes überlassen, ihn über Wasser zu halten.

Jetzt erst, nachdem er wieder zu Kräften gekommen war, fand er die Muße, sich umzublicken. Die Wellen waren übersät mit den Wrackteilen der *Gallant*, doch noch immer hielt das brave Schiff sich in unveränderter Stellung über Wasser. Links davon, vielleicht in hundert Fuß Entfernung, trieb das große Beiboot, allerdings mit dem Kiel nach oben, und auf dem Kiel saß – Jack, der Hahn.

Nur der Allmächtige mochte wissen, wie das Federvieh auf dem Beiboot gelandet war. Immerhin, es war Leben – das einzige, welches Vitus weit und breit ausmachen konnte. Er begann, mit den Händen paddelnd, auf das Boot zuzuhalten.

Er hatte wieder ein Ziel.

Der Magister und der Steuermann Ó Moghráin hatten ebenfalls überlebt.

Beide waren gegen Ende des Kampfes von mehreren Piraten in die Zange genommen und nach Backbord abgedrängt worden, wo sie jeden Augenblick den Todesstoß erwarteten: Ó Moghráin, weil er vor Erschöpfung nicht einmal mehr den Degen heben konnte; der Magister, weil er kurz zuvor seine Berylle verloren hatte.

Aber dann, völlig unerwartet, hatte man von ihnen abgelassen, denn alle Augen starrten wie gebannt zum Oberdeck, wo der Anführer der Piraten auf Vitus getroffen war – eine Auseinandersetzung, die der Magister schon nicht mehr hatte erkennen können. Ó Moghráin an seiner Seite war so ausgepumpt gewesen, dass er an der Backbordreling zur Galerie niedersank. Dem kleinen Gelehrten war kurz darauf schwarz vor Augen geworden.

Als er aufwachte, hatte er »*Vae miserio*!, mein lieber Ó Moghráin« gekrächzt. »Wehe den Elenden! Womit ich dieses Piratenpack meine, wir werden es denen noch zei…«

Ein ohrenbetäubender Donner hatte seine Worte übertönt, und beide wurden mit unwiderstehlicher Kraft in den Gang der Galerie geschleudert.

Ó Moghráin war danach abermals bewusstlos gewesen, doch der kleine, zähe Gelehrte hatte außer ein paar bösen Quetschungen keine Blessuren davongetragen, weshalb er auch sofort bemerkte, dass der Leib des Schiffs sich nach vorn senkte und der Boden ihnen unter den Füßen wegglitt. Er hatte, als nichts anderes half, Ó Moghráin mit ein paar saftigen Maulschellen ins Leben zurückgeholt, woraufhin beide nach achtern strebten, fort von dem im Schiffsrumpf hochgurgelnden Wasser und immer aufwärts, den Gang entlang bis hin zum äußersten hintersten Punkt, der Heckgalerie, die jetzt, gleichzeitig mit dem Kommandantendeck, der am höchsten gelegene Punkt des Schiffs war.

Hier hatten sie, halb auf der Kajütrückwand sitzend, erst einmal verschnauft.

Als alles überstanden schien und ihre Sinne langsam zurückkehrten, drehte der Magister den Kopf zu Ó Moghráin und sagte: »Ich habe das Gefühl, Herr Steuermann, wir saufen jeden Augenblick ab.«

»Da mögt Ihr Recht haben, Herr Magister«, entgegnete Ó Moghráin. »Oder auch nicht. Es kommt ganz darauf an, wo die Explosion stattgefunden hat. Wenn es in der Pulverkammer war, was ich vermute, ist das ganze untere Mittelschiff zerstört, vielleicht auch das Vorschiff. Achtern, wie Ihr seht, ist der Rumpf noch fast ganz, und wenn die Spanten, die Verbände und alles andere halten, schafft's unsere gute alte *Gallant* vielleicht noch eine Weile.«

»Hm. Glück im Unglück«, brummte der kleine Gelehrte. »Aber wir können hier nicht ewig wie in einem Storchennest herumhocken. Seid so gut, und richtet Euch so weit auf, dass Ihr sehen könnt, was mit dem Piratenpack los ist.« Er blinzelte heftig. »Ich selbst sehe nur wenige Fuß weit scharf.«

»Ich will es versuchen.« Der Steuermann rappelte sich auf und legte die Hand über die Augen, um sie gegen das gleißende Sonnenlicht abzuschirmen. Dann stieß er einen erstaunten Pfiff aus.

»Ja, und?« Der Magister kam ebenfalls hoch. »Sind sie noch da, die Mordbuben?«

»Nein, sie sind schon ein paar Seemeilen entfernt. Segeln westwärts, ich nehme an, sie steuern Kurs Karibik.«

»*Deo gratias!* Aber, zum Kuckuck, warum habt Ihr dann so ge-
pfiffen? Was seht Ihr, Ó Moghráin?«
»Ich sehe den Cirurgicus.«

Nachdem Jawy mit seinen Piraten die *Gallant* verlassen hatte,
war Phoebe zu dem Cirurgicus geeilt, der wieder wie tot auf
dem Deck lag. Vorsichtig hatte sie ihn angehoben, um nach einer Verletzung am Hinterkopf zu suchen. Wie vermutet,
leuchtete ihr dort eine rasch größer werdende Beule entgegen,
woraufhin sie geistesgegenwärtig beschloss, in ihrer Kabine
nach etwas Leinen zu suchen. Damit wollte sie einen Verband
anlegen und das hervorsickernde Blut stoppen.

Sie war zurückgelaufen und hatte Phyllis zugerufen: »Hör
mal, Phyllis, 's scheint alles vorbei zu sein, die Mordbuben sin
wech, viel Blut, viele Tote draußen, aber 's soll dich nich kümmern, jetzt noch nich. Sach mal, ham wir irgendwo Leinen?
Ach, nee, ich blöde Kuh, uns hamse ja alles geklaut ...«

»Jaja, geklaut.«

»Verdammich un zugenäht! Ich denk, ich reiß 'n Streifen ab
unten vom Saum von meinem Kleid, 's is schade drum, aber
inner Not frisst der Teufel Fliegen, un wer weiß, ob wir jemals
inne Neue Welt kommen ... Sooo, da ham wir's schon, warte
hier, bin gleich zurück, un wie gesacht, mach dir keine Sorgen
nich, Phoebe is gleich zurück ...«

An Deck hatte sie dem Cirurgicus den Stoffstreifen um den
Kopf gewickelt und war gerade im Begriff, den Bewusstlosen
wieder zurückzulegen, als das Inferno begann. Die Druckwelle
der Explosion hatte sie wie ein Blatt im Sturm über das Oberdeck gefegt; nach achtern war sie geflogen, durch die aufgerisse-
ne Tür ihrer Kabine, hinein in den Raum und bis zur rückwärti-
gen Ecke, in der Phyllis noch immer kauerte. Sie war auf die
Freundin getroffen, die einen spitzen Schrei ausstieß, doch das
hatte sie schon nicht mehr wahrgenommen, denn ihr waren die
Sinne geschwunden. Minuten später war es der verängstigten
Phyllis gelungen, ihre Freundin wieder wachzurütteln.

Noch immer nicht ganz die Alte, saß Phoebe jetzt breitbeinig
auf dem Boden und sagte: »Bei den Knochen meiner Mutter,
ich glaub, der Kahn geht unter. Merkste nich, Phyllis, wie wir
nach vorn wechsacken?«

Phyllis antwortete nicht.

»Mensch, Phyllis, 's wird immer mehr, pass auf, dassde nich abrutscht.« Phoebe griff zur Armlehne einer fest eingebauten Holzbank und zog sich daran hoch. Die Kabine wirkte gespenstisch in ihrer neuen Perspektive. Die Schräglage der *Gallant* war unterdessen so stark geworden, dass man fast auf der zum Oberdeck weisenden Kabinenwand stehen konnte. Die Tür, nach innen aufgehend, lag flach wie ein Teppich darauf.

»Bloß raus hier.« Phoebe musste daran denken, wie man in Plymouth mit jungen, unerwünschten Kätzchen umging: Man steckte sie in einen Sack, band ihn zu und ertränkte die Tiere darin. Ganz ähnlich kam sie sich jetzt vor.

Immer darauf achtend, nicht abzurutschen, kletterte sie mit Phyllis zur Tür hinaus, schräg nach unten, hielt sich dabei im Türrahmen fest und packte gleichzeitig die Freiwange der zum Kommandantendeck hinaufführenden Treppe. Dann zog sie Phyllis und sich Stufe für Stufe empor. Auf dem obersten Deck angelangt, sah sie, dass hier ein nicht minder großes Chaos herrschte: Das abgebrochene Ende des Besanmasts ragte über ihnen empor, das Lateinersegel hing schlaff nach Steuerbord über die Reling, und sämtliches stehende Gut hatte sich über Deck verteilt.

»'s sieht aus wie'n Spinnennetz«, stellte sie nüchtern fest. »Da können wir uns dran festhalten, komm, Phyllis, noch'n bisschen, bis rauf zur Hecklaterne un zur Fahne, dann is Schluss, höher geht's nich, un wenn wir absaufen, dann ganz zuletzt.« Als sie oben waren, beugten sie sich, links und rechts vom Flaggenstock stehend, über das Heckschanzkleid, weil sie sich auf diese Art leichter auf den Beinen halten konnten. Beide waren so außer Atem, dass selbst Phoebes Mundwerk für kurze Zeit aussetzte.

Doch dann begann sie unversehens wieder: »Was haste gesacht, Phyllis, he Phyllis, du hast doch eben was gesacht, oder haste nich?«

Phyllis schüttelte den Kopf.

»Komisch, könnt schwörn, dass da eben einer was gesacht hat, aber wo?« Sie beugte den Kopf noch weiter nach vorn und rief: »Isda wer, hallo, isda wer?«

Und zu ihrer grenzenlosen Überraschung antwortete ihr niemand anderes als der Magister. »Ja, Verehrteste, wir sind's. Der Steuermann Ó Moghráin und meine Wenigkeit. Wir befinden uns unter Euch – oder besser gesagt: vor Euch – auf der heckwärtigen Galerie. Wenn das Dach des Gangs nicht zwischen uns wäre, könnten wir uns sogar sehen. Immerhin schön, Eure Stimme zu hören.«

»Ich glaub, mich laust der Affe.«

Der Decksmann Ambrosius war nur mit knapper Not dem Tod entronnen. Im Gegensatz zu den meisten anderen Männern der *Gallant* hatte er sich im Moment des Überfalls nicht an Oberdeck aufgehalten, sondern im Batteriedeck, wo er, zusammen mit drei anderen Matrosen der Freiwache, dem Zimmermann Joshua Bride half, den ausgebauten Verschlussdeckel einer Geschützpforte zu reparieren. Um sich herum hatten die Männer schwere Bretter liegen, dazu die neuen, bereits eingefetteten Scharniere. Die Arbeit war, trotz der Proteste des Geizhalses Stout, der um sein teures Reserveholz fürchtete, unumgänglich geworden, denn der Verschluss war löchrig wie ein Käse und stellte bei schwerem Wetter eine echte Gefahr dar. Joshua Bride hatte jedem der Männer Material in die Hand gegeben, dazu das ensprechende Werkzeug. Ambrosius war die Aufgabe zugefallen, Löcher für die neuen Scharniere vorzubereiten, weshalb er mit einem zwei Fuß langen, eisernen Stangenbohrer hantierte. Die anderen Matrosen waren mit Handsägen, Stemmeisen, Breitbeilen und mehreren Zugmessern ausgerüstet.

Als ihnen jählings ein ganzer Haufen Degen und Entermesser schwingende Piraten entgegenstürzte, hatte Ambrosius zunächst seinen Augen nicht getraut. Doch es war grausame Wirklichkeit gewesen. Er hatte mit ansehen müssen, wie einer seiner Kameraden kurzerhand abgestochen wurde, eine willkürliche, mörderische Tat, die sogleich dazu führte, dass in ihm eine Welle der Wut hochschlug.

>*Oh, Herr, vergib ihnen,*
denn sie wissen nicht, was sie tun,
und vergib auch mir,
denn ich weiß es ebenso wenig!
Amen«,

hatte er mit Stentorstimme gebrüllt und dem ersten Angreifer den Griff seines Stangenbohrers durchs Gesicht gezogen. Dem zweiten hatte er ein schönes Loch in den Pelz gebrannt, und den dritten, den dritten hatte er nicht gesehen ... Der war von hinten an ihn herangeschlichen, hatte, weil seine Degenspitze bei den ersten Streichen abgebrochen war, ein bereitliegendes Klopfholz genommen und es dem wehrhaften Mönch über den Kopf geschlagen.

Ambrosius war ein starker Mann und zudem in den besten Jahren, aber dieser Hieb war selbst für ihn zu viel gewesen. Er war wie ein gefällter Baum auf die Decksplanken gestürzt und hatte dabei den Zimmermann mitgerissen, dessen Schläfe hart auf ein bronzenes Sechspfünderrohr aufschlug. Das Handgemenge über ihnen war, zu ihrem Glück, ohne sie weitergelaufen, sonst wäre es ihnen ähnlich ergangen wie Gideon, einem jungen Matrosen, der kurz darauf erschlagen wurde. Auch die beiden anderen Männer, Fraggles und Bantry, würde ein gleiches Schicksal ereilt haben, wenn nicht weitere Piraten, vom Oberdeck kommend, herabgestürzt wären, »Gold! Gold! Gold!« brüllend und alle Angreifer mit sich reißend.

Dann, etwas später, war die Pulverkammer in die Luft geflogen, und die Ereignisse im Batteriedeck hatten sich überschlagen. Ambrosius war von einem stumpfen Spantholz im Kreuz getroffen worden, was ihn zwar übergangslos aus seinem Tiefschlaf erweckte, aber auch dafür sorgte, dass ihm für einige höchst unangenehme Augenblicke die Luft wegblieb. Doch für Selbstmitleid war keine Zeit gewesen, denn schon neigte sich die *Gallant* gefährlich, und kaltes Seewasser schoss rauschend durch die offene Bordwand ins Schiff. Zwei, drei Kanonen gerieten so extrem in Schieflage, dass sie sich losrissen und unter gewaltigem Getöse in die Tiefe rauschten, dabei Innenwände und Balken wie Papier durchschlagend. Endlich, nach quälend langen Augenblicken, schienen sie unten im Vorschiff von Ballen oder Fässern aufgehalten worden zu sein. »Gottlob, sie haben den Bug nicht durchschlagen!«, hatte der ebenfalls wieder erwachte Bride gekeucht, und Fraggles und Bantry hatten mit verkniffenen Gesichtern genickt.

Dennoch musste die *Gallant* irgendwo im Vorschiff ein riesiges Loch haben, denn schnell war der Wasserpegel gestiegen, und der Mönch, der wie viele seiner Glaubensbrüder nicht schwimmen konnte, drohte zu ertrinken. »Allmächtiger Gott, Du Gnadenreicher, ich flehe Dich an, lass mich noch nicht sterben, lass mich noch nicht sterben, lass mich …!«

Bride hatte ihn, heftig wassertretend, unterbrochen und auf die Schiffswände gewiesen, die in dem zunehmend dunkler werdenden Licht schwarz wie das Innere eines Sargs wirkten, nicht zuletzt, weil alle Geschützpforten fest verschlossen waren. Der einzige Ausweg, der sie aus ihrem nassen Grab führen konnte, war die offene Geschützpforte gewesen, an deren Verschluss sie gearbeitet hatten. Diese Öffnung aber hatte sich bereits tief unter ihnen im Wasser befunden, ein blasses, waberndes grünes Schlupfloch, das sich mit jeder Minute, da der Wasserspiegel stieg, mehr entfernte.

»Wir müssen tauchen und da unten raus!«, hatte der Zimmermann geschrien.

Unmöglich! Ambrosius konnte nicht schwimmen. Geschweige denn tauchen.

Dennoch: Es musste sein! Und irgendwie hatten sie es geschafft. Nicht nur Bride, der ihn fast brutal unter Wasser gestoßen hatte, auch Fraggles und Bantry waren mit herausgekommen.

Oben an der Wasseroberfläche hatte Bride ihn mit seinen starken Zimmermannsfäusten gepackt und sich unter seinen Oberkörper geschoben, damit er nicht ertrank. Ambrosius hatte sich noch nie so hilflos gefühlt.

>»… aber in der vierten Nachtwache kam Jesus*
zu ihnen und ging auf dem Meer.
Und da ihn die Jünger sahen auf dem Meer gehen,
erschraken sie und sprachen: Es ist ein Gespenst!
und schrien vor Furcht.
Aber alsbald redete Jesus mit ihnen und sprach:
Seid getrost, ich bin's; fürchtet euch nicht!«

Die Worte aus dem Evangelium des Matthäus, von ihm laut über die See gerufen, hatten Ambrosius Kraft verliehen, und kurz darauf war er beschämt worden für seine vorherige Kleingläubigkeit, denn die Spiere des Großmasts kam vorbeigetrieben, und sie konnten daran sicheren Halt finden.

Als alles dies geschehen war und die vier sich seitlich an dem starken Mastteil festhielten, nahm Ambrosius sich vor, nie wieder an seinem Herrgott zu zweifeln.

Und aus dem Himmel herab kam eine Stimme, die sprach zu ihm: »He, was treibt sich da unten denn für ein vielbeiniger Wasserkäfer herum?«

Verwirrt blickte Ambrosius nach oben, wo hoch über ihm das Heck der *Gallant* erschien. Ein großer Kopf mit heftig blinzelnden Augen sah auf ihn herab:

»Ó Moghráin versichert mir gerade, dass es sich um Euch und Eure Kameraden handelt, Bruder Ambrosius!«, rief der Magister froh. »Der Zimmermann und zwei weitere Männer sollen ebenfalls bei Euch sein. *Deo gratias!* Dann wären wir immerhin schon unserer neun, die überlebt haben.«

»Neun?«, rief Ambrosius verstört.

»Ihr hörtet richtig. Neben den bereits Genannten konnten sich auch die beiden, äh … Damen Phoebe und Phyllis retten, dazu der Cirurgicus, der sich auf einer Art Holzkasten über Wasser hält. Ihr könnt ihn von Eurer Position aus nicht sehen, weil der Rumpf des Wracks Euch die Sicht versperrt, aber in diesem Augenblick hat er das große Beiboot erreicht.«

Als Vitus auf seinem Weg zum Beiboot plötzlich die Stimme des kleinen Gelehrten vernahm, tat sein Herz vor Freude einen Sprung. »He, Magister, bist du das? Wo steckst du?«

»Hier oben bin ich, Vitus! Hier oben auf der Heckgalerie! Mir fällt ein Stein vom Herzen, du Unkraut! Hatte mir schon die schlimmsten Sorgen gemacht! Ó Moghráin ist übrigens auch hier. Was hast du da um den Kopf? Sieht aus wie ein Turban, ist aber wohl ein Verband?«

»Ein Verband? Was für ein Verband?«, rief er zurück und tastete seinen Kopf ab. »Tatsächlich, jemand muss ihn mir angelegt haben!«

Plötzlich kam Phoebes Stimme dazu: »'s war ich, Cirurgicus, ich war's, Ihr habt 'ne Beule hinten am Kopp, so dick wie 'ne Runkelrübe!«

»Ja, ja, wie 'ne Runkelrübe«, bestätigte Phyllis.

Sein bester Freund lebte! Und nicht nur er!

Die Einsamkeit des Ozeans, die sich schon wie ein eiserner

Ring um seine Brust gelegt hatte, fiel von ihm ab, und froh hielt er wieder auf das Wrack zu. Doch da! Unvermittelt hörte er Klopfzeichen aus dem Rumpf des Beiboots. Ein weiterer Überlebender? Aber wer? »He, Magister, vielleicht steckt unter dem Beiboot noch ein Mann!«

»Was? Großartig! Wer ist es?«

»Ich weiß es nicht. Möglicherweise sind es auch nur Ratten. Es piepst so unter dem Holz!«

»Komm erst mal zum Wrack. Allein kannst du sowieso nichts ausrichten!«

Auf dem Rückweg trieb ihm die Großmastspiere entgegen, darangeklammert der Mönch Ambrosius, der Zimmermann Bride und zwei weitere Männer, an deren Namen er sich nicht erinnerte. Gemeinsam bewegten sie sich weiter in Richtung Wrack.

Dort angelangt rief Vitus hinauf: »Mister Ó Moghráin, ist es möglich, einen Mann unter dem Beiboot hervorzuholen?«

Der Steuermann zögerte geraume Weile. Dann antwortete er mit Bedacht: »Wer ihn da rausholen kann, Cirurgicus, muss in der Lage sein, das Boot umzudrehen, und wer das Boot umdrehen kann, der kann sich auch hineinsetzen und überleben.«

»Überleben, das klingt gut!«

»Jedenfalls hat er den Hauch einer Chance dazu.«

Als sie später beratschlagten, wie es gelingen könne, das Boot zu drehen, gaben die Frauen und Männer der *Gallant* ein groteskes Bild ab. Wie die Zapfen an einem im Wasser treibenden Kiefernast hingen sie an der Großmastspiere: der Mönch Ambrosius, der Zimmermann Bride, ferner Bantry, Fraggles und mittlerweile auch Vitus – und oben, am höchsten Punkt des aufragenden Hecks, saßen der Magister, Ó Moghráin und die beiden jungen Frauen.

Sie überlegten lange und sorgfältig, denn sie überlegten um ihr Leben. Endlich hatten sie sich geeinigt. Ihr Beschluss ging dahin, dass Ó Moghráin für die Dauer der Bergungsaktion das Kommando übernehmen sollte.

Als Erstes galt es, die Spiere vor dem Davontreiben zu sichern, schließlich war sie der rettende Halt für fünf Überlebende. Der Steuermann löste das Problem, indem er auf ein vorbeischwimmendes Tau wies und Bride befahl, es aufzufischen, sodann das eine Ende um die Spiere zu laschen und das andere mit dem untersten Scharnier des weit aus dem Meer ragenden Ruderblattes zu verknoten.

»Sehr gut, Mister Bride!«, rief Ó Moghráin aus luftiger Höhe, als der Zimmermann fertig war. »Ihr werdet als Nächstes mit einer Leine um den Leib zum Beiboot schwimmen; die Leine wird derweil von Ambrosius und den anderen Männern gehalten werden. So schlagen wir zwei Fliegen mit einer Klappe: Einerseits könnt Ihr nicht verloren gehen, andererseits wird eine Verbindung zum Beiboot hergestellt.«

»Aye, aye, Sir!«, rief Bride vorschriftsmäßig zurück. »Haben wir denn eine so lange Leine?«

»Das ist die Schwierigkeit. Wir können sie nur mit Hilfe unserer zwei Damen meistern.« Der Steuermann wandte sich nach hinten und sprach gegen das Dach der Galerie, hinter dem er die Mädchen wusste: »Miss Phoebe, bitte besorgt mir etwas von dem herabgekommenen stehenden Gut.«

»Stehendes Gut?«, erscholl es zurück. »Nee, was habt ihr Jungs vonner Seefahrt immer für unanständige Ausdrücke!« Phoebe kicherte. Jetzt, wo so viele tüchtige Männer überlebt hatten, fühlte sie sich bedeutend sicherer.

»Nun, äh … ja. Ich meine nichts weiter als eine Leine; sie sollte ungefähr eine viertel Kabellänge aufweisen. Bitte schaut Euch doch einmal auf dem Deck hinter Euch um.«

»Kabellänge, was is 'n das nu wieder, 'ne Kabellänge?«

Ó Moghráin seufzte. »Verzeiht, das könnt Ihr ja nicht wissen. Schaut Euch einfach nach einem möglichst langen Seil um. Wenn es hundert Fuß misst, mag es schon gehen.«

Es dauerte geraume Zeit, bis Phoebe eine Leine unter dem Takelgewirr herausgezerrt und das Ende über das Galeriedach geworfen hatte, von wo Ó Moghráin und der Magister es weiter nach unten leiteten. Sie tat alles sehr eifrig und umsichtig, und ihr flottes Mundwerk brachte dabei die Männer, trotz des Ernstes der Situation, ein ums andere Mal zum Schmunzeln.

Wenig später war Bride unterwegs. Die See zeigte sich gottlob noch immer von ihrer ruhigen Seite, wenn auch das Wasser die Körper der Schiffbrüchigen schon sehr ausgekühlt hatte. Es wurde Zeit, dass etwas geschah. Beim Boot angelangt, schlang

Bride die Leine um die unter Wasser befindliche Spitze des Vorstevens und sicherte sie mit einem Palstek. Er hob den Arm, um anzuzeigen, dass so weit alles vorbereitet sei, und auf ein Kommando von Ó Moghráin wurde das große Beiboot samt Bride und dem noch immer auf dem Kiel sitzenden Jack von den Männern zum Wrack gezogen.

Damit war die erste Schwierigkeit gemeistert. Doch die zweite stellte eine weit größere Herausforderung dar. Wie sollten sie das schwere Boot umdrehen?

Zunächst befahl Ó Moghráin den Männern, auf den Rumpf des Boots zu klettern, denn manche von ihnen schnatterten schon vor Kälte wie die Gänse. Als sie sich leidlich erholt hatten, rief Vitus zu Ó Moghráin hinauf: »Wir müssen uns beeilen, Herr Steuermann, eben habe ich erneut ein Klopfzeichen gehört. Wer weiß, wie lange der Mann da drinnen noch durchhalten kann.«

»Gewiss, Cirurgicus, gewiss. Wir werden das Ganze mit Hilfe von mehreren Taljen lösen.«

Doch Ó Moghráin hatte bei seiner Antwort zuversichtlicher geklungen, als er in Wirklichkeit war. Sicher ließ sich das Boot mit Hilfe von Flaschenzügen umdrehen, die Frage war nur, wo am Wrack die Blöcke zu befestigen waren. Und mehr noch: Würde die *Gallant* durch die zusätzliche Belastung nicht vollends sinken?

Die letzte Frage allerdings war müßig. Wenn das Wrack sank, waren auch die Schiffbrüchigen dem Untergang geweiht. Ó Moghráin verscheuchte die unnützen Gedanken und ließ nach Blöcken und Seilen Ausschau halten, aus denen Flaschenzüge herzustellen waren. Als er glaubte, genügend Material zusammenzuhaben – Phoebe auf dem Kommandantendeck hatte sich abermals wortreich an der Suche beteiligt, indem sie unter anderem fragte: »'n Jungfernblock? Wassis das denn nu wieder? Huiii, da wird man als Dame ja rot wie 'n Taubenbein! ›Jungfernblock‹, ›stehendes Gut‹, ›Kabellänge‹. Tz, tz, ihr Jungs habt vielleicht 'ne Phantasie …« –, als Ó Moghráin also glaubte, genügend Material zusammenzuhaben, ließ er nach reiflicher Überlegung den Block des ersten Flaschenzugs wiederum am untersten Scharnier des Ruderblattes anschlagen. Wenn alles gut ging, würde damit der Bug des Boots anzuhieven sein. Das nächste Problem wäre dann das Kippen, ein Vorgang, der ebenfalls viel Zugkraft erforderte. Hier beabsichtigte er mit einer Apparatur zu arbeiten, die sich »Talje auf Talje« nannte, und dem Mann, der an der Leine zog, die sechzehnfache Kraft verlieh.

Beide Flaschenzugkonstruktionen mussten gleichzeitig und mit sehr viel Fingerspitzengefühl betätigt werden, sollte das Vorhaben gelingen. Ó Moghráin hoffte inbrünstig, dass alles gut ging.

Doch als sich tatsächlich wenig später der Vorsteven aus dem Wasser hob, wobei es in den Verbänden des Wracks so abenteuerlich knirschte, dass einem Angst und Bange werden konnte, geschah zunächst etwas Erstaunliches: Eine Hand, so klein wie die eines Kindes, schob sich durch den Luftspalt zwischen Bootsrand und Wasserlinie und winkte in alle Richtungen. Ihr folgte ein ebenso kleiner Arm, der in einem himmelblauen Ärmel steckte. Das Winken verstärkte sich, und ein piepsiges, hohl klingendes Stimmchen erklang:

»Wui, wie strömt's da draußen? Luftig huftig? Hier im Gehäus is Bläse gar knapp!«

»Bei den Knochen meiner Mutter, Winzbuckel, ich freu mich, dassde aus dem Schlamassel heil rausgekommen bist, ehrlich, der heilige Christ weiß, dassde 'ne große Klappe hast, aber ich freu mich, ehrlich.«

Es war spät am Abend, die Sterne am Nachthimmel wirkten zum ·Greifen nah, und Phoebe saß wie alle anderen in dem glücklich umgedrehten Boot. »Wennich dran denk, dassde dich hier anner Ruderbank festgeklammert hast, hier, genau wo ich sitz, nur eben umgekehrt, verstehste, also mit'm Kopf …«

Der Zwerg grinste. Seine rotblonden Haarbüschel blinkten silbern im Licht des Mondes. »Wui, wo dein Toches jetzt is, war vorhin meine Fratz, Frau Beischläferin.«

»Du Giftspritze! Hab dir schon hundertmal gesacht, ich binne Dame un keine Beischl… ich un Phyllis sin Damen! Nich, Phyllis?«

»Ja, ja, Damen«, bekräftigte Phyllis.

»Streitet Euch nicht, Verehrteste«, schritt der Magister ein, »der Zwerg meint es nicht so. Wollt Ihr noch etwas von dem

Schinken? Ich gebe ihn Euch gerne, auch wenn ich warnend den Finger heben muss: Er ist salzig, und wir haben kein Trinkwasser, jedenfalls heute Abend noch nicht.«

Der Schinken bildete die einzige Nahrung, die ihnen nach den schrecklichen Ereignissen zur Verfügung stand, und sie verdankten sein Vorhandensein nur der Neugier des kleinen Gelehrten, der es sich nicht hatte nehmen lassen, einen Blick in Stouts Schapp zu werfen. Dort hatte er die Delikatesse gefunden, zusammen mit einer guten Flasche Gin. Der Alkohol war bereits reihum gegangen und hatte allen die Glieder gewärmt, was auch bitter nötig gewesen war, denn die Nächte auf See waren kalt, und sie hatten nur das, was sie auf dem Leib trugen.

»Möchte sonst noch jemand von dem Schinken?« Der Magister, der neben Vitus auf der Heckbank saß, blinzelte freundlich. In der aufkommenden Dunkelheit nahm er die Insassen des Boots nur umrisshaft wahr. Neun Personen und einen Hahn, der müde die Flügel hängen ließ. Immerhin reichte seine Sehkraft, um ganz vorn im Bug Ó Moghráin zu erkennen, den Mann, dem sie alle am meisten zu verdanken hatten und der sich, nachdem die Bergungsaktion von ihm erfolgreich geleitet worden war, wieder bescheiden zurückgezogen hatte.

»Keiner mehr?«, fragte der kleine Gelehrte abschließend. »Dann packe ich den Rest wieder ins Schapp.« Fast liebevoll strich er noch einmal über den Schinken, bevor er ihn zurücklegte und die Türen schloss.

»Wir sollten jetzt zu schlafen versuchen«, sagte Vitus. »Wir werden morgen alle unsere Kräfte brauchen.« Er entledigte sich seiner Weste. »Die Nacht wird kalt werden. Wer von den Männern ein Kleidungsstück entbehren kann, gibt es Miss Phoebe oder Miss Phyllis.«

»Danke, Cirurgicus«, sagte Phoebe schlicht. »'s is mächtich nett von Euch, Ihr seid 'n echter Gentleman, der weiß, wasser 'ner Dame schuldich is, 'n echter Gentleman seid Ihr.«

»Das gibt's doch nicht! Ich sehe zwar schlecht, aber so schlecht nun auch wieder nicht!«

»Was ist los, Magister?«, gähnte Vitus. Er hatte nur wenig und schlecht geschlafen. Den anderen im Boot war es ähnlich ergangen. Wenigstens der Tag versprach schön zu werden, denn

die Sonne schob sich gerade wie eine weiß glühende Stahl-
scheibe über die Kimm, und ein steter Wind aus östlicher
Richtung kräuselte sanft die Wellen.

»Der Schinken ist weg. Jemand hat ihn in der Nacht geraubt!«
Das Gesicht des kleinen Gelehrten war die Fleisch gewordene
Empörung. »Und wahrscheinlich sofort aufgefressen! Wenn
ich den Burschen erwische, dann gnade ihm Gott!«

Vitus war jetzt hellwach. »Pssst, nicht so laut, Magister. Ehe
dein Temperament mit dir durchgeht, lass uns überlegen, ob
es überhaupt Zweck hat, Zeter und Mordio zu schreien.«

»Waaas? Du willst die Sache auf sich beruhen lassen?«

»Zunächst, ja. Oder glaubst du, der Schuldige würde auf deine
Frage freudig ›Ich war's, Herr Magister, und es soll auch nicht
wieder vorkommen!‹ antworten?«

»Hm, hm.«

»Siehst du, und deshalb werden wir erst einmal so tun, als wäre gar nichts passiert. Ich will jetzt keine Unruhe im Schiff.«

Später, als die Sonne vollends am Himmel stand und ihre wärmenden Strahlen wieder Geschmeidigkeit in die steifen Gelen-
ke gebracht hatte, sagte Vitus wie beiläufig zu den anderen:
»Übrigens, der Schinken ist fort, er muss in der Nacht über
Bord gefallen sein.«

Ein vielstimmiger Protest war die Antwort:

»Wieso, der war doch wechgeschlossen, wechgeschlossen war
der doch, stimmt's oder hab ich Recht, Phyllis?«

»Ja, ja, stimmt.«

»Es gibt wohl Brosamen, die von der Herren Tisch fallen,
Herr Cirurgicus, aber ein Schinken von einem Boot …?«

»Bei dieser ruhigen See geht ein Schinken nicht von allein
über Bord, jemand muss nachgeholfen haben!«

»Ein *amadán*, wer so etwas tut!«

Vitus zuckte scheinbar gleichgültig mit den Schultern. Doch
innerlich hatte er genau registriert, dass es zwei Personen im
Boot gab, die mit ihrer Meinung hinter dem Berg hielten: Es
waren Fraggles und Bantry.

Ambrosius schien Ähnliches bemerkt zu haben, denn er faltete
seine großen Hände und murmelte: »Weh euch, die ihr jetzt satt
seid! Denn euch wird hungern … Lukas, Kapitel 6, Vers 25.«

»Was hilft's!« Der kleine Gelehrte blinzelte. »Da die Morgenmahlzeit ausfällt, schlage ich vor, gleich mit der Arbeit zu beginnen.«

Bride hob den Finger. »Da habt Ihr Recht, Herr Magister, fragt sich nur, mit welcher.«

Es zeigte sich, dass jeder eine andere Vorstellung davon hatte, was am dringlichsten zu tun sei, bis schließlich der kleine Gelehrte kategorisch feststellte: »So geht es nicht, Ladies und Gentlemen. Einer muss die Führung haben, sonst macht jeder, was er will.«

Bald darauf hatte das große Beiboot der *Gallant* einen Schiffsführer. Es war der Cirurgicus. Und seine erste Maßnahme war eine verblüffende: Er gab dem Boot einen Namen. »Das Schiff soll *Albatross* heißen«, sagte Vitus, »denn mit diesem Vogel – so hoffe ich wenigstens – verbindet uns vieles. Genau wie wir schafft er den Start nur unter Schwierigkeiten, doch ist er einmal unterwegs, kann er Hunderte, ja Tausende von Meilen über das Meer gleiten, leicht und schwerelos, und genau das wünsche ich mir für uns.«

Die Mannschaft nickte zustimmend.

»Ich denke, unsere Überlebensmöglichkeiten hängen in erster Linie von zwei Dingen ab: Wir brauchen ausreichend Proviant, und wir brauchen eine segelfähige *Albatross*. Das eine ist so wichtig wie das andere. Unter der Leitung von Mister Ó Moghráin werden Bride, Fraggles, Bantry und Bruder Ambrosius versuchen, ein Rigg aufzutakeln; die Mädchen, der Magister, der Zwerg und ich werden in der Zwischenzeit sehen, was sich im Schiff noch an Nahrungsmitteln und Gerätschaften findet. Mit ein wenig Glück segeln wir morgen.«

Die Hoffnung, nur einen Tag später schon Kurs Westindien steuern zu können, sollte nicht in Erfüllung gehen. Drei Tage und Nächte musste die Mannschaft schuften, bis die *Albatross* endlich Ähnlichkeit mit einem Segler aufwies.

Die Schwierigkeiten, denen sich Ó Moghráin gegenübersah, hatten schon mit der Suche nach einem geeigneten Mast begonnen. Die naheliegendste Lösung war natürlich die Hauptmastspiere gewesen, die einigen von ihnen das Leben gerettet hatte, doch erwies sie sich als zu lang und musste mühsam gekürzt werden. Eine schwere Arbeit, denn Werkzeug war kaum vorhanden, und wenn nicht aus der überfluteten Zimmermannswerkstatt das eine oder andere nach oben getrieben wäre, hätten sie gar nichts gehabt.

Das Stellen des Masts war ebenso problematisch gewesen, denn natürlich besaß die *Albatross* keine Mastspur, was bedeutete, dass Stage doppelt und dreifach in alle Richtungen gespannt werden mussten. Gutes Tauwerk wiederum war Mangelware, und Ó Moghráin hatte pausenlos improvisieren müssen.

Die größte Schwierigkeit jedoch, neben dem Umstand, dass unter erheblichen Mühen ein Ruderblatt mit Pinne gezimmert werden musste, war die eigentliche Besegelung. Wieder und wieder hatte der sonst so friedfertige Ó Moghráin den Geizhals Stout verflucht, dem alles und jedes zu teuer gewesen war und der sich darum einen Segelmeister und dessen Ausrüstung gespart hatte.

So war es dem Steuermann unmöglich, aus den vorhandenen zerrissenen Segeln ein passendes herzustellen, und nur einem glücklichen Umstand verdankten es die Schiffbrüchigen, dass am zweiten Tag ihrer Arbeit ein Segel im Wrack hochtrieb, das nicht nur aus gutem Flachs zu sein schien, sondern überdies auch heil war. Seine hohe, rechteckige Form allerdings war ungewohnt und glich eher der eines Bettlakens.

Ó Moghráin hatte sich ausgiebig am Hinterkopf gekratzt und dann entschieden: »Wir werden es als Sprietsegel takeln, Männer, das bedeutet, wir brauchen ein weiteres, von unten nach oben diagonal verlaufendes Rundholz. Nun ja, wenigstens kommen wir dann ohne Baum und Gaffel aus.«

Der einzige Lichtblick unter den ständig neu auftauchenden Schwierigkeiten war der Kompass gewesen, den Ó Moghráin zufällig im Schiffsrumpf fand. Es handelte sich offenbar um ein Stück aus dem persönlichen Besitz Stouts, denn es war wesentlich besser gearbeitet als der Schiffskompass, hinter dem der Rudergänger der *Gallant* gestanden hatte. Strahlend war der Steuermann damit zu Vitus gekommen und hatte gerufen: »Cirurgicus, welch ein Glück! Mit diesem Instrument wird das Navigieren um vieles leichter werden. Seht nur die präzise gearbeitete Kompassrose.«

»Prächtig! Wir werden das Ding sicher gut brauchen können.«

181

Neben dem Kompass hatte es noch etliche andere Gegenstände gegeben, die sie gut verwenden konnten und die sie teils im Wrack, teils auf dem Wasser treibend fanden, darunter eine fast neue Handsäge, eine Bundaxt, ein paar scharfe Stemmeisen und ein Zugmesser, Dinge, über die sich Bride besonders freute. Ferner Tauwerk jeglicher Art und Länge, das in seiner Qualität allerdings meistens zu wünschen übrig ließ, sodann zwei kleine Wasserfässchen, die in Stouts Kajüte aufgetrieben wurden, desgleichen eine aufgebrochene Kiste, die portionsweise abgefüllte *Portable soup* enthielt.

Sie hatten gehofft, weitere Fässer mit Nahrung zu finden, und jede Gelegenheit genutzt, um Ausschau nach vorbeitreibendem Gut zu halten, doch außer einem Fässchen mit Hartbrot und einem mit Bohnen war ihnen nichts mehr in die Hände gefallen.

Vitus hatte eine Muskete sichergestellt, ein gut gearbeitetes Stück, das aber so verschmutzt und durchnässt war, dass es einer gründlichen Reinigung bedurfte, wollte man es als Waffe benutzen. Er hatte auch einen wasserdichten Sack mit Utensilien zur Bedienung der Waffe gefunden und hoffte, dass er niemals gezwungen sein würde, alle diese Dinge im Ernstfall einsetzen zu müssen.

Eine der wieder an die Meeresoberfläche gespülten Leichen, es hatte sich um einen Piraten gehandelt, trug im Stiefel versteckt ein feststehendes Messer. Vitus sorgte auch in diesem Fall dafür, dass die Waffe an ihn abgegeben wurde, wobei ihm der scharfsichtige Zwerg behilflich war: »Wui, Fraggles, meinst, uns wärn die Spählinge trüb, wie? Meinst, kannst dir den klitzen Piekser schnappen, un keiner lugt's? Heraus damit, oller Strohputzer!«

Ein vorbeischwimmender breitkrempiger Hut war aufgelesen, begutachtet und anschließend an Phyllis weitergereicht worden – als Sonnenschutz für ihre weiße, höchst empfindliche Haut. Daneben hatte etwas Glänzendes, die Augen blendendes im Wasser gedümpelt. Es war das Stundenglas gewesen, das Phoebe alsbald mit geschicktem Griff retten konnte.

Der Magister hatte, trotz seiner Kurzsichtigkeit, einige Angelhaken, zwei Harpunen, eine intakte Laterne und mehrere Holzeimer entdeckt, worauf er nicht wenig stolz war, dazu ein

Jesuskreuz, das sie, nachdem der Mast gesetzt war, in Manns-höhe annagelten.

Später war Jacks Holzkäfig vorbeigetrieben, und der Zwerg fischte das Gestell aus dem Wasser, damit der erschöpfte Vogel wieder darin verwahrt werden konnte.

In der Morgendämmerung des dritten Tages wollte Vitus zum letzten Mal dem Wrack einen Besuch abstatten, und wie immer war sein Blick zunächst kritisch nach oben gegangen, wo über ihm, einem schwarzen, kantigen Felsen gleich, das Heck der *Gallant* aus dem Wasser ragte. Doch das brave Schiff schwamm, unbeirrt und unverändert, als wüsste es, dass es so lange durchhalten musste, bis alles von Wert geborgen war.

Vitus war an den am Wrack herunterhängenden Seilen und Tauen hochgeklettert, wobei er sich vorsichtig an den scharf-kantigen Muscheln vorbeihangelte, und seine Mühe war an diesem Morgen besonders belohnt worden, denn wenig später stieß er in Stouts Kajüte auf ein eisernes Kohlebecken, das dem Geizhals in kalten Nächten als Wärmespender gedient haben mochte. Ein willkommener Fund, der mit dem reichlich vor-handenen Trümmerholz gut befeuert werden konnte.

Und noch etwas hatte er entdeckt: Es war das persönliche Schiffstagebuch von Stout, zwar aufgeweicht und seewasser-durchtränkt, doch immerhin noch ganz, außerdem ein gut verschlossenes, nahezu volles Tintenfass sowie ein paar ordent-liche Federn. Diese Utensilien wanderten ebenfalls an Bord der *Albatross.*

Am Nachmittag, Ó Moghráin mit seinen Männern hatte un-terdessen das Boot nahezu vollständig aufgetakelt, war Phoebe zu Vitus gekommen: »Nur 'n Hut für Phyllis is nich genug, Cirurgicus. Die Kleine is schon rot wie'n Krebs im Kochtopf. Wir brauchen 'ne Plane oder so was, 'ne Plane brauchen wir.«

»Stimmt, ich dachte auch schon daran, aber der Kopf war mir so voll, dass ich es immer wieder vergessen habe. Vielleicht kann aus dem zerrissenen Lateinersegel des Besans ein Sonnenschutz geschnitten werden, mal sehen, was Ó Moghráin dazu sagt.«

Wie immer hatte der tüchtige Steuermann helfen können, und wenig später war ein genügend großes Stück Tuch auf die *Albatross* geschafft worden.

Als endlich, am Spätnachmittag des dritten Tages, alles vorbereitet schien, versammelte Vitus die Überlebenden um sich und sagte: »Ich will keine großen Worte machen. Die Tatsache, dass wir nicht einen, sondern drei volle Tage gebraucht haben, um segelklar zu sein, macht deutlich, wie schwierig unser Vorhaben ist. Wir werden all unsere Kraft und all unseren Verstand brauchen, wenn wir die See besiegen wollen. Um das zu erreichen, müssen wir bestimmte Regeln aufstellen, an die sich jeder zu halten hat. Jeder, ohne Ausnahme.«

Er blickte in die Runde und stellte zufrieden fest, dass er die ungeteilte Aufmerksamkeit aller hatte. »Gut. Als Erstes ernenne ich Mister Ó Moghráin zu meinem Stellvertreter. Nur Gott allein weiß, welche Gefahren wir zu bestehen haben werden, und nur seinem Ratschluss unterliegt es, ob wir sie überleben. Sollte mir also etwas zustoßen, übernimmt Mister Ó Moghráin das Kommando.«

Vitus wandte sich an den Steuermann. »Ich hoffe, Ihr seid einverstanden?«

»Jawohl, Cirurgicus.«

»Schön, dann wäre das geklärt. Ein zweiter Punkt ist die Verpflegung. Alle hier Anwesenden wissen, wie bitter wenig wir zu beißen haben. Außer den zwei Fässern mit Hartbrot und Bohnen haben wir nur die *Portable soup* des Kapitäns. Sie zu genießen bedarf es Wasser – Trinkwasser wohlgemerkt, von dem wir wiederum nur zwei kleine Fässchen haben. Wir werden unsere Nahrungsmittel deshalb vom ersten Tag an streng rationieren. Wie viel das für den Einzelnen ist, werde ich nachher festlegen. Und noch etwas: Der Hahn wird nicht geschlachtet, er ist unsere Fleischreserve für den äußersten Notfall und mag dann zu einer kräftigen Brühe werden.«

Die Mannschaft nickte.

»Weiter: Alle Waffen an Bord stehen unter Verschluss«, Vitus deutete auf Stouts Schapp, das unter der Heckbank fest verkeilt worden war, »sollten wir welche brauchen, werde ich sie persönlich ausgeben, auch die Muskete, die instand gesetzt werden muss, damit wir gegebenenfalls Signalschüsse abgeben können. So weit alles klar?«

Die Mannschaft murmelte Einverständnis.

»Dann komme ich zur Wachaufstellung. Wir sind insgesamt acht Männer an Bord, alle acht werden Wache gehen. Wir bilden dazu zwei Gruppen: Die erste besteht aus dem Magister, Bride, Bantry und mir, die zweite aus Mister Ó Moghráin, Bruder Ambrosius, Enano und Fraggles. Die Gruppen wechseln sich alle vier Stunden ab. Das Stundenglas wird genau anzeigen, wann. Miss Phoebe und Miss Phyllis werden nicht eingeteilt, sind aber aufgefordert, in jeder freien Minute Ausschau nach einem Schiff zu halten. Wachführer der ersten Gruppe bin ich, Wachführer der zweiten ist Ó Moghráin. Jeweils zwei Männer der Wache segeln die *Albatross*, die anderen beiden halten ebenfalls Ausschau, wobei der eine die Backbordseite, der andere die Steuerbordseite übernimmt. Wer nicht Wache oder andere Aufgaben hat, schont seine Kräfte. Alles verstanden?«

Wiederum nickte die Mannschaft.

»Noch etwas: Das Kohlebecken muss ständig brennen. Wir haben genug Kleinholz, um das zu gewährleisten. Für den Fall, dass ein Schiff in Sicht kommt, werden wir nasses Holz in die Glut werfen, damit sich Signalrauch entwickeln kann. Das Betreiben des Kohlebeckens ist eine äußerst wichtige Aufgabe, die ich hiermit Miss Phoebe und Miss Phyllis übertrage.«

»Is klar, machen wir, Cirurgicus, machen wir, nich, Phyllis? 's is uns 'ne Ehre.«

»Ja, ja, 'ne Ehre«, bestätigte Phyllis, die ob des Vertrauens, das man in sie setzte, sanft errötete.

»Schön. Nun, äh ...« Vitus wusste nicht recht, wie er den letzten Punkt zur Sprache bringen sollte. »Es gibt da noch etwas. Es handelt sich um die, äh ... Notdurft, die auf dem Dollbord sitzend verrichtet werden muss. Ich denke, grundsätzlich guckt jeder weg, wenn jemand sich erleichtert, das gilt besonders bei den Damen.«

Alle nickten ernsthaft, und Phoebe nahm der Situation die Peinlichkeit, indem sie feststellte: »'s wird aussehen, wie wenn 'n Huhn auf der Stange sitzt, ja, das wird's, aber wir werden's hinkriegen, nich, Gentlemen?«

Die Männer nickten verschämt.

Vitus lächelte im Stillen. Phoebe, da war er sicher, würde an Bord ihren Mann stehen.

»Homer spricht in seiner Odyssee von der rosenfingrigen Eos, und wenn ich nach Osten sehe, glaube ich endlich zu wissen, was er damit gemeint hat.« Fast andächtig klangen die Worte des Magisters, als er wenige Stunden später in den erwachenden Morgen blinzelte. Ein Furiosum an schnell wechselnden rosafarbenen Lichtstrahlen stürmte über den Himmel, ließ die Sterne der Nacht verblassen und die See wie gegossenes Erz erscheinen. Er breitete die Arme aus und deklamierte:

> *»Als in der Frühe erschien die rosenfingrige Eos,*
> *Da erhob sich vom Lager der liebe Sohn des Odysseus,*
> *Zog sich an und hängte das scharfe Schwert um die*
> *Schulter,*
> *Band sich unter die glänzenden Füße die schönen*
> *Sandalen*
> *Und schritt dann aus dem Schlafgemach, einem Gotte*
> *vergleichbar …*

und so weiter. Nun ja.« Der kleine Mann zupfte sich die Kleidung zurecht und deutete auf sein salzverkrustetes Schuhwerk. »Ich fürchte, mit mir ist nicht ganz so viel Staat zu machen.« Vitus, der neben ihm im Boot stand, lächelte: »Du bist eben kein Königssohn. Aber wenn ich an Odysseus denke, fällt mir ein, dass er zwanzig Jahre unterwegs war; ich wäre froh, wenn wir nur zwanzig Tage brauchten.«
»Ach was, wie heißt es so schön? *Fortes fortuna adiuvat!* Dem Tapferen hilft das Glück!«
Ambrosius räusperte sich umständlich und trat an den Mast, wo er sich neben dem Kruzifix zu seiner ganzen beeindruckenden Länge aufrichtete. Langsam schlug er das Kreuz, eine Bewegung, die augenblicklich eine Verwandlung in ihm auslöste. Aus dem Decksmann Ambrosius wurde wieder der bibelfeste Mönch: »*Pax vobiscum*, meine Söhne und Töchter! Dieser Morgen in seiner Vollkommenheit ist ein Zeichen des Herrn, so viel ist gewiss, und es will mir scheinen, als habe Er, der allmächtige Hirte, mit starkem Arm dieses Licht leuchten lassen, diese Wogen geglättet und diesem Wind geboten, nur mäßig zu wehen, auf dass ihr, seine verlorenen Schafe, sicher nach Westen treiben möget, dem großen Ziel entgegen …«
Eine volle Stunde redete Ambrosius in dieser Form weiter, wobei er dem Herrn für alles dankte, was ihnen widerfahren war,

für die Höhen und die Tiefen des Erlebten, ganz besonders aber für die schweren Stunden, denn diese waren nichts anderes als eine Prüfung. Eine Prüfung, die Er ihnen auferlegt hatte und in der sich zeigen sollte, wie fest ein jeder von ihnen zu glauben in der Lage war. Er empfahl alle im Boot mehrfach Seiner Gnade und Barmherzigkeit an und versäumte es auch nicht, für die verirrten Seelen der Piraten Fürbitte zu leisten. Endlich kam er zum Schluss, legte die Hände aneinander und betete zum Herrn:

»Nähme ich Flügel der Morgenröte
und bliebe am äußersten Meer,
so würde mich doch Deine Hand
daselbst führen und Deine Rechte mich halten.«

In Ermangelung eines Weihwasserkessels nahm Ambrosius einen Holzbecher, in dem sich eine geringe Menge Trinkwasser befand, welches er eigens zu diesem Zweck geweiht hatte. Er griff hinein und bespritzte damit Mannschaft und Boot. »Gesegnet seien die Menschen und auch das Schiff, das diese Menschen trägt.« Abermals schlug er das Kreuz.
Phoebe atmete tief durch. »Huuui, das war 'ne schöne Predicht, Vater, 'ne schöne Predicht war das, so, äh … so erhebend, nich, Phyllis?«
»Ja, ja, erhebend«, bestätigte Phyllis.
Vitus ergriff das Wort. »Danke, Bruder Ambrosius. Und jetzt: Heiß Segel! Wie besprochen übernimmt Mister Ó Moghráin mit seinen Männern die erste Wache.«
Er begann in den Bugbereich der *Albatross* zu klettern. »Die anderen folgen mir nach vorn.«
Während Fraggles mit Hilfe Ambrosius' und des Zwergs das Sprietsegel setzte und Ó Moghráin die Pinne übernahm, ging Vitus' Blick zurück zum Wrack. Langsam wurde der Abstand zu den Überresten der *Gallant* größer. Wehmut umfing ihn. Die Galeone war zwar nur noch ein Trümmerberg aus Balken und Planken, dennoch hatte sie, allein durch ihre unerschütterliche Anwesenheit, der gesamten Mannschaft so etwas wie ein Zuhause bedeutet, ein letztes Verbindungsglied zum guten alten England. Ringsum wurde das Meer freier, auch die letz-

ten noch schwimmenden Wrackteile gerieten außer Sicht. Er zwang sich, nach vorn zu blicken.

Nach vorn, in die unendliche Weite der See.

Zwanzig Stunden später, Vitus und seine Männer hatten die Morgenwache von vier bis acht Uhr, lagen die ersten fünfzig Seemeilen hinter ihnen – jedenfalls Ó Moghráins Schätzung nach, der seine freien Stunden nutzte, um mit Vitus ein wenig zu plaudern. Sie saßen seitlich vor der Heckbank, zwischen sich Bantry, der die Pinne hielt, und der Steuermann sagte in seiner verbindlichen Art:

»Wir haben Glück, Cirurgicus, dass Wind und Strömung in diesen Breiten von Ost nach West verlaufen, dadurch treiben wir fast von selbst in den karibischen Raum.«

Vitus nickte und stellte dabei fest, dass seine Beule am Hinterkopf noch immer schmerzte. Trotzdem hatte er während der Nacht den von Phoebe angebrachten Verband abgenommen. Er wollte, dass Luft an die Stelle gelangte, und überdies erhoffte er sich einige Kühlung durch den Fahrtwind. »Vorausgesetzt, wir können diese Geschwindigkeit beibehalten, wie viele Tage, Mister Ó Moghráin, brauchten wir dann noch bis nach Westindien?«

Der Angesprochene lachte. »Die Antwort, Cirurgicus, kann ich Euch beim besten Willen nicht geben … He, Bantry, lass dich durch unser Gespräch nicht ablenken, du steuerst zu weit südlich, hörst du! Wozu hast du den Kompass vor deiner Nase? … Verzeiht, also, die Antwort fällt schwer, weil ich unsere Länge nicht kenne, oder, laienhaft ausgedrückt, nicht weiß, wo wir mit unserer *Albatross* stehen. Natürlich irgendwo zwischen Afrika und Amerika, so viel ist klar, aber wo genau, das ist die Frage. Den Längengrad präzise zu bestimmen, ist unmöglich, und zu erklären, warum das so ist, sehr kompliziert …«

Vitus winkte freundlich ab. »Lasst nur, Steuermann, der Magister und ich hatten das Glück, im vorletzten Jahr einen spanischen Navigator kennen zu lernen, der wahrlich sein Handwerk verstand. Der Mann hat uns die Problematik sehr anschaulich erläutert.« Er spähte nach vorn, wo der kleine Gelehrte gedankenverloren neben dem Hauptmast kauerte. »Stimmt's, Magister?«

»Hm?«

»Erinnerst du dich noch an Manuel Fernandez? Der war doch ein brillanter Navigator!«

»So ist es wohl, so mag's wohl sein.« Der kleine Mann blinzelte und blickte nicht besonders glücklich drein, konnte er sich doch, seiner mangelnden Sehkraft wegen, nicht als Ausguck nützlich machen. Auch die Bedienung des Sprietsegels musste er Bride überlassen. Dieser, obwohl Zimmermann, verstand immer noch mehr davon als er. So blieb ihm nichts anderes übrig, als das durch den Bootsboden einsickernde Wasser herauszuschöpfen. Er nahm dazu einen der hölzernen Eimer, ein schweres Behältnis mit Reifen und eisenverstärktem Boden, was ihn die Arbeit recht sauer ankommen ließ. »Wie kommst du denn plötzlich auf Fernandez?«

»Nur so. Mach dir nichts draus, dass du im Augenblick nichts anderes tun kannst.«

Vitus wandte sich wieder an Ó Moghráin. »Und auf welcher Breite stehen wir?«

»Ungefähr 15 Grad nördlich des Äquators, jedenfalls taten wir das an dem Tag, als dieses Piratengesindel uns überfiel. Wie weit seitdem das Wrack – und wir mit ihm – nach Süden oder Westen abgetrieben wurde, weiß die Heilige Mutter allein. Über den Daumen geschätzt, um Euch wenigstens eine grobe Vorstellung von der Länge zu geben, befinden wir uns tausendfünfhundert Seemeilen östlich der Antillischen Inseln. Unter den jetzigen günstigen Bedingungen benötigten wir tausendfünfhundert durch fünfzig, also dreißig Tage bis in den karibischen Raum. Aber ich will Euch und den anderen nichts vormachen: Die Fahrt kann auch doppelt so lange dauern.«

»Ich habe es befürchtet.« Vitus musste an die Ration denken, die jedem an Bord täglich zustand. Sie war so klein, dass nicht einmal ein Kind davon satt wurde. Dennoch, er hatte sie auf eine Fahrtdauer von fünfunddreißig Tagen berechnet, und so gesehen, mochten die Vorräte im günstigsten Fall gerade ausreichen. Anders stand es mit dem Trinkwasser. Damit würden sie auf keinen Fall auskommen. Man konnte nur um Regen beten und hoffen, etwas davon in einer Segeltuchplane auffangen zu können. Anderenfalls ... »Sagt, Mister Ó Moghráin, regnet es häufig in diesen Breiten?«

»Es kommt darauf an, was Ihr unter häufig versteht. Aber so viel ist sicher: Wir werden ein paar Mal Regen haben. Vielleicht sogar öfter und stärker, als uns lieb ist ... Heilige Mutter Maria! Bantry, du hältst schon wieder zu weit südlich! Guck auf den Kompass! Verzeihung, Cirurgicus, ich wollte mich nicht in Eure Befehlsgewalt einmischen.«

»Schon gut. Ihr habt ja Recht.« Vitus ärgerte sich, dass er nicht selbst darauf geachtet hatte. Dabei war es ein Kinderspiel, Kurs zu halten, denn Bride hatte vor der Heckbank einen stabilen Vierkantpfosten senkrecht in den Kiel eingelassen und an seinem oberen Ende den Kompass gut sichtbar angebracht. Darunter befand sich das Stundenglas, welches vom Wachführer alle dreißig Minuten gedreht werden musste.

»Bantry, du musst einfach besser aufpassen. Denk immer daran: An der Pinne hast du die Verantwortung für zehn Menschenleben. Ein einziger Strich Kursabweichung kann uns Hunderte von Meilen am Ziel vorbeitragen.«

Bantry presste die Lippen zusammen und blickte starr geradeaus. Schließlich grunzte er ein »Ja, schon gut, Sir«, zwischen den Zähnen heraus.

Die Antwort war unangemessen. Sehr unangemessen sogar, selbst wenn man berücksichtigte, dass die *Albatross* kein reguläres Schiff und Vitus kein Kapitän war. Er hatte schon eine scharfe Antwort auf der Zunge, überlegte es sich dann aber anders. Er wollte kein böses Blut, schon gar nicht am Anfang der Fahrt. Sein Blick ging kritisch über das Boot – es war eine Nussschale in der Weite des Ozeans, lächerlich klein, verletzlich und mit Menschen überladen.

Die *Albatross* maß fünfundzwanzig Fuß in der Länge, was ungefähr der Körpergröße von vier stattlichen Männern entsprach, und gut acht Fuß in der Breite. Zwischen der Sitzbank im Heck und der Spritzabdeckung am Bug gab es drei Ruderbänke. Durch die mittlere Ducht, des größeren Halts wegen, verlief der Mast. Vorne auf der Spritzabdeckung stand Jack, der Hahn, in seinem Käfig. Der Vogel wirkte schwach, aber Vitus brachte es nicht übers Herz, ihn töten zu lassen. Irgendetwas in ihm sträubte sich dagegen.

Zwischen der Spritzabdeckung und der ersten Bank hatten Phoebe und Phyllis ihren Platz gefunden – über sich ein schützendes Sonnensegel und zwischen sich das glimmende Kohlebecken, welches mit vier eisernen Beinen im Bootsboden verankert worden war. Beide Mädchen hielten, wie befohlen, scharf Ausschau nach allen Seiten.

Hinter ihnen, quer über die Ruderbank ausgestreckt, lag Fraggles und schnarchte.

In dem schmalen Raum bis zur mittleren Bank hatte Ambrosius sich zusammengefaltet und saß mehr schlecht als recht auf einer Taurolle. Doch hielt ihn die unbequeme Lage nicht davon ab, Ausschau nach Steuerbord zu halten, und dies, obwohl er Freiwache hatte. Gleiches galt für den Zwerg, der sich den nächsten Raum zwischen den Ruderbänken mit dem Magister teilte. Er suchte die See nach Backbord ab.

Bride schließlich saß ebenfalls an Backbord, dicht vor Ó Moghráin, und hielt mit derber Zimmermannsfaust die Schot des Sprietsegels.

Und vor, hinter, neben und unter ihnen lag alles, was sie hatten retten können. Die Gegenstände quollen nur so zwischen ihnen hervor, und Vitus wünschte von Herzen, es gäbe etwas, von dem sie sich hätten trennen können, doch bot sich einfach nichts an, im Gegenteil, ihnen fehlte etwas, und das waren die Riemen. Sie waren bei der Katastrophe sämtlich verloren gegangen, was bedeutete, dass sie im Falle eines Mastverlusts nicht einmal mehr die Möglichkeit hatten, sich rudernd fortzubewegen. Spätestens dann würden sie ein Spielball von Wind und Wellen sein.

Vitus schob die unguten Gedanken beiseite. »Wie groß sind unsere Aussichten, einem Schiff zu begegnen, Mister Ó Moghráin?« fragte er.

Der Steuermann schüttelte bedauernd den Kopf. »Minimal, Cirurgicus. Die Route in die Heimat verläuft viel weiter nördlich, dazu kommt, dass sie zu dieser Jahreszeit noch nicht befahren wird.«

Der Magister meldete sich von vorn. »Gibt es denn gar nichts, was ich weiter tun könnte? Ich komme mir so nützlich vor wie eine Küchenschabe!«

»Doch«, antwortete Ó Moghráin nach kurzem Nachdenken, »Ihr könntet eine Langleine zum Angeln herrichten. Die Haken dazu habt Ihr ja selbst gefunden.«

»*Go raibh maith agat*, das stimmt, Herr Steuermann.« Die Aussicht auf eine interessantere Tätigkeit belebte den kleinen Gelehrten. »Nur fürchte ich, dass ich so etwas allein nicht fertig bringe.«

Vitus hatte eine Idee. »Bantry wird dir helfen, Magister.« Und zu Bantry: »Ich übernehme die Pinne.«

Wenig später saßen Ó Moghráin und Vitus allein im Heck, und Vitus sagte: »Vielleicht ist es ganz gut, dass Bantry fort ist. Mir scheint, Männer wie er kommen nur auf dumme Gedanken, wenn sie hören, wie schwierig unsere Lage ist.«

»Ich fürchte, da habt Ihr Recht, Cirurgicus. Auch Fraggles macht auf mich einen etwas zwielichtigen Eindruck. Er ist zwar nicht gerade ungehorsam, aber man spürt, dass er alles nur widerwillig tut.«

»Ihr sagt es. Ich bin sicher, er oder Bantry haben das Schapp neulich Nacht aufgeknackt und den Schinken geraubt. Ein Diebstahl, den ich nur deswegen nicht weiterverfolgt habe, weil ich unsere Lage nicht schlimmer machen wollte, als sie ohnehin schon ist.«

Ó Moghráin seufzte. »Hoffen wir, dass die Burschen sich in Zukunft am Riemen reißen.«

Am anderen Morgen zur selben Zeit lag eine Nacht ohne besondere Vorkommnisse hinter ihnen; eine Nacht, in der die Sternbilder wiederum zum Greifen nah gewesen waren und ein klarer Mond die *Albatross* in silbriges Licht getaucht hatte. Das Westmeer schien es gut mit ihnen zu meinen, und angesichts der Weite und des Friedens, die sie umgaben, war es kaum vorstellbar, dass es jemals anders sein konnte.

Vitus und Ó Moghráin saßen gemeinsam im Heck und genossen es, dass sich bereits so etwas wie ein Bordalltag entwickelt hatte. Die Wachwechsel klappten gut, das Boot lief brav, und die Männer arbeiteten Hand in Hand – auch Bantry und Fraggles. Die Sorgen des gestrigen Tages waren vergessen. Plötzlich erscholl Phoebes Ruf aus dem Bug:

»Großer Gott, da vorn, 'n Fisch! Ich seh 'n Fisch, 'n mächtigen Fisch seh ich, grau und schwarz isser, oder isses gar kein Fisch?« Sie wandte sich aufgeregt an Ambrosius. »Vater, Vater, ich hab'n Fisch entdeckt, 'n Fisch hab ich entdeckt. Hui, guckt der weit ausm Wasser raus! Da vorn, da isser! Könnt Ihr ihn sehn?«

Alle blickten angestrengt nach vorn. Ambrosius kletterte auf die Ruderbank, richtete sich, mühsam das Gleichgewicht bewahrend, zu ganzer Länge auf und hielt die Hand abschirmend über die Augen.

Lange Zeit sagte er nichts.

»Wassis nu, Vater, seht Ihr was oder nich?«, quengelte Phoebe von unten.

»Ja, in der Tat, ich sehe etwas herantreiben«, entgegnete der Mönch schließlich, sich dabei bekreuzigend.

»Un? Was isses?«

»Ein Mensch auf einer Art hölzernem Floß.«

»Vorsichtig hochziehen, ganz vorsichtig hochziehen, wer weiß, vielleicht ist er schwer verletzt.« Vitus, der die Pinne Ó Moghráin überlassen hatte, mühte sich mit Bruder Ambrosius, den bewusstlosen Mann über die Bordkante zu heben und auf der Ruderbank abzulegen. Obwohl der Mann leicht war, gelang es ihnen erst beim dritten Versuch. Schwer atmend richtete Vitus sich auf. Erst jetzt wurde ihm bewusst, dass Fraggles, obwohl in unmittelbarer Nähe, die ganze Zeit tatenlos zugesehen hatte. »Fraggles, verdammt noch mal«, entfuhr es ihm, »du stehst daneben und machst keinen Handschlag! Was denkst du dir eigentlich?«

Fraggles verzog den Mund und spuckte ins Meer. »Was ich denk? Ich denk, der Mann hat an Bord nichts zu suchen. Das denk ich! Haben sowieso viel zu wenig zu fressen, und 'n Fresser mehr können wir nicht brauchen. Sollten lieber überlegen, wen wir noch über Bord kippen.«

Vitus fehlten die Worte. Was war plötzlich in den Mann gefahren? Woher kam diese menschenverachtende Haltung? War es Verwirrung? Angst? Panik? Gewiss, ihre Lage war alles andere als rosig, vielleicht sogar hoffnungslos, aber das rechtfertigte noch lange nicht eine solche Entgleisung, schließlich ging es Fraggles nicht besser und nicht schlechter als jedem anderen an Bord.

Ambrosius fasste sich als Erster. »Aus deinem Munde spricht der Satan, Elender!«, donnerte er. »Keinem braven Christenmenschen fiele es auch nur im Traum ein, so wie du zu reden! Verdammt sei deine Seele, wenn du nicht augenblicklich ...« Abrupt brach er ab, denn in Fraggles, Hand war ein Messer aufgetaucht.

»Nicht wahr, da guckt Ihr, Vater?« Über Fraggles' Züge lief ein schmieriges Grinsen. »Und der Cirurgicus und der werte Herr Steuermann dahinten auch! Ja, ihr seht richtig: Fraggles hat ein Messer. Ein schönes, langes Messer. Jahaaa! Und das, obwohl das rothaarige Fischmündchen mit seinen Fischaugen wie ein Schießhund aufgepasst hat. Jahaaa, glotz du nur, Krüppelbuckel! Ich hab's von dem toten Piraten im Wasser, der hatte nämlich zwei Messer! Zwei Messer hatte der, und eins davon hat Fraggles noch immer, und die verfluchte Posse hier hat ein Ende!«

Sein Ton wurde ätzend: »Vitus von Tralala und Oh, oh, Ó Moghráin, ihr verdammten Wichtigtuer! Eure Zeit ist vorbei. Ich übernehme das Kommando. Und als Erstes schmeiße ich diese halbe Portion über Bord.«

Er hielt Vitus und Bruder Ambrosius mit der Klinge in Schach und riss den Bewusstlosen brutal hoch.

»Nee, das lässte schön bleiben! Schön bleiben lässte das!« Für den Bruchteil eines Augenblicks war Fraggles abgelenkt, und das war, wie sich herausstellte, ein Bruchteil zu viel. Denn Phoebe nutzte ihn, um dem Meuterer einen mächtigen Stoß in den Rücken zu versetzen. Fraggles' eben noch so selbstzufriedene Visage nahm einen ungläubigen Ausdruck an, während er krampfhaft bemüht war, sich auf den Beinen zu halten. Wild in der Luft rudernd, gaben seine Hände das Messer frei, wodurch es in hohem Bogen ins Wasser fiel. Er selbst, über das Dollbord stolpernd, folgte ihm einen Wimpernschlag später. Sogleich versuchte er, sich mit hektischen Bewegungen an der Oberfläche zu halten, dabei Wasser schluckend und heftig prustend: »Hilfe, zu Hilfe! Ich kann nicht ... nglllrrrrr ... schwimmen ... nglllrrrrr ... So helft mir doch!«

»Danke, Miss Phoebe! Das habt Ihr großartig gemacht!« Vitus schaltete schnell: »Magister, Enano, Bantry! Werft ihm eine Leine zu und zieht ihn wieder ins Boot. Anschließend fesselt ihr ihn an den Mast. Dort bleibt er erst einmal. Wir entscheiden später, was mit ihm geschieht. Der Mann ist eine Gefahr für uns alle.«

Er beugte sich hinunter zu dem Geretteten. Der zerschlissenen Kleidung nach handelte es sich um einen einfachen Matrosen. In dem jungen Gesicht, dessen Wangen eben erst den Anflug eines Bartflaums zeigten, stand die totale Erschöpfung. Vitus schätzte den Burschen auf höchstens siebzehn. »Kannst du mich hören, Junge? Heee, Junge!« Er nahm das schmale Gesicht zwischen seine Hände und blickte forschend zwischen die halb geschlossenen Lider.

Keine Reaktion. Stattdessen setzte in seinem Rücken ein Handgemenge ein. Offenbar wehrte sich der an Bord gezogene Fraggles gegen seine Fesselung. Doch darum konnte Vitus sich jetzt nicht kümmern. Ohne aufzublicken, sagte er: »Bruder Ambrosius, bitte bringt den Meuterer zur Ruhe. Wie Ihr es macht, ist mir egal, aber bringt ihn zur Ruhe!«

»Mit Vergnügen, Cirurgicus.«

Unmittelbar danach hörte er einen klatschenden Schlag, begleitet von Ambrosius' Worten: »Doppelt gibt, wer schnell gibt, wie es so schön heißt.« Und etwas später: »Oh, Herr, verzeih einem armen Sünder seine Gewalttätigkeit, er wird zur Buße fünf Ave-Maria beten!« Und noch etwas später: »Du hast Recht, Herr, fünf Ave-Maria wären gar zu billig. Der arme Sünder wird zehn beten.«

»He, Junge, so wach doch auf!« Noch immer bemühte sich Vitus, den Jüngling anzusprechen. Endlich, nach einer kleinen Ewigkeit, begannen dessen Lider zu flattern, sein Mund ging auf, schloss sich wieder, ging abermals auf und formte unverständliche Worte.

»Was sagst du, Junge? Ich kann dich nicht verstehen.«

»Wo … wo … bin ich?«

»Du bist an Bord der *Albatross*, einem von uns selbst getakelten Boot. Wir sind Schiffbrüchige wie du, nachdem wir von Piraten überfallen wurden.«

Die Augen des Geretteten weiteten sich entsetzt.

»Du brauchst keine Angst zu haben. Es ist schon einige Tage her. Aber man sieht sich immer zweimal im Leben, und ich habe mir geschworen, es diesem tückischen Piratenhäuptling mit dem riesigen Unterkiefer heimzuzahlen.«

»Jawy!«

»Was sagst du?«

»Großer Gott, Jawy! Das war Jawy!«, flüsterte der Junge und fasste sich gleichzeitig ans Herz.

Vitus sah, dass seine Hand eine hässliche, durch das Salzwasser rot angeschwollene Stichwunde aufwies. »Beruhige dich«, sagte er. »Jawy heißt der feine Herr also, dem wir dies alles zu verdanken haben. Bei Gott, den Namen werde ich mir merken. Und wo wir gerade bei Namen sind: Ich heiße Vitus von Campodios und bin der Führer dieses Schiffs. Und wie heißt du?«

»Hewitt, Sir«, flüsterte der Jüngling. »Ich bin Hewitt.«

Am frühen Nachmittag zogen einige Schleierwolken auf, die dann und wann das gleißende Sonnenlicht abschwächten. Es briste auf. Die *Albatross* steuerte einen Kurs, der einen halben Strich südlicher als West lag, kein Idealkurs, wie Ó Moghráin nach einem Blick auf den Kompass feststellte, aber vertretbar und auch notwendig, denn mit dem provisorischen Sprietsegel ließ sich nicht sonderlich hoch an den Wind gehen. An Bord herrschte gespannte Stimmung. Sie ging von Fraggles aus, der, nachdem er gefesselt worden war, immer wieder die unflätigsten Beschimpfungen gegen Vitus und Ó Moghráin ausstieß.

»Macht Euch nichts draus, Cirurgicus«, hatte der Steuermann gemeint, »ich kenne diese Sorte Männer, sie sind chronische Meuterer, die normalerweise nur hinter dem Rücken stänkern, aber dann, wenn sie glauben, ihre Stunde sei gekommen, das Maul umso weiter aufreißen.«

»Wir werden sehen, was wir mit ihm machen«, hatte Vitus geantwortet. »Er kann nicht für immer gefesselt bleiben.«

»Bei Gott, das kann er nicht, spätestens dann nicht, wenn schweres Wetter aufzieht, was die Heilige Mutter Maria verhüten möge.«

Hewitt, der quer auf die vordere Ruderbank gelegt worden war, ging es gottlob besser. Während der Vormittagswache hatte Vitus ihm in regelmäßigen Abständen Wasser eingeflößt, unterstützt von Ambrosius und dem Magister und begleitet von den Flüchen Fraggles', der in seinen Beleidigungen nicht müde wurde und obendrein ständig nörgelte, dass ihr Trinkwasser zu schade sei für einen Halbtoten.

Schließlich war es Vitus zu bunt geworden: »Wenn du nicht

bald den Mund hältst, Fraggles, verpassen wir dir einen Knebel.«

Dass es Hewitt besser ging, sah man besonders an seinen Augen. Sie waren wieder klar, wenn auch der Schmerz in ihnen stand. Der Gerettete blickte ernst und gefasst in die Gesichter über ihm.

»Ich muss mir deine Wunde mal ansehen«, sagte Vitus. Er nahm die durchstochene Hand und bewegte sie vorsichtig. »Das Drehen des Gelenks scheint dir keine Schwierigkeiten zu bereiten.«

Hewitt zog scharf die Luft durch die Nase.

»Natürlich, du hast große Schmerzen. Aber du hast auch großes Glück gehabt. Der Messerstoß, denn darum handelt es sich offenbar, ist glatt durchgegangen. Auf der einen Seite hinein, auf der anderen wieder heraus, vorbei an Muskeln, Sehnen und Knochen. Nichts von alledem scheint verletzt zu sein.« Vitus bog vorsichtig die äußeren Glieder um. »Hm, das geht ja ganz ordentlich. Kannst du die Finger auch allein bewegen?«

Hewitt tat es mühsam.

»Sehr gut.« Er beugte sich herab und beroch die Wunde eingehend. »Sie riecht sauber. Wie ich mir dachte, sitzt kein Wundbrand darin. Die Säfte sind im Gleichgewicht. Allerdings brennt es höllisch, stimmt's?«

Hewitt nickte.

»Das liegt am Meersalz.« Vitus betrachtete die rot geschwollenen Wundränder. Im Stichkanal blinkten weißliche Salzkristalle. Er befeuchtete ein winziges Stoffstück mit kostbarem Süßwasser und begann die Wunde auszuwaschen, wobei er die Hand, die unter dem zugefügten Schmerz fortwährend zurückzuckte, immer wieder zu sich heranziehen musste. Endlich war er fertig. »Mehr kann ich nicht für dich tun, Hewitt.«

Kaum hatte Vitus das gesagt, erklangen im Bug ratschende Geräusche. »Könntet ihm noch'n Verband machen, Cirurgicus«, ließ Phoebe sich vernehmen, »hier, 's is nur 'n schmaler Streifen, aber 's is besser als nix, un mein Kleid sieht sowieso schon aus wie vonner Vogelscheuche.«

»Und beten«, sprach Ambrosius. »Beten können wir auch. Und dem Herrn danken, dass er dich, mein Sohn, gerettet hat. Doch zuvor erzählst du uns, so du magst, wie das alles gekommen ist.«

»Ja, Vater.« Und während Vitus ihm den Verband anlegte, begann Hewitt zu berichten. Er sprach leise und stockend, und oftmals musste er aus Schwäche eine Pause einlegen. Endlich schwieg er und schloss erschöpft die Augen.

Als er geendet hatte, sagten seine Zuhörer lange Zeit nichts. Dann meinte Vitus: »Du, Hewitt, bist genauso ein Opfer dieses teuflischen Jawy wie wir. Doch dank deiner Schilderung kennen wir ihn jetzt. Und das wird uns helfen, ihn zu vernichten – wenn wir ihm noch einmal begegnen.«

Drei weitere Tage vergingen, an denen Fraggles nicht nachließ, übelste Beschimpfungen auszustoßen. Immer dann, wenn die Mannschaft glaubte, er sei endlich zur Vernunft gekommen, und ihn vom Mast losbinden wollte, setzten seine Pöbeleien erneut ein. Der Mann wurde zur Plage. Das, was er Hewitt, der inzwischen so weit genesen war, dass er mit Wache gehen konnte, vorwarf, galt nun für ihn selbst: Er war ein nutzloser Fresser und Wassertrinker. Und er war weder durch gute Worte noch durch Gebete zu einem Sinneswandel zu bewegen. Im Gegenteil, bei der abendlichen Andacht, die Bruder Ambrosius zu halten sich angewöhnt hatte, schrie er dazwischen und störte ein ums andere Mal. Und als der Mönch eines Morgens, es war während der Wache von 4 bis 8, sein Gebet mit einem kräftigen Amen beendet hatte, legte er wie von Sinnen los:

»Amen, Amen, Amen! Dein Gottgeschleime kotzt mich an, Mönch! Mach, dass ein Wunder geschieht, wenn es deinen Gott gibt! Lass es Wasser regnen oder Fässer mit Brandy oder besser gleich Gold, ja Gold, Gold Gold! Ich liebe Gold, es ist so glänzend, so schwer, so glatt …« Er keuchte und rang nach Atem. »Glatt wie die Schenkel einer Jungfrau, wie die offenen Schenkel einer Jungfrau, die's mit dem Satan treibt …«

»Jetzt reicht's!« Bride, der ein gottesfürchtiger Mann war, vergaß alles um sich herum, ließ die Schot fahren und sprang mit einem gewaltigen Satz zum Mast, wo er dem Meuterer die Faust ins Gesicht rammte.

»Halt! Mein ist die Rache, spricht der Herr!« Ambrosius setzte Bride nach, um weitere Schläge zu verhindern.

»Glatt wie die Schenkel einer Jungfrau, wie die offenen Schenkel einer Jungfrau, die's mit dem Satan treibt … Drüber, drunter, eins, zwei, eins, zwei … Gluthölle, Gluthitze, heißa, heißa, heißa, jahaaa, so heiß wie ein Jungfernschoß, der's mit dem Satan treibt!«

»Jetzt ist er völlig verrückt geworden!«, rief der Magister und verlor das Gleichgewicht. Er fiel vornüber zwischen Taue, Fässer und Knäuel, denn die *Albatross* schaukelte mittlerweile so stark, dass die Dollborde ins Wasser einzutauchen drohten.

»Verrückt isser, völlich verrückt! Nich, Phyllis?«

»Ja, ja, verrückt.«

»Wui, wui, plemplem!«

Bantry schwieg finster.

Der besonnene Ó Moghráin, der abermals die Pinne für Vitus übernommen hatte, fing blitzschnell die Schot wieder ein, bevor weiteres Unheil passieren konnte. Dann sagte er kopfschüttelnd: »Man muss Fraggles zum Schweigen bringen.«

»Und das werden wir auch!«, versicherte Vitus grimmig. »Darf ich Euch nochmals um einen Stoffstreifen bitten, Miss Phoebe?«

»'s dürft Ihr, Cirurgicus, wüsst nich, was ich Euch lieber gäb.«

Und während sie sich das Gewünschte vom Kleid riss, schimpfte sie in Richtung Mast: »Schämen tät ich mich, wenn ich du wär, Fraggles, bei den Knochen meiner Mutter, schämen tät ich mich, zehn Klafter tief innen Boden rein!«

»Danke.« Vitus nahm den Streifen, formte eine Rolle daraus und wollte sie Fraggles in den Mund stopfen.

»Drüber, drunter, eins, zwei, eins, zwei … heißa, heißa, heißa, jahaaa, so heiß wie ein Jungfernschoß, der's mit dem Satan treibt!« Fraggles riss seinen Kopf wild hin und her, so dass es unmöglich war, ihm den Knebel in den Mund zu schieben.

Ambrosius und Bride packten zu und hielten seinen Kopf wie mit Schraubstöcken fest.

Erneut versuchte es Vitus. Doch jetzt presste der Meuterer die Zähne mit aller Kraft zusammen.

»Drückt ihm den Daumen hier hinein.« Vitus zeigte auf die Stelle seitlich am Ohr, wo Ober- und Unterkiefer zusammenliefen.

Sie taten es, wobei sie keineswegs zimperlich vorgingen. Fraggles' Lippen öffneten sich widerstrebend. »Heiß wie ein Jungfernschoß, der's mit Satrrrmpffhhh …« Endlich saß der Knebel.

»Na bitte«, meinte der Magister durchatmend. »*Cessente causa, cessat effectus.* Mit der Ursache hört die Wirkung auf. Wurde aber auch Zeit.«

Vitus wollte sich schon abwenden, als ihm etwas Ungewöhnliches auffiel. Es waren Fraggles' Augen: Sie waren fiebrig und blutunterlaufen. Er sah noch einmal genau hin. Ja, darin stand das Fieber! Prüfend legte er die Hand auf die Stirn des Meuterers. Sie war glühend heiß. Voll dunkler Vorahnung betrachtete er die Gesichtshaut von mehreren Seiten. Er war sich nicht sicher, aber es schien, als wiese sie hier und da einen Stich ins Gelbe auf.

Tief durchatmend wandte er sich endgültig ab und strebte zur Heckbank, wo der tüchtige Ó Moghráin die *Albatross* wieder sicher an den Wind gebracht hatte. Er nahm Platz und versuchte, seine wild durcheinander wirbelnden Gedanken zu ordnen. Was er gesehen hatte, war zutiefst beunruhigend. Was er vermutete, durfte nicht sein, konnte nicht sein! Allmächtiger Vater im Himmel, um alles in der Welt, lass diesen Kelch an uns vorübergehen!

»Du machst ein Gesicht wie drei Tage Regenwetter!« Der kleine Gelehrte war ihm schnaufend nach hinten gefolgt und ließ sich neben ihm nieder. »Dabei wäre das gar nicht mal das Schlechteste, denn Regen lässt sich trinken.«

Vitus reagierte nicht.

»Sag, was los ist.«

Vitus schwieg.

»Komm, so schlimm, dass du es mir nicht sagen könntest, kann es gar nicht sein. Also?«

Vitus zögerte. Wenn sich seine Vermutung bestätigte, war ohnehin alles egal. Er senkte seine Stimme zu einem Flüstern.

»Ich mache mir ernstlich Sorgen wegen Fraggles.«

»Na und, das tun wir doch all...«, der kleine Gelehrte unterbrach sich, denn plötzlich stieß Fraggles schauerliche Laute aus und begann hinter seinem Knebel zu würgen. Er keuchte und stöhnte und lief gefährlich rot an.

»Er erstickt!«, schrie Vitus und sprang über die hintere Ruderbank nach vorn. Keinen Augenblick zu früh erreichte er den Mast, riss dem Meuterer den Kopf hoch und zog ihm die Stoffrolle aus dem Mund. Ein Schwall Erbrochenes, durchmischt mit Blut, kam hinterher und spritzte auf die Bootsplanken. Der Geruch nach frisch geschlachteter Leber verbreitete sich. Fraggles rang rasselnd nach Luft. Dann zog sich sein Magen erneut zusammen, und abermals übergab er sich. »… heißa, wie ein Jungfernschoß, der's mit dem Satan …«, stieß er noch einmal hervor, doch ein neuerlicher Anfall brachte ihn zum Schweigen. Schließlich war er so geschwächt, dass sein Kopf kraftlos nach vorn auf die Brust fiel.

»Macht ihn los«, befahl Vitus. »Er ist krank. Ich werde ihm Wasser geben.«

Später, als die beiden Freunde wieder im Heckbereich saßen, fragte der Magister. »Meinst du, Fraggles hat was Ernstes? Etwas, das mit seiner Verrücktheit zusammenhängt? Sag schon, was hat er?«

»Ich fürchte, er hat das Schwarze Erbrechen.«

Einen Tag später war Fraggles' Gesichtshaut eindeutig gelb, dazu aufgequollen wie die eines Froschs. Er litt unter starken Schmerzen in Kopf und Rücken und musste sich immer wieder übergeben. Da sein Magen längst leer war, trat nur noch dunkle Galle zutage. Er verfiel rasch, denn durch das Fehlen jeglicher Medikamente war ärztliche Pflege nicht möglich. Nur Wasser, mehrmals täglich in kleinen Mengen verabreicht, konnte seinen kläglichen Zustand vorübergehend lindern.

Einen weiteren Tag darauf verfiel er ins Delir, redete mit geschlossenen Lidern wirres Zeug und begann mehrmals, seine makabren Sätze von den Schenkeln der Jungfrau des Satans herzusagen, doch reichten seine Kräfte nicht mehr, den Unsinn zu vollenden, worüber jedermann im Boot froh war.

Vierundzwanzig Stunden später war er so schwach, dass er kaum noch atmen konnte. Und einen Tag darauf starb er.

Bruder Ambrosius, beileibe kein Freund des Toten, raffte sich auf, bat den Allmächtigen um Verzeihung, dass er für das Schicksal des Toten so wenig Mitleid aufzubringen vermochte, und betete:

»Der Herr ist mein Hirte,
mir wird nichts mangeln.
Er weidet mich auf einer grünen Aue

und führet mich zum frischen Wasser.
Er erquicket meine Seele.
Er führet mich auf rechter Straße
um seines Namens willen.
Und ob ich schon wanderte im finstern Tal,
fürchte ich kein Unglück;
denn Du bist bei mir,
Dein Stecken und Stab trösten mich …
Amen.«

Er sprach nicht den vollen Wortlaut des 23. Psalms, denn er fühlte sich an diesem Tag ungewohnt schlecht. Seine Stirn war fieberheiß, und er musste sich nach dem Gebet erst einmal setzen. Wie ihm erging es Bride, dem übel und schwindelig war, und ebenso dem Zwerg.

Auch Vitus spürte, wie ein dumpfer Schmerz sich in seinem Nacken einnistete. Zunächst wollte er es nicht wahrhaben und redete sich ein, dass alles eine Folge der gewaltigen Beule war, die noch immer seinen Hinterkopf zierte, doch bald darauf wurde ihm klar, dass er sich etwas vormachte:

Er würde das Schwarze Erbrechen bekommen, genauso wie alle anderen.

An denjenigen, den es angeht.

Diese Zeilen im Schiffstagebuch der Gallant *sollen Zeugnis ablegen über eine Schandtat, die vor Gott und der Welt gesühnt werden muss. Am 19. Januar anno 1578 wurde unser braver Segler von Piraten überfallen und in die Luft gesprengt. Der Anführer ist ein Teufel in Menschengestalt namens Jawy. Er wird wegen seines riesigen Unterkiefers so gerufen. Nur acht Männer haben die Katastrophe überlebt: Bruder Ambrosius, ein Augustinermönch, der Magister der Jurisprudenz Ramiro García, der Zwerg Enano, der Steuermann Donal Ó Moghráin, der Zimmermann Joshua Bride, die Matrosen Fraggles und Bantry und der Schiffsarzt Vitus von Campodios, dazu zwei junge Frauen, Miss Phoebe und Miss Phyllis. Ein weiterer Mann namens Hewitt, schiffbrüchig wie die zuvor Genannten, konnte wie durch ein Wunder aufgefischt werden. Wir segeln im Bei-*

boot der Gallant, *welches wir* Albatross *getauft haben, und stehen nach grober Schätzung auf 15 Grad nördlicher Breite, Kurs
West, in der Hoffnung, die Antillischen Inseln zu erreichen. Die
Vorräte sind knapp. An Bord greift das Schwarze Erbrechen um
sich. Wir beten viel, doch wenn es dem Allmächtigen gefällt, gehen wir alle zugrunde, und die, die nach uns kommen, werden
den Teufel Jawy zu richten haben. Das Fieber wütet. Es bleibt
nicht mehr viel Zeit. Der Matrose Fraggles starb bereits eines
qualvollen Todes und musste der See übergeben werden. Gott
verzeih uns, wir haben ihm vorher Hemd, Wams und Hose genommen. Wir brauchen Kleidungsstücke so sehr wie Nahrung,
zum Schutz gegen die Sonne und das beißende Seewasser.
Vater im Himmel, in Deine Hände befehle ich unseren Geist.*

*Dieses schrieb am 1. Tag des Monats Februar A. D. 1578 auf
der* Albatross
Vitus von Campodios, Cirurgicus Galeonis

Fieberschauer durchliefen ihn, als er das Tagebuch in den
Wind hielt, damit die Tinte schneller trocknete. Dann klappte
er es zu und tat es ins Schapp, zusammen mit Tintenfass und
Feder. Er musste sich zusammenreißen, denn seine Hände zit-
terten, und ihm war abwechselnd heiß und kalt. Das Schwarze
Erbrechen! Außer ihm zeigten nicht nur Ambrosius, Bride
und der Zwerg deutliche Anzeichen der tückischen Krankheit,
auch Bantry und den Steuermann schien es erwischt zu haben.
Dennoch mühte sich der tapfere Ó Moghráin – mittlerweile
allein –, die *Albatross* auf Kurs zu halten.
Seltsam, dass Hewitt und den beiden Mädchen nichts fehlte.
Waren sie gegen die Geißel gefeit? Gewiss, man sagte, wer einmal das Schwarze Erbrechen überlebt hatte, bekäme es niemals wieder. Und man sagte auch, es würde durch den Stich
einer Mücke übertragen. Einer Mücke? Woher, beim Allmächtigen, sollten auf hoher See Mücken kommen? Mücken in den
Weiten des Ozeans, wo nicht einmal die allgegenwärtigen Möwen hinkamen?
Mücken nicht. Aber vielleicht Larven.
Ihn schauderte. Nicht nur ob des Gedankens, sondern auch,
weil ihm plötzlich eiskalt wurde. Aus Larven konnten Mücken

schlüpfen. Überall auf der Welt, wenn es nur warm genug war. Larven konnten auch auf einem Boot mitreisen. Oder auf einer Deckspforte, wie sie Hewitt als Floß gedient hatte …

Er nahm sich vor, bei nächster Gelegenheit Hewitt und die Mädchen zu fragen, ob sie das Gelbfieber überlebt hatten, doch nun schlugen seine Zähne aufeinander wie Schlegel auf die Trommel, und er zitterte am ganzen Körper vor Kälte. Er durfte nicht krank werden. Ein Arzt, der krank wurde, war keinen Pfifferling wert! Wie konnte er seine Freunde und Kameraden behandeln, wenn er darniederlag! Lächerlich. Gleich würde er ihnen helfen, doch zuvor, für eine kurze, ganz kurze Zeit wollte er sich unter das wärmende Tauwerk auf den Boden des Boots legen. Ja, das wollte er. Nur ganz kurz, nur ganz kurz …

»Heee, Hewitt, kannste nich'n bisschen ruhiger segeln, denkst wohl, so 'ne Suppe schwappt nie nich über.«

»Tut mir Leid, Phoebe, es geht nicht besser. Aber wir machen gute Fahrt, direkt nach Westen, immer nach Westen.«

»Na gut, 's liegt wohl am Wasser. 's is so riffelich heut, un der Wind pustet auch mächtich. Na ja, 's geht vorwärts, un das is die Hauptsache. Nich, Phyllis?«

»Ja, ja, die Hauptsache.«

»Bride stirbt bald, will meinen eignen Kopf essen, wenn's nich so is.«

Phyllis antwortete nicht.

»Die anderen pfeifen auch ziemlich auf'm letzten Loch.« Phoebe rührte emsig die Suppe. »Ó Moghráin macht mir Sorgen. Der friert un schwitzt durchnander wie verrückt un kotzt sich nochmal tot. Schon 'ne Woche, 'ne ganze Woche isses so. Wird immer weniger, der Mann. Mach mir Sorgen um ihn.«

Sie kostete ihr Gebräu. »Hm, Brot un Bohnen un den komischen Matschglibber vom Käptn un dazu 's letzte gute Wasser, gemanscht zu 'ner dicken Pampe, 's is nich grad das, was 'ne Dame speisen tät, aber gar nich schlecht, gar nich schlecht. Bei Gott, vielleicht hilft's.«

Phyllis nickte scheu.

»Suppe muss heiß sein, Phyllis, verstehste, heiß musse sein, sonst gibtse nix her. Leg mal Holz nach, aber pass auf, dasses trocken is.«

Phyllis gehorchte und schob Splitterholz ins Kohlebecken. Es knackte und zischte und schwelte.

»Suppe innem Eimer kochen, innem Eimer, Phyllis! Da wär'n die Männer nie nich drauf gekommen, das kannste mir glauben.«

Am Morgen dieses Tages war Phoebe mit den Zehen gegen einen Holzeimer gestoßen, der zwischen den Kranken am Bootsboden gelegen hatte. »Pest un Aussatz!«, hatte sie geflucht und sich die schmerzende Stelle gerieben. »Ich schmeiß dich über Bord!« Doch dann, mitten in der Bewegung, hatte sie den eisernen Boden gesehen, und eine Idee war ihr gekommen. »Will tot umfallen, wenn der verfluchte Eimer nich 'n verflucht guter Kochtopf is!«

Das Splitterholz wollte nicht anbrennen. Phyllis stocherte mit einem Span am Boden des Kohlebeckens und zuckte ratlos mit den Schultern.

»Lass mich mal.« Phoebe nahm ihr den Span ab und wühlte damit energisch in der Glut. »Siehste, so geht das, musst nur Luft anne Flammen lassen, Luft, verstehste.«

Danach rührte sie abermals die Suppe durch, kostete, rülpste mit geschlossenen Lippen und schien endgültig zufrieden. »So, dann wolln wir mal, was? … Halt, hätt ja fast meinen Liebling vergessen.« Sie wandte sich nach vorn. »Na, Jack, oller Gockel, immer noch am Leben?«

Der Hahn plusterte das Gefieder auf und legte den Kopf schief. Dann stieß er eine Portion Kot ab.

Phoebe grinste. »Das is auch 'ne Antwort. Kannst froh sein, dassde nich mit im Kochtopf steckst, aber was nich is, kann ja noch werden.«

Der Hahn scharrte auf dem Grund seines Käfigs.

»Hier sin keine Würmer nich, hab's dir schon hundertmal gesacht, un wenn, dann wärnse mit im Topf. Put, put, put, put, put!« Sie steckte den Zeigefinger durch den Käfig, und der Hahn pickte vorsichtig dagegen. »Weißte noch, wiede mir das erste Mal innen Finger gehackt hast, du Scheusal? Na, 's is vergeben un vergessen, Phoebe is nich nachtragend, warte mal.« Sie griff unter die Spritzabdeckung, wo sie in einem kleinen Holzkasten die letzten Krumen Hartbrot verwahrte. »Hier, das nimmste jetzt, 's is das Letzte, was da is, nich? Die Krümel für dich un die Pampe für uns, un wenn alles wech is, schnappen wir Luft.«

Aber so weit war es noch nicht. Phoebe war von Natur aus optimistisch, was daran lag, dass sie stets nur in der Gegenwart lebte. Morgen war für sie in weiter Ferne, und was die Zukunft brachte, lag sowieso in Gottes Hand.

Als das Kommando über das Schiff wie von selbst auf sie übergegangen war, hatte sie den fiebernden Männern sofort wieder volle Rationen gegeben. Wenig genug war das gewesen, zumal die meisten so geschwächt waren, dass sie das harte Brot und die harten Bohnen nicht durchkauen konnten. Und die Fische, die Hewitt dann und wann mit der Langleine gefangen hatte, bereicherten den Speisezettel keineswegs, denn in Ermangelung eines Rosts verkohlten sie im Feuer. Rohen Fisch wiederum lehnte Phoebe kategorisch ab. Eher wollte sie sterben, als derartigen »Schweinkram« zu essen.

Doch nun, mit dem von ihr entdeckten Topf, sah alles anders aus. Darin würde sich sogar ein Fisch kochen lassen, vorausgesetzt, man hatte wieder Wasser. Die Aussicht darauf war durchaus gegeben, denn in den vergangenen Tagen hatte es zwei- oder dreimal heftig geregnet, wenn auch so kurz, dass Phoebe nicht in der Lage gewesen war, viel aufzufangen.

»So, dann wolln wir mal«, sagte sie abermals. »Haste deinen Becher, Phyllis? Gut, her damit. Die Damen zuerst.« Sie tauchte ihren und Phyllis' Holzbecher in den Topf. »Lasses dir schmecken … Heee, Hewitt, wennste die Pinne für'n Augenblick festmachen kannst, kannste auch 'n Schlach vonner Suppe ham. Kannste?«

Hewitt konnte. So schnell es ging, kletterte er nach vorn, wo er seinen Teil abbekam.

Als die drei sich gestärkt hatten, befahl Phoebe: »Hewitt, geh zurück anne Pinne, un halt den Kahn ruhig. Un wir, Phyllis, wir geben 'n Schlach Suppe aus, damit unsre Männer was inne Knochen kriegen.« Die Männer, das waren Ambrosius, der Zwerg, der Magister, Bantry, Bride, Ó Moghráin und Vitus. Sie alle sahen mehr tot als lebendig aus, abgemagert, elend, mit wuchernden Bärten und aufgequollenen Gesichtern. Und alle zeigten die typischen Symptome des Schwarzen Erbrechens: hohes Fieber, Schüttelfrost, Kopfschmerzen, quälender

Durst, zuweilen Schmerzen im Oberbauch und immer wieder blutiges, erdfarbenes Erbrechen. Sie dämmerten dahin und waren selten klar bei Sinnen. Bride und Ó Moghráin hatte es am ärgsten getroffen. Sie waren die Ersten gewesen, denen Phoebe einen kühlenden, mit Seewasser angefeuchteten Wickel um die Stirn gebunden hatte. Die Maßnahme war dankbar angenommen worden, so dass sie kurz entschlossen ihr Kleid vollständig in Streifen zerrissen hatte, um auch den anderen diese Linderung zu ermöglichen. Sie selbst trug seitdem Fraggles' Hosen, dazu sein Hemd und sein Wams, was sie alles in allem zu einer abenteuerlich anmutenden Erscheinung machte.

»So, als Erstes Ambrosius. Biste wach, Vater? Hier is was Gutes zum Futtern. Hab's selbst gekocht.« Es hatte sich ganz selbstverständlich ergeben, dass Phoebe alle Männer duzte. Das Elend, die Qualen, der Gestank, die Hilflosigkeit, die Angst – das alles hatte sie zusammenrücken lassen. Unterschiede des Standes, des Glaubens oder der Bildung waren fortgefallen. Sie waren nur noch Menschen.

Ambrosius murmelte etwas Unverständliches. Er lag quer auf der ersten Ruderbank, sein Kopf ruhte in einem Knäuel aus Werg. Phoebe schob ihre Hand unter seinen Nacken, hob ihn leicht an und drückte seine Wange gegen ihren fülligen Busen. Sie tat das ganz absichtlich, denn sie hatte festgestellt, dass in den Stunden der größten Qualen, wenn die Männer nur noch wimmerten und lallten und phantasierten, diese Berührung etwas Beruhigendes auf sie ausübte. Vielleicht, weil sie, wie alle Männer, im Grunde Kinder waren …

»Gibste mal den Becher, Phyllis?« Phoebe streckte ihre freie Hand aus. Als der Becher ausblieb, blickte sie auf. »Was issen nu schon wieder? Wieso gibste den Becher nich? Ach, willst selbst die Suppe geben? Von mir aus, des Menschen Wille is sein Himmelreich, sach ich immer, 's is 'n Bibelspruch, glaub ich, 'n Bibelspruch isses, nich, Ambrosius?«

Der Mönch schlug die Augen auf. Phoebe sah in sein von der Krankheit gezeichnetes Gesicht. Der Mann war nur noch Haut und Knochen, doch insgesamt schien sein Zustand sich nicht verschlechtert zu haben. Das war ein gutes Zeichen! Der Cirurgicus hatte ihr, bevor das Schwarze Erbrechen ihn endgültig niederschlug, mit schwacher Stimme erklärt, dass jeder Tag, den der Fiebernde überlebte, die Wahrscheinlichkeit seiner Genesung vergrößerte.

»Na, isja auch egal, ob's 'n Bibelspruch is oder nich, nich? Hauptsache, gesund wirste, nich.«

»*Volente Deo*«, krächzte Ambrosius.

»Was sachste? Weißt doch, dassich das lateinische Kauderwelsch nie nich versteh.«

Ambrosius machte einen vergeblichen Versuch, Laute zu formen.

»Lasses, wenn's nich geht.« Phoebe drückte den Kopf des Mönchs stärker an ihren Busen. Es sah aus, als wiegte sie ein Kind. »Las – ses, las – ses, las – ses.«

Phyllis kniff den Mund zusammen.

»Wenn Gott will«, flüsterte Ambrosius.

»Wenn Gott was will? Ach so, dassde gesund wirst. 'türlich wirste gesund, ich kenn dich doch.« Das war in der Tat der Fall, denn der Mönch hatte in seinen Fieberphantasien vieles über sich und seine Heimat preisgegeben. Wenn Phoebe auch nicht alles verstanden hatte, weil er sich dabei häufig des Deutschen bediente, so wusste sie doch, dass er aus einer reichen Kaufmannsfamilie stammte und in begüterten Verhältnissen aufgewachsen war. Er hatte sieben Geschwister, und er war der Einzige gewesen, der sich so stark zu seinem Schöpfer hingezogen fühlte, dass er sein Leben abgeschieden hinter Klostermauern verbringen wollte. Jahre später, nach einem Gottesurteil, hatte er es sich anders überlegt und war in die Welt hinausgezogen, um die Lehre des Allmächtigen zu verbreiten.

»Un jetzt, Ambrosius, kriegste was Anständiges zwischen de Rippen, 'n fetter Kapaun is nix dagegen, das sach ich dir, was richtich Anständiges, nich, Phyllis?«

»Ja, ja, was Anständiges.« Phyllis hielt den Becher so, dass Ambrosius die wärmende Suppe mit kleinen Schlucken aufnehmen konnte.

»So, un nun schläfste wieder 'n bisschen. Schlaf isne gute Medizin hießes immer bei uns im Pu… , äh … zu Hause.«

Sie kletterte nach hinten zum Magister und bettete den kleinen Gelehrten an ihre Brust. »Da wär'n wir. Biste wach, Magister, kannste mich hörn?«

»Schrei nicht so«, flüsterte der kleine Mann, wobei er die Augen geschlossen hielt. Phoebe betrachtete die blasse, kreuzförmige Narbe, die ihr Patient auf der Stirn trug. Das Wundmal war, wie sie wusste, Folge einer grausamen Folterung durch die Inquisition – ein Schicksal, das ihn mit dem des Cirurgicus verband.

»Ich un schrein? Wieso denn?«

Der kleine Gelehrte öffnete die Augen, blinzelte und versuchte ein Grinsen. »Verehrteste …«, begann er.

»Besser, du redst nich so viel, Magister. Essen musste, essen! Dassis wichtiger.« Sie gab ihm von der Suppe und beobachtete voll Zufriedenheit, wie er nach und nach den gesamten Becher leerte. »Phyllis, sei 'n Engel un mach dem Magister 'n neuen Wickel, so wie der schwitzt, 's hab ich mein Lebtach noch nich gesehen.« Schwitzen, das wusste sie, war wichtig im Kampf gegen das Fieber, und sie war nahezu sicher: Wenn der kleine, zähe Mann so weitermachte, konnte er die Krankheit besiegen.

Dasselbe galt für Enano. Von ihm wusste sie wenig. Zwar hatte auch er im Fieber phantasiert, aber dabei fast ausschließlich Rotwelsch gesprochen, eine Ausdrucksweise, der sie nur bedingt folgen konnte. Dennoch war ihr nicht entgangen, dass der Zwerg ein Leben als Geächteter geführt hatte, bevor er den Cirurgicus und den Magister kennen lernte.

»Na, Winzbuckel, Stupsnase, Fischmündchen! Phoebe is da.« Sie hob sich den Zwerg wie ein Kind auf den Schoß. »Hab 'ne dicke Suppe gekocht, se wird dir ›schmerfen‹, wie? ›Schmerfen‹, 's sagste doch immer, wenn's schmeckt.«

Der Winzling antwortete nicht. Sie nahm ihm den Wickel ab und fühlte seine Stirn. Die Haut, umrahmt von rostroten Haarbüscheln, war heiß, aber nicht glühend heiß. »'s Fieber is schon 'n bisschen runter, dafür wett ich meinen Kopf, un sonst machste auch 'n ganz guten Eindruck. Wieso sprichste nich?«

»Wui, wui«, fistelte der Kleine schwach.

»Na bitte, 's geht doch. Wennste erst wieder frech wirst, biste gesund. Freu mich fast drauf.« Sie flößte ihm Suppe aus dem von Phyllis inzwischen neu gefüllten Becher ein, wischte ihm das Mündchen ab und bettete ihn wieder an den Fuß des Masts. »Phoebe muss weiter. Bist wahrhaftich nich der Einzige, dem's besch… , äh … dem's schlecht geht, verstehste.«

»Gramersi.«

»Gramer – wie?« Phoebe, die sich bereits abgewandt hatte, drehte sich nochmals um. »Was heißt 'n das nu wieder?«

»Danke ...«

»Nix zu danken. Hab's gern gemacht.«

»... Frau Beischläferin.«

Phoebe stemmte die Arme in die Hüften. »Verdammichter Winzbuckel, ich schwör's bei den Knochen meiner Mutter, wennste erst gesund bist, kannste was erleben!« Doch insgeheim gratulierte sie sich. Der nächste Patient, dem sie sich widmen musste, würde ihr nicht so viel Freude machen: Das war Bride.

Der Zimmermann lag backbords vor der Heckbank, hingekrümmt wie ein Wurm – und wie ein Wurm hatte er sich in den letzten Tagen auch vor Schmerzen gewunden. Immer wieder. Mit Bride stand es schlecht, ganz schlecht. Anfangs, drei oder vier Tage nach Ausbruch des Fiebers, hatte sie noch gehofft: Da war es ihm, wie auch den anderen, etwas besser gegangen, doch danach hatte es ihn richtig erwischt. Sie war der Meinung, dass er schon mehrere Tage kein Wasser gelassen hatte, und hielt das für ein schlechtes Zeichen. Vielleicht funktionierten seine Nieren nicht mehr, vielleicht lag es auch an etwas anderem, sie verstand nicht viel vom menschlichen Körper.

Während sie sich hinhockte und sich dabei möglichst klein machte, denn außer ihr und Bride befanden sich noch Bantry, Ó Moghráin und der Cirurgicus im Heckraum, nicht zu vergessen Hewitt, der an der Pinne saß, während sie sich also hinhockte und des Zimmermanns Kopf aufnahm, murmelte sie: »Bist 'n armes Schwein, Bride.« Dann zog sie dem Kranken ein Augenlid hoch und blickte ihm forschend in die Pupille. »Trüb wie 'ne Auster«, stellte sie traurig fest. Sie begann ihn hin- und herzuwiegen, wie sie es mit allen tat, und sagte laut: »Hallo Bride, hier is Phoebe, Phoebe is hier, kannste mich hörn?«

Der Kranke dämmerte weiter vor sich hin.

»Hier is Phoebe, hallo!« Sie brüllte Bride fast ins Ohr, denn sie wollte unbedingt, dass er zu sich kam. Wer bei Bewusstsein war, war noch nicht tot.

Endlich zeigte Bride die Spur eines Erkennens. Seine Augen öffneten sich halb, und er stieß einen unverständlichen Laut aus. »Hhhäjm.«

Phoebe wertete das als Antwort. »Ich bin's, Phoebe. Hab 'ne Suppe für dich, damit kommste wieder aufde Beine, wetten! Hatte auch mal 's verdammichte Fieber un Phyllis auch, 's is 'ne Ewichkeit her, in Plymouth war's, un wir ham's auch abgeschmettert, nich, Phyllis?«

»Ja, ja, abgeschmettert.« Phyllis reichte von vorn den Becher mit der dampfenden Suppe.

»Jetzt nimmste erst mal 'n kräftigen Schluck, un dann sieht de Welt ganz anners aus, nich, Bride?«

Doch Brides Kiefer waren wie zugeschraubt. So sehr sich Phoebe auch abmühte, sie bekam nicht das kleinste Tröpfchen Suppe zwischen seine Zähne. »Willste nix? Na, is auch gut. Vielleicht später.«

Sie versuchte, ihrer Stimme einen überzeugenden Klang zu geben, denn noch immer glaubte sie, dass er bei sich war. »Gesund wirste bestimmt, nich, heißt ja auch Joshua mit Vornamen. Schöner Name. Kennste den Joshua ausser Bibel? Kenn mich in ner Bibel nich so aus, aber da is 'ne Geschichte drinne mit'm Mann, der hieß auch Joshua, un die kennich, willste se hörn?«

Ohne seine Reaktion abzuwarten, begann sie: »Der Joshua, das war 'n Sohn von 'nem Mann, der hieß Nun. Ja, Nun hieß der, komischer Name, nich? Na, egal, jedenfalls war der Nun 'n Diener von Moses, soweit klar? Joshua also hatde Juden übern Jordan geführt, das is 'n Fluss, weißte, zwölf Steine oder so hatter genommen, darauf sin se rüber, damitse keine nassen Füße kriegen. Der Joshua nämlich hat kein Land nich gehabt, un er brauchte was, un darum hatter Jericho erobert, Jericho, das is 'ne Stadt, fallste das schon mal gehört hast. Die Priester von ihm sin immer mit Posaunen umde Mauern rum un ham geblasen, was das Zeuch hält, sieben Tage lang, un am siebten Tach hamse alle noch 'n großes Geschrei gemacht, da fielen de Mauern um, einfach so. Un se ham Jericho erobert un alle totgemacht, auch Esel, Schafe un anneres Viehzeugs, nur 'ne Hure hamse leben lassen, nur 'ne Hure, verstehste, die hieß Rahab. Rahab hieß die. Kannste mal sehn, 'ne Hure is nich das Schlechteste. Un Joshua, der hattes geschafft, weil der Herr ihm geholfen hat. Un du, Bride, heißt auch Joshua, un dir hilft der Herr auch. Wirst sehen, bald biste 's Fieber los.«

Sie seufzte, denn sie glaubte selbst nicht daran. Sie legte Bride zurück und kroch hinüber zum Cirurgicus. Von ihm wusste sie, dass es eine Frau gab, die er sehr lieben musste, denn häufig hatte er im Fieberwahn ihren Namen gerufen. Die Frau hieß Arlette, ein schöner Name, wie sie fand, und sie hatte viel Zeit damit verbracht, sich vorzustellen, wie diese Arlette wohl aussah. Ob sie und Vitus ein schönes Paar waren?

»Hast schon schlechter ausgesehn, Vitus«, begrüßte sie den Cirurgicus burschikos. »Hier is Phoebe, die Pflegeschwester. Hab 'n Schlach Suppe für dich, ja, Suppe, da staunste, was? Habse mit meinen eignen Händen gekocht. Willste was?«

Vitus schüttelte unmerklich den Kopf. Er war hohläugig und hohlwangig, seine Lippen waren ausgetrocknet und rissig.

»Ach, meinst wohl, ich soll den annern erst was geben, wie? Is wieder mal typisch der Herr Cirurgicus, zu edel fürde Welt. Selber essen macht fett, sach ich immer. Un nu komm.« Sie nahm ihn in bewährter Manier an ihren Busen und bemerkte dabei ein winziges Lächeln in seinen Mundwinkeln. »Bei den Knochen meiner Mutter, grinsen tatste gestern noch nich, machst Fortschritte, Vitus, Fortschritte machste, genau wie der Winzbuckel un der Magister!«

Die gute Nachricht schien Vitus zu beleben. Er trank die Suppe mit bedächtigen Schlucken.

»Is dir auch nich kalt? Nein? Un heiß? Auch nich? Gut. Wassich noch sagen wollte, ich hab 'n Riesenbammel wegen Bride un Ó Moghráin, die sterben mir wech, weißte, wechsterben tun die mir, gibt's nich noch was, wassich machen kann?«

Vitus zuckte schwach mit den Schultern. Mit großer Anstrengung hob er ein wenig den Kopf und flüsterte: »Beten … und Wasser … viel Wasser …«

»Wasser, da sachste was, woher nehmen un nich stehlen? Na, vielleicht regnet's ja bald, dann fangich was auf, nich, un nu schlaf.«

Sie wandte sich nach links, wo Ó Moghráin zu Füßen von Hewitt lag. Er bot ein Bild des Jammers und glich schon nicht mehr seiner selbst, das sah sie sofort. Dennoch nahm sie ihn auf, und während sie über sein schweißfeuchtes Haar strich, spürte sie, wie ihr die Tränen unaufhaltsam kamen. »Verdammich, verdammich, verdammich«, schniefte sie, »musses nu ausgerechnet dich treffen, Ó Moghráin? So'n feinen Kerl wie dich? 's gibt so viele Schweinehunde aufer Welt, warum nich einen von denen? Ich weiß nich, obde noch was mitkriegst, Ó Moghráin, kriegste noch was mit? Ach, ich sach's dir einfach …«, sie schniefte ein paar Mal und zog dann geräuschvoll die Nase hoch, »weißte noch den Tach, wo die Möwe mir auf'n Hut gemacht hat un wo der Magister gesacht hat, ich hätt nu 'n Wunsch frei? Weißte, dassich da nur an dich gedacht hab, als ich gesacht hab, dassich mir in Neu-Spanien 'n piekfeinen Don angeln will? Der Don, dacht ich, der müsst so aussehen wie Donal Ó Moghráin, genau so, un er soll mich auf Händen tragen, un ich will ihm 'ne gute Frau sein. Ja, wahrhaftig, hab dabei nur an dich gedacht, nur an dich, Ó Moghráin, so war's, bei den Knochen meiner … ach was, bei meiner Seele, bei meiner armen Seele!«

Sie schluchzte laut auf, denn zu vieles war in den letzten Tagen auf sie eingestürmt, und sie hatte mit allem allein fertig werden müssen. Sie war es gewesen, die Stärke gezeigt hatte, sie war es gewesen, die das Heft in die Hand genommen hatte, sie war es gewesen, die den Männern Pflege und Trost gegeben hatte. Und nun, nun brauchte sie selber Trost, und niemand war da, an den sie sich lehnen konnte. Nur Ó Moghráin, und der war fast tot. Sie streichelte ihn und schluckte und schniefte und tat sich eine Zeit lang schrecklich Leid, aber dann dachte sie daran, dass Bantry noch versorgt werden musste und dass sie für alle die Verantwortung trug. »'s Leben geht weiter«, murmelte sie, gab sich einen Ruck und legte den Steuermann behutsam zurück auf den Bootsboden.

Dann küsste sie ihn auf den Mund.

DER ÜBERLEBENDE BANTRY

»Schlafe süß, Milchgesicht, und schlafe auf ewig, denn wenn ich hier fertig bin, renne ich dir das Messer in den Wanst.«

Bantry kauerte im Heck der *Albatross*, nur einen halben Schritt entfernt von Hewitt, der Pinne und Schot hielt. Er war sehr zufrieden mit sich, denn seit zwei Tagen spürte er, wie die Kraft in seinen Körper zurückkehrte. Zuerst hatte er es in den Beinen gemerkt, dann in den Armen und zuletzt in den Fingern. Er besaß sehr starke Finger, die das, was sie einmal gepackt hatten, kaum je wieder losließen.

Tagelang hatte das Fieber ihn in seinen Klauen gehalten, doch nun wich es zurück wie das Meer bei Ebbe, und sein Kopf wurde wieder frei. Früher als bei den anderen, wie er mit Genugtuung feststellte; früher auch als bei diesem Gernegroß Vitus von Campodingsda, und das war gut so, denn es kam seinen Absichten entgegen.

Am gestrigen Tag, als Phoebe weinend den sterbenden Ó Moghráin in ihren Armen gehalten hatte, war er noch zu schwach gewesen, sein Vorhaben in die Tat umzusetzen, weshalb er weiterhin den Fiebernden vorgetäuscht hatte. Umso mehr hatte er es genossen, ihre stramme Brust an seiner Wange zu fühlen, und sich dabei ausgemalt, wie es sein würde, ihre Titten mit seinen wiedererstarkten Fingern durchzukneten. Aber das musste warten. Alles zu seiner Zeit, hatte er sich gesagt.

Und heute war es so weit. Heute würde er den Versuch wagen. Er war sicher, dass er sein Ziel erreichen konnte, wenn er nur geduldig vorging. Geduldig und gerissen. Sein erster Blick galt dem Wetter. Es hatte sich verschlechtert, stellte aber keinen Anlass zur Besorgnis dar. Der Wind war stärker geworden und blies in Böen über die *Albatross*; die See zeigte glasige Wellenkämme, die hier und da zu weißen Schaumkronen aufbrachen. Wolken waren über Nacht aufgezogen und hingen am Himmel wie schwere schwarze Kissen. Wenn sie sich abregneten, konnte man Wasser auffangen, und aus Wasser ließ sich Suppe kochen, denn Hewitt, dieser Hänfling, hatte ein paar schöne Bonitos mit der Langleine gefangen.

Sein zweiter Blick galt den anderen Kranken. Die meisten schliefen oder dösten vor sich hin. Es schien diesen Jammerlappen unverändert schlecht zu gehen. Gut so! Die waren gewiss nicht in der Lage, seinen Plan zu durchkreuzen.

Sein dritter Blick galt Phoebe, die schon damit beschäftigt war, den Rest der Suppe zu verteilen. Verschwendete Liebesmüh! Bald würde sie nur noch an ihn Suppe ausgeben.

Was er mit ihrer Freundin, diesem blassen Heimchen, machen würde, wusste er noch nicht. Immerhin war auch sie eine Frau und konnte für Abwechslung sorgen, wenn er Phoebe satt hatte. Außerdem war sie eine Hure, und Huren verstanden es, einem Mann höchste Wollust zu verschaffen.

Dann waren da noch der Steuermann und der Zimmermann: Ó Moghráin war tot, und auch Bride hatte im Morgengrauen den Arsch zugekniffen. Bantry grunzte zufrieden. Wieder zwei Fresser weniger, und er war der Einzige, der es bisher bemerkt hatte. Er überlegte, wie er diesen Umstand für sein Vorhaben ausnutzen konnte, als plötzlich die ersten schweren Tropfen ins Boot klatschten. Regen!

»Regen!«, stellte auch Phoebe freudig fest. Sie unterbrach das Füttern der Männer. »'tschuldigung, Jungs, Phoebe kann nich weitermachen, wartet mal.« Sie blickte zum Himmel. »Hui, 's is ganz schön dick da oben, schätze, 's gibt 'n mächtigen Pladder, 'n mächtigen Pladder gibt's, wolln sehn, ob wir nich was auffangen, nich, Phyllis?«

»Ja, ja, auffangen.«

»'s Sonnensegel is goldrichtich. Brauchen's ja jetzt nich, müssen's nur so spannen, dass 'ne schöne Kuhle drinne is, verstehste, Phyllis, zum Sammeln. Müssen die Knoten anne Ecken losmachen, Phyllis, pack mal mit an. Autsch, verdammich, mein Nagel is abgebrochen, kriegste 's hin, Phyllis? Nee? Ich auch nich, Pest un Aussatz, warum krieg ich's bloß nich hin?«

»Musst erst die Kopfschläge auf den Klampen losmachen.«

»Wie? Wer war 'n das? Warst du das, Hewitt? Hör mal, wenn du 's besser kannst, komm her, aber fix, der Regen wartet nich auf dich.«

Hewitt, der bereits die ganze Nacht an der Pinne gesessen hatte und deshalb eingenickt war, schreckte neben Bantry auf.

»Was ist los, Phoebe?«

»Hab dich gefracht, ob du das warst.«

»Was? Ich hab nichts gesagt.«

»Ich war's. Ich hab gesagt, du musst erst die Kopfschläge auf den Klampen losmachen«, erklärte Bantry mit ruhiger Stimme.

Phoebe sperrte Mund und Nase auf. Der seltene Fall, dass ihr die Worte fehlten, war eingetreten. Endlich fasste sie sich.

»Duuu, Bantry? Ich glaub, mich laust der Affe, biste wirklich wieder obenauf? Den annern geht's doch noch hundsmiserabel, un du redst wieder klar?«

»So ist es.« Bantrys Stimme klang wie selbstverständlich. Er war vierundvierzig Jahre alt und damit älter als jeder andere an Bord, dennoch hatte er als Erster das Fieber besiegt. Wundern tat ihn das nicht, denn er hatte schon ganz andere Situationen gemeistert. Er war dreimal schiffbrüchig gewesen, davon zweimal in karibischen Gewässern, wo er viele Jahre unter Piraten gelebt und mehrere Männer erstochen hatte; er hatte anno 1571 in der Seeschlacht von Lepanto gekämpft, er hatte als Söldner in den Spanischen Niederlanden gedient, er hatte ein Jahr Kerker bei den Franzosen abgesessen ... Das alles und mehr hatte er überlebt. Durch Schläue und vor allem: durch Rücksichtslosigkeit. Wenn es darauf ankam, ging Bantry über Leichen.

Phoebe rief begeistert: »Mensch, Phyllis, Hewitt, was sachter dazu, Bantry hat's geschafft, geschafft hat er's!«

Die beiden anderen freuten sich mit ihr.

Mittlerweile goss es in Strömen vom Himmel, steife Böen peitschten Regenschauer über das Boot. Die *Albatross* legte sich mehrfach über, und Hewitt hatte alle Hände voll zu tun, sie auf Kurs zu halten.

»Lass sie nach Süden abfallen, dann macht sie ruhigere Fahrt«, befahl Bantry. Hewitt gehorchte umgehend. Die Schräglage der *Albatross* ließ nach. Bantry grunzte zufrieden. Das Wetter und auch der südlichere Kurs kamen ihm sehr gelegen, denn er wollte nicht zu den karibischen Inseln, wo er bekannt war wie ein bunter Hund und vielerorts gesucht wurde. Er beabsichtigte nicht, den Antillenstrom zu nutzen, der ihn zwangsläufig dorthin treiben würde, sondern den südlicher verlaufenden Nordäquatorialstrom. Der würde ihn zum südamerikanischen Festland bringen, vielleicht nach Cartagena, einer großen spanischen Stadt, in der man leicht untertauchen konnte. »Halt diesen Kurs, Junge!«, sagte er laut. »Und ihr da vorn macht das Sonnensegel zum Wasserauffangen fertig.«

Mit kurzen, knappen Anweisungen half er Phoebe und Phyllis, das Tuch neu zu spannen. Während die Mädchen noch beschäftigt waren, befahl er Hewitt: »Lasch Pinne und Schot fest und hau dich aufs Ohr, Junge. Ich achte auf den Kurs.«

Nur Augenblicke später war der dankbare Hewitt eingeschlafen, und Bantry kroch zu den beiden Toten, vorbei an dem Cirurgicus, diesem feinen Pinkel, der zum Glück fest schlief. Ein kurzer Blick nach vorn sagte ihm, dass die beiden Mädchen noch beschäftigt waren. Gerade versuchten sie, die ersten aufgefangenen Tropfen in den Kochtopf umzuschütten. Bantry schob seinen Körper näher an Ó Moghráin heran. Mit gekonntem Griff durchsuchte er dessen Taschen. Nichts. Oder doch? Da! Da war etwas. Er zog ein kleines Perlmuttdöschen hervor und blickte neugierig hinein. Ein silbernes Kleeblatt lag darin, mehr nicht. Keine Silber- und erst recht keine Goldmünzen. Enttäuscht klappte er das Döschen wieder zu und steckte es ein. Kurz darauf fand er ein goldenes Kreuz, das der Steuermann an einem Kettchen um den Hals trug. Das war schon besser. Mit einem Ruck riss Bantry es ab.

»Mal sehen, ob Bride auch was zu bieten hat«, murmelte er, und seine Rechte fuhr geschickt unter das Hemd des Zimmermanns. Er tastete noch, da rief Phoebe unvermittelt von vorn: »He, Bantry, 's klappt, ich werd verrückt, 's klappt! Schon halb voll der Eimer, schon halb voll … Moment mal, sach mal, was machste denn da mit Bride?«

»Nun, äh …«, geistesgegenwärtig setzte Bantry eine Trauermiene auf. »Ich hab grade nach dem Herzschlag gefühlt. Bride ist hin. Und Ó Moghráin auch.«

»Was sachste da?« Phoebes Puppengesicht erstarrte. »Das darf nich wahr sein! Neiiiiin!« Sie stürzte, so schnell es ging, zwischen den Kranken nach achtern, wo sie Ó Moghráins Kopf aufnahm und an sich drückte.

»War doch klar, dass sie sterben«, stellte Bantry sachlich fest.
»Wie kannste sowas nur so kalt sagen, wie kannste nur? Was biste überhaupt für 'n Mensch?« Sie blickte ihn an. Ihr Püppchengesicht war tränenüberströmt.
Bantry lächelte dünn. »Ich bin einer, der überlebt.«

Am Nachmittag schlief der Wind fast ein, und auch der Regen hörte auf. Hier und da brach die Wolkendecke auseinander, die Sonne kam durch, färbte das Meer wieder blau und schickte ihre wärmenden Strahlen auf das Boot herab.
Bantry fühlte sich von Stunde zu Stunde wohler. Er grunzte und streckte die Beine weit von sich, was durchaus möglich war, denn nachdem die Toten unter dem Geflenne von Phoebe und Phyllis der See übergeben worden waren, herrschte geradezu Platz im Überfluss. Nur noch Hewitt, der wieder die Pinne übernommen hatte, dann der Lackaffe von Cirurgicus, der immer noch nicht bei Sinnen war, und er, Bantry, teilten sich das Achterschiff.
Bantry grunzte noch einmal, dann rief er einen wohl überlegten Satz nach vorn: »Ich mag's nicht, wenn Schuppen in der Suppe sind!«
»Wie? Was sachste?« Phoebe war in Gedanken noch immer bei der formlosen, ja unmenschlichen Art, in der sie die Toten der See hatten übergeben müssen. Aber anders war es nicht gegangen. Sie hatten keine Fahne, keine Musikanten, keine Trauerkleider gehabt, und Bruder Ambrosius war nicht in der Lage gewesen, ein Gebet zu sprechen. Er war einfach noch zu schwach. So hatte Phoebe selbst nach Worten gesucht:

> »Vater im Himmel, hier is Phoebe,
> ich un Phyllis un die annern sin auf 'm Ozean,
> 's geht uns verd… , äh … mächtich schlecht.
> Dem Joshua inner Bibel haste ja geholfen,
> aber Bride haste nich geholfen
> un Ó Moghráin auch nich,
> der wollt so gern begraben werden
> inner Erde vonner grünen Insel.
> Mach wenichstens, dasse in Himmel kommen
> un nich inne Hölle,

denn 's waren anständige Kerle, bei Gott! Äh …
jedenfalls waren 's anständige Kerle.
Un mach, dass wir bald da sin inner Neuen Welt,
wir können nich mehr lange.
Amen.«

Dann hatten sie und Phyllis zusammen mit Hewitt die Leichname über das Dollbord geschoben. Es hatte mehrerer Anläufe bedurft, bis endlich die Körper aufklatschend in die See fielen. Rasch waren sie abgetrieben worden, und Phoebe hatte wie ein Schlosshund geheult. Bantry, auf dessen Hilfe sie eigentlich gehofft hatte, war vom Fieber noch zu entkräftet gewesen. Andererseits, so viel Kraft, dass er die gut erhaltene, lederne Weste von Bride energisch für sich beanspruchen konnte, so viel Kraft hatte er schon gehabt.

»Ich sagte, ich mag's nicht, wenn Schuppen in der Suppe sind«, wiederholte Bantry.

»Wieso Schuppen? 'n Fisch is 'n Fisch, der hat nu mal Schuppen, un ich hab kein Messer nich, umse abzuschrubben.«

»Es gibt aber 'n Messer im Boot«, sagte Bantry.

»'n Messer? Wo denn? Ach ja, im Schapp vom Käptn, da is eins, aber da kommste nich ran, 's Schapp klemmt wie verrückt, hab 's schon versucht, das kriegste im Leben nich auf.«

Die Antwort hatte Bantry erwartet. Tatsächlich war das Schapp, das knapp unter die Hecksitzbank passte, durch überkommendes Spritzwasser so aufgequollen, dass seine Türen völlig eingeklemmt waren. Er tat, als wäre er überrascht. »Da hab ich gar nicht dran gedacht. Zu dumm! Es müsste was geben, mit dem man die Türen aufbrechen kann.«

»Wassoll 'n das sein? Wie meinste das?«

Bantry schien zu überlegen. »Wir müssten 'ne Stange haben oder so was, mit eiserner Spitze, damit man in die Türspalten reinkommt.«

»Ach so. Hm.« Phoebe dachte scharf nach. Dann hatte sie eine Erleuchtung. »Weißte was? Wir nehmen 'ne Harpune, 'ne Harpune nehmen wir! Hier vorn sin zwei.« Sie deutete eifrig in die Richtung.

»Bring sie nach achtern.« Bantry fand es gut, dass Phoebe von selbst darauf gekommen war.

Wenig später hatte sie unter seiner Anleitung die Türen aufge-
hebelt und das Messer hervorgeholt.

Bantry sagte: »Geh damit wieder nach vorn. Vielleicht lassen
die Fische sich sogar ausnehmen.«

»'s is 'ne gute Idee, Bantry, 's Messer is mächtich scharf.« Sie
strich mit dem Zeigefinger über die Schneide. »He, was haste
denn mit der Muskete vor?« Ein Funke Misstrauen erschien in
ihren Augen.

»Na was wohl?«, gab sich Bantry erstaunt. »Natürlich reini-
gen, wäre doch dumm, wenn ein Schiff käm, und wir könnten
keinen Signalschuss abgeben.«

»Da haste Recht.« Das Misstrauen in ihren Augen verschwand.
»Glaubste denn, wir sin schon so nah anner Neuen Welt?«

Bantry hatte keine Ahnung. Er blickte auf die Kompassnadel,
die einen Strich südlicher als West anzeigte, grunzte zufrieden
und sagte: »Kann's mir schon vorstellen. Wir machen gute
Fahrt, und die Richtung stimmt. Und nun geh nach vorn,
mach deine Fischsuppe, bin gespannt, ob sie mir schmeckt.
Morgen kannst du den Hahn schlachten, nichts päppelt mehr
auf als heiße Hühnersuppe.«

»Is gut. Mal sehn.« Phoebe kletterte zurück in den Bug, wo
Phyllis das Wasser für die Suppe schon fast zum Kochen gebracht hatte. »Tu lieber noch 'n bisschen Holz nach, Phyllis, 's
Wasser muss richtich brodeln, brodeln musses, verstehste.« Sie
wandte sich dem Hahn zu. »Na, Jack, du Scheusal, haste gehört? Bantry will, dassde in Topf kommst.«

Sie schnitt ein Stückchen Fisch ab und reichte es in den Käfig.
Sofort pickte der Vogel es ihr aus der Hand. Er konnte es sich
nicht leisten, wählerisch zu sein. »Put, put, put, put, put, 's
schmeckt gut, was? Brauchst keine Angst nich haben, wo wir
doch schon so dicht anner Neuen Welt sin, nich? 's letzte
Stück schaffen wir auch noch. Bei den Knochen meiner Mutter, so lange Phoebe da is, kommste nich in Topf.«

Sie fragte sich, ob Bantry wirklich sicher war, dass sie bald die
Neue Welt erreichten. Oder hatte er nur so getan? Hatte er das
nur gesagt, damit sie sich von Jack, der Fleischreserve für den
äußersten Notfall, trennte? »Is egal, solange Phoebe da is,
kommste jedenfalls nich in Topf.« Energisch begann sie die
Bonitos zu schuppen und zu zerteilen.

Unterdessen hatte Bantry die Muskete vor sich hingelegt. Es war eine Radschlossmuskete, und Bantry war froh darüber, denn das Radschloss ersparte es dem Schützen, ständig eine gefährliche, glimmende Lunte mit sich zu führen, die er, bevor er schießen konnte, erst noch in die Serpentine klemmen musste. Sorgfältig untersuchte er Abzug, Feder, Rad, Hahn und Zündpfanne. Alle Teile sahen funktionstüchtig aus, auch wenn sie schon reichlich Rost angesetzt hatten.

Dann beschäftigte er sich mit dem wasserdichten Ledersack, der zu der Waffe gehörte. Er machte ihn auf und fand darin einen weiteren Sack und ein Pulverfläschchen. Der Sack barg Werkzeuge zur Bedienung und Wartung, darunter den Ladestock und einen kräftigen Schraubendreher. Das Pulverfläschchen war, wie er zufrieden feststellte, noch halb voll. Bantry nahm eine kleine Menge in die Hand und betrachtete sie kritisch, roch daran, ja, kostete sogar davon. Keine Frage, das Pulver war trocken und gut. Was fehlte, waren Kugeln. Ohne Kugeln nützte die ganze Muskete nichts. Er machte sich daran, noch einmal alles zu durchsuchen. Endlich fand er eine. Sie steckte unten im Fläschchen, inmitten des Pulvers, und war wohl eher zufällig da hineingeraten. Eine einzige Kugel nur. Aber besser als gar keine.

Er widmete sich wieder der Muskete und entfernte mit einiger Anstrengung das Pyritstück aus den Klemmlippen des Hahns. Dann spannte er probeweise, senkte den Hahn und betätigte den Abzug. Nichts geschah. Die Feder, die das Rad in Drehbewegung versetzen sollte, klemmte. Er fluchte innerlich. Das liegt am Rost, sagte er sich. Es hilft nichts, ich muss das gesamte Schloss auseinander bauen!

Mehrmals versuchte er, mit dem Daumennagel die Halteschrauben loszudrehen, aber sie saßen zu fest. Ruhig bleiben!, ermahnte er sich. Du wusstest von vornherein, dass das Ganze kein Spaziergang werden würde. Wozu gibt es das Werkzeug!

»Was machste 'n da, Bantry?«, tönte Phoebe vom Bug her.

»Ich repariere die Muskete.«

»Pass bloß auf, wennde daran rumfummelst. Suppe is gleich fertich.«

»Wenn du so weit bist, gibst du mir das Messer zurück, ich brauch's hier.«

»Wieso 'n das?«

»Ich will damit den Rückholbolzen der Zündpfanne sauber schaben.« Das war natürlich Unsinn, denn ein solches Teil gab es gar nicht, aber Phoebe konnte das nicht wissen, und er wollte das Messer unbedingt haben.

»Ja, wenn's so is.«

Bantry griff zum Schraubendreher und setzte ihn an. Ja, das ging schon besser! Er begann das Schloss auseinander zu nehmen. Als er halb fertig war, erschien Phoebe mit der Suppe.

»Bist wirklich schon mächtich obenauf«, meinte sie und schielte interessiert auf die vielen Metallteile, die verstreut auf dem Bootsboden lagen.

»Gib her.« Bantry nahm den Becher mit der Fischsuppe entgegen. Er kostete. Sie war heiß und gut und nahezu grätenfrei. Phoebe musste die Bonitos mit dem Messer filetiert haben.

»Die Suppe ist nicht übel.«

»Nett, dassde das sachst. Den annern hatse auch geschmeckt, aber se ham nix gesacht, können nich so viel quasseln, noch nich, sin noch lange nich wieder auf'm Damm.«

»Das tut mir Leid«, sagte Bantry und jubelte insgeheim. »Und jetzt gib mir das Messer.«

»Ja doch!« Widerstrebend händigte sie es ihm aus. Abermals entdeckte er Misstrauen in ihren Augen. Du Hure!, dachte er und sagte laut:

»Es ist wegen dem Rückholbolzen, du weißt schon.«

»Ja, Bantry, ich weiß.« Sie drehte sich um und gab Hewitt als Letztem von der Suppe, dann stieg sie wieder nach vorn.

Bantry zerlegte weiter das Radschloss. Die Arbeit war schwieriger, als er gedacht hatte. Mit jedem Teil, das er ausbaute, fragte er sich, ob er es jemals wieder einbauen konnte. Seine Zweifel wuchsen. Er wünschte sich sehnlichst einen Schraubstock herbei. Seine Hände waren zwar ungemein stark, aber die Kraft zweier Stahlbacken konnten sie nicht ersetzen. Und sonderlich geschickt waren sie auch nicht. Er begann zu schwitzen. Wenn er wenigstens eine dritte Hand hätte! Aber er wollte keinen der Männer bitten, ihm zu helfen. Auf keinen Fall. Sein Blick schweifte prüfend über ihre Köpfe. Sie schliefen schon wieder oder dösten teilnahmslos vor sich hin. Das kam seinen Absichten sehr entgegen. Er lächelte flüchtig. Dass er die Muskete besaß, würden sie noch früh genug erfahren. Und dann würde es für sie zu spät sein …

Seine Gedanken schweiften ab, während er die letzten Teile des Schlosses losschraubte und damit begann, sie mit Werg und Fett vom Rost zu befreien. Wenn die Waffe erst einmal wieder funktionstüchtig war, würde er über ein stattliches Arsenal verfügen: zwei Harpunen, ein Messer und natürlich die Muskete selbst. Er musste sie unbedingt reparieren, denn von ihr hing das Gelingen seines Plans entscheidend ab.

Sein Plan, alle Männer an Bord zu töten.

Alle Männer, und zwar auf seine Art. Denn Bantry scheute den Nahkampf. Die direkte Auseinandersetzung von Mann zu Mann, mit Degen, Messern oder sonstigen Klingen war ihm zuwider. Das dauerte zu lange und führte zu nichts, und wenn, dann nur zu eigenen schmerzhaften Verletzungen, wenn nicht gar zum Tod. Manche nannten ihn deshalb feige, doch die meisten, die das taten und sich auf ihre Tapferkeit wer weiß was einbildeten, lagen längst bei den Würmern, und er, Bantry, lebte noch immer. Die Muskete würde dafür sorgen, dass es so blieb.

Während er mit der Reinigungsarbeit fortfuhr, grübelte er, wie er seine Waffen am besten einsetzte. Es war klar, dass er besonnen vorgehen musste. Besonnen, aber entschlossen und nicht so unüberlegt wie der verrückte Fraggles. Der hatte mit dem Kopf durch die Wand gewollt – und prompt dafür bezahlt.

Die wichtigste Waffe war zweifelsohne die Muskete. Er hatte nur einen Schuss, aber dieser eine Schuss musste reichen, dem aufgeblasenen Cirurgicus das Lebenslicht auszublasen. In dem darauf folgenden Tumult würde er die Harpunen einsetzen. Der frömmelnde Bruder Ambrosius hatte zwar lange Arme, aber so lang wie eine Harpune waren sie nicht. Die zweite Lanze würde dem Magister den Garaus machen.

So weit, so gut. Dann blieben nur noch zwei Männer, die eigentlich keine waren: Hewitt, der Hänfling, und der bucklige Zwerg. Bei beiden würde bloße Fingerkraft ausreichen, ihnen die Kehlen zuzudrücken, und falls nicht, hatte er noch das Messer. Und dann, dann würde sein Plan aufgegangen sein – und seine Chancen, diese Höllenfahrt lebend zu überstehen, wären um ein Vielfaches gestiegen. Und er würde wieder einmal überleben …

Er grunzte zufrieden und prüfte mit den Fingern die Spannkraft der Radfeder. Sehr gut! Ein zweites Mal würde sie nicht versagen.

Seine Gedanken kehrten zu seinem Mordplan zurück. Was war mit den Huren? Sie waren nur schwache Frauen, dumm obendrein, und stellten keinerlei Gefahr dar. Auf dem Boot nicht und auch nicht in Cartagena. Dort mochten sie erzählen, was sie wollten. Huren glaubte man nicht, das war überall auf der Welt so. Huren konnten froh sein, wenn sie nicht auf dem Sklavenmarkt landeten.

»Meinste nich, 's is 'n bisschen duster fürs Heilmachen?« Phoebe stand auf der letzten Ruderbank und blickte auf ihn herab. Hinter ihr am Horizont versank die Sonne im Meer.

Bantry schreckte zusammen. Er war so in Gedanken gewesen, dass er die Frau gar nicht bemerkt hatte. »Ich muss fertig werden.«

»Wieso haste's denn so eilich? Meinste 'n Schiff käm bald?«, fragte sie. »Meinste wirklich, wir sin bald inner Neuen Welt?«

»Hmja … schon möglich. Wenn ein Schiff kommt, brauche ich die Muskete. Du weißt schon, für die Signalschüsse.« Phoebe musste nicht unbedingt wissen, dass er nur eine Kugel hatte.

»Weissich, aber wennste beim Heilmachen nix siehst, kannste nix machen, warum nimmste nich die Laterne?«

Richtig, die Laterne! Sie befand sich im Schapp, ebenso wie Stouts Bordbuch mit Tinte und Feder. Er nahm sich vor, das Buch bei nächster Gelegenheit über Bord zu werfen, denn er hatte gesehen, wie der blasierte Cirurgicus etwas hineingeschrieben hatte. Er wusste nicht, was, und er konnte es auch nicht nachlesen, aber er vermutete, dass darin über den Piratenüberfall berichtet wurde und die Namen der Überlebenden festgehalten waren. »Gute Idee!«, sagte Bantry, und er meinte es sogar ernst. »Kannst du sie mir anmachen?«

»Kannich, bin kein Unmensch nich.« Phoebe stieg über den halb unter der Bank liegenden Vitus, drückte sich an Bantry vorbei und gelangte zu Hewitt, der wie immer an der Pinne saß. »Mach mal Platz, komm sonst nich ans Schapp ran.«

Wenig später hatte sie die Laterne entzündet und hängte sie,

nach Bantrys Anweisungen, in eines der achteren Stage.
»Wenn 'n Schiff kommt, kannes uns jetzt sogar nachts sehn«, meinte sie.
»Stimmt.« Daran hatte Bantry noch gar nicht gedacht.

Der Mond über ihm war von einem leuchtenden Gelb, und die Strahlen, die er aussandte, waren von derselben Farbe. Wie lange Finger waren sie, tasteten sich durch die Schwärze des Himmels und trafen auf das Schiff. Dann und wann erfassten sie ihn, und er spürte, dass sie nicht nur gelb, sondern auch angenehm kühl und feucht waren. Es war erquickend, sie auf der Stirn zu spüren, auf der Haut, ja, auf dem ganzen Körper, und er glaubte, sich lange nicht mehr so wohl gefühlt zu haben. Er versuchte, sie einzufangen, damit sie blieben und damit dieses kühle, gelbe, angenehme Gefühl niemals aufhörte, doch die Strahlen waren eigensinnig, sie wanderten auf und ab, entzogen sich ihm, trafen ihn wieder, kühlten ihn, wanderten abermals hin und her, kühlten ihn erneut und bildeten endlich eine Wolke, die sich mehr und mehr verdichtete zu Fleisch und Blut, zu dem Gesicht einer Puppe, einer Puppe, die er schon irgendwo einmal gesehen zu haben glaubte …
»He, Vitus, ich bin's, hörste, ich bin's, Phoebe«, wisperte die Puppe an seiner Seite, »biste wach?«
»Phoebe?«, entfuhr es ihm. Langsam kam er aus der Welt des Halbtraums in die Wirklichkeit zurück.
»Pssssst.« Sie legte ihm den Finger auf den Mund. »Nich so laut.«
Er nickte. Schräg über ihm entdeckte er eine Laterne, die warmes Licht in den Heckbereich der *Albatross* warf. Phoebes Gesicht war unmittelbar neben ihm. Im Schein der Lampe leuchtete es dann und wann auf. Fürsorglich strich sie ihm mit dem angefeuchteten Wickel noch einmal über die Stirn:
»Bantry musses nich mitkriegen, dasswer reden.«
»Bantry?«
»Pssssst! Ja, Bantry. Der is so komisch, fummelt schon 'ne Ewichkeit anner Muskete rum, willse heil machen, sacht, für ›Signalschüsse‹, aber ich weiß nich, trau ihm nich übern Weg.«
Phoebe sprach so leise, dass ihre Stimme fast im Rauschen des Meeres und im Knarren der Takelage unterging.

»Er repariert die Muskete? Jetzt?«

»So isses. Komisch, nich?«

»In der Tat.« Vitus blickte zu Bantry hinüber, der dort in Brides Lederweste hockte und an irgendwelchen Metallstücken herumrieb. »Wieso trägt er Brides Weste?«

»Bride is tot, un Bantry wolltse ham, un ich dacht, Bride nütztse ja nix mehr.« In ihr Gesicht trat tiefe Trauer. »Ó Moghráin is auch tot, der Arme. Wir hamse beide ins Meer gekippt, ging nich anners, haste's nich mitgekriegt?«

»Allmächtiger Gott! Und ich dachte, es wäre ein böser Traum gewesen.« Vitus schlug das Kreuz und murmelte ein kurzes Gebet. Ó Moghráin war tot. Und Bride auch. Und er, Vitus von Campodios, lebte. Er war Arzt und hatte sie nicht retten können. Er kam sich hilflos und schäbig vor, und seine Wut auf den Piraten Jawy, dem sie all dies zu verdanken hatten, loderte wieder auf. Ó Moghráin und Bride waren gute Männer gewesen. Und viel zu jung, um zu sterben.

»Bride un Ó Moghráin, der Arme, sin nu mal tot, un du, Vitus, konntst nix dran machen.« Phoebe schien seine Gedanken erraten zu haben.

»Wenn ich doch nur gesund geblieben wäre.«

»Biste aber nich. Biste denn jetzt wieder auf'm Damm?«

»Ich denke, ja. Das Fieber ist weg, und mein Puls scheint auch normal zu sein. Ich fühle mich nur unendlich schlapp. Aufstehen könnte ich bestimmt nicht.«

»Brauchste ja auch nich. Willste noch 'n Wickel?«

»Nicht nötig, danke.«

Drüben begann Bantry vor sich hin zu pfeifen. Offenbar machte er Fortschritte beim Zusammenfügen des Radschlosses.

Phoebe steckte den Stirnwickel weg. »Will meinen eignen Kopf essen, wenn Bantry uns nich was vormacht. Von wegen ›Signalschüsse‹. So, kann nich länger bleiben, Vitus, 's Feuer geht sonst aus, un Phyllis pennt. Versprichste mir, dassde aufpasst? Der Bursche is mir nich geheuer, nich geheuer is mir der, das sach ich dir.« Sie erhob sich lautlos und schlüpfte, unbemerkt von Bantry, wieder nach vorn.

»Ich verspreche es«, sagte Vitus.

Bantry legte den Schraubendreher beiseite und fluchte leise vor sich hin. Bis eben war alles noch in schönster Ordnung gewesen, Teil auf Teil hatte sich wie von selbst zusammengefügt, doch nun fehlten ihm zwei Schrauben, zwei kleine, lächerliche Schrauben mit Halbrundkopf, nicht besonders lang, aber möglicherweise wichtig.

Suchend wanderten seine Augen auf dem Bootsboden hin und her. Er hob eine Taurolle an, schaute unter ein leeres Fass, schob eine gebrochene Dolle beiseite. Nichts. Die verfluchten Schrauben! Wo waren sie? Abermals spähte er nach ihnen, doch sie schienen wie vom Meer verschluckt zu sein. Ihm fiel ein, dass sie vielleicht durch die Bodenplanken gefallen waren, hinunter ins Bilgewasser, das ständig ein, zwei Zoll über dem Kiel stand. Dann waren sie ohnehin unauffindbar.

Aber vielleicht waren sie auch nicht so wichtig.

Er hatte die Radfeder ein paar Mal mit dem dafür notwendigen Schlüssel gespannt und probeweise den Abzug betätigt, und jedes Mal hatte ein kurzes »Rrrtsch« angezeigt, dass die Feder das Rad in Drehbewegung versetzte. Der Mechanismus funktionierte also. Warum sollte dann nicht auch das ganze Schloss funktionieren! Nein, er brauchte die Schrauben nicht. Wenn er es recht bedachte, konnte es gar nicht anders sein. Seine Laune hob sich wieder. Er begann das Schloss in den Musketenschaft einzupassen, und als er damit fertig war, kam ihm eine großartige Idee.

Er würde die Männer noch in dieser Stunde töten.

Jetzt, wo alle schliefen, hatte er die Überraschung auf seiner Seite. Und Licht gab es genug. Er würde zuerst diesen eingebildeten Cirurgicus erschießen, ein Kinderspiel auf die kurze Entfernung.

Umgehend begann er, die Muskete zu laden, wobei er reichlich Pulver und Zündkraut nahm. Nachdem das Pulver im Lauf war, stopfte er es mit dem Ladestock fest. Dann schob er die Kugel hinterher, die, wie er alsbald feststellte, nicht saugend ins Rohr passte, wie es eigentlich sein sollte, doch er machte sich weiter keine Gedanken darum. Auch nicht, als sie in der Mitte des Laufs klemmte. Er überwand das Hindernis, indem er sie ein paar Mal kräftig mit dem Ladestock anstieß. Schließlich saß sie vor der Pulverladung, bereit, abgeschossen zu werden. Er grunzte zufrieden. Sie war hineingegangen, also würde sie auch wieder herauskommen. Und sie würde ein hübsches, sauberes Loch in der Stirn des hochnäsigen Cirurgicus hinterlassen.

Danach legte er sich die beiden Harpunen griffbereit hin. Er ging davon aus, dass der Schuss die übrigen Männer mittschiffs aufschrecken würde, ein Umstand, der ihm sehr zustatten kam. Denn so konnte er sie mit den rasiermesserscharfen Harpunen besser treffen. Er musste an einen Mann denken, den er vor Jahren in Habana kennen gelernt hatte, einen Kerl mit den Körperformen einer afrikanischen Kalebasse. Der Bursche stellte in seinem Haus die unmöglichsten Dinge für die Gaffer aus, darunter Schmetterlinge, deren Flügel so groß waren wie die Hand eines ausgewachsenen Mannes. Die Schmetterlinge steckten auf starken Nadeln, und genau so, wie sie durchbohrt worden waren, so wollte er auch die Speichellecker dieses aufgeblasenen Cirurgicus aufspießen.

Er spähte noch einmal nach vorn. Die Speichellecker, einschließlich des Cirurgicus, schienen zu schlafen, nur im Bug machte Phoebe sich am Kohlebecken zu schaffen, doch von ihr ging keine Gefahr aus. Er nahm die Muskete auf – und legte sie wieder hin. Ihm war eingefallen, wie Phoebe vor nur wenigen Tagen Fraggles einen derben Stoß versetzt hatte, einen Stoß, der für den Verrrückten der Anfang vom Ende gewesen war. Gleiches konnte auch ihm passieren. Durch Hewitt, der schräg hinter ihm saß. Es würde besser sein, das Milchgesicht vorher auszuschalten. Und er wusste auch schon, wie.

»He, Hewitt …«

»Ja, Bantry?«

»Schrei nicht so, du weckst ja alle auf.«

»Oh, tut mir Leid.« Hewitt wunderte sich über Bantrys plötzliche Fürsorge.

»Schon gut. Lasch die Pinne fest und sichere die Schot. Und dann hau dich aufs Ohr. Ich pass schon auf.«

»Danke, Bantry.« Hewitt war froh, die Pinne aus der Hand geben zu können, denn seit Tagen hatte er sie geführt, stets rechts von ihr sitzend und sie mit der linken, heilen Hand haltend. Er fühlte sich müde und verspannt, und er sehnte sich nach Schlaf. Und dennoch wunderte er sich über Bantrys Angebot. Wer in der Lage war, eine Muskete über Stunden hinweg zu reparieren, der konnte auch das Schiff für eine Weile segeln. »Warum nimmst du die Pinne nicht selbst, Bantry, ist doch viel sicherer?«

»Halt's Maul und tu, was ich dir sage.«

»Schon gut, war ja nur eine Frage.« Der friedfertige Hewitt zuckte mit den Schultern und tat wie ihm geheißen. Als er sich Bantry wieder zuwandte, glaubte er seinen Augen nicht zu trauen: Seine Pupillen wurden groß, sein Mund öffnete sich zum Schrei, doch da traf ihn schon der Musketenkolben. Es gab einen dumpfen, hässlichen Laut, und Hewitt sackte wie ein Mehlsack zur Seite.

Bantry grunzte. »Schlafe süß, Milchgesicht, und schlafe auf ewig, denn wenn ich hier fertig bin, renne ich dir das Messer in den Wanst.«

Er entfernte den Deckel der Zündpfanne, senkte den Hahn und legte den Finger an den Abzughebel. Dann hob er die Waffe an die Wange und visierte sorgfältig sein Ziel an.

»Dafür also hast du die Muskete repariert«, sagte das Ziel.

»Wie? Was?« Bantry ließ den Lauf sinken. Für einen Augenblick war er verblüfft.

Vitus richtete seinen Oberkörper mühsam zu voller Höhe auf. »Dafür also hast du die Muskete repariert«, wiederholte er. Seine Stimme klang ruhig, und nur wer ihn kannte, hätte herausgehört, dass er Angst hatte. Schiere, nackte Todesangst.

Bantry riss den Kolben wieder an die Wange. »Dafür also hast du die Muskete repariert«, äffte er Vitus nach. »Ja, genau dafür, du hochwohlgeborenes Arschloch.«

Die Beleidigung traf Vitus wie ein Peitschenhieb. Dennoch musste er unter allen Umständen ruhig bleiben. Und sicher wirken. »Was habe ich dir getan, dass du mich töten willst?«

»Ja, was hat er dir getan?« Das war die krächzende Stimme des Magisters, der jetzt ebenfalls hochkam. Der kleine Mann blinzelte heftig, denn trotz des Laternenlichts konnte er nicht viel erkennen. Überall im Schiff begann es unruhig zu werden.

»Biste bekloppt, Bantry?«, erklang es vom Bug. »Mach dich nich unglücklich, Mensch, verstehste, nich unglücklich sollste dich machen, un uns auch nich, hatt doch keinen Zweck, leg das Dings wech, hörste.«

»Wui, Kaltmacher, tu den Püster weg un verblühe!«

»Du sollst nicht töten, spricht der Herr, und wer bist du, mein Sohn, dass du die Worte des Herrn missachten willst. Mache deinen Frieden mit Gott dem Allmächtigen ob dieser Sünde und sprich mir nach: *Pater noster qui es in coelis ...*«

»Halt's Maul, frömmelnder Papist!« Bantry war alles andere als zum Beten zumute. Sein Plan, der auf das Überraschungsmoment baute, drohte zu scheitern. Und das durfte nicht sein. Er wollte es besser machen als der verrückte Fraggles. Und er würde es besser machen!

Seine Augen hasteten von einer Gestalt zur anderen. Schon kletterten der Magister, der Zwerg und Ambrosius keuchend über die Ruderbänke heran. Woher nahmen sie die Kraft dazu? Eben noch schienen sie schwach und hilflos und dem Tod geweiht, und jetzt vermochten sie sich zu erheben. War es die Todesangst, die ihnen Flügel verlieh? Egal. Er musste handeln, schnell handeln!

Er wollte erneut auf das verhasste Gesicht zielen, doch der Cirurgicus war schon heran, ergriff den Lauf der Muskete und bog ihn zur Seite. Bantry verlor vorübergehend das Gleichgewicht, seine Linke streifte den Hals seines Gegenübers. Ohne nachzudenken, fasste er nach. Seine große, kräftige Hand packte den Cirurgicus bei der Kehle. Fast liebevoll begann Bantry zuzudrücken.

Vitus keuchte und kämpfte, während er weiterhin den Musketenlauf von sich fern hielt.

Bantry lachte innerlich. Halt du nur die Muskete fest!, dachte er. Ich tue es auch, und was ich mit meiner Linken mache, merkst du ja selbst. Er verstärkte den Druck und beobachtete mit satanischem Vergnügen, wie dem Cirurgicus die Augen aus den Höhlen quollen. Gleich würde er jämmerlich erstickt sein, auch wenn der Magister ihm mittlerweile zu Hilfe gekommen war und wie rasend versuchte, die Finger seiner linken Hand zu öffnen.

Der Cirurgicus wehrte sich verbissen weiter.

Bantry keuchte. »Warte nur, blasierter Quacksalber!« Er hielt Vitus auf Armeslänge von sich, würgte ihn, trotz des Magisters Bemühungen, unverändert weiter und begann nun, seine rechte Hand mit unwiderstehlicher Stärke zu drehen. Da er mit ihr noch immer das Radschloss der Muskete umklammert hielt, drehte die Waffe sich mit und bedrohte Vitus erneut. Schon hatte Bantrys Zeigefinger den Abzughebel abermals gefunden, und alles schien für den Cirurgicus verloren zu sein, da geschah etwas gänzlich Unerwartetes.

Vitus ließ einfach los.

Die Waffe schnellte Bantry gegen den eigenen Kopf, und ohne dass er es verhindern konnte, betätigte er den Abzug. Mit ohrenbetäubendem Knall zerbarst das Radschloss in unzählige Stücke. Metallteile schossen sternförmig in die Luft, glühend und scharfkantig, und griffen Bantry wie tausend wütende Hornissen an. Im Bruchteil eines Augenblicks rissen sie ihm die Gesichtshaut ab und zerbrachen ihm Jochbein und Kiefer. Und stachen ihm beide Augen aus.

DIE »DAME« PHYLLIS

»Sach mal ehrlich, Vater, du weißt nich,
was Qualle auf Latein heißt, nich?«

*A*n Bord der Albatross, *Februar A. D. 1578*
Ich, Vitus von Campodios, habe mich entschlossen, weiter zu berichten, denn Grauenvolles hat sich zugetragen. Gott der Allmächtige legte uns eine schwere Buße auf, indem er das Schwarze Erbrechen über uns kommen ließ. Wir
waren schwach bis auf den Tod. Der Steuermann Ó Moghráin
und der Zimmermann Bride wurden von der Krankheit dahingerafft, und wenn Miss Phoebe und Miss Phyllis nicht gewesen
wären, so hätte es uns wohl alle getroffen.
Wir beten für die Toten. Wir beten auch für den Matrosen Bantry. Er ist ein Schurke, der sich vor zwei Tagen in den Besitz der
Muskete brachte und mich erschießen wollte. Doch der Allmächtige gab es, dass der Mann sich selber richtete. Er hatte das
Radschloss der Waffe so ungeschickt repariert, dass es beim Betätigen des Abzugs explodierte. Er lebt, aber sein Kopf ist nur noch
rohes Fleisch. Ich selbst erlitt ebenfalls Verletzungen, die jedoch
vergleichsweise unbedeutend sind, da Bantrys Gesicht den
Hauptteil des Splitterregens abfing.
Die Stimmung an Bord ist gedrückt. Bantrys Qualen überschat-
ten alles. Vater im Himmel, erlöse ihn bald!
Nach dem Wüten des Fiebers kennt niemand mehr den genauen
Tag. Ich werde meine Eintragungen deshalb undatiert fortsetzen, immer dann, wenn das Wetter es zulässt. Die See ist heute
ruhig. Gegen Mittag erschien eine Schule Delphine, freundliche,
verspielte Tiere, die uns viel zu schnell wieder verließen. Der
Wind steht raum aus Ost. Hewitt, der Zuverlässige, sitzt an der
Pinne. Er scheint das Schwarze Erbrechen früher schon überlebt
zu haben, denn es sprang ihn nicht an.
Die Nahrungsmittel gehen zur Neige. Welche Prüfungen, Herr,
wirst Du uns noch auferlegen?

»Wir haben keinen Lein, der warm und sanft ist und bei Ver-
brennungen die Hitze aus der Wunde zieht, wir haben kein
Mehl, das suppende Stellen trocknet, wir haben kein Natron,
wir haben kein Johannisöl, wir haben gar nichts. Von Opium
zur Schmerzlinderung oder auch Laudanum ganz zu schweigen. Nichts, einfach nichts. Es ist zum Verzweifeln!«
Vitus beugte sich über Bantry, den man quer auf die letzte
Ruderbank gelegt hatte, und zwang sich, die Augen auf das zu
richten, was von seinem Kopf übrig geblieben war. Der Anblick des zerfleischten Gesichts mit den toten Augenhöhlen
konnte auch den Hartgesottensten das Gruseln lehren. »Bantry«, murmelte er, »hörst du mich?«
Bantry nickte kaum merklich. Es war das erste Mal nach dem
Mordversuch, dass er eine Reaktion zeigte.
»Wir können nichts für dich tun, nur beten und den Allmächtigen bitten, dich bald von deinen Leiden zu befreien. Bete
auch du und bitte den Herrn um Verzeihung für das, was du
tun wolltest, und mache deinen Frieden mit ihm.«
Bantry atmete schneller. Aus dem Loch, das einmal sein Mund
gewesen war, kamen rasselnde Laute. Vitus glaubte, Worte
verstanden zu haben, und hörte noch einmal genau hin. Dann
wandte er sich ernüchtert ab.
Bantry hatte »Scheiß drauf!« gekrächzt.
Als wolle er hierauf eine Antwort geben, war vom Mast her
Bruder Ambrosius zu hören; er sagte: »Ich danke Dir, Vater im
Himmel, dass Du meinem Gedächtnis auf die Sprünge geholfen hast, und erflehe von Dir die Kraft, der es bedarf, auch die
Bösen unter den Menschen zu lieben.«
»Was meinst du damit?«, fragte Vitus ihn.
»Nun«, der Mönch, der bei seinen Worten himmelwärts ge-
blickt hatte, wandte dem Cirurgicus sein hohlwangiges Gesicht zu, »Gott hat mich an eine Geschichte erinnert, die Bruder Erasmus, der Arzt unseres Klosters, gern am Mittagstisch
zum Besten gab, vornehmlich dann, wenn Hühnerklein auf
dem Speisezettel stand: Es habe, so erzählte er, in der Nähe
von Erfurt eine Bauersfrau gelebt, die eines Tages einen Topf
mit kochendem Wasser vom Feuer nahm, dabei über die eigenen Füße stolperte, stürzte und sich schwerste Hautverbren-
nungen zuzog. Nachdem sie mehrere Stunden hilflos am Bo-

den gelegen hatte, kam ihr Mann vom Feld, entdeckte sie und erschrak zu Tode. Es war Abend, und der Dorfbader war weit. Was sollte er tun? Er wusste nicht ein noch aus. Doch plötzlich erinnerte er sich, dass seine Mutter Verbrühungen stets mit frischem Hühnerfett behandelt hatte. Er schlachtete also geschwind ein Huhn, nahm das Fett, strich die Haut seiner Frau damit ein, und alsbald wurde sie wieder gesund.«

Ambrosius lächelte leicht. »Dann pflegte Bruder Erasmus in die Runde zu blicken und zu sagen: ›Ich danke dem Herrn dafür, dass keiner meiner Mitbrüder sich heute Morgen verbrannt hat und mein Hühnerklein deshalb schön fett ist.‹ Woraufhin er es sich, unter den missbilligenden Blicken unseres ehrwürdigen Abtes, schmecken ließ.«

Als Ambrosius dies gesagt hatte, richteten sich alle Augen der Mannschaft nach vorn, zum Bug, wo Jack in seinem Käfig saß. Der Vogel war stark abgemagert, machte aber ansonsten einen gesunden Eindruck.

»Wennste damit meinst, Jack soll abgemurkst werden, haste dich geschnitten, Vater.« Phoebe stemmte kampflustig die Arme in die Hüften. »Will meinen eignen Kopf essen, eh das passiert, un Fett hatter auch nich auf'n Rippen, kein Gran nich, nich, Phyllis?«

»Ja, ja, kein Gran nich.«

»Nun, meine liebe Phoebe, meine liebe Phyllis, es geht hier immerhin um ein Menschenleben, und Jack ist nur ein Tier«, versuchte Ambrosius zu erkären. Er merkte dabei, wie schwer es ihm fiel, sich für Bantry, den Mordbuben, einzusetzen, aber auch dieser Mensch hatte schließlich eine Seele, und wenn es dem Herrn gefiel, würde sie sogar gerettet werden.

»Ja, ja, kein Gran nich«, wiederholte Phyllis zur Überraschung aller. Sie blickte, ganz gegen ihre sonstige Art, den Mönch dabei direkt an.

»Gewiss, Phyllis«, räumte Ambrosius ein. »Gewiss.« Er fühlte sich etwas unbehaglich, denn er hatte zum erstenmal bemerkt, welch schöne blaue Augen das blasse Mädchen besaß. »Aber man sollte den Hahn wenigstens einmal abtasten, nicht wahr, vielleicht findet sich doch …«

Phoebe reckte das Kinn vor. »Kommt nich in Frage, Vater, 's is mein letztes Wort!« Dann drehte sie sich zu dem Vogel um.

»Brauchst keine Angst nich haben, du Scheusal, Phoebe is da un passt auf. Für so 'nen Hundsfott wie Bantry gehste nich drauf, bei den Knochen meiner Mutter!«

Der Zwerg mischte sich ein: »Wui, Bantry is 'n armes Schwein, Frau Beischläferin, das musste holmen, un keiner is ohne Sünde, un du schon gar nich.«

»Waaaaas?« Phoebe schoss auf den Wicht zu. »Du Winzbuckel, du! Fass dich anne eigne Nase! Hätt nie nich gedacht, dassde dich für so'n Hundsfott wie Bantry einsetzen tätst.«

Der Magister blinzelte kurzsichtig. »Keine Aufregung, Phoebe, Verehrteste! Keine Aufregung! Das schadet nur deiner Schönheit. Also, dem Gesetz nach ist ein Tier kein Mensch und kann somit auch nicht mit ihm auf eine Stufe gestellt werden, ich räume aber ein, dass …«

»Wartet mal«, unterbrach Vitus, »ich glaube, Bantry hat eben etwas gesagt.« Alle schwiegen und spitzten die Ohren.

»Was - ser«, hauchte Bantry.

»Er möchte Wasser«, stellte Vitus fest. »Ich habe ihm die letzten Tage immer wieder etwas gegeben, so viel, wie wir erübrigen konnten, aber es scheint nie genug gewesen zu sein. Jetzt haben wir selbst fast nichts mehr.«

Kaum hatte er das gesagt, löste er damit eine neue hitzige Diskussion aus, die darin gipfelte, dass Phoebe schimpfte: »Der Hundsfott is nich das Schwarze unterm Fingernagel wert, verstehste, nich das Schwarze, un 'n Tropfen von unserm Wasser erst recht nich, 's wär viel zu schade, nich, Phyllis?«

»Ja, ja, viel zu schade.«

Vitus breitete, Ruhe gebietend, die Arme aus. »Wir haben nicht das Recht, ihn leiden zu lassen, solange wir ihm helfen können. Wir müssen ihm Wasser geben. Manchem von euch mag das schwer fallen, und auch ich hege keine freundschaftlichen Gefühle für einen Mann, der mir nach dem Leben trachtete, aber gerade darin unterscheiden wir Menschen uns vom Tier.« Er nahm den letzten Becher des aufgefangenen Regenwassers und flößte ihn dem Kranken ein.

»Herr, wenn es Dir gefällt, lass es bald wieder regnen«, seufzte er.

»Amen«, ergänze Ambrosius.

In der darauf folgenden Nacht pfiffen Böen aus verschiedenen Richtungen über das Schiff. Vitus, der bis zu diesem Zeitpunkt das Boot gesteuert hatte, übergab die Pinne wieder an Hewitt, der besser mit Schot und Segel umzugehen wusste. Es war stockdunkel, der Himmel hing voller Wolken, und kein noch so kleiner Stern erhellte den Ozean.

Vitus bedauerte zum wiederholten Mal, dass die Laterne, die sie von der *Gallant* gerettet hatten, bei der Explosion des Radschlosses zerborsten war. Er kletterte vorsichtig nach vorn, über die Leiber des Zwergs, des Magisters und des Mönchs hinweg, die eng aneinander gedrängt im Heckbereich schliefen. Er wollte noch einmal nach Bantry sehen. Zwiespältige Gefühle beherrschten ihn dabei. Der Schwerverletzte war ein schlechter Mensch mit niedrigen Instinkten, ein Schlagetot und ein Dieb dazu, denn sie hatten bei ihm Teile der Habe von Ó Moghráin und Bride gefunden, und dennoch: Es musste alles getan werden, damit Bantrys Leben gerettet wurde. Allein deshalb schon, weil er, Vitus, ein *Cirurgicus Galeonis* war und das Ethos seines Berufs das von ihm verlangte. Schlimm war nur, dass er immer wieder spürte, wie sich alles in ihm dagegen sträubte.

Als er sich zu Bantry vorgetastet hatte, ergriff er dessen Handgelenk und fühlte den Puls. Er war kaum zu spüren. Bantry ging es zum Gotterbarmen. Alle Kraft war aus seinem Körper gewichen, weshalb man ihn mit Stricken an die Ruderbank gebunden hatte. Vitus ließ sich neben ihm nieder und nahm sich vor, am nächsten Morgen den Hahn zu schlachten, egal, was Phoebe davon hielt. Wenn eine Möglichkeit zur Linderung von Bantrys Leiden bestand, musste diese wahrgenommen werden. Er blickte noch einmal über das Schiff, konnte aber kaum etwas wahrnehmen, nur die Schatten von Phoebe und Phyllis im Bug und die Umrisse der Männer im Heckbereich. Alle außer Hewitt schienen zu schlafen. »Gute Nacht und Gott befohlen«, murmelte er. Dann döste er ein.

»Kannst du bei dieser ägyptischen Finsternis überhaupt die Kompassnadel erkennen, Hewitt?«, fragte der Magister einige Zeit später in die Dunkelheit hinein. Er war aufgewacht und gähnte herzhaft.

»Nein, ich versuche, das Schiff einigermaßen am Wind zu halten, mehr kann ich nicht machen.«

»Solange du uns nach Westen in die Karibik segelst, soll es mir recht sein.« Der kleine Gelehrte drehte sich auf die andere Seite.

»Jetzt sehe ich etwas«, rief Hewitt plötzlich.

»Wie? Was sagst du?« Der Magister war schon wieder im Land der Träume gewesen.

»Unser Kurs ist nahezu Südwest.« Hewitt wunderte sich, dass er die Kompassnadel so deutlich vor Augen hatte, und forschte nach der Quelle des Lichts. Er blickte zum Himmel und stieß einen überraschten Schrei aus: »Allmächtiger Gott, steh mir bei!«

Alle fuhren hoch.

»Was gibt es dahinten?« Das war Vitus' Stimme.

»Wui, 's blendet in den Spählingen.«

»Ich glaub, mich laust der Affe, 's is hell wie zehn Hafenlaternen auf einmal, nich, Phyllis?«

»Ja, ja, wie zehn Hafenlaternen.«

»Das ist ein Zeichen des Herrn!« Ambrosius blickte empor zum Mast, dessen Spitze von einem büschelförmigen, intensiven Licht umgeben war, das sich ständig zu erneuern schien.

»Ein Zeichen des Herrn!«, wiederholte er und begann sogleich zu beten:

>*Allmächtiger, wir danken Dir*
>*für dieses Zeichen,*
>*das Du uns in finsterer Stunde gesandt hast,*
>*und nehmen es in Demut an.*
>*So wie der Stern von Bethlehem*
>*die Weisen aus dem Morgenland*
>*zu Jesus Christus unseren Herrn geleitet hat,*
>*so wird auch dieses Licht uns leiten,*
>*gen Westen, in die Neue Welt.*
>*Amen.«*

»Amen«, wiederholten alle, und Ambrosius schlug das Kreuz. Dann, jählings, zuckte sein langer Körper wie unter einem Peitschenhieb zusammen, denn ein gewaltiger Blitz, der den gesamten Ozean taghell erleuchtete, schoss über den Himmel hinweg.

»Großer Gott!« Phoebe bekreuzigte sich. »'s kann aber auch

'n schlechtes Zeichen sein, 'n verdammich schlechtes Zeichen, nich, Phyllis?«

»Ja, ja, 'n verdammich schlechtes Zeichen.«

Unterdessen hatte es weitere Male geblitzt.

Alle warteten ängstlich auf den Donnerschlag, aber er blieb aus.

»Ob gutes oder schlechtes Zeichen«, bemerkte der praktisch denkende Magister schließlich, »auf jeden Fall regnet es.« Er streckte seine Hand aus und fing die ersten Tropfen auf. »Wasser, Herrschaften, klares, kaltes, süßes Wasser. Wir sollten so viel wie möglich davon auffangen.«

»Dasses regnet, is 'n gutes Zeichen, nich, Phyllis, aber dasses nach'm Blitzen nich donnert, is komisch, nich, Phyllis?«

»Ja, ja, komisch«, echote Phyllis.

Das Gewitter hielt ihrer Schätzung nach über eine Stunde an. Es blitzte ohne Pause, so grell, dass die Augen ihnen wehtaten, doch kein einziger Donner war zu hören. Sie fingen in bewährter Manier Wasser auf und tranken sich satt. Auch Bantry bekam seinen Teil ab. Dann schliefen sie, obwohl völlig durchnässt, glücklich wieder ein. Sie wussten, sie hatten Wasser für mehrere Tage.

Am anderen Morgen, als Vitus sich um Bantry kümmern wollte, war dieser tot. Gott der Allmächtige hatte ihn sterben lassen.

noch Februar A. D. 78

Der Matrose Bantry ist vergangene Nacht seinen Leiden erlegen. Seine sterblichen Überreste wurden der See anvertraut. Die Dinge, die er der Mannschaft gestohlen hatte, wurden ihm vorher abgenommen, darunter eine Lederweste des verstorbenen Bride und ein goldenes Kreuz von Ó Moghráin. Wir haben ein letztes Gebet für Bantry gesprochen. Er war ein übler Schurke, hinterhältig und skrupellos, möge Gott sich dennoch seiner Seele annehmen. Der Gesundheitszustand der Mannschaft, und ebenso der meinige, ist leidlich. Alle sind schwach und bis auf die Knochen abgemagert. Manche haben raue, rote Hautstellen, aufgescheuert durch die Kleidung. Die Stellen brennen wie Feuer, besonders, wenn Seewasser an sie gelangt. Ein Abspülen mit Süßwasser war bislang nicht möglich, denn wir hatten kaum noch welches.

Immer wieder bin ich erstaunt, wie viel der menschliche Körper aushalten kann, wenn er nur gutes, trinkbares Wasser erhält. Wasser scheint für das Gleichgewicht der Säfte viel wichtiger zu sein als Nahrung. Gottlob hat es in der letzten Nacht ein starkes Gewitter gegeben, so dass wir unseren Wasservorrat auffrischen konnten. Vorher beobachteten wir ein seltsames, nie gesehenes Phänomen an der Mastspitze; es war ein Licht, das sich geraume Zeit dort hielt, und es war so hell, dass Hewitt sogar den Stand der Kompassnadel ablesen konnte.
Nach Bantrys Tod fühlen wir uns alle wie befreit.

In den folgenden Nächten zogen regelmäßig Gewitter auf, und jedes Mal beobachteten sie vorher das seltsame Licht an der Spitze des Masts. Eines Morgens fanden sie mittschiffs am Bootsboden mehrere kleine Fische. Sie maßen ungefähr zehn Zoll in der Länge und sahen ähnlich wie Heringe aus. Ihre Oberseite leuchtete stahlblau, die Unterseite silbrig. Sie besaßen Brustflossen, so breit wie Flügel.

»Fliegende Fische«, erklärte Hewitt, »sie schmecken ausgezeichnet.« Und noch während er das sagte, rief plötzlich der Magister: »Da sehe ich welche im Meer, das müssen welche sein!«

Tatsächlich schossen an Backbord ein Dutzend oder mehr silbrig glänzende Fischkörper aus dem Wasser, glitten wohl an die hundert Fuß durch die Luft und tauchten klatschend wieder ein. Der Vorgang wiederholte sich mehrere Male, und nachdem sie eine Weile zugesehen hatten, bemerkte der kleine Gelehrte: »Es gibt Vögel, die schwimmen können, warum soll es nicht auch Fische geben, die fliegen können? Hauptsache, die Tierchen schmecken.« Er blinzelte Phoebe erwartungsvoll an. »Und sie werden es, nicht wahr, Phoebe, Verehrteste?«

»Will sehn, wassich machen kann. 's Kohlebecken is ja an, bedankt euch bei Phyllis, dasses so is. 's gibt 'ne Fischsuppe, was anneres geht nich, haben ja keinen Rost nich, nur 'n Eimer als Topf un Splitterholz zum Brennen, 's Splitterholz muss trocken sein, verstehste, trocken musses sein, nich, Phyllis?«

»Ja, ja, trocken.«

Phyllis machte sich daran, die Glut zu schüren.

An den folgenden Tagen litten sie keinen Hunger, denn es war, als hätten die Fliegenden Fische einzig und allein die *Albatross* zum Ziel ihrer Flüge auserkoren. Jeden Tag fand sich ein gutes Dutzend dieser Meeressegler im Boot, und Phoebe kochte ständig Fischsuppe, wobei die Bezeichnung »Fischsuppe« übertrieben war, denn sie bestand aus nichts anderem als Fisch und Wasser.

Wie alles, was ohne weiteres und in ausreichender Menge verfügbar ist, verlor auch die Suppe nach kurzer Zeit den Charakter des Besonderen, und Phoebe sprach eines Morgens zu Jack: »Na, Jack, du Scheusal, weißte was? 'ne Henne wär mir lieber als 'n Hahn, nix für ungut, 'ne schöne, dicke Henne, so eine, die noch 'n Ei im Ar... äh ...« Sie blickte sich um, aber niemand außer Phyllis war in der Nähe. »... 'ne Henne, die noch 'n Ei im Arsch hat. Haste das schon mal gesehn, Phyllis? Nee? Wennde 'ne Henne ausnimmst, is manchmal hinten noch 'n Ei drin, 'n Ei, dasse noch nich gelegt hat, verstehste. Ach, jetzt 'n Ei ...!«

Jack, der Hahn, beäugte Phoebe aufmerksam von unten und stellte den Kamm auf.

»Brauchst keine Angst nich haben, oller Gockel.« Phoebe schob ihm ein paar Fischstückchen in den Käfig, die er zögernd aufpickte. »Bist Phyllis un mir ans Herz gewachsen, ja, das biste, nich, Phyllis?«

»Ja, ja, ans Herz gewachsen«, bestätigte Phyllis.

»Darf man fragen, was euch, meine Töchter, ans Herz gewachsen ist?« Ambrosius hatte seinen langen Körper in den Bug gezwängt und stand nun vor den beiden jungen Frauen.

Phoebe antwortete: »Jack isses, Vater, verstehste, er is nur 'n Tier, aber für mich isser mehr Wert als 'n Mensch, na ja, 'türlich nich als alle Menschen, aber mehr Wert als so 'n Hundsfott wie Bantry, das sach ich freiraus, un wenn der Hundsfott zehnmal tot is.« Sie nickte ein paar Mal ernsthaft. »'s musste mal gesacht werden, nich, Phyllis?«

»Ja, ja, 's musste«, bestätigte Phyllis.

»So, un jetzt mussich nach hinten, hab Hewitt 'n Becher Suppe versprochen.«

Ambrosius machte höflich Platz, was allerdings wegen seiner langen Gliedmaßen nicht ganz einfach war. »Auch ich habe nichts gegen Jack«, rief er Phoebe hinterher. Dann, sich plötzlich der Nähe zu Phyllis bewusst werdend, setzte er leicht verlegen hinzu: »Auch wenn ich der Meinung bin, dass er, nun ja, im Zweifelsfall in den Topf gehört.«

Phyllis schaute ihn aus großen blauen Augen an.

»Nun ja, äh …« Ambrosius stellte fest, dass die Farbe ihrer Augen an blühende Kornblumen erinnerte. Seine Verlegenheit wuchs. »Du musst wissen, dass Gott der Herr die Haustiere schuf, damit sie dem Menschen als Nahrung dienen. Wie also könnte ein Christ etwas dagegen haben, sie zu verspeisen!« Er war sich nicht sicher, ob es eine Stelle in der Bibel gab, die seine Behauptung bestätigte, aber das war für den Augenblick egal.

Phyllis fuhr fort, ihn anzublicken.

»Nun, äh … wenn ich es genau nehme, bin auch ich den Tieren sehr zugetan. Allen Tieren. Erinnerst du dich an die Delphine, die vor einiger Zeit um das Boot herumschwammen? Ich fand sie ganz reizend, wirklich reizend, äh … Sie waren doch reizend, nicht wahr?«

»Ja, ja, reizend.«

»Ja, ganz meine Meinung. Hm … Gestattest du mir eine Frage?«

Phyllis schaute ihn an.

Ambrosius nahm das als Bestätigung. »Wieso antwortest du eigentlich stets mit der doppelten Bejahung, gefolgt von dem letztgenannten Adjektiv im Fragesatz?«

In Phyllis' blaue Augen trat Unverständnis.

Ambrosius bemerkte es und biss sich auf die Lippen. Er musste sich einfacher ausdrücken, aber das war für ihn, einen studierten Mann, nicht ganz leicht. Er beschloss, die Dinge beim Namen zu nennen: »Warum antwortest du immer nur mit ›Ja, ja, reizend‹ oder ›Ja, ja, komisch‹ oder ›Ja, ja, trocken‹? Fällt dir denn gar nichts anderes ein?«

Kaum hatte Ambrosius das gesagt, bemerkte er zu seinem Schrecken, wie unhöflich, ja verletzend seine Direktheit auf Phyllis wirken musste, deshalb sprach er rasch weiter: »Nun, jedenfalls fand ich die Delphine ganz reizend. Es sind offenbar sehr gesellige Tiere, sehr verspielt, sehr akrobatisch, sehr äh …«

»Ich sach auch ›Ja, ja, kein Gran‹ un ›Ja, ja, viel zu schade‹ un ›Ja, ja, 'n verdammich schlechtes Zeichen‹.«

»Wie bitte? Hoppla! Du kannst ja doch noch anders reden! Was hast du gesagt?«

Die blauen Augen blickten ihn an. »Ich hab gesacht, ich kann auch ›Ja, ja, kein Gran‹ un ›Ja, ja, viel zu schade‹ un ›Ja, ja, 'n verdammich schlechtes Zeichen‹ sagen.«

»In der Tat, meine Definition mit dem Adjektiv war nicht ganz präzise, äh … du hast Recht, natürlich hast du Recht!«, freute sich der Mönch. »Weißt du denn immer genau, was du am Tag so alles gesagt hast?«

»Immer. Un auch, wassich gestern gesacht hab un vorgestern un die Woche davor. Kann mich immer erinnern, an alles.«

Ambrosius staunte. Wenn das stimmte, hatte er es hier mit einer geistigen Leistung zu tun, die mehr als ungewöhnlich war. Andererseits gab Phyllis höchstens ein halbes Dutzend Male am Tag ihren Halbsatz von sich.

»Weißte noch den Tach, Vater, alswer das Boot umgedreht haben, wo der Zwerg drunter war? Da hat Phoebe sich gefreut, un der Zwerg hat blöd gegrinst un gesacht: ›Wui, wo dein Toches jetzt is, war vorhin meine Fratz, Frau Beischläferin‹, un da hat Phoebe gesacht: ›Du Giftspritze! Hab dir schon hundertmal gesacht, ich binne Dame un keine Beischl…‹, un das letzte Wort hattse verschluckt un gesacht ›Ich un Phyllis sin Damen! Nich, Phyllis?‹, un weißte, wassich da gesacht hab?«

»Nun, äh …« Ambrosius konnte sich noch lebhaft an die Situation erinnern, aber keinesfalls an die wörtliche Rede der Beteiligten. »Was hast du denn gesagt?«

»›Ja, ja, Damen‹, hab ich gesacht, un der Magister hat gesacht ›Streitet Euch nicht, Verehrteste, der Zwerg meint es nicht so. Wollt Ihr noch etwas von dem Schinken? Ich gebe ihn Euch gerne, auch wenn ich warnend den Finger heben muss: Er ist salzig, und wir haben kein Trinkwasser, jedenfalls heute Abend noch nicht‹, ja, ja, genau so hatters gesacht. Ich behalt eben alles, alles behalt ich.«

Ambrosius verschlug es den Atem. Die junge Frau mit den blauen Augen schien nicht nur über ein unglaubliches Gedächtnis zu verfügen, sie war auch in der Lage, die Stimme der

242

Sprechenden verblüffend echt nachzumachen. Eine Begabung, die ihm in dieser Form noch nie begegnet war. Wie spielend leicht musste Phyllis das Erlernen der lateinischen Sprache fallen, wenn man sie nur förderte! Er musste an sein Heimatkloster im Thüringer Land denken, wo so mancher Lateinschüler trotz ständigen Paukens kaum in der Lage gewesen war, seinen Cäsar zu übersetzen. Aber so ging es häufig im Leben: Wer das Glück hatte, an Bildung heranzukommen, war beschränkt, und wer die Gabe hatte, sie zu erwerben, kam nicht an sie heran. Bildung war den Reichen vorbehalten. Nicht zuletzt deshalb hatte er sich entschieden, seine Bildung weiterzugeben. Und seinen Glauben.

Ambrosius' Blick schweifte über das Meer, und ihm kam eine Idee. »Weißt du, was ›Meer‹ auf Lateinisch heißt?«, fragte er, um sogleich, da sie es natürlich nicht wissen konnte, selbst die Antwort zu geben: »*Mare.*«

»*Mare*«, wiederholte Phyllis.

»Ganz recht, *mare*. Wasser heißt übrigens *aqua* und Welle *unda.*«

»*Aqua, unda.*«

Er wies auf die *Albatross.* »Schiff heißt *navis*, Mast *malus* und Ruder *remus.*«

Phyllis sprach die Wörter fehlerfrei nach.

Ambrosius entschloss sich, ein Experiment zu machen. »Achte genau auf mich«, sagte er. »Ich nenne dir jetzt viele Wörter auf einmal, mal sehen, ob du sie alle auf Anhieb behältst.« Er deutete auf das Segel: »*Velum.*« Dann auf eine Harpune: »*Hasta.*« Auf ein Fass: »*Cupa.*« Auf ein Seil: »*Funis.*« Auf den Suppeneimer: »*Hama.*« Auf die Suppe: »*Ius.*« Auf das Brennholz: »*Ligna.*« Auf die Glut: »*Ardor.*« Auf den Hahn: »*Gallus.*« Auf den Käfig: »*Cavea.*«

Er verschnaufte. »Hast du mir gut zugehört?«

Phyllis nickte.

»Schön.« Ambrosius wollte es noch schwerer machen. Er deutete auf seine Stirn: »*Frons.*« Auf sein Ohr: »*Auris.*« Auf sein Auge: »*Oculus.*« Auf die Nase: »*Nasus.*« Auf den Mund: »*Os.*« Dann blickte er Phyllis erwartungsvoll an. »Meinst du, dass du alles behalten hast?«

»Denk schon, wenn 's nich mehr is.«

»Nein, das soll fürs Erste genügen. Ich nenne dir jetzt ein lateinisches Wort, und du sagst mir, was es bedeutet.«

»Is recht.«

»*Cupa.*«

»Fass.« Die Antwort kam schnell und sicher.

»*Malus.*«

»Mast.«

Er fragte in bunter Reihenfolge weiter, und jedes Mal wusste Phyllis die Antwort. Sie irrte sich nie und zögerte kein einziges Mal.

Dann drehte er das Ganze um, indem er auf die Gegenstände deutete und nach dem lateinischen Ausdruck fragte. Phyllis blieb fehlerlos wie zuvor.

Ambrosius lächelte fein. »Und was heißt Himmel?«

»Himmel?« Phyllis stutzte kurz. »Das Wort haste noch nich gesacht, 's kannich nich wissen.«

»Du hast Recht. Ein kleiner Spaß von mir. Spaß heißt übrigens *iocus* und Himmel *caelum.*« Er bemerkte, dass sie bei seinen letzten Worten zitterte. »Ist dir kalt?«

»Nee, nee, 's is nur der Wind.«

»Wind heißt *ventus* und kalt *frigidus.*«

»Hm. Un was heißt Qualle?«

»Qualle? Wie kommst du denn darauf?« Ambrosius überlegte fieberhaft, aber das Wort für Qualle wollte ihm nicht einfallen. »Nun, ich muss gestehen, dass ich es im Augenblick nicht weiß.«

»Da is eine im Wasser, 'ne mickrich kleine, un da is noch eine.«

Phyllis war nicht die Einzige, die Quallen entdeckt hatte. Auch Vitus und der Zwerg hatten welche gesehen. Sie wiesen nach Steuerbord voraus, und der Winzling rief: »Die Spählinge auf! Wui, glibbrig ist's all überall. Quillige Quallen, quallige Quillen! Da wimmelt's nur so im Teich!«

Die Wassertiere traten tatsächlich in überwältigend großer Zahl auf. Es mochten Hunderttausende, ja Millionen sein, die von Nordwesten nach Südosten zogen. Sie schwammen dicht an dicht, wie ein Teppich aus Gallert, und brachten durch ihre Masse die *Albatross* beinahe außer Kurs. Das Schauspiel hielt annähernd eine Stunde an, bis endlich die letzten Exemplare das Schiff passierten. »Das sind Medusen«, erklärte Hewitt, »so viele auf einmal habe ich noch nie gesehen.«

Der Magister, der sein großes Haupt so weit es ging über das Dollbord gelehnt und die Organismen fasziniert beobachtet hatte, bemerkte: »Sie haben einen glockenförmigen Schirm, in dem eine Art Muskulatur stecken muss, anders ist nicht zu erklären, wie die Viecher es fertig bringen, den Rand ihres Schirms in dieser Rhythmik zusammenzuziehen. Fürwahr eine Art der Fortbewegung, die ganz ohne Segel auskommt. Ob ich mal ein Exemplar herausfische?«

Hewitt rief: »Sei vorsichtig, manche können höllisch brennen!«

»Danke für den Hinweis. Vorsicht ist besser als Nachsicht. Oder: *Quidquid agis, prudenter agas et respice finem*, wie wir Lateiner sagen.«

»Was heißt 'n das nu wieder, Vater?«, fragte Phyllis. »Da war kein Wort nich bei, dassich schon kenn.«

»Richtig, meine Tochter. Der Magister sagte: Was du tust, das tue vorsichtig, und bedenke das Ende.«

»Hm. *Quidquid agis, prudenter agas et respice finem*«, wiederholte Phyllis. »So hießes, nich?«

»Wort für Wort, meine Tochter«, bestätigte Ambrosius, wobei er es vermied, Phyllis in ihre blauen Augen zu sehen.

»Un das wusstestde auch gleich, genau wie der Magister, nich?«

Der Mönch hob die Brauen. »Natürlich. Ohne unser gutes Gedächtnis wären wir Lateiner nur die Hälfte wert.«

»Hmja, verstehe. 's Wort für Qualle kannste mir ja 'n anneres Mal sagen.«

noch Februar A. D. 78
Seit einigen Tagen unterrichtet Bruder Ambrosius Miss Phyllis in der lateinischen Sprache. Er behauptet, sie sei eine Naturbegabung mit außergewöhnlichem Gedächtnis. Gleichzeitig bemüht er sich, ihr ein gutes Umgangsenglisch beizubringen, was bei ihr aber auf taube Ohren stößt. Wenn sie wirklich so begabt ist, woran ich nicht zweifle, wird sie in nicht allzu ferner Zeit druckreifes Latein sprechen, und das unter Beibehaltung ihres Hafenslangs. Die Versuche Bruder Ambrosius' sind zu begrüßen, bringen sie doch Ablenkung in unser tristes Einerlei. Wenn die Tage ewig gleich ablaufen, reagiert der menschliche Verstand gereizt. Immer nur Fischsuppe, immer nur Ostwind, immer nur die erdrü-

*ckende, unendliche Weite der See. Dabei leben wir und sind
leidlich gesund. Oh, Herr, verzeih uns unsere Undankbarkeit!
Hewitt hat beim Angeln stets guten Erfolg. Drei armlange Bonitos bissen vorgestern an, dazu ein größerer Fisch, den wir nicht bestimmen konnten, dessen Fleisch sich jedoch als sehr schmackhaft
erwies. Hewitt war es auch, der den Einfall hatte, die Kraft der
Sonne zu nutzen und aus Filetstreifen Trockenfisch herzustellen.
Er ist ein sehr wertvolles Mitglied der Mannschaft geworden und
der einzige gelernte Seeman an Bord.
Am gestrigen Morgen verfing sich ein Krake in der Langleine.
Welch seltsames Gottesgeschöpf ein solches Wesen doch ist, mit seinem
sackförmigen Körper, dem papageienartigen Schnabel und den
acht Fangarmen! Hewitt behauptete, das Tier würde bei Gefahr
eine Art Tinte ausstoßen, doch bemerkten wir trotz sorgfältiger
Untersuchung nichts davon. Wir töteten es, schnitten ihm drei seiner Arme ab und schlugen jeden wohl an die hundertmal auf die
Ruderbank, da, so Hewitts Worte, auf diese Weise das Fleisch genießbar würde. Er hatte Recht, wie sich später in der Suppe zeigte.
Der Zustand des Schiffs steht nicht zum Besten. Wir machen
Wasser, noch nicht Besorgnis erregend, aber doch so viel, dass wir
regelmäßig den Bootsboden leer schöpfen müssen. Auch das Segel
wird langsam mürbe. Wann immer möglich, reffen wir es, um
es zu schonen. Etliche Male am Tag fragen wir uns, wo wir sind
und wie lange diese Prüfung noch dauern wird. Doch darauf
weiß Gott allein die Antwort.
Ich werde meine Eintragungen in Zukunft kürzer halten, denn
das Tintenfass leert sich schneller, als ich dachte.*

Es war an einem der nächsten Abende, als Ambrosius und
Phyllis mittschiffs saßen und die Sonne beobachteten, die in
diesen Breiten so rasch wie ein Stein im Meer versank. Nach ei-
ner Weile des Schweigens meinte Phyllis: »Sach mal ehrlich,
Vater, du weißt nich, was Qualle auf Latein heißt, nich?«
Ambrosius, noch ganz in den Anblick des Sonnenuntergangs
versunken, schreckte auf. Dann runzelte er die Stirn. »So, hm,
du glaubst also wirklich, ich wüsste es nicht?«
»So isses.«
Die Gesichtszüge des Mönchs glätteten sich wieder, und ein
Lächeln entstand um seine Mundwinkel. »Du hast mich

durchschaut. Ich weiß es wirklich nicht. Der Mensch ist nicht allwissend; allwissend ist nur Gott der Allmächtige.«

»'s dacht ich mir.«

»Du glaubst doch an Gott?«

»'s tu ich, ich denk mir, 's is besser, wennde glaubst wie wennde nich glaubst.«

»Der Glaube ist im Leben eines Menschen der Anfang, das Ende und der Mittelpunkt zugleich. Unser Leben ist nichts anderes als ein Weg zu Gott, ein Weg, der mal kürzer und mal länger sein kann, an dessen Ende aber immer das Einssein mit Seiner Herrlichkeit steht.« In Ambrosius brach der Missionar durch. »Ich will dir erzählen, wie es mir erging.«

»Ja, tu's nur.« Sie drängte sich näher an ihn.

»Äh … ja.« Er überlegte, ob die Nähe dieses erblühten Mädchenkörpers mit dem von ihm geleisteten Keuschheitsgelübde im Einklang stand, sagte sich dann aber, dass Phyllis wohl nur etwas kühl sei. »Du weißt vielleicht, dass ich in einer Stadt namens Erfurt aufwuchs, als Sohn eines recht wohlhabenden Kaufmanns. Nun, meine Jugend sah nicht viel anders aus als die Jugend all derer, die keine Not leiden. Ich hatte immer satt zu essen und musste mich nicht darum sorgen, was der morgige Tag bringen würde. Kurz, mein Leben war sehr geborgen. Ich wuchs im Schoße meiner Familie und eines strengen Glaubens auf. Jeden Sonntag gingen Vater, Mutter und wir Kinder in die schöne dreitürmige Severikirche. Ich fand das immer grässlich langweilig. Zu jenem Zeitpunkt, musst du wissen, war ich nicht besonders gottverbunden, und wer mir damals gesagt hätte, ich würde dereinst ins Kloster gehen, dem hätte ich ins Gesicht gelacht. Jahrelang ging das so mit mir, auch später noch, als ich mit sechzehn Jahren zu einem befreundeten Kaufmann nach Lübeck geschickt wurde, um dort eine Lehre anzutreten …«

»Lübeck, wo is 'n das?«

»Lübeck?« Ambrosius fühlte sich aus dem Erzählfluss gerissen. »Ach so, Lübeck ist eine alte Hansestadt, die an der Ostsee liegt. Ihr Engländer nennt die Ostsee, glaube ich, Baltische See.«

»Ja, 's kann sein.« Phyllis kannte sich auf der Karte Europas nicht sonderlich aus. »Mach weiter.« Sie kuschelte sich an ihn und nahm seine Hand.

»Oh, hast du aber kalte Hände! Warte, ich will sie dir wärmen.« Eifrig begann er sie aneinander zu reiben. Nach einer Weile fragte er: »Besser so?«

»Viel besser. Bist der nettste Priester, den ich kenn.«

»Hmja.« Hastig zog Ambrosius seine Hände zurück und schätzte sich glücklich, dass die Dunkelheit schon angebrochen war, denn er spürte, wie ihm die Röte ins Gesicht schoss. »Mach weiter.« Sie kuschelte sich wieder an ihn.

»Ja, wo war ich denn? Ach ja: in Lübeck. Also auch in meiner Lübecker Zeit hatte ich noch keine besondere Nähe zu Gott. Ich war ein ganz normaler junger Mann, der sogar viele, äh …« Abrupt brach er ab. Um ein Haar hätte er erzählt, dass er eine Reihe von jungen Mädchen gekannt hatte, doch das verbot sich natürlich von selbst.

»Ja? Warum redste nich weiter?«

Er spürte, wie sie ihn ansah. Was sollte er tun? Die Wahrheit sagen, trotz der Peinlickeit, die sich damit verband? Er rang mit sich und kam zu dem Entschluss, dass es sein musste. »Ich hatte damals, du musst wissen, ich war schon Anfang zwanzig, also, ich hatte damals …«

»Da hattste was mit Mädchen, nich? Is ja klar.« Abermals ergriff sie seine Hand und ließ sie nicht los.

»Ja, du hast Recht. Und es war jedes Mal ganz seltsam, äh … nicht, was du jetzt vielleicht denkst, es war hinterher ganz seltsam, hinterher, verstehst du? Da verspürte ich so ein leeres Gefühl, ein Gefühl großer Enttäuschung, denn unter Liebe hatte ich mir immer etwas Größeres, Schöneres vorgestellt.«

»Ja, 's kennich.«

»Was, du auch? Ach ja, natürlich.« Ihm fiel ein, dass sie früher ein Straßenmädchen gewesen war.

»Un was hattste dir denn nu Größeres, Schöneres vorgestellt?«

»Das wusste ich eben selbst nicht genau. Ich hatte nur immer das Gefühl, auf der Suche zu sein. Gleichzeitig kam mir das Leben um mich herum zunehmend oberflächlich vor: die Jagd nach Geld und Gut, das Gieren nach Ämtern und Pfründen – ich merkte, wie ich mich innerlich davon entfernte. Ja, wie ich alles das verabscheute. Dann eines Tages, ich war mittlerweile wieder in Erfurt, geschah es ganz plötzlich. Es war an einem Sonntagnachmittag, und ich befand mich in der Nähe der

Severikirche, jener Kirche, die ich aus Kindheitstagen kannte. Die Tür des Gotteshauses stand weit offen, und eine innere Stimme sagte mir: Geh hinein!«

»Un? Biste rein?«

»Ja. Ich betrat die Kirche und stellte fest, dass kein Mensch außer mir darin war. Der große, heilige Raum wirkte auf mich kleiner und völlig anders, als ich ihn aus Jugendtagen in Erinnerung hatte. Ich ging durch das Gestühl nach vorn und betete ein Ave-Maria. Dann blickte ich auf zu Jesus Christus, unseren gekreuzigten Herrn, und ich spürte zum ersten Mal etwas von dieser Größe und Schönheit, nach der ich mich immer gesehnt hatte.«

»Un dann biste ins Kloster?«

»Oh, nein, so schnell ging es beileibe nicht. Doch ich merkte, wie es mich immer öfter in die Kirche zog. Zu den unmöglichsten Zeiten, denn am liebsten war es mir, wenn ich allein mit Gott dem Herrn war und Zwiesprache mit ihm halten konnte. Und immer, wenn ich ihm gegenüberstand, war da dieses nie gekannte Gefühl der Zufriedenheit und Wärme. Ein Gefühl jenseits alles Bösen in dieser Welt.«

»'s klingt schön. So 'n Gefühl hattich noch nie nich.«

»Ich glaube, jeder kann dieses Gefühl erleben, wenn er nur wirklich glauben will. Aber das bedeutet nicht nur, Gott zu suchen, man muss ihn auch finden wollen.«

»Un du hast 'n inner Kirche gefunden, nich?«

»So kann man es sagen. Als ich mir meiner Sache ganz sicher war, bin ich dann zu den Augustinern gegangen, um dort ein Noviziat anzutreten.«

»Un dann biste Priester geworden.«

»So ungefähr.« Er spürte ihre Wärme an seiner Seite und den Druck ihrer Hand. Ein Schauer durchrieselte seinen Körper. Er wollte von ihr abrücken, aber er brachte es nicht fertig. Sein Geist war willig, aber sein Fleisch war schwach.

»Bist der nettste Priester, den ich kenn«, sagte sie noch einmal.

wohl noch Februar A. D. 78
Unser Gesundheitszustand verschlechtert sich. Wir sind kraftlos, bewegen uns nur noch, wenn es unbedingt nötig ist, und sehnen uns trotzdem danach, einmal zwanzig Schritte aufrecht gehen

zu können. Zwanzig Schritte auf guter, ebener, englischer Erde!
Die Enge des Schiffs ist unerträglich.
Bei höherem Wellengang treten in letzter Zeit bei einigen von
uns Gleichgewichtsstörungen auf. Ist es die Seekrankheit? Oder
ist es nur Schwäche?
Der Magister und der Zwerg leiden unter Geschwüren, die ich
mit dem Messer mehr schlecht als recht aufstach. Seit zwei Tagen
fiel kein Regen mehr. Erneut einen Kraken, diesmal sehr viel
größer, gefangen. Wir waren zu schwach, ihn an Bord zu zie-
hen. Hewitt kappte die Langleine. Unsere Aussichten, nun ohne
Haken Fische zu fangen, sind gering. Das Schiff macht Wasser
und verlangt unsere ständige Aufmerksamkeit. Einzig das Wet-
ter ist uns gewogen, Wind und Wellen zeigen sich immer gleich.
Bruder Ambrosius und Miss Phyllis machen noch den zufrie-
densten Eindruck. Er bringt ihr weiter Latein bei.

»Stern, meine Tochter, heißt auf Lateinisch *stella*.«
»'s weissich doch, Vater, *stella*, 's haste mir doch schon gesacht.« Phyllis kuschelte sich an Ambrosius und blickte neben
ihm in den Nachthimmel.
 »Ach, wirklich?« Der Mönch wollte etwas abrücken, unterließ
es dann aber. Es hatte keinen Zweck, Phyllis rückte einfach
nach, so, als bemerke sie gar nicht, dass er von ihr Abstand
nehmen wollte. Beide hatten es sich in den vergangenen Tagen zur Gewohnheit werden lassen, die Abende mittschiffs
beieinander zu sitzen. »Nun ja, und Mond heißt *luna*.«
»'s haste mir auch schon gesacht.«
Ambrosius biss sich auf die Lippen. Immer wenn sie so dicht
bei ihm saß, fiel es ihm schwer, sich zu konzentrieren. Er bemerkte, wie sie nach seiner Hand tastete, sie nahm und sich in
den Schoß legte. Ein Sturm der Gefühle brach in ihm los.
»Der Sirius scheint heute Abend wieder besonders schön«,
hörte er sich murmeln. »Sieh mal nach oben, hinter dich, dort
kannst du ihn erkennen.«
Aufatmend registrierte er, wie sie seine Hand freigab und den
Kopf nach oben wandte. »Sirius ist der hellste Stern überhaupt«, sagte er.
»Der is schön«, stellte sie fest, während sie weiter nach oben
starrte. »Obda wohl auch Gott is?«

»Dort oben auf dem Sirius?« Er zögerte kurz, dann antwortete er: »Ja, meine Tochter.«

»Un da? Da auch?« Sie zeigte auf eine leuchtende Sternengruppe neben Sirius.

»Du meinst das Sternbild des Orion. Ja, auch dort ist Gott.« Ambrosius wies nach Norden. »Auch auf jenen Sternen, die den Großen Wagen mit der Deichsel bilden.«

»Ohhh, ich seh's, 's is 'n Wagen, 'n richtiger Wagen isses. Un überall da is Gott?« Wie selbstverständlich nahm sie wieder seine Hand.

»Ja, Gott ist allgegenwärtig, und in der Heiligen Schrift heißt es:

Er allein breitet den Himmel aus
und geht auf den Wogen des Meeres.
Er macht den Wagen am Himmel und den Orion
und das Siebengestirn und die Sterne des Südens.
Er tut große Dinge, die nicht zu erforschen,
und Wunder, die nicht zu zählen sind.«

»Oh, 's klingt schön, wasde da sachst, schön klingt's.«

»Ja, es ist ein Vers aus dem Buch Hiob. Sicher hast du schon einmal von Hiob gehört, jenem Mann, dessen Frömmigkeit Gott der Herr erproben wollte, indem er ihn mit zahlreichen schlechten Botschaften heimsuchte.«

»Un? Hatter bestanden?«

»Ja, Hiob hat die Prüfungen bestanden. Aber es war schwer für ihn, sehr schwer.«

»Wir haben 's auch nich leicht, nich? Aber ich denk, wir schaffen's, genau wie der Hiob. Müssen nur zusammenhalten.« Sie drückte seine Hand

Ein warmes Gefühl durchströmte ihn, und unwillkürlich hörte er sich sagen: »*Amica optima vitae possessio!*«

»Was sachste? 's hab ich nich verstanden. Irgendwas is schön im Leben oder so, nich?«

»Richtig, äh ... Ich sagte, eine Freundin ist der schönste Besitz im Leben.«

»Ohhh ...« Ihr fehlten die Worte. »Das hat ... das hat noch nie nich jemand zu mir gesacht.«

Sie nahm seine Hand und drückte sie sacht, ganz sacht gegen ihre Brüste.

Am übernächsten Tag gegen Mittag deutete sich ein Wetterumschwung an. Die Sonne verschwand hinter milchigen Schleiern, und die Dünung im Meer wurde lang und schwer. Wind kam auf, der ihnen zunächst Erfrischung brachte, dann aber, als er stärker und stärker wurde, zu Besorgnis Anlass gab. Hewitt rief vom Heck: »Ich fürchte, wir kriegen einen kapitalen Sturm!«

»Dann gnade uns Gott«, krächzte der Magister. Er litt heftigen Durst. Seine Zunge war dick angeschwollen und machte ihm das Sprechen nahezu unmöglich. Als das Trinkwasser zur Neige gegangen war, hatte er wie einige andere, trotz Hewitts eindringlicher Warnung, heimlich Meerwasser getrunken – danach war seine Mundhöhle nur noch trockener geworden, und starke Leibschmerzen hatten sich eingestellt.

»Können wir ihm davonsegeln?«, fragte Vitus.

Hewitt, der die Pinne führte, spreizte die Beine, um im Sitzen mehr Halt zu finden. Die Dünung war höher geworden.

»Nein, wir können dem Sturm nicht ausweichen, und wir können auch nicht gegen ihn ansegeln. Wir müssen ihn durchstehen, ob wir wollen oder nicht. Wir sollten das Segel wegnehmen, bevor es uns davonfliegt, und wir sollten alles, was nicht niet- und nagelfest ist, doppelt und dreifach verzurren. Besonders die Wasserfässer.«

»Wenn es so ist«, sagte Vitus, »dann nichts wie an die Arbeit!« So schwach sie auch waren, begannen sie doch sofort mit den notwendigen Tätigkeiten. Jedes weitere Wort erübrigte sich. Als sie nach mühsamer Plackerei endlich mit allem fertig waren, hatte das Bild um sie herum sich völlig verändert: Obwohl es früher Nachmittag war, herrschte nun dämmriges Licht. Die Windböen hatten an Stärke und Zahl zugenommen und heulten gewaltig über das Schiff hinweg. Wellen, schwarz und drohend, türmten sich vor ihnen auf und spritzten von den Kanten ihrer Kämme eiskalte Schaumfladen herüber.

»Spannt die Stage nach!«, schrie Vitus. »Wenn der Mast über Bord geht, ist alles zu spät.«

Sie gehorchten, so schnell es ging.

»Verkeilt das Schapp im Heck nochmals, und stellt Jack, den Hahn, unter die Spritzabdeckung im Bug. Und jeder knotet dem anderen eine Leine um den Leib, die er an der nächsten Ruderbank sichert. Wer über Bord geht und fortgerissen wird, ist des Todes!«

Auch diese Maßnahme wurde sofort ergriffen

Die *Albatross* schien mittlerweile ein Eigenleben entwickelt zu haben. Sie stampfte und schlingerte und war schwer unter Kontrolle zu halten. Haushohe Brecher wogten jetzt aus Nordwest heran, begleitet von orkanartigem Wind, der Gischt und Salzwasser waagerecht heranpeitschte und die Menschen im Boot völlig durchnässte. Jeder klammerte sich an irgendetwas fest, versuchte, die Augen vor dem brennenden Salzwasser zu schützen, und flehte seinen Herrgott an, er möge diesen Kelch an ihm vorübergehen lassen.

Hewitt saß an der Pinne und versuchte mit aller Kraft, das Schiff mit dem Bug in die herankommenden Wogen zu zwingen, denn er wusste: Eine einzige Quersee konnte das Boot zum Kentern bringen oder, kaum weniger schlimm, es bis zum Rand voll schlagen. Auch so machte der Schiffsleib immer mehr Wasser, und die Mannschaft stand schon bis zu den Knien darin.

»Schöpft, um Gottes willen, schöpft!«, schrie Vitus gegen den Sturm an. »Schöpft, bevor wir alle ersaufen!«

Jeder, der irgendeines Behältnisses habhaft werden konnte, ergriff es und schaufelte wie von Sinnen Wasser über Bord. Die Todesangst verlieh ihnen neue Kräfte.

Nach bangen Minuten, der Sturm hatte sich zu einem rasenden Orkan ausgeweitet, war der Leib der *Albatross* wieder halbwegs leer. Die Mannschaft atmete auf. Doch die See, die bis vor kurzem nur gerollt hatte, hatte den Grad ihrer Gewalt noch einmal gesteigert: Sie kochte mittlerweile wie ein brodelnder Kessel. Der Orkanwind riss mit Riesenfäusten am Mast, an den Stagen, an allem, was sich ihm als Hindernis entgegenstellte; er packte die *Albatross*, stieß sie in abgrundtiefe Wellentäler, hob sie Augenblicke später wieder turmhoch empor, schlug sie, rammte sie, beutelte sie mit schier unerschöpflicher Kraft.

Hewitt an der Pinne hatte Verstärkung bekommen. Allein war er nicht mehr in der Lage gewesen, das Ruderblatt gegen die

Urgewalten zu stemmen. Vitus saß jetzt neben ihm. Gemeinsam versuchten sie, die Pinne zu halten, doch es war fast unmöglich. Die *Albatross* bockte wie ein Gaul, der den Reiter abwerfen will.

War die Mannschaft überhaupt noch komplett? Vitus spähte nach vorn. Gischt und Wasserschleier nahmen ihm die Sicht. Kaum erkannte er vor sich unter der Ruderbank den Magister und den Zwerg, zwei gekrümmte Ballen menschlichen Lebens, lächerlich klein, schutzlos, hilflos im Tosen der brüllenden Gewalten. Im Bug unter der Spritzabdeckung, die ihren Namen in keiner Weise mehr verdiente, entdeckte er Phoebe als hellen Fleck, und mittschiffs, an Backbord, beugte der lange Körper des Mönchs sich schützend über Phyllis.

Wieder rollte eine Woge heran, hoch wie ein Felsmassiv, und wollte sich auf die *Albatross* stürzen. Das Boot glitt tapfer empor, weiter und weiter, bis zur halben Kammhöhe hinauf, aber dann schlugen die Wassermassen erbarmungslos zu. Die *Albatross* wurde bis in ihre Grundverbände erschüttert, sie taumelte schwer, sackte weg und schien gänzlich verschwunden. Doch dann, unendlich langsam, kam sie wieder hoch – stetig und hartnäckig, obwohl sie abermals nahezu voll geschlagen war. Jeder, der etwas von Schiffbau verstand, hätte in diesem Augenblick gesagt, dass sie sich hervorragend hielt und sich als wahres Tochterboot der braven *Gallant* erwies.

»Schöpft!«, schrie Vitus. »Schöpft um euer Leben!« Doch niemand war in der Lage, ihn zu verstehen. Nicht einmal Hewitt, der direkt neben ihm saß. Gottlob war es nicht notwendig, denn dem Magister und Enano sowie dem Rest der Mannschaft blieb ohnehin nichts anderes übrig, wollten sie nicht wie die Ratten ertrinken.

Jetzt öffnete und schloss sich der Mund Ambrosius'. Er rief verzweifelt irgendetwas zu ihnen herüber, während seine langen Arme an einem Seil zerrten, das zur See hinauslief. Phyllis! Phyllis hing an dem Seil und trieb davon! Vitus wollte hoch, doch Hewitt hielt ihn zurück. Es hatte keinen Zweck, helfen zu wollen. Das Führen der Pinne, wenn man von einem solchen Vorgang überhaupt noch sprechen konnte, war mindestens ebenso wichtig. Der Mönch Ambrosius musste es allein schaffen. Ganz allein.

Und er schaffte es. Zoll um Zoll, Fuß um Fuß zog er mit übermenschlicher Anstrengung die Leine ein und brachte schließlich, unter Aufbietung der letzten verbliebenen Kräfte, Phyllis' Körper ins Boot.

»Gott, Du Allmächtiger, sei gelobt und gepriesen«, betete Vitus. »War das Dein Zeichen, dass Du uns alle erretten willst?«

Gott allerdings ließ ihm keine Zeit, darüber nachzudenken, denn schon stürzten die nächsten Wogen heran, hieben unbarmherzig auf den Bootskörper ein, krachten gegen alles, was noch fest war und noch Halt hatte – und brachen den Mast. Wie um das Maß der Katastrophe voll zu machen, spürte Vitus im selben Augenblick keinen Druck mehr auf der Pinne – das Ruderblatt war fortgerissen worden.

Doch aller Zerstörung zum Trotz verhielt die *Albatross* sich jetzt ein wenig ruhiger. Sie tanzte nicht mehr auf den Wellen wie ein Wassertropfen auf der Ofenplatte. Dafür sorgte der Mast, der, von einigen nicht gebrochenen Stagen gehalten, in einiger Entfernung neben dem Schiff trieb. Er wirkte wie ein Treibanker und half auf diese Weise, die Wellenberge besser abzureiten.

Vitus und Hewitt machten sich daran, ebenfalls Wasser aus dem Bootsrumpf zu schöpfen. Es war eine Sisyphusarbeit, immer wenn das Schiff halbwegs leer war, kam eine neue Woge, donnerte über das Schiff hinweg und vernichtete ihre Arbeit. Wieder begannen sie. Schöpfen, schöpfen, nichts als schöpfen! Auch Phoebe vorn im Bug beteiligte sich daran. Und Ambrosius. Was war mit Phyllis? War sie überhaupt noch am Leben? Schöpfen, schöpfen, schöpfen! Sie verloren jegliches Zeitgefühl. Sie dachten an nichts anderes als an den nächsten Schöpfvorgang: Behälter eintauchen und über Bord ausschütten, eintauchen und ausschütten. Eintauchen und ausschütten. Sie arbeiteten wie die Maschinen, doch sie waren keine Maschinen, sie waren Menschen, nasse, hungernde, zu Tode geschwächte Menschen, denen irgendwann alles egal war …

März? A. D. 78
Wir sind wohl die Ärmsten der Armen auf Gottes Welt. Hungernd, krank, ohne Nahrung. Ein wenig Regenwasser haben wir. Zwei oder drei Pints für sieben Menschen. Rationiert. Ge-

sammelt im einzigen Fass, das der Orkan uns ließ. Der Orkan
liegt Tage zurück. Er nahm uns alles, auch unsere Hoffnung.
Die See ist glatt. Die Albatross *treibt im Meeresstrom dahin.*
Mastlos, ruderlos, ohne Kompass und Orientierung. Wir sind
nicht mehr wir. Wir reden nicht mehr. Die Zungen würden uns
stecken bleiben. Vater im Himmel, hast Du uns verlassen?
Vater im Himmel, Du hast uns verlassen.

Wie durch einen Nebel sah Vitus einen weißen Vogel durch
die Luft gleiten. Er umsegelte die *Albatross* mehrmals, beobachtend und abschätzend, und ließ sich endlich, mit breit aus-
gestellten Schwingen, auf der Spritzabdeckung nieder. Es war
eine Möwe. Sie stolzierte mit hoch erhobenem Kopf hin und
her, ordnete ihr Gefieder und schielte nach Nahrung. Vor ihr
lag eine leblose Hand. Sie pickte dagegen. Erst vorsichtig,
dann stärker. Es war Phoebes Hand.
»Phoebe!«, wollte Vitus rufen, doch aus seinem Mund kam
nur ein heiseres Krächzen. »Phoebe! Die Möwe, sie frisst dich
auf!«
Die Möwe hatte bei Vitus' Warnung kurz aufgeblickt, sich
dann aber wieder der Hand gewidmet. Von dem Rufer, das
spürte sie, ging keine Gefahr aus. Wieder pickte sie gegen ihre
Beute. Ein paar Blutstropfen quollen hervor.
»Phoebe, so wach doch auf, die Möwe!«
Die Möwe setzte einen Fuß auf die Hand, um das Fleisch bes-
ser heraushacken zu können, da bewegten sich plötzlich die
Finger. »Autsch«, murmelte Phoebe schwach, »wassis'n das?«
Der Vogel flatterte zur Seite und beobachtete sie.
»'ne Möwe?«, murmelte Phoebe. »Träumich oder wassis?«
Die Möwe plusterte ihr Gefieder auf.
Vitus krächzte: »Es ist eine leibhaftige Möwe! Sie wollte dir
die Hand aufhacken.«
»Was? Oh, verdammich!« Phoebe blickte auf ihre blutigen
Finger. Dann machte sie eine schwache Bewegung mit dem
Arm.
Die Möwe zuckte zurück, breitete die Flügel aus und erhob
sich wieder in die Luft.
»'s is 'ne leibhaftige Möwe, 'ne leibhaftige Möwe isses.« Phoe-
be blickte dem Vogel nach.

»Ja, so ist es«, sagte Vitus, und langsam reifte in seinem Hirn ein ungeheuerlicher Gedanke heran. Möwen, sagte er sich, waren Meeresvögel, sie ernährten sich von dem, was sie aus dem Wasser fischten, aber im Gegensatz zu Albatrossen, die wochen-, ja monatelang auf See blieben, waren Möwen auch Landtiere. Es waren Tiere, die ihre Nahrung aus dem Meer holten, ansonsten aber jeden Abend an Land zurückkehrten. An Land …

»Land!«, schrie Vitus. »Land! Land! Land!«

Nur langsam kamen die anderen zu sich, und als endlich alle, auch die arme Phyllis, der es besonders schlecht ging, die Bedeutung des Wortes begriffen hatten, riefen sie »Wo? Wo um alles in der Welt?« und reckten die Hälse.

Vitus erklärte ihnen mühsam, dass noch kein Land in Sicht sei, dass vielmehr eine Möwe, die sich auf dem Boot niedergelassen hatte, dafür spräche, dass sich in der Nähe Land befände.

»Wiewo?«, fistelte der Zwerg matt, »inner Nähe? Der Teichflügling is vielleicht schon länger am Flattern, zwei, drei Tag alleweil?«

»Das ist nicht auszuschließen«, gab Vitus zu.

Der Magister blinzelte aus rot entzündeten Augen. »Ach was, ein Ende ist abzusehen.« Sein unverbesserlicher Optimismus kehrte zurück. Er sprach langsam, seine Worte klangen wie aus einem rostigen Rohr. »Ich schlage vor, wir trinken den Rest unseres Regenwassers gleich jetzt. *Carpe diem.*«

Wenig später hatten sie alle einige Schlucke köstlichen Wassers genossen. Dieser Umstand und die Hoffnung, dass ihre Leidenszeit bald ein Ende haben würde, weckte ihre Lebensgeister gewaltig. Seit Tagen kam wieder so etwas wie eine Unterhaltung zwischen ihnen zustande, und irgendwann fragte Phyllis mit schwacher Stimme:

»*Carpe diem,* was heißt'n das, Vater?«

Ambrosius antwortete: »Nutze den Tag, meine Tochter. Eigentlich heißt es ›pflücke den Tag‹. Der Satz stammt von einem römischen Dichter namens Horaz. Nun, wir haben den Tag genutzt, indem wir uns alle mit köstlichem Wasser gestärkt haben. Gott wollte, dass wir es trinken, denn er wird uns erretten, davon bin ich überzeugt.«

»Amen«, murmelte Phyllis und kuschelte sich an ihn.

Trotz seiner grenzenlosen Erschöpfung fiel Vitus in der Nacht nur in einen unruhigen Schlaf. Immer wieder schreckte er hoch und spähte nach Land, wobei er nicht einmal genau wusste, in welche Richtung er Ausschau halten sollte. Er hatte sich zwar gemerkt, wohin die Möwe davongeflogen war, aber jeder Punkt sah in der Dunkelheit gleich aus.

Er musste wohl eine Zeit lang eingenickt sein, anders war es nicht zu erklären, dass plötzlich der Mond durch die Wolken schien und in seinem fahlen Licht sich etwas abzeichnete, das aussah wie ein Stück Küste. Vitus blinzelte und blickte erneut hin. Nein, ein Irrtum war ausgeschlossen. Backbord voraus, die Entfernung war bei dem Licht allerdings nicht abzuschätzen, lag Land. Ein Streifen Land, noch dunkler als die See, und in seinen Konturen brach sich das silberne Licht des Mondes.

»Land!«, krächzte Vitus. »Da vorn, seht nur, Land, Land, endlich Land!«

Sie rappelten sich hoch, stolperten zum Bug, um mehr erkennen zu können, und fielen sich in die Arme. Land! Das Leiden hatte ein Ende. Land hieß Wasser, Nahrung, Kleidung, Land hieß Wärme, Geborgenheit, Gesundheit, hieß andere Menschen, hieß Feiern, Frohsinn, Freude und: Arbeit. Auch Arbeit, denn danach sehnten sie sich ebenfalls, nach guter, harter, ehrlicher Arbeit. Einem geregelten Tagesablauf, in dem alles seine Ordnung hatte, der frühmorgens begann und spätabends endete und dazwischen mit gottgefälliger Arbeit gefüllt war.

Das Land kam näher, sehr schnell näher, doch in ihrer Freude bemerkten sie es nicht. Und je näher das Land kam, desto deutlicher wurde es, dass es kein Land war. Phoebe erkannte es zuerst: »Ich glaub, mich laust der Affe«, flüsterte sie, 's is kein Land nich, 's is 'n Fisch, 'n Mordsfisch isses.« Und automatisch fügte sie hinzu: »Nich, Phyllis?«

»Ja, ja, 'n Mordsfisch«, bestätigte Phyllis, wobei sie zu Ambrosius aufschaute, »un Fisch heißt *piscis*, nich, Vater?«

»Jawohl, meine Tochter«, antwortete der Mönch abwesend, denn er starrte wie gebannt auf das Tier, das sich weiter näherte.

»Es ist nur ein Wal«, sagte Hewitt, der seine Enttäuschung nicht verbergen konnte. »Allerdings ein Riesenexemplar. Dem

stumpfen, hohen Kopf nach zu urteilen ein Pottwalbulle.«
Während er das sagte, war das Tier ganz nah herangeschwommen und machte nun Halt – nur eine Bootslänge von der *Albatross* entfernt. Ein kleines Auge, tief an der Unterseite des Kopfes sitzend, blinkte im Mondlicht auf. Es musterte sie. Offenbar war der Bulle genauso neugierig auf die Menschen wie die Menschen auf ihn. Mit einer Mischung aus Schrecken, Ehrfurcht und Bewunderung sahen sie, dass er sechzig bis siebzig Fuß in der Länge maß, also mehr als doppelt so lang war wie das Boot.

»Ich kannte mal einen Walfänger, der hat erzählt, dass diese Wale Tausende von Fuß ins Meer hinabtauchen, um nach Beute zu jagen, und dass sie eine ganze Stunde lang dort unten bleiben können«, erklärte Hewitt im Flüsterton. Angesichts der gewaltigen Ausmaße des Tiers hielt er seine Stimme unwillkürlich gedämpft.

»Schauriger Gedanke«, krächzte der Magister. »Ich wünschte, das Ungeheuer könnte sich in eine Insel verwandeln. Das wär mir lieber.«

Ambrosius murmelte: »Ein Leviathan der Meere. Ich bete zum Allmächtigen, dass er uns nichts Böses will. Ein solches Exemplar muss auch den Propheten Jona verschluckt haben.«
Und er zitierte:

> »*Aber der Herr ließ einen großen Fisch kommen,*
> *Jona zu verschlingen.*
> *Und Jona war im Leibe des Fisches*
> *drei Tage und drei Nächte …*«

Der Magister unterbrach: »Was fressen die lieben Tierchen denn so?«

»Kraken«, erwiderte Hewitt.

»Kraken? Da brauchen sie aber Unmengen, um satt zu werden.«

»Nicht alle sind so klein wie die, die wir gefangen haben. Manche werden genauso groß wie Pottwale.« Offenbar kam Hewitt seine Schilderung selber unglaubwürdig vor, denn er fügte hinzu: »Jedenfalls hat der Walfänger mir das erzählt.«

Dem Bullen schien völlig gleichgültig zu sein, was man über

ihn und seine Nahrung vermutete, er lag ruhig wie ein Fels im Meer, doch jählings, wie als Antwort, stieß er eine riesige Wasserfontäne aus seinem Blasloch. Die Spritzer stiegen so hoch, dass sie über die gesamte *Albatross* hinwegflogen und die Mannschaft durchnässten.

»Er bläst«, erklärte Hewitt. Kaum hatte er das gesagt, tauchte der Kopf des Wals unter Wasser, die gewaltige Körpermasse bog sich wie eine Brücke nach oben durch, und für einen Augenblick konnten alle die Seite des Bullen in voller Länge sehen. Sie wies zahlreiche weißlich schimmernde Flecken auf, Flecken, in denen sich mehrere Reihen geheimnisvoller, dunkler Abdrücke zeigten, jeder Abdruck kreisrund und so groß wie eine Schüssel.

Als die Fluke des Wals steil aufgerichtet versunken war, sagte der Magister leise: »Beim Blute Christi, ich ahne, was die Abdrücke zu bedeuten haben: Sie sehen aus, als stammten sie von Saugnäpfen.«

Ein Schauer lief allen über den Rücken.

März? A. D. 78

Ein Tag und eine Nacht sind vergangen, seitdem wir eine Möwe sahen. Vater im Himmel, wo ist das Land? Wie weit kann ein Vogel fliegen? Immer wieder fragen wir uns das.

War die Möwe Wirklichkeit? In unserer Erinnerung ist alles nur noch ein irrlichterndes Bild, eine Gaukelei des Bösen, die sich an unserer Todesschwäche ergötzen wollte.

Es ist so heiß, dass tagsüber die Planken schrumpfen. Wir haben kein Wasser mehr. Unsere Kehlen brennen wie Feuer. Frühmorgens warten wir auf den Tau und lecken ihn mit unseren geschwollenen Zungen auf. Die Geißel Durst ist schlimmer als Satan. Dies wird mein letzter Eintrag sein. Wer noch die Kraft hat, betet …

V. v. C.

Mühsam, mit den Bewegungen eines uralten Mannes, legte Vitus Schreibzeug und Bordbuch ins Schapp zurück. Dann kroch er unter das Sonnensegel, wo die anderen schon lagen. Der Magister, der Zwerg, Hewitt und Phoebe befanden sich in einem Zustand zwischen Dämmerschlaf und Ohnmacht. Sie drängten sich, trotz der Hitze, eng aneinander, denn das Tuch war für so viele nicht groß genug. Mittschiffs, neben dem Maststumpf, hockte Ambrosius, der seine Kutte ausgezogen hatte und Phyllis damit vor der Gluthitze schützte. Er saß da in zerfetzten Unterkleidern, doch es kümmerte ihn nicht. Die Zeit für Schamgefühl war lange vorbei.

Stundenlang lagen sie leblos da, während das Wrack der *Albatross* weitertrieb. Weiter und weiter, immer nach Westen, dem rettenden Land entgegen. Doch bevor sie es erreichen sollten, hatte Gott der Allmächtige noch eine letzte, schier unlösbare Prüfung für sie vorgesehen.

Wieder war es Nacht, eine Nacht mit zerrissenen Wolken am Himmel und einem fahlen Mond dazwischen. Ein schwacher Wind wehte aus Südwest und strich über das Wrack der *Albatross* hinweg. Die Wellen des Meeres waren wie schwarzes Glas. Unter dem Boot, aus der Tiefe der See, bewegte sich langsam, aber unaufhaltsam etwas nie Gesehenes an die Oberfläche: Es war ein Leuchtorgan, grünlich schimmernd und hell wie eine Laterne. Es gehörte zu einem mächtigen Kopf mit einem sackartigen Körper daran. Vom Kopf, der die Ausmaße eines mannshohen Wasserfasses hatte, gingen acht Arme ab, jeder so dick wie der Maststumpf des Schiffs, dazu zwei Tentakel, wohl vierzig Fuß lang und damit noch länger als die Arme. Alle zehn Greiforgane waren mit tellergroßen Saugnäpfen bewehrt. Architeuthis, so hieß das Monstrum, hatte aber nicht nur Kopf und Arme von Furcht einflößender Größe, auch seine seitlich sitzenden Augen waren riesig. Sie hatten einen Durchmesser von fünfzehn Zoll und standen damit dem Umfang des papageinartigen Schnabels in nichts nach.

Nach allen Seiten mit den Tentakeln schlängelnd und tastend begann Architeuthis seine Beute zu untersuchen. Sein Kopf tauchte neben der *Albatross* aus dem Meer auf, während die Haltearme von unten den Rumpf des Boots packten und sich daran festsogen. Dann schlug er seine harten Kiefer ins Heck. Ein Ruck ging durch das Boot. Es knirschte vernehmlich.

Vitus fuhr aus seinem Dämmerschlaf hoch. »Was war das?«, fragte er schwach. Er lauschte eine Zeit lang. Nichts. Nur das Spiel der Wellen und das Rauschen des Windes waren zu hören. Sein Kopf sank zurück.

Architeuthis hatte währenddessen von dem Heck der *Albatross* abgelassen. Holz war nicht nach seinem Geschmack. Er bevorzugte die Fische der Tiefsee. Abermals sandte er seine beiden Tentakel aus, die langen Fangarme, welche die Beute packten und den Haltearmen zuführten, damit der Schnabel das Fleisch in Ruhe zerreißen konnte. Sie züngelten und schlängelten im Heckbereich umher, spielerisch fast, wanderten über die Segelplane, krochen darunter, prüften hier, tasteten dort und legten sich schließlich mit ihren äußersten Enden um Vitus' Hals und Brust.

»Wa … was ist da …?« Vitus fühlte, wie irgendetwas ihn mit unwiderstehlicher Kraft packte und emporhob. Gleichzeitig schnürte ihm jemand den Atem ab. Er griff sich an den Hals und bekam einen glitschig-feuchten Arm zu fassen. Er riss daran, zerrte, zog mit aller Kraft, doch die Kraft, über die er noch verfügte, war lächerlich klein. Hilflos fuhren seine Hände in der Luft herum, während ihm der Atem knapper und knapper wurde. Das Messer! Die einzige Waffe, über die sie noch verfügten! Er musste es haben, er musste damit diesen Arm durchtrennen. Das Messer war im Schapp, direkt neben ihm. Er keuchte. Seine Linke klammerte sich an die Hecksitzbank, seine Rechte fuhr ins Schapp. Das Messer, das Messer, wo war es nur? Da! Seine Hand umschloss das Heft, riss es hoch, führte die Klinge zum Hals. Er röchelte mittlerweile nur noch, riss den Kopf hin und her, als könne er dadurch die Umklammerung von Architeuthis lösen, und schnitt wie wild in das verhasste glitschige Fleisch, sich dabei selbst verletzend. Er spürte es kaum, schnitt und stach weiter, mobilisierte seine letzten Kräfte. Wollte der Druck denn niemals weichen?

Endlich, die Sinne schwanden ihm schon, ließ die Umklammerung nach. Er atmete durch, sog tief die Luft ein, trank sie förmlich, wieder und wieder. Der tödliche Arm hatte ihn freigegeben! Er fuhr nun, weniger wehrhafte Beute suchend, nach vorn zum Bug.

Vitus wollte hoch, wollte die anderen warnen, die so schwach waren, dass sie von alledem nichts bemerkt hatten, doch die Sinne schwanden ihm, alles drehte sich plötzlich, und er hatte das Gefühl, er drehte sich mit. Hart schlug er mit der Schläfe auf die Planken.

Später, er wusste nicht, wie viel Zeit vergangen war, rüttelte ihn jemand am Arm. Es war der Magister. »Ein Riesenkrake! Ein Riesenkrake!« Der kleine Mann hatte die Worte herausschreien wollen, aber nur ein heiseres Krächzen war seinem Mund entwichen.

»Ich weiß. Er hat mich …« Vitus war noch zu benommen, um reden zu können.

»Da vorn am Mast! Ambrosius und Phyllis!« Die Augen des Magisters waren schreckgeweitet. »Das Ungeheuer will sie erdrosseln!«

Vitus mühte sich hoch. Für den Bruchteil eines Augenblicks staunte er über sich selbst und darüber, wie viele Kraftreserven ein Mensch freisetzen konnte, wenn es um Tod und Leben ging. Dann war der Gedanke fort, und er erkannte im Mondlicht zwei schattenhafte Gestalten, die sich an der mittleren Ruderbank festkrallten: der lange Ambrosius und die zierliche Phyllis.

Beide hielten sich eng umschlungen. Und eng umschlungen waren auch ihre Hälse: Ein Tentakel schnürte sie ab und versuchte gleichzeitig, sie über das Dollbord zu ziehen – hin zu den gefräßigen Kiefern von Architeuthis. Doch es gelang dem Fangarm nicht, noch nicht, denn Ambrosius stemmte sich mit allem, was von seiner gewaltigen Körperkraft übrig geblieben war, dagegen.

Der andere Tentakel hatte sich um den Maststumpf gewickelt und zerrte daran, doch ebenso vergebens. Architeuthis schickte weitere Arme in den Kampf. Er hatte sie vom Bootsrumpf gelöst, und sie glitten nun, wie zuvor die Tentakel, über die Oberfläche der Segeltuchplane, dabei alles betastend und untersuchend, aber gottlob die Menschen darunter nicht findend.

Vitus hastete nach vorn, wobei er die gierig nach ihm züngelnden Arme zur Seite schlagen musste, hinter ihm der kleine Gelehrte, stolpernd, stürzend, doch sich immer wieder aufrappelnd. Fort, nur fort aus der Reichweite der Arme!

Um den Maststumpf ringelte sich noch immer der eine Tentakel. Architeuthis zog damit, und die gewaltige Kraft, mit der er es tat, brachte das gesamte Boot in Schieflage. Vitus verlor fast das Gleichgewicht, als er bei Ambrosius und Phyllis angelangt war, doch ohne sich zu besinnen, setzte er das Messer an und schnitt tief in den Fangarm ein. Er benutzte die Klinge wie eine Säge, auf und ab, auf und ab … Sie war rasiermesserscharf, aber der Arm war dick, sehr dick.

Plötzlich spürte er abermals etwas Eklig-Glitschiges an seinem Hals. Architeuthis' zweiter Fangarm! Der gigantische Kopffüßer hatte ihn vom Mast gelöst, um sich damit seinem wahren Feind zuzuwenden. Vitus wich aus, während er weiter wie besessen mit dem Messer auf dem ersten Arm herumsäbelte und sich wunderte, dass kein Blut hervorspritzte. War das Monstrum überhaupt von dieser Welt?

Neben sich hörte er den Magister keuchen. Der kleine Mann stach mit einem Mastsplitter auf den zweiten Arm ein, und es gelang ihm tatsächlich, ihn auf Abstand zu halten. Vitus biss die Zähne zusammen. Schneide weiter, schneide weiter, ehe Ambrosius und Phyllis ersticken!, befahl er sich selbst. Sie müssen gerettet werden! Nach allem, was wir durchgemacht haben, wäre es blanker Hohn, wenn sie jetzt noch sterben müssten!

Unversehens war der Tentakel durchtrennt, der Stumpf fuhr in die Höhe, ringelte sich, gleichsam wie zum Abschied, ein paar Mal durch die Luft und verschwand neben Architeuthis im Meer.

Augenblicke später war der Spuk vorbei.

Um die Hälse von Ambrosius und Phyllis schlang sich noch immer das Endstück des Tentakels. »He, Ambrosius, he, Phyllis, es ist vorbei«, keuchte Vitus. Er wickelte den Arm, in dem nun keine Spannkraft mehr war, ab und warf ihn in die See.

»Ambrosius? Phyllis?«

Die beiden saßen noch immer zwischen Boden und Ruderbank, eng umschlungen wie ein Liebespaar.

»Ambrosius! Phyllis! So hört doch!« Vitus stieß sie an. Rüttelte sie. Nichts. Dann, endlich, bewegten sie sich. Gemeinsam fielen ihre Oberkörper zur Seite.

Sie waren tot.

Der glaubensstarke Augustinerpater und das zierliche Straßenmädchen hatten Seite an Seite ihr Leben ausgehaucht. Und vielleicht war es gut so für sie, denn als Lebende hätten sie nie ein Paar werden können.

So aber hatte der Tod sie vereint.

DER PLANKENSÄGER JAIME

»Willst du etwas essen? Ich habe einen Kanten Brot und einen halbwegs genießbaren Käse.«

An einem frühen Morgen im Februar 1578 ging ein Mann durch die Straßen von San Cristóbal de la Habana, der größten Hafenstadt Kubas, die von ihren Einwohnern kurz Habana gerufen wurde.

Der Mann hatte ein schmales Gesicht, in dem eine kräftige Hakennase von hohen Wangenknochen eingerahmt wurde. Seine Gestalt, die nur in Hose und Hemd steckte, war hager, ja knochig zu nennen, mit Ausnahme der Schultern und der Oberarme, die einen beachtlichen Umfang aufwiesen.

Jaime Hoyelos, so hieß der Mann, lebte im Norden an der Punta Sotavento, der Mündung des Canal del Puerto, und er lenkte, wie an jedem Wochentag, seine Schritte nach Süden. Vom Kanal wehte ein frischer Wind herüber, der den Geruch nach Ferne und Meer mit sich brachte. Jaime verhielt für einen Augenblick, zog die klare Luft tief in die Lungen und genoss die Kühle auf seinen stets entzündeten Augen.

Zu dieser Stunde, da die Sonne gerade erst im Osten aus dem Meer stieg, hatte der übliche Straßenlärm noch nicht eingesetzt, gottlob nicht, denn Jaime liebte die Ruhe. Nur einige Fischweiber schickten sich schnatternd an, ihre Stände am Ufer aufzubauen. Fischweiber, so sagten die Habaneros, hielten selbst im Angesicht des Satans nicht ihr Maul.

Als Jaime das Castillo de la Real Fuerza erreicht hatte, ein starkes Kastell, an dem die Bauarbeiten erst im vergangenen Jahr beendet worden waren, wandte er sich scharf nach rechts, stadteinwärts, obwohl er seinen Arbeitsplatz geradeaus gehend schneller erreicht hätte. Er tat das, weil sein Weg ihn so durch die Calle de los Oficios führte, jene Straße, in der er vor einundvierzig Jahren geboren worden war – als Sohn eines verkrüppelten spanischen Matrosen, der sich im Hafen mit Gelegenheitsarbeiten über Wasser hielt, und einer Indianerin vom

Stamme der Timucua, einem Volk, dessen Jagdgründe im Norden der Halbinsel La Florida lagen.

Jaime war in Armut und Dreck aufgewachsen, immer auf der Jagd nach etwas Essbarem. Seine Eltern hatte er früh verloren, und vielleicht war das der Grund, warum er so an seinem Geburtshaus hing. Es lag gegenüber einem Weinlager, in dem gleichzeitig ein gutes Glas ausgeschenkt wurde.

Das Lager war fast so alt wie Habana selbst: Anno 1521 war es von seinem ersten Besitzer eröffnet worden, zwei Jahre nach Gründung der Stadt. Draußen über der Tür stand noch immer *Almacén de Vinos,* in großen, verwitterten Buchstaben, die Jaime allerdings nicht lesen konnte. Drinnen war die Luft geschwängert von den Ausdünstungen der Zecher und dem schweren, holzig-süßen Duft der Weine. Er dachte gern daran, wie er sich manches Mal einen Kanten Brot oder einen Napf Suppe verdient hatte, indem er dem Händler beim Hereinrollen der Fässer half. Fässer mit edlen Tropfen aus Andalusien, aus Navarra, aus Kastilien, aus Katalonien – Ländern, mit denen er nichts anderes als roten Wein verband, denn auf der anderen Seite des Meeres, im spanischen Mutterland, war er nie gewesen.

Inwischen hatte Jaime das Ende der Calle de los Oficios erreicht; die letzten Hütten und Häuser gaben den Blick frei auf die Werftanlagen an der Bahía de la Habana. Er stellte fest, dass an einigen Schiffen schon gearbeitet wurde. Das waren die besonders eiligen Aufträge, meistens von Handelskapitänen erteilt, für die jeder Tag, an dem sie im Hafen festsaßen, verlorenes Geld bedeutete. Einige der großen Segler lagen vertäut am Kai, andere hatte man an Land verholt, wo sie, quer zum Wasser liegend, repariert wurden.

Der Platz, an dem Jaime arbeitete, lag hinter einem Ofen, der flach und lang gebaut war, so lang, dass in ihm die längsten Schiffsplanken mittels Wasserdampf erhitzt werden konnten. Eine Prozedur, die Stunden dauerte und die nicht ungefährlich war, denn die Bretter hatten die Temperatur kochenden Wassers. Nach dem Herausnehmen transportierte man sie vorsichtig zum Schiff, wo sie an der Außenwand eingepasst und gebogen wurden – entsprechend der Krümmung des Rumpfs. Der Langofen war noch nicht in Betrieb; die Männer, die ihn bedienten, würden erst später kommen, kurz bevor das erste

Brett fertig gesägt war. Jaime stieg über das Abfallholz, das zum Beheizen des Ofens verwendet wurde, und stand vor seinem Arbeitsplatz, einem viereckigen Erdloch, tiefer als ein Mann groß und acht Schritte lang. In einer solchen Grube arbeiteten jeweils zwei Säger, die aus dicken Baumstämmen Planken herausschnitten. Der eine Mann stand am Boden des Lochs, der andere oben auf dem Stamm. Zusammen bewegten sie eine zehn Fuß lange Bundsäge, die sich langsam der Länge nach durch das Holz fraß.

Es war eine Arbeit, bei der auch der Stärkste nach kurzer Zeit schlappmachte, wenn er nicht einige Dinge beherzigte. Das erste Gebot hieß: ziehen. Ziehen und niemals drücken! Wer die Säge drückte, machte sich nicht nur zusätzliche Arbeit, er sorgte auch dafür, dass der Sägevorgang aus dem Rhythmus kam – was weitere Kraftanstrengung kostete.

Das zweite Gebot hieß, richtig zu atmen, und das bedeutete: ausatmen beim Ziehen. Das dritte und wichtigste aber hieß: regelmäßig abwechseln. Jedes Arbeitsgespann wechselte mehrmals am Tage die Position, weil sich schon nach kurzer Zeit beim unteren Mann die Nackenmuskeln und beim oberen die Rückenmuskeln verkrampften.

Jaime stand lieber unten, weil er einen kaputten Rücken hatte. Die Schmerzen darin begleiteten ihn seit Jahren, genau genommen seit jenem Tag, als er sich beim Zuckerrohrschneiden zu tief gebückt hatte. Ein Schmerz wie ein Schlag war in ihn gefahren, zwei Handbreit über dem Steiß, und hatte ihn nie wieder ganz losgelassen. Seinetwegen hatte er die Arbeit in den Zuckerrohrfeldern aufgeben müssen, eine Arbeit, die genauso schwer war wie die in der Grube, aber ruhiger, viel ruhiger … Das Rauschen des Windes im Rohr, die Lieder der Schwarzen, der süße Geschmack des weißen Marks, alles das lag nun schon Jahre zurück, Jahre, in denen Jaime als Plankensäger zu überleben versuchte.

Wo Raúl, sein Partner, nur blieb? Wahrscheinlich verspätete er sich mal wieder. Jaime blickte sich um, vorbei an den klobigen Stämmen, die man schon an die Grube geschafft hatte. Es waren entlaubte und entwurzelte Mahagoni- und Courbarilbäume, Kolosse des tropischen Waldes, die darauf warteten, zerteilt zu werden.

Die erste Arbeit bestand darin, den Stamm so zu bewegen, dass er nur zu einem Teil über den Grubenrand ragte, damit ein Anfang gemacht werden konnte. Hatten sich Jaime und Raúl ein gutes Stück vorgearbeitet, wurde der Baum auf ganzer Länge über das Loch gezogen. Das Endstück wiederum wurde so bearbeitet wie der Anfang.

Zum Bewegen eines Baums reichten zwei Männer bei weitem nicht aus, ja, häufig waren es nicht einmal zwanzig, die das schafften. Für diese Arbeit brauchte man ein Pferde- oder Ochsengespann, aber der zuständige Mann, ein Bursche namens Mendoza, ließ sich ebenfalls noch nicht blicken.

Jaime seufzte. Wenn er schon hier herumstand und nichts tun konnte, wollte er wenigstens in die Grube hinabsteigen und das Sägemehl herausschaufeln. Das verfluchte Sägemehl! Wenn man unten stand, sprangen einem mit jedem Sägezug winzige Holzpartikelchen in die Augen, ein teuflischer Vorgang, gegen den man so machtlos war wie gegen die Stiche der Moskitos. Die Partikelchen setzten sich an den Lidern fest und sorgten immer aufs Neue für eitrige Entzündungen. Bei Jaime war es besonders schlimm, weil er, seines Rückens wegen, gezwungen war, häufiger am Boden zu arbeiten.

Eigentlich hätte Raúl das Herausschaufeln noch gestern Abend besorgen sollen, denn die Reihe war an ihm, aber er hatte anderes im Kopf gehabt. Raúl war zwanzig Jahre jünger als Jaime und hinter den Weiberröcken her wie der Teufel hinter der armen Seele. Keine Woche verging, in der er sich nicht frisch verliebte … Jaime schüttelte schmunzelnd den Kopf, griff sich eine hölzerne Schaufel und stieg über eine Leiter hinab in die Grube. Unten angelangt, staunte er wie immer über die Mengen an Sägemehl, die sich innerhalb eines Tages am Boden ansammelten. Das Mehl lag da wie ein dicker, weicher Schafsteppich, und Jaime stand bis zu den Knöcheln darin. In einer der vier Grubenecken hatte es sich besonders hoch getürmt, es sah aus wie eine Sanddüne, die der Wind dorthin geblasen hatte. Seltsam, in der Grube gab es keinen Wind.

Jaime packte die Schaufel fester und beschloss, der Sache auf den Grund zu gehen. Vorsichtig näherte er sich dem Haufen und stieß den Schaufelstiel hinein.

Nichts geschah.

Vielleicht hatte der Nachtwind sich doch so verwirbelt, dass er in die Grube gelangt war? Abermals stieß er mit der Schaufel zu. Und nochmals.

Nichts.

Nun gut, der Teufel mochte wissen, warum das Sägemehl sich in der Ecke aufgetürmt hatte. Es gab so vieles, was der Mensch nicht verstand. Warum hatten Fische keine Flügel? Warum war Eisen schwerer als Holz? Warum bauten Bienen achteckige Waben? Warum, warum, warum …

Er begann zu schaufeln – und brach sofort wieder ab.

Er hatte ein Geräusch gehört. Ein Geräusch aus dem Haufen. Es hatte geklungen wie ein kurzes Stöhnen. »Komm heraus, ich tu dir nichts!«, rief er und hoffte, man würde ihm selbst nichts antun.

»Komm heraus, ich tu dir nichts!«

Endlich kam Bewegung in den Sägemehlberg. Langsam zerteilte er sich, und heraus kroch eine schmächtige Gestalt.

Aufatmend lege Jaime die Schaufel beiseite. Es war mittlerweile so hell geworden, dass er die Gestalt näher in Augenschein nehmen konnte. Es handelte sich wohl um ein Kind, auch wenn der Anblick Jaime an einige Bildnisse von maurischen Frauen erinnerte, denn das Wesen war vollkommen verhüllt. Nur die Augen konnte man sehen. Und die Hände. Es waren Hungerhände, das sah Jaime sofort. Sie hatten lange keine Nahrung zum Mund geführt.

Der Plankensäger griff an seinen Gürtel, wo ein Leinensäckchen mit seinem Mundvorrat für den Tag hing. »Willst du etwas essen? Ich habe einen Kanten Brot und einen halbwegs genießbaren Käse.«

Statt einer Antwort begann die Gestalt zu zittern.

»Na, na, du brauchst doch keine Angst zu haben. Wenn du jetzt nichts essen willst, dann vielleicht später.« Jaime versuchte, seiner Stimme einen väterlichen Klang zu geben. »Wie heißt du denn?«

Das Kind antwortete nicht. Es schlug die Augen nieder.

Jaime sah die langen Wimpern. »Du bist ein Mädchen«, stellte er fest und trat einen Schritt vor.

Sofort wich die Gestalt zurück.

»Immer mit der Ruhe. Ich bin Jaime Hoyelos, und jeder hier

auf der Werft kann bestätigen, dass ich ein harmloser Planken-säger bin. Sag, was hat dich nur in diese Grube getrieben? Hast du keine Eltern, die sich um dich sorgen?«

Ein Anflug von Wehmut durchfuhr Jaime bei der letzten Fra-ge, denn wie gern hätte er mit Francisca, seinem Weib, eben-falls Kinder gehabt, doch seine Frau war nun schon neunzehn Jahre mit ihm verheiratet und niemals guter Hoffnung gewe-sen. Und das, obwohl sie unzählige Kerzen für die Heilige Mutter in der Kirche angezündet hatte. Jetzt, mit fast vierzig, war sie zu alt zum Kinderkriegen. Der allmächtige Vater im Himmel hatte es so beschlossen, da war er sicher, aber warum nur? Andere Paare hatten Kinder wie Orgelpfeifen und wollten keine weiteren, bekamen aber dennoch Jahr für Jahr neuen Nachwuchs. Warum? Es gab so viele Warums im Leben …

Jaime bekreuzigte sich und fragte: »Wie alt bist du denn?«

Wieder begann die Gestalt zu zittern.

»Du willst nicht reden? Auch gut.« Der Plankensäger be-schloss, die Kleine fürs Erste in Ruhe zu lassen. Kommt Zeit, kommt Rat, dachte er und tat, als gäbe es das Mädchen nicht. Er griff erneut zur Schaufel und begann zu schippen. Er arbei-tete langsam, wobei er versuchte, die Gestalt hinter ihm aus seinen Gedanken zu verbannen, doch es wollte ihm nicht ge-lingen. Fast körperlich spürte er den Blick des Mädchens auf seinem Rücken. Als die Hälfte der Arbeit getan war, ertönte oben plötzlich ein fröhliches, schnell näher kommendes Pfei-fen. Raúl!

Jaime erschrak, an seinen Partner hatte er überhaupt nicht mehr gedacht. Dafür umso mehr an das Mädchen. Wie alt es wohl war? Schwer zu schätzen. Der schlanken Figur nach höchstens zwölf oder dreizehn. Eine Idee war ihm gekommen, vielleicht sogar eine gute, aber er hatte sie noch nicht zu Ende gedacht. Das musste jetzt warten. Er fragte sich, ob es richtig wäre, wenn Raúl die Kleine zu sehen bekäme, und gab sich so-fort selbst die Antwort. Nein, auf keinen Fall. Raúl war zwar kein schlechter Kerl, aber laut, unflätig und wenig einfühlsam. Nicht auszudenken, wie das Mädchen, das bei den harmlosesten Fragen wie ein Lämmerschwanz zitterte, auf dessen Art reagieren würde.

Rasch bedeutete er ihr, sich wieder in die Ecke zu hocken, und schaufelte es mit den Spänen vollständig zu. Keinen Augenblick zu früh, denn schon erschien oben am Grubenrand Raúls Kopf.

»He, Jaime, hab mich'n bisschen verspätet, du bist doch nicht böse? Musste mich erst noch von letzter Nacht erholen. War mit meiner neuen Flamme am Strand, du, ich sage dir, das war'n Gefühl, über mir nur die Sterne und unter mir das Paradies. Vögeln kann die, ich sage dir …«

»Halt's Maul.« Jaime war es peinlich, dass so vor dem Mädchen gesprochen wurde.

Raúl spielte den Zerknirschten. »Oh, der Herr Plankensäger ist schlechter Laune? Hör mal, Jaime, ich weiß, dass es nicht in Ordnung ist, wenn ich zu spät komme, es soll das letzte Mal gewesen sein. Ich weiß auch, dass eigentlich ich mit Schippen dran bin, aber wenn du gesehen hättest, wie prachtvoll meine Neue vögeln kann, dann …«

»Das Maul sollst du halten.«

»Puh.« Eine Weile sagte Raúl tatsächlich nichts. »Dir hat's aber mächtig die Laune verhagelt«, meinte er dann. »Kenne dich gar nicht so. Komm, ich löse dich ab.«

»Bleib, wo du bist.«

Raúl, der schon den Fuß auf der obersten Leitersprosse hatte, hielt inne. »Was ist nur in dich gefahren?«

»Nichts, Francisca geht es nicht gut.« Das war nur bedingt eine Notlüge, denn Jaimes Frau kränkelte öfter.

»Da also liegt der Hase im Pfeffer! Du, das tut mir Leid, aber das wird schon wieder. War ja bisher immer so.«

»Ja, danke. Geh jetzt, hole Mendoza und sein Gespann. Wir fangen mit dem dicken Mahagonistamm an.«

Das gleichmäßige Geräusch der auf- und niederfahrenden Sägezähne hatte etwas Beruhigendes in dem dröhnenden Werftlärm, der von allen Seiten herüberhallte. Zug um Zug fraß sich das stählerne Blatt durch den Stamm. Die Arbeit ging gut voran. Jaime stand unten in der Grube und war über und über mit rotbraunen Spänen bedeckt. Seine Augen brannten bereits stark, und bei jedem Wimpernschlag hatte er das Gefühl, er hätte Sand darin. Doch er kannte das, und er lebte damit. Das Herausreiben der Späne war unmöglich, außerdem hätte es zur Unterbrechung des Sägens geführt. Die Augen zu schließen verbot sich ebenfalls, denn der Schnitt musste ständig auf Geradheit überprüft werden. Also weiter, immer weiter …

Über eine Stunde war seit Beginn ihrer Arbeit vergangen, als Raúl plötzlich die Säge festhielt.

»Was ist los?«, fragte Jaime.

»Was soll schon los sein?«, kam es zurück. »Du weißt, wie es ist, wenn man auf dem Stamm steht. Der Armzug ist für den Obermann schwerer, weil er das Gewicht der Säge mit hochziehen muss. Höchste Zeit, dass wir mal tauschen.«

»Kommt nicht in Frage. Mach weiter.«

»Hör mal, wir wechseln uns spätestens alle Stunde ab, das war schon immer so.«

»Aber heute nicht.«

»Bei allen Jungfrauen Habanas! Mir tut das Kreuz weh und dir, das weiß ich genau, der Nacken. Und deine Augen sind so rot wie der Kehlsack eines Truthahns. Komm, wir tauschen.«

»Ich sagte nein!«

»Heilige Mutter Maria, hilf! Was ist nur in meinen Partner gefahren?« Raúl blickte in komischer Verzweiflung zum Himmel. Dann sprang er vom Stamm herunter und schritt hinter den Langofen, in dem ein starkes Feuer entfacht worden war. »Gut, gut, dann gehe ich erst mal pissen. Habe einen Druck auf der Blase wie ein Stier.«

»Ja, ja, schon gut.« Jaime überlegte, warum ihm alles, was Raúl sagte, peinlich vor der Kleinen war, und er kam zu dem Schluss, dass es mit der Hilflosigkeit, die von dem Geschöpf ausging, zusammenhing. Dann spürte auch er, dass er seine Notdurft verrichten musste, und er wollte es nicht in der Grube, im Beisein des unbekannten Mädchens, tun. »Warte«, sprach er freundlich in ihre Ecke, »ich verschwinde auch mal kurz. Lauf nicht weg, ich möchte dir nachher einen Vorschlag machen.«

Als beide Plankensäger kurz darauf zurückkamen, bestand Jaime abermals darauf, in der Grube zu arbeiten.

»In Gottes Namen, Jaime«, sagte Raúl, »geh nach unten, ich bin einverstanden. Aber nur, weil ich wegen heute Morgen noch was gutzumachen habe.«

Spät am Abend dieses ereignisreichen Tages kam Jaime heim zu seiner alten Hütte. Er blieb davor stehen und rief: »Hallo, Francisca, komm heraus!«

Und als seine Frau erschien, fragend, was los sei und was ihm einfiele, sie an die Tür zu holen, schob er eine schmale, gänzlich verhüllte Gestalt vor.

»Wir haben ein Kind.«

DER SCHMIED HAFFISSIS

»Ich nannte euch eben absichtlich ›Freunde‹, denn das seid ihr inzwischen für mich: gute Freunde. Noch nie in meinem Leben gab es so viele Menschen, die so viel für mich getan haben und die mir so ans Herz gewachsen sind.«

Der Orkan letzte Woche hat uns die Küste ganz schön zerzaust, was, Tom, alter Junge?«
Tom, ein kräftiger brauner Mischlingsrüde, wedelte mit dem Schwanz und gähnte ausgiebig.
»Hast Recht, so aufregend war's nun auch wieder nicht. Ist beileibe nicht der erste Orkan, den wir überstanden haben, was?«
Der Hund setzte sich, gähnte nochmals und hob den Kopf. Sein Herr, ein sehniger Alter, der die sechzig schon überschritten hatte, blickte prüfend über die zahllosen geknickten und entwurzelten Kokospalmen, die den Strand säumten. Dann spähte er auf das Meer hinaus, das an diesem Tag so glatt und unschuldig aussah, als hätte es sich noch niemals brüllend auf die Küste gestürzt. Er hatte noch gute Augen und ebenso gute Zähne, wie überhaupt festzustellen war, dass sein Körper nicht die Gebrechlichkeit zeigte, unter der viele andere Männer seines Alters litten. In seinem bartlosen Gesicht, das von scharfen Falten durchzogen war, stachen zwei Dinge besonders hervor: die buschigen hellblonden Augenbrauen, die trotz seiner Jahre noch kein einziges graues Haar aufwiesen, und der feste, schmallippige Mund. Seine Hände und Unterarme wirkten außerordentlich kräftig.
Er bückte sich und kraulte den Hund im Nacken. »Wollen doch mal sehen, ob es unter unseren gepanzerten Freunden ein paar gibt, die unserer Einladung gefolgt sind, was, Tom, alter Junge?«
Einträchtig gingen Herr und Hund den Strand hinab, wo sie neben einigen großen, ins Meer ragenden Felsen stehen blieben. Dann watete der Alte allein ins Wasser. Mit vorsichtigen Schritten näherte er sich dem Felsvorsprung, wo er am Mee-

resgrund seine selbst gebaute Reuse aufgestellt hatte. Er bückte sich und hob sie aus dem Wasser. »Aaah, ein gutes Dutzend dicker Krabben! Was sagst du dazu, Tom?«

Als Antwort krähte Tom.

»Tom?«

Wieder das Krähen. Es war schwach und kaum vernehmbar, und es kam zweifelsohne nicht von Tom, sondern von einem Hahn. Und es kam von der anderen Seite der Felsen.

Eilig stieg der Alte mit der Reuse aus dem Wasser, stellte sie ab und machte sich daran, über die Felsen zur anderen Seite zu klettern. »Was hat das zu bedeuten, Tom? Guck mal nach!«

Der Hund sauste los und sprang geschickt die großen Steine hinauf. Kurz darauf war er verschwunden. Der Alte folgte, so schnell er konnte. Von der anderen Seite drang Toms Bellen herüber. Er meldete irgendetwas. Aber was?

Der Alte beschleunigte seine Kletterbemühungen. An der höchsten Stelle angelangt, fiel sein Blick nach unten. Er erstarrte. Zu seinen Füßen lag ein Boot, oder vielmehr das, was von einem Boot übrig geblieben war. Es war ein Wrack, vom Sturm zerschlagen, durch die Flut emporgehoben und in einer abenteuerlichen Schräglage auf die Felsen gesetzt. Nur die Außenhaut schien noch einigermaßen intakt zu sein, auch wenn Teile der Bordwand so aussahen, als hätten sie mit dem Gebiss eines Hais Bekanntschaft gemacht. Mast und Ruder waren gebrochen, von der ursprünglichen Farbe war nichts mehr zu sehen. Sie war von der See bis aufs blanke Holz abgeschlagen worden.

Abermals war das Krähen zu hören. Es drang schwach zu dem Alten herauf und hatte nichts mit dem morgendlichen, kraftvollen Weckruf eines Hahns zu tun.

Der Hund fuhr fort, das Schiff anzubellen.

»Lass gut sein, Tom, alter Junge«, befahl der Alte. »Der Hahn steckt irgendwo da im Boot. Sieht wahrhaftig so aus, als wäre er mit dem Orkan angetrieben.« Dann stockte ihm erneut der Atem, denn er hatte im Heck des Wracks menschliche Arme und Beine entdeckt, die unter einer Segeltuchplane hervorragten. »Bei der Schärfe meiner Klingen, ich will verdammt sein, wenn von denen noch einer lebt!«

Doch da sollte er sich getäuscht haben.

»Du bist der Erste, der wieder klar bei Sinnen ist«, sagte der Alte. »Seit gestern kümmere ich mich um euch wie eine Glucke um ihre Küken.« Er flößte dem blonden Burschen, der vor ihm im Riedgras lag, ein paar Tropfen Wasser ein. »Als ich euch im Boot entdeckte, dachte ich zuerst, es lägen nur Leichen darin, wollte schon meinen Spaten holen, um euch wenigstens ein Grab nach guter Christenart zu schaufeln. Na, die Arbeit haben wir uns sparen können, was, Tom, alter Junge?« Der Alte setzte den Becher mit dem Wasser ab. Der Hund wedelte mit dem Schwanz und wollte die Nase in den Becher stecken. »Pfui, Tom, wo bleibt deine gute Erziehung!«

Abermals sagte der Alte: »Du bist der Erste, der wieder klar bei Sinnen ist.« Dann blickte er auf die anderen Überlebenden, die er, ebenso wie den Blonden, mühsam aus dem Boot gehoben und an einer geschützten Stelle in Strandnähe niedergelegt hatte. Ein kleiner Mann mit einer hohen Stirn war darunter, ein rothaariger Zwerg mit Buckel, ein junger Bursche, der wahrscheinlich noch keine zwanzig Jahre zählte, und eine hübsche junge Frau. Zuerst hatte er gar nicht bemerkt, dass es sich um eine Frau handelte, denn sie war so abgemagert, dass ihr Kopf sich in nichts von denen ihrer Leidensgefährten unterschied. Ihre Augen waren in gleichem Maße entzündet gewesen und ihre Lippen ebenso rissig und aufgesprungen. Nur der Umstand, dass ihr kein Bart gewachsen war – dafür aber die eine oder andere sehr schöne Rundung –, hatte ihn schließlich darauf gebracht. Er hatte sie besonders schicklich angefasst und es beim Tragen ihres Körpers vermieden, sie anzusehen, dennoch hatte es sich nicht vermeiden lassen, dass er ihrer Blöße ansichtig geworden war.

Die anderen Überlebenden waren noch nicht so weit. Sie konnten zwar schon ein paar Schlucke Wasser oder Kokosmilch zu sich nehmen und hatten das sogar während der vergangenen Nacht immer wieder getan, ansonsten aber lagen sie weiter in einer Art Erschöpfungsschlaf. Und nichts deutete darauf hin, dass sich das so bald ändern würde.

»Wo bin ich?«, fragte der Blonde. Er versuchte, sich aufzurichten.

»Bleib, wo du bist.« Der Alte drückte ihn mit sanfter Gewalt wieder ins Gras. »Nur nichts übereilen. So ist es recht. Um deine

Frage zu beantworten: Du befindest dich an einem Küstenstreifen zwischen den Städten Nombre de Dios und Puerto Bello.«
»In der Karibik?«
Der Alte lachte. »An der karibischen Seite Mittelamerikas,
wenn du's genau wissen willst.«
Der Blonde musterte ihn aus grauen Augen. Es waren kluge
Augen, wie der Alte feststellte, die schon wieder klar blicken
konnten. »Ich heiße Vitus von Campodios, aber Vitus genügt
für meine Freunde.« Er machte eine Pause, dann lächelte er
leicht. »Und für meine Lebensretter.«
Der Alte grinste. Der Blonde hatte Humor. »Ich bin Haf-
fissis«, antwortete er. »Für meine Freunde nur Haff. Und das
ist Tom.« Er wies auf den Hund, der es sich zwischen den
Überlebenden bequem gemacht hatte. Er lag auf der Seite und
döste. Für ihn schien es die selbstverständlichste Sache der
Welt zu sein, dass sein Rudel sich vergrößert hatte.
»Gestattest du eine Frage, Haff?«
»Nur immer heraus damit.«
»Wir sind hier im Neu-Spanischen, wieso sprichst du so gut
englisch?«
»Weil ich Engländer bin«, erwiderte Haff knapp. Offenbar
redete er nicht gern darüber.
»Verstehe.«
Haff wechselte das Thema. »Tom und ich haben dich und dei-
ne Leute im Wrack gefunden. Gestern Mittag war's. Ich konn-
te nicht viel für euch tun, außer, euch erst mal ausreichend mit
Flüssigkeit zu versorgen. Ihr saht aus wie nicht von dieser
Welt. Vögel hatten schon an euch herumgepickt. Was ihr jetzt
braucht, ist richtiges Essen und ein anständiges Lager, damit
ihr wieder zu Menschen werdet. Ihr seid allesamt ja nur noch
Haut und Knochen. In meiner Hütte wäre Platz genug, aber
sie liegt eine halbe Meile entfernt im Wald.«
Haff unterbrach sich, um eine Libelle fortzuscheuchen. »An
Kraft nehme ich es mit manchem Jüngeren auf, aber um euch
zu mir nach Hause zu schleppen, sind meine Knochen denn
doch zu alt. Also habe ich mir gedacht, ich päppele euch erst
mal ein, zwei Tage hier auf, bis ihr wieder selbst gehen könnt.«
»Ich bin dir sehr dankbar, mehr, als ich ausdrücken kann. Ich
hoffe, ich kann es irgendwann wieder gutmachen.« Vitus

nahm die Rechte des Alten und drückte sie schwach. Dann blickte er sich forschend um. Wie Haff gesagt hatte, waren alle seine Freunde, einschließlich Phoebe, gerettet worden.

»Wenn du den Hahn vermisst, Vitus, den habe ich schon gestern zu meinen Hühnern in den Stall gesetzt. Nachdem ich euch an Land getragen und zu trinken gegeben hatte, musste ich zu meiner Hütte zurück, um mehr frisches Wasser zu holen. Während ich fort war, hat Tom auf euch aufgepasst. Tom ist sehr wachsam, und wenn's drauf ankommt auch sehr wehrhaft, was, Tom, alter Junge?«

Tom döste weiter.

»Dem Hahn habt ihr es übrigens zu verdanken, dass ich euch gefunden habe. Wenn er nicht gekräht hätte, würdet ihr jetzt noch im Wrack liegen und wäret wahrscheinlich tot. Er kam mir wie gerufen, denn ich hatte keinen Gockel mehr. Mein alter machte zu gern Ausflüge, und im Regenwald lauern Ozelots, Krokodile und anderes Viehzeugs, wenn du verstehst, was ich meine. Ja, man muss schon aufpassen, wenn man in dieser Gegend überleben will. Du bist doch einverstanden, dass ich mir den Hahn genommen habe?«

»Selbstverständlich. Er heißt übrigens Jack.«

»Jack? Jack, der Hahn! Das gefällt mir. Bei mir haben alle Tiere Namen, und ich habe einige davon zu Hause. Na, du wirst sie noch kennen lernen.«

Haff erhob sich. »Komm hoch, Tom, genug gedöst, höchste Zeit, dass wir zur Hütte gehen. Du weißt, ich mag's nicht, wenn das Feuer erlischt. Auf dem Rückweg bringen wir von dem Braten mit. Ich denke, Vitus, du bist so weit, dass ich dich und deine Leute für ein paar Stunden allein lassen kann. Hier, nimm, das dürftest du kennen.«

Er gab Vitus das Messer vom Schiff. »Ich habe es im Heck gefunden. Es ist ein guter Stahl.« Haff fasste unter seinen kurzen Rock und förderte ein Entermesser hervor. »Allerdings nicht halb so gut wie dieser hier.«

Vitus, der sich inzwischen mit Haffs Hilfe ebenfalls aufgerichtet hatte, prüfte das Entermesser. Es war sehr gut gearbeitet und außerordentlich scharf. Er ließ seine Fingerkuppe über die Schneide gleiten. »Du verstehst etwas von diesen Dingen?«, fragte er.

»So könnte man sagen«, entgegnete Haff und schulterte einen selbst gemachten Sack aus Ziegenfell. »Ich lasse dir drei geöffnete Kokosnüsse hier. Immer, wenn deine Leute etwas zu sich nehmen können, gibst du ihnen etwas Milch. Halte die Augen offen, bis ich wieder da bin. Hier in Strandnähe kommen wilde Tiere normalerweise nicht vor, aber man kann nie wissen. Gott befohlen.«

»Gott befohlen. Ich werde aufpassen.«

Am Abend war Haff zurück, diesmal schwer beladen mit allerlei Gepäck und Gerät. Er ließ den Fellsack zu Boden gleiten und verschnaufte erst einmal. Tom war derweil schon zu den Schiffbrüchigen gelaufen und begrüßte sie freudig. Haff sah, dass sie im hohen Gras saßen und ihn neugierig musterten.

»Ich bin Haff«, sagte er. Und fügte hinzu: »Komm her, Tom, alter Junge, lass den Zwerg, äh … den kleinen Burschen in Ruhe.«

Tom, der sonst ein sehr folgsamer Hund war, tat, als hörte er nicht.

Plötzlich fistelte der Zwerg: »Wui, Haff, der Beller fühlt sich moll bei mir. Nix für ungut, un gramersi fürs Arauskätschen aus dem Teich. Enano heiß ich mit Namen.«

»Und mich nennt alle Welt Magister«, sprach der kleine Mann mit der hohen Stirn. »Erlaube, dass ich dir die anderen vorstelle. Das ist Hewitt, ein sehr tüchtiger Matrose, und das Phoebe, ohne die wir wohl alle am Schwarzen Erbrechen gestorben wären.«

»Ihr hattet das Schwarze Erbrechen an Bord?« Haff bemühte sich, sein Erschrecken zu verbergen. Das Schwarze Erbrechen oder Gelbfieber war in Küstenregionen, besonders aber an sumpfigen Flussufern, eine ständige Gefahr. »Seid ihr sicher, dass alle es auskuriert haben?«

»Will meinen eignen Kopf essen, wenn's nich so is.« Phoebe setzte sich etwas aufrechter hin und mühte sich vergebens, ihre von Sonne und Seewasser verfilzten Haare zu ordnen. »Un Hewitt hat's sowieso nich gehabt, der hat's früher gehabt, un ich un Phyllis auch, nich, Phyllis?«

Als keine Antwort kam, biss sie sich auf die Lippen und kämpfte gegen die Tränen an. Phyllis war ihre einzige und beste Freundin gewesen. »Na ja«, sie schniefte, »Fraggles un Bride un der arme Ó Moghráin sin dran kaputtgegangen, ja, der arme Ó Moghráin auch, aber sonst isses ausgestanden.«

Haff sagte voller Mitleid: »Ihr müsst Schreckliches erlebt haben, das Fieber und dazu den Orkan.«

»Un die Piraten un der Schiffbruch un der Riesenkrake.« Jetzt heulte Phoebe richtig.

»Ihr könnt mir das ja nachher beim Essen erzählen. Reden tut gut, ich weiß es noch von mir, damals, als ich …« Haff brach ab. »Ich habe ein paar Scheite trockenes Holz mitgebracht und gehe noch Kokosbast suchen. Nichts ist besser als Kokosbast, wenn man ein Feuer machen will. Ihr werdet sehen.«

Wenig später hatte er ein prasselndes Feuer entfacht und einen Bratspieß darüber angebracht. Die Schiffbrüchigen drängten sich der Wärme entgegen, denn auch in der Karibik waren die Abende am Meer kühl.

Haff meinte: »Hier ist der Braten, von dem ich sprach. Er ist vom Schwein, sehr lecker. Wer es schon verträgt, dem rate ich, davon zu essen. Ich selbst werde mir etwas anderes braten.« Er entnahm seinem Fellsack einige länglich-runde Fleischstücke und schob sie über den Spieß. »Euch erst mal einen guten Appetit.«

»Danke, Haff.« Sie nahmen von dem Braten und bissen vorsichtig hinein, und es war ihnen, als hätten sie nie in ihrem Leben etwas Köstlicheres gegessen. Sie aßen vorsichtig und mit Bedacht und mit geschlossenen Augen. Zerkauten genüsslich jede Faser zwischen den Zähnen, schluckten langsam, genossen den Geschmack, nahmen einen neuen Bissen. Fleisch, frisches, köstliches Fleisch! Wie lange hatten sie darauf verzichten müssen!

»Ich glaube, Schweinebraten habe ich zuletzt in England gegessen«, sagte Vitus schmausend. »Großer Gott, ist das lange her. Dabei fällt mir ein, weißt du, welches Datum wir gestern hatten, Haff?«

»Warte mal.« Der Alte schlug die Stirn in Falten, vergaß darüber aber nicht, den Spieß weiterzudrehen.

»Entschuldige, du weißt es wahrscheinlich nicht, hier spielt Zeit sicher kaum eine Rolle.«

»Oh doch, Vitus. Für mich schon. Und jetzt weiß ich es auch

wieder. Wir hatten gestern den 9. März. Um genau zu sein, Sonntag, den 9. März anno 1578.«

»Den 9. März? Allmächtiger, das war ja mein Geburtstag!«, entfuhr es Vitus.

Der Alte freute sich. »Dann herzlichen Glückwunsch! Man möchte meinen, es war dein zweiter Geburts-Tag. Gott hat dir ein zweites Mal das Leben geschenkt.«

Vitus lachte. »Und du hast ihm dabei geholfen. Es ist wahrhaftig ein Wunder, dass wir überlebt haben.« Er rechnete kurz. »Seit dem Piratenüberfall auf die *Gallant* am 29. Januar sind mehr als fünf Wochen vergangen.«

»Wenn du willst, erzähle mir eure Geschichte.« Haff blickte Phoebe an. »Vorausgesetzt, es wird nicht zu viel für dich?«

Phoebe blickte zurück und schüttelte den Kopf, während sie in ein weiteres Stück Fleisch biss und dazu kühle Kokosmilch trank. »Bist 'n echter Kavalier, Haff, bei den Knochen meiner Mutter, das biste, aber 's is 'ne mordslange Geschichte, 'ne mordslange Geschichte isses, nich ... äh ...« Sie verstummte.

»Tom und ich sind geduldige Zuhörer.«

»Also gut«, entschied Vitus. »Ich werde berichten, was mit uns geschah.«

Und er erzählte über die Zeit ihrer Leiden, die, wenn man es genau nahm, schon an Bord der *Gallant* mit dem Geizhals Stout begonnen hatte und über Wochen und Monate kein Ende nehmen wollte. Er erzählte ausführlich und wurde immer dann, wenn er etwas vergaß, von dem Magister oder dem Zwerg darauf hingewiesen. Auch Hewitt fiel ab und zu noch etwas ein, und er steuerte es bei.

Was er hörte, verschlug Haff ein ums andere Mal die Sprache, und Vitus und seinen Freunden erging es selbst kaum anders, obwohl sie die grauenvollen Ereignisse doch am eigenen Leibe erlebt hatten.

»Es sind viele Menschen ums Leben gekommen an Bord eurer *Albatross*«, seufzte Haff, als Vitus geendet hatte. »Gute wie auch schlechte. Die Wege des Herrn sind unerfindlich.«

»Und wir Menschen müssen sie gehen.« Vitus bekreuzigte sich und teilte das letzte Stück des Bratens unter die Freunde auf. »Wir waren neun Männer und zwei Frauen, als wir mit der *Albatross* lossegelten, und am Ende sind nur fünf von uns übrig geblieben.«

Enano fistelte: »Un der Korporal. Oder nich?«

»Wen meinst du?« Haff blickte verständnislos.

»Na, 's Federvieh, den Flätterling Jack mein ich. Der is auch noch über. Wo is er eigentlich? Pickt er noch?«

Haff antwortete, und sein Blick streifte dabei Phoebe: »Jack ist im Stall bei mir zu Hause. Da hat er's gut, denn ich habe viele Hennen.«

»Jack is 'n tapfrer Vogel, 'n tapfrer Vogel isser, un er hat's verdient«, stellte Phoebe fest. »Als Hahn isser bestimmt 'n Kavalier, genau wie du, Haff.«

»Oh!« Der Alte versuchte, seiner Verlegenheit Herr zu werden. »Das hast du hübsch gesagt. Aber warte, du hast ja gar kein Fleisch mehr. Darf ich dir …«, er unterbrach sich, »und euch natürlich auch, also, darf ich dir noch etwas von meinem Spießbraten anbieten? Er müsste jetzt durch sein.«

Er schnitt mit einem Messer mundgerechte Stücke ab, und alle kosteten.

»Hm!« Der kleine Gelehrte verdrehte die Augen. »Welch lukullischer Genuss! Das mundet ja fast noch besser als der Schweinebraten! Was ist es denn für Fleisch?«

»Rate mal.«

»Tja, wenn du mich so fragst, würde ich sagen, es schmeckt nach Hühnchen.« Der kleine Gelehrte drohte scherzhaft mit dem Finger. »Du hast unserem Jack wohl doch den Garaus gemacht, was, Haff?«

»Wassis? Is was mit Jack?« Phoebe hatte für einen Augenblick nicht zugehört. Jetzt blickte sie misstrauisch zu dem Alten hinüber.

»Aber nein! Jack geht es gut, Tom ist mein Zeuge. Hier handelt es sich nicht um Hühnchenfleisch. Nicht wahr, Tom, alter Junge?«

Tom, der zu Haffs Füßen lag, wedelte mit dem Schwanz.

Phoebe schluckte den letzten Bissen hinunter. »Na, denn is gut. Un was isses nu für Fleisch?«

»Schlange.«

Drei Tage später, nach einem Marsch, der ihre noch schwachen Kräfte nahezu völlig erschöpft hatte, endete der schmale Waldpfad plötzlich vor einer hohen Palisadenwand. »Der

Zaun hält mir die wilden Tiere vom Leib«, erklärte Haff und öffnete ein schmales Tor. Sie traten hindurch und erblickten eine liebliche Lichtung, in deren Mitte Haffs Hütte stand. Das Haus, denn diesen Ausdruck verdiente die Hütte viel eher, stand etwas erhöht und war aus festen Holzstämmen erbaut, fensterlos, aber mit schmalen, senkrechten Schlitzen, die an Schießscharten erinnerten. Die Tür schützte ein schwerer, eiserner Riegel.

Vom Haus selbst ging eine Reihe weiterer Gebäude ab, größere und kleinere, allesamt in der gleichen sorgfältigen Art gezimmert.

»Kommt näher.« Haff machte eine einladende Geste, ging zur Tür und holte einen Schlüssel hervor, mit dem er ein großes Schloss öffnete, was wiederum das Zurückschieben des Riegels ermöglichte. »Tretet ein. Hier schlafe ich.«

Der Einrichtung nach zu urteilen, war Haff ein bescheidener Mensch, denn in dem Raum befand sich nicht viel mehr als eine einfache Lagerstatt, die allerdings einen sehr sauberen Eindruck machte. Über dem Lager hingen zwei gekreuzte Degen, und am Fußende schlummerten drei Katzen auf einem zusammengefalteten Fell. Die Tiere hatten sich durch die Eintretenden kaum stören lassen, sondern nur kurz aufgeschaut und die Glieder gestreckt. Auch die Anwesenheit von Tom schien ihnen herzlich egal zu sein.

»Das sind Catty, Lizzy und Momo«, stellte Haff vor. »Tagsüber sind sie faul wie die Sünde und lassen sich durch nichts stören, nachts sind sie dafür umso aktiver. Es ist Jahre her, dass sich eine Maus in meine Hütte verirrt hat.«

Ansonsten gab es nicht viel zu sehen. Eine alte Öllampe und eine Kerze standen auf einem Tisch, einige Bänke, auf denen nichts lag, verloren sich an den Wänden, und ein paar Haken, die sich in Kopfhöhe befanden, dienten dem Aufhängen von Haffs weniger Garderobe.

Auch Haffs Kleider machten nicht viel her. Sie dienten nur dem Schutz des Körpers vor Sonne und Regen und waren der Witterung in diesen Breiten angepasst. Einzig eine schwere, lederne Schürze stach aus ihnen hervor.

Ähnlich bemerkenswert waren noch fünf Musketen, langrohrige Waffen, die exakt aufgereiht in einer Halterung standen. Ein Pulverfass und eine offene Kiste, die sämtliche zum Feuern notwendigen Utensilien barg, waren sorgfältig daneben abgestellt.

»Du bist ja bis an die Zähne bewaffnet«, staunte der Magister. »Mit diesem Arsenal könntest du ja einen ganzen Indianerstamm abwehren.«

Haff ließ seinen Fellsack von den Schultern gleiten und legte ihn aufs Lager. »Von den Indianern geht kaum Gefahr aus, wenn man sie in Ruhe lässt. Anders ist es mit marodierenden Soldaten und Piraten. Es kommt vor, dass sich manche bis zu mir verirren, und für diesen Fall möchte ich gerüstet sein.«

Der Magister blinzelte, während er die Musketen bewunderte. »Bist du schon einmal überfallen worden?«

»Ja, das bin ich.« Ein Schatten überzog Haffs Gesicht. »Es ist lange Jahre her. Aber ich kann es bis heute nicht vergessen, so furchtbar war es. Entschuldigt, wenn ich darüber nicht reden möchte.«

»'s is schon gut, Haff«, meinte Phoebe, die sich genau umgesehen hatte, »wo kochste denn, oder kochste nich?«

»Ich koche selten, und wenn, dann in meiner Werkstatt.«

»Was? Inner Werkstatt? Wieso 'n das?«

»Wart's nur ab, Phoebe! Kommt, Leute, ruht euch erst einmal aus. Nehmt Platz, wo es euch gefällt. Ich hole derweil etwas zu essen und zu trinken.«

»Das is 'n Wort«, seufzte Phoebe und setzte sich aufs Lager zu den Katzen.

Einen Tag darauf fühlten die Freunde sich stark genug, Haff bei der Führung durch sein Reich zu folgen. Der Alte begann mit der gut gefüllten Vorratskammer. In ihr stand eine Reihe bauchiger Fässchen mit Bohnen, Trockenfrüchten und Maiskolben. Mehrere große Stücke Rauchfleisch hingen in den Ecken.

Der Magister schnupperte. »Das duftet besser als alle Wohlgerüche Arabiens zusammen!«

»Wui, hier könnt's wohl schmerfen. Rauchfleisch un Bohnen sind knäbbiger als Luftklöße un Windsuppe«, fiel der Zwerg ein. Phoebe nickte bewundernd. »'s is wahr: Hier tät man nich verhungern, nich?«

Haff wies auf eine saubere, freie Ecke. »Ich dachte, dieser Platz könnte für dich sein, Phoebe. Es wäre, äh … auf die Dauer nicht schicklich, wenn du mit uns Männern in einem Raum, äh …« Er brach verlegen ab.

»'s is sehr nett von dir, Haff, bei den Knochen meiner Mutter, sehr nett isses.«

Der Alte führte sie durch weitere Räume mit allerlei Gerätschaften, dann trat er mit ihnen aus dem Haus und zeigte nicht ohne Stolz seine Ställe. Darin lebten Ziegen, Schweine und Enten. Im großen Hühnerstall inmitten der Hennen stand Jack, der Hahn, wie ein Feldherr und krähte markerschütternd, als er ihrer ansichtig wurde.

Phoebe trat eilig in den Stall. »Na, Jack, olles Scheusal! Hier haste 's aber gut, was, gut haste 's hier, bei so vielen Hühnern!« Sie blickte sich um und entdeckte eine Schale mit Körnern. »Freuste dich, Phoebe zu sehn? Willste von Phoebe was zu futtern? Put, put, put, put, put! Ja, nimm's nur ausser Hand, bist 'n braver Gockel, 'n braver Gockel biste.«

Jack pickte mit zackigen Bewegungen seines Kopfes die Hand leer und widmete sich anschließend wieder seinen Hennen. »Hast keine Zeit nich mehr für Phoebe, wie? Na, macht nix, Phoebe kann's verstehn.«

Haff lächelte, als er sie so sah. »Du kannst gut mit Tieren umgehen, Phoebe.« Er öffnete den Verschlag, damit Jack mit seinen Hennen auf dem Gelände nach Futter suchen konnte. Dann wies er auf ein Gebäude am Rand der Lichtung. »Dort ist meine Schmiede.«

Sie gingen hinüber und betraten die Werkstatt. Haff ging sofort zum Stückofen in der Ecke. Der Ofen war ein sieben Fuß hohes Gemäuer mit seitlichen Öffnungen zur Luftzuführung. Verschieden große Blasebälge waren um die Esse gruppiert. Sie konnten über das außerhalb der Hütte laufende Wasserrad einzeln betrieben werden.

Haff prüfte die Glut in der Esse. Er nahm einen Schlackenhaken und stocherte darin herum. »Ein gutes Schmiedefeuer darf niemals ausgehen«, erklärte er. »So wie ein Mensch im Alter weise wird, so wird auch ein Feuer mit den Jahren immer wertvoller. Gute Arbeit gelingt nur in einem guten Feuer.« Er tat ein paar Scheite abgelagertes, hartes Tropenholz in die

Glut und betätigte einen Handblasebalg. Fast augenblicklich wurde die Glut heller, und die Scheite fingen Feuer. »Nichts ist beim Schmieden so wichtig wie die richtige Hitze. Wenn sie nicht stimmt, nützen der beste Werkstoff und das beste Werkzeug nichts.«

Die Freunde nickten und schauten sich um. Vor der Esse befand sich der große Löschtrog, gefüllt mit Wasser, der zum Abschrecken des glühenden Stahls diente. Darüber hing eine mächtige hölzerne Haube, die sich nach oben verjüngte und als quadratischer Abzug durch das Dach nach draußen führte. An der Esse selbst hingen griffbereit zahllose Zangen in jeder Größe und Länge. Die rauchgeschwärzten Wände waren gespickt mit weiterem Werkzeug, wie Greifzirkeln, Metallsägen, eisernen Winkeln, Abschrotern, Feilen und Dornen. Auf einem stark gezimmerten Tisch neben dem Amboss lagen unterschiedlichste Hämmer bereit, vom schweren Vorschlaghammer bis hin zum kleinen Handhammer.

In einer Ecke ruhte eine vier Fuß hohe Glocke, und daneben, auf einer Bank, waren eine Reihe Degen und Schwerter abgelegt. »Hast du die gefertigt?«, fragte der kleine Gelehrte.

»Ja, die meisten«, antwortete der Alte. »Es sind Stücke, die man mir zur Reparatur gebracht hat.« Er nahm einen stark abgenutzten Degen zur Hand. »Seht, wie schartig die Schneide ist. Ich werde sie völlig neu ausschmieden, härten, schleifen und polieren müssen.«

Vitus fragte: »Woran siehst du, ob eine Klinge von dir dabei ist?«

Haff runzelte die Stirn. »Ein guter Schmied erkennt seine Arbeit unter Tausenden. Aber es gibt noch etwas anderes, das darauf hinweist. Es ist die spezielle Zeichnung, die jeder Schmied seiner Klinge mitgibt. Sieh her.« Er deutete auf eine Stelle, die sich dicht unterhalb der Parierstange befand. Dort stand in großen, eingeschlagenen Buchstaben zu lesen:

HAFFISSIS ME FECIT ANNO 1569

»Die Inschrift ist Latein«, erklärte Haff, »sie bedeutet übersetzt: Haffissis hat mich gemacht, im Jahre 1569.«

Der kleine Gelehrte meinte: »Haffissis ist ein ungewöhnlicher

Name, jedenfalls für einen Engländer, ich nehme an, es ist dein Künstlername?«

»So ist es. Ich nenne mich nach jenem Haffissis, der ein griechischer Gott war.«

»Haffissis war ein griechischer Gott?«, schaltete Vitus sich staunend ein.

»So ist es«, sagte Haff abermals. »Wenn du es genau wissen willst: Er war der Gott des Feuers und der Schmiedekunst.«

»Oho!«, platzte Vitus heraus. Der Gott, den der Alte meinte, hieß nicht Haffissis, sondern Hephästos. Er musste ihn irgendwo verfremdet aufgeschnappt und sich zu Eigen gemacht haben.

»Ist irgendetwas?«, fragte Haff.

»Oh nein, es ist nichts, äh … Ich musste nur an einen Gott denken, der ähnlich heißt.« Es lag eine gewisse Tragik in dem Gedanken, dass Haff alles tat, um perfekte Klingen herzustellen, und sie am Ende mit einer Verfälschung zeichnete.

»Dann ist es gut.« Ganz überzeugt schien der Alte noch nicht zu sein.

Der Magister lenkte ihn ab, indem er fragte: »Und die Glocke dort? Was hat es mit ihr auf sich? Ich denke, du bist Klingenschmied?«

»Blankwaffenschmied heißt es«, verbesserte Haff.

»Entschuldige, Blankwaffenschmied. Bist du denn auch Glockenschmied?«

»Glockenschmiede gibt es nicht, nur Glockengießer. Aber zu deiner Frage. Ich erhalte nicht nur Aufträge, Blankwaffen zu fertigen, manchmal bringen sie auch Gebrauchsgegenstände und ganz selten so etwas Ungewöhnliches wie eine Glocke.«

»›Sie‹? Wer sind ›sie‹?«

»Nun«, Haff räusperte sich umständlich, »darüber möchte ich Stillschweigen bewahren. Jedenfalls so lange, bis wir einander voll vertrauen können. Sie haben die Glocke vor einiger Zeit mit einem Ochsengespann hergebracht. Es war eine mühsame Plackerei. Die Glocke stammt von einem gestrandeten Schiff. Vermutlich war sie für eines der Gotteshäuser in Nombre de Dios oder Puerto Bello bestimmt.«

»Ist sie denn kaputt?«, fragte Vitus

»Ja, sie hat einen daumendicken Riss in der Außenhaut. Sie

baten mich, ihn zu flicken. Ich schätze sie, deshalb habe ich ihnen versprochen, es zu versuchen, obwohl ich nicht sicher bin, dass ich es fertig bringe.«

Der Alte trat an den Glockenkörper heran und wies auf einen Spalt am unteren Rand. »Hier ist der Schaden. Übrigens, kann mir einer sagen, was die Aufschrift bedeutet?«

Auf der Glocke stand:

FULGURA FRANGO –
TONITENA REPELLO

Vitus wischte den Staub von der Schrift, um sie besser lesen zu können, dann sagte er: »Es ist Lateinisch und bedeutet: Blitze breche ich – Donner stoße ich zurück.«

»Aha«, sagte Haff nachdenklich. »Könnte mir denken, dass ihnen das irgendjemand übersetzt hat. Klar, dass der Satz wichtig für sie ist. Na, ich will mein Bestes tun, die Glocke heil zu kriegen.«

Er führte sie weiter durch seine Werkstatt, zeigte ihnen noch dies und das, und es dauerte eine geraume Weile, bis die Freunde alles gesehen hatten.

Ganz zuletzt, als sie sich anschickten, die Schmiede zu verlassen, stellte Phoebe lakonisch fest:

»Un hier kochste also, wennde kochst.«

Es dauerte über eine Woche, bis Vitus und seine Freunde wieder halbwegs bei Kräften waren. Haff war ein aufmerksamer Gastgeber. Wenn er nicht gerade in seiner Werkstatt arbeitete oder mit Tom für einige Stunden im Wald verschwand, tat er alles, um gut für sie zu sorgen.

Am Tage nach ihrer Ankunft hatte Vitus ihn nach einem Mittel zur Behandlung ihrer rauen Lippen und Hautgeschwüre gefragt, und Haff war am darauf folgenden Morgen mit einer bauchigen Flasche in der Hand auf ihn zugetreten.

»Was ist das?«, hatte Vitus gefragt.

»Eine Flasche mit verdünnter Sepia.«

»Sepia?« Vitus hatte noch niemals von einem solchen Stoff gehört.

»Bin in der Nacht bei ihnen gewesen und hab sie gefragt, was man gegen schlechte Haut tun kann. Da haben sie mir Sepia gegeben. Es ist die Absonderung vom Tintenfisch. Eine geheime Medizin, die sie von den Indianern kennen. Diese Sepia wurde stark verdünnt und mit Waldhonig angereichert. Sie sagen, es gäbe nichts Besseres. Jeder von euch solle pro Tag dreimal einen kleinen Schluck nehmen. Nach kurzer Zeit wären die Hautbeschwerden weg. Nebenbei würde das Mittel sehr kräftigend wirken.«

Es hatte Vitus und seine Freunde einige Überwindung gekostet, die Absonderung zu trinken, stammte sie doch von einem Kraken – von einer Spezies also, mit der sie die schlimmsten Erinnerungen verknüpften.

Wie um sie dafür zu entschädigen, hatte das Mittel alle Erwartungen übertroffen. Fast über Nacht waren sämtliche befallenen Hautpartien abgeheilt, und Phoebe hatte festgestellt: »'s is 'n gutes Zeugs, alles, was recht is, gut isses.«

Eines Tages, Vitus machte bereits Pläne für ihre Weiterreise, kam ihm eine Idee. Er befand sich in Haffs Werkstatt, wo der Alte damit beschäftigt war, verschiedene Roheisen aus den Ecken zu holen, um sie auf Härte und Biegsamkeit zu überprüfen. Tom lag derweil gähnend vor dem Löschtrog.

»Sag mal, Haff«, begann Vitus, »du weißt ja, dass ich Arzt bin. Allerdings einer, dem zurzeit ziemlich die Flügel gestutzt sind. Ich meine, ich habe keine Instrumente. Das ist ungefähr so, wie wenn dir zum Schmieden der Amboss fehlte.«

Der Alte hob die Brauen, dann wandte er sich an den Hund. »Kaum auszudenken, was, Tom, alter Junge?«

»Nicht wahr. Um es freiheraus zu sagen: Ich wollte dich bitten, ob du mir zwei oder drei Instrumente machen könntest?«

»Instrumente? So etwas Kleines habe ich noch nie geschmiedet.«

»Ich bin überzeugt, dass du es kannst, wenn ich dir nur genau aufzeichne, wie sie auszusehen haben.«

»Wie willst du das denn anstellen?«

»Ganz einfach. Du hast doch das Bordbuch nebst Tinte und Feder aus dem Schapp der *Albatross* geborgen. Damit werde ich dir genaue Skizzen anfertigen.«

»Tja, ich weiß nicht.« Haff rieb sich zweifelnd das Kinn. »Aber ich sage nicht nein. Mach erst mal deine Zeichnungen, dann sehen wir weiter.«

Noch am selben Abend hatte Vitus die Zeichnungen fertig. Er saß mit den anderen im großen Schlafraum und sagte: »Sieh mal, Haff, ich habe drei Instrumente skizziert. Es sind ein Skalpell, eine Pinzette und ein Spatel. Für das Skalpell habe ich eine geballte Spitze vorgesehen, die Pinzette soll mittelgroß und spitz zulaufend sein und der Spatel flach, schmal und nicht zu klein. Ich habe hin und her überlegt, um welche Instrumente ich dich bitten soll. Beim Skalpell und der Pinzette fiel mir der Entschluss leicht, aber über das dritte Werkzeug habe ich lange nachgedacht. Schließlich schien mir der Spatel am sinnvollsten zu sein, denn man kann ihn für vielerlei verwenden, sogar zum Kauterisieren.«

»Kauterisieren? Was bedeutet das?«, fragte Haff.

Als er erfuhr, dass damit das Ausbrennen von Wunden bezeichnet wurde, steigerte sich sein Interesse. Immerhin handelte es sich um ein Werkzeug, das man zum Glühen brachte. »Die Arbeit reizt mich, denn die Stahlqualität der drei Instrumente muss durchaus unterschiedlich sein: Für das Skalpell brauchst du einfach nur einen sehr harten Stahl, bei der Pinzette dagegen muss das Material gut federn, der Spatel schließlich verlangt eine Legierung, die hoch erhitzbar ist, ohne dass sie zerfließt.«

»Heißt das, du machst mir die Instrumente?« Vitus' Augen leuchteten.

»Natürlich mache ich sie dir. Vorausgesetzt, ich bringe es fertig. Die Arbeit wird in vielem der Schmiedearbeit eines Schwerts ähneln.«

»Eines Schwerts?«

»Ein gutes Schwert muss die unterschiedlichsten Eigenschaften in sich vereinen. Es muss gleichzeitig hart, weich, biegsam und zäh sein.«

»Aber das geht doch gar nicht!«, platzte der Magister, der bislang schweigend zugehört hatte, heraus.

Haff lächelte. »Doch, das geht. Man muss nur verschiedene Stähle nehmen. Genauso wie für deine Instrumente, Vitus. Wenn ihr wollt, erkläre ich euch das Schmieden einer Klinge näher, drüben in meiner Werkstatt.«

»Das interessiert mich«, sagte Vitus.

»Mich auch.« Der Magister blinzelte erwartungsfroh.

»Wui, wui!«

»Ich käme auch gern mit«, sagte Hewitt bescheiden.

Wenig später hielt ihnen der Alte einen armlangen, eckigen Stahlstab im Schein des Schmiedefeuers hin. »Das ist schon fast ein gutes Schwert«, sagte er und lächelte geheimnisvoll. »Wenn ihr gestattet, hole ich etwas weiter aus: Ich sagte vorhin, eine gute Klinge muss gleichzeitig hart, weich, biegsam und zäh sein. Hart muss sie sein an Schneide und Rücken, damit sie insgesamt stabil ist. Der Kern muss ebenfalls extrem hart sein. Um ihn herum braucht man einen weicheren Mantel, der die Schlagerschütterungen abfängt. Darum wieder legt man eine Schicht Stahl von mittlerer Härte, und so weiter. Ihr seht, ein Schwert ist ein Gebilde, das an jeder Stelle von vielen Schichten Stahl durchzogen ist.«

Der Magister studierte den Stab, den Haff hatte herumgehen lassen. »Und die ganzen von dir erwähnten Schichten stecken hier schon drin?«

»Ja. Es sind sehr, sehr viele. Beginnen tue ich meistens mit sieben. Die einen bestehen aus kohlenstoffreichem Eisen, das weicher ist, die anderen aus kohlenstoffärmerem, das ich Stahl nenne. Die sieben Schichten kommen abwechselnd übereinander, also Eisen – Stahl – Eisen – Stahl – Eisen – Stahl – Eisen. Ich verbinde sie durch die Technik des Feuerschweißens und schmiede sie aus. Das heißt, sie werden beim Zusammenhämmern flacher und flacher und dehnen sich entsprechend – wie ein Teig, der ausgerollt wird. Ist eine bestimmte Stärke erreicht, biegt man den Stahl um, so dass man vierzehn Schichten übereinander hat. Auch diese werden wieder ausgeschmiedet.«

Vitus fragte: »Kann man das Verdoppeln der Schichten beliebig oft wiederholen?«

»Das ist eine Frage, die ich mir selbst schon häufig gestellt habe. Ich glaube, theoretisch ja. In der Praxis nein, schon deshalb, weil die Klinge dann niemals fertig würde!« Haff nahm den Stahlstab zurück. »Es ist das Geheimnis eines jeden Schmieds, wie viele Schichten er seiner Klinge mitgibt. Nur so viel: Je größer die Anzahl, desto härter und geschmeidiger der

Stahl. Ebenso ist es ein Geheimnis, wie es gelingt, Schneide und Rücken extrem widerstandsfähig zu machen. Die ausgeschmiedeten Schichten werden anschließend ausgereckt, wie wir es nennen, und dann sehen sie aus wie dieser Stab ...«

»... aus dem du jetzt eine Klinge schmieden könntest?«, unterbrach der wissensdurstige Magister.

»Ja. Aber stell dir das nicht zu einfach vor. Etliche Handgriffe davor und danach sind dazu noch nötig. Ich selbst habe mich der Herstellung von Schweißdamast verschrieben, besser bekannt als Damaszenerstahl. Das ist Stahl, der durch die gemusterte Oberfläche seine inneren Schichten widerspiegelt. Die Echtheit von Damast erkennt man daran, dass sich das Oberflächenmuster im Inneren des Stahls fortsetzt.«

Hewitt sagte bewundernd: »Damaszenerstahl soll der härteste der Welt sein.«

»Und der schönste«, nickte Haff. »Die Zahl der Muster ist unendlich, und jedes Stück ist ein Einzelstück, mit keinem anderen auf dieser Welt zu vergleichen.«

»Wie entsteht denn so ein Muster?«, fragte Vitus.

Haff hielt ihm den vierkantigen Stab vor die Nase. »Indem ich diesen Stab erhitze und in sich verdrehe. Wir Schmiede nennen das ›tordieren‹. Je nachdem, wie oft man dreht, wird das Muster später beim Ausschmieden gröber oder feiner.«

Vitus nickte. »Ich verstehe. Wenn ich an unseren Schmied, Bruder Tobias, auf Campodios denke, so war der ein biederer Handwerker gegen dich: Er machte seine Arbeit und lobte den Herrn, aber derartig Wertvolles wie du, Haff, hätte Tobias niemals herstellen können. Wo hast du diese Kunstfertigkeit erworben?«

Haff schlug verlegen den Stab in seine Handfläche. »Nun, ich habe euch ja schon erzählt, dass ich Engländer bin. Ich wuchs in Sheffield auf, wo man die Kunst des Schmiedens von alters her besonders gut versteht. Als ich mein Gesellenstück gemacht hatte, zog es mich hinaus in die Welt. Ich fuhr zur See, gelangte später nach Andalusien, wo ich lernte, den berühmten orientalischen Schweißdamast herzustellen. Danach fuhr ich wieder zur See, blieb dann irgendwann in der kubanischen Stadt Habana hängen, wo ich auf einer Schiffswerft Anstellung fand. Aber die Arbeit gefiel mir nicht, weshalb ich wieder fortging. Ich war zu jenem Zeitpunkt schon über vierzig Jahre alt und wollte mir von niemandem mehr in meine Arbeit hineinreden lassen.«

Haff machte eine Pause. »Tja, und da beschloss ich, mit meiner …« Er brach ab. »Jedenfalls hat es mich dann hierher verschlagen, wo ich das Glück habe, regelmäßig hochwertige Klingen herstellen zu können, die sie für mich verkaufen.«

Dem Magister lag schon wieder die Frage: »Und wer sind ›sie‹?« auf der Zunge, aber er beherrschte sich. Stattdessen fragte er: »Und wenn du die Klingen fertig geschmiedet hast, schleifst und polierst du sie?«

»Oh, nein. Vorher werden sie noch gehärtet. Wobei das Härten wiederum eine Kunst für sich ist.«

Der Zwerg verbeugte sich demonstrativ, wobei seine roten Haarbüschel im Schein des Feuers aufleuchteten. »Wui, hast aber mächtig zu trafacken, bis so 'n Blankmichel fertich is, Haff, Respekt un gramersi fürs Vorbibeln!«

»Danke, Enano. Bleibt mir nur noch zu sagen, dass die geschliffene und polierte Klinge zu guter Letzt noch mit einer wässrigen Auflösung von Eisenvitriol bestrichen wird, um das Muster ›hervorzulocken‹, wie wir Schmiede sagen. So, und nach all dieser Theorie zur Praxis: Ich zeige euch jetzt ein paar meiner jüngst fertig gestellten Exemplare. Wartet …«

Er verschwand in den Tiefen seiner Werkstatt und stand wenige Augenblicke später wieder vor ihnen, im Arm acht wundervolle Klingen. »Es sind drei Schwerter und fünf Degen, seht her.«

Andächtig betrachteten sie im Schein der Flammen die Kostbarkeiten, studierten die feinen Muster, fuhren mit dem Daumen über die Schneiden, umfassten mit den Fäusten die Griffe, schwangen die Klingen ein ums andere Mal kräftig durch, ergötzten sich dabei am Rauschen der Luft und konnten sich nicht satt sehen an diesen Meisterwerken der Schwertschmiedekunst. Schließlich sagte Vitus fast ehrfürchtig: »Wer eine solche Klinge sein Eigen nennen möchte, muss entweder steinreich sein oder sie selber herstellen können.«

»Oder er lässt sie sich schenken«, lächelte Haff.

Eine Zeit angespannter Arbeit folgte. Haff musste bei der Herstellung der Instrumente ein paar Mal experimentieren, denn es waren Stücke, die insgesamt viel feiner geartet waren als alles, was er bisher geschmiedet hatte. Dann endlich waren sie fertig. Zwar nicht so makellos glänzend wie eine Meisterklinge, doch darauf kam es Vitus auch nicht an. Die Funktion war für ihn entscheidend, und die war perfekt.

Vitus hatte, unter Haffs kundiger Anleitung, das Skalpell selbst angeschliffen und seine Schärfe an ein paar zähen, alten Lederresten ausprobiert. Die kleine geballte Klinge arbeitete tadellos. Sie fraß sich durch das Material wie ein Messer durch Butter.

Auch das Einschlagen von Buchstaben in den fertigen Stahl hatte er geübt und bei dieser Gelegenheit die Instrumente mit seinem Namen und dem Herstellungsjahr versehen. Als er fertig war, trugen Skalpell, Pinzette und Spatel folgende Inschrift:

VITUS V. CAMPODIOS A. D. 1578

Er überlegte lange, dann entschloss er sich, der Buchstabenfolge ein weiteres Wort hinzuzufügen. Es lautete:

AZOTH

»Was hat das zu bedeuten?«, fragte Haff.

Vitus antwortete: »›Azoth‹ ist das Wort, das auf dem Schwert des berühmten Arztes Paracelsus eingraviert war.«

»Ach?« machte Haff. Man sah ihm an, dass er weder mit dem Wort Azoth noch mit dem Namen Paracelsus etwas anzufangen wusste. »War das Schwert aus Damaszenerstahl?«, fragte er dann.

»Das vermag ich nicht zu sagen. Paracelsus jedenfalls war ein Arzt und Kräuterkundiger, dem die Wissenschaft viel zu verdanken hat. Und Azoth ist das Wort, das als Geheimbezeichnung so viel wie ›göttliche Urkraft‹ bedeutet. Es wird mitunter auch verwandt für den *Lapis mineralibus*, den Stein der Weisen, und für die Formkraft des Äthers.«

»Soso«, brummte der Alte. »Das sagt mir, ehrlich gesagt, alles nicht viel. Hauptsache, die Stücke sind gut gelungen und sie können dir bei deiner Arbeit helfen.«

»Das können sie gewiss.«

Haff schritt, sich immer wieder umblickend, an den Ställen vorbei zur Vorratskammer hinüber. Vor der Tür verhielt er und senkte unwillkürlich die Stimme: »Phoebe, bist du da?«

Wie erhofft, erhielt er keine Antwort. Er atmete tief durch und betrat den Raum. Seit Vitus mit seinen Freunden bei ihm zu Gast war, hatten seine Nahrungsreserven sich um einiges gelichtet. Die Folge davon war, dass Phoebe über viel mehr Platz verfügte als am Tage ihrer Ankunft.

Haff war so aufgeregt, dass er zunächst nicht das fand, was er suchte. »Wo sind sie nur, wo sind sie nur, ich hatte sie doch hier ... oder war es da ...«, flüsterte er ein ums andere Mal. Endlich hatte er sie gefunden; sie steckten seitlich in seinem Gürtel: ein paar Blumen, deren farbenprächtige Blüten bereits einen arg zerdrückten Eindruck machten. Haff bemerkte es nicht. Seine großen Hände mit den starken Fingern, die beim Schmieden selbst die feinsten Metallteile mit außerordentlicher Geschicklichkeit anzufassen wussten, versuchten vergeblich, die Stängel zu einem Strauß zu ordnen.

Er seufzte und wollte das Ergebnis seiner Bemühungen gerade auf das Kopfende von Phoebes Lager legen, da erscholl zu seinem Schrecken eine Stimme hinter ihm:

»Was machste 'n da, Haff? Is was oder wassis?«

»Äh ... nein, hmja.« Der Alte schwitzte Blut und Wasser, während er den Blumenstrauß hastig unter seiner Kleidung verschwinden ließ. Ihn persönlich zu übergeben, brachte er nicht den Mut auf. Er musste ein anderes Mal wiederkommen. »Ich wollte nur mal nach dir sehen, wollte wissen, wie du untergebracht bist.«

»Aber 's weißte doch, Haff. 's Kabuff haste mir doch selbst verpasst.«

»Ja, schon. Aber es ist inzwischen ja viel mehr Platz hier drin, weil du und deine Freunde ...« Er brach unvermittelt ab. Er hatte sagen wollen »weil du und deine Freunde schon so viel Vorräte aufgebraucht habt«, aber das hätte geklungen, als wäre ihm das nicht recht, und das Gegenteil war der Fall.

Phoebe half nach: »Weil ich un meine Freunde ...?«

»Tja, hmm, äääh ... Es ist wirklich schön viel Platz jetzt hier für dich.« Verzweifelt blickte Haff auf die Utensilien, die sich wie von selbst neben Phoebes Lager angesammelt hatten und davon zeugten, dass eine junge Frau den Raum bewohnte. Eine Kiste war darunter, darin ein grobes Kleid, das Phoebe sich aus einem gefundenen Stoff selbst geschneidert hatte, ein metallisches Tablett, dessen blank geputzter Boden ihr als Spiegel diente, eine halb abgebrannte Kerze, dazu Flintstein und Stahl, um sie zu entzünden.

Phoebe, die den Blicken Haffs gefolgt war, nickte. »'s stimmt, Haff, 's is viel Platz hier, na ja, jedenfalls genuch. Un was willste nu?«

Haff stand da und ließ die Schultern hängen. Tausend Gedanken kreisten in seinem Kopf, und keiner davon, das spürte er, hatte Hand und Fuß. Endlich stammelte er. »Bin's nicht gewohnt zu reden … äh, ich meine, tja, also, was ich sagen wollte, ich bin's nicht gewohnt, mit Frauen zu reden, seit meine …«

»Seit deine Frau tot is, nich, Haff? Das isses, wasde sagen wolltest, nich?«

Der Alte nickte stumm.

»Nu komm.« Wie selbstverständlich drückte sie ihn aufs Lager und setzte sich neben ihn. »Erzähl schon. Phoebe hört zu, und wenn's bis zum Sankt-Nimmerleins-Tach dauert.«

Haffs Lippen bewegten sich, doch er brachte keinen Laut hervor.

Abermals half Phoebe nach: »Wie lange isses denn her?«

»Elf Jahre.« Haffs Stimme war nur ein Flüstern.

»Elf Jahre«, wiederholte Phoebe. »Das is 'ne verdammich lange Zeit. Wennde se nich vergessen kannst, musste se mächtich geliebt ham.«

»Das habe ich. Sie war die Frau meines Lebens, mein Ein und Alles.« Haffs Ton wurde fester. »Sie war mein Augenstern. Eine Tekesta-Squaw, die das Schicksal genau wie mich nach Habana verschlagen hatte.«

»Un wie hieß sie?«, fragte Phoebe teilnahmsvoll.

»Sika.« Haff fuhr sich mit der Hand über die Augen. »Seit damals … seit damals habe ich ihren Namen nicht mehr ausgesprochen.«

Phoebe drückte seinen Arm.

»Habana jedenfalls, diese laute, unruhige Hafenstadt, war auf die Dauer nichts für uns. Das spürten wir beide. Vielleicht war das auch der Grund, warum wir uns auf Anhieb verstanden, obwohl sich keiner in der Sprache des anderen ausdrücken konnte.«

»Hm, 's kannich verstehn. Trubel un so is nix für jeden.«

»Damit du dir kein falsches Bild machst: Sika war eine starke Frau, nicht schön im eigentlichen Sinne, ihre Schönheit kam mehr von innen; sie war aufrecht und ruhig und immer an meiner Seite, wenn du verstehst, was ich meine.«

»Versteh ich, Haff, versteh ich.«

»Sie konnte arbeiten für zwei und hatte dabei doch immer ein Lächeln für mich übrig. Ich wusste, ich konnte an jeden Punkt der Welt gehen, und sie würde mir folgen. Sie und ich, wir würden gemeinsam ein neues Leben aufbauen können.«

»'s muss schön sein, so 'n Gefühl, schön musses sein.«

»Ich entschied mich für diesen Küstenstreifen zwischen Nombre de Dios und Puerto Bello, weil ich mir erhoffte, aus beiden Städten Abnehmer für meine Klingen zu bekommen. Mein Plan ging auf, obwohl die erste Zeit sehr hart war. Das Roden der Bäume, das Bauen des Hauses, das Einrichten der Schmiede, das alles kostete unendlich viel Kraft und Mühe, doch ich schaffte es, denn Sika war an meiner Seite, und mit ihr war immer dieses gute, verlässliche Lächeln.

Meine ersten hier geschmiedeten Klingen verkaufte ich ungefähr ein Jahr nach unserer Ankunft. Sie gingen in den Besitz einiger englischer Piraten über, die mit ihrer Galeone vor der Küste ankerten. Kurz darauf wurde unsere Tochter geboren, ich nannte sie Sika, nach ihrer wundervollen Mutter.«

»'s muss schön sein, so 'n Töchterchen zu haben.«

»Ja, ich war damals der glücklichste Mann auf Gottes Erdboden. Alles, was ich anfasste, gelang mir. Mittlerweile kamen immer häufiger Männer aus Nombre de Dios und Puerto Bello, um meine Klingen zu erwerben. Ich hatte zum ersten Mal in meinem Leben so etwas wie Besitz. Und ich hatte Sika mit ihrem Lächeln und meine kleine Tochter. Dann, ein weiteres Jahr später, kam John, unser Sohn, zur Welt. Ich nannte ihn nach meinem Vater, und er war auf seine Art genauso wohlgeraten. Drei Wochen danach, ja danach ...« Haffs Stimme erstarb.

Phoebe legte ihm den Arm um die Schultern. »Dann isses passiert, nich? Brauchst nich drüber reden, wennde nich willst.«

»Doch, ich will. Hab's dir selbst einmal gesagt, dass reden gut tut, weißt du noch?«

»Klar weissich's noch.«

»Danach …« Haff gab sich einen Ruck. »Danach kamen sie. Es war an einem Abend, die Dunkelheit war bereits herein gebrochen. Ein Haufen Piraten. Männer aus vielen Nationen. Spanier, Franzosen, Engländer. Sie überfielen mein Haus. Sika, die Kinder und ich saßen im großen Raum und ahnten nichts Böses. Wir waren bis dahin noch niemals überfallen worden. Plötzlich waren sie über uns, grölend und betrunken. Es ging alles blitzschnell. Ein Schlag auf den Schädel nahm mir die Sinne. Als ich wieder erwachte, war alles vorbei. Rauchschwaden bissen mir in die Augen und nahmen mir den Atem. Die Mörderbande hatte mein Haus angezündet, aber es war gottlob nicht in Flammen aufgegangen. Die Holzstämme waren noch zu feucht gewesen. Als ich wieder einigermaßen sehen konnte, machte ich neben mir eine grauenvolle Entdeckung. Es waren die Leichen meiner Kinder. Sie hatten ihnen die Kehlen durchgeschnitten. Stell dir vor: unschuldigen Kindern die Kehle durchzuschneiden, einfach so …« Haff schlug die Hände vors Gesicht.

»'s muss furchtbar gewesen sein.« Phoebe begann Haffs Oberkörper in ihren Armen zu wiegen.

»Sie hatten alles verwüstet, auch die Schmiede, wo sie die schönsten Klingen mitgehen ließen. Aber das kümmerte mich nicht. Der Schmerz über den Tod meiner Familie löschte alle anderen Empfindungen aus. Wenn Ktiko, ein alter Cimarron-Häuptling, nicht gewesen wäre, gäb's mich heute nicht mehr. Er war es, der mir tage- und nächtelang zuhörte und mir immer wieder Trost zusprach. Das Reden mit ihm ließ mich am Leben. Ktiko wusste, was mit Sika, meiner Frau, geschehen war, aber er sagte es mir nie. Und ich wollte es auch nicht erfahren. Man weiß ja, was Mörderbrut mit Frauen macht …

Irgendwann fing ich an, mein Haus auszubessern. Als ich damit fertig war, fällte ich weitere Bäume, um die Lichtung zu vergrößern. Ich wollte freies Schussfeld haben für den Fall, dass die Mörderbande zurückkehrte. Ich wollte ihnen einen gebührenden Empfang bereiten. Ich ließ mir Musketen besorgen, brachte mir sogar die Kunst der Schlossmacherei selber

bei. Ich tat alles, um sie töten zu können, wenn sie wiederkommen würden. Doch sie kamen nie.

Ich arbeitete verbissen, Tag und Nacht, und ich merkte, dass
ich über der Arbeit den Schmerz vergaß, jedenfalls für einige
Stunden. Ktiko besuchte mich in dieser Zeit oft, und ich ge-
wöhnte mir an, ihm meine Klingen mitzugeben, damit er sie
für mich verkaufte. Ich wollte seit dem Überfall nichts mehr
mit der Welt da draußen zu tun haben.«

»Un trotzdem haste uns geholfen?«

»Es war irgendwie selbstverständlich. Von euch ging ja auch
keine Gefahr aus, im Gegenteil, ihr lagt wie tot in dem Boot,
und Tom jaulte und wedelte mit dem Schwanz, immer abwechselnd. Erst später begann ich zu begreifen, dass vielleicht
doch noch der eine oder andere lebte. Na ja, jedenfalls bin ich
froh, dass ich euch gerettet habe.

Seitdem ihr hier seid, ist alles anders. Ich spüre wieder, wie
gern ich lebe. Die Farbe der Sonne, die Klarheit der Luft, die
Laute der Tiere – alles das erlebe ich wieder viel stärker, gerade
so, als wär's zum allerersten Mal.«

Phoebe zog ihn sacht an sich. »'s is schön, wiede das sachst,
Haff, schön isses.«

Er schluckte. »Ich wünschte, ihr könntet für immer hier bleiben. Durch euch habe ich erst gemerkt, wie einsam ich die
letzten Jahre war. Nun, es ist klar, dass ihr fort müsst. Vitus hat
mir erzählt, dass er Arlette, seine große Liebe, finden will, irgendwo nördlich von Kuba, auf einer Insel namens Roanoke.
Aber ich dachte, dass vielleicht du, äh … ich meine, ich wollte
dich fragen, hmja … also, ob du dir vorstellen kannst …«

Phoebe schaute ihm in die Augen und löste sich von ihm. »Un
da haste mir Blumen mitgebracht, nich?«

Haff lief puterrot an. »Du hast es also doch gesehen! Nun, äh
… dann ist es sowieso egal. Hmja …« Umständlich förderte er
den Strauß aus seinen Kleidern hervor. Die Blumen waren
mittlerweile in einem jämmerlichen Zustand, noch zerdrück-
ter und zerknickter als zuvor. »Ich wollte dich bitten, zu bleiben«, flüsterte er und blickte angestrengt auf einen Punkt an
der Wand. »Ich glaube, gesehen zu haben, dass du dich hier
wohl fühlst. Du magst die Tiere, und die Tiere mögen dich.
Und ich, äh … ich mag dich auch, und …«

Er unterbrach sich hastig. »In allen Ehren natürlich. Bin ja schon ein alter Mann. Aber immer noch rüstig, verstehst du? Ich nehme es noch mit manch Jüngerem auf, Phoebe, und kann meinen Beruf noch viele Jahre ausüben. Du hättest ein schönes Leben hier, immer satt zu essen und, äh ... und überhaupt: Dieser Strauß ist für dich. Es sind, glaube ich, Orchideen, ich habe sie extra im Wald gepflückt. Sie sind natürlich nicht so groß, weil die Regenzeit noch nicht eingesetzt hat, die kommt immer erst im April. Wenn es regnet, schießen die Blumen erst richtig ins Kraut, verstehst du, und dann sammle ich dir neue, äh ... wenn du dann noch bei mir bist. Na, was sagst du?«

Phoebe nahm die zerdrückten Orchideen, schloss die Augen und schnupperte daran. Trotz ihres erbarmungswürdigen Aussehens dufteten sie berauschend. »Bist 'n Kavalier, Haff, bei den Knochen meiner Mutter, bist 'n echter Kavalier.«

Der schwere Flaschenzug ächzte, als Haff und Hewitt daran zogen, um die defekte Glocke anzuheben. Lange hatte der Alte überlegt, wie sie am besten zu reparieren sei, und er war schließlich zu der Überzeugung gekommen, dass es nur eine einzige Möglichkeit gab: Er musste die Glocke an ihrer Krone anheben, dann kippen und anschließend die Stelle mit der gerissenen Außenhaut ins Feuer der Esse dirigieren. Gleichzeitig war ein entsprechendes Stück Bronze zu erhitzen, das mit der richtigen Temperatur nach der Methode des Feuerschweißens eingepasst werden musste.

Die Schwierigkeit war nur, neben dem Gewicht des Glockenkörpers und der handwerklichen Probleme, dass er die genaue Zusammensetzung der Bronze nicht kannte. Die Zinnanteile beim Glockenguss schwankten zwar in der Regel nur zwischen zwanzig und zweiundzwanzig Prozent, und der Kupferanteil verhielt sich entsprechend, aber diese vergleichsweise geringen Unterschiede konnten von elementarer Bedeutung sein. Er hatte deshalb die Legierung im Kaltzustand wieder und wieder untersucht, die Farbe des Metalls studiert, die Hand darauf gelegt, gerade so, als könnte er die Zusammensetzung erfühlen, ja, er hatte sogar ein Stück Außenhaut mit der Feile abgeschrotet und die Späne einzeln untersucht, allein: Ein Zweifel war geblieben. Auch dann noch, als er sich entschlossen hatte, den mittleren Weg zu gehen und das Ausbesserungsstück mit einundzwanzigprozentigem Zinn herzustellen.

Haff blickte nach oben, wo die große Rolle des Flaschenzugs mittels einer von ihm selbst konstruierten Laufkatze seitwärts auswanderte. »Wir ziehen die Glocke erst noch ein Stück weit zum Stückofen, bevor wir sie ankippen. Hast du deinen Flaschenzug klar?«, fragte er Hewitt.

»Habe ich. Es kann losgehen.«

Gemeinsam zogen sie den schweren Metallkörper zum Schmiedefeuer. Auf ein Zeichen von Haff betätigte Hewitt die zweite Hebevorrichtung. Langsam, fast widerstrebend schob sich die offene Seite der Glocke über die Flammen.

Und dann passierte es.

Mit einem hässlichen Geräusch, das an das Kreischen der Tukane im Urwald erinnerte, zersprang das Seil von Hewitts Flaschenzug. Die Glocke, ihres vorderen Halts beraubt, schwang nach unten durch, zerschmetterte auf ihrem Weg das Gemäuer der Esse, erzeugte einen riesigen Funkenregen und riss mit ihrem Außenwulst Haff von den Beinen. Dann schwang sie zurück und wieder vor, zurück und vor … ruhig und majestätisch, als sei nie etwas geschehen.

Haff stieß, ganz gegen seine sonstige Art, einen wüsten Fluch aus. Er lag inmitten eines Haufens von Glut und Mauersteinen und starrte zu dem Metallkörper empor. Der Riss war genau über ihm. »Alles in Ordnung mit dir, Hewitt?«

»Ja, Haff.« Hewitt mit seinen jungen Beinen war es gelungen, sich mit einem gewaltigen Sprung aus der Reichweite der Glocke zu retten.

»Dem Allmächtigen sei Dank! Mit mir auch.« Haff wollte sich aufrichten und bemerkte, dass es nicht ging. Sein rechtes Bein gehorchte ihm nicht. Er blickte hin – und glaubte nicht, was er sah, denn er verspürte keinerlei Schmerz. Sein Unterschenkel stand fast im rechten Winkel ab. Um das Bein herum bildete sich rasch eine Blutlache.

Aufstöhnend ließ Haff sich zurücksinken. Wie auf ein Kommando hatte der Schmerz eingesetzt. Er fraß sich in Wellen von unten durch seinen Körper, brandete hoch und schlug mit nie gekannter Stärke über ihm zusammen. »Hol, hol … Vitus«, keuchte der Alte.

Doch Hewitt, der Zuverlässige, war schon unterwegs.

»Bevor wir den Bruch richten, muss die Blutung stehen«, entschied Vitus. Er schritt zur Esse, wo er den von Haff geschmiedeten Spatel tief in die verbliebene Glut senkte. Dann wandte er sich wieder an den Verletzten. »Hat der Schmerz schon nachgelassen, Haff?«

Der Alte nickte matt. Er lag auf einer Bank, seine zusammengerollte Lederschürze unter dem Kopf. Um ihn herum herrschte emsiges Treiben.

Der Magister, der Haffs Oberschenkel mit einem starken Lederriemen abgebunden hatte, bemerkte: »Wer eine halbe Gallone besten spanischen Brandys intus hat, der spürt nicht mehr viel.«

»'s wär gut, wenn's so wär«, seufzte Phoebe, die neben Haffs Kopf kniete. »Will nich, dasser leidet.« Sie wischte dem Alten mit einem Tuch den Schweiß von der Stirn, wrang es aus und tauchte es anschließend in eine von Enano bereitgehaltene Wasserschüssel. »Nu isses wieder schön kühl, 's Tuch, nich? Ich leg's dir auf 'n Kopp, sooo, isses gut so?«

Haff schlug die Augen nieder. Phoebe nahm das als Bestätigung.

»Wui, Haff«, fistelte der Zwerg aufmunternd, »beiß die Krächlinge zusammen, bald teißen die Funken wieder, ich versprech's dir bei der heiligen Marie.«

»Wird Zeit, dass ich operiere«, sagte Vitus knapp und blickte zu Hewitt, der damit beschäftigt war, mehrere daumendicke Leisten von einem Scheitholz abzuspalten. »Bist du bald so weit?«

»Es dauert nicht mehr lange.«

»Gut, wenn ich mit dem Eingriff fertig bin, muss alles Hand in Hand gehen.« Er besah sich den vom Beinkleid befreiten Unterschenkel. Noch immer sickerte Blut aus der Bruchstelle. »Die Fraktur scheint gottlob unproblematisch zu sein, auch wenn sie offen ist. Schienbein und Wadenbein wurden glatt abgeknickt. Schwieriger ist, dass auch eine Ader verletzt wurde. Soweit ich sehe, handelt es sich nicht um die Hauptarterie, was wiederum ein Glücksfall ist, dennoch muss die Blutung endgültig zum Stillstand gebracht werden. Magister und Enano, haltet Haff fest, so gut ihr könnt.«

Ohne weitere Vorrede schnitt er mit dem Skalpell ein und vergrößerte die Wunde, durchtrennte Haut, Fleisch und Muskeln, bis er das blutende Gefäß freigelegt hatte. »Zu dumm, dass ich keine Wundhaken zum Spreizen habe, aber es muss auch so gehen.« Er arbeitete weiter, während er mit dem linken Daumen und Zeigefinger die Wundränder auseinander drückte.

Haff atmete derweil tief und stoßweise. Seine starken Hände umklammerten den Rand der Bank.

Kurz darauf stellte Vitus fest: »Ich hatte Recht. Es ist nicht die Hauptarterie.« Er legte das Skalpell beiseite und hob das gebrochene Bein hoch. Wie beabsichtigt, hörte dadurch die Blutung nahezu auf. »Magister, halte bitte das Bein weiter so.«

Und zu Hewitt: »Hast du die Leisten fertig?«

»Ja, Vitus.«

»Gut, bring sie her. Aber erst holst du den Spatel aus der Esse. Er müsste inzwischen rot glühend sein.«

Als er den Spatel hatte, drückte er abermals die Wundränder weit auseinander. Dann stieß er mit der Rechten das zungenförmige Blatt des Spatels in die vorbereitete Öffnung und drückte es mehrmals gegen das zerfetzte Gefäß. Es zischte. Der Geruch nach verbranntem Fleisch breitete sich aus. Haff stöhnte und bäumte sich auf. Der Magister konnte das Bein nicht mehr halten, es entglitt ihm und fiel kraftlos zurück auf die Bank.

»Autsch!«, rief der kleine Mann und machte ein betretenes Gesicht.

»Halb so schlimm«, beruhigte ihn Vitus. »Hauptsache, der Kauter hat ganze Arbeit geleistet.«

Das war in der Tat so. Die Wunde blutete nicht mehr, selbst dann nicht, als der kleine Gelehrte den Oberschenkelriemen löste.

»Nun zum Schienen«, befahl Vitus. Vorsichtig bog er mit des Magisters Hilfe den abgespreizten Schenkel wieder gerade. Gemeinsam zogen sie am Fuß, bis die Knochen wieder in ihre alte Position einrasteten. Der kleine Gelehrte keuchte: »Weißt du noch, Vitus, wie wir dieselbe Prozedur mit Klaas' Bein an Bord der *Cargada* de *Esperanza* durchgeführt haben?«

»Weiß ich. Dem Allmächtigen sei Dank, dass dieser Bruch sich so leicht schienen lässt.«

»Damals half nur eine Talje.«

»Ja. Jetzt nimm den langen Stoffstreifen und wickle ihn stramm ums Bein.« Während der Magister tat wie ihm geheißen, sagte Vitus zu Haff: »Leider habe ich keine gute Wundsalbe, die das Gangrän verhindert und die Heilung beschleunigt. Aber wenigstens hat der von dir geschmiedete Spatel gute Arbeit geleistet. Die Erfahrung zeigt, dass eine gut gekauterte Wunde selten zu Wundbrand neigt.«

Haff nickte matt. Er schien die Bemühungen um ihn herum kaum wahrzunehmen. Phoebe, die noch immer neben seinem Kopf kniete, fuhr fort, ihm die Stirn zu kühlen und leise auf ihn einzusprechen.

Inzwischen hatte der Magister den Streckverband angelegt. »Ich wär so weit.«

Vitus betrachtete das Werk des kleinen Gelehrten und lächelte zufrieden. Wie alle Verbände, die der kleine Mann anlegte, saß auch dieser perfekt – und das trotz des mangelhaften Materials. »Gute Arbeit, du Unkraut!«

Der Magister blinzelte erfreut. »Dass ich den Tag, an dem du mich *coram publico* lobst, noch erleben darf!«

»Jetzt zu den Holzleisten. Wir gruppieren sie in Längsrichtung um den gesamten Unterschenkel herum und fixieren sie anschließend mit einigen weiteren Lagen Verband. Das Ganze muss fest, aber nicht zu fest sitzen. So werden die Knochen gewissermaßen von allen Seiten geschient – und nicht nur von einer wie bei einem Brett.«

Wenig später war auch diese Arbeit getan, und die Freunde atmeten auf. Haff schien zu schlafen. »Wir schaffen ihn rüber in den Wohnraum«, entschied Vitus. »Am besten, wir tragen ihn mitsamt der Bank.«

Und so geschah es.

Haff lag auf seinem breiten Bett, ballte die Fäuste und zog die Luft durch die Zähne.

»Haste Schmerzen, Haff?«, fragte Phoebe teilnahmsvoll. »Ich

un Tom sin ja bei dir.« Sie tunkte das Tuch in eine Schüssel, wrang es aus und legte es zurück auf die Stirn des Alten.

Seit drei Tagen und Nächten tat sie das, und jeder, der ihr geraten hatte, sich wenigstens für ein paar Stunden hinzulegen, hatte eine Abfuhr bekommen: »'s is gut für Haff, verstehste, gut isses, un ich tu's gern, un Tom is ja auch da, nich.«

Vitus trat hinzu. »Ich hoffe, du hast keine Schmerzen, Haff? Es gibt nichts, was ich dagegen tun könnte, außer, dir weiterhin Alkohol zu verordnen, doch auch der geht allmählich zur Neige.«

Nach wie vor war Brandy das einzige Mittel, das Vitus im Kampf gegen den Wundschmerz zur Verfügung stand. Er hatte zusammen mit Enano und dem Magister einige Ausflüge in den Regenwald unternommen, um Ausschau zu halten nach Pflanzen, die Gleichartigkeiten mit *Cannabis, Papaver somniferum, Hyoscyamus niger* oder *Calla palustris* aufwiesen, doch ihre Suche war nicht erfolgreich gewesen. Nicht einmal Kräuter, die entfernt Ähnlichkeit mit den benötigten hatten, waren ihnen begegnet. Schließlich hatte der Magister geseufzt:

»Ich sehe nichts, obwohl ich mir die Augen ausgucke, und ich will euch auch sagen, warum: Erstens, weil ich kurzsichtig bin, und zweitens, weil in diesen Gefilden weder Hanf noch Schlafmohn noch Bilsenkraut noch Drachenwurz vorkommen. Sicher gibt es hier das eine oder andere Kräutlein mit ähnlicher Wirkung, aber wir kennen es nicht. Vielleicht tun's die Indianer. Aber die kennen wir auch nicht. Wir sollten umkehren und eine Mahlzeit zu uns nehmen.«

Mitten in Vitus' Gedanken hinein sagte Haff: »Es juckt höllisch, Vitus! Bei meiner Seele, noch nie hat mich etwas so gejuckt wie das verdammte Bein!«

Vitus horchte auf. »Heißt das, die Schmerzen haben nachgelassen und einem Juckreiz Platz gemacht?«

»Wenn du's so ausdrücken willst.« Haff stöhnte erneut. »Allmächtiger im Himmel, als hätte ich hundert Moskitostiche auf einem einzigen Fleck! Bitte, Vitus, bitte, nimm mir den Verband ab!«

Wie um die Worte Haffs zu unterstreichen, erhob sich Tom und bellte. Die plötzliche Unruhe hatte sich auf ihn übertragen.

»Unmöglich.« Vitus' Stimme klang streng, obwohl er innerlich jubelte. Dass Haffs Bruchstelle juckte, war ein Zeichen für den Heilungsprozess. Um sicherzugehen, beugte er sich vor und beroch den Verband, so, wie er es die letzten Tage regelmäßig getan hatte. Nein, der Fäulnisgestank, der mit dem Wundbrand einherging, war auch heute nicht vorhanden. »Du musst dich noch gedulden, Haff, aber dein Bein heilt gut, so viel ist sicher. Tröste dich mit diesem Gedanken.«

»Meinst du, ich werde wieder wie früher gehen können? Sag, meinst du das?« Haff klang freudig erregt. Der Juckreiz schien, zumindest vorübergehend, vergessen.

»Du wirst wieder gehen können. Ich denke, das kann ich dir versprechen. Allerdings: ob wieder so gut wie früher, ist fraglich. Vielleicht wirst du ein wenig hinken, weil das Bein kürzer zusammenwächst, aber gehen können wirst du.«

»Und werde ich auch wieder schmieden?«

»Natürlich, aber vorher muss sich die Muskulatur des Beins wieder ausbilden. Wenn eine Extremität wochenlang nicht bewegt wird, schwindet die Muskelmasse so stark, dass sie kaum noch vorhanden ist. Das Ganze braucht Zeit und Geduld.«

»Die hab ich. Hauptsache, ich werde wieder gesund.«

»Das wirst du.«

Haff strahlte Phoebe an: »Hast du das gehört, Phoebe? Vitus sagt, ich werde wieder laufen können, ganz so wie früher, und arbeiten auch, ist das nicht großartig!«

»Ja, 's is großartig, großartig isses. Hab nie nix anderes von Vitus erwartet.«

Zwei Tage später, Haff hatte seine ersten Gehversuche bereits hinter sich, bat er alle Bewohner des Hauses zu sich ans Lager. Als sie vor ihm standen und fragende Gesichter machten, sagte er: »Setzt euch, Freunde, ich muss etwas mit euch besprechen.«

Er machte eine kurze Pause, bis jeder einen Platz gefunden hatte. Dann hob er an: »Ich nannte euch eben absichtlich ›Freunde‹, denn das seid ihr inzwischen für mich: gute Freunde. Noch nie in meinem Leben gab es so viele Menschen, die so viel für mich getan haben und die mir so ans Herz gewachsen sind.«

Er räusperte sich umständlich. »Dennoch rückt für uns die

Stunde des Abschieds näher, und der Gedanke daran macht mich traurig. Andererseits, wenn man krank darniederliegt, hat man viel Zeit zum Nachdenken, und so bin ich darauf gekommen, dass eine Freundschaft nicht unbedingt dann endet, wenn man sich trennt. Eine Freundschaft ist ein wunderbares Gefühl, warm und stetig und zuverlässig wie ein ewiges Feuer. Ich weiß, dass ich euch ein Leben lang dieses Gefühl entgegenbringen werde, auch wenn wir uns niemals wiedersehen.« Abermals räusperte er sich. »Und dieser Gedanke macht mich froh.«

»Oh, 's is so traurich, wasde da sachst, Haff, so traurich isses!«, schniefte Phoebe. Sie saß wie immer direkt an der Seite des Alten, um für ihn da zu sein, falls er etwas brauchte.

»Gewiss«, nickte Haff. »Aber wäre es nicht viel schlimmer, wenn wir einander nicht ausstehen könnten und dazu verurteilt wären, ein Leben lang miteinander zu verbringen?«

»'s is auch wieder wahr.« Phoebe beruhigte sich langsam.

Haff fuhr fort: »Ich weiß, dass Vitus die Zeit unter den Nägeln brennt, weil er nach Roanoke Island will, um Arlette dort zu finden. Ist es nicht so, Vitus?«

Vitus schluckte. »Du hast Recht, um ehrlich zu sein. Sieht man mir meine Eile denn so sehr an? Trotzdem ist es selbstverständlich, dass wir so lange bleiben, bis du dich wieder selbst versorgen kannst.«

Haff wischte die Worte mit einer Handbewegung beiseite. »Ihr solltet morgen aufbrechen, Vitus, schon deshalb, weil die Regenzeit nicht später einsetzen wird, nur weil ein alter Mann euch aufgehalten hat. Glaub mir, wer einmal während dieser Zeit im Dschungel marschieren musste, der vergisst es sein Lebtag nicht. Ihr reist also morgen früh, und zwar nach Nombre de Dios, denn von dort habt ihr die besten Aussichten, ein Schiff nach Kuba zu erwischen. Auf dem Weg dorthin werdet ihr meine Geschäftspartner, die Cimarrones, kennen lernen.«

»Die Cimarrones?« Vitus hob fragend die Brauen.

»Die Cimarrones sind ›sie‹, von denen ich häufiger sprach. Ich denke, es ist an der Zeit, das Geheimnis zu lüften, denn ich weiß, ich kann auf eure Verschwiegenheit zählen. Die Cimarrones sind keine Indianer, wie man glauben könnte, sondern entlaufene Negersklaven, die von den Spaniern gnadenlos verfolgt werden. Es sind prachtvolle Burschen, die weder Tod noch Teufel fürchten. Um zu ihrer nächsten Siedlung zu gelangen, müsst ihr nur dem Flüsschen hinter meiner Schmiede folgen. Aber passt auf, es wird mit jeder Meile breiter, und ab einem gewissen Punkt leben Krokodile darin. Ich schätze, es sind an die zehn Meilen Marsch. Wenn ihr bei den Cimarrones seid, wendet euch an Häuptling Okumba. Er ist ihr Anführer und ein Freund von mir. Ktiko, der alte Krieger, mit dem mich so viel verband, starb Ende letzten Jahres. Möge der Allmächtige sich seiner Seele erbarmen.

Entbietet Okumba und seinen Leuten Grüße von Haffissis, dem Schmied. Das wird euch Tür und Tor öffnen. Denn wie gesagt, sie sind Geschäftspartner von mir. Sie versorgen mich mit allem, was ich zum täglichen Leben brauche, auch mit Rohstahl für meine Arbeit. Im Gegenzug mache ich für sie Klingen. Ab und zu repariere ich auch eine Muskete für sie.«

Haff schwieg. Dann bat er Phoebe: »Bitte gib mir das Bündel, das unter meinem Lager liegt.«

Phoebe hatte Mühe, seinem Wunsch zu entsprechen, denn das Bündel war schwer. Ein starkes Lederfell, mehrfach durch Knoten gesichert, umschloss es.

Als Haff es geöffnet hatte, ging ein Raunen durch die Freunde, denn vor ihm lag ein blitzendes Feuerwerk aus Stahl: kostbare Degen und Schwerter, allesamt Meisterwerke, die er Stück für Stück in den letzten Monaten gefertigt hatte. »Diese Lieferung erwarten meine Partner spätestens in den letzten Tagen des Monats. Es handelt sich um eine Auftragsarbeit über sechs Degen und zwei Schwerter. Wir haben heute ...« Er rechnete kurz nach. »Mittwoch, den 26. März. Wenn ihr morgen aufbrecht und so freundlich seid, die Klingen für mich mitzunehmen, werden sie also rechtzeitig ankommen.«

»Jetzt begreife ich, warum es für dich selbst in dieser Wildnis wichtig ist, immer das genaue Datum zu kennen«, entfuhr es Vitus.

Haff lächelte. »Nicht wahr, du warst damals ziemlich erstaunt, als ich dir das genaue Datum eurer Rettung nennen konnte. Es war der 9. März.«

»Und es war ein Sonntag und mein zweiter Geburts-Tag«, lächelte Vitus zurück. »Aber jetzt zu deinen Meisterwerken.

Natürlich nehmen wir sie gern für dich mit. Übrigens, ich sehe insgesamt neun Klingen, also eine mehr, hat das eine besondere Bewandtnis?«

Haff grinste spitzbübisch. »Du merkst auch alles. Ja, damit hat es eine besondere Bewandtnis. Hier, dieser Degen ist sozusagen übrig.« Er griff ein besonders prachtvolles Stück heraus und wies auf die kunstvoll eingeschlagene Schrift:

FOR MY GOOD FRIEND VITUS
HAFFISSIS ME FECIT ANNO DOMINI 1578

»Wui, mich juckt's in meinen Reisetretern«, fistelte der Zwerg am nächsten Tag. »Wann tippeln wir los?«

»Nur keine unziemliche Hast«, ließ der Magister sich vernehmen. »Deine Sohlen werden noch früh genug rauchen.« Er stand, frisch rasiert und sauber gekleidet, mitten auf der Lichtung und blickte sich um. »Wo ist eigentlich Vitus?«

Hewitt, der das schwere Bündel mit den Klingen trug, antwortete: »Nach dem Abschied von Haff wollte er Phoebe holen. Sie hat sich den ganzen Morgen noch nicht sehen lassen.«

Kaum hatte er das gesagt, traten die beiden Genannten aus der Vorratskammer heraus. Vitus machte ein betretenes Gesicht, Phoebe sah verheult aus.

Der Magister blinzelte. »Was sehen meine entzündeten Augen, verehrteste Phoebe? Abschiedsschmerz? In letzter Zeit hast du ganz schön nah am Wasser gebaut, wenn die Bemerkung gestattet ist. Aber nun komm! Den Zwerg juckt's schon in den Füßen!«

Statt einer Antwort heulte Phoebe erneut los. Vitus stand schulterzuckend daneben.

»Aber, aber.« Der kleine Gelehrte ging auf sie zu und legte ihr begütigend die Hand auf die Schulter, was einen weiteren Weinkrampf auslöste.

»'s is furchtbar, furchtbar isses. Ihr werdet mir so fehlen, so fehlen, ja, 's werdet ihr mir.«

Der Magister runzelte seine hohe Stirn. »Wir werden dir fehlen? Du sprichst in Rätseln, Verehrteste.«

»Nee, nee, 's is ganz einfach. Ich bleib bei Haff un den Tieren.«

DIE ORCHIDEENHÄNDLERIN FRANCISCA

»Meine Gebärmutter spricht? Bei allen Heiligen!
Was spricht sie denn?«

Ein frischer Wind wehte über die Punta Sotavento im Norden Habanas, als Francisca, das Weib des Plankensägers Jaime, sich im Morgengrauen erhob. Noch bevor sie die Tätigkeiten des Tages aufnahm, trat sie wie stets vor die Tür und blickte hinüber zur Mündung des Canal del Puerto. Einige Möwen zankten am Ufer um einen Fischkadaver. Die See war grau und kabbelig. Es würde, trotz des klaren Himmels, kein besonders warmer Tag werden.

Francisca fröstelte und zog den capeartig aufgesetzten Kragen ihrer Bluse höher. Es gab ein metallisch-klingelndes Geräusch, verursacht durch eine Doppelreihe eng befestigter Silberbroschen, die sich, von ihrem üppigen Busen ausgehend, weit um ihre Schultern rankten. Die Broschen waren aus spanischen Silbermünzen gefertigt und stellten ihren wichtigsten Besitz dar.

Es war gut, dass es nicht so heiß werden würde, denn heute fand unten am Hafen der Markt statt, auf dem auch Francisca ihren Stand hatte. Sie war auf Orchideen spezialisiert, prachtvolle Blumen, die von Kinderhänden für sie gesammelt und in irdenen Wassertöpfen angeliefert wurden.

Kinder. Eigene Kinder. Bei dem Gedanken an kleine, mit offenen Mündchen nach Milch quäkende und an den Brustwarzen ihrer Mütter nuckelnde Säuglinge wurde Francisca das Herz schwer. Wie beneidete sie ihre Nachbarinnen, die allesamt fruchtbar wie die Säue zu sein schienen und Jahr um Jahr niederkamen!

Auch das Kind, das Jaime vor ein paar Wochen mit nach Hause gebracht hatte, vermochte ihren Kummer nicht zu lindern. Denn es war kein Kind. Francisca schnaufte verächtlich. Manner! Sie waren in mancher Hinsicht so dumm! Natürlich war es kein Kind gewesen, mit dem er sie überrascht hatte. Eher eine junge Frau. Gertenschlank wie ein Kind, gewiss, aber doch größer als sie selbst, mit deutlich sich abzeichnenden Rundungen unter dem Umhang.

Überhaupt der Umhang. Das Mädchen zog ihn niemals aus. Nur die gebenedeite Mutter im Himmel mochte wissen, wie sein Gesicht aussah. Welch seltsames Gebaren, zumal das Mädchen niemals sprach und sich nur durch Kopfnicken, Kopfschütteln und Fingersprache verständlich machte!

Francisca seufzte, während sie wieder zurück in die Hütte schlurfte, um den Mais für die Abendmahlzeit vorzubereiten. Jaime musste, wenn er zurückkam, etwas zu beißen haben. Er war ein guter Mann. Er trank nicht. Er hurte nicht. Er stand jeden Morgen noch vor ihr auf und ging zu seiner Arbeit auf der Werft. Aber was hatte er sich nur dabei gedacht, als er ihr dieses Mädchen nach Hause brachte? Glaubte er wirklich, es könnte so etwas wie ein Ersatz für einen süßen, kleinen Säugling sein?

Sie nahm den Holzstampfer aus der Ecke und warf ein paar Hände voll Mais in den aus einem Baumstumpf gefertigten Mörser. Mit gleichmäßigen, abwechselnd stampfenden und mahlenden Bewegungen begann sie die Körner zu zerkleinern. Während sie arbeitete, wanderten ihre Gedanken weiter, und eine Kundin fiel ihr ein, die öfter Blumen bei ihr kaufte. Es war eine gut gekleidete Señora namens Doña Inez aus der Oberstadt. Sie hatte beim letzten Mal strahlend auf ihren fülligen Leib gedeutet und »Sieh nur, Francisca!« gerufen. »Don Alberto und ich hatten schon nicht mehr daran geglaubt, doch nun ist es geschehen. Ich bin guter Hoffnung! Es hat genützt!«

Während Francisca weiterstampfte, rief sie sich noch einmal den Wortlaut von Doña Inez' Ausruf in Erinnerung. Es war klar: Die Kundin und ihr Gatte hofften seit Jahren auf ein Kind, doch die Heilige Mutter hatte ihnen stets diesen Herzenswunsch versagt – genau wie ihr selbst.

Aber Doña Inez hatte noch etwas anderes gesagt: »Ich bin guter Hoffnung!« Und: »Es hat genützt!«

Als Franciscas Überlegungen so weit fortgeschritten waren, wurde sie plötzlich schrecklich aufgeregt. Was war das, was da genützt hat?, fragte sie sich. Gibt es noch etwas anderes, das helfen kann? Etwas, das ich, neben meinen vielen Gebeten und Besuchen in der Kirche, noch nie versucht habe?

Sie nahm sich vor, Doña Inez auf jeden Fall darauf anzusprechen, vorausgesetzt, sie würde heute zu ihrem Stand kommen. Und wenn sie nicht kam? Nicht auszudenken, wenn es so wäre! Francisca warf den Stampfer zur Seite, bekreuzigte sich und fiel auf die Knie:

> *»Heilige Mutter Gottes, ich flehe Dich an,*
> *gib, dass Doña Inez aus der Oberstadt,*
> *die gesegneten Leibes ist,*
> *heute an meinen Blumenstand kommt.«*

Sie wollte schon »Amen« sagen, da fiel ihr noch etwas ein:

> *»Ich will auch in der Kirche*
> *ein Dutzend feinster Wachskerzen*
> *für Dich anzünden.*
> *Ja, Heilige Mutter, das will ich!*
> *Amen.«*

Francisca stand auf, bekreuzigte sich nochmals und hörte im selben Augenblick ein leises Geräusch. Das Mädchen, das in der Abstellkammer untergebracht war, hatte den Raum betreten. »*Buenos días,* Chica«, sagte Francisca. Sie nannte die Verhüllte grundsätzlich »Chica«, Chica wie Mädchen.

Chica schlug zum Gegengruß die Augen nieder.

»Du kannst mich bei der Stampfarbeit ablösen. Wenn du fertig bist, backst du die Maisfladen für heute Abend. Aber achte darauf, dass sie schön flach sind. Ich habe dir ja gezeigt, wie es gemacht wird. Anschließend darfst du dir einen oder zwei nehmen, auch Käse wäre noch da. Wenn du so weit bist, gibst du mir Bescheid. Wir gehen dann zum Markt. Bis dahin muss ich noch ein paar Sachen vorbereiten, die wir zusätzlich feilhalten können.«

Abermals schlug Chica die Augen nieder.

Auf dem Hafenmarkt von Habana herrschte fast noch mehr Lärm als auf dem nahe gelegenen Werftgelände. Schreie, Gelächter, Flüche schwirrten durch die Luft. Irgendwo wurde mit Inbrunst ein Kirchenlied gesungen, begleitet von Kindergekreische, Zoten und Beschimpfungen. Bettler krächzten nach Almosen, Hunde heulten, Hühner gackerten, und es gab keine Ware, auch nicht die kleinste, um die nicht lauthals und hartnäckig gefeilscht worden wäre.

Neben den Orchideen bot Francisca an diesem Tag auch einige selbst gefertigte Gebrauchsgegenstände an, darunter einen lederbezogenen Silberputzstab, mehrere Fächer aus Truthahnschwanzfedern, die zum Feueranfachen dienten, ein paar Säckchen aus Hirschleder als Behältnis für Münzen und ein Webgitter, mit dem sich perlenverzierte Bänder herstellen ließen. Alle diese Dinge konnten ihren indianischen Ursprung nicht verhehlen und wiesen auf Franciscas Abstammung hin.

Gegen Mittag erschien tatsächlich Doña Inez aus der Oberstadt, begleitet von einer dicken Küchenmagd, die ihr die eingekauften Waren trug. »Hast du auch kleine rosafarbene Orchideen, Francisca?«, fragte sie. »Ich brauche mindestens drei Dutzend. Don Alberto und ich erwarten heute Abend erlesene Gäste, und ich möchte die Tafel besonders hübsch dekorieren lassen.«

»Die hab ich, Doña Inez.« Francisca knickste höflich und starrte wie gebannt auf den gewölbten Leib ihrer Kundin.

»Es können auch vier Dutzend sein. Wichtig ist, dass die Blumen frisch sind. Sie sind doch frisch, oder?«

Francisca starrte weiter auf die Leibesrundung.

»Francisca, hörst du mich?«

»Äh … ja natürlich, Doña Inez, verzeiht. Ja, ich habe kleine Orchideen.« Sie wies auf ein paar Krüge, in denen das Gewünschte stand.

»Würdest du sie mir auch verkaufen?«

»Äh … ja.« Francisca nannte den Preis, und alsbald lagen die Blumen im Korb der Küchenmagd. »Doña Inez …« Francisca wusste nicht, wie sie anfangen sollte.

»Was ist denn noch?« Die Dame von Stand verzog ungeduldig den Mund. Er war blutrot geschminkt. Auf ihrer Stirn, dicht über den stark betonten Augenbrauen, bildeten sich winzige Schweißtropfen. Sie trug ein schweres malvenfarbenes Kleid aus Atlas, das, ihrer zunehmenden Leibesfülle wegen, vorn ausgelassen worden war – eine Maßnahme, die von ihren Freundinnen als unmöglich betuschelt wurde. Doña Inez wusste das. Doch sie war so selig über ihren Zustand, dass sie ihn, ganz gegen die Etikette, aller Welt zeigen musste.

»Auf ein Wort unter vier Augen, wenn Ihr erlaubt, Doña Inez.« Francisca gab ihrer Stimme einen geheimnisvollen Klang.

»Ja?« Neugierig geworden, ließ sich die Dame ein, zwei Schritte beiseite ziehen.

»Doña Inez, erlaubt mir die Frage, wie es kommt, dass Ihr schwanger geworden seid.« Kaum hatte Francisca das gesagt, wurde ihr bewusst, wie töricht ihre Worte klingen mussten. Eilig fügte sie hinzu: »Nun, natürlich, äh … ich weiß wohl, wie ein Kind entsteht …« Erneut brach sie ab.

Eine Falte begann sich über der Nasenwurzel von Doña Inez zu bilden.

Francisca beschloss, das Pferd von der anderen Seite aufzuzäumen: »Doña Inez, ich wünsche Euch von Herzen alles Gute, Euch und dem Ungeborenen, das sicher bald das Licht der Welt erblicken wird. Oh, wie glücklich wäre ich, in Eurer Lage zu sein, Señora! Jaime, mein guter Mann, und ich wünschen uns seit vielen Jahren nichts sehnlicher als ein Kind, aber der Heiligen Mutter hat es bis heute nicht gefallen, uns zu erhören! Obwohl es in ganz Habana keine Christin gibt, die ihr eifriger dient als ich.«

»Ach, daher weht der Wind.« Die Falte glättete sich wieder. »Nun, warum soll ich es dir nicht sagen, du hast mir immer gute Ware verkauft. Höre denn: Ich bin zu einer alten Frau gegangen, die eine Wegstunde westlich von Habana im Wald haust. Sie soll eine Heilerin sein. Man sagt ihr wundersame Kräfte nach, und wie du siehst, zu Recht.«

Als hätte sie damit schon zu viel verraten, machte Doña Inez auf dem Absatz kehrt. Die Küchenmagd mit sich fortziehend, rief sie noch zurück: »Frage nach der alten Marou.«

Dann war sie fort.

»Marou … Marou … Marou.« Wie eine Beschwörungsformel wiederholte Francisca den Namen der Heilerin, die eine Wegstunde westlich von Habana wohnte. Eine Wegstunde, das war nicht sehr weit. Genau betrachtet, war es sogar ziemlich nah.

Ein Gedanke keimte in ihr auf, und sie beschloss, ihn sofort in die Tat umzusetzen.

»Chica!«

Die verhüllte Gestalt, die sich unauffällig im Hintergrund gehalten hatte, blickte auf.

»Ich muss fort. Es wird länger dauern. Warte also nicht auf mich, sondern geh bei Marktschluss nach Hause. Vielleicht kannst du bis dahin noch einiges verkaufen. Du weißt ja, wie viel ich für meine Waren nehme, und dann … Bei allen Heiligen!« Francisca schlug sich gegen die Stirn. »Du kriegst ja keinen Ton heraus, wirst dein Lebtag keinen Preis nennen können.«

Chicas Augen weiteten sich. Sie schüttelte den Kopf und deutete auf die Schiefertafel vom Nachbarstand. Dann machte sie mit der rechten Hand eine Schreibbewegung.

»Willst du damit etwa sagen, dass du schreiben kannst?«

Die Verhüllte nickte.

In Francisca, die nicht einmal ihren eigenen Namen kritzeln konnte, regte sich leise Bewunderung. »Das hätte ich nicht gedacht. Doch so mag es gehen. Und nun: *adiós*. Bis zur Abendmahlzeit bin ich wieder daheim. Richte das Jaime aus, falls er vor mir da ist.«

Chica schlug zum Zeichen ihres Einverständnisses die Augen nieder.

Sie hatte lange blonde, ins Rötliche gehende Wimpern.

»Des Himmels Segen über Euch, edle Heilerin«, sagte Francisca, bescheiden in der Tür stehend. Sie blickte in eine Behausung, die so dunkel war, dass sie nahezu nichts erkennen konnte. Nur eine Feuerstelle in der Mitte des Raums spendete etwas Licht und erhellte zahllose Tiegel und Flaschen, die auf Regalen in den hinteren Ecken standen.

»Sag einfach Marou zu mir.« Wie eine Spinne im Netz saß die Heilerin neben dem Feuer. Ihre Gesichtszüge und ihre Gestalt lagen im Schatten. »Tritt näher, damit ich dich besser sehen kann. Meine Augen wollen nicht mehr so.«

Zaghaft machte Francisca einige Schritte nach vorn. Der Ort hatte etwas Unheimliches. Fast tat es ihr Leid, dass sie gekommen war.

»Ja, so sehe ich mehr von dir.«

Auch Francisca konnte ihr Gegenüber jetzt besser erkennen. Sie schluckte. Was sie sah, konnte sie kaum glauben. Noch nie hatte sie eine so unförmige, fette Frau erblickt. Eine Frau, deren Kopf runzlig wie eine Nuss und vergleichsweise winzig war, gleichsam ein Fremdkörper auf den Leibesmassen, die ein Eigenleben zu besitzen schienen und sich wabernd und wogend nach allen Seiten ausbreiteten.

Marou kicherte glucksend. Es hörte sich an, als würde eine kochende Suppe Blasen schlagen. »Jaja, ich bin nicht die Schlankste, das hast du richtig erkannt! Ich bewege mich nur, wenn's unbedingt sein muss. Aber es muss selten sein, das kann ich dir versichern, denn die Leute, die etwas von mir wollen, kommen zu mir. Geradeso wie du. Wie also ist dein Name und was ist dein Begehr?«

»Mein Name ist Francisca Hoyelos«, antwortete Francisca, die Mühe hatte, eine unbefangene Miene aufzusetzen. »Ich kenne eine gewisse Doña Inez, die mir Euren Namen nannte.«

»... die mir deinen Namen nannte.«

»Äh ...?«

»Du kannst mich ruhig duzen, ich duze dich ja auch. Sag also: ›... die mir deinen Namen nannte‹.«

»Ach so, ja, gern ... Marou.«

»Das klingt schon besser. Wir sind schließlich unter uns. Nicht wahr, Canalla?« Bei diesen Worten flatterte ein Trogon heran, und Francisca erschrak fast zu Tode. Sie hatte den farbenprächtigen Vogel zwar auf seiner Stange sitzen sehen, aber angenommen, er sei ausgestopft. Canalla landete mitten auf Marous Kopf, schüttelte sein Gefieder und verfiel wieder in dieselbe Starre, die er schon zuvor eingenommen hatte.

Marou sagte: »Ich kenne keine Doña Inez, jedenfalls keine, die sich mir unter diesem Namen vorgestellt hat. Aber ich weiß, welche Dame du meinst. Ich weiß immer alles.« Sie lachte glucksend. »Und ich weiß auch, dass du mir deinen richtigen Namen genannt hast. Und nun sage mir, warum du dich so nach einem Kind sehnst.«

»Ja, ich weiß nicht. Es war schon immer so. Und es ist auch jetzt noch so.«

»Erzähl mir alles über dich. Nur wenn ich alles weiß, kann ich dir helfen. Anderenfalls musst du wieder gehen.«

»Um der barmherzigen Mutter willen, nein!« Das wollte Francisca auf keinen Fall, und deshalb erzählte sie ausführlich von sich und Jaime, von ihrem Leben und von ihrem Alltag. Sie ließ sich Zeit, und Marou hörte zu.

Als Francisca geendet hatte, sagte die Heilerin einige Zeit nichts. Dann befahl sie plötzlich: »Schieb die Bank dort zu mir herüber und leg dich nackt darauf.«

»Nackt?«

»Ja, nackt. Ich will mir ein Bild von deinem Körper machen.«

Widerstrebend gehorchte Francisca. Sie war es nicht gewohnt, sich vor einem anderen Menschen auszuziehen, das galt sogar für Jaime, ihren Mann. Wenn er bei ihr lag, trug sie grundsätzlich ein züchtiges Nachtgewand, das sie auch während des ehelichen Verkehrs nicht ablegte. Die körperliche Vereinigung durfte nicht in Fleischeslust ausarten und diente einzig und allein der Fortpflanzung.

»Zieh die Bank noch näher, so, dass mein ausgestreckter Arm dich überall erreicht. Nun leg dich rücklings hin.«

Endlich lag Francisca und starrte an die rußgeschwärzte Decke aus Riedgras.

»Meine Hand wird dich jetzt untersuchen. Hab keine Angst.«

Ein Gebilde wie ein Fleischball, aus dem fünf Finger hervorstachen, näherte sich Francisca und legte sich zunächst auf ihre Stirn. Nachdem sie eine Zeit lang dort verweilt hatte, sagte Marou: »Ich spüre die Größe deines Kinderwunsches, er teilt sich mir unmittelbar mit.«

Die Hand wanderte weiter, zog die Augenlider auseinander, öffnete die Lippen, zog die Zunge hervor und drückte sie wieder zurück.

»Vielleicht wunderst du dich über mich und das, was ich mache«, sagte Marou beiläufig, »aber die Gebärmutter ist ein lebendes Wesen, das nur dann nach der Kindeszeugung begehrt, wenn seine Umgebung gesund ist.«

Francisca hielt den Atem an. Niemals zuvor hatte sie etwas Derartiges gehört.

Die Hand wanderte weiter. Sie strich über den Hals, drückte dort auf Kehlkopf und Schilddrüsen, befühlte anschließend die schweren Brüste, die durch Franciscas liegende Position zur Seite abgeglitten waren, untersuchte die Brustwarzen, drückte auf Milz und Leber, nahm alsdann ein Stück Bauchhaut zwischen die Finger, zog es hoch, um es kurz danach wieder loszulassen und die verbliebene Faltigkeit zu registrieren, prüfte lange den Puls an beiden Handgelenken und schließlich die Straffheit der Ober- und Unterschenkel. »Für das Wohlbefinden der Gebärmutter ist alles von Bedeutung«, erklärte Marou. »Jede Einzelheit der Organe: ihre Lage, Farbe, Gestalt, Größe, Härte, Weichheit, Glätte und vieles mehr.«

»Und? Bin ich gesund genug für die Gebärmutter?«

»Nicht so schnell. Erst kommt noch das Wichtigste.« Marou legte ihre Hand auf die Stelle zwischen Schamhaar und Nabel. »Ich muss fühlen, was deine Gebärmutter spricht.«

»Meine Gebärmutter spricht? Bei allen Heiligen! Was spricht sie denn?«

»Sie teilt meiner Hand durch Ströme mit, ob sie zur Kindeszeugung bereit ist. Wenn ja, wirst du mit meiner Hilfe bald guter Hoffnung sein. Wenn nein, lässt sie mich wissen, woran es ihr fehlt.«

»Aber warum …«

»Schweig! Und lass mich hören.« Marou schloss die Augen. Geraume Zeit verging. Francisca wurde es langsam kalt. Plötzlich spürte sie, wie Marous Hand zu zittern begann.

»Jetzt spricht sie! Jetzt!«, stieß die Heilerin hervor. Sie versetzte ihre Hand in kreisende Bewegung. »Ja, ich höre, ich höre, ich höre!«

Francisca konnte nicht mehr länger an sich halten. »Was hörst du? Um der Seligkeit der gebenedeiten Mutter willen, was hörst du?«

Marou öffnete die Augen, atmete tief durch und zog ihre Hand fort. »Die Gebärmutter hat gesprochen. Sie sagt mir, dass ihre Umgebung gesund ist. Aber sie muss in deinem Körper umherirren, weil ihr Verlangen nach Kindeszeugung nicht gestillt wird.«

»Aber was soll ich denn tun?«

»Was hast du denn bisher getan?«

»Was ich getan habe? Oh, wenn du wüsstest, Marou, wie oft ich die Heilige Mutter um ein Kind angefleht habe, wie viele Kerzen ich in der Kirche angezündet habe und wie viele Gebete ich an Jesum Christum unseren Herrn gerichtet habe! Mehr als ich hat wohl keine Frau je für ein Kind getan.«

»Hattest du über diese zweifellos wichtigen Bemühungen hinaus auch Verkehr mit deinem Mann?«

Francisca stockte. Dann sagte sie verschämt: »Ja, denn es muss ja sein.«

»Wie oft im Monat?«, bohrte Marou weiter.

Francisca war das Gespräch sichtlich peinlich. »Einmal, höchstens zweimal. Als fromme Christin achte ich darauf, dass die Fleischeslust nicht überhand nimmt.«

Marou schwieg. Dann griff sie hinter sich und holte einen Glashafen mit rötlichem Inhalt hervor. »Diese Salbe streichst du dir morgens, bevor du dein Tagewerk beginnst, auf den Schamberg. Verteile sie gut und nimm jeweils wenig. Sie besteht unter anderem aus Talg, Rindermark, Bockshornkraut, Malve und Hennaöl. Die genaue Zusammensetzung werde ich dir selbstverständlich nicht verraten. Bedenke auch, dass die Salbe an deinen unreinen Tagen nicht anzuwenden ist, sonst aber regelmäßig. Wenn du dich daran hältst, wird sie die Gebärmutter veranlassen, ihr Umherirren aufzugeben, was eine Zeugung vereinfacht.«

Francisca nahm, atemlos vor Freude, das Töpfchen entgegen. »Des Himmels Segen über dich, Marou! Ich werde heute Abend ein Dutzend Ave-Maria in der Kirche für dich sprechen.«

Die Heilerin zog eine Augenbraue hoch. »Vielleicht wäre es besser, du bliebst heute Abend daheim. Du kannst dich übrigens wieder anziehen.«

Als Francisca angekleidet war, sagte Marou: »Neben der Beruhigungssalbe für die Gebärmutter habe ich hier noch zwei Wurzeln der Mandragora; viele kennen sie auch unter dem Namen Alraune. Sieh!«

Francisca erblickte zwei Wurzeln von menschenähnlicher Form, kaum größer als ein Mittelfinger. Die eine war als Männchen gekleidet und trug feuerrote Hosen und ein grünes Wams; das Weibchen hatte ein violettes Kleid an. »Sind die allerliebst!«, entfuhr es ihr. Sie wollte nach ihnen greifen, doch Marou zog ihre Hand zurück.

»Die Figuren sind nicht zum Spielen gedacht. Ihnen wohnt göttliche Kraft inne. Lege sie in deinem Schlafgemach ab, und zwar am höchsten Punkt. Vielleicht auf einem Schrank oder auf einer Anrichte. Es kann auch ein hoher Mauersims sein.

Ordne die Figuren so, dass die weibliche unten liegt und die männliche darüber. Ich denke, du kennst die Stellung. Wenn das geschehen ist, schwöre bei Gott dem Allmächtigen, dass du sie niemals wieder anrühren wirst. So lange nicht, bis das Männchen von selbst vom Weibchen gestiegen ist.«

»Ja, aber …« Francisca betrachtete scheu die Puppen. »Und ich? Was soll ich denn dabei tun?«

»Du wirst, solange das Männchen auf dem Weibchen liegt, jeden Abend Verkehr mit deinem Mann haben, in eben dieser Stellung. Außer an deinen unreinen Tagen, versteht sich.«

»Aber, aber … die Fleischeslust?«

Marou grinste innerlich. »Ich bin überzeugt, du hast dich so in der Gewalt, dass du dabei keinerlei Lust verspürst.«

»Ja, natürlich, selbstverständlich! Aber das Püppchen, ich meine das Männchen, es wird doch niemals von dem Weibchen steigen, jedenfalls nicht von allein?«

»Wenn es dem Allmächtigen gefällt, wird es das tun. Genauso, wie du schwanger werden wirst.« Marou übergab die beiden Puppen an Francisca. »Gehe sorgfältig mit ihnen um. Es gibt nicht viele Alraunen mit derartiger Wirkkraft.«

»Danke, oh, danke, Marou!« Tränen der Freude liefen Francisca über die Wangen, während sie die Püppchen genau in Augenschein nahm. Dann küsste sie jedes mit geschlossenen Augen und murmelte ein stummes Gebet. Doch jäh wurde ihre Andacht unterbrochen, denn mit einem heiseren Laut war Canalla von Marous Kopf aufgeflattert. Er flog haarscharf an Francisca vorbei zu seiner Stange zurück.

Die Heilerin kicherte glucksend. »Der gute Canalla hat ein sicheres Gespür dafür, wann meine Behandlungsstunde zu Ende geht und die Bezahlung ansteht.« Sie streckte ihre Patschhand aus. »Ich bin nicht billig. Für meine Dienste erwarte ich ein Goldstück von dir, aber kein kleines, keinen Escudo und erst recht keinen Escudillo. Ich will eines mit dem Gesicht zweier Herrscher. Du weißt schon, was ich meine.«

»Du meinst eine Golddublone?« Francisca verschlug es den Atem. Das war mehr, als Jaime und sie in Monaten verdienten.

»Eine ganze Golddublone. Und keinen Maravedi weniger.« Die Patschhand war unverändert ausgestreckt. »Wie ich sehe, hast du keine. Dann gib mir zehn der Silberbroschen von deiner Bluse.«

»Ja, Marou.«

Franciscas Freude über ihre baldigen Umstände war ein wenig getrübt.

Am selben Abend, als Jaime nach einem guten Mahl ermattet auf sein Lager sinken wollte, wurde er von der ungewohnten Verhaltensweise seiner Frau überrascht. Sie trug im Gegensatz zu sonst kein hochgeschlossenes Nachtgewand, sondern, zu seinem großen Erstaunen, nichts. Noch mehr staunte er, als seine Frau ihm zu erkennen gab, dass sie außer der Reihe mit ihm schlafen wollte. Und geradezu sprachlos war er über die Leidenschaft, mit der sie sich ihm hingab.

Als es vorbei war und sie wieder nebeneinander lagen, beugte Francisca sich zu ihrem Mann hinüber und küsste ihn auf den Mund. »Wir werden ein Kind haben, Jaime.«

»Ein Kind? Das haben wir uns schon so oft gewünscht, und nie hat es geklappt.«

»Diesmal wird es so sein.«

»Wenn du meinst.« Er schlief schon halb.

»Ja, das meine ich. Wir werden ein Kind haben, das ist so sicher wie das Amen in der Kirche. Ich habe mir alles überlegt. Wenn das Kind erst da ist, wird es eng in unserer Hütte werden.«

»Hm, hm.«

»Und für Chica wird kein Platz mehr da sein.«

»Wie? Was?« Jaime wurde wieder wach. Er fühlte sich verantwortlich für das Mädchen, und überdies mochte er es, auch wenn es stets verhüllt war und keinen Ton herausbrachte. »Aber wo soll Chica denn hin?«

»Wir geben sie zu Achille.«

»Was? Zum kuriosen Achille?«

»Genau zu dem. Ich weiß, dass er gerade wieder eine Magd für den Ausschank sucht. Gleich morgen gehe ich zu ihm.«

»Wenn du es sagst, wird es so sein.«

DER CIMARRON OKUMBA

*»Die Spanier haben Männer von beispielloser Tapferkeit in
ihren Reihen, doch ist die Tapferkeit der Cimarrones ungleich
höher einzuschätzen. Denn unsere Männer kämpfen für die
Freiheit, die Dons dagegen nur für Gold.«*

Seit Stunden arbeiteten sie sich mühsam durch die grüne Hölle des Urwalds. Der Pfad, auf dem sie vorwärts schritten, war kaum erkennbar und stellenweise gänzlich überwuchert von Blattwerk und Schlingpflanzen. Dann und wann blitzte durch das Unterholz der Bach auf, nach dessen Lauf sie sich richteten. Es war heiß und unbeschreiblich schwül. Der Schweiß lief ihnen in Strömen über das Gesicht, und es gab keinen Faden, der ihnen nicht am Leibe klebte.

Sie gingen hintereinander. Vorn der junge Hewitt, der das Bündel mit Haffs Schwertern und Degen trug. Dahinter, seiner schwachen Augen wegen, der Magister. Er schleppte die Wasservorräte und einige andere Habe. Es folgte Enano, der als Kleinster noch am ehesten unter allen Hindernissen hindurchschlüpfen konnte. Den Schluss bildete Vitus, der einen Fellsack geschultert hatte – ein weiteres Geschenk von Haff, in dem sich Nahrungsvorräte, Stouts Tagebuch mit Tinte und Feder, das Messer von der *Albatross*, Pulver und Munition und einiges andere befanden.

Vitus trug außerdem seinen neuen Degen und eine Radschlossmuskete, geladen und feuerbereit, denn er sicherte die Gruppe nach hinten ab.

»Wenn ich doch nur wieder ein neues Nasengestell hätte!«, keuchte der kleine Gelehrte. »Ohne meine Berylle sehe ich nur eine wabernde grüne Masse. Bei jeder Liane denke ich, es ist eine Baumschlange.«

»'ne Hutsche auf'm Baum?«, fistelte der Zwerg gegen den Rücken des Magisters. »Wiewo? Ich späh nix!«

»Pssst, seid mal ruhig da vorn und haltet an!«, flüsterte Vitus. Er glaubte ein Geräusch gehört zu haben, eines, das anders klang als das markerschütternde Kreischen der Papageien und das Schimpfen der Affen in den Bäumen.

»Pssst!«, machte er abermals. Er lauschte angestrengt. Doch die Laute des Regenwalds, hohl und hallend und vielfach befremdlich, klangen nicht anders als sonst.

Der Winzling wisperte: »Wui, hab die Lauscher wohl auf, aber 's is nix, ich schwör's bei der heiligen Marie.«

Der Magister und Hewitt zuckten mit den Schultern.

»Dann muss ich mich wohl getäuscht haben.« Vitus blickte sich um und sah – einen Pfeil. Der Pfeil steckte in einem Baum, und sein Schaft zitterte noch.

»Achtung, ein Pfeil!«, wollte er rufen, doch es war schon zu spät. Plötzlich flogen zahllose Pfeile heran, von allen Seiten, und in dem Schwirren erkannte er das rätselhafte Geräusch. Er spürte einen Schlag gegen seine linke Schulter, wirbelte herum – und blickte in eine Reihe schwarzer Gesichter. Er sah zur anderen Seite. Auch da: viele schwarze Gesichter. Und über ihm im Geäst ebenfalls, genauso wie in seinem Rücken.

Sie waren komplett umstellt.

Keiner von den Freunden – Wunder oder Absicht? – schien getroffen worden zu sein. Nur in Hewitts Bündel steckten zwei Pfeile.

»Was soll das?«, herrschte Vitus den Kopf an, der ihm am nächsten war. Er versuchte, seine Stimme überlegen klingen zu lassen. »Wir kommen als Freunde.«

Der Kopf trat aus dem Dickicht hervor. Die Gestalt eines muskulösen Schwarzen von mittelhohem Wuchs wurde sichtbar. Neben ihm tauchten weitere Männer auf. Alle hatten eine dunkle Hautfarbe und waren nahezu unbekleidet. Sie trugen nur einen kurzen Schurz mit Gürtel, in dem Kriegskeulen, Degen oder Messer steckten. Alle waren mit starken Bögen bewaffnet. Und alle wirkten überaus selbstsicher.

Der Angesprochene musterte Vitus aus harten Augen. »Wer kommt hier, ist nicht Freund.« Er sprach ein abgehacktes, schlechtes Spanisch. »Nieder mit Waffen!«

Die Geste, mit der er seine Forderung unterstrich, war eindeutig, weshalb selbst Hewitt, der kein Spanisch konnte, ihn verstanden hatte. Der junge Matrose wollte schon das Bündel mit den kostbaren Klingen ablegen, da hob Vitus Einhalt gebietend die Hand. So leicht wollte er sich nicht geschlagen geben. »Wir kommen in friedlicher Absicht, sind auf dem Weg zu den Cimarrones, von wo aus wir weiter nach Nombre de Dios wollen. Wir sind sozusagen nur auf der Durchreise.«

»Nieder mit Waffen oder sterben!«

Der Kreis der Schwarzen schloss sich drohend. Ein paar der Krieger legten neue Pfeile auf die Sehnen ihrer Bögen. Einige Hände griffen zur Streitaxt.

Vitus resignierte. Der Feind war zu zahlreich und eine Flucht unmöglich. »Wir beugen uns der Übermacht. Legt die Sachen ab, Freunde.« Er selbst schnallte seinen Degen los und legte ihn zusammen mit der Muskete auf den Boden. Aufblickend sagte er zu den Schwarzen: »Seid vorsichtig, die Muskete ist geladen.«

»*Callarse la boca!* Maul halten!«

»Wie ihr wollt.« Vitus sah, wie der Schwarze mit den harten Augen seine Muskete hochnahm, um sie von allen Seiten zu betrachten. Mehr zufällig als absichtlich entfernte er dabei den Deckel der Zündpfanne, senkte den Hahn und betätigte den Abzug.

Einen Wimpernschlag später löste sich der Schuss. Es gab einen ohrenbetäubenden Knall, die Kugel schoss nach oben, zersprengte das Blätterdach des Dschungels und sorgte für einen grünen Wirbel aus unterschiedlichstem Blattwerk, der alsbald auf Freund und Feind herabregnete. Der Schütze machte ein verblüfftes Gesicht, dann begann er lauthals zu lachen. Seine Kameraden stimmten mit ein. »Hohoho, hoa, hao, das lustig!« Nochmals betätigte er den Abzug. Als nichts geschah, hängte er sich die Muskete über die Schulter und wurde übergangslos wieder ernst:

»Du Munition? Geben Munition!«

»Ich habe keine.« Es kam nicht in Frage, dem Burschen auf die Nase zu binden, dass sich im Fellsack noch Pulver und weitere Kugeln befanden. Vitus nahm ihn von den Schultern und bemerkte zu seiner Überraschung, dass er rot von Blut war. Es war sein eigenes Blut. Der Schlag gegen seine Schulter war ein Streifschuss gewesen, harmlos offenbar, aber heimtückisch. Zorn schoss in ihm hoch. »Wer seid ihr, dass ihr harmlose Wanderer überfallt?«

»Du fragen, nix Antwort. *Callarse la boca!*«

Ein anderer Schwarzer, der sich an Hewitts Bündel zu schaffen machte, stieß einen überraschten Ruf aus: »Hoa, hoa, Dongo! Hier drin stecken viele gute Stahlklingen. Sieh dir das an!« Sein Spanisch war wesentlich besser.

»Später kucken!« Der mit den harten Augen bückte sich, hob Vitus' Degen auf und steckte ihn zu den anderen im Bündel. »Nix jetzt. Erst fesseln!«

Ein paar der Krieger lösten sich aus dem Kreis und banden den Freunden die Hände auf den Rücken.

Vitus versuchte es erneut: »Das Ganze muss ein Irrtum sein. Wir sind friedliche Reisende, die nach Nombre de Dios wollen!«

»Pah, Nombre de Dios!« Dongo spie den Namen förmlich aus. »Grube von Schlangen! Voll Spanier! *Bribónes, ladrónes, asesinos!* Du gehen Nombre de Dios? Ich dich gleich töten!«

Doch ehe er seine Drohung wahrmachen konnte, wurde er von dem neugierigen Schwarzen, der weiter in Hewitts Bündel gekramt hatte, unterbrochen:

»Hoa, Dongo! Es sind Klingen von Haff, dem Schmied. Ich sehe es an den Buchstaben im Stahl!«

Dongos harte Augen wurden womöglich noch härter. Er schoss vor, packte Vitus am Wams und hob ihn ein paar Zoll in die Höhe. »Du geklaut! Du von Haff geklaut. Was du gemacht mit Haff? Du ihn getötet! Du sagen! Sofort! Ich dich töten, ich alle töten!«

Jetzt wurde es Vitus endgültig zu bunt. Die körperliche Berührung durch den Schwarzen und die wenig gute Figur, die er dabei abgab, taten ein Übriges: »Seid ihr denn alle von Gott verlassen?«, schrie er Dongo mitten ins Gesicht. »Wir sind friedliche Reisende! Wir kommen von Haff, der unser Freund ist. Er bat uns, die Waffen für ihn mitzunehmen und bei Okumba abzuliefern, dem Häuptling der Cimarrones.«

Sowie Vitus den Namen Okumba ausgesprochen hatte, löste Dongo seinen eisernen Griff. »Du zu Okumba? Du Okumba kennen?«

»Nein, ich kenne ihn nicht.«

»Du ihn nicht kennen?« Sofort verfinsterte sich Dongos Gesicht wieder.

»Nein, keiner von uns kennt Okumba. Aber wir haben Waffen

für ihn von Haff. Haff ist unser Freund, versteht ihr? Unser Freund!« Vitus kam sich vor, als redete er auf einen kranken Gaul ein.

Der Neugierige, der die Degen und Schwerter aus Hewitts Bündel hervorgezogen hatte, kam Vitus zu Hilfe: »Was der Fremde sagt, kann stimmen, Dongo. Seine Version ist genauso wahrscheinlich wie deine.«

Der Magister mischte sich ein. Er krächzte: »Der Mann hat Recht! *In dubio pro reo!* Im Zweifel für den Angeklagten! Schon mal was davon gehört, die Herren?«

Dongo schien gar nichts mehr zu verstehen, weshalb ihm der sprachgewandte Neugierige noch einmal alles erklärte. Er tat es in einem unbekannten Dialekt, von dem Vitus annahm, dass es ein afrikanischer war.

Endlich nickte Dongo dem Neugierigen widerwillig zu. »Gut, Moses, ich einverstanden. Okumba entscheiden! Abmarsch Okumba, *rápido!*«

Sie saßen auf dem Stamm eines gefällten Blauholzbaums, den man an den Rand eines freien Platzes gezogen hatte. Es musste eine Art Versammlungsplatz sein, denn der Boden war von unzähligen schwieligen Füßen steinhart gestampft. Am Rande des Platzes, weitläufig verteilt, standen an die dreißig Holzhütten und davor, alles beherrschend, ein stattliches Haus mit Riedgrasdach. Es war das Quartier von Okumba, gleichzeitig das Herz der Siedlung und Ort der Gerichtsbarkeit, wie Moses den Freunden erklärt hatte, bevor er und Dongo darin verschwunden waren.

»Wir werden euch Okumba ankündigen«, hatte Moses ihnen vorher noch zugerufen. »Er wird das Urteil sprechen, das über euer weiteres Los entscheidet.«

Mittlerweile waren Stunden vergangen. Sie saßen noch immer auf dem Stamm, scharf bewacht von einem halben Dutzend finster dreinblickender Cimarrones, die jeden ihrer Versuche, aufzustehen oder sich die Beine zu vertreten, unmissverständlich mit der Waffe unterbanden. Dabei war an Flucht ohnehin nicht zu denken, denn sie waren nach wie vor an den Händen gefesselt.

Der Abend brach bereits herein, im Gegenlicht der untergehenden Sonne flogen große Vögel herbei, kreisten in Schwärmen über den Bäumen des Regenwaldes und ließen sich flatternd auf ihren Schlafplätzen nieder.

Auch Hewitt und der Zwerg waren schläfrig. Immer wieder fiel ihnen der Kopf auf die Brust. Der Marsch durch den Urwald war für ihre kaum genesenen Körper eine harte Belastung gewesen.

Ein großes Insekt mit blau schimmernden Flügeln kam langsam herangesummt und setzte sich auf des Magisters Stirn. »Autsch!« Ohnmächtig, es mit den Händen fortzujagen, begann der kleine Gelehrte die schauerlichsten Grimassen zu schneiden. Doch sosehr er das Gesicht auch in Falten zog, das Tier dachte nicht daran, wieder fortzufliegen. Schließlich stellte er seine Bemühungen ein und machte seinem Herzen Luft: »Beim Blute Christi! Habe ich das alles durchgemacht, nur damit ich an einem Insektenstich sterbe? Hier, an diesem Ort der Gesetzlosen, wo man für nichts und wieder nichts seiner Freiheit beraubt wird? Bin gespannt, wann dieser Herr Okumba, der alle Zeit der Welt zu haben scheint, uns gnädigst empfängt! Wahrscheinlich liegt er gerade bei einer seiner Gespielinnen, während wir hier schmoren. Ein Gentleman erster Güte mit untadeligen Manieren, das muss ich schon sagen. Von seiner bisher erwiesenen Gastlichkeit jedenfalls habe ich die Nase voll.«

Endlich bequemte sich das Insekt, des kleinen Mannes hohe Stirn zu verlassen. Es schwirrte durch die Luft davon. »*Deo gratias!* Die Bestie hat es sich anders überlegt. Nun, es wäre auch geradezu lächerlich gewesen, an einem schnöden Stich zu sterben.«

»Vielleicht nicht der schlechteste Tod«, erwiderte Vitus, grimmig den Boden anstarrend, »wer weiß, was Okumba mit uns machen wird.«

In diesem Augenblick öffnete sich der Vorhang in der Vorderfront des großen Hauses, und Moses trat heraus. Er winkte mit der Hand und rief den Bewachern etwas zu. Die Freunde verstanden es nicht, wurden aber nicht lange im Unklaren gelassen über das, was mit ihnen passieren sollte. Man stieß sie unsanft vom Stamm herunter und führte sie direkt in das Haus hinein.

Beim Eintreten erkannten sie zunächst nichts. Der halbdunkle Raum wurde nur von wenigen Öllampen erhellt. Erst als ihre Augen sich an das Dämmerlicht gewöhnt hatten, sahen sie eine Gruppe Schwarzer am Boden hocken. Es waren ausschließlich Männer, und sie saßen in der Form eines weiten U.

Moses legte den Finger an die Lippen und bedeutete ihnen, neben dem Eingang zu warten. Einige Zeit verging, während die Schwarzen heftig durcheinander palaverten. Wenn man davon absah, dass sie keine Waffen trugen, unterschieden sie sich in nichts von jener Gruppe, die Vitus und seine Feunde gefangen genommen hatte. Es waren allesamt gut gebaute, kräftige Kerle, die temperamentvoll aufeinander einredeten. Manche davon schon älter, wie man an ihrem grauen Kraushaar sah, einige wenige noch sehr jung. Die meisten von ihnen rauchten gerollte Tabakblätter, ein Kraut, das sie »Sigar« nannten und das beim Abbrennen dicke, beißende Qualmwolken erzeugte. Die Luft im Raum war geschwängert davon.

Endlich schienen sie sich einig geworden zu sein, denn alle bis auf drei sprangen auf und verließen einer nach dem anderen den Raum.

Übrig blieb ein herkulisch gebauter Schwarzer, der an der Schmalseite des U saß. Er trug zum Zeichen seiner Würde einen Schulterumhang aus dem Fell des Ozelots und eine Kette aus Krokodilszähnen. Links und rechts von ihm hockten zwei ältere, misstrauisch dreinblickende Männer. Der Riese musterte die Freunde eingehend, ohne auch nur eine Miene zu verziehen. Im Halbdunkel stach das Weiße seiner Augen aus dem ebenholzschwarzen Gesicht hervor. »Ich bin Okumba«, sagte er schließlich mit tiefer, etwas heiserer Stimme. »Und neben mir seht ihr die Beisitzer meines Gerichts. Unser Rat hatte wichtige Entscheidungen zu treffen, deshalb musstet ihr warten.«

Okumba sprach ein Spanisch mit starkem afrikanischem Akzent, dennoch war er, weil er die Worte langsam wählte, gut zu verstehen. »Dass ihr lebt, habt ihr allein Moses zu verdanken, der nicht daran glaubt, dass ihr meinen Freund Haffissis getötet und beraubt habt.«

Der Riese wies auf Moses, der, ebenso wie Dongo, im Raum geblieben war, um die Freunde zu bewachen. »Dongo ist anderer Meinung. Er ist überzeugt, dass ihr marodierende Spanier seid, gierig nach Silber und Gold, zumal der Punkt, an dem er auf euch traf, nur wenige Meilen vom Königsweg entfernt liegt.«

Die Freunde blickten sich verständnislos an.

»Vielleicht wisst ihr es wirklich nicht: ›Königsweg‹ nennt man den Saumpfad, der von Panama herüber nach Nombre de Dios führt; auf ihm transportieren die Spanier jedes Jahr ihre unermesslichen Gold- und Silberschätze, um sie anschließend mit der Armada übers Meer zu verschiffen. Nun, wir werden sehen, wer am Ende Recht hat: Moses oder Dongo. Davon wird abhängen, ob ich euch töten lasse oder nicht.«

Dongo zischte die Gefährten an: »Los, Knie fallen, Knie fallen!«

Vitus trat vor und senkte höflich den Kopf. Dann, aufblickend, begann er: »Ich bin Engländer, Häuptling Okumba, und wir Engländer haben die Angewohnheit, nur vor einem einzigen Menschen dieser Welt auf die Knie zu fallen, und das ist unsere Königin Elisabeth.«

Okumba starrte ihn eine Zeit lang an. Dann antwortete er überraschend in Vitus' Muttersprache: »Du bist stolz, Engländer. Ich akzeptiere das. Die Cimarrones kannten schon einmal einen stolzen Engländer. Sein Name war Kapitän Drake. Er und Häuptling Ktiko haben gut zusammengearbeitet beim Überfall auf Nombre de Dios. Das war im Jahr 1572.«

Vitus atmete insgeheim auf. Vielleicht standen ihre Chancen doch nicht so schlecht. »Mein Name ist Vitus.« Er fand es klüger, seinen Nachnamen nicht zu nennen, denn »Campodios« klang wahrhaftig nicht englisch. »Der junge Mann neben mir heißt Hewitt und ist ebenfalls Engländer. Mein Freund Ramiro García ist Spanier und Magister der Jurisprudenz, also alles andere als ein marodierender Bösewicht. Dasselbe gilt auch für Enano, den Zwerg, der aus Deutschland stammt. Wir sind Schiffbrüchige, Häuptling. Unser Boot trieb am 9. März an die Küste dieses Landes. Der Schmied Haffissis, von dem wir Euch grüßen sollen, fand uns halb tot am Strand. Ihm verdanken wir unser Leben. Er brachte uns wieder zu Kräften und bat uns, bei unserer Weiterreise Klingen für Euch mitzunehmen. Er sagte, es handele sich um eine Auftragsarbeit.«

Okumba wandte sich zur Seite und sprach rasch auf seine Nebenmänner ein. Dann nickte er und verfiel wieder ins Spanische: »Das mit der Auftragsarbeit stimmt. Aber dass ihr das wisst, beweist nicht eure Unschuld. Ihr könntet den Alten trotzdem getötet und beraubt haben.«

»Ganz im Gegenteil.« Vitus berichtete von dem Unterschenkelbruch, den Haff sich bei der Glockenreparatur zugezogen hatte und der von ihm und seinen Freunden nach Kräften versorgt worden war. »Haff erzählte einiges über die Fertigung von Glocken und deutete an, das Exemplar in seiner Werkstatt sei von Euch.«

»Auch das stimmt. Für den Transport waren ein Ochsengespann und fünfzehn Mann nötig. Die Fahrt dauerte drei Tage. Hat Haff die Reparatur zu Ende führen können?«

»Leider nein. Erst muss er sein Bein auskurieren. Eine junge Frau namens Phoebe, ebenso schiffbrüchig wie wir, ist bei ihm geblieben, um ihn gesundzupflegen.«

Okumba nickte unmerklich. »Die Glocke ist wichtig für uns. Sie bricht Blitze und stößt den Donner zurück, weshalb sie uns gute Dienste gegen feindliche Musketenschüsse leisten wird.«

Vitus staunte. »Ihr habt die Inschrift entziffert? Könnt Ihr Latein, Häuptling?«

»Moses kann Latein. Er lebte viele Jahre bei der Familie eines spanischen Silbermeisters in Cartagena. Die Zeit im Sklavenjoch nutzte er, um zu lernen. Heute ist er ein freier Mann wie wir, und seine Sprachkenntnisse sind eine gute Waffe im Kampf gegen die Weißen, die uns Schwarze grundsätzlich für dümmer als Vieh halten.«

Vitus schwieg.

»Es würde mich freuen, wenn es stimmt, dass ihr unserem Freund Haff geholfen habt. Aber auch das kann reine Erfindung sein. Was fehlt, ist der Beweis für eure Unschuld.«

Plötzlich hatte Vitus einen Einfall. »Die Schwerter und Degen, die für Euch bestimmt waren, Häuptling – habt Ihr sie Euch schon angesehen?«

Okumba schüttelte den Kopf. »Nein, warum?«

»Vielleicht gelingt der Beweis mit den Klingen!«

»Mit den Klingen?« Okumba winkte Dongo, der Hewitts Bündel hütete, zu. »Gut, sehen wir sie uns an. Leg sie hier vor mir auf dem Boden ab.«

Dongo trat vor, löste umständlich die Knoten und schlug mit

einem Ruck das Lederfell auf. Fast schreckten der Riese und seine Beisitzer zurück, so sehr funkelten und blitzten ihnen die geschmiedeten Kostbarkeiten entgegen. Okumba fuhr sich über die Augen. Zögernd nahm er ein Schwert in seine mächtige Faust, tat einen Hieb durch die Luft, betrachtete das hervorgelockte Muster des Damaszenerstahls und prüfte die Schärfe der Schneide mit der Daumenkuppe. Dann reichte er die Klinge an seine Nebenleute weiter und nahm die nächste zur Hand. Der Vorgang wiederholte sich. Als er alle Stücke begutachtet hatte, murmelte er: »Wundervolle Arbeiten. Eigentlich viel zu schade, um damit spanische Schädel zu spalten. Wir stehen tief in Haffs Schuld. Was wir ihm im Voraus gegeben haben, ist nicht annähernd so viel wert wie diese Kostbarkeiten. Ich werde so bald wie möglich ein paar Männer mit weiteren Waren zu ihm schicken. Vorausgesetzt, du, Engländer, sagst die Wahrheit und er lebt.«

Die beiden Alten an Okumbas Seite hatten sich unterdessen vorgebeugt und sprachen rasch auf ihn ein. Der Riese hörte aufmerksam zu. Als sie geendet hatten, sagte er: »Meine Beisitzer, Engländer, werden allmählich ungeduldig. Wir haben uns Meister Haffissis' Stücke angesehen und können daran, abgesehen von der Kunstfertigkeit, mit der sie gemacht sind, nichts Ungewöhnliches entdecken. Wie also willst du eure Unschuld beweisen?«

»Indem ich Euch bitte, die Inschriften zu lesen.«

»Ich kann nicht lesen. Aber Moses kann es. Komm her, Moses, und sag uns, was auf den Klingen steht.«

Der sprachgewandte Schwarze gehorchte umgehend, studierte nacheinander die Buchstaben in den verschiedenen Stählen und erklärte dann: »Auf allen Stücken steht nur die eine Zeile: *Haffissis me fecit* und die dazugehörige Jahreszahl. *Haffissis me fecit* bedeutet: Haffissis hat mich gemacht.«

Okumba nickte. »Und was willst du nun daraus ableiten, Engländer?«

»Steht da nicht auch …?« In Vitus' Kopf arbeitete es fieberhaft. Dann hatte er begriffen. Sein Blick wanderte zu Dongo, der unbeteiligt in die Luft starrte. »Verzeiht, Häuptling Okumba, es handelt sich hier um ein Versehen. Vor Euch liegen acht Klingen, aber es waren insgesamt neun, die Eure

331

Männer uns im Urwald abnahmen. Ich vermute, dass Dongo die neunte Klinge unabsichtlich irgendwo liegen ließ.«

Der Häuptling runzelte die Brauen. »Soso. Stimmt das, Dongo?«

Dongo wurde sichtlich verlegen.

Und dann ging alles sehr schnell. Mit einer einzigen geschmeidigen Bewegung stand Okumba auf den Füßen, packte Dongo und hob ihn wie ein Spielzeug hoch. »Bring uns sofort die neunte Klinge«, sagte er ruhig. In seiner Stimme lag nicht die kleinste Spur von Anstrengung, obwohl Dongo ein stattlicher Bursche war.

Der Zwerg wisperte: »Wui, wui, der Schwarzmann is 'n Protz wie Ambrosius, unser Kuttenhans, Gott hab ihn fitz.«

»Pssst«, machte Vitus zwischen den Zähnen.

Trotz der Warnung murmelte der kleine Gelehrte: »Der Gnom hat Recht, mit Okumba ist nicht gut Kirschen essen. Ich hoffe, du weißt, was du tust.«

Der Angesprochene hatte sich inzwischen wieder auf den Boden gesetzt und wartete mit den beiden Alten auf Dongos Rückkehr. Als dieser kurz darauf abermals den Raum betrat, streckte er ohne ein Wort die Rechte aus.

Dongo beeilte sich, Okumba die Klinge auszuhändigen. Während der Häuptling sie eingehend betrachtete, brach es aus Vitus heraus: »Dem Allmächtigen sei Dank! Es ist tatsächlich der Degen, den Haff mir geschenkt hat. Jetzt kommt's drauf an.«

Okumba achtete nicht auf Vitus' Worte, sondern winkte Moses heran. »Lies, was darauf steht, es sind mehr Buchstaben als auf den anderen Klingen. Was bedeuten sie?«

Moses hielt den Stahl ins Licht und entzifferte mit einiger Mühe: »*For my good friend Vitus.*«

»Für meinen guten Freund Vitus«, nickte Okumba nachdenklich. »Es ist also Englisch. Und das andere? Was bedeutet das?«

»Das Übliche in Latein: *Haffissis me fecit Anno Domini 1578.*«

Vitus fiel ein Stein vom Herzen. »Da seht Ihr es selbst, Häuptling, dieser Degen ist ein persönliches Geschenk von Haff an mich. Glaubt Ihr, er würde eine solche Kostbarkeit für einen Feind schmieden?«

Der riesige Schwarze schürzte die Lippen. Dann wandte er sich seinen beiden Mitrichtern zu, um sich mit ihnen auszutauschen. Er sprach auf sie ein. Sie hörten zu. Redeten lebhaft mit den Händen. Rollten mit den Augen. Zuckten mit den Schultern. Und nickten endlich gemeinsam. Okumba räusperte sich: »Du kannst dich glücklich schätzen, Engländer. Wir glauben, dass du die Wahrheit gesagt hast. Ihr seid keine marodierenden Dons.«

Er bedeutete Dongo, die anderen Klingen wieder einzupacken. »Du musst wissen, wir Cimarrones hassen die Spanier mehr als die Pest, obwohl wir uns in ihrer Sprache verständigen. Es ist die Sprache, die uns verbindet, nur das ist der Grund. Und es ist auch der Grund, warum ich diese hassenswerten Laute in wenigen Monaten erlernt habe. Wir jagen die Spanier, und sie jagen uns. Sie töten uns, und wir töten sie, egal, wo wir ihrer habhaft werden, denn sie rauben unseren schwarzen Brüdern und Schwestern auf den Inseln die Freiheit, die Würde und das Leben. Sie zwingen sie unter ihre Knute, sie schänden ihre Frauen. Doch ihr seid nicht von dieser Sorte, und deshalb werdet ihr die Cimarrones von ihrer gastlichen Seite kennen lernen.«

Er stieß die neunte Klinge vor Vitus in den Boden. »Du erhältst deinen Degen zurück und darfst ihn während der Zeit eures Hierseins tragen, ebenso wie deine Freunde Waffen mit sich führen dürfen. Es ist das Zeichen freier Männer.«

»Ich danke Euch, Häuptling Okumba.« Vitus verbeugte sich. »Da wäre noch etwas. Ich war im Besitz einer Muskete, die Dongo mir ebenfalls abnahm.«

»Er wird sie dir zurückgeben.« Ein ärgerlicher Blick streifte den Mann mit den harten Augen. »Und nun entschuldigt mich. Moses, nimm Vitus und seinen Freunden die Fesseln ab und weise ihnen ein Quartier zu.«

Als sie aus dem Haus traten, hörten sie von drinnen Okumbas tiefe Stimme: »Dongo, du bleibst hier.«

Es war gegen Mittag des nächsten Tages, als der kleine Gelehrte brummelte: »Die Bemühungen unseres Freundes Moses in allen Ehren, aber meint ihr nicht auch, dass er ein wenig übertreibt? Er schleift uns nun schon seit Stunden durch das Dorf, hat uns jeden Quadratfuß der Maisfelder gezeigt, den Palisadenring zur Verteidigung erklärt, durch die Vorratskammern geführt, vom Brunnenwasser kosten lassen, mit zahllosen Familien bekannt gemacht, dazu mit einigen bemerkenswert hübschen Mädchen, hat uns, gleichsam als Kontrast, den Standort der allgemeinen Latrinen verraten und so weiter, und so weiter. Er wankt und weicht nicht von unserer Seite, eine englische Gouvernante ist nichts dagegen.«

»Wui, wui, er is wie 'ne Klett im Flöhfänger.«

Vitus beobachtete Moses, der sich ein paar Schritte von ihnen entfernt mit einem jungen Schwarzen unterhielt. »Moses hat offenkundig Anweisung, sich um uns zu kümmern. Okumba vertraut uns zwar, will aber wohl über alles, was wir tun, unterrichtet werden. Wenn du nicht mehr weiterkannst, altes Unkraut, sag Bescheid.«

Der Magister blinzelte empört. »Natürlich kann ich noch, obwohl die Sonne vom Himmel sticht, als wolle sie alle Weißen aus dieser Gegend vertreiben.«

»Dann ist es ja gut.«

»Wenn der Wille da ist, sind die Füße leicht, wie euer englisches Sprichwort sagt. Im Übrigen meldet sich seit geraumer Zeit mein Magen. Bin gespannt, ob die Gastlichkeit der Cimarrones über ein paar Maisfladen hinausgeht.«

»Ich hätte auch Hunger«, nickte Hewitt.

Moses löste sich von dem jungen Mann und kam zu ihnen zurück. »Das war Kango«, erklärte er freundlich. »Ich wollte ihn euch vorstellen, aber er bat mich, es zu lassen.«

»Nanu, sehen wir aus, als würden wir beißen?«, wunderte sich der kleine Gelehrte.

Moses lachte. »Nein. Aber Kango muss heute Abend seine Mutprobe bestehen, um in den Kreis der Krieger aufgenommen zu werden. Da hat er natürlich anderes im Kopf. Kommt, wir gehen zu Okumbas Haus, dort wartet eine Mahlzeit auf uns. Oder soll ich euch vorher noch mehr vom Dorf zeigen?«

»Da sei Gott vor!«, entfuhr es dem kleinen Mann. Und als Moses verständnislos guckte, setzte er eilig hinzu: »Der Christengott sieht es gern, wenn der Gläubige zur Mittagsstunde betet und Speise zu sich nimmt.«

Im großen Raum von Okumbas Haus saßen der Häuptling und eine Reihe seiner Krieger mit gekreuzten Beinen am Boden. Vor ihnen hatte man große Bananenblätter ausgebreitet, auf denen sich die unterschiedlichsten Speisen befanden, Nahrungsmittel, die allesamt wenig verlockend aussahen. Das Einzige, was die Freunde erkannten, waren ein paar gelbe Maiskuchen.

Okumba machte eine einladende Geste. »Setzt euch zu uns und lasst es euch schmecken. Normalerweise nehmen wir mittags nichts zu uns, aber dies ist ein besonderer Tag. Heute Abend findet die Mutprobe für einige unserer jungen Männer statt.«

Die Freunde setzten sich zögernd. »Wir hörten davon«, sagte Vitus. »Um was für eine Mutprobe handelt es sich denn?«

»Lasst euch überraschen. Ich habe entschieden, dass ihr daran teilnehmen dürft. Probiert mal dies.« Er gab Vitus ein Stückchen Fleisch in die Hand, knapp fingerlang und annähernd so dick. Die Form war wellig, das Äußere knusprig braun gebraten. Vitus führte es zum Mund und fragte: »Was ist es denn? Es duftet köstlich.«

»Es ist eine Larve, die sich hier zu Lande gern durch Baumstämme frisst. Im lebenden Zustand ist sie weißlich und fett. Es ist mühsam, sie zu sammeln, wie unsere Frauen sagen, aber es lohnt sich, denn sie schmeckt köstlich.«

Vitus war die zweifelhafte Delikatesse fast aus der Hand gefallen. Der Magister rettete die Situation, indem er rasch behauptete: »Verzeiht, Häuptling Okumba, aber der Gott der Christen verbietet es, ein Mahl mit Fleisch zu beginnen.« Er schob Vitus und den Freunden einen Maiskuchen zu, verschlang selbst einen und biss dann ohne zu zögern in die Larve.

Der Zwerg tat es ihm gleich. »Wui, wui, Herr Oberschwarzmann, der Engerling schmerft!«

»Euer Gott ist ein schwacher Gott«, entgegnete Okumba, und ein dünnes Lächeln umspielte seine Lippen. »Nicht nur, dass er euch Dinge aufbürdet, die sinnlos sind, wie das Verbot, eine Mahlzeit mit Fleisch zu beginnen, er ist nach meiner Erfahrung auch sehr vergesslich. Heute sagt er, dass vor ihm alle Menschen gleich sind, morgen heißt er es gut, dass die Weißen die Schwarzen versklaven. Übermorgen sagt er wieder, dass alle Menschen gleich sind, ändert aber nichts an dem vorhandenen Zustand. Ich an eurer Stelle würde mir andere Götter suchen. Unsere zum Beispiel. Wir wissen wenigstens, woran wir sind und was unsere Götter wollen.«

»Verzeiht.« Der Magister schluckte rasch seinen Bissen hinunter. »Unser Gott will wahrhaftig, dass alle Menschen gleich sind. Aber viele derjenigen, die Seinen Namen im Munde führen, wollen es nicht: Es sind alle die, die Seinen Willen nach ihrem Gutdünken auslegen. Zu ihrem eigenen Vorteil, wie sich denken lässt.«

»Natürlich. Solche Fälle gibt es in meiner Heimat, die ihr Afrika nennt, auch. Wir haben ebenfalls solche Menschen, es sind Geisterbeschwörer und Medizinmänner. Sie sagen uns, was unsere Götter wollen.«

»Seht Ihr, Häuptling Okumba!«

»Allerdings haben sie uns noch nie befohlen, die halbe Welt zu versklaven.«

»Nun, äh … zweifellos ist es so.«

»Und dass man ein Mahl nicht mit Fleisch beginnen darf, haben sie auch noch nie gefordert.« Der Riese grinste jetzt. »Aber es sind ja auch nur Schwarze.«

»Häuptling Okumba! Mein Freund Vitus und ich wissen um die Schwäche der Menschen, die den Willen des Christengottes nach ihren Wünschen ausdeuten, das kann ich Euch versichern. Wir haben sie leidvoll erfahren müssen, diese Schwäche, und wir verdanken ihr grausame Haft im Kerker, wo es wahrhaftig nicht solche Köstlichkeiten gab wie diese.« Der Magister knuffte Vitus heimlich in die Seite. »Es ist doch so. Nicht wahr, Vitus?«

»Oh, ja, ganz recht.« Vitus nahm sich zusammen, ergriff eine Larve und biss hinein. Wider Erwarten war ihr Geschmack fein und würzig und ein wenig nussig. »Äh, die Larven sind wirklich sehr gut.«

»Das freut mich«, antwortete Okumba. »Dann solltest du auch von den gerösteten Ameisen probieren.«

Erst als die Dämmerung hereinbrach, erhob sich Okumba mit seinen Kriegern von der Tafel. Die Geschmeidigkeit seiner Bewegungen hatte etwas gelitten, denn sein Magen war bis zur Berstgrenze gefüllt. Der Grund für die Ausgiebigkeit des Mahls lag in der Tatsache, dass er an Vitus Gefallen gefunden hatte, was im Übrigen auf Gegenseitigkeit beruhte. »Bleib, wir essen noch eine Kleinigkeit«, hatte der Riese ein ums andere Mal gerufen und laut nach weiterer Speise verlangt. »Du erzählst mir noch mehr von deinen medizinischen Künsten, und ich erzähle dir von dem Land, in dem alle Menschen von dunkler Hautfarbe sind.«

Zwei ältere Frauen des Dorfes, denen das Kochen für Okumba oblag, waren daraufhin mit immer neuen Speisen erschienen, darunter manches Gewohnte, aber auch viel Befremdliches, wie geröstete Laubheuschrecken, in Lehm gebackenes Gürteltier und gesottene Zungen vom scharlachroten Ara. Dazu hatte es Mais in jeder Darreichungsform gegeben. Am Ende war selbst der Magister so satt gewesen, dass er mehrfach nach einem Schluck *Aqua vitae* oder Ähnlichem verlangte, um seine Verdauungssäfte anzuregen.

Doch wie sich zeigte, gab es im Haus von Okumba nicht den winzigsten Schluck Alkohol, was den kleinen Gelehrten zwang, auch so auf die Beine zu kommen.

Während der Riese durch den Vorhang hinaus auf den Dorfplatz trat, erklärte er den Freunden mit ernster Miene: »Ich erweise euch die Ehre, mich zu einem besonderen Schauspiel begleiten zu dürfen. Es ist ein Ritual, das nur zweimal im Jahr stattfindet. Es geht der eigentlichen Mutprobe voraus und wird von meinen Kriegern überaus wichtig genommen. Bitte bedenkt, dass dabei nicht laut gesprochen werden darf.«

»Was geschieht denn da?«, fragte Vitus, der vor dem Gang noch rasch seine Gliedmaßen streckte. Er war es weder gewohnt, solche Mengen zu essen, noch dabei stundenlang auf dem Boden zu sitzen.

»Es ist ein Brauch, den ich als geborener Coramantier nicht in allen Einzelheiten kenne. Ich persönlich halte auch nicht viel davon, aber ich lasse die Männer gewähren. Solange sie mir sonst gehorchen, soll es mir recht sein. Wenn du mehr über diesen Kult wissen möchtest, frage ein paar Leute vom Stamm der Fon aus dem westlichen Afrika. Sie wohnen in unserem Dorf, ebenso wie die Mitglieder vieler anderer Stämme. Sicher hast du schon gemerkt, wie unterschiedlich die Menschen bei uns aussehen, auch wenn sie alle eine dunkle Hautfarbe haben. Wir sind eben eine Zuflucht für alle verfolgten Sklaven im karibischen Raum.«

Okumba hatte die Freunde unterdessen aus dem Dorf hinausgeführt und war ein paar hundert Schritte weiter im dichten Unterholz stehen geblieben. Er deutete auf einen kahl geschlagenen Platz, der in seinen Eckpunkten von vier brennenden Bodenfackeln erhellt wurde.

»Hier ist es«, sprach er mit gesenkter Stimme, »achtet darauf, dass ihr von den Tanzenden nicht gesehen werdet. Frauen und Kindern ist übrigens das Zusehen bei Strafe verboten, man sagt, es würde Unglück über die Familien der Beteiligten bringen.«

Während seiner Worte waren mehrere, mit kurzen Speeren bewaffnete Schwarze auf den Platz getreten. Vitus erkannte unter ihnen Kango, den Jüngling, der seine Mutprobe noch vor sich hatte. Die jungen Männer, die bis auf ein Schamtuch völlig nackt waren, bildeten einen Kreis, setzten sich und stimmten eine schwermütige Melodie an. Ihre Oberkörper schwangen dabei vor und zurück.

Links und rechts des Platzes traten weitere Schwarze hinzu. Sie waren mit Erdfarben bemalt und trugen große Trommeln. Wie auf ein geheimes Zeichen stellten sie sich zu beiden Seiten in einer Reihe auf und begannen ihre Instrumente mit der flachen Hand zu bearbeiten. Es war ein schwerer, eingängiger Rhythmus, den sie erzeugten, begleitet von dem auf- und abschwellenden Summen der Sitzenden.

Vitus sah, dass ein weiterer Mann auftauchte, der sich in seiner Kleidung von allen anderen unterschied. Er trug eine fratzenhafte Maske mit vielerlei Vogelfedern und ein bodenlanges Wollgewand aus bunten Streifen. An seinem Gürtel hingen zahlreiche Glöckchen, die bei jedem seiner Schritte klingelten. In seinen Händen hielt er eine große hölzerne Schüssel, die er feierlich im Kreis absetzte. Dann verteilte er daraus etwas nicht Erkennbares, das jeder Jüngling mit geschlossenen Augen zum Mund führte.

»Was tut er da?«, flüsterte Vitus.

Der Riese antwortete ebenso leise: »*Der Houngan,* also der Priester, gibt den Jünglingen *Nanacatl.* Das sind kleine schwarze, in Honig eingelegte Pilze. Meine Cimarrones haben diesen Brauch von den Indianern übernommen. Warum, weiß ich nicht, denn es lag vor meiner Zeit. Jedenfalls sind sie sicher, dass *Ewe wudu,* wie wir den Großen Schutzgeist nennen, daran Gefallen findet.«

»Und wozu dienen die Pilze?«

»*Nanacatl* enthält ein berauschendes Gift. Du wirst bald sehen, was es bewirkt.«

Inzwischen waren die Instrumente lauter geworden. Der Singsang der Sitzenden hatte sich verstärkt, ihre Oberkörper zuckten im Takt der Musik.

Der Magister raunte: »Ich verfluche den Piraten Jawy, dem ich es verdanke, dass ich hier wie ein blindes Huhn stehe. Hätte ich doch nur meine Berylle wieder! Ich erkenne nicht mehr als einen Farbenbrei!«

»Un ich späh gar nix, 's Gesprauß am Grund is gar zu dick.«

Hewitt schwieg wie so häufig.

Ein weiteres Mal gab der *Houngan* an die Sitzenden *Nanacatl* aus. Die dumpfen Schläge der Trommeln verstärkten sich. Ein Hahn stolzierte in den Kreis, ein verängstigtes Tier, von dem niemand der Zuschauer hätte sagen können, woher es so plötzlich kam. Der am nächsten Sitzende packte es an Kopf und Schwanz, stieß einen gellenden Schrei aus und hieb seine Zähne in den Hals. Es war Kango, der Jüngling, der später seine Mutprobe bestehen sollte. Der Hahn flatterte verzweifelt, wollte sich befreien, doch Kangos Biss war zu stark. Tiefer und tiefer gruben sich seine Zähne in das zuckende Fleisch. Nur Augenblicke später erlahmte die Gegenwehr des Vogels, er bäumte sich ein letztes Mal auf, die Krallen zuckten, dann war es vorbei.

Der *Houngan* riss dem Hahn den Kopf ab und hielt ihn wie eine Trophäe hoch. Dann lief er von Jüngling zu Jüngling und bespritzte jeden einzelnen mit dem hervorschießenden Blut, den Hahnenkopf dabei wie einen Weihwedel schwenkend.

Mit rot besudelten Gesichtern sprangen die jungen Männer auf, stießen Schreie aus, kehlig und guttural – Töne, deren Ursprung nicht mehr Mensch und nicht mehr Tier war. Sie schwangen ihre Speere, wurden wilder und wilder und begannen einen Stampftanz, der die Erde unter ihren Füßen erbeben ließ.

Der *Houngan* tanzte mit ihnen; er sprang um sie herum, warf sich vor ihre Speere, spielte mit ihnen, reizte sie, hüpfte vor und zurück und markierte schließlich eine halbrunde Linie am Boden, indem er mehrere Reihen von Knochen ausstreute. Die Knochen waren klein, es mochten Hühner- oder Katzenknochen sein, und sie wurden, trotz des ekstatischen Tanzes, kein einziges Mal von den Füßen der jungen Schwarzen berührt.

Endlich lief der *Houngan* zum hinteren Rand des Platzes, wo weitere Bodenfackeln von unbekannter Hand entzündet worden waren. Sie warfen rotgelbes Licht auf einen mannshohen, vielblättrigen Busch, der sich wie durch Zauberei teilte und den Blick freigab – auf eine Graspuppe. Eine Puppe, die ihrem ganzen Aussehen nach ein spanischer Infanterist war.

Sie trug eine echte metallene Sturmhaube mit dem typischen scharfen Kamm. Der *Houngan* trat vor sie, bespie sie und bespritzte sie mit dem Blut des Hahnenkörpers, dann schrie er mit weit geöffneten Armen seltsame Worte in den Nachthimmel: »*Awan aràn daia waran daria sere!*«

Vitus wandte sich leise an Okumba: »Was hat der *Houngan* gerufen?«

»Die Worte bedeuten: Halte die Augen offen, um den Feind zu erkennen. Und schweige!«

Ein Ruck war durch die Jünglinge gegangen. Sie standen stumm und steif, den Speer über der rechten Schulter haltend, mit den Augen Maß nehmend. Dann, als hätten sie sich abgesprochen, schleuderten alle gleichzeitig ihre Waffe auf den spanischen Soldaten.

Keiner der Speere fehlte. Ein halbes Dutzend Schäfte steckte in der Brust der Puppe, die sich nun, bedingt durch die Last, zur Seite senkte und ins Gras fiel.

Als wäre durch diese Handlung auch aus ihren Körpern alle Kraft gewichen, sanken die Jünglinge zu Boden. Stoßweise atmend lagen sie da. Der *Houngan* erschien erneut. Er hielt eine zweite Holzschüssel in der Hand, darin eine Flüssigkeit, von der er die Jünglinge trinken ließ.

»Was macht er jetzt?«, fragte Vitus.

»Er gibt den Jungen ein Gegengift, das die Wirkung von *Nanacatl* nahezu augenblicklich aufhebt. Was bleibt, ist eine Art Benommenheit, ähnlich jener nach zu viel Alkoholgenuss«, antwortete Okumba.

»Aber was soll das bezwecken?«

»Die Benommenheit, zusammen mit der Schwäche nach der körperlichen Anstrengung, soll die Mutprobe zusätzlich erschweren. Kommt mit. Wie ich bereits sagte, bin ich kein großer Anhänger dieses Kults, aber bei der anschließenden Mutprobe trete ich offiziell auf.« Okumba bog die Zweige des Unterholzes auseinander und schritt hinüber zu den Jünglingen.

Vitus und die Freunde folgten ihm. Im Schein der vielen Fackeln erkannten sie, dass die jungen Männer tatsächlich einen geschwächten, ja geradezu willenlosen Eindruck machten.

»Wo ist der *Houngan*?«, fragte Vitus den Riesen.

»Der Priester vergräbt den Hahnenkopf in geweihter Erde, an einem Ort, den niemand kennt. Der Hahn war ein Opfertier für *Ewe wudu*, damit er unsere jungen Männer bei dem, was nun kommt, schützt.«

»Wurde die Strohpuppe auch ›geopfert‹?«

Der Riese schüttelte den Kopf. »Nein, sie wurde getötet. Nach dem *Ewe wudu*-Glauben ist das gleichbedeutend mit dem Töten eines Spaniers aus Fleisch und Blut. Der Tod des Spaniers – oder aller Spanier – wird dadurch Wirklichkeit.«

Der kleine Gelehrte blinzelte erschreckt. »Beim Blute Christi, das will ich nicht hoffen! Ich bin schließlich ebenfalls Spanier!«

Der Riese lächelte. »Ich denke, du brauchst nicht um dein Leben zu fürchten, Magister. Es ist schwer vorstellbar, dass der Tod einer Strohpuppe das Dahinscheiden aller Spanier nach sich zieht. Um ehrlich zu sein, ich bezweifle sehr, dass dadurch auch nur ein einziger Don sein Leben lassen muss. Aber diesen Gedanken spreche ich lieber nur vor Fremden wie euch aus. Er wäre dem Kampfgeist meiner Männer abträglich. Und kämpfen können sie – wie der Teufel, vor dem ihr Christen euch so fürchtet.«

Okumbas Lächeln erlosch. »Tapferkeit und Todesmut sind lebenswichtig für uns. Wir können die Spanier nicht in offener Schlacht besiegen, dafür fehlt es uns an Waffen und Pferden. Wir kämpfen Mann gegen Mann. Möglichst in einem Gelände, das nur wir kennen. Wenn wir zuschlagen, dann kurz und mit aller Härte, anschließend ziehen wir uns sofort wieder zurück, und zwar auf unser Gebiet, hier im Dschungel. Hierher kommen die Dons nicht. Sie trauen sich nicht ohne ihre Feldschlangen. Dennoch sind sie nicht zu unterschätzen.«

Der Riese beobachtete die Jünglinge, deren Kräfte langsam zurückkehrten, und fuhr fort: »Die Spanier haben Männer von beispielloser Tapferkeit in ihren Reihen, doch ist die Tapferkeit der Cimarrones ungleich höher einzuschätzen. Denn unsere Männer kämpfen für die Freiheit, die Dons dagegen nur für Gold.«

Vitus blickte den großen Schwarzen ernst an. »Die Cimarrones können sich glücklich schätzen, einen Mann wie dich an ihrer Spitze zu haben.«

»Danke. Aber auch du, Vitus, bist ein guter Anführer; ich habe einen Blick für so etwas. Du weißt deshalb, wie wichtig es ist, bedingungslos zusammenzuhalten. Bei den Cimarrones ist jeder Krieger gleichzeitig Familienvater. Manche meiner Männer sind es sogar in mehrfacher Hinsicht. Sie haben zwei oder drei Frauen und zehn, zwölf Kinder. Glaub mir, die wissen, wofür sie kämpfen. Freiheit und Familie und für viele auch *Ewe wudu* – das sind die Werte, die das Leben ausmachen und den Zusammenhalt bringen.«

Der Zwerg platzte dazwischen: »Sach, Oberschwarzmann Okumba, hat der Hokuspokusmacher auch 'ne Keife?«

Der Riese runzelte die Brauen.

»Der Abrakadabrahannes, ob der 'ne Schickse hat, 'ne Spalte, 'n Törchen, 'ne Stemme, 'ne Frau?«

»Du meinst, ob der *Houngan* mit einer Gefährtin zusammenlebt? Ja, so ist es. Er hat sogar Kinder. Wenn er nicht Priester ist, ist er ein ganz normaler Krieger wie jeder andere auch.«

»Interessant!« Der kleine Gelehrte spitzte die Lippen. »Kennen wir ihn?«

»Allerdings. Es ist Dongo. Er kam vor ein paar Jahren zu uns, wie Ktiko mir erzählte. Und wie alle, die ihren Herren glücklich entkommen sind und zu uns finden, fragte er anfangs, was die Cimarrones eigentlich sind. Nun, die Antwort fällt nach wie vor schwer. Wir sind kein Stamm, denn wir bestehen aus vielen Stämmen, und wir sind kein Volk, denn wir haben kein Land, jedenfalls nicht offiziell. Wir haben keinen König und keine Armee, keine Bauern und keine Handwerker. Wir haben nur unseren Kampfgeist und unseren Überlebenswillen. Wenn überhaupt, dann sind wir so etwas wie eine Gemeinschaft oder ein Geheimbund, mit gewählten Oberhäuptern und dazugehörigem Rat.«

Vitus fragte: »Ihr verteilt euch auf die verschiedensten Gebiete in der Karibik, nicht wahr? Wie viele von euch gibt es überhaupt?«

»Ich weiß es nicht genau. Aber ich würde es dir auch nicht sagen, wenn ich es wüsste. Nicht, weil ich dir misstraue, sondern weil die Spanier bei Bedarf jede Information aus einem Mann herausfoltern.«

»Wem sagst du das«, pflichtete der Magister bei.

»Deshalb antworte ich euch mit Zahlen, die von den Dons selbst stammen. Sie schätzen, dass mehr als siebentausend Cimarrones in den Bergen von Hispaniola leben, hier, in den Urwäldern von Panama, an die dreitausend und auf Kuba nochmals Tausende.«

Der kleine Gelehrte pfiff anerkennend. »Ein hübsches Sümmchen, das da zusammenkommt. Und überall lebt der Cimarron mit Familie?«

»Ich denke, ja.«

»Und du? Wenn die Frage gestattet ist: Hast du eine Familie?«

»Nein.« Okumbas Gesicht verzog sich schmerzlich. »Ich hatte eine Frau, drüben, in dem großen, schönen Land über dem Meer. Ich weiß nicht, was aus ihr geworden ist. Die Sklavenfänger überfielen mich und meine Schwester, als wir auf dem Weg in ein Nachbardorf waren. Wir hatten keine Möglichkeit der Gegenwehr. Sie fesselten uns und brachten uns auf einen ihrer ›Guineamen‹, wie sie ihre Sklavenschiffe nennen. Es war schrecklich.«

»Das tut mir aufrichtig Leid.« Spontan drückte der kleine Mann die Hand des Riesen. »Was ist denn aus deiner Schwester geworden?«

»Darüber möchte ich nicht sprechen.« Okumba zog seine Hand zurück. »Vielleicht ein andermal.« Er blickte den Jünglingen forschend in die Augen und las darin neue Kraft. »Ich denke, wir gehen jetzt zum Ort der Mutprobe. Folgt mir.«

Vitus sah, dass Dutzende von Kriegern, die wie Trolle aus der Dunkelheit des Urwalds zu wachsen schienen, sich ihnen anschlossen. Sie alle mussten schon das Ritual für *Ewe wudu* mit angesehen haben und wollten sich nun auch die Mutprobe nicht entgehen lassen.

Plötzlich standen sie vor einer runden Lichtung, die kaum acht Schritte im Durchmesser maß. Sie wurde begrenzt von einer hüfthohen Brüstung aus schweren Holzstämmen und war vergleichsweise hell erleuchtet, denn an ihrem Rand stand alle zwei Schritte eine Fackel. »Hier wird es sein«, bemerkte Okumba und stellte sich, wie alle anderen Krieger auch, an die Brüstung. »Seid ihr bereit?«, wandte er sich an die Jünglinge.

»Wir sind es«, antworteten sie.

»Gut. Ihr seid zusammen sechs. Es wird zwei Kämpfe geben. Habt ihr schon überlegt, wer mit wem eine Gruppe bildet?«

»Ja, Okumba.«

»Seid ihr euch einig, welche Gruppe beginnt?«

»Ja, Okumba.« Es war Kango, der sprach. »Unsere Gruppe beginnt, wenn du einverstanden bist.«

»Natürlich.« Die Stimme des Riesen klang unbeteiligt. Offenbar wollte er den Jünglingen in keiner Form, nicht einmal durch ein aufmunterndes Wort, Hilfe geben. »Nehmt eure Speere und betretet den Kreis.«

Kango und zwei andere junge Männer kletterten über die Brüstung auf den Kampfplatz. Sie stellten sich in der Mitte auf und rammten die Speere in den Boden.

»Gut.« Okumba richtete sich zu seiner vollen Höhe auf. Im Schein der Fackeln hatte seine Erscheinung etwas Gespenstisches.

> »Cimarrones!
> Mit dem Hahnenopfer haben wir den Schutzgeist
> Ewe wudu milde gestimmt, damit er uns Kriegsglück
> gegen die Spanier schenkt. Verflucht seien sie!
> Aber wir haben Ewe wudu nicht nur dafür geopfert.
> Wir bitten ihn auch, dass er unseren jungen Kämpfern
> bei der Mutprobe den Arm stärkt.
> Denn starke Arme werden sie brauchen.
> Wir haben zwei Gruppen zu je drei Mann gebildet.
> Beide Gruppen treten gegen ein wildes Tier an.
> Sie wissen nicht, gegen welches.

Das Tier muss getötet werden. Erst wenn es tot ist,
ist die Probe bestanden.
Und nun, Cimarrones, erfleht nochmals den Beistand
von Ewe wudu oder auch dem Christengott,
an wen immer ihr glaubt …
Für unsere angehenden Krieger!«

Okumba schwieg und senkte den Kopf. Er selbst schien auch zu beten und sich zu sammeln. Dann, unvermittelt, hob er die Arme und rief: »Die Mutprobe möge beginnen!«
Ein Raunen ging durch die dicht gedrängt an der Brüstung stehenden Krieger. Durch das unruhige Fackellicht wirkte die Vielzahl ihrer Körper wie ein einziger schwarzer wabernder Block. Rufe wurden laut. Anfeuerungen waren zu hören. Erwartungsvolle Spannung lag in der Luft. Die drei Kämpfer in der Mitte des Platzes hatten sich bis jetzt nicht gerührt, doch als nun auf der gegenüberliegenden Seite die Absperrung geöffnet und ein zwanzig Fuß langer, flacher Käfig hereingeschoben wurde, kam Leben in sie. Sie ergriffen ihre Speere und sprangen zurück.
Ein junger Mann, fast noch ein Knabe, erschien wie aus dem Nichts, lief leichtfüßig über die Gitterstäbe des Käfigdachs zur Stirnseite und riss die dort befindliche Tür nach oben heraus. Kaum hatte er das getan, eilte er an das Käfigende zurück und ergriff einen von außen herangereichten Speer. Noch immer auf dem Dach stehend, senkte er die Waffe geradewegs durch die Stäbe, schien Maß zu nehmen und stieß endlich mit aller Kraft die Spitze nach unten.
Einen Wimpernschlag später war ein gewaltiges Zischen zu hören, der Käfig schien Beine zu bekommen, bewegte sich nach vorn, und an seiner Stirnseite schoss schlängelnd ein Krokodil heraus.
Ein Stöhnen ging durch die Zuschauer.
Die drei angehenden Krieger sprangen einen weiteren Schritt zurück, fast an die Brüstung heran, denn die Panzerechse war groß, erschreckend groß. Sie maß gut fünfzehn Fuß in der Länge, und ihr mit verknöcherten Hornplatten bewehrter Körper nahm einen Großteil des Kampfplatzes ein.
Der Käfig wurde von unsichtbaren Händen zurückgezogen und verschwand durch das Loch in der Absperrung.

Kein Laut war zu hören. Das Reptil verharrte regungslos, als wäre es aus Stein. Nicht der kleinste Funke Leben schien in den aufgesetzten Augen zu wohnen. Die Jünglinge standen in gespannter Haltung da, den Speer bereit zum Stoß. Von außen wurde ein Netz über die Brüstung geschleudert und blieb zwischen ihnen und der Echse liegen. Irgendeine Stimme rief: »Holt es euch!«

Das Krokodil ständig beobachtend, rückten die Jünglinge zusammen. Sie schienen zu beratschlagen, wie sie ohne Gefahr an das Netz herankommen konnten.

In die Stille hinein meldete sich der Zwerg: »Ich späh nix.« Seine Stimme klang quengelig. Er war der Einzige, der nicht über die Brüstung sehen konnte. Ohne ein Wort zu verlieren, griff Vitus zu und hob ihn sich auf die Schultern.

»Wui, gramersi, knäbbig, knäbbig, ich späh …« Doch als er des Ungeheuers angesichtig wurde, verschlug es dem kleinen Kerl die Sprache.

Kango und seine Kameraden hatten unterdessen einen Entschluss gefasst. Einer von ihnen, es war der Kleinste und Behändeste, schob sich Zoll für Zoll nach vorn, die Bestie dabei keinen Moment aus den Augen lassend. Er umfasste seinen Speerschaft mit beiden Händen am äußersten Ende, gerade so wie den Griff eines zweihändigen Schwerts. Zwischen ihm und der Spitze, mit der er das Netz aufzunehmen gedachte, befand sich auf diese Weise die gesamte Länge des Speers – ein Abstand, von dem er hoffte, dass er bei einem Angriff des gepanzerten Untiers ausreichen würde.

Die eiserne Spitze schob sich in eine der Maschen, wurde hochgehoben – und verlor das Netz wieder.

Die Menge keuchte. Ein Spaßvogel rief: »Die Echse ist harmlos. Meine Schwiegermutter ist gefährlicher!«

Verhaltenes Gelächter.

Wieder schob sich die Speerspitze in eine Masche, grub sich dabei etwas in den Boden, wurde angehoben und glitt erneut heraus. Der Besitzer versuchte es von vorn – und stand jählings in einer mächtigen, alles verdeckenden Staubwolke. Die Echse hatte zugeschlagen, heimtückisch, unverhofft und schneller als ein Chamäleon seine Zunge entrollt. Ein hässlicher, knackender Laut war hinter der grauen Wolke zu vernehmen, und ein Schauer durchlief die Menge. Als der Staub sich gelegt hatte, lag in der Mitte des Platzes das Netz. Und in ihm, zersplittert und zerbrochen, die Reste des Speeres.

Die Echse selbst offenbarte sich erst auf den zweiten Blick. Sie stand auf ihren vier Beinen, das dreieckige Maul halb geöffnet, an der gegenüberliegenden Seite der Brüstung.

Den drei angehenden Kriegern war nichts zugestoßen. Sie waren kampffähig wie zuvor, wenn man davon absah, dass sie einen Speer eingebüßt hatten.

Als wäre nichts geschehen, ließ das Reptil sich auf seinen Bauch nieder und klappte die Schnauze zu. Von dem Mordgebiss war nichts mehr zu sehen, nur zwei Unterkieferzähne ragten seitlich spitz hervor.

Langsam bewegte sich Kango zur Mitte. Er konnte dies einigermaßen gefahrlos tun, denn der Abstand zur Echse war nun sehr viel größer. Er bückte sich, nahm das Netz auf und trat damit rasch wieder zurück. Nachdem er die Reste des Speers entfernt und die Maschen entflochten hatte, begann er das Netz wie ein Fischer auszuwerfen.

»Warum macht er das?«, fragte Vitus leise in Richtung Okumba. Der Riese, dessen Kopf sich auf einer Höhe mit dem des Zwergs befand, antwortete: »Er versucht, das Netz über den Rücken des Reptils zu werfen, in der Hoffnung, dass es sich in den Hornplatten verfängt. Ist das gelungen, wird er sich bemühen, das Tier umzudrehen, damit seine Kameraden ihm ihre Speere ins Herz rammen können. Ein Krokodil ist nur auf seiner Unterseite verwundbar. Der Panzer ist so hart, dass die beste Waffe dagegen nichts ausrichten kann. Das gilt übrigens auch für Musketenkugeln. Ich habe es selbst gesehen.«

»Un haste schon mal Echsenfleisch gepickt, Oberschwarzmann?«, fistelte der Zwerg.

»Ja, es ist durchaus genießbar. Die Spanier behaupten, es schmecke ähnlich wie Pferdefleisch. Doch nun lasst uns sehen, ob die Jungen die Mutprobe bestehen.«

Das Netz, von Kango immer wieder geworfen, hatte sich mittlerweile in den harten Schuppen des Reptilrückens verhakt. Der Jüngling begann zu ziehen. Zuerst stetig, dann ruckartig, dann nach links, nach rechts, doch es schien, als sei die Echse mit dem Erdboden verwachsen. Sie rückte und rührte sich nicht. Kangos Kameraden legten die Speere beiseite und sprangen ihm zu Hilfe. Mit vereinten Kräften versuchten sie es erneut. Jetzt ging es besser. Ein paar Mal wurde das Tier durch den Zug des Netzes angehoben. Aber es drehte sich nicht, es rutschte lediglich und hinterließ eine breite Spur im Sand.

Dann griff es an.

Blitzartig schoss es vor, das Maul mit den nadelspitzen Zähnen weit geöffnet, und schnappte zu – ins Leere.

Kango und seinen Kameraden war es gelungen, im letzten Augenblick auszuweichen. Wieder stand die Echse stumm wie ein Fels, so als hätte sie sich niemals bewegt. Doch mit einem Unterschied: Ihr Maul war kaum einen Fuß entfernt von Mbaka, dem kleinsten und behändesten der Jünglinge. Und Mbaka lag am Boden, denn er war beim Fortspringen gefallen.

Würde die Echse abermals zuschnappen?

Längst war es totenstill hinter der Brüstung geworden. Nur die Laute des Dschungels drangen vereinzelt herüber. Zoll für Zoll, mit unendlicher Vorsicht, hob Mbaka seinen Oberkörper, keinen Blick von dem Furcht einflößenden Maul lassend. Als er sich halb aufgerichtet hatte, atmete er durch und wollte mit einem Satz davonspringen.

Doch dazu kam es nicht.

Mbaka hatte sich mit dem Fuß in einer Netzmasche verfangen und fiel erneut. Er fiel in einen riesigen Wirbel aus Staub und Schuppen und Zähnen.

Die Echse hatte abermals zugestoßen.

Und diesmal hatte sie ihr Opfer gepackt. Es gab einen knirschenden, malmenden Laut, einen gellenden Schrei, und als der Staub sich gelegt hatte, sahen die Zuschauer mit Grauen, dass Mbaka der rechte Arm fehlte. Er ragte wie ein Ast aus dem Maul der Bestie, die sich bereits wieder an die Brüstung zurückgezogen hatte, dort stocksteif verharrend.

Mbaka schrie fortwährend weiter und wälzte sich vor Schmerzen am Boden. Eine Blutlache bildete sich schnell, breitete sich aus und erreichte Kango, der dadurch zur Besinnung kam. In seinem Gesicht arbeitete es. Er blickte von Mbaka zur Bestie und wieder zurück. Was sollte er tun? Mbaka zu Hilfe kommen oder ihn vor weiterem Unheil bewahren? Dann hatte er sich entschieden: Er nahm das Netz auf und warf es erneut über die Echse. Wie als Antwort kam ein zweites Netz von der Brüstung hereingeflogen und bedeckte sie ebenfalls. Ein drittes folgte.

Jetzt war der Bann gebrochen. Mehrere Cimarrones sprangen in den Kreis, bewaffnet mit Schwertern und Speeren, um Kango und seinem Kameraden zu helfen. Pfeile wurden auf die Augen der Echse abgeschossen, Fackeln aus dem Boden gerissen und das Reptil damit beworfen. Der Schwanz des Tiers begann den Boden zu peitschen, es wollte flüchten, doch die Netze hielten es umklammert. Die Männer grölten vor Lust und vor Angst und zerrten an den Maschen, bis die Bestie rücklings im Sand lag – hilflos den Speeren ausgeliefert, Mbakas Arm noch immer im Maul. Wie im Rausch waren die Männer über dem Tier; sie hieben, hackten, stießen in seinen weichen Leib, bis es vollständig zerstückelt war.

Mbaka schrie nicht mehr. Eine gnädige Ohnmacht hatte ihn von seinen Schmerzen erlöst. Vitus hockte neben ihm und untersuchte die Wunde. Sie sah grauenhaft aus. Der Arm war am Rumpf mitsamt der Gelenkkugel abgetrennt worden. Blut quoll weiter in Stößen hervor. Wenn Mbaka überleben sollte, musste die Stelle sofort abgebunden werden. Doch wie band man einen Arm ab, der nicht mehr vorhanden war?

Vitus riss sich das Hemd vom Leib und stopfte es in die Wunde, während er fieberhaft überlegte, was zu tun sei. Eine derart große Verletzung konnte nicht gekautert werden, schon deshalb nicht, weil es so große Brenneisen nicht gab. Auch war kein ausreichendes Feuer in der Nähe. Gab es denn überhaupt eine Möglichkeit?

Sein Hemd war bereits halb durchgeblutet. Er nahm es aus der Wunde und stopfte es von der anderen Seite hinein. Eine Idee kam ihm. Ja, es gab ein großes, prasselndes Feuer! Er hatte es bei den beiden alten Frauen gesehen, die für Okumba das Essen zubereiteten. Über diesem Feuer hatte ein Kessel gehangen, mit rot glühendem Boden, wohl weil die Alten vergessen hatten, ihn mit Wasser zu füllen …

»He, Magister, he, Enano, lauft zurück ins Dorf zu den beiden alten Weiblein, die für den Häuptling kochen. Sie sollen ihr Feuer so hell wie noch nie anfachen. Ich brauche weiße Glut, viel weiße Glut!«

»Willst kautern, wie?«, versetzte der kleine Gelehrte. »Und mit was für einem Eisen?«

»Mit dem Kesselboden.«

Der Magister riss ungläubig den Mund auf. Dann machte er ihn wieder zu. »Sind schon unterwegs!«

»Wui, wui, haste, was kannste!«

»Beeilt euch!« Vitus schaute sich um. »Okumba!«

Der Riese, der alle Hände voll zu tun gehabt hatte, seine wild gewordenen Cimarrones zur Vernunft zu bringen, blickte fragend herüber.

»Ich brauche eine Trage oder so etwas, um Mbaka ins Dorf zu transportieren. Es muss rasch gehen!«

Der Häuptling eilte heran. »Eine Trage ist nicht das Richtige. Sie verlangt an jeder Ecke einen Mann, und die Pfade im Urwald sind schmal. Ich nehme Mbaka auf den Rücken.« Ohne ein weiteres Wort lud er sich den leblosen Körper auf die Schultern, ein Unterfangen, das schwieriger war als gedacht, denn Mbakas willenlose Gliedmaßen entglitten immer wieder seinen zupackenden Händen. »Was hast du vor?«, fragte der Riese, während seine Linke hochfuhr, um Mbakas Kopf abzustützen.

Vitus sagte es ihm, während sie sich in Marsch setzten.

»Du bist sicher ein guter Arzt, Vitus«, meinte der Häuptling zweifelnd, während er, trotz seiner erheblichen Last, leichtfüßig ausschritt, »aber ich glaube, Mbaka können nur noch die Geister helfen. Niemals zuvor sah ich, dass eine solche Verletzung geheilt werden konnte.«

Vitus biss sich auf die Lippen. Er hastete zusammen mit Kango hinter dem Riesen her. »Jeder Augenblick zählt!«, stieß er hervor. »Denn mit jedem Augenblick verliert Mbaka mehr Blut.« Er drückte Kangos Hemd gegen die Wunde, denn sein eigenes war bereits völlig durchtränkt. Und noch immer tropfte das Blut heraus.

»Da vorn ist es schon«, rief Okumba unvermittelt. »Wir sind da! Das Dorf ist erleuchtet, als gäbe *Ewe wudu* sich persönlich die Ehre.«

Kurz darauf zeigte sich, dass in Okumbas Haus alles aufs Beste vorbereitet war. Das Feuer im Küchenraum der alten Frauen prasselte, und der Kesselboden glühte fast weiß. Der Magister hielt das eiserne Gerät am Henkel bereit. Vitus sprang hinzu und rief: »Okumba, leg Mbaka draußen im Gras ab, dreh ihn auf die Seite, die Wunde nach oben.«

Er nahm den Kessel an der Kette auf und wog ihn in der Hand. Wenn er den Boden auf die Wunde drückte, würde es eine Verbrennung geben, wie er sie sein Lebtag noch nicht gesehen hatte. Es würde zischen und qualmen und stinken, aber die Blutung würde zum Stillstand kommen. Vielleicht würde die Verbrennung auch zum Tode führen, denn er hatte nichts, um sie zu behandeln. Nichts außer ein paar Zwiebeln, die er auf die gekauterte Wunde legen konnte.

Mit diesen Gedanken eilte er nach draußen, dorthin, wo Okumba den Schwerverletzten abgelegt hatte. Mbaka lag da wie ein erlegtes Wild, und sein Gesicht hatte jenen Ausdruck, vor dem Vitus sich die ganze Zeit gefürchtet hatte.

Es war der Ausdruck des Todes.

»Trink erst einmal etwas, das wird dir gut tun.« Eine gute Stunde war seit Mbakas Tod vergangen, und Okumba, der mit den Freunden in seinem großen Haus saß, hielt Vitus eine Schale mit roter Flüssigkeit hin.

»Ich mache mir die größten Vorwürfe. Immer wieder frage ich mich, ob es nicht besser gewesen wäre, mit Mbaka am Ort der Mutprobe zu bleiben und dort zu versuchen, die Blutung zu stillen.«

»Es wäre aufs Gleiche hinausgekommen, glaub mir. Das Blut floss aus der Wunde wie aus einem Stiefel ohne Sohle«, erwiderte der Riese betont sachlich. »Es mag dir grausam erscheinen, aber unsere Mutproben bringen solche Verletzungen häufiger mit sich. Niemand käme deshalb auf die Idee, sie abzuschaffen. Es ist immer noch ehrenvoller, bei einer Mutprobe zu sterben, als auf der Folterbank der Spanier. Wir werden die Prüfung demnächst wiederholen. Mbaka ist tot, das ist nicht zu ändern. Er wird von allen betrauert werden, wie es die Sitte verlangt. Danach wird er in das Land seiner Götter eingehen – mit Unterstützung des *Houngans*. Nun nimm schon die Schale.«

»Was du sagst, klingt in der Tat sehr hart.« Zögernd griff Vitus nach dem Gefäß.

»Nur wer hart ist, kann hier überleben. Koste jetzt.«

351

Vitus gehorchte. »Das ist ja Wein! Ich dachte, in deinem Haus gäbe es keine Rauschgetränke?«

»Gibt es auch nicht. Bei besonderen Anlässen wie diesem mache ich allerdings eine Ausnahme.«

»Willst du selbst nichts trinken?« Vitus wollte die Schale zurückgeben.

»Ich trinke nie und nehme niemals berauschende Drogen. Beides schwächt auf Dauer nur.«

Vitus reichte die Schale an den Magister weiter, der zunächst die Augen schloss und den Duft des Rebensaftes einatmete, bevor er schlürfend kostete. »Ein gutes Tröpfchen und, wie es scheint, ein spanisches dazu«, meinte er anerkennend, um danach ernst fortzufahren: »Ich trinke darauf, dass Mbakas Seele ewiges Leben beschieden sein möge.« Er wischte sich den Mund. »Weißt du, Okumba, mit dem Alkohol ist es wie mit allen Drogen: In Maßen genossen ist er gesund, im Unmaß jedoch von Schaden. Betrüblich ist nur, dass die meisten Menschen das rechte Maß nicht kennen.« Er gab die Schale an Enano weiter.

Vitus war in Gedanken noch immer bei Mbakas Tod. »Ich hätte Dongo zu Rate ziehen sollen. Möglicherweise kennt er Arzneien aus dem Urwald, die mehr vermögen, als ich mir vorzustellen vermag.«

»Dongo war zu dem Zeitpunkt gar nicht da«, erwiderte der Riese. »Er vergrub den Hahnenkopf in geweihter Erde. Nein, wenn jemand Mbaka hätte retten können, dann wären es die Geister gewesen. *Ewe wudu* oder *Bondye* oder die *Loas*.«

»Oder Gott der Allmächtige«, entgegnete Vitus. »Seinem Ratschluss obliegt es, wie unser Leben verläuft. Ob wir alt werden oder jung sterben. Ob wir glücklich sind oder verzweifelt. Ob wir Feinden begegnen oder Freunden. Ich hätte mir niemals träumen lassen, dass ich einem Mann wie dir, Okumba, eines Tages gegenübersäße. Normalerweise würde ich jetzt auf Greenvale Castle im guten alten England sein.«

»Und ich in meinem Dorf am schönen Fluss Pra«, seufzte der Riese. »Unsere Geister, oder vielleicht auch euer Christengott, wollten es, dass Mbaka stirbt. Genauso, wie sie wollten, dass meine Schwester und ich von den Sklavenjägern gefangen wurden.«

Okumba griff nach einem Wasserkrug und trank in langen Zügen. »Du, Magister, hast mich gefragt, was aus meiner Schwester geworden ist, und ich wollte dir nicht antworten. Jetzt will ich dir erzählen, was sich zugetragen hat: Die Sklavenjäger schafften uns zur Küste, wo wir auf ein Schiff verladen wurden. Außer uns waren schon über hundert Menschen an Bord. Männer, Frauen und Kinder. Man hatte auf dem Oberdeck Verschläge gebaut, in die man uns Männer hineinpferchte. Frauen und Kinder durften sich frei bewegen, allerdings nur unter strenger Bewachung. Wer von uns gedacht hatte, die Reise würde bald beginnen, sah sich getäuscht. Es vergingen noch Wochen, bis die erforderliche Sklavenzahl erreicht war, die eine Überfahrt lohnend machte. Und während der ganzen Zeit, die wir in diesem elenden, menschenunwürdigen Zustand verbrachten, baute der Zimmermann Zwischendecks ein. Wisst ihr, wie hoch so ein Zwischendeck ist?«

Okumba nahm einen weiteren Schluck Wasser. »Ihr könnt es nicht wissen. Es sind ganze vier Fuß, das heißt, bis auf die Kinder konnte niemand in diesen Decks aufrecht gehen. Aber wir brauchten es auch nicht, denn wir wurden liegend angekettet. Schulter an Schulter, Kopf an Kopf, wie die Sardinen in der Kiste. Zuletzt waren wir dreihundert Menschen, und der Gestank, der von dem Schiff ausging, war so bestialisch, dass manche daran erstickten. Andere wollten sich selbst ersticken. Es waren diejenigen, die zum Schiff gerudert wurden und dabei ins Wasser springen konnten. Sie tauchten einfach unter und blieben so lange unten, bis der Tod sie erlöste. Sie wollten lieber sterben als in Gefangenschaft gehen.«

»Es ist furchtbar, wozu Menschen fähig sind«, murmelte kopfschüttelnd der kleine Gelehrte. »Es muss der Bocksbeinige persönlich sein, der sich ihrer bemächtigt, anders ist es nicht zu erklären. Ich brauche noch einen Schluck Wein.«

»Die Überfahrt des Sklavenfahrers in die Neue Welt dauerte zwei Monate. In dieser Zeit starben mehr als ein Drittel von uns unter den entsetzlichsten Umständen. Mehrmals wollten wir ausbrechen, aber jedes Mal wurde der Aufstand brutal niedergeschlagen. Am schlimmsten war es, wenn Matrosen nachts heimlich unter Deck kamen, um unsere Frauen zu schänden. Es war streng verboten, aber sie taten es trotzdem. Einmal versuchte es einer bei meiner Schwester. Ich erdrosselte ihn mit meiner Kette und warf seinen Körper vor den Niedergang. Sie fanden nie heraus, wer ihn getötet hatte.

Endlich landeten wir in Habana, das ist eine Stadt auf Kuba, wo wir von einem Sklavenhändler namens Sanceur aufgekauft wurden. Er behandelte uns recht gut, ließ Essen in uns hineinstopfen, damit wir wieder zu Kräften kamen. Dann kam der Tag, als meine Schwester und ich von einem vierschrötigen Mann gekauft wurden. Er war ein Tabakpflanzer. Vom ersten Augenblick an hatte er Blicke auf meine Schwester geworfen, und mir war klar, dass er sie nicht als Arbeitskraft wollte. Ich sollte Recht behalten.

Die Insel, auf der er seine Tabakfarm hatte, war ein schönes Eiland, doch der Empfang, den man uns bereitete, war alles andere als schön. Sowie wir an Land waren, brannte man uns die Initialen unseres neuen ›Herrn‹ in die Haut, hier …« Okumba beugte sich vor und deutete auf seine linke Schulter. »TC – für Thomas Collincourt, so hieß das Schwein. Er vergewaltigte meine Schwester noch am selben Tag. Ich habe ihn dafür getötet, ich …«

»Halt!« Vitus war aufgesprungen. Er schrie fast: »Wie hieß der Mann? Sag, wie hieß der Mann?«

»Thomas Collincourt. Warum?«

»Und die Insel?«

»Roanoke Island. Warum regst du dich so auf?«

»Roanoke Island!« Ein Zittern durchlief Vitus' Körper, als er sich zurücksinken ließ. »Du warst auf Roanoke Island! Ich … ich …« Er hatte Angst, die alles entscheidende Frage zu stellen. Doch es musste sein, und er zwang sich dazu. »Okumba, ich frage dich jetzt etwas, das von großer Wichtigkeit für mich ist: Hast du auf dieser Insel eine junge Frau namens Arlette gesehen?«

»Arlette?«, wunderte sich der Riese. »Ja, natürlich. Arlette war eine Weiße. Sie war mit dem Schwein Thomas verwandt. Aber im Gegensatz zu ihm war sie ein feiner Mensch, ja, das war sie.« Okumba rollte mit den Augen, denn ihm kam ein ungeheurer Gedanke. »Kennst du sie etwa? Du kennst sie, hab ich Recht?«

Vitus antwortete mit einer Stimme, die ihm selbst fremd vorkam. »Ja, ich kenne sie … und ich liebe sie. Weißt du, was aus ihr geworden ist? Du musst es mir sagen! Wo kann ich sie finden? Ist sie noch auf Roanoke?« Er sprach immer schneller, immer hektischer. »Ich muss sie finden! Ich muss! Nur ihretwegen haben meine Freunde und ich die ganzen Strapazen der letzten Monate ertragen. Wo ist sie? Wo ist sie?«

Angesichts des leidenschaftlichen Ausbruchs war Okumba zurückgefahren. Nun hob er beruhigend die Hand. »Ich weiß nicht, wo sie ist, ich schwöre es, ich weiß es nicht. Ich weiß nur, was ich mit ihr erlebte.«

Der Magister, praktisch wie immer, schob ein: »Ich schlage vor, Vitus, Okumba erzählt der Reihe nach. Auf die paar Augenblicke kommt es nun auch nicht mehr an.«

»Einverstanden.« Mühsam hielt Vitus sich zurück.

»Nun gut«, Okumba sammelte sich. »Es fällt mir nicht leicht, über die Ereignisse zu sprechen. Alles ist noch so frisch in meinem Gedächtnis, als wäre es gestern gewesen. Ich sagte schon, dass Thomas Collincourt, das Schwein, meine Schwester vergewaltigte. Ich erwischte ihn, wie er keuchend auf ihr lag, seinen widerlichen weißen Schwanz in sie stoßend. Ich hatte mir ein Messer aus der Küche besorgt. Es war groß und scharf. Ich stieß es ihm in den Rücken. In diesem Augenblick kam eine rothaarige Frau zur Tür herein. Es war Arlette, aber das wusste ich zu dem Zeitpunkt noch nicht. Sie hielt eine Pistole in der Hand, eine Waffe, von der ich wusste, dass sie wie eine Muskete funktionierte. Ich erschrak zu Tode, und sie sagte irgendetwas, das ich nicht verstand. Aber ich war sicher, dass sie mich töten würde.«

»In welchem Monat war das?«, fragte Vitus, der atemlos gelauscht hatte.

»In dem Monat, den ihr ›Juni‹ nennt. Es war im letzten Jahr.«

Vitus nickte. Arlette musste zu jenem Zeitpunkt schon mehrere Monate auf der Insel verbracht haben, zusammen mit Thomas Collincourt, ihrem Onkel. Er beschloss, Okumba nichts von dem verwandtschaftlichen Grad zu sagen, der ihn mit Thomas verband, zumal er den Mann nie gekannt hatte und sein Tod ihm keineswegs nahe ging. »Was geschah weiter?«

»Sie tötete mich nicht, sondern bedeutete mir, Thomas' toten Körper von meiner Schwester herunterzunehmen, was ich auch tat. Im selben Augenblick drangen die Indianer durch die Tür ein.«

»Indianer? Was für Indianer?«

»Es waren Algonkins, wie ich später erfuhr. Sie wollten die Insel zurückerobern, die seit altersher zu ihrem Jagdgebiet gehört. Schreiend brachen sie in Collincourts Haus ein und stürzten sich auf uns. Sie hatten Kriegskeulen, Speere und Bogen – alles Waffen, die ich kannte und vor denen ich mich nicht fürchtete. Ein Nahkampf entspann sich, und ich hatte das Glück, zwei, drei von ihnen mit dem Küchenmesser unschädlich machen zu können. Die anderen entdeckten Thomas, das Schwein, und schlugen ihre Kriegskeulen in seinen Körper, obwohl er schon tot war. Sie müssen ihn bis aufs Blut gehasst haben. In dem allgemeinen Tumult gelang es mir, mit den Frauen zu entkommen. Wir liefen über den Hof in das nächstgelegene Waldstück, wo wir uns versteckten. Die Algonkins waren wie von Sinnen. Immer wieder beobachteten wir, wie sie wehrlose Sklaven erschlugen, aber ich konnte meinen schwarzen Brüdern nicht helfen, wollte ich nicht mein Leben und das der Frauen aufs Spiel setzen.

Wir warteten, bis die Dunkelheit hereingebrochen war. Noch immer zogen Indianer über die Insel, auf der Suche nach weiteren Opfern. Mir wurde klar, dass es nur eine Frage der Zeit sein würde, bis sie uns aufspürten. Als die Nacht am dunkelsten war, erhoben wir uns deshalb und schlichen an die Küste. Wir hatten uns mit Händen und Füßen verständigt und waren uns einig, dass wir die Insel verlassen wollten. Am Ufer entdeckten wir ein unbewachtes Kanu. Es trug uns über den Croatan Sound aufs Festland. Die Weißen nennen das Küstenland Roanoke Marsh, es ist schweres, sumpfiges Gelände, in dem jedes Gehen zur Qual wird. Wir liefen Tage und Nächte durch menschenleeres Gebiet, immer nach Süden, am Meer entlang, denn es war unsere einzige Orientierungshilfe.

Wir aßen Muscheln, Fische und Kokosnüsse, die ich mit dem Messer öffnete. Mein Ziel war Habana, die Stadt auf Kuba, wo meine Schwester und ich angekommen waren aus dem Land unserer Väter. Von dort wollten wir zurück. Es schien uns die einzige Möglichkeit, nach Hause, nach Afrika zu kommen.

Arlette warnte uns. Sie sagte, die Weißen würden uns erneut

fangen und versklaven, aber dieses Risiko mussten wir in Kauf nehmen.

Obwohl ich alles tat, um uns bei Kräften zu halten, ging es uns zunehmend schlechter. Die Moskitos zerstachen uns erbarmungslos, unsere Gesichter waren bald so geschwollen wie reife Kürbisse. An einem Tag in der zweiten oder dritten Woche begann meine Schwester zu fiebern. Bei Anbruch der Dunkelheit war sie so schwach, dass sie keinen Schritt mehr weitergehen konnte. Wir betteten sie auf ein Lager aus Laub. Arlette kümmerte sich um sie, aber was konnte sie schon tun, außer ihr die Stirn zu kühlen und ihr Wasser einzuflößen! Ich will es kurz machen ...«

Die Erinnerung schien Okumba zu übermannen. Er fuhr sich über die Augen, zog vernehmlich die Nase hoch und setzte dann entschlossen fort: »Sie starb nach zwei Tagen, ohne das Bewusstsein wiedererlangt zu haben. Sie wurde nur siebzehn Jahre alt. Ihr Name war Nkele.«

Vitus sagte nichts. Auch seine Freunde schwiegen. Angesichts des Leids, das Okumba erlebt hatte, war jedes bedauernde Wort zu viel.

»Wir konnten Nkele nicht einmal begraben. Nur ein paar Steine häufte ich über ihrem Körper an, zum Schutz vor wilden Tieren. Arlette und ich zogen weiter. Ich bewunderte sie wegen ihrer Zähigkeit und Ausdauer und auch, weil sie ihr großes Ziel nie aus den Augen verlor: So wie ich nach Afrika, so wollte sie nach England zurück.

Wochen vergingen. Ab und zu trafen wir auf Menschen. Wenn es weiße Siedler waren, erzählte Arlette, ich sei ihr Sklave, wir wären von Piraten überfallen worden und schiffbrüchig. Wenn es Indianer waren, bedeuteten wir ihnen, wir wären von Spaniern überfallen worden. Das erwies sich als sehr geschickt, denn jeder Stamm in der Neuen Welt hat von den Dons gehört, und bei keinem sind sie beliebt. Man half uns, wo wir auch hinkamen ...

Nun, erspart mir die Einzelheiten dieser langen, mühevollen Reise, an deren Ende durch Arlettes Geschick eine Überfahrt nach Kuba möglich wurde. Tatsache ist, dass wir im August letzten Jahres im Hafen von Habana einliefen und an Land gingen. Doch kaum hatten wir festen Boden unter den Füßen, bekamen wir Schwierigkeiten mit den Behörden. Unsere Gesichter waren noch immer von Stichen, Kratzern und Schwären entstellt und unsere Kleidung in erbärmlichem Zustand. Man lachte Arlette aus, als sie den Beamten des spanischen Gouverneurs versicherte, sie sei eine englische Lady, und noch weniger glaubte man ihr, als sie behauptete, ich sei ihr Sklave. Ein Wort gab das andere. Ich konnte nicht alles verstehen, aber Arlette wurde sehr hitzig. Wahrscheinlich hat sie die Männer beleidigt, denn plötzlich wurden Wachen herbeigerufen, die sie festnahmen und fortzerrten. Auch mich wollte man packen, aber die Angst, erneut ins Sklavenjoch gepresst zu werden, verlieh mir übermenschliche Kräfte. Ich konnte die Häscher abschütteln und aus der Stadt fliehen.

Mein Weg führte mich zum Meer. Tagelang vermied ich jeden Kontakt zu den Inselbewohnern, bis ich mich endlich jemandem anvertraute. Es war Flan O'Tuft, und es war mein Glück, dass ich ausgerechnet ihn kennen lernte. Er ist ein irischer Schiffer, der mit einer Pinasse die karibischen Gewässer befährt. Offiziell transportiert er Fracht für die Spanier zwischen Cartagena, Nombre de Dios und Habana. Unter der Hand fährt er auch für uns, die Cimarrones, denn er hasst die Spanier, verabscheut ihre Gier nach Gold und die Skrupellosigkeit, mit der sie uns Schwarzen die Freiheit rauben.«

Der kleine Gelehrte nickte. »Freiheit ist das höchste Gut, das einem Menschen beschieden sein kann. *In dubio pro libertate,* wie es so schön heißt. Im Zweifel für die Freiheit. Die Beweislast, dass du, Okumba, ein Sklave bist, hat natürlich bei den Spaniern gelegen. Solange sie dir das nicht schlüssig nachweisen konnten, durften sie dich auch nicht festnehmen.«

Okumba antwortete: »Du bist ein weiser Mann, Magister, und eine Ausnahme unter den Spaniern. Ich fürchte nur, dass es zu wenige von dir auf dieser Welt gibt.«

»Womit du wahrscheinlich Recht hast.«

»Der Rest ist schnell erzählt. O'Tuft steuerte mit seiner Pinasse Kurs Nombre de Dios, und bevor er die Hafenstadt erreichte, setzte er mich hier bei den Cimarrones ab. Damals lebte Ktiko noch. Er kümmerte sich von Anfang an um mich, brachte mir alles bei, was man als Cimarron wissen muss, vor allem aber die spanische Sprache. Ich mochte sie von Anfang an nicht, weil ich mit ihr Mörder und Diebe verband, aber ich erkannte, dass ich sie lernen musste. Ich brauchte keine drei Monate dazu. Um die Jahreswende starb Ktiko, doch bevor er zu seinen Ahnen ging, empfahl er dem Rat mich als seinen Nachfolger, und seitdem führe ich sie. Die Götter mögen geben, dass wir eine gute Zukunft haben.«

»Ich wünsche es euch von Herzen«, sagte Vitus. »Doch erlaube, dass ich noch einmal auf Arlette zurückkomme. Stimmt es, dass du sie zuletzt im August vergangenen Jahres gesehen hast?«

»Ja. Genau genommen war es in einer Festung, deren Namen ich nicht mehr genau erinnere, sie hieß ›Castillo Fuerza‹ oder so ähnlich. Es war die Festung des Gouverneurs.«

»Und wurde sie dort in den Kerker gesperrt?«

»Ja. Ich habe noch vor Augen, wie sie sich verbissen gegen die groben Griffe der Wachsoldaten wehrte. Aber es war natürlich umsonst.«

»Demnach könnte man sie in der Festung noch gefangen halten?«

»Durchaus möglich. Ich weiß es nicht. Vielleicht hat man sie in der Zwischenzeit auch laufen lassen. Ich werde nie aus den goldgierigen Seelen der Dons schlau werden.«

»Ich danke dir, Okumba.« Vitus' Augen leuchteten, während er sich rasch erhob. »Du hattest gute Nachrichten für mich. Sehr gute Nachrichten sogar. Ohne dich wäre ich vergebens nach Roanoke Island gefahren. Doch nun heißt mein Ziel Habana. Der Allmächtige gebe, dass Arlette noch dort ist und lebt! Ich möchte so schnell wie möglich aufbrechen.«

»Setz dich erst noch mal.« Der Riese zog Vitus wieder hinunter. »Lass dir sagen, dass O'Tuft in den nächsten Tagen wieder vor unserer Küste ankern wird. Er soll einige von Haffs Klingen für uns in Habana veräußern und dafür Musketen kaufen. Wir brauchen Schusswaffen, wenn wir uns auf Dauer gegen die Spanier behaupten wollen. Ich denke, Moses wird euch zur Küste begleiten.«

Vitus sprang erneut auf, diesmal vor Freude. »Du bist ein wahrer Freund, Okumba! Wir reisen morgen in aller Frühe, wenn du erlaubst. Nicht auszudenken, wenn wir O'Tuft verpassten! Und Moses, sagst du, soll uns begleiten?«

»Genau der, mein Freund.«

Im ersten Dämmerlicht des nächsten Tages gingen Vitus und seine Freunde über den Dorfplatz hinüber zu Okumbas Haus. Enano sprang neugierig vor, äugte durch den Vorhang und fistelte: »Ob der Oberschwarzmann schon äuf is? 's is noch recht schummig!«

»Er ist es, Zwerg.« Okumba, der die Worte des Winzlings gehört hatte, trat überraschend hinter dem Haus hervor, in seiner Begleitung den sprachgewandten Moses. »Ich habe euch noch etwas Wegzehrung zubereiten lassen.« Er deutete auf ein Blätterpaket, das Moses in den Händen hielt. »Es marschiert sich schlecht mit leerem Magen.«

Vitus, der sich vorgenommen hatte, dem Häuptling noch einmal in wohlgesetzter Rede für alles zu danken, fehlten die Worte. »Ich … danke. Danke, Okumba!«

Der riesige Schwarze lächelte. »Es ist schade, dass ihr uns verlassen müsst, Vitus. Aber da euer Fortgehen beschlossene Sache ist, nimm auch noch dies.« Er übergab ein kleines Behältnis aus dem Kehlsack des Pfauentruthahns. »Ein paar Silberpesos und Reales für Habana. Ihr werdet sie brauchen.«

»Das … das ist nun wirklich zu viel!«, stotterte Vitus.

»Das ist es nicht. Nanu …« Okumba blickte erstaunt, denn zu der allmählich größer werdenden Abschiedsgruppe war Dongo, der *Houngan,* getreten. »Ich dachte, du wolltest heute Morgen mit einigen Kriegern zu Haff, dem Schmied?«

»Ich wollen zu Haff. Haff Waren bringen und kucken gut gehen«, nickte Dongo würdevoll. »Vorher sagen Hasta la vista Vitus und Freunde.« Er verbeugte sich gemessen, und seine harten Augen wurden für einen Augenblick weicher. »Ich haben Geschenk. Hier.«

Vitus nahm ein verschnürtes, zu einem Päckchen gefaltetes Bananenblatt entgegen. Es war federleicht. »Was ist das?«

»Du öffnen.«

Vitus machte das Päckchen auf. »Es sind Blätter darin, viele trockene Blätter!«

»Sind Kokablätter. Du kauen mit Asche. Gut für Rausch. Gut gegen Schmerz. Medizin von *Houngan* für Medizinmann Vitus. Viel Glück!« Dongo verbeugte sich abermals und verschwand mit schnellen Schritten in den Wald.

»Danke, Dongo … Nun, Okumba«, Vitus gab das Päckchen

an den Magister weiter, »auch ich habe etwas zum Abschied. Es ist eine Gabe von Haff an mich, die ich dir schenken will. Ich bin sicher, er wäre damit einverstanden.«

»Ein Geschenk?« Der Riese hob abwehrend die Hand. Dann jedoch siegte seine Neugier. »Was ist es denn?«

»Hier, nimm.«

»Ooohh!« Okumba rollte vor Freude mit den Augen. »Deine Muskete!«

DER HERMAPHRODIT ACHILLE

»Gesundheit, mon ami, hat zu tun viel mit die Gefühl, compris?
Wenn ich habe eine gute Gefühl, ich sehe gut aus und
bin gesund, wenn ich habe eine schlechte Gefühl, ich sehe
schlecht aus und sterbe früh, c'est tout, oui?«

Auf der weiten Werftanlage der Hafenstadt Habana herrschte an diesem Tag Hochbetrieb. Unzählige Arbeiter bewegten sich ameisengleich zwischen den Schiffsleibern, die, von starken Pfählen gestützt, wie Glucken auf der Helling saßen – in leichter Neigung, damit sie nach vollendeter Reparatur umso besser zurück in den Canal del Puerto gleiten konnten.

Allerorten wurde gezimmert, gemessen, gebohrt und gehämmert. Spanten wurden gesetzt, Masten gestellt, Planken kalfatert. Die Luft war voll von Lärm und Gestank. Es roch nach Teer, Holz, Schlick und Schweiß.

Wer seinen Blick von Süden her über das Gelände schweifen ließ, sah linker Hand die langen Bahnen der Reepschläger, die das für gute Seemannschaft unabdingbare Tauwerk herstellten. Daneben einige offene Schmieden, aus denen klingende Hammerschläge herüberhallten, und dahinter, in einiger Entfernung, Berge von Baumstämmen und Bauholz, schweres Material, das nur mit Hilfe von Ochsen zu bewegen war.

Zur Rechten blinkten die Wasser des Kanals, auf denen mehrere Leichter lavierten, die Proviantfässer zu den an ihren Ankern schwojenden großen Galeonen transportierten. Die Segler waren bereits ausgebessert und standen kurz vor dem Auslaufen nach der Bahía de Matanzas, jener Bucht auf der Nordseite Kubas, in der sich jedes Jahr die große Armada sammelte, bevor sie die gefährliche Überfahrt durch die Weiten des Ozeans heim nach Sevilla antrat. Die Armada bestand traditionell aus zwei Verbänden, einem, der aus Nombre de Dios über Cartagena nach Habana kam, und einem zweiten aus Veracruz, einer Hafenstadt im Süden des Golfs von Mexiko.

Im Vordergrund, nur fünfzig oder sechzig Schritte entfernt, war eine Viermastgaleone an Land gezogen worden, deren Rumpf von einigen dreckverkrusteten Arbeitern mit Schwabbern bearbeitet wurde.

»Was machen die Burschen da?«, fragte der Magister blinzelnd. »Sie sehen aus wie Kobolde aus den Sümpfen von Dartmoor, wenn ich mal einen englischen Vergleich heranziehen darf.«

Hewitt antwortete leise lachend: »Soweit ich sehe, bringen sie eine Schmiere gegen den Schiffswurm auf. Eine widerwärtige Arbeit und eine ungesunde dazu.«

Der kleine Gelehrte nickte. »Dieser Wurm scheint eine äußerst gefräßige Spezies zu sein. Man sah es auch an O'Tufts Pinasse. Eine solche Schmierbehandlung sollte er ihr mal angedeihen lassen; der Schiffsleib hatte Löcher wie ein Hummerkorb. Na, immerhin hat O'Tuft uns sicher bis in diesen Hafen gebracht.« Er blinzelte abermals. »Und woraus besteht die Schmiere?«

Hewitt zuckte bedauernd mit den Schultern. »Das weiß ich nicht genau.«

»Macht nichts.« Der kleine Mann, unternehmungslustig wie immer, trat ein paar Schritte zur Seite und umkurvte einen Langofen, der zur Erhitzung von Schiffsplanken diente. »Ich frage mal den Burschen da vorn in der Grube.«

»Lass doch, Magister!«, rief Vitus hinterher. »Es ist heiß, es ist Mittag, und wir haben andere Sorgen, als irgendwelchen Wurmrezepten auf den Grund zu gehen. Wir wissen noch nicht einmal, wo wir heute Nacht schlafen werden!«

»Gemach, gemach, nur einen Augenblick! He, mein Freund, weißt du, aus welchen Bestandteilen die Schmiere gegen den Schiffswurm besteht?«

Der Angesprochene blickte auf. Die Freunde, die notgedrungen hinterhergekommen waren, sahen, dass er rot entzündete Augen hatte. Er besaß stattliche Schultern und beachtliche Oberarme, ansonsten war er so hager, dass man ihn schon mager nennen musste. »Es kommt drauf an«, antwortete er bedächtig und fuhr fort, mit einer Holzschaufel Späne aus der Grube zu schippen.

»Worauf?« Der Magister wäre nicht der Magister gewesen, wenn er sich mit dieser Antwort zufrieden gegeben hätte.

Der Hagere lächelte müde. »Darauf, wie viel der Eigner für die

Behandlung ausgeben kann. Es gibt teure und weniger teure Schiffsbodenpaste. Natürlich ist die teure besser.«

»Aha. Nun, besonders teuer sieht mir das Zeug, das dort bei dem Schiff verwendet wird, nicht gerade aus, aber mein Augenlicht ist auch nicht sonderlich gut.«

»Vielleicht kann ich es Euch genauer sagen. Wartet einen Augenblick«, gab der Hagere hilfsbereit zurück, während er die Schaufel fortlegte und über eine Leiter nach oben kletterte. Er musste dabei wiederholt Luft schöpfen.

Vitus fragte besorgt: »Ist dir nicht wohl?«

»Doch, doch, Señor.« Der Hagere atmete mühsam. »Der Segler dort, es ist die *Gracias a Dios,* dürfte mit einer Mischung aus Pech, Holzkohle und Schwefel ...« Er unterbrach sich und fuhr sich mit der Hand über die Augen. »Verzeiht ... Teurere Paste enthält dazu gehackte Rinder- oder Rosshaare und gestoßenes Glas. Wenn der Schiffsrumpf behandelt ist, kann noch eine geteerte Segeltuchplane darüber gezogen wer...«

Mit diesen Worten brach der Hagere so plötzlich zusammen, dass niemand der Freunde ihn mehr auffangen konnte. Vitus kniete sofort neben ihm nieder und schob ihm Haffs Fellsack unter den Kopf. Dann begann er ihn zu untersuchen. Kurz danach blickte er auf. »Der Mann glüht am ganzen Körper, was sicher nicht nur an der Mittagshitze liegt. Es ist zum Verzweifeln: Wo wir auch hingehen, das Fieber holt uns ein.«

Der Hagere röchelte unterdessen schwach. Dann, unvermittelt, nahm er den Kopf zur Seite und erbrach eine gelbliche Masse. Vitus überlegte laut: »Der Mann braucht Hilfe, schnelle Hilfe sogar. Am besten wäre er in einem Spital aufgehoben.« Er zog mit den Fingern ein Augenlid hoch, um die Pupille zu prüfen und das Weiße auf Gelbverfärbung zu untersuchen, als plötzlich ein großer Schatten über ihn und den Kranken fiel. Der Schatten wurde von einem Pferdekarren verursacht, der dicht neben ihm zum Stehen gebracht worden war. Davor stand eine seltsame Erscheinung: Der Mann war von unbestimmbarem Alter, keineswegs hässlich, wenn auch mit weichen Zügen. Er hatte starke Brauen, eine gerade, leicht nach oben gebogene Nase und volle Lippen von jener Art, die den Genießer nicht verhehlen kann.

Er trug ein blaues Wams, besetzt mit golden blinkenden

Sternzeichen und schillernden Steinen, dazu ein bauschig ausgestelltes Beinkleid von violetter Farbe. Der breitkrempige Hut, den eine weiße Kakadufeder schmückte, nahm die Farbe der Hose wieder auf. Das Bemerkenswerteste an ihm jedoch war seine Figur. Selten hatte Vitus einen Mann mit so schmalen Schultern und so ausladendem Gesäß gesehen. Sein Körper erinnerte an die Form einer Kalebasse.

»Der Mann, *mon ami*, kann kommen mit zu mir«, sagte der Fremde. Er sprach mit metallischer Stimme und starkem französischem Akzent. »Ich ihn kenne. Jaime Hoyelos er wird gerufen.«

Vitus richtete sich auf. »Das ist sehr liebenswürdig von Euch, Sir. Darf ich fragen, ob Ihr in der Behandlung von Fieberkranken Erfahrung habt?«

»Aaah! *L'Anglais!* Ihr Burschen wollt immer alles, ähhh, genau wissen, *n'est-ce pas?*« Der Fremde riss die Augen auf. Sie hatten die Farbe von Sandelholz. »Nun, Monsieur, ich verstehe etwas von Fieber, ich selbst es habe gehabt. Genügt das?«

»Natürlich, ich bin Euch sehr verbunden. Erlaubt, dass ich mich vorstelle.« Vitus nannte seinen und die Namen seiner Freunde.

»*Enchanté*. Ich bin Achille aus Paris. Der ›kuriose‹ Achille, wie man sagt.«

»Sehr angenehm. Seid Ihr einverstanden, den Kranken jetzt auf den Wagen zu heben? Es wird höchste Zeit, dass er an einen kühlen Ort kommt.«

»Ahhh, *mon ami*, nicht so stürmisch. Erst ich muss rücken meine Schätzchen beseite. He, Pedro, fass mit an!«

»Ja doch, ja.«

Mit Hilfe Pedros, eines ungefähr zwölfjährigen Jungen, dem der Karren gehörte, begann Achille zwei melonengroße Edelsteinbrocken vorsichtig beiseite zu schieben. Die Steine waren in schwere Tücher geschlagen, doch der eine von ihnen lag teilweise frei und blitzte so hell in der Sonne, dass es in den Augen wehtat.

»Bei der Keuschheit aller Päpste!« Der Magister, der mit Vitus bereits den hageren Körper des Kranken angehoben hatte, wäre fast ins Straucheln gekommen. »Das schimmert ja in allen Regenbogenfarben! Was sind das für Pretiosen?«

»Schschhhh! Nicht so laut, *mon ami!* Gleich die ganze Werft weiß, was ich transportiere. Es sind Amethystdrusen aus Brasilia, sauber präpariert, in Couleur violett, meiner Lieblingsfarbe.«

»Wui, wui, die Glitterklunker täten mir gut stehn!«, meldete sich der Zwerg. Sein Fischmündchen stülpte sich anerkennend vor.

»*Oui, oui?*« Achille schien hocherfreut. »*Parlez-vous français, mon ami?*«

»Wiewas, Franzmann?« Enano, der jeden Satz mit »wui, wui« begann, ahnte nicht, dass er damit regelmäßig »ja, ja« auf Französisch sagte.

Der Magister schob ein: »Achille will wissen, ob du Französisch verstehst.«

Der Wicht schielte treuherzig nach oben. »Nee, tu ich nich. Wiewo holmt der Franzmann das?«

»Schade, schade, *mes amis!* Ich höre gern, ähhh, heimische Töne. *Alors, allons-nous …!*« Auf Achilles Kommando hin hoben sie gemeinsam Jaime auf den Karren und deckten ihn sorgfältig mit einer Plane zu. »*Voilà.* Ich bin Euch, ähhh, sehr verbunden, Messieurs.«

Vitus hob grüßend die Hand. »Auf Wiedersehen, Achille. Und vielen Dank für Eure Hilfe.«

»Aaah, nicht der Rede wert. Vielleicht Ihr wollt ihn mal besuchen? Kein Problem!«

»Ja, sehr gern. Allerdings müssen wir erst eine Bleibe für die Nacht finden.«

»Aaah, eine Bleibe? Auch kein Problem! Man geht geradeaus, direkt in die Calle de los Oficios, *compris?*« Achille zeigte mit seinem gepflegten Finger in nördliche Richtung. »Die Calle de los Oficios weiter, weiter, immer weiter, *compris,* bis man kommt zu eine Etablissement mit Namen L'Escargot, dann in die Gasse rechts zur Albergue Pescador. Albergue Pescador, *compris?* Gut und billig. Man nur muss aufpassen, wenn Wirt die Rechnung macht, *oui?*«

Der Magister deutete eine Verbeugung an. »Danke, Achille, Ihr habt uns sehr geholfen. Vielleicht besuchen wir Euch tatsächlich einmal.«

Achille gab Pedro das Zeichen anzufahren. »Aaah, das würde

mir sein eine Ehre. Ihr habt es nicht weit. Ich besitze L'Escargot. Kommt, wann ihr wollt, Messieurs.«

Vitus lächelte. »Wir kommen heute Abend, wenn es Euch recht ist, Jaimes Fieber interessiert mich. Aber sagt: Was heißt ›L'Escargot‹ eigentlich? Ich fürchte, meine Französischkenntnisse reichen da nicht aus.«

»L'Escargot?« Achille, der schon neben Pedro aufgesessen war, kicherte. »Wenn Ihr geht hinein, Messieurs, Ihr werdet wissen, warum. *Au revoir!*«

Die Calle de los Oficios war eine Straße, in der, bis auf die frühen Morgenstunden, ständig betriebsames Leben herrschte. Besonders gegen Abend, wenn die Matrosen von den Schiffen kamen, setzte ungeheurer Trubel ein. Händler schrien die Vorzüge ihrer Waren hinaus, Handwerker boten vielsprachig ihre Produkte feil, spielende Musikanten schoben sich durchs Gedränge und versuchten, sich ein paar Maravedis zu verdienen. Schreiber saßen an kleinen Tischen, auf denen sorgsam ausgerichtet Tinte, Feder und Papier lagen. Tavernen luden ein, Bordelle lockten, schlanke, glutäugige Mädchen flanierten vorbei, eifrig tuschelnd und gleichzeitig darauf bedacht, dass die Männerwelt sie beachtete. Garküchen verkauften Maisfladen, Taschendiebe waren am Werk, Hunde streunten, Kinder plärrten, Bettler streckten die Hände nach Almosen aus … und inmitten dieses Schmelztiegels aus Leibern, Gerüchen und Geräuschen lag L'Escargot, das Etablissement von Achille.

»Besonders beeindruckend finde ich den Eingang nicht, Freunde!« Der kleine Gelehrte musste fast schreien, um sich verständlich zu machen. »Ich sehe nur schiefe Lettern über einem großen schwarzen Loch. Sollen wir hineingehen?«

»Ja, geh nur voran.« Vitus schob Hewitt und Enano vor und betrat dann selbst die enge Öffnung. Drinnen herrschte Dämmerlicht, nur an der rechten Seite des Gangs tauchte dann und wann ein Öllämpchen auf. Der Weg führte in kreisförmigem Bogen ständig nach links. Mit jedem Schritt nahm der Lärm von draußen ab.

»Beim Blute Christi!«, schrie der kleine Gelehrte plötzlich. »Nun seht euch das an!« Er deutete auf ein Skelett, das, durch

Stangen und Ösen gehalten, am Rande des Gangs von einem Kerzenleuchter angestrahlt wurde. Es war ein Skelett, wie es noch keiner der Freunde je zuvor gesehen hatte. Es war klein, kaum anderthalb Fuß hoch; es hatte zwei Beine, und es hatte – zwei Köpfe.

»Wui, wui, zwei Spazierer un den Kürbis gleich doppelt, 's is gediegen, bei der heiligen Marie!« Der Zwerg hüstelte aufgeregt. Er, der selbst einen Buckel hatte, interessierte sich für alles, was körperlich aus der Art geschlagen war.

Vitus beugte sich vor, um das Exponat besser betrachten zu können. »Es handelt sich um eine Missgeburt«, erklärte er. »Das Kind – oder besser: die Kinder – müssen schon ein paar Jahre alt gewesen sein, als sie starben.« Er sah noch genauer hin. »Sie haben Milchzähne, das bestätigt meine Annahme. Seht, ein erklärendes Schriftstück liegt dabei.«

Das war in der Tat so, und für den Betrachter stand da zu lesen:

Doppelbildung, an der Brust verwachsen. 4 a. alt

»Grauslich, grauslich!« Der kleine Gelehrte schüttelte sich und ging weiter. »Möchte wetten, dieses Monstrum hat Achille höchstpersönlich dort hingestellt. Hoffentlich hat er nicht noch mehr davon auf Lager.«

Doch die Hoffnung des Magisters erfüllte sich nicht. Nur wenige Schritte später begegnete ihnen der Druck eines Holzschnitts. Er zeigte nackte weibliche Zwillinge, die an der Stirn zusammengewachsen waren. Eine Handschrift tat kund:

Gemini, *Doppelbildung mit Verschmelzung der Stirn*
(Craniopagus frontalis)

»Schnell weiter«, bat der kleine Gelehrte. Doch kurz darauf stockte ihm abermals der Schritt. Ein Glashafen mit klarsichtiger Flüssigkeit hatte ihn aufgehalten. In dem Behältnis befand sich ein männlicher Embryo mit zwei Köpfen und drei Armen. Der dritte Arm ragte zwischen den Köpfen empor.

Doppelköpfiger Fetus mit drei Armen
(Dicephalus tribrachius)

Das nächste Objekt sah vergleichsweise harmlos aus. Es handelte sich um einen dunkelblauen langen Damenhandschuh, der auf einem Samtkissen lag.

Florentiner Handschuh, wohlriechend, hochgiftig, tödlich

»Wenn es darum geht, andere ins Jenseits zu befördern, ist der menschliche Erfindungsgeist unerschöpflich«, brummte der kleine Mann. »Stellt euch vor, man streift den Handschuh ahnungslos über, erfreut sich seines Anblicks und stirbt alsbald. Entweder durch das Gift, das im Stoff sitzt und in die Haut eindringt, oder durch den Duft. Oder durch beides.«
Es folgten mehrere unscheinbare, kieselgroße Steine mit lapidarer Auskunft:

Narrensteine, exstirpiert in Saint-Maur/Paris

Der Magister schüttelte sich. »Narrensteine hat er auch! Hoffentlich mussten die Geistesschwachen nicht zu sehr leiden, als man vorgab, sie ihnen zwecks Heilung aus dem Schädel schneiden zu müssen. Ich muss schon sagen, Achille hat ein wahres Kuriositätenkabinett. Es gibt nichts, was er nicht hat. Seht mal, da ist ein Messer. Was es wohl damit auf sich hat?«

»Das Ehrenwort eines Edelmannes«
Französischer Dolch am Hofe Katharinas von Medici,
Mordwaffe, die Gaspard de Coligny zu Tode brachte

Sie gingen weiter und landeten bei mehreren prächtig gefärbten Schmetterlingen, von denen jeder einzelne mehr als handtellergroße Flügel aufwies. Das größte Exemplar maß von Flügelspitze zu Flügelspitze wohl an die zehn Zoll.

Lepidoptera (Ditrysia) *div. Spezies*

Alle Falter besaßen gut erhaltene lange Fühler; ihre aufgerollten Saugrüssel wirkten wie kleine Schläuche. Sie steckten auf starken Nadeln, die sich mitten durch ihren Leib bohrten. »Brrr«, machte der Magister, »das erinnert mich an *Ewe wudu.*

Habt ihr eigentlich bemerkt, dass wir beständig nach links im Kreis gehen, wobei der Weg immer enger wird?«

Vitus war direkt hinter ihm. »Haben wir, altes Unkraut. Und ich glaube jetzt auch zu wissen, was L'Escargot heißt: nichts anderes als ›Die Schnecke‹. Wir sind sozusagen in einem Schneckenhaus.«

»Dann bin ich mal gespannt, was uns im Innersten erwartet. Irgendwo muss Achille doch sitzen.«

Der kleine Gelehrte musste seine Ungeduld nicht mehr lange im Zaume halten, denn kurz darauf standen sie vor zwei Türen. Die eine war offen und ließ den Blick frei auf eine Art Schankstube, in der einige Zecher beim Wein saßen. Die andere war verschlossen. »Nach Rebensaft ist mir nicht!«, verkündete der Magister. »Erst will ich wissen, wo Achille sich versteckt hält und wie es Jaime geht. Ob die Tür wohl abgeschlossen ist?«

Sie war es nicht, und die Freunde betraten zögernd einen quadratischen Raum, in dem es ähnlich schummrig war wie auf dem Gang. An allen vier Wänden brannten Öllampen, in deren flackerndem Licht weitere Exponate sichtbar wurden, darunter verschiedenste Kristalle, Behältnisse und Tiegel mit unbekannten Inhalten und nicht zuletzt die beiden Amethystdrusen, welche die Freunde schon kannten. Quer über die Decke verlief ein großes Pergament mit der Abbildung eines Tierkreismännchens und den Hinweisen für die »Lasszeiten«, jenen Zeiten, zu denen der Aderlass am besten durchgeführt wurde, dazu die geeigneten Amulettsteine.

Und unter dem Tierkreismännchen, in der Mitte des Raums, saß eine schwarzhaarige Schöne in kirschrotem Kleid mit üppig gefälteltem Mühlsteinkragen. Vor ihr auf dem Tisch lagen Tarotkarten, die von einer Frau in mittleren Jahren ängstlich angestarrt wurden. »Madame Hoyelos«, sagte die Schöne gerade mit heller Stimme, »seht, wie ›das Rad des Lebens‹ steht zu ›den Liebenden‹, ›der Welt‹ und den, ähhh, anderen hohen Arkaden! Madame, Ihr seid schwanger, *c'est ça!*«

»Ach, wenn ich's nur glauben könnte«, seufzte Francisca. »Meine Regel ist ausgeblieben, gewiss, aber erst ein einziges Mal. Die Heilige Mutter ist meine Zeugin: Ich wünsche mir nichts sehnlicher als ein Kind. Andererseits habe ich Angst,

große Angst! Wenn nur das Fieber meinen Jaime nicht dahin-
rafft! Das Kind wäre ohne Vater. Ich mag gar nicht daran
denken.«

»Ahhh, Madame, glaubt an die Zukunft! Euer Mann wird
werden gesund, mit Gottes Hilfe. Ihr wollt, dass ich Chiro-
mantie anwende zusätzlich? *Pas de problème!* Eure Hand, *s'il
vous plaît!*«

Die Schöne ergriff die Rechte Franciscas und studierte sie eingehend. »Ahhh, Madame, nichts anderes ich kann feststellen!
Eure Hand ist Abbildung von, ähhh, Kosmos, *n'est-ce pas?*
*Ligne de vie, Soeur de la ligne de vie, Ceinture de Venus, Actions
veneriennes, Ligne de Santé* ... Alle Zeichen mir sagen, Ihr seid
schwanger und Jaime wird gesund – wenn Gott will.«

Die schwarzhaarige Wahrsagerin gab Francisca ihre Hand zurück. Sie schien bisher nicht bemerkt zu haben, dass Vitus und
seine Freunde den Raum betreten hatten – vielleicht deshalb,
weil sie sich im Halbdunkel hielten. Jaimes Frau nestelte nach
ein paar Münzen. Die Sitzung war beendet. Rasch erhob sich
die Wahrsagerin und schob Francisca, die mit ihren Gedanken
weit fort zu sein schien, aus dem Raum. Dann kehrte sie zurück und wandte sich direkt an Vitus. »*Bon soir,* Monsieur Vitus, *bon soir,* Freunde, ich finde es, ähhh, anständig von euch,
dass ihr sehen wollt nach Jaime.«

Vitus war von der vertrauten Anrede überrascht. »Nanu, äh ...
Madam, Ihr kennt uns? Seid Ihr am Ende ...«

»*Bien sur* ich kenne euch. Willkommen im Escargot. Wir sollten ›du‹ sagen, *oui?*«

»Wui, wui, das tät mir schmerfen, Frau Achille!« Der Zwerg
grinste, sprang vor und küsste der Schönen schmatzend die
Hand.

Vitus und die Freunde brauchten etwas länger, um zu begreifen. »Ja, aber, Euer Aussehen, äh ... Verzeihung, dein Aussehen ...«

Achille machte eine wegwerfende Bewegung. »Mein Aussehen
ist mal Mann, mal Frau, *compris?* Ich bin Zwitter, aber das
klingt hässlich. Ich sage Hermaphrodit.« Seine Hände fuhren
unter seinen Busen und hoben ihn an. »Ich habe Brüste wie eine Frau und ...« Seine Rechte zeigte zwischen die Beine.
»... einen, ähhh, Penis wie ein Mann. Ich habe Männerkleider

und Frauenkleider. Ich bin ein Mann, wenn es ist besser, ein Mann zu sein, und ich bin eine Frau, wenn es ist besser, eine Frau zu sein. Meistens ich bin ein Mann, weil, ähhh, Habana ist eine Männerstadt, *compris?*«

Der Magister hatte sich gefangen. »Und im Augenblick bist du eine Frau. Warum?«

Achille lachte und zupfte am Mühlsteinkragen seines Kleids. »Du hast schon einmal einen, ähhh, männlichen Wahrsager gesehen?«

»Nein, habe ich nicht.«

»*Voilà,* dann weißt du, warum. Als Wahrsagerin ich nenne mich Arielle. Ich arbeite mit Tarotkarten, mit Handlesen und mit Pendel.«

»Und glaubst du an das, was du den Leuten sagst?«

»Ahhh, *mon ami,* das ist eine Frage, du darfst nicht stellen einer Wahrsagerin! Ich glaube, was ich kann sehen – und fühlen. Doch jetzt kommt, ich zeige euch Jaime.«

Arielle wandte sich um und ging zu einer versteckten Nische, hinter der sich ein sauberes Lager befand. Jaime lag da, ruhig und friedlich. Er schien zu schlafen. Halbkreisförmig um seinen Kopf war eine Reihe blau leuchtender Edelsteine aufgestellt. Auf seiner Stirn lag ein lupenreiner Kristall.

»Erlaubst du, dass ich ihm den Puls fühle?«, fragte Vitus, die Steine mit einem verwunderten Blick streifend.

»*Bien sur, vas y.* Ich erlaube es.«

Jaimes Puls war schwach, aber regelmäßig.

Arielle sagte: »Er hat gehabt, ähhh, Schüttelfrost, ich mache heiße Wickel; er hat gehabt große Hitze, ich mache kalte Wickel. Louise hat gemacht Suppe in der Küche, aber er, ähhh, er nicht wollte essen.«

Vitus ließ das Handgelenk los. »Du sagtest vorhin zu Jaimes Frau, er würde wieder gesund, woher nimmst du die Sicherheit für diese Prognose?«

Über Arielles Gesicht lief ein spitzbübisches Lächeln. »Ahhh! Ich sagte ›wenn Gott will‹, *mon ami.* Und vielleicht will Gott es. Vielleicht will Gott nicht, dass Jaime, ähhh, gelb wird, *compris?* Vielleicht will Gott nicht, dass er bekommt Rückenschmerzen? Vielleicht will Gott nicht, dass er, ähhh, bricht hervor dunkle Blut?«

Vitus staunte. »Du schilderst exakt die Symptome des Schwarzen Erbrechens.«

»Schwarze Erbrechen? Ahhh, welch ein Name! In Habana man sagt ›Gelbfieber‹.«

»Eine andere Bezeichnung für dieselbe Krankheit. Es wäre gut, neben deinen Maßnahmen noch etwas zur Stärkung der Galle zu geben. Ich schlage Mäusedorn vor.«

»Mäusedorn? Ahhh, schon wieder so ein Name! Was ist Mäusedorn?«

»Der wissenschaftliche Name dafür lautet *Ruscus aculeatus.* Seit altersher gilt er als Therapeutikum für verschiedene Krankheiten, etwa bei der Wassersucht und bei ›fressenden Geschwüren‹, wie Galenos lehrt. Darüber hinaus bringt *Ruscus aculeatus* die Gallensäfte wieder in Gleichklang, eine Eigenschaft, die für Jaimes Genesung unerlässlich sein dürfte.«

Arielle war Vitus' Ausführungen mit immer größer werdenden Augen gefolgt. »Du bist ein Docteur, *n'est-ce pas?*«

»Ich bin *Cirurgicus Galeonis,* ein Schiffschirurg. Es wäre gut, wenn Jaime zusätzlich etwas Kantharidin bekommen könnte. Ich selbst habe gute Erfahrungen mit diesem Medikament gemacht.«

»Kanthari… *pour l'amour de Dieu!* Was ist das nun wieder für eine *poison,* ähhh, Gift?«

»Kantharidin ist tatsächlich hochgiftig. Es ist eine Substanz, die aus der Spanischen Fliege gewonnen wird. Sie ist sehr wirksam, darf aber nur in geringsten Mengen verabreicht werden, da sonst beim Patienten eine Dauererektion eintreten kann.«

»Eine, ähhh, *érection permanent?*« Arielle prustete los. »Das nicht mehr nötig bei Jaime, *n'est-ce pas, mon ami?* Francisca ist schwanger bereits! Du hast noch mehr so, ähhh, *aphrodisiaques* parat?«

Vitus lächelte schief und winkte ab. »Nein, aber jetzt verrate du mir, ob du dich bei Jaimes Behandlung tatsächlich weitgehend auf Gottes Hand verlässt – oder ob nicht noch mehr dahinter steckt.«

»Ahhh, typisch *L'Anglais!* Immer Ihr wollt gehen auf die Grund von Dingen, *n'est-ce pas?*« Arielle fingerte erneut an ihrem Kragen herum. »Du bist ein Schiffsdocteur, ich bin eine Wahrsagerin und eine Heiler. Beide wir wissen, dass man muss reden mit Kranken, viel reden, um, ähhh, zu verstehen. Jaime mir hat gesagt, er hat Fieber manchmal seit zehn Tagen, so er kann nicht haben Gelbfieber, *compris*?«

»Seit zehn Tagen hat Jaime schon Fieberanfälle?« In Vitus' Stimme lag freudige Überraschung. »Das würde in der Tat dafür sprechen, dass wir es mit einem anderen, milderen Krankheitsbild zu tun haben. Denn das Schwarze Erbrechen zeigt sich spätestens am vierten Tag durch Gelbsucht, und Jaimes Gesichtsfarbe ist normal.«

»*Oui*. Die Steine werden ihn heilen schnell.«

Der Magister mischte sich ein. »Die Steine? Willst du damit sagen, die Steine hätten Heilkraft, Achille?«

»Arielle, *mon ami*. Arielle! Wenn ich trage Frauenkleider und Perücke, ich bin Arielle, *compris*?« Arielle ordnete mit einer gezierten Bewegung die Locken ihrer Frisur. »Die Steine haben Energie. Sie können heilen viele Krankheiten.«

»Im Ernst?«

»Ahhh, *oui*! Du hast gemerkt die Ruhe, die Harmonie im Escargot? Das sind die Steine. Sie strahlen aus Energie, gute Energie.«

»Wenn du es sagst.« Der kleine Gelehrte rieb sich nachdenklich das Kinn. »Und was bewirkt nun welcher Stein?«

»Die blauen Steine, *mon ami,* sind Lapislazuli, stark und, ähhh, kubisch gebaut, lindern Beschwerden am Kopf und bringen *fortune!*«

»Aha. Und der helle da auf der Stirn?«

»Ein Phantomkristall. Du erkennst, ähhh, wie sagt man?, Phasen von die Wachstum darin, *compris*? Die Wachstum ist die Leben, und die Leben ist nicht Tod. Phantomkristall ist die Leben.«

»Klingt ein bisschen kompliziert«, befand der kleine Mann. Arielle lachte. »Ist nicht kompliziert. Ist wirksam. Jaimes Weib kann beruhigen sich. Sie ist, ähhh, herzensgut, aber eine, ähhh, Plaudertasche! Es ist leicht, Karten zu lesen für sie.«

»Sie hat dir also vorher verraten, was du ihr nachher prophezeit hast.«

Arielle prustete erneut los und schlug spielerisch nach dem kleinen Mann. »Ahhh, du bist ein *filou!* Aber es ist nicht das nur! Es ist auch, ähhh, Esprit, Emotion, Kenntnis von Menschen.«

»Klar. Und dafür nimmst du ihr Geld ab. Immerhin, die Frau ist getröstet nach Hause gegangen. Das ist etwas wert.«

»*Oui*. Und ich mache gesund Jaime umsonst. Ist das nichts?« Der kleine Mann stutzte. »Was, du machst es für Gottes Lohn? Alle Achtung, das hätte ich nicht gedacht.«

Arielle wurde übergangslos ernst. »Weißt du, Magister, ich bin ein Heiler. Ich bin eine Seherin. Ich bin, ähhh, ein Patron von die Bistro. Ich bin alles, wenn ich kann machen damit Geld. Aber ich bin auch ein Mann, der hilft oft. Oder eine Frau … Mir man hat nie viel geholfen, aber ich, ähhh, nicht vergelte Gleiches mit Gleichem, *compris?* Nicht Auge um Auge, nicht Zahn um Zahn, das ist Altes Testament, *compris?* Ich bin Hugenotte.«

»Also Protestant«, stellte der Magister fest. »Ich dagegen bin Katholik und ein überzeugter dazu, aber das ist noch lange kein Grund, dass wir uns nicht verstehen. Wie heißt es so richtig bei Johannes? In meines Vaters Haus sind viele Wohnungen. Komm, schlag ein.« Er blinzelte und streckte seine Rechte vor.

»*Oui, mon ami,* das ist ein Wort. Ich immer sage: Wir beten alle zum gleichen Gott. Und ich nicht glaube, dass Gott will, dass wir uns die, ähhh, Köpfe einschlagen, *n'est-ce pas?*«

»Beileibe nicht. Sag, Achi… äh … Arielle, ich habe da nebenan einen recht einladenden Raum gesehen, wo man einen Becher Wein ausschenkt.«

»Ahhh, *oui!* Du magst gern einen guten Tropfen? Kommt, *mes amis,* Jaime wir können allein lassen. Louise wird schauen nach ihm später.«

Kurz darauf saßen sie in der Schankstube, einem Raum mit blank gescheuerten Tischen und langen Bänken, und warteten auf Arielle. Sie sahen sich um, aber es gab nicht viel zu entdecken. Ein paar Weinfässer standen an der Wand, bauchige, nach säuerlichem Holz riechende Behältnisse mit Zapfvorrichtung. Darunter je ein Auffanggefäß und darüber Regale mit Bechern und Krügen. Von der Decke herab baumelte ein Hahn aus Stroh in den Farben Blau und Rot – den Stadtfarben von Paris. Am Ende der Schankstube befand sich eine abgeteilte Ecke mit Utensilien für den Küchenbetrieb.

»Ahhh, *mes amis!* Pardon für die Verspätung!« Arielle, nun

wieder Achille, betrat in Männerkleidung den Raum. Er trug die Dinge vom Mittag, nur den Hut hatte er abgelegt, ebenso wie Arielles Frauenperücke. Sein natürliches Haupthaar war braun und schulterlang. Er setzte sich zu Vitus und fragte: »Ihr habt noch nicht bestellt? *Non?* Warum so, ähhh, schüchtern? Ich gebe aus *vin rouge* für alle, he, Louise, Kindchen! Louiiiiise!«

Endlich erschien ein vermummtes Ding aus der Küchenecke. »Das ist Louise«, erklärte Achille. »Ich sie habe erst kurze Zeit. Sie vorher war bei Francisca und Jaime. Louise ist stumm, keiner, ähhh, weiß ihren Namen, armes Ding. Sie, ähhh, rührt mein Herz, *compris? Alors, Louise, du vin rouge* für alle!«

Die Magd nickte. Unter dem beifälligen Gemurmel der Zecher begann sie Becher von den Regalen zu nehmen und mit Wein zu füllen.

»Leider ich habe nicht französische Wein, nur spanische«, bedauerte Achille.

Der Magister protestierte: »Wieso sagst du ›nur‹? Der spanische Wein ist keinesfalls schlechter! Im Gegenteil, ich denke da an einen glutvollen Tropfen aus der Rioja oder einen weichmundigen Málaga.« Seine Augen verklärten sich. »Wie lange ist es her …«

»*Oui, mon ami,* wir nicht wollen streiten. In jedem Fall ich habe Käse, guten Käse, der schmeckt, ähhh, wie *Foume d'Ambert* original. Louiiiiise, Kindchen! Bring uns Käse, schnell!«

Doch die tief verhüllte Gestalt konnte nicht alles auf einmal erledigen, und bevor sie den Käse heranschaffte, trug sie erst einmal den Wein auf. Mit raschen Bewegungen stellte sie vor jeden einen gut gefüllten Becher hin und nickte jeweils höflich. Als die Reihe an Vitus war, blickte dieser auf und nickte zurück. »Vielen Dank, Louise.«

Louises Finger umkrampften den Becher, ohne ihn abzusetzen. Vitus lachte. »Du scheinst mir meinen Wein nicht zu gönnen? Gib mir ruhig den Becher.« Seine Rechte mit dem Wappenring griff nach dem Gefäß, wollte es ihr abnehmen, doch in diesem Augenblick geschah es: Der Becher entglitt Louises Hand, fiel auf den Boden und zerbrach in tausend Stücke.

Achille schrie auf: »Ahhh, Louiiiiise! Was tust du? Der Wein, der Wein, der schöne Wein! Wenn du machst so weiter, du bringst mich, ähhh, an die Bettelstab!«

Louise erstarrte für einen Wimpernschlag, dann schlug sie die Hände vor den verhüllten Kopf und flüchtete in die Küche.

»Ist sie so ungeschickt?«, fragte Vitus teilnahmsvoll.

»*Oui* und *non*. Manchmal sie ist sehr geschickt. Manchmal nicht, *compris*? Sie ist, ähhh, wie sagt man?, mit ihre Gedanken spazieren?«

»Nun, in diesem Fall bin ich vielleicht nicht ganz schuldlos. Wenn ich schneller zugefasst hätte, wäre das Ganze nicht passiert.«

»*Oui*, wir nicht wollen uns verderben lassen den Abend. Louise, Kindchen! Nimm nicht tragisch, bring eine neue Becher Wein und Fromage und Brot!«

Der Zwerg fistelte: »Wui, wui, Frau Achille, das is 'n Wort. Brand im Rohr un Kohldampf im Speisfang sin üble Gacken. Assusso un gut Beiß!«

Achille verstand nicht recht, was der Winzling meinte, doch das störte weder ihn noch die anderen. Als endlich das Gewünschte herbeigeschafft worden war, stand Achille auf und wandte sich an die Gäste im Raum. »*Mes amis, mes amis,* aufgepasst!« Sich auf die Zehenspitzen stellend, hielt er seinen Becher unter den Schnabel des Strohhahns und tat so, als trinke der Vogel. »*Voilà,* zuerst Frankreich, *oui?* Und nun: auf euch und auf L'Escargot! *À votre santé!*«

Sie tranken und verfielen alsbald in eine angeregte Plauderei über die speziellen Vorzüge der Nahrungsmittel ihres Landes, wobei jeder die Meinung vertrat, die Genüsse seiner Heimat seien die besten.

Erst spät in der Nacht verabschiedeten sich die Freunde, und Achille meinte: »Ihr müsst wiederkommen, *mes amis, promettez?*«

Und der Magister, dem die Zunge nicht mehr ganz gehorchte, erwiderte: »Wir versprechen es, Ach... rielle! Hupps, hoch und heilig!«

Drei Abende später befanden die Freunde sich wieder im Mittelpunkt der Schnecke. Sie saßen in der Schankstube und tranken andalusischen Wein. »*À votre santé, mes amis!*«, rief Achille, der zu dieser Stunde ein blaues paillettenbesetztes Hemd und eine lila-rot abgesetzte Oberschenkelhose über seidenen Strümpfen trug. »Ich hoffe, es geht gut euch? Ahhh, Vitus, du machst ein Gesicht wie, ähhh, der Laus über die Leber?«

Vitus setzte seinen Becher ab und lächelte mühsam. »Es fällt mir schwer, eine fröhliche Miene aufzusetzen. Denn außer der Herberge, die wir dank deiner Hilfe auf Anhieb gefunden haben, lässt sich nichts gut an.«

»Erzähle, *mon ami*.«

Vitus berichtete von seiner Suche nach Arlette und von den Schwierigkeiten, die sich ihm überall in den Weg gestellt hatten. »Ahhh, ich verstehe. *L'amour, n'est-ce pas?*« Wie alle Franzosen bekam Achille schwärmerische Augen beim Stichwort Liebe. »Du warst, ähhh, vorstellig schon beim Gouverneur?«

Vitus' Blick verdüsterte sich. »Ich bin nicht einmal bis zu ihm vorgedrungen. Irgendein kleiner Beamter fertigte mich vorher ab. Der Gouverneur sei nicht da. Eine Frau namens Arlette sei nicht bekannt. Keine der gefangenen Frauen hieße so. Er selbst sei sehr in Eile, er habe sehr viel Arbeit, er könne sich nicht um alles kümmern. Ich solle mal im Hafen fragen.« Vitus wollte einen weiteren Schluck nehmen und stellte überrascht fest, dass sein Becher schon leer war. »Das hatte ich natürlich schon längst getan und meine Freunde auch. Überall hatten wir nach Arlette gefragt, nicht nur im Hafen, sondern in der ganzen Stadt, aber niemand konnte etwas mit dem Namen Arlette anfangen … Oh, das ist sehr aufmerksam von dir, Louise, vielen Dank.«

Während Vitus' Worten war die Schankmagd herangetreten und hatte ihm den Becher neu gefüllt. Auch heute trug sie ihr langes, sie zur Gänze verhüllendes Gewand, das lediglich am Kopf eine Öffnung für die Augen aufwies. Sie schlug die Wimpern nieder und entfernte sich rasch.

Vitus trank. »Ein seltsames Mädchen. Hat sie eine Hautkrankheit, oder warum geht sie stets verhüllt?«

»Oh, wer weiß, wer weiß. Ich glaube nicht. Sie, ähhh, nicht lässt sich untersuchen. Sie ist, ähhh, anders als andere, *compris?* Deshalb sie passt zu mir, *compris?* Deshalb sie passt zu L'Escargot. Deshalb auch der *nain* gut würde zu L'Escargot passen, *n'est-ce pas, mon petit ami?*« Achille grinste den Zwerg an.

»Wiewo, Frau Achille? Was tarrt das zinken?«

Achilles Grinsen wurde breiter. *»Rien, mon petit ami, rien.«*

Vitus drehte den Becher in den Händen. »Ich verstehe, was du meinst, Achille.«

»L'Escargot ist, ähhh, *unique.* Leute kommen, gaffen, bleiben, trinken. Gutes Rezept zum Verdienen Geld. Apropos Rezept, ich habe, wie sagst du?, ›Mäusedorn‹ Jaime gegeben, aber nicht dieses, ähhh«, er unterbrach sich kichernd, »unanständige Kanthira... thari... du weißt schon. Jedenfalls es geht ihm besser.«

»Ach, wirklich?« In Vitus brach der Arzt hervor und lenkte ihn von seinen trüben Gedanken ab.

»Oui, oui, vielleicht es liegt an die Mäusedorn, vielleicht es liegt an die Heilsteine, vielleicht es liegt an beide oder einfach an Gott. Er wird werden gesund, *Dieu merci!* Francisca wird haben einen Vater für ihr Kind.«

»Das ist mal eine gute Nachricht! Darf ich nach ihm sehen?«

»Oui, certainement!«

Wie sich herausstellte, war Jaime tatsächlich fieberfrei. Seine Augen blickten klar, sein Puls schlug wieder normal, einzig seine Glieder waren noch sehr geschwächt. »Ich schlage vor, Jaime bleibt noch zwei Tage im Bett«, sagte Vitus. »In der Zeit sollte er regelmäßig essen, aber nicht zu schwere Kost. Am besten eine Brühe mit guter Fleischeinlage, Brot und Früchte. Auch ein Glas Wein darf er trinken, wenn ihm danach ist.«

Bei jedem Punkt seiner Aufzählung hatte Louise, die dicht neben ihm stand, genickt. Achille gab statt ihrer die Antwort: »Er wird bekommen, was ist notwendig, *n'est-ce pas?* Louise ihm wird geben. Sie ist, ähhh, wie sagt man?, eine gute Pflegerin.«

Bevor sie sich vom Lager entfernten, nahm Jaime unvermittelt Vitus' Hand und flüsterte: »Des Himmels Segen über Euch, Señor.«

»Nicht der Rede wert.« Vitus, der glaubte, zur Genesung des Plankensägers am wenigsten beigetragen zu haben, war die Situation peinlich. »Bedanke dich lieber bei Achille und bei Louise.«

»Das habe ich bereits, Señor.« Endlich gab Jaime Vitus' Hand frei. »Aber ich glaube, der Mäusedorn war's. Der hat geholfen.«

»Nun ja.« Vitus wollte nicht zeigen, wie sehr ihn diese Mitteilung freute. »Hauptsache, du wirst wieder gesund. Doch auch wenn deine Augen schon wieder klar blicken, die Bindehäute sind noch immer entzündet. Ein gutes Kollyrium wäre hier angezeigt.«

Achille runzelte die starken Brauen. »Moment, Monsieur Schiffsdocteur, was ist eine, ähhh, Kollyrium?«

»Eine Augenarznei. Sie besteht aus einem Bleipflaster als Hauptbestandteil, dazu Alaun sowie Arnikablüte und Holunderblüte in pulverisierter Form. Am besten, du lässt die Ingredienzen gleich besorgen, dann kann ich das Kollyrium noch heute herstellen.«

»*Oh, mon ami,* das ist schwer, wenn nicht *impossible.*«

»Nanu? Liegt es vielleicht am Geld? Meine Freunde und ich helfen gerne aus, falls …«

»Bahhh! Du willst beleidigen mich? Es liegt nicht an Geld, *compris?* Es liegt an, ähhh, schlechter Pharmacie, *oui?*«

Vitus hob begütigend die Hand. »Entschuldige. Ich verstehe. Dann sollten Jaimes Augen wenigstens alle paar Stunden mit klarem Brunnenwasser gespült werden. Das Wasser darf nicht zu kalt sein und kann einen kleinen Zusatz von Honig aufweisen, aber nur einen kleinen, und der Honig muss gänzlich aufgelöst sein. Ich denke, Louise könnte das machen. Nicht wahr, Louise?«

Unter seinem freundlichen Blick senkte die Schankmagd den Kopf.

»Gut, ich danke dir. Glaube mir, ich weiß, was Frauenhände bei der Behandlung von Kranken alles vermögen.«

Die Magd nickte scheu, während sie sich rasch herabbeugte und die Decke des Lagers glatt strich.

»Deine Bewegungen erinnern mich an jemanden, den ich einmal kannte.«

Wieder waren einige Tage vergangen. Eines Nachmittags hielt Vitus sich im Raum der Wahrsagerei auf, wo er im hinteren Bereich seltene Heilsteine betrachtete. Ungewollt wurde er Zeuge, wie Achille, der als Arielle auftrat, einigen Frauen seine Wundermittel anpries. Unter ihnen war auch Francisca. Gerade sagte das Weib des Plankensägers zweifelnd: »Ich weiß nicht, liebe Madame Arielle, ich weiß nicht ... Ein Trank, der ewige Jugend schenkt? Das kann nicht gottgefällig sein.«

Bevor der Hermaphrodit antworten konnte, mischte sich eine breithüftige Fischersfrau ein: »Ach was, Francisca! Es gefällt dem Herrn, dass wir geboren werden, und es gefällt ihm, dass wir sterben, aber nirgendwo steht geschrieben, dass wir im Leben unsere Schönheit nicht bewahren dürfen.«

Sie war die Letzte, von der man eine solche Aussage erwartet hätte, denn nichts an ihrem derben Gesicht mit den abgearbeiteten Zügen war schön. Beherzt griff sie nach dem Fläschchen, das die Wahrsagerin in der Hand hielt. »Viel mehr interessiert mich, ob der Trank auch wirkt. Er sieht aus wie ganz normaler Fischsud.«

»Fischsud?« Arielle kreischte fast vor Empörung, während sie das Fläschchen den Klauen der Frau wieder entwand. Triumphierend hielt sie es hoch. »Das, Mesdames, ist ein, ähhh, Arcanum, *compris*? Ein, ähhh, Geheimmittel. Ich nie sage normalerweise den Inhalt, aber jetzt ich mache eine Ausnahme. *Alors*, ein paar Details.« Sie zupfte an einer Falte des Mühlsteinkragens, den sie auch an diesem Tage zu dem kirschroten Kleid trug, und begann:

»Asche von Schlehenholz ist *contenu, oui?* Zinnpulver, ähhh, sodann Pulver von Nelken, Honig und *vin naturelle*. Das Ganze sieden lassen ...« Sie machte ein geheimnisvolles Gesicht und wiederholte: »Sieden, sieden, sieden, Mesdames – und, ähhh, seihen! Wie, ich sage nicht. Zubereitung und Mengen *naturellement* sind *secret*.«

Eine dürre Frau mit Haube auf dem Kopf nickte zögernd und fragte nach dem Preis. Arielle nannte ihn. Ob der hohen Summe schrien die Frauen entsetzt auf, und Vitus beobachtete belustigt, wie sie dennoch eifrig die Köpfe zusammensteckten und gleich darauf ein Fläschchen erwarben.

Als sie fort waren, wurde aus Arielle wieder Achille; Stimmlage und Bewegungsart glichen wieder der eines Mannes. Er setzte sich aufseufzend an den kleinen Tisch. »Oh, *mon ami*, Frauen! Sie würden geben, wie sagt man?, ihre letzte Hemd für die Jugend! Ich nicht kann geben ihnen ein Elixier, aber eine, ähhh, gute Gefühl, *n'est-ce pas?*«

»Für ein gutes Gefühl war der Fläschchenpreis aber ziemlich

hoch, meinst du nicht?« Vitus trat heran und setzte sich ebenfalls.

»Ahhh, pah!« Achille strich die Locken seiner Perücke nach hinten. »Gesundheit, *mon ami*, hat zu tun viel mit die Gefühl, *compris*? Wenn ich habe eine gute Gefühl, ich sehe gut aus und bin gesund, wenn ich habe eine schlechte Gefühl, ich sehe schlecht aus und sterbe früh, *c'est tout, oui*?«

»So habe ich es noch nie gesehen. Aber wenn es so ist, wozu hast du dann die Heilsteine und das alles?«

Achille lachte. »Wieder mal typisch *L'Anglais*. Will gehen die Dinge auf die Grund!« Er wies mit einer weit ausholenden Geste auf seine Kostbarkeiten. »Meine Lieblinge sind, ähhh, wie sagt man?, Gefühle, die zu Stein geworden, *compris*?« Er sprang auf und holte mehrere herbei. Es waren genau zwölf. Nacheinander gab er sie Vitus in die Hand. »Was du spürst?«

Vitus ließ sich Zeit mit der Antwort. Endlich sagte er: »Nun, es ist mir, als würden die Steine nach einiger Zeit Leben entwickeln. Vielleicht, weil sie die eigene Körpertemperatur angenommen haben, aber das allein ist es nicht. Ich habe den Eindruck, sie besitzen eine eigene Kraft, eine Art Strahlung, die sich auf mich überträgt. Es ist eine ruhige, stetige Strahlung, eine Kraft, die in mich überzugehen scheint. Ein angenehmes Gefühl.«

»Du spürst es? Ahhh!« Achille sprang auf. »*Fantastique,* ich wusste es! Du bist, ähhh, *sensible, oui*? Nicht jeder es spürt so deutlich! Sag, von meine Lieblinge welcher ist der stärkste?«

»Ich glaube, dieser.« Vitus wies auf einen wasserhellen Bergkristall.

»Ahhh, *oui!* Und wann ist dein Geburtstag?«

»Am 9. März, das heißt …«

»*Le neuf mars, mon ami?*,« unterbrach Achille enttäuscht. »Das nicht kann sein, der Kristall ist nicht stark für Fische.«

»… das heißt, genau genommen bin ich Anfang Februar geboren.« Vitus entschied, dass es zu weit führen würde, jetzt seine Findelkind-Geschichte zu erzählen.

»Ahhh, dann es stimmt wieder!« Achille wirkte grenzenlos erleichtert. »Jedes Sternzeichen hat seinen, ähhh, Amulettstein, *compris*? Der Amulettstein ist stärkste Kraft für die Sternzeichen! *Voilà.*« Er wies mit der Hand über sich, wo das Tierkreismännchen angebracht war. »Siehst du, *mon ami?* Der Männchen es zeigt: Der Saphir beeinflusst die Fische, der Bergkristall einen Wassermann wie dich, oder soll ich sagen einen Schiffsdocteur? *Voilà,* der Chrysopras gibt Kraft dem Steinbock, der Hyazinth dem Schützen, der Amethyst dem Skorpion, der Beryll der Waage ... Apropos Beryll.« Er unterbrach sich. »Was ist mit dem Magister eigentlich? Er müsste haben Berylle, ähhh, Augengläser, *n'est-ce pas?*«

»Die braucht er in der Tat«, entgegnete Vitus. »Aus eben diesem Grund ist er heute mit Enano und Hewitt in Habana unterwegs. Er hofft, einen Glasschleifer zu finden, der ihm Linsen und ein entsprechendes Nasengestell anfertigen kann.«

»Dann es ist gut.« Zielstrebig fuhr Achille fort: »Der Smaragd gibt Kraft der Jungfrau, der Jaspis dem Löwen, der Chalcedon dem Krebs, der Topas dem Zwilling, der Karneol dem Stier und der Sardonyx dem Widder.«

»Ich verstehe, das Ganze scheint eine Wissenschaft für sich zu sein.« Vitus senkte erleichtert den Kopf. Das Starren nach oben hatte ihm einen steifen Nacken beschert. »Aber was ist mit den anderen Steinen, die keine spezielle Zuordnung haben?«

»Mit den anderen Steinen, Monsieur *le docteur?*« Achille gestattete sich ein überlegenes Lächeln. »Das zu weit führt. Aber die anderen ich nenne Zodiac-Steine; sie, ähhh, Kraft haben für alle Menschen gleich, wie Lapislazuli zum Beispiel, *compris?*«

»Sicher. Weißt du, es müsste Steine geben, mit deren Hilfe man einen Menschen aufspüren kann.«

»Einen Menschen aufspüren?« Achille blickte erstaunt. »Du redest *énigmatique,* ähhh, in Rätseln.«

Vitus winkte ab. »Ich will dich nicht langweilen, Arielle, aber wir haben noch immer keine Spur von Arlette. Und das, obwohl wir die Suche schon auf die Halbwelt Habanas ausgedehnt und zahllose finstere Gestalten befragt haben. Kennst du einen Mann namens Sanceur?«

»Sanceur, ähhh, der Sklavenhändler?« Achille verzog das Gesicht. »Ein übler Bursche. Keine, ähhh, wie sagt man?, leuchtende Beispiel für einen Franzosen.«

»Du sprichst mir aus dem Herzen. Immerhin hört der Bursche im Hafen die Mäuse husten. Außerdem hat er mir erlaubt, die

›menschliche Ware‹ zu untersuchen, bevor er sie ankauft. Auf diese Weise bleibt den armen Kreaturen das unwürdige Betasten und Befingern durch lüsterne Hände erspart.«

»Ich verstehe. Aber warum tust du das, *mon ami?*«

»Warum hast du Jaime geholfen?«

»Nun, *mon ami* ...«

»Siehst du, ich helfe aus demselben Grund. Außerdem haben der Magister und ich uns vor längerer Zeit geschworen, die Unfreiheit zu bekämpfen, wo immer wir ihr begegnen. Und du kannst sicher sein: Bald werden wir versuchen, Sanceurs ›Ware‹ zur Flucht zu verhelfen. Die Vorbereitungen laufen schon.«

»Du und deine Freunde, ihr seid, ähhh, bemerkenswerte Leute, *mon ami,* ich bin stolz, zu kennen euch.«

»Das Kompliment kann ich zurückgeben.«

Noch bevor zwischen den beiden Verlegenheit aufkommen konnte, erschien mit schnellen Schritten die Schankmagd. Sie hielt einen verhüllten, rechteckigen Gegenstand in den Händen, den sie Achille übergab.

»Ahhh, Louise.« Der Hermaphrodit ergriff das Paket. »*Merci,* Kindchen. Nun geh wieder hinüber, *oui?*«

Achille wickelte den Gegenstand aus. Er entpuppte sich als das Brustporträt einer älteren Frau in schlichtem schwarzem Gewand. Aus ihrem in der Mitte gescheitelten Haar ragte eine Vogelfeder empor. Die schmalen Augen und die hohen Jochbeine wiesen sie als Indianerin aus. Insgesamt hatte das Bildnis keinen hohen künstlerischen Wert, auch wenn eine Ähnlichkeit mit der Porträtierten durchaus gegeben sein mochte. »Es soll zeigen die, ähhh, *maman* von Francisca. Francisca will kommen darüber ins Gespräch mit ihrer Mutter, *compris,* und ich ihr helfe dabei.«

Vitus betrachtete das Gemälde. »Ich verstehe dich nicht. Es ist doch nur ein Bild! Wie soll es Francisca helfen, mit ihrer Mutter zu reden? Und vor allem: Warum sollte sie das wollen?«

»Ahhh, Monsieur Allem-auf-die-Grund-Geher! Francisca wird haben ein Kind, und das Kind muss haben einen Namen, *n'est-ce pas?*«

»Ja, gewiss. Na und?«

»Und diesen Namen Francisca will, wie sagt man?, abstimmen

mit ihrer *maman*, und ich, ich werde die *maman* dazu, ähhh, zu die Leben erwecken.«

»Du willst ein Bild zum Leben erwecken? Unmöglich! Das musst du mir näher erklären.« Kopfschüttelnd beugte Vitus sich vor.

Achille spitzte die Lippen und setzte eine vielsagende Miene auf. »Ich werde es erklären, *mon ami*, weil du es bist.« Er stand auf und bedeutete Vitus, ihm zu folgen. Sie gingen zu der Nische, in der Jaime behandelt worden war, einem winzigen Raum, von dem Vitus angenommen hatte, dass er das Innerste von L'Escargot darstellte. Doch zu seiner Überraschung betätigte Achille einen Wandmechanismus, woraufhin sich eine Geheimtür auftat, die in einen weiteren, merkwürdig anmutenden Doppelraum führte. Sie gingen hinein und machten bei einem nachtblauen, mit silbernen Sternzeichen geschmückten Vorhang Halt. Achille begann mit einer wortreichen Erklärung, wobei er lebhaft mit dem Porträt herumfuchtelte. Vitus verstand anfänglich kaum etwas, aber durch geduldiges Nachfragen stellte sich am Ende heraus, dass der Doppelraum eine Art Spiegelkabinett war. Er diente dazu, einen Gegenstand in einen anderen zu »transformieren«, wie Achille sich ausdrückte.

Im vorderen Raum wurde der Gegenstand hinter einer Glasscheibe angeleuchtet. Der Zuschauer sah zunächst nur ihn. Dann verlöschte langsam das Licht, und gleichzeitig wurde der andere Gegenstand im gegenüberliegenden Raum erhellt. Da nun im vorderen Abteil kein Licht mehr herrschte, wirkte die Glasscheibe wie ein Spiegel – und zeigte den zweiten Gegenstand. So entstand der Effekt einer perfekten Verwandlung.

»Ich glaube, ich habe die Funktion verstanden«, sagte Vitus. »Aber was hat die Verwandlungsmöglichkeit von Gegenständen mit Franciscas toter Mutter zu tun?«

»Ahhh, warte es ab, *mon ami*. Sag, du hast diese Kokablätter noch von den Cimarrones?«

»Die Kokablätter? Ja, sicher.« Vitus hatte bei früherer Gelegenheit einmal über die Kokapflanze und ihre Rauschwirkung gesprochen, wusste bis heute aber nicht, wie stark die Droge war. »Was hast du denn mit den Blättern vor?«

»Nun, *mon ami*, wenn Francisca spricht mit ihrer *maman*, es

wäre gut, sie wäre ein bisschen, ähhh, berauscht. Wir vorher
könnten, du und ich, es probieren einmal? Dann wir wissen,
wie es wirkt.«

»Ein Selbstversuch?« Vitus zögerte kurz, doch sein Interesse
war bereits geweckt. »Warum nicht? Ich hole sie.«

Wenig später hatte Vitus zwei mundgerechte Portionen hergestellt. Sie bestanden aus in Kokablättern eingerollter Holzasche, denn Holzasche war der Beistoff, den auch die Indianer
zum Genuss der Droge verwendeten. Neugierig schoben beide sich ein Päckchen in den Mund und begannen es durchzukauen. Saft bildete sich, der von ungewohntem Geschmack
war. »Nicht sehr *délicat, mon ami!*«, meinte Achille mit vollen
Backen. »*N'est-ce pas?*«

»Stimmt.«

Dennoch schluckten sie das Gemisch aus Kokasaft, Speichel
und Asche hinunter, kauten weiter und stellten alsbald fest,
dass der Hunger, den sie noch vor kurzem empfunden hatten,
verschwand. Wenig später bemächtigte sich ihrer ein Gefühl
der Euphorie, alles erschien ihnen klar und einfach. Die Welt
war schön, und sie glaubten, sie könnten Bäume ausreißen.

»Ich weiß auch nicht, warum ich mich so um Arlette gesorgt
habe«, rief Vitus heiter. »Ich bin sicher, dass ich sie in den
nächsten Tagen aufspüre, schließlich ist Habana kein Heuhau-
fen und Arlette keine Stecknadel.«

Achille prustete los, wobei ihm ein Teil des Kokasaftes aus dem
Mund spritzte. »Ahhh, *mon ami,* deine, ähhh, Angebetete ist
keine Stecknadel, da ich bin sicher, hoho.« Abrupt stand er auf
und strebte dem nach draußen führenden Schneckengewinde
zu. »Ich muss mal gehen Pipi.«

Vitus nickte und kaute weiter. Er beschloss, den sich immer wieder neu bildenden Saft nur noch einmal hinunterzuschlucken,
da er nicht wusste, wie die Droge sich im weiteren Verlauf auswirken würde. Noch fühlte er sich prächtig, und er hoffte, dass
dieser Zustand möglichst lange anhalten möge. Endlich, nach
so vielen Tagen, war ihm wieder einmal froh und hoffnungsvoll
zumute, und er hatte den bestimmten Eindruck, seine Suche
nach Arlette könnte bald ein Ende nehmen.

»Arlette?«, fragte er aufblickend.

Er hatte so intensiv an die Geliebte gedacht, dass die Gestalt, die eben im Türrahmen erschien, ihr zum Verwechseln ähnelte. Oder war sie es leibhaftig? Er blinzelte heftig, um besser sehen zu können, und dachte für einen Augenblick an den Magister, dem es hoffentlich gelungen war, sich ein neues Nasengestell zu beschaffen. Ach ja, der Magister! Das treue, alte Unkraut! Und Enano, der listige Zwerg! Und Hewitt, der Zuverlässige. Gute Freunde allesamt. Gute Freunde ... Wie war er eigentlich auf sie gekommen? Wie nur? Er konzentrierte sich mühsam, und schließlich fiel es ihm wieder ein: über die Gestalt in der Geheimtür ...

»Arlette, bist du das?«

Die Gestalt löste sich aus dem Rahmen und antwortete: »Ahhh, *mon ami, pardon.* Es hat gedauert etwas länger mit Pipi. Es ist, ähhh, komisch, *n'est-ce pas?* Alles, ähhh, zerfließt ein bisschen, *oui?*«

Seine euphorische Stimmung zerplatzte wie eine Seifenblase und wich grenzenloser Enttäuschung.

»Ja, du hast Recht ... leider.«

Vierundzwanzig Stunden darauf befand sich Vitus wieder im Spiegelkabinett. Er stand in einer Falte des nachtblauen Vorhangs, so dass er von niemandem gesehen werden konnte. Nicht einmal von Achille, der wieder in Arielles Kleidern steckte und sich seit geraumer Zeit Jaimes Frau widmete.

Alles war vorbereitet. Um die zwei abgeteilten Kammern des Kabinetts punktförmig erleuchten zu können, gab es jeweils ein großes zusammengerolltes Pergamentstück, das von außen in den Raum hereinragte. Damit der Trichter funktionierte, musste an sein Ende eine Fackel gehalten werden. Diese Aufgabe sollte Louise zusammen mit Pedro, dem Kutscherjungen, wahrnehmen. Doch noch war es nicht so weit.

»Ahhh, Madame«, hörte Vitus Arielle sagen, »es ist gut, dass Ihr mitgebracht habt Orchideen – ohne Orchideen nichts ist *possible, n'est-ce pas?* Ihr schon merkt etwas von, ähhh, geheime Blätter?«

»Geheime Blätter?« Francisca war so aufgeregt, dass sie im ersten Augenblick nicht wusste, was die Wahrsagerin meinte. Dann fiel es ihr ein. »Ach, Ihr meint die Blätter, die ich seit einiger Zeit kaue?« Sie verzog den Mund, um gleich darauf zu lächeln. »Sie schmecken abscheulich, aber sie tun mir wohl, denke ich. Ich spüre schon die Nähe meiner Mutter, wahrhaftig, ich spüre sie.«

»*Voilà,* ich war mir sicher«, gab Madame Arielle nicht ohne Selbstzufriedenheit zurück. »Könnt Ihr sehen mich genau?«

»Ja, natürlich, das heißt, ein wenig undeutlich erscheint Ihr mir schon, so, als entfernet Ihr Euch einen Schritt und würdet gleich darauf wieder näher kommen. Es ist, als würde ich in einen dunklen Teich voller Wellen blicken ... Das Licht ist so schwach.«

»*Oui,* Madame. Bleibt hier und setzt Euch.« Arielle wies auf einen Stuhl, der vor dem nachtblauen Vorhang stand, und bedeutete Francisca, die Kokablätter in einen bereitgestellten Napf zu speien. Dann trat sie zur Wand, an der ein schwach glimmendes Öllämpchen hing. Sie löschte es, und augenblicklich herrschte Dunkelheit.

Francisca stieß einen kleinen Schreckensschrei aus und begann übergangslos zu beten: »Gegrüßet seist Du, Maria, Du Gnadenreiche, die Du gebenedeit bist unter den Weibern und auserkoren vom Heiligen Geist ...«

Es war so finster, dass man die Hand nicht vor Augen sehen konnte.

Madame Arielle verkündete von irgendwoher: »Die Séance möge beginnen.« Vitus hörte, wie der Vorhang zurückgezogen wurde, fühlte weitere Falten, die sich um ihn legten, und vernahm kurz darauf ein leises Fingerschnippen. Langsam, fast unmerklich, verschwand daraufhin die Schwärze und machte einem fahlen Licht Platz. Und mitten im Kegel dieses fahlen Lichts entdeckte er – einen Orchideenstrauß. Die Blumen schimmerten gelblich weiß, sie standen in einer Vase und schienen sich wie im Wind zu wiegen. Vitus erkannte, dass der Effekt seine Ursache in der Fackel am Ende der Lichtquelle hatte. Irgendwer, Pedro oder Lousie, wusste dort sehr geschickt mit den flackernden Flammen umzugehen.

»Ihr seht Strauß von Orchideen?«, fragte Madame Arielle. Ihre Stimme klang beschwörend.

»Ja, ja, ich sehe ihn. Die Blüten bewegen sich. Oh, sie bewegen sich ... als würde jemand in sie hineinblasen!«

»*Oui,* Madame, Orchideen haben, ähhh, Lebenshauch, sie rufen Eure *maman,* sie rufen, sie rufen ...« Ein abermaliges, kaum hörbares Fingerschnippen schloss sich an. Unmerklich wurde das Licht schwächer, die Blumen wurden dunkler, flossen auseinander, und aus der Mitte ihrer Blüten entwickelte sich ein Gesicht. Es war das Gesicht der Frau von dem Porträt. Die schmalen Augen blickten streng wie aus dem Nichts, denn der Rahmen des Bildnisses lag im Dunkel.

»Mutter?«, stieß Francisca ungläubig hervor. »Mutter? Oh, Mutter, bist du es wirklich?«

Der Kopf, der wie ein Lampion in der ihn umgebenden Schwärze zu hängen schien, nickte. Mit einem erstickten Laut fiel Francisca auf die Knie und bekreuzigte sich. »Barmherziger Vater im Himmel, gelobt seist Du, gepriesen seist Du immerdar, gib, dass dies Wirklichkeit ist, gib, dass Deine sündige Tochter Francisca mit ihrer alten Mutter noch einmal, ein einziges Mal, sprechen kann, gib, dass …«

Es folgten nicht enden wollende hervorgemurmelte Gebetsworte, bis schließlich die Stimme von Arielle unterbrach: »Ahhh, Madame, die Séance ist, ähhh, von Zeit begrenzt. Sagt besser jetzt, was Ihr wollt.«

Francisca bekreuzigte sich erneut, setzte sich wieder und stammelte: »Mutter, ich bekomme ein Kind, hörst du? Ein Kind!« Sie schniefte. »Der Herr in Seiner Gnade hat es gegeben, dass ich schwanger wurde. Sag, Mutter, ist das nicht wundervoll?«

Franciscas Mutter schwieg.

»Mutter?«

»Eure *maman*, Madame«, kam Arielles erklärende Stimme, »kann hören Euch, aber sie nicht kann sprechen, *compris?*«

»Ach so, ja, ja.« Francisca sammelte sich. »Mutter, ich möchte dem Kind einen christlichen Namen geben, weiß aber nicht, welchen. Und Jaime, du weißt ja, Jaime, mein Ehemann, du hast ihn nicht lange gekannt, denn du warst schon krank, als wir heirateten, weißt du noch, Mutter, du littest an der fortschreitenden …«

»Madame!« Wieder war es Arielle, die sich einmischte. »Denkt, ähhh, an die Zeit!«

Die Orchideenhändlerin schluckte. Sie wandte sich in die Richtung, aus der Arielles Stimme erklungen war: »Aber wie soll ich wissen, ob Mutter mit einem Namen einverstanden ist, wenn sie nicht antwortet?«

»Wartet auf ein Zeichen, Madame, wartet auf ein Zeichen, dann Ihr es werdet wissen.«

Francisca blickte zweifelnd, dann versuchte sie es nochmals: »Simon? Wie findest du Simon, Mutter?«

Franciscas Mutter schwieg beharrlich.

»Und was sagst du zu Paulus, Mutter?«

Keine Antwort.

Vitus wunderte sich hinter seinem Vorhang. Daran, dass der Nachwuchs auch ein Mädchen sein konnte, schien die Schwangere keinen Gedanken zu verschwenden.

»Petrus?«

Als wiederum keine Reaktion erfolgte, wurde Francisca nervös. Sie haspelte eine Reihe alttestamentarischer Namen herunter: »Moses? Abraham? Isaak? Jakob?«

Nichts.

Arielle mahnte: »Ahhh, die Zeit, die Zeit, denkt an die Zeit, Madame.« Wahrscheinlich fürchtete sie, die Fackeln könnten vorzeitig ausgehen.

Francisca wurde zusehends unruhiger. Sie überlegte fieberhaft. Plötzlich schoss es aus ihr heraus: »Jesus! Nicht wahr, Mutter? Jesus! Gegen den Namen des Sohnes unseres Herrn wirst du gewiss nichts einzuwenden haben, oder?«

Die alte Indianerfrau schüttelte den Kopf.

»Oh, Mutter, du machst es mir wirklich schwer!« Hilflos blickte Francisca sich nach Madame Arielle um, doch der Raum war so schwarz wie eine Höhle in mondloser Nacht. Er schien die Wahrsagerin verschluckt zu haben. Einzig die Mutter sah streng herüber. Ihr Antlitz war zeitweise nur wie durch einen Schleier erkennbar. »Ach, dass du nicht zu mir sprechen kannst wie Jaime, mein guter Mann, Mutter! Oh, Mutter, er ist ein so braver Mann; er trinkt nicht, er hurt nicht, er geht nicht ins Wirtshaus, aber er ist eben auch nur ein Mann. Wenn ich ihn nach einem Namen für seinen Sohn fragte, ihm würde wohl kein anderer einfallen als sein eigener …«

Francisca unterbrach sich, denn genau in diesem Augenblick hatte das Gesicht ihr gegenüber genickt.

»Mutter? Mutter, du meinst …?«

Der Kopf schien sich auf und nieder zu bewegen. Mit einiger Phantasie war ein Nicken daraus zu erkennen.

»Jaime? Du meinst Jaime, Mutter?« Francisca klatschte in die Hände. »Oh, Mutter, ja! Dass ich nicht selbst darauf gekommen bin! Ich weiß, ich könnte Jaime keine größere Freude machen, als seinen Sohn nach ihm zu benennen.«

»*Voilà*, ich kann nicht mir denken eine bessere Namen, *n'est-ce pas?*«, ließ Madame Arielle sich vernehmen, bevor sie lauter hinzufügte: »Es ist gut!« Sie schritt zu dem Öllämpchen und entzündete es mit Stahl und Stein. Die Flamme im Docht wuchs, und im gleichen Maße, wie das Lämpchen heller wurde, verschwand die Erscheinung aus dem Jenseits. Francisca starrte wie gebannt auf das verlöschende Gesicht und bekreuzigte sich zum wiederholten Mal. »Gottvater, Du Allmächtiger, ich danke Dir ...«

»Ahhh, Dank ist gut, Madame«, unterbrach Arielle, »Dank, ähhh, wem Dank gebührt, und Ihr schuldet eine Dublone und einen Escudillo mir.« Sie ergriff die Frau des Plankensägers und dirigierte sie zum Schneckengang. »Ihr mir könnt geben das Geld draußen, *n'est-ce pas?* Kommt, Madame – und beste *compliments* an Euren Gatten.«

Die beiden verschwanden, und ehe er sich's versah, war Vitus allein. Er trat mit einiger Mühe aus den Falten des Vorhangs heraus, wohl wissend, dass alles, was er soeben gesehen hatte, nichts anderes als Illusion gewesen war. Dennoch konnte er sich nicht frei machen von der mystischen Atmosphäre, die noch immer in dem seltsamen Doppelraum herrschte.

Und schon wieder wurde es dunkel um ihn! Als er sich forschend umblickte, erkannte er, dass die Flamme kurz vor dem Verlöschen stand. Er trat hinzu und untersuchte das Lämpchen. Nun ja, alles hatte seine einfache Erklärung: Der Ölvorrat war zur Neige gegangen. Ihm fiel ein, dass es besser sein würde, das restliche Licht für den Rückweg auszunutzen, und er versuchte, das Lämpchen von der Wand zu nehmen.

Er nahm es ab, und es ging aus.

Dunkelheit umfing ihn. Er wusste, in welche Richtung er sich orientieren musste, wenn er zum Ausgang wollte. Er drehte sich um – und spürte eine Hand auf seinem Arm. »Achille?«, fragte er in die Schwärze des Raums.

Statt einer Antwort drückte die Hand seinen Arm und schob ihn in die andere Richtung.

»Was soll das, Achille?«

Sanft, aber nachdrücklich wurde er fortgezogen.

»Du bist nicht Achille, wer bist du?« Er tastete nach der unbekannten Gestalt und bekam ein Stück Stoff in die Hand. Es fühlte sich an wie grobes Leinen, und plötzlich wusste er, wen er vor sich hatte: Es war die Schankmagd. »Louise, du bist es, nicht wahr?«

Unterdessen war er ein paar Schritte mitgegangen. Louise schien sich blindlings im Innersten von L'Escargot auszukennen, denn zielstrebig zog sie ihn weiter, öffnete eine knarrende Tür, an deren Schmalseite er sich fast die Stirn aufgeschlagen hätte, schlüpfte in den dahinter liegenden Raum oder das, was Vitus dafür hielt, und blieb kurz darauf stehen. Noch immer umklammerte sie seinen Arm. Er spürte Unsicherheit, fühlte sich aber keineswegs unwohl dabei. »Was hat das alles zu bedeuten?«, fragte er laut. »Ach so, du kannst mir ja keine Antwort geben. Nun, es ist nicht ganz leicht zu erraten, was du willst. Kann ich dir irgendwie helfen?«

Noch immer hielt sie seinen Arm fest, und er wollte sich befreien. Es gelang nicht. Er versuchte einen Scherz: »Wenn dir mein Arm so wichtig ist, bitte, tun wir einfach so, als wäre es deiner.« Während er das sagte, bemühte er sich, wenigstens ihre Umrisse zu erkennen, doch nicht einmal das war möglich. Ob der Raum, in dem sie sich befanden, ihre Schlafkammer war? Wenn das den Tatsachen entsprach, war er hier fehl am Platze! Louise war zwar nur eine Magd, aber als Mann hatte er hier nichts zu suchen …

Er räusperte sich, um ihr die Situation klar zu machen, als sie plötzlich seine Hand an ihr verhülltes Gesicht legte. Er fühlte, wie sie ihre Wange dagegen presste. Gleichzeitig begann sie – zu seinem ungeheuren Erschrecken – mit den Schultern zu zucken und zu weinen. Es war das Weinen einer ganz normalen Frau, wie er verwundert feststellte. Andererseits: Wenn eine Stumme atmen konnte, warum sollte sie dann nicht schluchzen können? Er fühlte, wie seine Verwirrung wuchs. Noch immer presste sie seine Hand an ihr Gesicht, und er hörte sich sagen: »Komm, komm, Louise, nicht weinen. So schlimm wird's schon nicht sein.«

Ihr Weinen wurde stärker.

Er schalt sich ob seiner dummen Worte. Woher wollte er wissen, dass es bei ihr »schon nicht so schlimm« war? Was wusste er denn von ihr und ihrem Schicksal? Nichts, gar nichts. Nur, dass ihr Gesicht wahrscheinlich so entstellt war, dass sie es niemandem zu zeigen wagte. »Verzeih mir«, hörte er sich stammeln. »Ich rede ... Ich rede dummes Zeug, nicht wahr? Bitte ...«

Sie weinte weiter.

»So komm doch!« Er umfasste ihre Schultern mit der anderen Hand und zog sie an sich. Er kam sich dabei grenzenlos linkisch vor, besonders, als sie plötzlich seinen Arm losließ und ihren Kopf an seine Brust legte. Sie umfasste ihn dabei mit bemerkenswerter Kraft, gerade so, als wolle sie ihn nie wieder loslassen.

Ihr Weinen hörte auf.

»Nun geht es besser, nicht wahr? Ist ja gut, ist ja gut.« Seine Stimme war vor Anspannung heiser. Ihm fiel ein, dass er jetzt gehen musste, aber er hatte die Orientierung verloren, außerdem ertappte er sich bei dem Gedanken, dass es ein angenehmes Gefühl war, Louise in seinen Armen zu halten. Ein sehr angenehmes Gefühl sogar. Er spürte, wie sein Glied hart wurde, und erstarrte vor Peinlichkeit. Rasch zog er den Unterkörper zurück.

Sie drängte mit ihrem Körper nach.

Durch ihren Umhang konnte er die Festigkeit ihrer Brüste und die Rundung ihres Schamhügels fühlen. Seine Erektion wuchs. Großer Gott, was bahnte sich hier an! Er wollte sich befreien und versuchte, ihren Kopf von seiner Schulter zu drücken. »Bring mich nach draußen«, krächzte er.

Abermals schluchzte sie auf. Diesmal schien es, als hätten sich alle Tore ihrer Trauer geöffnet, so hemmungslos brach es aus ihr hervor. Gleichzeitig begann sie, ihn durch den Stoff ihres Umhangs zu küssen. Sie schluchzte und küsste ihn und küsste weiter und schluchzte und klagte und keuchte und küsste ... Und während der ganzen Zeit klammerte sie sich an ihn wie eine Ertrinkende.

Er wusste nicht, wie es passiert war, aber unverhofft lag er mit ihr auf dem Boden, unter sich raschelndes Stroh. Ihm war klar, dass es einen Punkt gab, von dem an es höllisch schwer für eincn Mann war, der Fleischeslust zu widerstehen, aber dass es so schwer sein würde, hatte er nicht gedacht.

Er erwiderte ihre Umarmung, drückte sie ungestüm, spürte ihren elastischen, jungen Körper unter sich. Kaum nahm er wahr, wie sie ihm aus den Kleidern half, doch als es geschehen war und er ihr den Umhang über den Kopf streifen wollte, hielt sie ihn zurück. Nicht einmal in absoluter Dunkelheit wollte sie ihr Gesicht für ihn enthüllen.

»Wie immer du auch aussehen magst«, flüsterte er, »ich weiß, dass du schön bist.« Er spürte, wie sie den Kopf schüttelte und sich erneut an ihn drängte. Jetzt geschah das, was sie eben noch hatte vermeiden wollen: Ihr Umhang rutschte hoch. Er wurde gewahr, dass sie nichts darunter trug. Seine suchende Hand glitt über ihren Schoß, verweilte dort, liebkoste die knisternden Härchen, wanderte weiter über ihren flachen Bauch nach oben, umfasste ihre festen Brüste, drückte sie zart, streichelte die hart gewordenen Spitzen, wollte zum Gesicht hochwandern – und wurde abermals gehindert. Für einen kurzen Augenblick war er ernüchtert, doch die Glut, mit der sie ihm gleich darauf ihren Schoß entgegenhob, ließ ihn alles vergessen.

»Ich weiß, dass du schön bist«, wiederholte er heiser, als er den Weg in ihre Pforte fand. »Ich weiß, dass du schön bist, ich weiß, dass du schön bist, ohhh, wie ich es weiß …« Und mit jedem dieser Sätze drang er tiefer in sie ein. Wellen der Lust durchfluteten ihn, während er sich auf und ab in ihr bewegte. Sie raubten ihm die Sinne und ließen ihn nicht daran denken, in welch seltsamer Lage er sich befand. Er war dabei, eine Frau zu lieben, deren Gesicht er nicht kannte, deren Wesen ihm verborgen war, deren Körper er niemals zuvor gesehen hatte – und dennoch kam es ihm vor, als sei sie die schönste Frau der Welt. Es war Ewigkeiten her, dass er bei einer Frau gelegen hatte, viel zu lange, viel zu lange …

Louise schien eins mit ihm geworden zu sein. Sie war ein Teil von ihm; er war ein Teil von ihr. Sie umfing ihn, nahm ihn gänzlich auf, gab ihn frei, nahm ihn abermals auf und wiegte sich im Rhythmus ihrer Leidenschaft. Er wunderte sich über die Kraft, ja Unbeherrschtheit, mit der sie sich ihm hingab.

Dann, übergangslos, begann sie wieder unter ihrem Gewand zu schluchzen, laut und hemmungslos. Er achtete nicht darauf. Er achtete auf überhaupt nichts mehr. Seine Hände hielten ihre Schultern, kneteten sie unbewusst, seine Lippen suchten ihren Mund – und fanden doch nur nass geweinten Stoff. Er fuhr fort, die Tiefe ihres Schoßes zu ergründen, hob und senkte sich in ihr. Hob und senkte sich … Allmächtiger, lass diesen Augenblick niemals vorübergehen! Doch schon merkte er, dass er nicht länger an sich halten konnte. Er hörte den heiseren Schrei eines Mannes und merkte kaum, dass er selbst der Urheber war. Wieder schrie er auf. Der Augenblick der Explosion war da. Während er die Bewegungen weiter ausführte, ernüchtert wie alle Männer zu diesem Zeitpunkt, war da plötzlich ein anderer Schrei, wild, verlangend, verzweifelt, und er hielt inne.

Es war Louises Antwort.

DIE HEILERIN MAROU

»Nanu, du willst schwanger werden? Warum?
Vielleicht bist du es am Ende schon?«

s war am späten Vormittag des darauf folgenden Tages, als Louise sich behutsam ihrer Schlafkammer näherte. Sie war in aller Herrgottsfrühe aufgestanden, lautlos wie eine Katze, denn neben ihr hatte Vitus noch tief und fest geschlafen. Seine Stirn, die er so häufig in Falten legte, war völlig entspannt gewesen. Angesichts seiner wirren blonden Locken hatte sie lächeln müssen und fast unhörbar gesagt: »Ich liebe dich, Vitus. Nur Gott der Allmächtige weiß, wie sehr ich dich liebe.« Dann waren ihr schon wieder die Tränen in die Augen getreten, und sie hatte sich für ihre ewige Heulerei gescholten. Die Zeit des Weinens, das war ihr fester Wille, sollte ein für alle Mal vorbei sein. »Vielleicht wird doch noch alles gut.«

Sie hatte den Raum verlassen und wie gewöhnlich ihr Tagewerk im Escargot begonnen. Achille, der sonst eine Seele von Mensch war, schätzte es nicht, wenn Arbeit, gleich welcher Art, liegen blieb.

Jetzt erst, nachdem sie die wichtigsten Tätigkeiten erledigt hatte, fand sie Zeit für das, was sie sich noch in der Nacht vorgenommen hatte. Zoll für Zoll öffnete sie die Kammertür. Das Herz schlug ihr bis zum Hals, denn für den Fall, dass Vitus noch da war und sie bemerkte, wusste sie nicht, wie sie sich verhalten sollte. Nicht nach dieser Nacht.

Die Tür gab einen knarzenden Laut von sich, und Louise stockte der Atem vor Schreck. Rasch lugte sie in den Raum. Gottlob! Vitus war nicht mehr da. Sie schlüpfte hinein, entledigte sich rasch ihres Übergewands und schlüpfte in eine abgewetzte, lederne Reiterkluft. Anschließend warf sie sich wieder ihren Umhang über. Ein letzter Blick streifte die armselige Kammer, bevor sie die Tür wieder von außen schloss.

Kurz darauf verließ sie das Escargot.

Nach Atem ringend, verhielt die alte Marou vor der kleinen Türstufe am Hintereingang ihrer Hütte. Bei ihrer Leibesfülle stellte jeder Schritt, und war er noch so klein, ein fast unüberwindliches Hindernis dar. Erst recht, wenn er nach oben führte. Marou schnaufte. »Das Laufen fällt mir von Mal zu Mal schwerer, Canalla.«

Der farbenprächtige Trogon, der auf ihrer Schulter saß, flog mit einem krächzenden Laut aufs Dach.

»Das ist brav von dir, aber auf dein Gewicht kommt es auch nicht mehr an.« Ächzend hob die Heilerin einen ihrer säulenartigen Schenkel – und setzte ihn gleich wieder ab. Erst nach mehrmaligen Versuchen gelang es ihr, die Stufe zu erklettern. »Jesus und Maria, das wär geschafft.«

Die wenigen anschließenden Schritte bis zu ihrem Ruhestuhl am Feuer ließen sie in Schweiß ausbrechen. »Ich weiß auch nicht, warum ich immer dicker werde«, brummte sie, »ich esse seit Jahren so gut wie nichts. Nur trinken muss ich, viel trinken. Und doch denke ich manchmal, ich lasse mehr Wasser, als ich zu mir nehme.«

Kopfschüttelnd betrachtete sie die große eiserne Schüssel, die sie soeben hinter dem Haus entleert hatte und noch immer in der Hand hielt. »Das Ding ist jedes Mal viel zu schnell voll.« Sie setzte die Schüssel wieder in das Loch der Sitzfläche, schlug ihren Überwurf hinten hoch und wuchtete ihr blankes Hinterteil auf den Stuhl. Die massiven Holzbeine quietschten. »Gott sei Dank, ich sitze!«

Canalla flog heran und ließ sich abermals auf Marous Schulter nieder. Nun war alles wieder so, wie es sein sollte. Zufriedenheit breitete sich in ihrem Herzen aus. Sie saß bequem, ihr Puls beruhigte sich, und das Feuer neben ihr spendete Wärme. Eigentlich, so dachte sie, war es nicht nötig, in dieser Jahreszeit ein Feuer zu unterhalten, aber bei ihr lagen die Dinge anders, denn ihr war ständig kalt. Wahrscheinlich lag es daran, dass sie sich zu wenig bewegte. Aber sie liebte die Ruhe nun einmal. Und das Sitzen …

Sie wusste, dass ihre Art zu leben nicht gesund war, beileibe nicht, doch sie hatte sich ganz bewusst dafür entschieden.

Als Mädchen war sie gertenschlank gewesen und hatte sich ihr Brot durch Botengänge in Habana verdient. Von morgens früh bis abends spät war sie in der Stadt unterwegs gewesen. Und genau wie sie liefen ständig Menschen durch die Straßen. Sie liefen zur Arbeit, liefen zu Ämtern, liefen zum Markt; Männer liefen zu Fauen, Frauen liefen zur Kirche. Kinder liefen davon, wenn sie etwas ausgefressen hatten, Bettler liefen von Haus zu Haus, Kaufleute liefen dem Geld hinterher. Jeder hatte es eilig, und keiner hatte Zeit. Schon damals hatte sie beschlossen, nach Ruhe zu streben. Ihre Fähigkeiten als Heilerin, die sich im Laufe der Jahre mehr und mehr entwickelt hatten, waren ihr dabei sehr zustatten gekommen. Denn in Ausübung dieser Tätigkeit musste sie nicht zu den Menschen gehen, die Menschen kamen zu ihr.

»Ich glaube, da kommt jemand, Canalla«, sagte sie. »Meine Augen wollen nicht mehr so, aber die Ohren sind noch gut. Dem Schritt nach ist es eine Frau, die sich nähert, eine leichte Frau, wahrscheinlich eine sehr junge Frau. Junge Frauen kommen entweder aus Kummer mit ihrem Liebsten zu mir oder weil sie Warzen oder sonst eine Hautentstellung haben. Wobei häufig das eine mit dem anderen zusammenhängt.« Marou zog geräuschvoll die Nase hoch. »Wir werden sehen.«

Inzwischen waren die Schritte kürzer geworden. Jetzt verhielten sie ganz. »Komm nur näher«, rief die Heilerin. »Die alte Marou beißt nicht!« Sie kicherte über ihren eigenen Scherz, doch wenige Augenblicke später verstummte sie, denn eine tief vermummte Gestalt betrat die Hütte. Die Erscheinung war mehr als ungewöhnlich. Sie trug ein wallendes dunkles Gewand, das sie vollständig verhüllte und nur eine Öffnung für die Augen frei ließ.

Die Gestalt verharrte und deutete eine kurze Verbeugung an. Dann schwieg sie. Das gab Marou Gelegenheit, sie eingehender zu mustern. In der Tat handelte es sich um eine junge Frau, die von guter Gesundheit zu sein schien. Jedenfalls deuteten ihre Bewegungen keinerlei körperliche Gebrechen an. Wahrscheinlich waren ihre Beschwerden äußerlicher Art, nichts Lebensbedrohendes. Das traf sich gut, denn die hohe medizinische Kunst, etwa operative Eingriffe oder Diagnosen nach der Säftelehre, war Marous Sache nicht. Ihre Stärken lagen auf anderen Gebieten, auf Gebieten, die von der Wissenschaft unerklärbar waren – unerklärbar wie ihre Gabe, die

Menschen so fest an die Gesundung glauben zu lassen, dass sie tatsächlich genasen. Diese Fähigkeit, zusammen mit einer guten Portion Menschenverstand und viel Beobachtungsgabe, hatte ihr als Heilerin eine gewisse Berühmtheit eingetragen.

»Ich heiße Marou«, sagte sie. »Wer bist du und wer schickt dich zu mir?«

»*Buenos días.* Niemand schickt mich.« Die Stimme unter dem Gewand klang gedämpft. Dennoch erkannte Marou sofort, dass die Unbekannte keine Spanierin sein konnte. Und auch keine Portugiesin, dafür war ihr Akzent zu stark. War sie eine Französin? Kaum, das hätte eleganter geklungen. Wahrscheinlich war sie Engländerin. Engländerin, ja, das mochte sein.

»Francisca Hoyelos sprach davon, dass sie dank deiner Künste schwanger wurde. Sie ist des Lobes voll über dich. Das brachte mich auf den Gedanken, dich zu fragen, ob du auch mir helfen kannst.«

»Nanu, du willst schwanger werden? Warum? Vielleicht bist du es am Ende schon?« Marou kicherte erneut

»Oh, nein, nein …!« Die Fremde, bei der es sich um keine andere als Louise handelte, verstummte.

»Nimm an, ich habe nur gescherzt.« Offenbar hatte die junge Frau Verkehr mit einem Mann gehabt, der nicht ihr Ehemann war. Vielleicht nicht einmal ihr Geliebter. In jedem Fall wollte sie kein Kind, und ihr Problem lag, wie vermutet, ganz woanders. Dafür sprach auch ihre tiefe Verhüllung. »Ich nehme an, es geht um … deine Haut?«

»Woher weißt du das?«

Marou lachte glucksend. »Ich weiß mehr als andere. Wär's nicht so, wäre ich keine Heilerin.«

»Ja, es geht um meine Haut«, bestätigte Louise. »Und du bist meine letzte Hoffnung.«

»Komm näher, meine Augen wollen nicht mehr so. Sei ohne Furcht. Ich habe wohl bemerkt, dass du mir deinen Namen nicht sagen willst, aber Namen sind Hülsen. Was darin steckt, zählt. Nur das! Nun komm schon, wenn jemand dir helfen kann, dann bin ich es.«

Mit schnellen Schritten trat Louise dicht vor Marou hin. Im Licht des Feuers erkannte die Heilerin, dass sie graugrüne Augen und seidige rotblonde Wimpern hatte. »Wenn dein Gesicht so schön ist wie deine Augen, hat Gott der Allmächtige dir viel mit in die Wiege gegeben.«

»Mein Gesicht ist nicht schön. Schon lange nicht mehr.« Mit einem entschlossenen Ruck zog Louise sich das Gewand über den Kopf.

Marou verschlug es die Sprache.

Noch nie hatte sie eine solche Entstellung gesehen. Nur die Augenlider, die Nase und die Lippen waren frei geblieben, alles andere war beidseitig befallen – von bläulich roten, teilweise nässenden Pusteln. Nicht das kleinste Fleckchen hatte die Krankheit ausgespart. Sie zog sich hinunter bis zum Hals, wo sie, wie zum Hohn, übergangslos endete und zarter, weißer, makelloser Haut Platz machte.

Marou fing sich. In ihr runzliges Gesicht trat ein mitleidiger Ausdruck. »Du hast Schmerzen?«

»Ja, sehr.« Louises Stimme klang verzweifelt. »Es brennt wie Feuer. Manchmal, nach zwei oder drei Wochen, heilen die Stellen ab, aber sie kommen immer wieder. Und der Schmerz ist ständig da. Es ist wie eine Geißel, die fortwährend zuschlägt.«

»Ich verstehe. Dein Leiden ist doppelt groß. Zu der körperlichen Pein kommt die Hoffnungslosigkeit. Die Krankheit ist wahrhaftig böse, sehr böse.«

»Wie nennt sich die Krankheit? Sag, ist sie heilbar? Ist sie heilbar?« Plötzlich verlor Louise die Fassung. Sie rang die Hände, und die Augen wurden ihr feucht. Doch gleich darauf atmete sie tief durch und streckte sich. Die Tränen traten zurück. Marou erkannte, dass vor ihr jemand stand, der kämpfen wollte. Das war gut.

Sie ließ sich Zeit mit der Antwort. Prüfte noch einmal jede einzelne befallene Partie, roch an den Pusteln, entdeckte bei näherem Hinsehen einige feine Bläschen, befühlte die Lymphknoten unter den Ohren, besah sich die nässenden Stellen. Dann sagte sie langsam:

»Es gibt Tausende von Rosen auf dieser Welt, doch von allen, die der Allmächtige wachsen lässt, hat er dich mit der hässlichsten geschlagen. Du leidest an der Gürtelrose.«

»Gürtelrose?« Die Schankmagd versuchte zu lächeln. »Ich habe schon von dieser Krankheit gehört, aber noch nie sagte jemand, dass sie das Gesicht befällt.«

Marou seufzte. »Die Gürtelrose ist tückisch, mein Kind, sie kann überall am Körper auftreten.«

»Und? Kannst du mich heilen?«

»Nur mit deiner Hilfe.«

Louise sank auf die Knie und ergriff Marous Hände. »Ich will alles tun, was du sagst, alles! Sag mir, was ich tun soll!«

»Gut. Erzähle mir als Erstes die Geschichte deiner Krankheit. Wann trat sie zum ersten Mal auf? Unter welchen Umständen? Und was hast du gegen sie unternommen?«

Stockend begann die Schankmagd: »Nun … das erste Mal zeigte sich die Krankheit auf meiner Flucht von … ach, das tut nichts zur Sache … Jedenfalls auf meiner Flucht …«

»Auf deiner Flucht von wo?«

»Äh … von einer Insel. Ich floh übers Meer. Wollte nach Habana, um von dort ein Schiff in die Heimat zu nehmen.«

»Nach England, nicht wahr?«

»Ja, woher weißt du das?«

Marou schwieg. Ihr Blick fiel auf die Reiterkluft der jungen Frau. Das Leder war reichlich abgeschabt, zerknittert und verfärbt, aber wer genau hinsah, bemerkte, dass es sich um eine teure Anfertigung handelte. Und wer noch genauer hinsah, entdeckte auf der linken Brustseite ein verblasstes Wappen.

»Du bist Engländerin und von Adel, stimmt's?«

»Nun, ich …«

»Hör mal, mein Kind!« Die Heilerin wurde energisch. »Eben noch hast du mir versichert, du würdest alles tun, um mir bei deiner Heilung zu helfen, und jetzt willst du mir nicht einmal die einfachsten Fragen beantworten. Bist stumm wie eine Auster! Wenn du mir nicht rückhaltlos alles aus deinem Leben erzählst, kann ich nichts für dich tun.« Sie griff zu einer riesigen Kruke und schenkte sich einen Becher Wasser ein. »Gar nichts.«

»Es … es tut mir Leid. Es ist alles so furchtbar«, flüsterte Louise. »Ich habe alles falsch gemacht. Alles … Ich werde wohl niemals wieder glücklich werden. Selbst dann nicht, wenn ich die Krankheit besiege.«

»Wie heißt er?«, fragte Marou knapp.

»Das kann ich nicht sagen … das heißt, ich muss es wohl. Also gut, ich will dir erzählen, was sich zugetragen hat und wie alles gekommen ist.«

Marou führte den Becher zum Mund. »Ich höre.«

Geraume Zeit später, der Tag draußen ging schon in die Dämmerung über, beendete die Schankmagd ihren Bericht. Sie hatte während des Sprechens mehrfach mit den Tränen gekämpft, aber jedes Mal war es ihr gelungen, sie zu unterdrücken.

Marou fuhr der Fremden, die nun keine Fremde mehr war, mit der Hand über das prachtvolle rote Haar. »Ich habe viel gesehen, während du erzähltest«, sagte sie, »und ich weiß jetzt alles.«

Was genau sie wusste, würde sie ihrem Gegenüber nicht verraten, aber sie wusste mehr, als sie gehört hatte, denn kraft ganz bestimmter Namen und Konstellationen erschloss sich ihr der Blick in die Zukunft: So genau, wie sie die Schauplätze der Vergangenheit vor Augen hatte, so genau sah sie die künftigen Ereignisse. Und die waren nicht nur gut.

»Ich weiß, ihr werdet euch wieder finden«, sagte sie.

»Allmächtiger im Himmel, ist das dein Ernst?« Die junge Frau klatschte vor Glück in die Hände. »Wo? Wann? Sprich doch!«

»Du wirst dich noch einige Zeit gedulden müssen, mein Kind, einen Monat vielleicht, oder auch zwei oder drei … länger wohl nicht.«

»Allmächtiger! Aber wo, um alles in der Welt?«

»Wie der Ort heißt, weiß ich nicht, denn ich vermag nur Gesichter und geformte Materie zu sehen. Ich sehe Wasser, Holz und Eisen, du steigst nach oben, strauchelst … ja, strauchelst … doch du fällst nicht … Das wird der Moment sein, in dem ihr euch findet!«

Die junge Frau schloss die Augen und lächelte strahlend.

Marou fand, dass es ein Lächeln war, bei dem die Sonne aufging. Sie griff, ohne sich umzublicken, mit ihrer feisten Hand nach hinten, kramte in einem Regal und holte endlich einen Glashafen mit weißlichem Puder hervor. »Dieser Puder riecht nicht gut, aber er wird deinen brennenden Schmerz lindern. So lange, bis deine Rose vollends verdorrt ist.«

»Danke, Marou! Danke!« Die junge Frau nahm das Gefäß und

beugte sich herab, um die Heilerin zu küssen. Doch kurz bevor ihre Lippen Marous Runzeln berührten, schien sie es sich anders zu überlegen. Sie hielt inne.

»Küss mich nur, mein Kind, deine Rose kann mich nicht schrecken. Sag, du glaubst doch daran, dass sie verschwindet?«

»Ja, felsenfest, liebe Marou.«

»Dann wird deine Haut in drei Tagen wieder wie ein Pfirsich sein.«

DER SKLAVENHÄNDLER SANCEUR

*»Es ist nicht sehr wahrscheinlich, aber immerhin möglich, dass
in der Nacht noch weitere Sklaven geliefert werden.
Und zwar von einem Pir... ahem, von einem Kapitän.
Darf ich in diesem Fall, Docteur, noch einmal Eure
Hilfsbereitschaft in Anspruch nehmen?«*

Am südlichsten Punkt des Hafens, dort, wo die Anleger weit in die Bahía de la Habana hinausragten, hatte der Sklavenhändler Michel Sanceur sein Haus. Es war ein schönes Haus, groß, weiß gekalkt und Stein auf Stein gebaut, mit halbrunden Fenstern und drei schmalen, blumenbewachsenen Balkonen zur Wasserseite.

Sanceur hatte das Anwesen vor Jahren gekauft, nicht weil es so ansehnlich war, sondern weil es praktisch lag – in unmittelbarer Nähe der Mole, an der die meisten Sklavenschiffe aus Guinea festmachten. Sanceur hatte wenig Sinn für Farben und Formen und noch weniger für die Schönheiten der Natur, es sei denn, es handelte sich um prachtvolles ebenholzschwarzes Menschenmaterial, um Sklaven, die einen guten Preis einbrachten. Für Sanceur zählte nur bare Münze. Und am liebsten war es ihm, wenn er darüber peinlich genau Buch führen konnte.

So wie jetzt. Er saß in seinem Kontor an einem großen, mit Elfenbein-Intarsien verzierten Tisch und machte die Abrechnung für den vergangenen Monat. Das Ergebnis, sorgfältig von ihm mit Feder und Tinte festgehalten, konnte sich sehen lassen. Wieder war er um etliche spanische Golddublonen reicher geworden, dies nicht zuletzt, weil er alle überflüssigen Ausgaben strikt vermied. Allerdings, es gab da ein paar Posten, die noch immer zu sehr ins Geld gingen. Ein solcher Posten war das Monatssalär für Manolo, seinen Aufseher. Der Mann kostete mehr, als er wert war. Sanceur seufzte. Gutes Personal war in Habana noch schwerer zu bekommen als gutes Sklavenmaterial. Gewiss, Manolo war zuverlässig, noch nie war ihm ein Sklave entlaufen, zudem konnte er preiswert und recht leidlich kochen, und auch die Mahlzeiten teilte er regelmäßig aus, aber die Kosten, die Kosten, die Kosten …

Sanceur nahm sich vor, nach einem anderen Mann Ausschau zu halten. Es musste doch mit dem Teufel zugehen, wenn sich nicht jemand finden ließ, der für weniger Geld dasselbe leistete. Ihm kam eine Idee: Vielleicht war es geschickt, den Gast, der sich für heute Abend bei ihm angekündigt hatte, zu fragen, ob unter seinen Männern nicht einer sei, der Manolos Stelle einnehmen konnte. Der Gast war Kapitän, Pirat und Sklavenfahrer in einem, und manch einer behauptete, mit ihm sei nicht gut Kirschen essen, besonders, wenn es ums Geschäft ging. Aber Sanceur war bis jetzt noch mit jedem fertig geworden, und überdies hatte er dem Mann ein paar Mal im Umgang mit Habanas Behörden geholfen. Eine Hand wäscht die andere, wie es so schön hieß. Wenn er es recht überlegte, war er ganz sicher, dass der Kapitän ihm helfen würde.

Abermals vertiefte er sich in seine Kontoführung und registrierte voller Genugtuung, wie viel ihm auf der Haben-Seite verblieben war. Ja, von seiner Ware verstand er etwas! Meist sah er auf den ersten Blick, ob ein Schwarzer sich als anstellig erweisen würde oder ob er zur Aufsässigkeit neigte.

Aber manchmal, da irrte selbst er. Und das Material erwies sich als kränker, als er angenommen hatte.

Für solche Fälle hatte er seit kurzem einen Arzt.

Der Mann nannte sich Vitus von Campodios und schien ein weltfremder Träumer zu sein. Sanceur hatte es zunächst kaum für möglich gehalten, aber dieser Arzt, der sogar ein examinierter Galeonenchirurg war, hatte seine Dienste freiwillig und kostenlos gegen ein paar Informationen angeboten. Er hatte lediglich wissen wollen, wo sich eine gewisse Arlette aufhielt, und obwohl Sanceur keine Ahnung gehabt hatte – was in diesem Fall sogar der Wahrheit entsprach –, hatte er dennoch seine Arbeit aufgenommen.

Fürwahr, ein weltfremder Träumer.

Im Gegensatz zu Sanceurs Haus war der dazugehörige Anbau alles andere als schön. Er diente den zum Verkauf vorgesehenen Sklaven als Unterkunft und war nicht mehr als ein Bretterverschlag. Durch die Ritzen und Fugen der nachlässig zusammengezimmerten Hütte pfiff der Wind ständig von der Bucht herein. Immerhin herrschte auf diese Weise frische Luft in der Behausung, was den Insassen mit ihren schwärenden Wunden, den juckenden Flechten und beißenden Ekzemen etwas Linderung verschaffte.

Vitus stand inmitten dieser armen Seelen, vor sich einen am Boden hockenden, angeketteten Jüngling, und rief dem Magister zu: »Der Junge hier dürfte keine achtzehn sein, aber er sieht aus wie ein alter Mann. Ich weiß nicht, von wem Sanceur ihn gekauft hat, aber fest steht, dass er furchtbar unter der Schiffspassage gelitten hat. Ein Wunder, dass er überhaupt noch lebt!«

Der kleine Gelehrte nickte und blinzelte. »Wenn ich so etwas sehe, wünschte ich fast, ich hätte keine neuen Berylle.« Genau genommen waren es keine Berylle, die er trug, sondern einfache Glaslinsen, und noch genauer betrachtet war nur die eine der beiden, die rechte, funktionstüchtig. Für das linke Auge hatte sich keine Linse in passender Stärke gefunden.

»Wui, wui, so isses«, bestätigte der Zwerg, der zusammen mit Hewitt neben dem Magister stand. Sie hatten mehrere flache Bottiche mit saurer Molke zwischen den Kranken abgestellt und halfen ihnen, ihre von Hautkrankheiten befallenen Gliedmaßen mit der Flüssigkeit zu benetzen.

Der schwarze Jüngling, der genau merkte, dass über ihn gesprochen wurde, blickte mit blutunterlaufenen Augen auf. Er hatte am ganzen Körper Hämatome. Vitus nickte ihm beruhigend zu und fuhr dann fort: »Ich werde mit Sanceur sprechen, sobald wir hier fertig sind. Wir brauchen noch mehr Molke und weitere Medikamente. Gott sei Dank liegt dem Menschenhändler eine Menge daran, dass seine ›Ware‹ sich zum Verkaufszeitpunkt in gutem Zustand befindet.«

»Wie immer decken sich unsere Meinungen.« Der kleine Gelehrte nickte grimmig. »Fragt sich nur, ob Sanceurs ›Ware‹ zum gegebenen Zeitpunkt noch da ist.«

»Pssst, nicht so laut, du Unkraut! Es muss nicht jeder gleich wissen, was wir vorhaben.« Vitus wandte sich wieder dem Jüngling zu. »Hast du Durchfall?«

Der Schwarze verstand nicht.

»Ob du Durchfall oder die Ruhr hast, mein Freund.«

Noch immer verstand der Jüngling nicht, und selbst als Vitus die Frage mehrfach wiederholte, zeigte seine Miene keinerlei Erleuchtung.

Kurz entschlossen ließ der kleine Gelehrte Hewitt und den Zwerg allein weitermachen und trat heran. »Das haben wir gleich, pass auf.« Er streckte die Zunge heraus und blies Luft hervor, woraufhin ein blubbernder Laut entstand, der verblüffend echt die Auswirkung der Krankheit beschrieb. Gleichzeitig deutete er auf das Gesäß des Schwarzen. »Na?«

Trotz seines schlechten Allgemeinzustands musste der Gefangene grinsen. Er schüttelte den Kopf.

Der Zwerg krähte herüber: »Keine Flitzmarie? Knäbbig, knäbbig, Schwarzmann!«

Vitus war erleichtert. »Gott sei gelobt! Unser einziges Medikament gegen derlei Übel geht ohnehin zur Neige, und Blutwurz ist in Habanas Pharmacien kaum zu haben. Das Gleiche gilt für weißen Lehm zum Binden der Giftstoffe im Darm. Lediglich pulverisierte Kohle wird angeboten, aber ob die hiesige so gut ist wie die englische, steht dahin. Magister, wo du schon mal da bist, sei so gut und gib mir den Spatel aus meiner Tasche, ich will sehen, wie viele Zähne der Junge verloren hat.«

Vitus bedeutete dem Schwarzen, den Mund aufzumachen, und drückte mit dem Instrument die Wangen auseinander. »Ein Jammer um das prachtvolle Gebiss. Er hat drei Backenzähne und einen Schneidezahn eingebüßt. Das Zahnfleisch ähnelt eher Gummiarabikum als gesundem Gewebe. Ich hoffe, dass Sanceur seiner Gewohnheit treu bleibt und den Gefangenen weiterhin abwechslungsreiche Speise zukommen lässt.«

»Dein Wort in des Allmächtigen Ohr! Was ich vorhin gesehen habe, war ganz ordentlich – jedenfalls nicht schlechter als das, was wir damals im Kerker bekommen haben. Die Suppe enthielt sogar ein paar Fetzen Fleisch. Ist aber auch bitter notwendig, wenn ich mir den Jungen so ansehe. Er ist ja nur noch ein von Haut ummanteltes Skelett. Warum Sanceur ausgerechnet ihn erworben hat, mag der Bocksbeinige wissen. Wie heißt er überhaupt?«

»Ich glaube, Kamba. Bist du Kamba?« Vitus tippte dem Gefangenen mit dem Finger auf die Brust.

Der nickte scheu.

»Gut. Am besten, ich gehe jetzt schon zu Sanceur. Er sitzt zwar über seinen Büchern, aber Pater Thomas sagte immer: ›Was du tust, das tue gleich‹, und ich denke, er hatte Recht.«

Vitus bahnte sich seinen Weg durch die Reihen der Schwarzen. Sie waren hier, genau wie auf dem Guineaman, der sie nach Habana gebracht hatte, am Boden angekettet. Der Umstand, dass die Ketten etwas länger waren und ihnen mehr Spielraum ließen, fiel dabei kaum ins Gewicht. Man behandelte sie wie Vieh. Seit fünf Tagen waren sie hier und sollten, so Sanceurs Absicht, höchstens sieben weitere Tage in der Unterkunft verbleiben. Gerade so lange, bis sie so weit waren, um auf Habanas Sklavenmarkt angeboten werden zu können. Sanceur hätte die Zeit des Hochpäppelns liebend gern verkürzt, wie Vitus wusste, aber insgesamt zwölf Tage, um aus Halbtoten wieder halbwegs Gesunde zu machen, waren ohnehin viel zu wenig.

Sein Blick fiel auf eine junge Schwarze, deren körperliche Verfassung erstaunlicherweise nicht die schlechteste war. Wie um diesen glücklichen Umstand auszugleichen, bedeckte ein hässliches Ekzem ihr gesamtes Gesicht. Es erinnerte ihn zum wiederholten Male an Louise, deren Lager er an diesem Morgen verlassen hatte. Die Magd war schon fort gewesen, als er sich erhob, und er hatte zu seinem Erstaunen festgestellt, dass er sie vermisste. Wie sie wohl aussah unter ihrem Gewand? Ein warmes Gefühl durchströmte ihn. Die Erinnerung an die vergangene Nacht kam so deutlich in ihm hoch, als würde er sie noch einmal erleben. Konnte man sich in einen Körper verlieben, ohne das Gesicht zu kennen? Fast glaubte er, es wäre so. Wie sollte er sich verhalten, wenn er sie wiedersah? Sollte er tun, als sei nichts gewesen? Oder sollte er mit ihr darüber sprechen? Warum nur hatte sie so schrecklich geweint? Er wusste keine Antwort auf alle diese Fragen und zwang seine Gedanken in die Gegenwart zurück. Mittlerweile befand er sich vor der Tür zu Sanceurs Arbeitsraum und klopfte an.

»*Entrez!*«, erklang es von drinnen.

Vitus trat ein. Der Raum war teuer, aber ohne Geschmack eingerichtet, was vielleicht daran lag, dass es keine Madame Sanceur gab. »*Bonjour,* Monsier Sanceur«, hob er an, denn er wusste, dass der Sklavenhändler gern französisch angesprochen wurde, »ich will Eure Zeit nicht lange beanspruchen ...«

»Oh, kein Problem, mein lieber Docteur, *bonjour!* Sagt, was Ihr zu sagen habt.« Sanceur, ein blasser, magerer Endvierziger, den es schon als Kind nach Habana verschlagen hatte, besaß einen schütteren Schneuzer, Tränensäcke und scharfe Gesichtsfalten, die auf ein Magenproblem hindeuteten. Ansonsten war seine Erscheinung unauffällig, ja, harmlos, gerade so, als könne er kein Wässerchen trüben. Doch dieser Eindruck täuschte. Er war einer der skrupellosesten und erfolgreichsten Sklavenhändler Westindiens.

Vitus gegenüber gab sich Sanceur betont leutselig. Einerseits, weil die Zahlen vor ihm erfreulich aussahen, andererseits, weil er den Docteur, der nur für Gottes Lohn arbeitete, keinesfalls verlieren wollte.

Vitus sprach weiter: »Danke, Monsieur, zunächst: Den Sklaven geht es den Umständen entsprechend gut, wenn man von ihrer allgemeinen Schwäche und den Hautleiden absieht. Keine verborgenen Krankheiten, wie etwa Hämorrhoiden, Analfisteln oder Mundfäule.«

»*Voilà,* das höre ich gern. Allerdings darf ich behaupten, beim Kauf diesmal besonders scharf aufgepasst zu haben. Die Zeiten sind schlimm, mein lieber Docteur, man wird belogen und betrogen, wenn man sein Handwerk nicht versteht.« Sanceur wirkte sehr zufrieden.

Vitus fragte sich, wie man den Sklavenhandel als Handwerk bezeichnen konnte, und beschloss, Sanceur einen Dämpfer aufzusetzen: »Leider muss ich hinzufügen, Monsieur, dass einige der Gefangenen Zähne verloren haben. Es gibt ein paar neue Lücken in den Gebissen. Ursache dafür ist der Scharbock, der auf langen Seereisen regelmäßig auftritt. Die ärztliche Kunst ist noch nicht so weit, dass sie sagen könnte, was den Scharbock auslöst, aber so viel steht fest: Er ist am besten durch regelmäßige und abwechslungsreiche Kost zu bekämpfen.«

»Nun, und? Wollt Ihr damit sagen, Manolo würde nicht gut genug kochen? Wirtschaftet der Bursche am Ende in die eigene Tasche?« Sanceurs Miene verdüsterte sich. Die Käufer von Sklaven schauten immer als Erstes ins Gebiss. Fehlte der eine oder andere Zahn, war das kein guter Auftakt für die Preisverhandlungen. Anders war es mit dem After. Da hinein mochten die wenigsten schauen. Wollte der Interessent jedoch eine Jungfrau kaufen, wurde selbstverständlich auf das Genaueste nachgeforscht, am liebsten mit dem Mittelfinger ... »Ich habe mir sowieso vorgenommen, mich von Manolo zu trennen. Er ist zu teuer für das, was er leistet.«

»Monsieur, das liegt natürlich ganz in Eurem Ermessen. Ich kann nur sagen: Jede reichhaltige zusätzliche Mahlzeit wird die Schwarzen früher auf die Beine bringen. Im Übrigen wäre ich Euch dankbar, wenn Ihr die Mittel für die Beschaffung weiterer Molke und anderer Arzneien aufbringen könntet.«

»Kosten, Kosten, Kosten!«, stöhnte Sanceur. »Wo man geht und steht, verfolgen sie einen.« Seine Laune sank weiter. »Es scheint, das ganze Leben besteht nur noch aus Kosten!«

Vitus zuckte mit den Schultern. Es war eine altbekannte Tatsache, dass diejenigen, die am meisten hatten, auch am meisten stöhnten.

»Aber ich will nicht kleinlich sein.« Sanceur nahm sich zusammen. Er dachte an den stattlichen Gewinn, den er in Bälde – trotz fehlender Zähne – durch den Verkauf der Sklaven einstreichen würde, und tröstete sich damit, dass die Summe für ein paar Medikamente dagegen vergleichsweise klein war. »Besorgt nur, was Ihr braucht, ich erstatte Euch Eure Auslagen.«

»Ich danke Euch, Monsieur.«

»Ach, ich hätte da auch noch etwas.« Sanceur war der Gast, den er am Abend erwartete, eingefallen. »Es ist nicht sehr wahrscheinlich, aber immerhin möglich, dass in der Nacht noch weitere Sklaven geliefert werden. Und zwar von einem Pir... ahem, von einem Kapitän. Darf ich in diesem Fall, Docteur, noch einmal Eure Hilfsbereitschaft in Anspruch nehmen?«

»Nun, ich ...«

»Euer Urteil über den Gesundheitszustand der Ware ist mir außerordentlich wichtig. Ich würde mich gegebenenfalls auch erkenntlich zeigen.«

»Nun, das wird nicht nötig sein, Monsieur. Wenn ich helfen

kann, helfe ich gern. Ich muss aber darauf hinweisen, dass die Unterkunft für weitere Gefangene zu eng ist. Die Gesundheit der Sklaven, von der Ihr gerade selber spracht, kann unter diesen Umständen keinesfalls ...«

»Ach was!« Sanceur unterbrach schärfer, als er eigentlich beabsichtigt hatte. »Wart Ihr schon einmal auf einem Sklavenfahrer, Monsieur Docteur? Wahrscheinlich nicht. Dann wisst Ihr auch nicht, was Enge ist. Glaubt mir, im Gegensatz dazu haben die Sklaven bei mir den Himmel auf Erden.«

Vitus schluckte eine heftige Entgegnung herunter. »Wie Ihr meint, Monsieur.«

»Nichts für ungut, Docteur. Ich kann doch auf Euch zählen?«

»Jawohl, Monsieur, ich werde heute Abend noch einmal vorbeikommen.«

»Ich bin Euch sehr verbunden.« Der Sklavenhändler wandte sich wieder seinem Schreibtisch zu und gab damit zu verstehen, dass er die Unterredung als beendet ansah.

»*Au revoir*, Monsieur.«

»*Au revoir*, Docteur.« Sanceur schüttelte unmerklich den Kopf, als Vitus von Campodios, dieser weltfremde Träumer, den Raum verließ. Der Docteur war zweifellos tüchtig, aber auch ein wenig zart besaitet.

Er würde es nie zu etwas bringen.

Es war schon Nacht, als Vitus mit seinen Freunden Sanceurs Haus erreichte. Warmes Licht leuchtete ihnen aus den Rundbogenfenstern entgegen, und köstlicher Bratenduft stieg ihnen in die Nase. Im Anbau dagegen herrschte völlige Dunkelheit. Vitus hielt eine der mitgebrachten Kerzen in die Höhe und erkannte mit Mühe die Gefangenen, deren schwarze Körper sich kaum von der Dunkelheit im Raum abhoben. Die Sklaven schienen sämtlich zu schlafen, was Vitus mit Befriedigung feststellte, denn Schlaf, tiefer Schlaf, war eine der besten Arzneien zur Genesung. Plötzlich stockte er, denn er hatte ein Geräusch gehört. »Bist du das, Manolo?« Seine Hand fuhr vorsorglich zu Haffs Degen.

»Ja.« Ein Öllämpchen schob sich um die Ecke. Dann wurde der dazugehörige Mann sichtbar. Es war Manolo. Der Aufseher war klein und dicklich, mit fettigem Haar und einem Gesicht, das trotz seines fortgeschrittenen Alters mit zahlreichen Pickeln übersät war. *»Buenas noches,* Cirurgicus. Ihr hier?«

»Ganz recht. Señor Sanceur bat mich, noch einmal vorbeizuschauen. Er sagte mir, es sei möglich, dass noch Sklaven angeliefert würden. Wenn das so ist, will ich sie untersuchen.«

»Sklaven, was für Sklaven?«

Der Magister antwortete für Vitus: »Dein Herr hat noch Besuch bekommen, mein Lieber, einen Gast, der womöglich ›menschliche Ware‹ mit sich führt.«

»Ach, deshalb musst ich noch mal in die Küche.« Manolo kratzte sich die Bauchstelle zwischen Hose und Hemd. Der große Schlüsselbund an seinem Gürtel klirrte. »Sollt unbedingt noch eine Lammkeule auf den Spieß bringen, und der Herr wollt mir nicht sagen, warum. Als hätt ich nicht genug zu tun! Ist in letzter Zeit so komisch, der Herr. Weiß auch nicht, was mit ihm los ist.«

Vitus kam eine Idee. Vielleicht war es leichter, die Sklaven zu befreien, als er gedacht hatte. »Eigentlich sollte ich es dir nicht sagen, aber Señor Sanceur ist höchst unzufrieden mit dir. Er meint, du bist dein Geld nicht wert.«

»Was?« Manolos Kopf schoss vor. »Ich hör wohl nicht recht! Ich arbeit von früh bis spät.« Und wie um diese Behauptung zu untermauern, wiederholte er: »Von früh bis spät arbeit ich! Tausend Sachen mach ich! Wollt ihr wissen, welche, Cirurgicus?«

Bevor Vitus antworten konnte, begann der Aufseher sein Tagewerk in allen Einzelheiten aufzuzählen. Es dauerte eine geraume Weile, und als er schließlich fertig war, rief er empört: »Und wisst Ihr, was ich für die ganze Arbeit bekomm? Ich sag's Euch: Nur ein paar lächerliche Maravedis!«

»Ich fürchte, selbst die bekommst du in Zukunft nicht mehr. Señor Sanceur hätte dich schon heute Abend vor die Tür gesetzt, wenn er dich nicht noch zur Zubereitung des Bratens gebraucht hätte.« Vitus fand seine Idee immer besser.

»So eine Gemeinheit!« Manolo zitterte vor Empörung. Der Schlüsselbund klirrte. »Ich werd um meinen Lohn kämpfen! Mit allen Mitteln!«

Der Magister fragte sanft: »Und was sind das für Mittel, mein Lieber? Bedenke, dass Sanceur ein einflussreicher Mann ist, mit besten Beziehungen zum Gouverneur, ein Mann, der sich die teuersten Advokaten leisten kann!«

»Ja, ich weiß, ich weiß!«, knirschte Manolo, dessen Wut bereits zu verrauchen begann. »Es ist immer dasselbe: Die Großen machen, was sie wollen, und die Kleinen fassen in die Scheiße!«

Vitus blickte vorwurfsvoll.

»Oh, Verzeihung, Cirurgicus, ich wollt nur sagen, es ist eine große Schweinerei, immer zieht der kleine Mann den Kürzeren!«

»Ich kann dich gut verstehen. Aber wusstest du, dass es mir genauso ergeht? Ich behandele Sanceurs Sklaven schon seit geraumer Zeit, wie du weißt, und was glaubst du, habe ich von deinem Herrn dafür bekommen? Nicht einen müden Real!«

Manolo konnte es nicht fassen. Immerhin war der Cirurgicus ein Mitglied der Gesellschaft. Ein studierter Mann, dem sein Herr mit Achtung gegenübertrat.

»Aber ich werde mich rächen. Wenn dein Herr schon glaubt, mich nicht entlohnen zu müssen, werde ich dafür sorgen, dass er anderweitig zahlen muss. Meine Freunde und ich, wir werden sämtliche Sklaven freilassen, noch heute Nacht. Sie stellen einen hohen Wert dar, und der Verlust wird Sanceur empfindlich treffen.«

»Ja, aber …« Nur langsam erfasste Manolo die ganze Tragweite des Plans.

»Du könntest uns helfen, indem du die Ketten aufschließt. Dann hättest auch du deine Rache.«

Manolo schüttelte langsam, aber nachdrücklich den Kopf.

»Mit Verlaub: nein, Cirurgicus. Viel zu gefährlich. Was meint Ihr, was in Habana los ist, wenn so viele Sklaven auf einmal frei rumlaufen! Man tät sie jagen wie die Hasen, und innerhalb von drei Tagen hätt man sie wieder eingelocht. Man wird sie schlagen und quälen, bis man weiß, wie sie entwischt sind. Und dann gnade uns Gott!«

»Du irrst. Die Sklaven werden nicht wieder eingefangen, weil wir dafür sorgen, dass sie mit dem Schiff übers Meer flüchten können.«

»Was? Mit dem Schiff übers Meer?« Manolo biss sich auf die Unterlippe und kratzte sich gleichzeitig die Bauchstelle. Er war jetzt sehr nervös. »Trotzdem, ich weiß nicht …«

»Der Schiffer ist ein zuverlässiger Mann. Er wird die Gefangenen sicher zu den Cimarrones bringen.« Vitus beschloss, den Namen O'Tuft zu verschweigen. Was Manolo nicht wusste, konnte man später auch nicht aus ihm herausfoltern.

»Zu den Cimarrones? Hm, hm ...« Angst und Rachsucht fochten einen Kampf in Manolos Hirn.

Der Magister wurde ungeduldig. »Manolo, mein Lieber, die Nacht ist kurz! Wenn du dich nicht entscheiden willst, können wir auch so tun, als wärst du niedergeschlagen worden. Dann kann dir später niemand was anhängen.«

»Ja? Ach so, hm. Ja, das ist gut! Und wie wollt Ihr das machen?«

»Ganz einfach.« Der kleine Gelehrte nahm eine der herabgefallenen Dachlatten vom Boden auf und zog sie dem Unentschlossenen über den Kopf. »So!«

Manolo fiel um wie ein Sack Zwiebeln. Sein Schlüsselbund klirrte. Rasch bückte sich Vitus und nahm das Öllämpchen vom Boden auf. Es war dem Zauderer aus der Hand gefallen und drohte das Stroh zu entzünden. »Musstest du so grob sein, Magister? Komm, halt mir mal die Lampe, du Schlagetot.«

»Besser so als gar keine Schlüssel«, gab der kleine Gelehrte zurück.

»Wir haben Glück, Manolo dürfte nicht ernsthaft verletzt sein. Allerdings wird er für eine Weile schlafen.« Vitus nestelte die Schlüssel unter Manolos Körper hervor. »Einer davon muss passen. Komm, Magister, versuchen wir's.«

In Windeseile sperrten sie die Kettenschlösser auf, flüsterten auf die mittlerweile erwachten Sklaven ein und versuchten unter vielerlei Radebrechen, ihnen zu erklären, was sie vorhatten. Es war eine gespenstische Situation: die stockdunkle Nacht, die schreckgeweiteten weißen Augen der Sklaven, das ängstliche Gemurmel, das Zusammenrücken der Körper, der Geruch nach Angstschweiß. Vitus beschwor die Gefangenen: »Vertraut uns! Ihr müsst es wagen!«

Einer von ihnen, es war ein älterer Mann, sprach ein paar Brocken Spanisch; vielleicht hatte er die Worte auf einem Guineaman aufgeschnappt. »Was sein ›wagen‹?«, fragte er.

»Wagen heißt Mut haben. Entschlossen sein. Kämpfen, verstehst du!«

Der Alte verstand nicht.

Schließlich schob der Zwerg sich vor und fistelte: »Die Lauscher auf, Schwarzmann! ›Wagen‹ heißt Freiheit, kannste das holmen? Freiheit! *Freedom! Libertad!*«

»Ah, *libertad, sí, sí. Libertad*«, antwortete der Alte. »Verstehen.« Er wirkte plötzlich entschlossen und sprach auf seine Leidensgefährten ein. Die Freunde sahen, wie ein Ruck durch ihre Körper ging. Das Wort Freiheit weckte ungeahnte Kräfte.

Vitus befahl: »Magister, Enano, Hewitt, ihr lauft mit den Schwarzen zum Anleger 2. Seht zu, dass alle mitkommen, auch Kamba. Notfalls muss er getragen werden. Der Himmel gebe, dass O'Tuft schon mit seiner Pinasse eingetroffen ist. Wenn nicht, versteckt euch in einem der Lagerschuppen. Spätestens morgen früh muss er da sein, oder alles war umsonst.«

Der kleine Gelehrte blinzelte durch seine Berylle. »Nanu, das klingt, als wolltest du uns nicht begleiten? Gefällt es dem hochwohlgeborenen Herrn nicht mehr in unserer Gesellschaft?«

»Lass den Unsinn. Ich will mich noch ein wenig umsehen, vielleicht sind neue Schwarze eingetroffen, ohne dass wir es bemerkt haben.«

»Das glaubst du doch selbst nicht.«

»Außerdem hat Sanceur vorhin den Gast versehentlich als Piraten bezeichnet. Ich will wissen, was das für ein Mensch ist.«

Vitus wurde energisch: »Und nun ab mit euch, ich komme später nach! Und lasst euch nicht erwischen!«

Wenige Augenblicke später hatte die Dunkelheit Schwarze und Weiße verschluckt, und Vitus befand sich allein mit Manolo in dem Bretterverschlag. Der Aufseher lag noch immer bewusstlos zu seinen Füßen. Vitus hoffte, er würde noch eine Weile weiterschlafen, und schlich sich hinaus, vorbei an der windschiefen Wand und hinüber zum Steinhaus, wo er unter einem der Rundbogenfenster Halt machte. Er duckte sich hinter einem der prächtigen Rosenbüsche und verwünschte die Dornen, die sich von überall her in seine Kleidung bohrten. Auch Haffs guter Degen erwies sich als sperrig. Gesprächsfetzen drangen aus dem offenen Fenster zu ihm herab. Es war Spanisch, was dort gesprochen wurde, so viel stand fest, aber er hatte große Mühe, ganze Sätze zu verstehen.

»Ihr habt ... keine Ware ... Preise sowieso gefallen ...«

»Ware? Haha! ... Ware, ja! ... Habana ... Vorsicht, Schlangen-grube ...«

Die erste Stimme war offenbar die von Sanceur. Vitus hatte sie schon so oft gehört, dass ein Irrtum ausgeschlossen war. Die Stimme des Sklavenhändlers war außerdem lauter als die seines Gastes, wahrscheinlich, weil er näher am Fenster saß. In jedem Fall schien es so, als habe der Fremde keine Sklaven dabei. Was der Unbekannte wohl mit »Schlangengrube« meinte? Vielleicht, dass Habana ein gefährliches Pflaster war? Gefährlich für Piraten?

Erneut spitzte Vitus die Ohren. Er wagte es und richtete sich zu voller Höhe auf. Jetzt war auch die zweite Stimme besser zu verstehen: »... nur den Sklavenfahrer gekapert ... Taggart gestört ... Scheißkerl, Rechnung offen ...«

Bei allen Heiligen! Hatte er richtig gehört? War da der Name Taggart gefallen? Und wenn ja, konnte es sich um den be-rühmten Sir Hippolyte Taggart handeln? Jenen Mann, dem Ihre Majestät Königin Elisabeth I. höchstpersönlich einen Ka-perbrief ausgestellt hatte? Taggart! Wenn der alte Bärbeiß tat-sächlich in der Nähe kreuzte, würde die eine oder andere Schatzgaleone nichts zu lachen haben! In Vitus' Kopf schwirr-ten die Gedanken. Es war ein angenehmes Gefühl, Taggart in der Nähe zu wissen, auch wenn er, Vitus, ihn sicher nicht auf seiner Rückfahrt nach England treffen würde. Auf seiner Rückfahrt ohne Arlette ...

Er vertrieb die unnützen Gedanken und konzentrierte sich wieder auf das, was über seinem Kopf gesprochen wurde:

»... Ihr mir noch immer schuldet ... ja, Ihr mir noch immer schuldet!«

Oho! Das war die Stimme des Gastes. Bekam er noch Geld von Sanceur? Es versprach spannend zu werden. Vitus streckte sich noch mehr.

»Fünfzig Golddublonen ... fünfzig ... sonst keine Nigger!«

Lachen. Ein hämisches Lachen als Antwort! Das musste Sanceur sein. Sollten sich die beiden Ehrenmänner dort oben in die Haare kriegen?

»... zum letzten Mal ... scherze nicht ... Dublonen!«

»Ihr ... nicht drohen ... nicht hier ... Habana!«

Kein Zweifel: Dort oben würde es gleich richtig zur Sache gehen. Vitus vergaß alle Vorsicht und stieg auf einen niedrigen Mauersims, um noch mehr zu hören. Er hob den Kopf – und erstarrte. Er hatte ein Geräusch vernommen, das er unter Tausenden auf dieser Welt herausgehört hätte. Es war das Geräusch eines sich ausrenkenden Kiefers. Und kurz darauf vernahm er die Melodie:

>*Pirate's blessing*
is slitting,
is killing,
... is maha-ssa-cring!«

Das musste John »Jawy« Cutter sein! Ohne zu überlegen, kletterte er vom Mauersims herab und hastete um das Anwesen herum zur Eingangstür. Jawy war hier. Der Mordbube, der so unendlich viel Leid über ihn und die Männer der *Gallant* gebracht hatte! Der so viele brave Matrosen auf dem Gewissen hatte! Der seinen Instrumentenkoffer, seinen Stecken und seine Kiepe mit dem unersetzlichen Werk *De morbis* geraubt hatte!

Blind vor Zorn sprang Vitus ins Haus, eilte durch die Räume bis zum Kontor, wo Sanceur und Jawy sich am Elfenbeintisch wie zwei Kampfhähne gegenüberstanden. Zwischen ihnen eine reich gedeckte Tafel, deren Mittelpunkt eine riesige Lammkeule bildete. »Habe ich dich endlich, du Teufel in Menschengestalt!«

Der Pirat, der den Sklavenhändler am Kragen gepackt hielt, drehte sich um, überrascht und verblüfft zugleich. Doch nur Augenblicke später verzog sich sein Gesicht zu einem Grinsen. »Sieh an, unser blonder Held von der *Gallant*, stimmt's? Immer noch am Leben? Verpiss dich, Bürschchen, ich kann mich jetzt nicht um dich kümmern.« Jawy wollte sich wieder Sanceur zuwenden, doch Vitus war schon bei ihm und riss ihn herum.

»Das wirst du aber müssen, Menschenschlächter.« Er rammte dem Piraten mit aller Kraft die Faust ins Gesicht.

Jawy, der alles erwartet hatte, nur keinen Angriff von einem Mann, der fast einen Kopf kleiner war, taumelte zurück. Sanceur, nun wieder frei, stieß einen heiseren Angstschrei aus und verschanzte sich hinter dem schweren Tisch.

Jawy schüttelte sich, zeigte ansonsten aber keinerlei Wirkung. Der Schlag hatte seinen Unterkiefer getroffen – und damit eine Stelle, die hart wie Granit war. »Das wirst du mir büßen, Bürschchen.« Seine Rechte fuhr zum Degen, die Linke zum Rapier.

»Darauf habe ich lange gewartet!«, versetzte Vitus grimmig. »Viel zu lange!« Ähnlich wie vor schweren Operationen erging es ihm auch jetzt: Wenn der entscheidende Zeitpunkt da war, fiel alle Aufregung von ihm ab. Er tat zwei, drei Schritte zurück und riss Haffs Degen aus der Scheide. »So, du Teufel, jetzt gilt's!«

Lauernd kam der Pirat auf ihn zu. Er hatte erkannt, dass dies kein Spaß mehr war, sondern ein Kampf auf Leben und Tod werden würde. Aber solche Kämpfe waren nach seinem Geschmack, und bislang war er noch aus jedem siegreich hervorgegangen. Sein Blick wurde seelenlos, und mit einem dumpfen Laut hakte er abermals seinen Unterkiefer aus.

»Ja, stimm nur dein Liedchen an«, sagte Vitus kalt, »und genieße es, es könnte dein letztes sein.«

»Das werden wir sehen, Bürschchen. Schade, dass ich dir damals auf der *Gallant* nicht gleich den Garaus gemacht habe, aber dafür werde ich es jetzt umso mehr genießen.« Jawy lächelte boshaft und begann, während er seine Waffen wie Fangarme ausstreckte, Vitus zu umkreisen. Dann, fast schneller, als das Auge es wahrnehmen konnte, machte er einen Ausfall. Es war kein ernst gemeinter Ausfall, lediglich einer, der prüfen sollte, wie gut die Reflexe dieser halben Portion da vor ihm waren.

Sie waren gut. Sehr gut sogar. Jawy wurde sich bewusst, dass er mit dem Blonden kein leichtes Spiel haben würde, dass er es vielmehr mit einem Gegner zu tun hatte, der es verstand, in seinem Gesicht wie in einem Buch zu lesen. Anders war es nicht zu erklären, dass er, fast noch bevor Jawys Attacke kam, elegant zurückgesprungen war.

Es würde schwer werden. »Ich spieße dich auf wie ein Spanferkel«, knurrte Jawy.

»Und ich werde dich töten.« Vitus staunte, mit welcher Ruhe er diese Drohung aussprach. Wollte er Jawy wirklich töten? Er, der es sich zur Lebensaufgabe gemacht hatte, Menschen vor dem Tod zu bewahren? Er kam nicht weiter mit seinen Gedanken, denn Jawy griff erneut an. Er tat es wie ein Sturm, mit gewaltigen Hieben, die so schnell waren, dass man ihnen kaum ausweichen konnte. Wieder und wieder schlug der Pirat zu, und Vitus sprang ein ums andere Mal zurück. Er wehrte den heranzischenden Degen ab, parierte das Rapier, sah sich schon wieder dem Degen ausgesetzt, dem Rapier, dem Degen ... und wurde dergestalt durch den ganzen Raum getrieben.

»Hüpf nur, Hasenfuß«, schnappte Jawy, »gleich habe ich dich.« Und in der Tat sah es bedrohlich aus, denn der Pirat hatte es verstanden, Vitus in eine Ecke des Kontors zu drängen, wo es ihm kaum möglich war, den blitzartigen Vorstößen auszuweichen. Neue Hiebe prasselten auf ihn herab, es schien, als würde Jawy über unerschöpfliche Kraftreserven verfügen.

Vitus keuchte. Er merkte, dass er lange nicht mehr gefochten hatte. Wenn der rasende Jawy so weitermachte, hatte bald sein letztes Stündlein geschlagen. Doch so weit war es noch nicht. Irgendwann musste auch ein Jawy Cutter ermüden.

Ein neuer, noch gewaltigerer Streich zischte heran, Vitus riss den Arm hoch, um ihn abzuwehren, doch bedingt durch die Enge war sein Parierschlag nicht präzise genug, Jawys Klinge glitt ab und traf ihn an der Schulter. Triumph blitzte in den Augen des Piraten auf. Für den Bruchteil eines Augenblickes wurde er unaufmerksam.

Das war Vitus' Chance. Er ignorierte den Schmerz und sprang, mit dem Kopf voran, direkt auf Jawy zu. Es war ein Ausfall, wie er in keinem Lehrbuch stand, aber er war erfolgreich, und nur das zählte. Jawy prallte durch den Kopfstoß zurück und gab so Raum frei für Vitus, der mit einer schlangengleichen Bewegung an ihm vorbeischlüpfte und, noch ehe er seine Kampfstellung auf der anderen Seite wieder einnahm, mit aller Kraft zuschlug. Der Hieb war nicht sonderlich genau, konnte es auch nicht sein, denn er war aus der Bewegung heraus geschlagen, aber er fand sein Ziel. Er traf wuchtig oberhalb des linken Handgelenks auf, und die Klinge schnitt tief ein.

Jawy schrie auf und ließ das Rapier fallen.

Jetzt galt es, den Vorteil auszunutzen. Jetzt ging es Degen gegen Degen. Er konnte wieder alles das, was Arturo, der florentinische Fechtmeister, ihm so trefflich beigebracht hatte, anwenden. Er täuschte eine Ballestra vor und zog sich blitzschnell wieder zurück. Dies tat er mehrere Male, wobei er nach jedem Vorstoß weiter zurückwich. So gelang es ihm, Jawy zur Mitte des Raums zu locken; hier war mehr Platz, und er konnte seine Behändigkeit besser ausspielen. Er gab sich eine Blöße und bot die Quart an, was den Piraten prompt dazu veranlasste, einen gewaltigen Stoß auf seine rechte Brustseite auszuführen. Der Stoß ging ins Leere. Jawy schnaufte. Dann versuchte er es mit einem uralten Trick. Er rief: »Sieh nur, Bürschchen, Sanceur stirbt!«

Vitus lachte. Er war kein Anfänger, der auf solche Kinkerlitzchen hereinfiel. Sein Blick lag unverwandt auf Jawy, in dessen Augen die ersten Zweifel auftauchten. »Sanceur stirbt nicht, aber du!« Er machte einen Sturzangriff, preschte überfallartig vor, stieß den Degen nach vorn und zog sich ebenso schnell wieder zurück, um dem Gegenangriff auszuweichen. Doch der Gegenangriff blieb aus. Er hatte es nicht gesehen, aber nun, an Jawys gekrümmter Haltung, wurde klar: Er hatte getroffen. Die Spitze seines Degens hatte dem Piraten die unteren Rippen aufgeschlitzt! Ein roter, rasch größer werdender Fleck bildete sich auf seinem Wams.

Wieder stürmte Vitus vor, schlug Jawys zur Parade hochgerissene Waffe beiseite und setzte einen neuen Treffer. Der Pirat schrie auf und wich zurück. Beide Kontrahenten standen sich, nach Luft ringend, gegenüber. In Jawys Augen flackerte es. Dann ging ein schiefes Grinsen über seine Züge. Sein Unterkiefer malte. »Glaub nicht, dass du mich hast, Bürschchen!« Er sprang auf Sanceur zu, umfasste den Sklavenhändler und hielt ihn wie einen Schutzschild vor sich, während er sich rasch zum Ausgang bewegte. Dort angelangt, versetzte er Sanceur einen Hieb mit dem Griff seines Degens und schlüpfte durch die Tür. »Wir sehen uns wieder, Bürschchen!«

Dann schloss er von außen ab.

Vitus kam nur langsam zur Besinnung; das Ganze erschien ihm plötzlich wie ein Spuk. Er bückte sich nach Sanceur, der auf dem Boden lag und eine Quetschwunde an seiner Stirn betastete.

»Allmächtiger!«, stöhnte der Sklavenhändler. »Ist das Unge-heuer fort?«

»Ja, Monsieur.« Vitus kam allmählich wieder zu Atem. »Lasst mal Eure Stirn sehen. Nun, die Stelle ist nicht offen, dennoch habt Ihr überall Blut auf der Stirn. Lasst mich nach der Ur-sache forschen.« Rasch untersuchte er den Sklavenhändler, konnte aber keine offene Wunde entdecken. »Seltsam!«

»So seltsam nun auch wieder nicht.« Sanceur gewann seine al-te Sicherheit wieder. »Ihr seid es selbst, der blutet. Aus der Schulter.«

»Was sagt Ihr? Tatsächlich!« Vitus betastete die verletzte Stel-le. An sie hatte er überhaupt nicht mehr gedacht. »Wahrhaftig, Ihr habt Recht. Eine Schnittwunde, nun, es gibt Schlimme-res.« Er half dem Mann auf die Beine. »Und jetzt entschuldigt mich. Der Menschenschlächter sagte, er sei noch nicht fertig mit mir. Nun, ich bin es mit ihm auch noch nicht. *Au revoir,* Monsieur!« Vitus eilte zum Fenster, blickte kurz nach unten – und sprang.

»*Au revoir.*« Mit offenem Mund schaute Sanceur ihm nach.

Vitus landete halb im Rosenstrauch, aber er ignorierte die Dornen, denn dreihundert Schritte entfernt, Richtung Hafen, hastete ein dunkler Schatten: Jawy! Vitus begann zu rennen, wie er noch nie in seinem Leben gerannt war, und der Schat-ten rückte näher. »Ich kriege dich, Menschenschlächter!« Er bemerkte, dass Jawy zum Anleger 5 lief, vorbei an Hütten, Schuppen und Kränen. Wie es wohl seinen Freunden und den Schwarzen ergangen war? Hatten sie es bis zum Anleger 2 ge-schafft? War O'Tuft eingetroffen? Gedankenfetzen jagten durch seinen Kopf, während er weiterlief.

Jawy hatte mittlerweile die Pier erreicht. Er rief irgendetwas und gestikulierte heftig. Ein Mann löste sich aus der Dunkel-heit und pfiff gellend, woraufhin ein Boot auftauchte. Natür-lich, Jawy hatte eine Crew auf sich warten lassen und ließ sich zurück auf seinen Segler rudern!

Vitus hetzte weiter, aber er merkte, dass er es nicht schaffen würde. Atemlos blieb er stehen. Das sich entfernende Boot hielt direkt auf einen Sklavenfahrer zu, der mehrere Kabellän-gen enfernt auf Reede ankerte. Das Schiff war zweifelsohne nicht die *Torment of Hell,* Jawys Piratenschiff, sondern eine

Galeone spanischer Bauart. Bevor Vitus sich darüber wundern konnte, geschah etwas Unerwartetes: Jawy richtete sich im Heck seines Boots zu voller Höhe auf, winkte herüber und – lachte ihn aus!

»Warte nur, du vermaledeiter Teufel! Ich kriege dich, und wenn ich dafür bis ans Ende der Welt laufen muss!«

DER MATROSE HEWITT

»Ich weiß, dass es eine Bucht gibt, in der Jawy und seine
Spießgesellen sich gerne aufhalten. Die Bucht selbst ist
den Spaniern wohl bekannt, aber sie hat mehrere geheime
Seitenarme, die von See her uneinsehbar sind.
Ein idealer Platz, um sich zu verstecken.«

Vitus saß in O'Tufts Kajüte und musste trotz all seiner Proteste eine genaue Untersuchung durch den Magister über sich ergehen lassen. »Es mag sein«, sagte der kleine Gelehrte mit Seelenruhe, »dass wir keine Zeit zu verlieren haben, wenn wir Jawy noch erwischen wollen, aber es gibt Dinge im Leben, die wichtiger sind. Deine Verletzung zum Beispiel. Ein hübscher Schnitt ist das, den der Hundsfott dir da verpasst hat. Der Hautlappen lässt sich umklappen wie ein Buchdeckel. Nun, gottlob ist er auch nicht viel dicker als ein solcher. Immerhin, du brauchst einen Verband, der ihn fest andrückt, damit er umso schneller wieder anwächst.«

»Aber Magister, die Wunde blutet doch nicht einmal mehr.«

Der kleine Mann nahm die Berylle ab. »Du scheinst Ross und Reiter zu verwechseln, du Unkraut! Im Augenblick bin ich der Arzt, und du bist der Patient. Und jetzt halt still. Ich will noch eine Heilsalbe auftragen, bevor ich die Wunde fixiere.«

»Eine Heilsalbe ist doch gar nicht nötig.«

Der Magister räusperte sich und blickte vorwurfsvoll in die Runde. »Es ist schon etwas dran an der alten Weisheit, dass Ärzte die schlechtesten Patienten sind. Sie wissen alles besser.«

»Wui, wui, 's hab ich auch schon mal geschallt.«

O'Tuft, ein untersetzter Mann, dessen Brustkasten an ein Butterfass gemahnte, enthielt sich der Stimme. Auch Hewitt schwieg. Beide stellten stattdessen Becher vor die Männer hin, und der Kapitän beeilte sich, jedem einen steifen Brandy einzuschenken. »Stärkt Euch erst einmal, Gentlemen«, sagte er mit seiner volltönenden Stimme. »Die Hauptsache ist doch, dass die Sklaven in Sicherheit sind. Meine Männer kümmern sich um sie.«

Das stimmte in der Tat, wobei besonders die Farbigen unter O'Tufts Besatzung eine nahezu rührende Sorgfalt an den Tag legten. Sofort nach ihrer Ankunft hatte man Kamba und seine Leidensgefährten unter Deck gebracht, wo ihnen ein Lager, ein stärkender Trunk und eine vorbereitete Mahlzeit gereicht worden waren.

»Ich würde gern noch vor Morgengrauen bei ablaufendem Wasser ankerauf gehen, Cirurgicus«, fuhr der Kapitän fort, »der Wind steht günstig, und je schneller wir nach Mittelamerika kommen, desto besser. Wenn erst einmal sämtliche Schatzgaleonen zur Bahía de Matanzas segeln, um sich dort zu sammeln, ist das Meer um Kuba herum wie ein Amazonasarm voller Piranhas. Überall Freibeuter, Mordgesellen und Bukanier, die den Dons ihr Gold abjagen wollen.«

»An mir soll's nicht liegen, Herr Kapitän. Wenn der Magister mich jemals aus seinen Klauen entlassen sollte, gehen wir sofort von Bord. Doch sagt: Wird die Hafenbehörde nicht morgen früh misstrauisch werden, wenn Euer Schiff so plötzlich verschwunden ist?«

O'Tuft grinste. »Sie wird meine Abwesenheit bemerken, darauf könnt Ihr Gift nehmen, aber sie wird keinen Alarm schlagen. Ein wenig *soborno* für die entsprechenden Stellen«, er rieb Daumen und Zeigefinger aneinander, »und schon erblinden die Señores bei allem, was sich im Hafen tut, versteht Ihr?«

Vitus' Nicken wurde von dem Magister, der den Verband noch nicht vollends angelegt hatte, sofort unterdrückt. »Nicht bewegen«, befahl der kleine Mann, »oder willst du, dass ich von vorn anfangen muss?«

Vitus schwieg.

»Sprechen darfst du.«

»Ja, schon gut. Ich ärgere mich nur, dass der Menschenschlächter Jawy mir durch die Lappen gegangen ist. Ich gäbe viel dafür, wenn ich wüsste, wie wir ihn noch schnappen könnten, aber er ist wohl uneinholbar fort.«

»Scheint so.« Der kleine Gelehrte gab Vitus frei. »Bitte sehr, Herr Cirurgicus, Eurer Befürchtung zum Trotz seid Ihr schon fertig!«

»Danke, Magister.«

O'Tuft erhob seinen Becher. »Trinken wir erst einmal, Gentlemen. Ein guter Tropfen hilft über manchen Kummer hinweg, sagen wir Iren.«

»Das weiß man nicht nur in Irland.« Der kleine Mann griff ebenfalls zum Trinkgefäß. »*Sláinte*, Herr Kapitän!«

»*Sláinte!* Nanu, Ihr sprecht Irisch, Herr Magister?«

»Mehr schlecht als recht und nur ein paar Brocken, aber das ist eine lange Geschichte.«

»Ich verstehe.« O'Tuft, der nicht neugierig war, nahm einen kräftigen Schluck. Die anderen taten es ihm gleich.

Nachdem sie die Becher abgesetzt hatten, meldete sich Hewitt überraschend zu Wort: »Vitus, du sagtest vorhin, Jawy hätte sich zu einem Sklavenfahrer rudern lassen, nicht wahr?«

»So ist es, und nur der Himmel weiß, was aus seiner *Torment of Hell* geworden ist.«

»Ja, hm.« Hewitt dachte schwer nach, wobei sein offenes Jungengesicht sich in tiefe Falten legte. »Vielleicht hat Jawy die *Torment of Hell* verloren, vielleicht auch nicht. Ich persönlich halte es für wahrscheinlicher, dass er sie noch besitzt und den Sklavenfahrer zusätzlich gekapert hat.«

»Nanu, wie kommst du denn darauf?«

»Also«, der Matrose blickte ein wenig verlegen, denn er spürte, dass alle Augen auf ihm ruhten, »wenn die *Torment* vernichtet worden wäre, hätte sich das bestimmt wie ein Lauffeuer in Habana herumgesprochen.«

»Da ist was dran«, erklärte der Magister.

»Ich glaube«, setzte Hewitt seine Überlegungen fort, »dass Jawy bislang noch keine Schatzgaleone plündern konnte. In seinen Frachträumen dürften sich weder Silber noch Gold befinden, zumal, wie Kapitän O'Tuft bereits sagte, die Schatzgaleonen sich erst noch in der Bahía de Matanzas sammeln müssen, bevor sie vereint über den Ozean segeln.«

Vitus beugte sich vor. »Was willst du damit sagen?«

»Jawy hat sich an dem Sklavenfahrer schadlos gehalten, der war für ihn besser als gar nichts. Er hat den Guineaman in seine Gewalt gebracht und ihn mit einigen seiner Leute nach Habana gesegelt.«

In Vitus' Gesicht leuchtete Verstehen auf. »Klar! Und hier wollte er die Sklaven an Sanceur verkaufen. Jetzt fällt's mir wieder ein: Als ich die beiden belauschte, erwähnte Jawy auch

Taggart. Unseren alten Taggart! Und er sagte dabei irgendetwas von ›Störung‹. Vielleicht hat der alte Bärbeiß die *Torment* überrascht, als sie den Sklavenfahrer aufbrachte? Vielleicht hat er sie sogar bekämpft? Nun, das sind reine Vermutungen. Fest steht: Mit der *Torment of Hell* durfte Jawy sich nicht in den Hafen trauen. Mit dem Guineaman hingegen war es kein Problem. Er konnte unauffällig einlaufen und ziemlich sicher sein, die ›Ware‹ gefahrlos verkaufen zu können.«

»Was ihm bis jetzt aber nicht gelungen ist«, ergänzte der kleine Gelehrte grimmig. »Noch nicht.«

Schon wieder meldete sich Hewitt: »Magister, ich glaube nicht, dass er noch einmal versucht, mit Sanceur oder einem anderen Sklavenhändler ins Geschäft zu kommen. Vitus erzählte, die beiden hätten eine schwere Auseinandersetzung gehabt. Jawy muss annehmen, dass Sanceur ihn verpfeift, falls er es wagt, noch einmal an Land zu gehen. Erst recht, wenn er schwarze ›Ware‹ mit sich führt. Für spanische Wachsoldaten sind Piraten, die sich in Habana herumtreiben, ein gefundenes Fressen.«

»Na dann: gute Nacht.« Der Magister nahm den letzten Schluck und schielte nach der Brandyflasche. »Jawy ist über alle Berge, da beißt die Maus keinen Faden ab. Er wird auch nicht wiederkommen, wie wir gerade gehört haben. Vielleicht segelt er mit den Sklaven jetzt nach Hispañola oder weiß der Teufel wohin, ebenso wäre möglich, dass er Kurs auf seine *Torment of Hell* nimmt, sofern sie noch existiert, und die Schwarzen unterwegs einfach über Bord kippt. Aber auch die zweite Vermutung wird uns nichts nützen, denn wir haben keinen Schimmer, wo sich der Segler aufhält.«

»Vielleicht doch.« Es war das dritte Mal, dass Hewitt die Stimme erhob. »Ich weiß, dass es eine Bucht gibt, in der Jawy und seine Spießgesellen sich gerne aufhalten. Die Bucht selbst ist den Spaniern wohl bekannt, aber sie hat mehrere geheime Seitenarme, die von See her uneinsehbar sind. Ein idealer Platz, um sich zu verstecken.«

»Und das sagst du erst jetzt?« Vitus war aufgesprungen, setzte sich aber sofort wieder, denn die ungestüme Bewegung hatte den Schmerz in seiner Schulter neu entfacht. »Wie heißt diese Bucht?«

»Bahía de Cabañas. Jawy hat sich dort schon ein paar Mal auf die Lauer gelegt, um Schatzgaleonen zu überfallen. Einmal hat er die *Torment* sogar am Strand reparieren lassen.«

»Und wie weit ist die Bucht von Habana entfernt?«

Der junge Matrose zögerte. »Das kann ich nur schätzen, Vitus.«

»Dann schätze!«

»Ich denke, an die dreißig Meilen. Immer nach Westen, an der Küste entlang.«

»Dreißig Meilen?« In Vitus' Gesicht arbeitete es. »In Ordnung. Wir marschieren noch heute Nacht. Mit ein wenig Glück sind wir morgen Nachmittag vor Ort.«

Der Magister blickte skeptisch. »Nehmen wir an, die *Torment* wäre wirklich dort. Und dann?«

»Sehen wir weiter.« Vitus erhob sich endgültig und wandte sich an O'Tuft: »Kapitän, ich danke Euch für Eure Gastfreundschaft, sie hat Euch alle Ehre gemacht, doch nun ist unseres Bleibens nicht länger. Ich wünsche Euch eine gute Reise, und grüßt mir besonders herzlich Häuptling Okumba!«

O'Tuft grinste gutmütig und schob seine breite Brust vor die Kajütentür, so dass Vitus, der sich schon halb zum Gehen gewandt hatte, fast gegen ihn geprallt wäre. »Das will ich gerne tun, Cirurgicus, doch als Gott die Zeit gemacht hat, hat er genug davon gemacht, sagen wir Iren.«

Vitus blickte ihn fragend an.

»Ihr solltet Euch Zeit lassen und meine Gastfreundschaft noch ein Weilchen ertragen, oder wollt Ihr Euch auf dem langen Marsch von Luft und Liebe ernähren?«

»Äh … natürlich nicht.«

»Seht Ihr, geduldet Euch also noch so lange, bis der Koch Euch und Eure Männer mit Proviant versorgt hat.«

So geschah es. Doch als der ungeduldige Vitus endlich aufbrechen wollte, wurde er abermals daran gehindert. Diesmal vom Magister: »Was ist mit Arlette?«, fragte der kleine Gelehrte. Er sprach absichtlich so leise, dass die anderen ihn nicht hören konnten. »Willst du die Suche nach ihr etwa aufgeben?«

»Natürlich nicht. Aber glaubst du, dass sie jemals in Habana auftauchen wird?«, flüsterte Vitus zurück.

Der kleine Mann zuckte mit den Schultern.

»Dann los.«

Neunzehn Stunden später trafen die Freunde an den Ufern der Bahía de Cabañas ein. Ein Marsch lag hinter ihnen, der jedem das Letzte an Kraft und Willensstärke abverlangt hatte.

Sie waren, durch O'Tuft mit Nahrung, Waffen und Laternen wohl versorgt, am Meer entlang gegangen, und die ersten Meilen hatten sich noch gut angelassen. Die Nacht war klar gewesen, ein frischer Seewind hatte dafür gesorgt, dass sie nicht allzu sehr ins Schwitzen gerieten. Dann aber war das Vorwärtskommen zur Qual geworden. Immer wieder hatte ihnen undurchdringliche Wildnis den Weg versperrt, wodurch sie nach Süden abgedrängt worden waren. Nur unter größten Schwierigkeiten hatten sie sich jedes Mal wieder neu nach Westen, zum Meer hin orientieren können, und der kleine Gelehrte hatte ein ums andere Mal geschimpft: »Wenn der gottverfluchte Jawy hier wäre, würde ich ihm auf der Stelle den Hals umdrehen, so wahr ich Ramiro García heiße. Dann hätt's ein Ende mit der Marschiererei.«

»Wir müssen weiter. Denk daran, wie viele Menschenleben er auf dem Gewissen hat«, hatte Vitus stets geantwortet.

»Das hat er wahrhaftig. Aber wie pflegte Pater Ambrosius immer zu sagen? ›Mein ist die Rache, spricht der Herr.‹«

»Dem wäre entgegenzuhalten, dass Gott sich nicht um alles kümmern kann. Ein paar Dinge muss der Mensch schon selbst erledigen. Wär's nicht so, brauchten wir gar nichts mehr zu tun.«

Daraufhin hatte der Magister geschwiegen, sei es, dass ihm der Atem zu knapp gewesen war, sei es, dass Vitus' Worte ihn überzeugt hatten. In jedem Fall war er verbissen weitermarschiert. Doch schon ein paar hundert Schritte später hatte er sich abermals gemeldet: »Was macht eigentlich deine Schulter?«

»Soweit ganz gut. Ist ja nur eine Fleischwunde. Hast sie gut verbunden, altes Unkraut.«

»Hm, hm.«

So war die Nacht vergangen. Insgesamt dreimal hatten sie am nächsten Tag eine Rast eingelegt, wobei sie es strikt vermieden, sich niederzusetzen – getreu der alten Soldatenerkenntnis: Wer erst einmal lagert, kommt nicht wieder auf die Beine. Dann, irgendwann nach der letzten Pause, war Hewitt ins Unterholz geschlüpft, um sich zu erleichtern, und kurz danach aufgeregt zurückgekehrt. »Ich glaube, es ist nicht mehr weit! Ich habe ein paar Felsen entdeckt, die mir bekannt vorkommen. Sie bilden das Ende des kleinsten Seitenarms der Bucht.« Und er hatte Recht behalten. Jetzt, so kurz vor dem Ziel, marschierten die Freunde mit neuem Schwung. Vitus ging voran. Mühsam bahnte er sich einen Weg durch das dichte Ufergestrüpp. »Halt! Seht nur, da vorn zwischen dem Blattwerk: drei Mastspitzen!«

Drei Mastspitzen, das sprach für eine große Galeone. Aber war es auch die gesuchte?

Nach ein paar weiteren Schritten stellte sich heraus, dass vor ihnen, halb trockengefallen und auf Pallen ruhend, tatsächlich die *Torment of Hell* lag! Sie war nur eine Kabellänge entfernt, und an ihrem muschelbesetzten Rumpf machten sich zahlreiche Piraten zu schaffen. Offenbar flickten sie Einschusslöcher aus. Hoch oben auf dem Kommandantendeck, wohl fünfzig Fuß über dem Strand, bemühte sich eine Abteilung Zimmerer um den vierten Mast, den Besan, von dem nur noch der Stumpf und gebrochenes Tauwerk übrig waren. Seine Reste lieferten die Erklärung, warum Vitus aus der Ferne nur drei Masten erspäht hatte.

Der Magister rückte seine Berylle zurecht, musterte eingehend das Bild der Zerstörung und meinte dann: »Sieht ganz schön zerzaust aus, die Dame, gerade so, als hätte ihr jemand ein paar Breitseiten auf den Pelz gebrannt. Das würde für deine These sprechen, Hewitt, dass sie sich mit jemandem angelegt hat. Vielleicht war es ja sogar unser Freund Taggart.«

Der junge Matrose nickte. »Sie hat auch ein paar Unterwassertreffer abgekriegt. Das könnte bedeuten, dass sie auf größere Entfernung beschossen wurde.«

Vitus pflichtete ihm bei. »Schon möglich. Nun, was auch immer da draußen auf See passiert ist, hier in der Bucht scheinen sich die Brüder sicher zu fühlen. Dennoch sollten wir uns nicht auf ihre Unachtsamkeit verlassen.« Er drängte die Freunde zurück ins dichtere Unterholz. »Die *Torment* läuft uns nicht weg, und Jawy mit seinem Guineaman ist auch noch nicht da – wenn er überhaupt kommt. In zwei Stunden geht die Sonne unter. Ich denke, wir übernachten in der Nähe. Vorhin habe ich einen kleinen Bach plätschern hören. Dort können wir trinken und uns erfrischen.«

»Wui, wui.« Das Piepsstimmchen des Zwergs klang matt. Er als Kleinster hatte es von allen am schwersten gehabt und die meisten Schritte gehen müssen. »Un dann nix wie platt machen bei Mutter Grün, wie?«

»Du sagst es, Enano.« Vitus spürte, wie die Anspannung von ihm abfiel und grenzenloser Erschöpfung Platz machte. »Wer übernimmt die erste Wache?«

»Ich«, sagte Hewitt, der Zuverlässige.

Am Tag darauf erhoben sie sich, noch bevor der erste Sonnenstrahl über die Kimm kroch. Nur zögernd erstarben die Nachtgeräusche des Urwalds und wichen dem Kreischen der Vögel und dem Brüllen der Affen in den Bäumen. Die Freunde hatten geschlafen wie die Toten, auf blankem Boden, dessen Härte sie nur durch ein paar rasch zusammengepflückte Blätter gemildert hatten.

»Guten Morgen«, krächzte der Magister, der die letzte Wache gehabt hatte. »Die Piraten sind alle schon am Werk, fleißig wie die Bienen, im Gegensatz zu euch Langschläfern. Ich hoffe, die Herrschaften haben wenigstens wohl geruht?«

Als die Antwort ausblieb, schielte er in die Proviantbeutel, die O'Tuft ihnen mitgegeben hatte, und stellte zu seinem Bedauern fest, dass die Vorräte nahezu erschöpft waren. Nur ein wenig Hartbrot war noch da, sonst nichts. Die Tatsache, dass die Stücke madenfrei waren, vermochte ihn wenig zu trösten. »Es ist wie im Kerker, was, Vitus? *Aqua et panis est vita canis.* Der Hund lebt von Wasser und Brot, schmale Kost, mehr nicht. Nun ja, wir wollen nicht undankbar sein und dem Herrn auch dafür Dank sagen. Pater Ambrosius, dessen Seele sich der Allmächtige erbarmt haben möge, hätte an dieser Stelle eine ausgewachsene Predigt gehalten, ich jedoch fasse mich kurz:

> *Herr, wir danken Dir für dieses Brot,*
> *das wahrlich kein Manna ist,*
> *aber besser als nichts.*
> *Wir danken Dir für das Wasser,*

das Du für uns fließen lässt, auch wenn
Du es nicht zu Wein gemacht hast.
Wir danken Dir, dass wir festen Boden
unter den Füßen haben, denn das war,
wie Du weißt, nicht immer so.«

Er schlug das Kreuz. »Amen.«

»Amen«, kam das Echo von seinen nur mühsam wach werdenden Gefährten.

Vitus erhob sich als Erster und trat heran. »Viel ist es nicht, was man bei dir als Hund bekommt.« Krachend biss er in ein kleines Stück Brot und begann es durchzukauen.

»Wui, wui, haste nix, fasste nix, haste was, ist's besser als nix!« Dem Zwerg schien es wieder gut zu gehen. Auch Hewitt machte einen erholten Eindruck.

Wenig später hatten sie ihr karges Morgenmahl beendet und schlichen sich wieder zum Strand hinunter. Wie der Magister gesagt hatte, herrschte emsiges Treiben auf der *Torment.*

Vitus wandte sich an Hewitt. »Dass die Piraten ihr Schiff wieder seeklar machen wollen, liegt auf der Hand. Es fragt sich nur, wie schnell es ihnen gelingt. Wie lange, glaubst du, brauchen sie noch? Du verstehst von uns allen am meisten von Seemannschaft.«

Der junge Matrose winkte ab. »Alles halb so wild.« Doch man sah ihm an, wie sehr ihn das Lob freute. Er kniff die Augen zusammen und ließ sich mit der Antwort Zeit. »Wie ihr seht, schwimmt die *Torment* bereits wieder, was gleich zwei Schlüsse zulässt: Erstens müssen meine ehemaligen Kumpane die ganze Nacht durchgearbeitet haben, um die Einschusslöcher mit Zapfen abzudichten. Eine schwierige Arbeit, die geschickte Hände verlangt. Aber die *Torment* hat einen guten Zimmermann.«

»Aha«, machte der kleine Gelehrte. »Und zweitens?«

»Zweitens, Magister, haben wir zurzeit Hochwasser.«

»Das heißt, sie könnte gefahrlos davonsegeln?«, schaltete Vitus sich wieder ein.

»Ich denke schon. Allerdings sicher nicht mehr mit dieser Tide, denn drüben wird noch immer der neue Besan aufgeriggt. Scheint so, als nähmen sie dafür die Ersatzgroßmaststenge. Eine langwierige Arbeit, zu der viel Erfahrung gehört. Wir haben's ja selbst gemerkt, als wir den Mast für die *Albatross* stellten.«

»In der Tat, in der Tat.« Der Magister strengte sich mächtig an, um die Geschehnisse durch seine Berylle zu verfolgen, erkannte aber trotzdem nur verschwommene Punkte. »Warum segelt die *Torment* nicht einfach so fort? Drei Masten sind doch auch genug, oder nicht?«

Hewitt lachte. »Drei Masten mögen zum Fortkommen ausreichen, aber vier Masten bringen mehr Geschwindigkeit, und die ist für Piraten oft lebenswichtig. Ich bin sicher, sie werden versuchen, den Besan zu richten, bevor sie ankerauf gehen. Davon abgesehen, warten sie vielleicht auch auf Jawy.«

»Stimmt.« Vitus hatte nachgedacht und war zu einem Entschluss gekommen. »Wir können im Augenblick nichts weiter tun, als sie zu beobachten. Dazu wird einer von uns genügen. Er soll diesen Posten ständig besetzt halten und alle Veränderungen sofort melden. Die anderen gehen zurück zum Lagerplatz und legen sich aufs Ohr. Wir haben noch eine Menge Schlaf nachzuholen. Wenn nichts dazwischenkommt, werden wir heute Abend handeln.«

Der letzte, von Vitus fast nebenbei erwähnte Satz löste einen Wortschwall aus, der von allen Seiten auf ihn niederprasselte:

»Was hast du vor? Jawy ist doch noch gar nicht da!«

»Wui, wui, was tarrt das zinken?«

»Und wenn Jawy da ist, was willst du dann tun? Ihm vor versammelter Mannschaft den Kopf abreißen, oder wie stellst du dir das vor?«

»Wui, wui, Rübe ab!«

»Ach was, Rübe ab! Der Herr Cirurgicus hat doch keine Chance gegen die Übermacht!«

»Wiewo Übermacht? Grips is wichtich, Grips, Grips, Grips, nich, Vitus?«

»Wir müssen sehr vorsichtig sein. Ich weiß es, denn ich bin ja einer von ihnen gewesen. Wenn sie jemanden erwischen, töten sie ihn!«

Vitus legte den Finger an die Lippen. »Macht weiter so, dann hört uns gleich jeder da drüben! Ja, ich habe einen Plan, aber den erfahrt ihr noch früh genug. Hewitt, du gehst wieder die erste Wache, einverstanden?«

»Einverstanden.«

Hewitt bezog seinen Posten, und die anderen schlugen den Weg zum Lager ein. Der Magister wirkte ein wenig verschnupft und brummelte vor sich hin. »Bin gespannt, was der Herr Geheimniskrämer sich wieder ausgedacht hat. Unsereiner erfährt ja nichts.«

Der Tag verging, ohne dass etwas Besonderes geschah. Die Freunde schliefen viel, massierten sich gegenseitig die müden Glieder, badeten die Füße im Bach und ließen es sich, soweit das ohne Nahrung möglich war, gut ergehen. Kurz vor Einbruch der Dämmerung nahm Vitus seine Gefährten beiseite: »Das Stellen des Besans ist drüben fast erledigt, trotzdem machen die Piraten keinerlei Anstalten fortzusegeln. Vielleicht, weil sie noch auf Jawy warten.«

Hewitt wandte ein: »Oder weil der Wind nicht günstig steht, er weht vom Meer her, und das Herauskreuzen aus der Bucht ist schwierig, erst recht bei schwindendem Licht.«

»Du hast Recht. In jedem Fall können wir davon ausgehen, dass die *Torment* noch länger hier liegt. Ich habe mir überlegt, dass es sinnlos ist, darauf zu warten, ob Jawy erscheint oder nicht. Wer weiß, wohin er seinen Guineaman steuert. Nein, wir handeln noch heute Nacht.«

»Und ich dachte, wir hätten die ganzen Strapazen nur auf uns genommen, damit der verdammte Jawy seine gerechte Strafe kriegt?« Der Magister war noch immer ein wenig indigniert, weil Vitus ihn nicht in seine Pläne eingeweiht hatte. »Und nun soll das alles umsonst gewesen sein? Was hast du vor, wenn man fragen darf?«

»Es ging mir nicht nur um Jawy, Magister. Schon auf dem Marsch hierher habe ich mich immer wieder gefragt, ob ich nur Rache um der Rache willen wollte und nur töten um des Tötens willen. Ich danke dem Allmächtigen, dass er mich die richtige Antwort finden ließ. Die Antwort heißt Ja, und ich schäme mich dafür. Ich will deshalb keine Vergeltung mehr, Gewalt zieht nur Gewalt nach sich.«

Der Magister grunzte. »Wenn du so weitermachst, wirst du noch zum Protestanten. Nun, sei's drum, ich stimme dir zu. An Gewalt hängt kein Segen, das hat uns die Inquisition leidvoll gelehrt.«

»Ich bin froh, dass du das sagst. Aber es gibt noch einen anderen Grund, warum ich mit euch hierher wollte: Ich bin auf eure Hilfe angewiesen bei etwas, das ich letztendlich ganz allein durchführen muss. Es ist ein sehr gefährliches Unterfangen. Je weniger ihr darüber wisst, desto besser.«

»Jetzt mach aber mal einen Punkt!« Die Geduld des kleinen Gelehrten war endgültig erschöpft. »Ich darf den Herrn Cirurgicus daran erinnern, dass wir uns einst geschworen haben, alles gemeinsam durchzustehen. Du bist an meiner Seite, ich an der deinen, so hieß es immer. Das war im Kerker schon so, und das ist auch jetzt nicht anders!«

Vitus hob die Hände. »Ja, sicher, Magister. Aber das war damals, und es ging nur um uns beide. Jetzt sind wir zu viert. Und meine Verantwortung …«

»Gickgack, Schabernack!« Der Zwerg richtete sich zu voller Höhe auf. »Wir sin Freunde, wie? Freunde sin wir, oder sin wir's etwa nich?«

»Doch, natürlich, aber versteht doch …«

»Dann ist ja alles klar. Sag uns, was zu tun ist.« Hewitt, der sonst so oft Zurückhaltung übte, schnitt Vitus jedes weitere Wort ab.

»Nun gut. Wenn ihr es nicht anders wollt: Ich werde heute Nacht an Bord der *Torment* klettern und versuchen, meine Kiepe mit dem Buch *De morbis,* meinen Instrumentenkoffer und meinen Stecken zu finden. Es sind für mich die wertvollsten Dinge auf der Welt, wie ihr wisst, und ich würde alles tun, um sie wiederzubekommen.«

»Da also liegt der Hase im Pfeffer! Warum hast du das nicht gleich gesagt?« Der Magister lebte auf. Nichts war für ihn schlimmer als Tatenlosigkeit, und die Aussicht auf ein Abenteuer hob seine Laune ungemein. »Wir gehen selbstverständlich alle an Bord. Acht Augen sehen mehr als zwei.«

»Nein, das werden wir nicht. Wenn überhaupt, dann gehen du und ich allein. Hewitt und Enano bleiben an Land. Sie halten die Augen offen, und wenn Gefahr droht, geben sie uns ein Zeichen.«

Sie besprachen noch alle Einzelheiten, und spät in der Nacht begannen sie das Wagnis. Sie hatten beobachtet, dass eine große Zahl von Palmenstämmen in der Bucht schwamm, wohl ein

Relikt des letzten Sturms, und diesen Umstand machten sie sich zunutze. Vitus und der Magister beschmutzten ihre ohnehin schmutzige Kleidung noch mehr, so dass sie nur noch erdfarbenen Stoff am Leibe trugen, und bestiegen einen der Stämme. Bäuchlings auf dem Holz liegend, verschmolzen ihre Körper mit dem schwimmenden Untersatz, während sie wie die Spießenten links und rechts mit den Armen zu paddeln begannen. Nach einiger Zeit wisperte Vitus, der vorn lag: »Noch zwei, drei Faden, und wir sind da. Ich kann die Ankertrosse schon sehen.«

Der kleine Gelehrte antwortete kaum hörbar: »Sonst irgendein Zeichen von Leben?«

»Nein. Lass uns jetzt vorsichtiger paddeln und nicht mehr so viel sprechen. Kann sein, dass sie Wachen aufgestellt haben.«

Der Magister gehorchte. Seine Hände fuhren nur noch langsam durchs Wasser. Nahezu unhörbar glitten die Freunde auf den turmhoch vor ihnen aufragenden Schiffsrumpf zu. Die Wahrscheinlichkeit einer Entdeckung war gering, denn bis vor kurzem war an Bord noch kräftig gezecht worden. Offenbar hatten die Piraten das Ende der Reparaturen gefeiert. Ausgelassenes Gegröle und Gejohle hatte bis zum Land herübergeklungen, doch dann war, wie so oft bei ausschweifenden Gelagen, ganz plötzlich Grabesstille eingetreten. Nur eine vereinzelte Stimme hatte weiter ein zotiges Lied gesungen, um schließlich, wie alle anderen, zu verstummen.

Unterdessen hatten die Freunde sich mit dem Stamm unter den Bug der großen Galeone geschoben. Über ihnen spannte sich armdick die Ankertrosse. Schiffsplanken ächzten, Holz rieb sich an Holz, die Takelage knarrte. Es war die Zeit zwischen Niedrigwasser und zurückkehrender Flut, wodurch in der Bucht kaum Strömung herrschte und die *Torment* nur leicht am Anker schwojte. Der Magister hob den Kopf. »Kannst du das Zeichen erkennen, Vitus?« Fast augenblicklich wurden seine Worte vom Wind fortgeweht.

»Warte.« Vitus kniff die Augen zusammen und spähte zum Ufer, wo Hewitt und der Zwerg im Unterholz ausharrten. Sie hielten eine abgedeckte Laterne bereit, deren Licht sie einmal kurz aufblitzen lassen wollten, wenn die Luft an Deck rein war. Bei Gefahr sollte die Lampe dreimal aufleuchten. »Ja, da!« Für einen winzigen Zeitraum war in der Schwärze des Ufersaums ein Licht sichtbar geworden.

»Dann wollen wir mal, was?«

»Ja, und ab jetzt gilt absolutes Sprechverbot.« Vitus hangelte sich wie ein Klammeraffe an der Ankertrosse empor, den kleinen, zähen Freund immer unter sich. In Höhe der Ankerklüse machte er Halt, atmete ein paar Mal tief durch und zog sich dann Zoll für Zoll an der Außenwand des Galions hinauf, bis er endlich den Kopf über den Rand des hölzernen Vorbaus schieben konnte. Ein kurzer Rundumblick; alles schien in Ordnung. Doch plötzlich erstarrte er. Nur drei Armeslängen entfernt lehnte sich eine lachende Teufelsgestalt nach vorn. Das Gesicht war eine Fratze – mit Hörnern, Hakennase und ausgeprägtem Unterkiefer. Die Galionsfigur! Kein Zweifel, dies war Jawys Schiff.

Vitus schwang sich über das Schanzkleid. Nur Augenblicke später folgte ihm der Magister. Der kleine Mann blinzelte, rückte sein Nasengestell wieder gerade und stieß einen überraschten Laut aus, als er Jawys Teufelsfigur gewahr wurde. Dann verzog er angeekelt die Nase. Denn hier im Bug befand sich, wie auf allen Galeonen, das so genannte »Gärtchen«, der Abort der Mannschaft. Ein Platz, der immer dann, wenn das Schiff nicht in Fahrt war, bestialischen Gestank verbreitete.

Vitus winkte mit der Hand und zeigte auf die schwere Eichentür, die den Eingang zur Mannschaftsunterkunft bildete. Sie stand halb offen. Von drinnen tönte ihnen lautes Schnarchen entgegen. Wohl oder übel mussten die Freunde das Logis passieren, wollten sie nicht mühsam über die Außenbordwand nach achtern klettern. Schritt für Schritt, ständig nach allen Seiten sichernd, tasteten sie sich in den dunklen Raum hinein. Dass die Piraten sämtlich betrunken waren, mochte sich als Vorteil erweisen. Aber auch als Nachteil. Denn die Mordbuben lagen kreuz und quer am Boden, gefällt vom Alkohol, und ein unbedachter Tritt konnte sie jederzeit aufwecken.

Doch wie sich herausstellte, war die Sorge unbegründet. Die Piraten waren so sternhagelvoll, dass sie sogar das Jüngste Gericht verschlafen hätten.

Zwischen Vitus und dem Magister war abgestimmt worden, dass sie so rasch wie möglich zu den achteren Kabinen vordringen wollten, da dort die Aussichten am größten waren, das Gesuchte zu finden. Als sie auf das Hauptdeck kamen, stutzte Vitus. Er glaubte ein Geräusch gehört zu haben, Laute, die klangen, als würden Riemen ins Wasser getaucht. Er legte die Hand hinter die Ohrmuschel und blickte den Magister fragend an. Der kleine Mann lauschte. Dann schüttelte er den Kopf. Er hatte nichts gehört.

Wirklich nicht?, fragten Vitus' Augen. Der Magister schüttelte abermals den Kopf. Zweifelnd blickte Vitus zum Ufer hinüber, doch auch dort schien nichts bemerkt worden zu sein, denn kein Lichtzeichen leuchtete auf. Nun gut, wahrscheinlich hatte er sich geirrt.

Schulterzuckend schlich er weiter.

Hewitt und der Zwerg hatten es sich im Unterholz bequem gemacht, so bequem jedenfalls, wie eine Nacht im Freien es erlaubte: Beide trugen dicke Erdschichten im Gesicht, um sich vor den Moskitos zu schützen, und beide saßen weich auf einem Haufen Blätter – über sich den dunklen Nachthimmel und neben sich die abgedeckte Lampe.

Und trotzdem wollte die Zeit nicht vergehen. Vitus und der Magister waren schon eine halbe Ewigkeit fort.

Hewitt, der Zuverlässige, fragte sich zum soundsovielten Mal, ob das etwas zu bedeuten hatte. Waren die Freunde etwa erwischt worden? Doch nein, das konnte nicht sein, das hätte er gehört. Also hieß es, sich weiter zu gedulden. Er bemerkte, dass er müde wurde, und kniff sich in die Seite. Der Schmerz machte ihn halbwegs wach. Auch der Winzling neben ihm gähnte immer öfter. Gern hätte er ein Wort an den Kleinen gerichtet, aber Vitus hatte ihnen eingeschärft, nur dann zu sprechen, wenn es unbedingt nötig war.

Abermals spürte er, wie die Glieder ihm schwer wurden. Er biss die Zähne zusammen und kniff sich erneut. Diesmal so stark, dass es richtig wehtat. Das Kneifen war ein Trick, den ihm vor Jahren ein alter Schiffer verraten hatte. Auf der unteren Themse war es gewesen, wo Hewitt als Hilfsmann auf einem Fischerkahn gearbeitet hatte. Richtig, jetzt fiel ihm der Name des Schiffers wieder ein: Dillard Knock hatte er geheißen und sein Kahn *Mermaid II*. Der Kahn hatte ein Sprietsegel gehabt, was nichts Besonderes war, denn alle Fischerkähne auf der Themse fuhren ein solches Segel. Ein Sprietsegel, fast so wie das der *Albatross* …

Er konnte sich noch gut daran erinnern, wie altersschwach Knocks Segel gewesen war, immer wieder war es ausgebessert worden, bis es zum Schluss wie ein Flickenteppich ausgesehen hatte. Und jedes Mal während der Reparatur hatten er und der Schiffer die *Mermaid II* eigenhändig zu den Fanggründen rudern müssen. Ja, das war eine rechte Plackerei gewesen, und das Geräusch der eintauchenden Riemen hatte er noch heute im Ohr.

Er schreckte auf. Was hatte er da gehört? War es Traum oder Wirklichkeit gewesen? Er hielt den Atem an, schloss die Augen und konzentrierte sich nur auf sein Horchvermögen. Nein, nichts, nur die Laute von Wind, Meer und Urwald. Und das leise Atmen von Enano. Noch immer war Hewitt sich seiner Sache nicht sicher. Er entschloss sich, den Zwerg anzusprechen: »Pssst, Enano, hast du das auch eben gehört?«

»Wiewo?« Der Winzling streckte die Kinderarme in die Luft und gähnte herzhaft.

»Rudergeräusche, ganz entfernt.«

»'s war nix, 's kannste holmen.«

»Aber ich meine, ich hätte Riemen im Wasser gehört.«

»Riemen?« Der Winzling kicherte. »Hast deinen eignen Riemen gehört, beim Seichen, wie? Nee, nee, 's war nix, bei meiner Ehr.«

»Nun ja, wenn du es sagst.« Hewitt beschloss, in Zukunft besser aufzupassen. Vorsorglich kniff er sich noch einmal in die Seite.

»Autsch!« Der Ausruf des Magisters war leise, aber deutlich. Er war mit dem Fuß gegen einen der sechs backbordseitigen Sakers gestoßen und hatte fast das Gleichgewicht verloren.

Vitus zog unwillig die Augenbrauen zusammen und drängte den Freund zum Beiboot hinüber, damit dessen schwarzer Rumpf ihre Konturen verschluckte. Angespannt warteten sie auf eine Reaktion, aber die nach Wein dünstenden Gestalten, die verstreut auf dem Hauptdeck lagen, rückten und rührten sich nicht.

»*Vino gratias*«, murmelte der kleine Gelehrte und zog sich damit ein weiteres Mal Vitus' Unmut zu.

Wenig später eilten sie weiter zum Heck, vorbei an den hölzernen Lafetten der Sakers, vorbei an nachlässig aufgeschossenen Tauen, an Teertöpfen, Blöcken und allerlei Gerät, bis sie zu dem Niedergang kamen, der zum Oberdeck hinaufführte. Hier verschnauften sie kurz und blickten sich um. Keine Gefahr! Sie schlüpften durch die neben dem Niedergang befindliche Tür – eine Tür, die auf einem Kriegsschiff Ihrer Majestät rund um die Uhr bewacht worden wäre – und bahnten sich weiter ihren Weg nach achtern. Über ihnen verlief jetzt das Oberdeck, und vor ihnen tauchte der metallene Kopf des Gangspills auf. Sie umrundeten ihn, kamen zum Stand des Rudergängers, von dem der Kolderstab verwaist herübergrüßte, passierten auch diese Stelle und standen schließlich vor der schweren Tür, die zur Kajüte des Kapitäns führte.

Es war nur eine Vermutung von Vitus, aber er glaubte, dass seine Habe sich im Raum des Piratenführers befand. Von allem Gesindel, das zur Besatzung gehörte, war Jawy derjenige, dem er noch am ehesten zutraute, den Wert seines Instrumentenkoffers oder auch des Buches *De morbis* zu erkennen. Wer beides in England veräußerte, würde dafür einen beachtlichen Gegenwert in Gold bekommen.

Vorsichtig drückten sie die Klinke herunter. Die Tür öffnete sich, schwang nach innen und gab den Blick auf einen Raum frei, der keinesfalls einer typischen Kapitänskajüte glich. Jawy hatte sein Reich üppig mit Teppichen und Decken ausstaffiert; Sitzkissen, wie man sie aus dem Orient kannte, bedeckten den Boden, und überall an den Wänden hingen Waffen: Schwerter und Krummschwerter, Degen, Streitäxte, Entermesser und Rapiers. An der Steuerbordwand prangte eine farbenreiche Karte, auf der die Insel Kuba in ihren Umrissen festgehalten war. Die Bahía de Cabañas hatte jemand mit einem großen Kreuz gekennzeichnet.

Unter den bleiverglasten Fenstern, die zur Galerie hinauswiesen, stand eine einzelne Schatztruhe. Von der Größe her war sie das einzige Behältnis im Raum, das Vitus' Habe aufnehmen konnte. Sie war von spanischer Bauart, mit schweren, eisernen Beschlägen und drei Schlössern. Um eine solche Truhe zu öffnen, waren unterschiedliche Schlüssel notwendig. Zwei hatte der Absender der Truhe, einen der Kapitän und einen weiteren, den Universalschlüssel, der König von Spanien, dem per Gesetz der *quinto,* also zwanzig Prozent des Schatzes, zustand.

Wenn nun der Absender, beispielsweise in Habana, die Truhe verschließen wollte, sicherte er zwei Schlösser. Dann nahm der Kapitän sie an Bord. Er konnte sie nicht öffnen, denn sein Schlüssel passte nur zum dritten Schloss, welches er ebenfalls sicherte. Zu diesem Zeitpunkt konnte auch der Absender die Truhe nicht mehr aufschließen, denn seine Schlüssel passten ja nur zu den ersten beiden Schlössern.

War der Kapitän mit der Schatztruhe glücklich in Spanien eingetroffen, übergab er sie dem König, der alle drei Schlösser mit seinem Universalschlüssel öffnen konnte. Ein ausgeklügeltes System, durch das Seine Allerkatholischste Majestät Philipp II. sicher sein durfte, von seinen Untertanen nicht betrogen zu werden.

Die Schlösser von Jawys Truhe waren, allem Erfindergeist zum Trotz, einfach aufgebrochen worden – und dennoch war ihr Deckel verschlossen. Jawy hatte ein eigenes Schloss anbringen lassen, ein vergleichbar schwaches. »Ich werde es aufhebeln«, sagte Vitus. Er und der Magister fühlten sich mittlerweile so sicher, dass sie wieder leise miteinander sprachen.

Vitus nahm ein stabiles Schwert von der Wand und brach damit das Schloss auf, denn Haffs guter Degen war ihm dafür zu schade. Gespannt öffneten sie den Deckel, blickten in die Truhe und sahen – nichts. Der Inhalt war mit einem samtenen Tuch abgedeckt worden. Der Magister giff nach einem Zipfel und riss es fort. »Abrakadabra«, murmelte er, »mal sehen, was die Kiste auf Lager hat.«

Es war überraschend wenig: silbernes Tafelgeschirr, darunter Teller, Becher und ein paar ziselierte Weinkrüge, einige Goldmünzen, drei oder vier handtellergroße Kreuze aus demselben Material und ein ledernes Säckchen, in dem womöglich Edelsteine aufbewahrt wurden. Das war schon alles. Von Vitus' Habseligkeiten keine Spur.

Der kleine Gelehrte nahm einige Münzen auf. »Wenn deine Sachen schon nicht drin sind, sollten wir wenigstens von dem

Gold nehmen. Sozusagen als Entschädigung für den Verlust und den entgangenen Gewinn.«

»Lass, Magister, ich will mich erst noch umsehen.«

»Ja«, antwortete eine Stimme, »sieh dich mal um!«

Es war eine Stimme, von der Vitus wusste, dass sie nicht dem Magister gehörte, und der Magister wusste, dass sie nicht Vitus gehörte.

Es war die Stimme von Jawy.

Vitus fuhr herum, in Erwartung des verhassten Gesichts. Doch was er sah, waren Sterne, grell aufblitzende Sterne, und auch die sah er nur für den Bruchteil eines Augenblicks.

Dann sah er gar nichts mehr.

Eine Ratte huschte heran, erhob sich auf die Hinterbeine und nahm Witterung auf. Es roch anders in ihrer Umgebung, nicht nur nach Holz, Schimmel, Teer und Fäulnis wie gewöhnlich, sondern – nach Mensch. Sie fiel auf ihre vier Beine zurück, huschte weiter, lugte um eine Ecke und sah, dass ihr Geruchssinn sie nicht getrogen hatte. Zwei Menschen lagen da. Vorsichtig trippelte sie voran, beschnupperte die Gesichter, die Kleider, das Schuhwerk, kletterte dann auf den Leib des einen Menschen, verhielt dort kurz, sicherte erneut und kroch dann rasch in eine Falte des Hemdes, in der sich ein kleines Stück Hartbrot verfangen hatte. Possierlich nahm sie es mit ihren Vorderpfoten auf und begann daran zu nagen.

Doch kaum hatte sie mit der Nahrungsaufnahme begonnen, kam eine Hand und scheuchte sie auf. Erschreckt huschte sie davon, die Beute noch in der spitzen Schnauze.

»Was war das?«, fragte der Magister. Er rieb sich die Augen und stellte fest, dass er nichts sehen konnte. Was, wie er weiterhin bemerkte, nicht daran lag, dass seine Berylle fort waren, sondern daran, dass seine Umgebung so dunkel war. Außerdem brummte ihm gehörig der Schädel.

»Beim Blute Christi!«, stöhnte er. Langsam kam ihm die Erinnerung wieder. Jawy! Der Hundsfott hatte Vitus und ihn niedergeschlagen! Seine Hand tastete zur Seite und erfühlte Stoff. »Vitus? Vitus, bist du das?« Es raschelte. Dann hörte der kleine Gelehrte ein Stöhnen:

»Oh, Allmächtiger! Wo bin ich?«

»*Deo gratias!* Du lebst! Wo wir sind, weiß ich auch nicht genau, altes Unkraut, aber den Geräuschen nach zu urteilen ganz unten im Leib der *Torment* und ...«, der Magister unterbrach sich, »Pest und Aussatz! Man hat uns hinter Gitter gesperrt! Ich fühle runde Eisenstäbe ... stabile Eisenstäbe. Wird nicht leicht sein, von hier zu flüchten.«

»Ich muss erst einmal zu mir kommen.« Vorsichtig richtete Vitus sich auf, was Wellen des Schmerzes in seinem Kopf auslöste. Er betastete die Stelle und erfühlte eine gewaltige Beule. Nur langsam gewöhnten sich seine Augen an das schwache Licht. Sie befanden sich in einer Art Kammer, die zu Zeiten, als die *Torment* noch *Vigilance* geheißen hatte, als Arrestzelle gedient haben mochte. Die Grundfläche maß höchstens zwei mal zwei Schritte im Geviert, der Boden war schmutzig und glitschig. Vitus zog die Nase hoch. Es stank Ekel erregend. Seine Augen bemerkten huschende Schatten auf dem Gang vor der Zelle. »Jetzt weiß ich auch, was hier so stinkt«, sagte er. »Es ist Rattenkot.«

»Brrr.« Der kleine Gelehrte schüttelte sich. »Auch das noch. Aber wahrscheinlich hast du wie immer Recht. Ich glaube, vorhin ist eine über mich rübergelaufen. Ekliger Gedanke! Na, auch darüber werden wir hinwegkommen. Denk nur an die Fliegen im Kerker der Inquisition. Es waren Hunderte, wenn nicht Tausende! Was sind dagegen schon ein paar Ratten.«

Trotz der misslichen Lage musste Vitus lächeln. Der kleine, tapfere Mann! Vitus wusste, dass er die Nager verabscheute, und trotzdem gab er sich jetzt so, als mache ihr Vorhandensein ihm nichts aus. »Ich frage mich, woher Jawy so plötzlich kam«, überlegte er, »und warum er uns nicht getötet hat.«

»Töten kann er uns immer noch.«

»Sicher, aber was hat er vorher mit uns im Sinn?«

»Keine Ahnung. Er wird's uns schon rechtzeitig wissen lassen.« Der kleine Gelehrte hatte sich ebenfalls aufgesetzt. »Ich habe Hunger.«

»Du hast Sorgen. Ich möchte wissen, wie lange wir schon hier unten sind.«

»Ich finde, mein Hungergefühl ist wichtiger als die Frage, wie lange wir hier schon schmoren. Essen ist ein Grundbedürfnis und ... warte mal, ich höre Schritte. Vielleicht kriegen wir Besuch.«

Jetzt hörte Vitus es auch. Schwere Stiefel kletterten die Niedergänge hinunter, begleitet von Stimmengemurmel und Stufengeknarre. Eine Laterne warf flackerndes Licht in den Gang vor der Zelle. Sie wurde von einem Piraten gehalten, dessen Gesicht den beiden Freunden nichts sagte. Dafür umso mehr das folgende: Es gehörte Jawy.

»Da haben wir ja unser blondes Bürschchen.« Der Unterkiefer des Anführers mahlte. »Du hast es also doch geschafft, mich und meine *Torment* aufzuspüren. Wahrscheinlich hat Sanceur, das Schwein, dir was vorgesungen. Egal, es ist mir eine besondere Ehre, dich als meinen Gast begrüßen zu dürfen.« Die Stimme des Anführers troff vor Hohn. »Zumal du in Begleitung eines Bücherwurms bist.«

Der Magister schnellte hoch, sackte aber gleich wieder zusammen. Sein Kopf ließ noch keine raschen Bewegungen zu. »Was heißt hier Bücherwurm? Willst du mich etwa beleidigen, Nussknacker?«

Statt einer Antwort hielt Jawy das Nasengestell des kleinen Gelehrten hoch. »Als du letzte Nacht so plötzlich umgefallen bist, Bücherwurm, hast du dies hier verloren.« Langsam und hämisch grinsend begann er das Gestell zu verbiegen. Es gelang ihm nur mühsam, und Vitus vermerkte mit Genugtuung, dass dem Menschenschlächter die Bewegung wehtat. Die Verletzungen, die er bei dem Kampf in Sanceurs Haus davongetragen hatte, machten ihm ganz offenbar noch zu schaffen.

Vitus sagte: »Es scheint dir Spaß zu machen, die Sehhilfe des Magisters zu verbiegen. Nun, ich verspreche dir, beim nächsten Mal schlage ich dir die Hand ganz ab. Dann bist du zu solchem Unsinn nicht mehr in der Lage.«

Jawy amüsierte sich weiter. Er bog an dem Gestell, bis es nur noch ein unförmiger Klumpen war. Dann warf er es zu Boden und zerrieb die Gläser unter seinem Absatz. »So, ihr beiden Klugscheißer, habt ihr gesehen, was ich mit diesem Nasendings gemacht habe? Seid froh, dass euch nicht dasselbe passiert ist. Wenn ich gewollt hätte, wärt ihr schon lange bei den Fischen.«

Der kleine Gelehrte bebte vor Zorn. Ungeachtet seiner Kopfschmerzen sprang er auf, trat dicht an die Gitterstäbe heran und blickte dem Piraten furchtlos ins Gesicht. »Du kannst uns nicht drohen, Nussknacker! Du wirst einen triftigen Grund gehabt haben, uns nicht zu den Fischen zu schicken. Welcher war das? Und woher kamst du so plötzlich in deine Kajüte?«

»Das«, grinste Jawy überlegen, »möchte der Paragraphenverdreher Ramiro García wohl gerne wissen?«

Der kleine Mann blinzelte überrascht. »Woher kennst du meinen Namen?« Mechanisch fuhr seine Hand an die Augen, um die Berylle zurechtzurücken, doch er griff ins Leere.

»Jawy Cutter weiß mehr, als ihr Klugscheißer ahnt. Viel mehr! Jawy Cutter weiß auch den Namen des blonden Bürschchens. Vitus von Campodios nennt es sich, stimmt's, Klugscheißer? Oder soll ich lieber, äh …«, seine Augen nahmen einen berechnenden Ausdruck an, »Lord Collincourt sagen?«

»Nun aber heraus mit der Sprache!« Vitus war ebenfalls hochgeschnellt, seine Hand schoss durch die Gitterstäbe und packte den Piraten am Ärmel.

»Vorsicht, Bürschchen!« Jawys Selbstsicherheit geriet vorübergehend ins Wanken. Doch sogleich setzte er wieder seine überlegene Miene auf. »Es geht dich einen Scheißdreck an, woher ich das weiß, aber was soll's, irgendwann erfährst du's ja doch.« Er wandte sich an den Piraten neben ihm: »Los, Blubber, erzähl den Klugscheißern, was heute Morgen passiert ist.«

»Ja, Jawy.« Blubber, ein Mann mit kleinen Augen und ausgeprägten Hängebacken, setzte umständlich die Laterne ab. »Ich un Rily un Tipper un Jim un Tom sin heut Morgen mit den Wasserfässern an Land gerudert, wollten 'n Bach auftreiben. Haben auch einen gefunden, gar nich weit im Busch drin, un was soll ich sagen, auf einmal denk ich, mir bleibt's Herz stehn. Vor mir liegt 'n Mann auf 'm Boden un stöhnt un schreit wie der Leibhaftige, ich bück mich un will kucken, was los is mit ihm, un was soll ich sagen, 's war Hewitt.«

»Hewitt? Um Gottes willen!«, entfuhr es dem Magister.

Jawy stutzte. »Ja, Hewitt. So heißt der Mann. Willst du damit etwa sagen, du kennst ihn, Paragraphenverdreher?«

»Ich? Woher denn? Ich, äh … hatte Stewitt verstanden, ein ehemaliger Student von mir, nicht Hewitt. «

»Das hätte mich auch gewundert.« Jawys Misstrauen erlosch. »Los, Blubber, erzähl weiter, damit die Klugscheißer Bescheid wissen, aber beeil dich, es geht schon gegen Abend, und wir wollen noch raus aus der Bucht.«

»Ja, Jawy. Wo war ich? Ach ja, was soll ich sagen, ich frag ihn also ›Bist du Hewitt?‹, un er sacht ja, un Jim un Tom ham ihn auch gefragt, un jedes Mal hat er gesacht, er is Hewitt. Ja, so war das. Sah aus wie'n Hungerhaken im Sack, der Junge, abgemagert wie'n Stint un zerstochen von den Moskitos. Na, was soll ich sagen, Jim un Tom ham sich gefreut, dass er nich tot is, un ihn gefragt, wo er die ganze Zeit war. Na ja, er konnt ja erst gar nich reden, so schwach war er, aber dann hat er gesacht, er wär damals aufgefischt worden, du weißt doch, Jawy, damals, als wir ihn über Bord ...«

»Ja, ja, mach schon. Komm zu Ende.«

»Ja, Jawy. Wo war ich? Er is damals dann irgendwie aufgefischt worden un is dann wieder schiffbrüchig geworden, er sacht, er wär auf'm Fischerkahn gefahren, würde in Habana 'ne neue Heimat ham un so weiter, also, was soll ich sagen, wir ham ihn dann mit an Bord genommen un ihm erst mal was zu fressen gegeben, un als er wieder so einigermaßen beisammen war, hat er die Sache mit den beiden Burschen hier mitbekommen, 's war, als du gesacht hast, du willst sie an der Rah aufknüpfen lassen, Jawy.«

»Ja, ja, ich weiß. Weiter.«

»Ja, also, was soll ich sagen, du weißt's ja selber, Jawy, dass Hewitt sich die beiden Burschen angekuckt hat, als sie noch die Engel singen gehört ham, un dass ihm da aufgefallen is, dass er beide kennt, weil er aus Woart... Worthy... verdammt, ich weiß nich mehr, wie das Kaff heißt, aus dem er kommt, wie heißt das Kaff, Jawy?«

»Worthing oder so ähnlich. Egal, mach hin, ich will den dämlichen Gesichtsausdruck von dem Bürschchen sehen.«

»Ja, Jawy, also, Hewitt hat gesacht, er wüsste, wer die beiden Burschen sin, sie wärn Herrschaften von 'nem Schloss in der Nähe von Woart... Worth... verdammt, ich ...«

»Worthing!«, schnappte Jawy.

»Richtich, un das Schloss hieß, warte ...«

»Weiter, Blubber!«

»Ja, 'tschuldigung, Jawy, was soll ich sagen, Hewitt also sacht, er wüsste, wer die beiden sin, der eine würd sich Vitus von

Campo… Campodingsbums nennen, aber in Wirklichkeit wär er der junge Lord Collincourt vom Schloss, äh … du weißt schon, wie's heißt, un der andere wär der Juristenmagister Ramiro Graci, äh … du weißt schon. Na, jedenfalls sacht er, ihm wärn die Herrschaften bekannt, aber ihn würden sie natürlich nich kennen, er wär ja nur 'n kleines Licht, Kind armer Leute un so, aber die Collincourts, die wärn betucht, schwer betucht. Die ganze Gegend würd ihnen gehörn un so, die ganze Gegend, bis runter nach Woart… Worth… verdammt, ich … Tja, Jawy, und dann bist du auf den Dreh mit dem Lösegeld gekommen, nich, Jawy?«

»So ist es, Blubber.« Jawys Augen leuchteten, sein Unterkiefer mahlte. »Das blonde Bürschchen ist reines Gold wert, und der Paragraphenverdreher sicher auch. Ich werde die Angehörigen der Klugscheißer in England zur Kasse bitten. Doch vorher setze ich sie auf einer einsamen Insel ab, mit Proviant, sagen wir, für ein Jahr. Bekomme ich das Lösegeld, verrate ich den ehrenwerten Familien den Namen der Insel, bekomme ich nichts, können sie verrecken. Was sagt ihr dazu, Klugscheißer? Da guckt ihr dämlich, was?«

»Du bist wahrhaftig ein Teufel in Menschengestalt.« Vitus sprach betont langsam. Seine Empörung war eiskalter Entschlossenheit gewichen. »Aber der Allmächtige hat bisher noch jeden Teufel zur Hölle geschickt, und wir werden ihm gern dabei behilflich sein.«

»Ich finde, wir haben Glück im Unglück. Es ist doch viel besser, hier in der Dunkelheit zu sitzen, als oben an der Rah zu baumeln! Wenn ich's recht bedenke, sollten wir Jawy sogar dankbar sein.« Der Optimismus des kleinen Gelehrten ließ sich auch in dieser Situation nicht unterkriegen.

Die Freunde saßen mit dem Rücken zur Bordwand. Die Zeit, die vergangen war, nachdem Jawy und Blubber sie verlassen hatten, war schwer abzuschätzen. Vielleicht waren es zwei, vielleicht sogar drei Stunden. Fest stand in jedem Fall, dass die *Torment* ankerauf gegangen war; das schwere Schleifen der Trossen in den Klüsen und das Quietschen des Spills waren unverkennbar gewesen. Ebenso die Unruhe, die alsbald das ganze Schiff befallen hatte. Drei Decks über ihnen war Fußgetrampel zu hören gewesen, Kommandos waren gebrüllt worden, Kolderstab, Gelenk und Pinne hatten ihr typisches Knirschen ertönen lassen, Ruder war gelegt worden, und schließlich hatte die *Torment* leicht übergeneigt Fahrt aufgenommen.

»Die Aussicht, schon bald auf einer Insel im Sonnenschein zu sitzen, ist auch nicht schlecht«, sagte Vitus.

»Du sagst es. Ich habe Hunger. Leider sind Ratten alles andere als genießbar. Wenn's nicht so wär, hätten wir keine Sorge, sie kommen in Unmengen hier unten vor.« Der Magister blinzelte. »Ich glaube, auf dem Gang sind schon wieder ein paar. Sieh nur, die dunklen Schatten.«

Ein Kichern ertönte.

»Was war das?« Der kleine Gelehrte richtete sich auf. »Ratten kichern nicht.«

»Wui, wui, Knagerlinge kichern nich«, erklang das Fistelstimmchen des Zwergs. »Was fetzt ihr denn hier?«

»Beim Blute Christi! Der Zwerg! Du bist es doch, Enano? Wie kommst du hierher?«

»Schäl den Mondschein, Magister, 's is 'ne lange Geschicht.«

»Mensch, Enano!« Vitus tastete durch das Gitter, zog den kleinen, buckligen Körper zu sich heran und umarmte ihn, so gut es ging. »Es tut wohl, dass du da bist! Wie ich dich kenne, bist du heimlich an Bord gekommen, und niemand weiß, dass es dich gibt.«

»Wui, wui, Vitus, so isses. Nur Hewitt gneißt es. Is auch allhier, der Gack. Spielt Matrose.«

»Das haben wir schon gehört. Wir verdanken ihm unser Leben. Er hat es so gedeichselt, dass Jawy glaubt, er könnte ein Lösegeld für uns erhalten. Ansonsten würden wir wohl schon an der Rah hängen.«

»Lösegeld?« Abermals kicherte der Winzling. »Wer hätt's getickt? Hier, hab euch was zum Picken gekeckelt. Backling un Schwärmer, Brot un Käse, wenn ihr das besser begneißt.«

»Danke, Enano, du bist ein wahrer Freund.«

»Blausinn! Macht nich so große Worte nich. Hier is noch 'n Ohrhansel Gänsewein.« Er schob einen Krug mit Wasser durch die Stäbe. »Un hier, damit ihr was spähen könnt.« Es folgten eine Kerze, dazu Stahl und Stein, um sie zu entzünden.

Der Magister schlug Feuer, und alsbald erstrahlte die Zelle in warmem Licht. »Ich bin überwältigt. Eben noch allein, hungrig, in stockdunkler Nacht. Und jetzt: Nahrung, Licht und ein guter Freund. Enano, das vergessen wir dir nie.« Er schlug die Zähne in einen Kanten Brot, wollte noch etwas sagen und verschluckte sich.

»Mit mollen Käuern tarrst nich leiern«, grinste der Kleine.

»Manschare, manschare, eh's die Knagerlinge keckeln. Ich verblühe, bin am Zefir zurück, un dann gibt's mehr.«

»Warte, Enano, warte«, rief Vitus hinterher. »Wo willst du denn so schnell hin?«

»Frag ihn nicht, iss lieber.« Der Magister kaute mit vollen Backen. »Wie ich ihn kenne, erforscht er erst einmal das ganze Schiff. Und dann wird er wahrscheinlich im großen Beiboot übernachten. Weißt du noch, auf der *Cargada* de *Esperanza* hat er es auch so gehalten.«

»Ja, ich weiß. Als er damals plötzlich an Deck auftauchte, war die Überraschung genauso groß wie heute.«

»Er ist ein kleiner, rothaariger Phoenix, der immer aus irgendeiner Asche steigt. Scheinbar unverwüstlich. Und ein treuer Freund dazu, auch wenn er ein paar Seiten hat, die ich nie verstehen werde. Wahrscheinlich hängt das mit seiner schweren Kindheit zusammen. Eins ist jedenfalls klar, solange er unentdeckt bleibt, müssen wir nicht verhungern.«

»Stimmt, Magister, gib mir mal den Käse … hm, delikat, delikat! Nicht ganz so gut wie Achilles original *Foume d'Ambert,* aber immerhin. Lass uns nach dem Essen die Kerze löschen, es ist besser, wenn wir sparsam mit ihr umgehen.«

»Jawohl, großer Cirurgicus.«

Die *Torment of Hell* kreuzte unter südlichen Winden rund hundert Meilen östlich von Habana. Sie war nicht allein, sondern in Begleitung des Guineaman, denn ein Schiff spanischer Bauart, so Jawys Überlegung, mochte bei der Annäherung an die erwarteten Schatzgaleonen unverfänglicher wirken.

Die Entscheidung, den Sklavenfahrer mit auf Beutezug zu nehmen, war dem Piratenanführer nicht leicht gefallen, denn ihm fehlten an allen Ecken und Enden Männer, dies nicht zuletzt, weil er beim jüngsten Gefecht viele seiner besten Kämpfer verloren hatte. Es war eine Auseinandersetzung mit der *Falcon* unter Hippolyte Taggart gewesen, jenem schrulligen Alten, der sich just in dem Augenblick eingemischt hatte, als Jawy dabei gewesen war, die Besatzung des Guineamans bis auf den letzten Mann zu töten. Dabei war Taggart selber Korsar, nur mit dem Unterschied, dass er von Ihrer Majestät Elisabeth I. einen Kaperbrief bekommen hatte, der es ihm erlaubte, sozusagen mit königlicher Billigung zu plündern und zu rauben.

Der Kampf zwischen Jawy und Taggart war unentschieden ausgegangen, denn nicht nur die *Torment* hatte Federn lassen müssen, auch die *Falcon* hatte ein paar tüchtige Einschüsse abbekommen. Lediglich die einbrechende Dunkelheit hatte das Gefecht beendet, eine Tatsache, die Jawy zugute gekommen war, denn so konnte er sich unbemerkt mit seiner Beute davonmachen.

Die *Torment* bot einen schneidigen Anblick, sie fuhr hart am Wind, und ihr neu gestellter Besan ächzte unter dem Druck der einfallenden Böen. Am Fuß des Masts wies das Kommandantendeck noch immer ein paar Schäden auf, die beim Verlust des ursprünglichen Besans entstanden waren.

Jim, der Zimmermann, und Tom, sein Gehilfe, erschienen eben aus den Tiefen des Schiffs – auf den Schultern eine gehörige Menge guten Schnittholzes. Sie wollten neue Decksplanken einpassen, eine Arbeit, die angenehm zu werden versprach, denn das Wetter war prächtig. Der Dritte im Bunde war Hewitt, der mit Holzböcken und allerlei Handwerkszeug folgte.

Jim und Tom ließen schnaufend das Holz an Deck poltern. Sie waren nicht mehr die Jüngsten, und die Schlepperei der schweren Eichenplanken hatte ihnen die Luft aus den Lungen gepresst. »Das wär geschafft!« Jim wischte sich den Schweiß von der Stirn. »Komm, Junge, leg das Werkzeug gleich hier hin, dann haben wir's griffbereit.«

»Gern, Jim.« Hewitt setzte das Bundgeschirr und einige andere Utensilien ab.

»Bin froh, dass du uns hilfst. Die letzten Tage waren für Tom und mich ziemlich anstrengend.«

»Ich tu's gern. Solange ich Freiwache habe, hat Jawy nichts dagegen.«

»Fein.« Jim zögerte, dann sprach er weiter. »Im Vertrauen gesagt: Ich war's, der dir damals an dem Tag, als du über Bord … na, du weißt schon. Jedenfalls hab ich dir noch die alte Deckspforte hinterhergeworfen. Vielleicht is sie dir über'n Weg geschwommen?«

Hewitt sperrte Mund und Nase auf. »Was? Du meinst, als Jawy mich den Fischen vorwerfen ließ …«

»Pssst, nich so laut.« Jim schielte nach achtern, wo nur wenige Schritte entfernt Jawys klobige Gestalt neben der Hecklaterne stand. Wie immer war er bis an die Zähne bewaffnet, auch wenn seine Linke noch verbunden war und er das Rapier nicht führen konnte. »Wenn Jawy merkt, dass wir über ihn reden, denkt er gleich wieder sonst was.«

Tom grunzte beifällig. »Ja, genau, 's wird immer schlimmer mit ihm, man kann schon nich mehr Piep sagen, ohne dass er die Flöhe husten hört. Wundere mich überhaupt, dass er dich wieder in Gnaden aufgenommen hat. Na ja, uns fehlen mindestens dreißig Männer, wenn nich vierzig, un der Guineaman segelt sich auch nich von allein.« Er hielt eine der neuen Planken neben eine zerstörte. »Hm, die neue müsste 'n tüchtiges Stück abgelängt werden. Willst du das machen, Hewitt? Das is nett. Komm, ich zeig's dir. Am besten, wir nehmen die Handsäge.«

Jim war unterdessen dabei, mit Stemmeisen und Klopfholz die angeknickten Planken zu lösen. »Sollten uns Mühe geben, damit Jawy zufrieden is«, brummte er. »Gottlob ham wir bei ihm ja 'nen Stein im Brett, weil wir ihm die Galionsfigur geschnitzt ham, aber seit er Smith un Evans abserviert hat, is er nich mehr der Alte. Überall vermutet er Verrat. Möchte nich mit ihm tauschen, wahrhaftich nich.«

»Wie, Smith und Evans sind tot?« Hewitt erinnerte sich mit Schaudern an Jawys Handlanger. »Haben sie sich etwas zu Schulden kommen lassen?«

»So kann man's nennen, aber niemand weiß was Genaues. Smith und Evans hätten Jawy damals die Diamanten geklaut, sagen die Männer.«

»Wenn ihnen das nur früher eingefallen wäre.« Hewitt hatte die Planke zugesägt und hob zwei weitere auf die Böcke.

Tom fixierte sie mit großen Schraubzwingen. »Jedenfalls lagen sie neulich mit durchgeschnittenen Kehlen in ihren Kojen. Als Jawy Meldung gemacht wurde, hat er nur gesacht: ›Wieder zwei weniger‹, un er schien gar nich traurig darüber zu sein.«

»Was soll ich gesagt haben?«, schnappte eine Stimme unvermittelt. Jawy war unbemerkt herangetreten und stand nun wie ein Ungewitter vor den Dreien.

»Oh, Jawy, äh ...«, druckste Tom, »wir sind gerade dabei, die Decksplanken auszuwechseln, und ...«

»Das sehe ich.« Jawys Blick wurde steinern. »Was ich gesagt haben soll, will ich wissen!«

Hewitt schob sich geistesgegenwärtig dazwischen: »Tom meinte gerade, wir hätten zu wenig Hände an Bord, und ich finde, da hat er Recht.«

»So, findest du.« Jawy musterte den Jüngling, den er einst ins Meer hatte werfen lassen. Der Bursche hatte sich rausgemacht, zweifellos, er hatte zwar kein Jota Fett auf den Rippen, und insofern unterschied er sich in nichts von seiner damaligen Erscheinung, aber er war breiter in den Schultern geworden, sehr viel breiter. Und in seinem Gesicht lag ein ruhiges Selbstbewusstsein, das er früher auch nicht gehabt hatte. Die Arbeit als Fischer vor Habanas Küsten schien ihm gut bekommen zu sein. Jawy hatte eine Idee: »Blubber hat mir erzählt, du wärst unter die Fischer in Habana gegangen, stimmt das?«

»Ja«, log Hewitt, der Zuverlässige.

»Wie viele Tage ist es her, dass du schiffbrüchig wurdest?«

»Genau weiß ich es nicht, denn ich war ohnmächtig, als ich an Land getrieben wurde.« Hewitt war auf der Hut. »Vielleicht ein paar Tage.«

»Ein paar Tage«, wiederholte der Pirat. »Mich würde interessieren, ob die Schatzgaleonen schon nach der Bahía de Matanzas unterwegs sind. Hast du sie von Habana aus in See stechen sehen?«

»Nein, Jawy«, antwortete Hewitt wahrheitsgemäß.

»Dann werden wir weiter hier kreuzen.« Im Kopf des Anführers arbeitete es. »Wenn's aber länger dauert, setze ich die beiden Geiseln auf Elbow Cay ab, vielleicht auch auf einem der anderen kleinen Cays, jedenfalls dort, wo sie bis zum Sankt-Nimmerleins-Tag niemand findet.«

»Wenn ich du wäre«, sagte Hewitt, »würde ich die beiden arbeiten lassen; in der Zelle sind sie doch zu nichts nütze.«

»Was sagst du? Einen Lord und einen Gelehrten arbeiten lassen?« Jawy schob den Unterkiefer vor. »Das ist ein hübscher Gedanke! Aber nein, daraus wird nichts. Der kleine Klugscheißer, der Bücherwurm, ist sicher harmlos, was man allein schon an seiner großen Klappe merkt, aber der Blonde, der könnte gefährlich werden.« Jawy dachte an Vitus' Fechtkunst, der er so schmerzhafte Wunden verdankte. »Nein, die Geiseln bleiben, wo sie sind.«

Hewitt schluckte. Dann gab er sich einen Ruck. »Vielleicht solltest du sie trotzdem hin und wieder an Deck lassen. Da unten werden sie doch nur von den Ratten zerfressen, und für Halbtote kriegt man kein Lösegeld.«

Jawys Augen verengten sich. »Sag mal, Mister Neunmalklug, was liegt dir eigentlich an den Klugscheißern da unten? Tust gerade so, als wärst du mit ihnen verwandt?«

Hewitt musste alle Kraft zusammennehmen, um Jawys Blick furchtlos erwidern zu können. »Du weißt so gut wie ich, dass ich ein armes Schwein bin, und das wird sich wohl auch niemals ändern. Arm geboren, arm gestorben, sagt man bei uns zu Hause. Es sei denn, du gibst mir eine neue Chance.«

»Worauf willst du hinaus?«

»Ganz einfach, wenn ich wieder zu euch gehöre, habe ich meinen Anteil an der Beute wie jeder andere auch. Und wenn du für die beiden, äh … Klugscheißer da unten Lösegeld kriegst, habe ich auch etwas davon. Insofern liegt mir eine Menge daran, dass sie nicht verrecken.«

Jawy stieß einen Pfiff aus, und in seiner Stimme schwang so etwas wie Bewunderung mit. »Du hast dich ganz schön gemausert, Hewitt. Denkst weiter, als ein Schwein scheißen kann, was für die wenigsten hier an Bord gilt.« Ein verächtlicher Blick streifte Jim und Tom, die während der Unterhaltung ängstlich weitergearbeitet hatten. »Von mir aus kannst du wieder anheuern. Kriegst den üblichen Anteil.«

»Danke, Jawy.«

»Schon gut. Ich gehe jetzt und haue mich aufs Ohr. Hol Tipper rauf. Er soll weiterkreuzen wie bisher und scharf Ausschau nach den Schatzgaleonen halten lassen. Wenn ich einen er-

wische, der pennt, röste ich ihm persönlich die Eier. Alles
klar?«
»Alles klar, Jawy.«
Wenige Augenblicke später war der Piratenanführer verschwunden.

Tipper, Blubber und einige andere lagen im Mannschaftslogis
unter dem Backsdeck und würfelten. Es war Abend. Der Tag
war glühend heiß gewesen, viel zu heiß für einen Tag Mitte
Mai. Stunde um Stunde hatte die Sonne von einem wolkenlo-
sen Himmel herabgebrannt, und der Wind war häufig genug
nur als Lüftchen über die *Torment* hinweggeweht. Jawy hatte,
immer auf der Suche nach den Schatzgaleonen, unermüdlich
kreuzen lassen, denn täglich, ja stündlich musste mit der Armada gerechnet werden, jenem Schiffsverband, der sich aus
Fracht- und Kriegsgaleonen zusammensetzte und der so groß
war, dass immer ein paar Segler den Anschluss verloren. Solche
Einzelfahrer waren ein gefundenes Fressen für Männer wie
Jawy.
Wenn die ersehnten Schiffe nicht bald kamen, drohten die ersten Hurrikans. Eine alte Schifferweisheit sagte: Im Mai kaum,
im Juni und Juli selten, doch im August, September, Oktober,
da wird es grausam! Ein Hurrikan war das Schlimmste, was einer Armada widerfahren konnte, denn die schweren, bis ans
Schanzkleid voll geladenen Segler taumelten nur so in den Gewalten der Orkanböen, waren ein Spielball der Brecher, konnten kaum kreuzen und liefen allzu oft auf die Riffe vor Floridas
Küsten – wenn sie nicht schon vorher mit Mann und Maus untergegangen waren.
Doch von alledem war an diesem Abend nichts zu spüren. Die
Männer schwitzten wie Pferde, schütteten Wein in sich hinein
und waren gereizter Stimmung. Tipper war der Einzige, der
zufrieden wirkte, denn er hatte von einem seiner Spießgesellen, einem zahnlosen Burschen mit Augenbinde, eine Seekiste
gewonnen. »Mach dir nichts draus, Fletcher, gegen mein
Glück is kein Kraut nich gewachsen.« Tipper rieb sich seinen
struppigen, weinbefleckten Bart und kippte einen weiteren Becher. Er war derjenige, der am meisten vertragen konnte.
»Halt's Maul.« Fletcher, der wie alle anderen nur eine knielan-

ge Hose trug, lüftete eine Gesäßbacke und furzte. »Ich weiß, dass du uns alle bescheißt, ich weiß nur nich, wie.«

»Aber, aber! Will tot umfalln, wenn's so wär. Hab noch nie nich einen beschissen.«

»Leck mich.« Fletcher schickte sich an, erneut einen Wind fahren zu lassen, wurde von Hewitt aber daran gehindert:

»Was regst du dich so auf, Fletcher? Du tust gerade so, als wäre die Seekiste eine Schatzkiste.«

»Nee, isse nich.« Fletcher, der sich nur ungern von seinem Vorhaben hatte abbringen lassen, setzte sich halb auf. »Hab die Kiste von Tart, der neulich krepiert is.«

»Tart?«

»Ja, Tart, der mit der roten Narbe inner Fresse. Is am Fieber krepiert, wie'n paar andere auch. Weiß nich genau, was inner Kiste drin is, 'n oller Korb und 'n oller Koffer oder so. Un Piekse-Instrumente. Nich viel wert, aber immer noch genuch, dass man's nich gern hergibt, wenn man beschissen wird.«

»Ach so, na, das hört sich an, als wär's wirklich nichts.« Hewitt musste sich zusammennehmen, um sich nichts anmerken zu lassen. Wenn ihn nicht alles täuschte, dann war dieser Fletcher, das heißt, jetzt war es ja Tipper, im Besitz von Vitus' Habe! Hewitt gähnte bewusst gelangweilt und sagte: »Eigentlich sollte ich mich jetzt hinhaun, habe nachher die Mitternachtswache, aber was soll's, ich spiel mit dir um die Kiste, Tipper.«

Tipper, der gerade einen weiteren Becher Wein leeren wollte, wunderte sich. »Was, du? Du spielst doch sonst nich?«

»Irgendwann ist immer das erste Mal.«

»Hm, und worum spielst du, denk bloß nich, ich wär dämlich un ich spiel mit dir, wo du noch nich mal 'n Einsatz hast.«

»Ich spiele um meine Weinration.«

»Hm. Die von heute? Die hast du doch schon wech!«

»Ich spiele um meine ganze Weinration der kommenden Woche.«

»Das is was anderes. Gut. Geht los. Männer, gebt mir mal die Würfel, will dem Grünschnabel zeigen, was'n paar gekonnte Würfe sin.«

Kurz darauf hatte er die Kiste verloren.

Zwei Kerzen, ein Strohsack, Decken, ein Fässchen Wasser, eine Schüssel mit Pökelfleisch, ein Laib Brot, etwas Käse, zwei leidlich saubere Hemden und einiges mehr – alles das lag ausgebreitet vor Vitus und dem Magister. Es waren Gaben, die der Zwerg und Hewitt angeschleppt hatten, mühsam organisierte Dinge, die den Eingekerkerten das Leben erleichtern sollten.

»Ich bin überwältigt.« Der kleine Gelehrte schnäuzte sich geräuschvoll. »Komme mir vor wie im Schlaraffenland.«

»Mir fehlen die Worte«, staunte auch Vitus.

»Wui, wui, sollst nich sabbeln, sollst schnabbeln.« Der Winzling hielt ein Stück Pökelfleisch hoch. »Hier, grabsch den Pork.«

»Danke, Enano.« Vitus biss ein Stück ab und gab das Fleisch an den Magister weiter.

Hewitt meinte: »Das eine Hemd ist ziemlich groß, Vitus, vielleicht lässt sich ein Streifen davon abreißen, als Verband für deine Schulter.«

»Ihr habt an alles gedacht«, lächelte Vitus. »Die Wunde ist schon geschlossen, aber ein neuer Verband wird sicher nicht schaden.«

»Schon gar nicht, wenn ich ihn dir anlege. Allerdings erst, nachdem ich gegessen habe!«, ergänzte der Magister. Der kleine Mann war schon dabei, den Käse zu probieren. »Diese Sorte mundet anders als die, die du gestern brachtest, Enano, feiner und irgendwie besser.«

»Wui, wui, 's is Schwärmer von Jawy, er is der edle Spender, er gneißt's bloß nich.« Der Winzling kicherte.

Vitus fragte: »Wollt ihr nicht mithalten, Freunde? Allein schmeckt es nur halb so gut.«

Der Zwerg und Hewitt lehnten entrüstet ab.

»Wohlan, man soll die Menschen nicht zu ihrem Glück zwingen!«, verkündete der Magister und schob zu dem Käse noch eine Portion Fleisch in den Mund. Kauend und gestikulierend fuhr er fort: »Auch wenn sie's tausendmal verdienen, weil sie ihre Freunde vor dem Tod bewahrt haben.«

Hewitt merkte, dass besonders er gemeint war, und wurde verlegen. »Meinst du, nur weil ich Jawy auf die Idee mit dem Löse…«

»Genau das meine ich. Ohne deine Geistesgegenwart säßen wir nicht hier in trauter Runde.«

»Es war das wenigste, was ich machen konnte, schließlich war ich es, der uns das alles eingebrockt hat.« Aus Hewitts Verlegenheit war Zerknirschung geworden.

Vitus blickte erstaunt. »Wie meinst du das?«

»Nun.« Dem jungen Matrosen schien das Thema sichtlich unangenehm zu sein, dennoch wollte er es zur Sprache bringen. »Vitus, nun, äh … Es geht um den Abend, als ihr beide, du und der Magister, an Bord der *Torment* geklettert seid.«

»Ja? Und?« Vitus horchte auf.

»Tja, also, da hatten wir doch ein Lichtzeichen ausgemacht, mit dem ihr gewarnt werden solltet, falls irgendetwas schief läuft.«

»Richtig.«

»Es passierte auch etwas, ich hörte nämlich plötzlich Geräusche, wie wenn Riemen ins Wasser tauchen, und wollte euch schon warnen, doch dann war wieder Stille, und ich dachte, ich hätte mich geirrt. Aber ich hatte mich nicht geirrt. Mittlerweile weiß ich nämlich, dass Jawy sich an jenem Abend mit dem Beiboot des Guineaman zur *Torment* rudern ließ. Buster, ein Bursche, der dabei war, hat mir erzählt, wie sich alles zutrug.

Jawy, sagte er, hätte von Anfang an ein komisches Gefühl gehabt, schon als sie am Nachmittag in die Bucht einliefen. Deshalb hätte er in einem der anderen Seitenarme geankert und sich erst bei Dunkelwerden zur *Torment* rudern lassen. Als er dann merkte, dass sein Schiff wie ausgestorben war, keine brennende Hecklaterne, keine Feuerstelle, keine Wachen oder sonst was, wäre er erst recht misstrauisch geworden. Er und seine Männer hätten sich dann unter der Kreuzrüst hochgehangelt und wären heimlich an Bord geschlichen. Ja, und dann haben sie dich und den Magister überrascht. Ihr seht, es ist also alles meine Schuld.«

»Gickgack, Blausinn!« Noch ehe Vitus etwas sagen konnte, sprach der Zwerg dazwischen: »'s is genauso mein Mist. Hab nix geschallt, un ich hätt's schallen können, hab aber geratzt, wui, wui, geratzt hab ich.«

»Regt euch nicht auf, Freunde.« Vitus hob die Hände. »Als

456

der Magister und ich auf dem Weg zu Jawys Kajüte waren, glaubte auch ich, so etwas wie Rudergeräusche gehört zu haben. Und genau wie du, Hewitt, dachte ich, ich hätte mich getäuscht. Ihr seht also, wenn überhaupt, haben wir alle Schuld an der jetzigen Situation.«

Hewitt atmete hörbar aus. Das Schuldgefühl, das er die ganze Zeit mit sich herumgetragen hatte, ließ nach. Ein Lächeln stahl sich auf seine Lippen. »Aber ich habe auch eine gute Nachricht, Vitus: Deine Sachen sind wieder da.«

»Meine Sachen sind wieder … nein! Sag das noch mal!«

»Deine Sachen sind wieder da, ich habe sie in Gewahrsam. Sogar dein Stecken hat sich eingefunden.« Hewitt erzählte in allen Einzelheiten, wie er an Vitus' Habe gekommen war. Als er geendet hatte, griff Vitus durch die Gitterstäbe und schüttelte ihm die Hand:

»Das hast du großartig gemacht, Hewitt, großartig! Ich danke dir!«

Auch dem kleinen Gelehrten stand die Freude ins Gesicht geschrieben. »Ich schließe mich den Worten meines Vorredners an. Jetzt fehlt nur noch ein kleiner Spaziergang an Deck, und ich wäre wunschlos glücklich!«

»Was nicht ist, kann vielleicht werden.« Hewitt berichtete, wie er versucht hatte, von Jawy dazu die Erlaubnis zu bekommen, schloss dann aber: »Allzu viel Hoffnung kann ich euch nicht machen, denn Jawy meinte, das käme nicht in Frage, besonders du, Vitus, seist zu gefährlich.«

Der Magister gab sich empört: »Was heißt hier, Vitus sei zu gefährlich? Der Nussknacker kennt mich doch gar nicht! Aber das wird sich ändern! Lasst uns erst einmal hier heraus sein, dann werde ich's ihm schon zeigen.« Er grinste. »Aber so weit ist es noch nicht. Wer hat eigentlich den Schlüssel zum Gitterschloss?«

»Blubber«, antwortete Hewitt. »Und wahrscheinlich hat Jawy auch einen.«

Vitus fragte: »Kannst du an einen der Schlüssel herankommen?«

»Das wird nicht leicht sein.« Hewitt kratzte sich den Kopf. »Jawy passt wie ein Schießhund auf seine Sachen auf.«

»Und Blubber?«

»Das wäre schon eher möglich. Blubber ist stark wie ein Ochse, aber das Pulver hat er nicht erfunden.«

»Eine Kombination, die auf Erden nicht eben selten ist«, flocht der kleine Gelehrte ein.

»Blubber muss den Schlüssel irgendwo aufbewahren«, überlegte der junge Matrose weiter. »Ich werde ihn beobachten. Aber sag, Vitus, was soll uns der Schlüssel nützen? Wohin wollt ihr fliehen? Wenn ihr aus dieser Zelle heraus seid, wird die *Torment* euer Gefängnis sein, und gegen die Übermacht der Piraten kommen wir zu viert in keinem Fall an.«

Vitus nickte gedankenvoll. »Du hast in allem Recht, Hewitt. Und trotzdem hätte ich den Schlüssel gern.«

»… vierhundertsechsundsechzig, vierhundertsiebenundsechzig, vierhundertachtundsechzig, vierhundertneunundsechzig, vierhundertsiebzig … und zurück: vierhundert…«

»Magister«, in Vitus' Stimme schwang Verzweiflung mit, »kannst du nicht einfach so an Deck spazieren, ohne jeden Schritt mitzuzählen?«

»Natürlich könnte ich das«, dozierte der kleine Gelehrte, »aber es wäre bei weitem nicht so unterhaltsam. Ich habe ausgerechnet, dass ich bei meiner Gangart voraussichtlich dreitausendfünfhundertvierzehnmal ausschreiten muss, um eine Meile zurückzulegen, alle fünf Schritte muss ich dabei hier auf dem Oberdeck die Richtung ändern, meiner Berechnung nach wäre das bei einer Meile eine Richtungswechselzahl von …«

»Magister! Genieße doch einfach die Sonne, die Luft, den Geruch der See. Und freue dich, dass man uns überhaupt an Deck gelassen hat.«

»Du hast gut reden. Wie soll ich das genießen, wenn da oben auf dem Kommandantendeck Jawy steht, waffenstarrend wie die Rüstkammer einer Ritterburg. Sieh, wie er herüberschielt. Tut so, als würde es uns nicht geben, dabei lässt er uns keinen Moment aus den Augen. Muss die Hosen ganz schön voll haben, der Menschenschlächter, sonst hätte er uns die Hände nicht auf dem Rücken fesseln lassen. Nein, tut mir Leid, ich muss mich ablenken.« Der kleine Gelehrte nahm seine Wanderung wieder auf. »Vierhunderteinundsiebzig, vierhundertzwei…«

»Halt's Maul endlich, Klugscheißer!« Das war Jawy, dessen Augen Blitze schossen und dessen Kiefer zu mahlen begannen. Er hatte genau gespürt, dass der Bücherwurm ihn reizen wollte. Und das vor seinen Männern!

Ohne zu überlegen, rief der Magister zurück: »Halt's selber, Nussknacker!«

Ein paar in der Takelage arbeitende Piraten lachten. Das erboste Jawy noch mehr: »Ich röste dir deine gelehrten Eier, wenn du nicht ein für alle Mal das Maul hältst!« Drohend schob er sich zum Niedergang und kletterte die Stufen zum Oberdeck herab. Er legte dabei eine Geschwindigkeit an den Tag, die für einen Mann seiner Größe bemerkenswert war.

Vitus zischte seinem Freund zu: »Rede dich nicht um Kopf und Kragen! Halte dich an das, was der Menschenschlächter will.«

»Ich rede, solange es mir Spaß macht!«, brüllte der kleine Gelehrte. »Vor Nussknackern ist mir nicht bange!«

»So? Dir ist also nicht bange?« Jawy baute sich vor den Freunden auf. Er überragte Vitus um fast eine, den kleinen Mann um mehr als zwei Haupteslängen. Sein Blick wurde steinern. Dann schoss seine Faust vor und traf den Magister mitten im Gesicht. Es gab einen hässlichen Laut, als Knochen auf Knochen traf. Jawy registrierte es mit satanischer Freude und holte schon zum zweiten Schlag aus, der dem verhassten Bücherwurm den Rest geben sollte, als er einen stechenden Schmerz im linken Handgelenk spürte. Der Schmerz war so stark, dass er ihm den Atem nahm. Er schüttelte sich. Dann wurde ihm das Unfassbare klar: Der blonde Klugscheißer hatte ihn mit dem Fuß getreten, gezielt und wirksam, und genau gegen die Verwundung, die er ihm vor wenigen Tagen beigebracht hatte!

Jawy wollte die Todesmelodie anstimmen, doch zu seinem grenzenlosen Erstaunen erwischte ihn ein zweiter Fußtritt, abermals gegen das verletzte Handgelenk. Er brüllte auf, spürte Torturen, die bis in seine Haarspitzen schossen, und wich zurück. Wie durch einen Nebel hörte er seine Männer lachen. Er, Jawy, war zum Gespött der Leute geworden!

Die Erfahrung des alten Anführers sagte ihm, dass es hier nicht damit getan war, die beiden Gefangenen mit der Waffe zu töten, das wäre allzu billig gewesen, denn auch bei den Piraten gab es so etwas wie einen Ehrenkodex. Nein, hier musste etwas anderes passieren, etwas Spektakuläres, nie Gesehenes, etwas, das seine Macht untermauerte und gleichzeitig zur Kurzweil seiner Leute beitrug. Etwas ganz Großes, etwas … und dann wusste John »Jawy« Cutter, der Mann, der als Einziger in der Karibik seinen Unterkiefer aushaken konnte, was er zu tun hatte. Er richtete sich auf und schrie so laut, dass man ihn in jedem Winkel der *Torment of Hell* hören konnte: »Der blonde Klugscheißer wird kielgeholt!«

Was Jawy verkündet hatte, war leichter gesagt als getan. Denn um einen Mann kielzuholen, verlangte es ein stilliegendes Schiff und eine ruhige See. An beides war auf dem Meer nördlich von Kuba nicht zu denken. Der Pirat beschloss deshalb, den Kurs kurzfristig zu ändern. Er wollte mit der *Torment* auf Cistern Point, die südlichste Spitze von Andros Island, zuhalten. Hier waren die Gewässer nicht ungefährlich, aber Jawy nahm es in Kauf, denn er bekam das, was er brauchte: sicheren Ankergrund und glatte See in einer der unzähligen kleinen Buchten.

Einen Tag, nachdem er die Drohung ausgestoßen hatte, stand er an Oberdeck und sprach zu seinen Männern: »Hört zu, Leute, ich habe euch gesagt, dass der blonde Klugscheißer kielgeholt wird, und jetzt löse ich mein Versprechen ein.« Sein Blick streifte Vitus, der am Hauptmast stand. Man hatte ihm Arme und Beine gefesselt, so dass er keinen Schritt tun konnte, ohne umzufallen. Der Gefangene blickte mit steinerner Miene geradeaus. Wahrscheinlich war er starr vor Angst. Jawy wippte auf den Fußspitzen. Er fühlte sich großartig. Seine Männer blickten erwartungsfroh zu ihm auf, und er spürte, dass er einen Teil ihres Respekts schon zurückgewonnen hatte. Gut so! Er war fest entschlossen, ihnen ein nie da gewesenes Schauspiel zu bieten.

»Ihr wisst natürlich, was Kielholen ist, Männer, aber für den blonden Klugscheißer erkläre ich es gerne noch mal. Es ist die härteste Strafe, die auf See verhängt werden kann, viel härter als dreimal hundert Hiebe mit der Neunschwänzigen. Dabei fängt es ganz harmlos an: Man holt ein Tau von einer Schiffsseite zur anderen durch und bindet den Mann daran fest. Dann stößt man ihn über Bord und zieht ihn am Rumpf entlang hinab bis unters Wasser.«

Jawy musterte den blonden Burschen, der noch immer regungslos am Mast stand. Der Mann schien ihm gar nicht zugehört zu haben. Wahrscheinlich war er nach wie vor starr vor Angst. »Wie gesagt, man zieht den Mann am Rumpf entlang hinab ins Wasser, tiefer und tiefer, und unter dem Kiel hindurch. Dabei lässt man sich Zeit, denn es soll ja eine Strafe sein. Je mehr Zeit man sich lässt, desto schlechter geht's dem Mann da unten.« Jawy machte eine bedeutungsvolle Pause. »So ganz ohne Luft.«

Einige Männer lachten roh.

Der Anführer streckte den Unterkiefer vor. »Man kann das Tau auch ein paar Mal vor und zurück holen, Leute, damit der Rücken des Mannes sich tüchtig am Muschelbesatz reibt. Ich habe mir sagen lassen, das gibt grausame Wunden.«

Beifällige Rufe wurden laut: »Ja, mach das! Mal sehen, ob er blaues Blut hat!« – »Hahaha! Ja, zieht ihn schön langsam durch!« – »Aber mit Gefühl, hoho, mit Gefühl!« – »Genau, dann hat er mehr davon!«

Beschwingt fuhr Jawy fort: »Und während der ganzen Zeit wird ihm die Luft knapper und knapper, Leute! Die Augen treten aus den Höhlen, die Lungen platzen ...« Er gab Tipper, der mit Hilfe dreier Männer das Tau vorbereitet hatte, einen Wink. »He, Tipper, es kann losgehen, bindet den Klugscheißer fest, und zwar so, dass er mit dem Rücken über den Rumpf rutscht.«

»Geht klar, Jawy.« Tipper wusste, was er zu tun hatte. Er war insgeheim angewiesen worden, den Gefangenen lange, aber nicht zu lange unter dem Rumpf der *Torment* hindurchzuziehen. Nicht aus Menschlichkeit, natürlich nicht, sondern weil der Bursche ja noch ein Lösegeld einbringen sollte, und das ging nur, wenn er die Prozedur lebend überstand.

Zum letzten Mal wanderte Jawys Blick zu dem blonden Gefangenen, doch der sah weiterhin so aus, als ginge ihn das alles nichts an – selbst als Tipper und seine Helfer ihn kunstgerecht am Oberkörper mit dem Tau verknüpften und über das Schanzkleid schoben. Jawy unterdrückte seinen aufkommenden Ärger. Der verstockte Bursche würde noch früh genug Zeter und Mordio schreien, spätestens, wenn er auf der anderen Schiffsseite wieder hochgezogen wurde. Vorausgesetzt, er konnte es dann noch. Ja, die hochnäsige Visage würde ihm noch vergehen ... Vielleicht betet der Klugscheißer auch?, fragte Jawy sich. Vielleicht glaubt er, sein letztes Stündlein sei gekommen? Der Gedanke gefiel ihm schon besser.

»Fahr zur Hölle, Klugscheißer!«, rief er laut.

Vitus hatte tatsächlich gebetet. Die Aussicht, ertränkt zu werden, hilflos wie eine Katze im Sack, war so ungeheuerlich, barg so unfassbaren Schrecken, dass er sich mit geschlossenen Augen an seinen Schöpfer gewandt hatte. Dann spürte er, wie grobe Hände ihn von der Bordwand stießen. Einen oder zwei Yards fiel er ins Leere, doch dann riss ihn das Seil zurück, das Tipper und seine Helfer straffgezogen hatten. Er öffnete die Augen und sah die näher kommende See. Mit den Füßen voran, Zoll für Zoll, hievten sie ihn dem Wasser entgegen. Sein Körper scheuerte über die rauen Barkhölzer hinweg, langsam, quälend. Die ersten Schmerzen! Oh, mein Gott! Vater, Vater, wozu sind Deine Kinder fähig!

Seine Füße berührten jetzt das Wasser. Die See war warm und kristallklar; sie wanderte an seinen Beinen hoch, über die Knie, die Oberschenkel. Wenn das so langsam weiterging, würde er schon nach der Hälfte der Strecke ertrunken sein. Jämmerlich ertrunken.

Sollte er die Augen aufbehalten? Oder sollte er sie schließen? Was würde leichter sein? Er schluckte Wasser, registrierte, dass sein Kopf eintauchte, und schöpfte ein letztes Mal tief Luft.

> *Herr, Du bist mein Schild und mein Trost,*
> *mein Fels und mein Schutz,*
> *Du bist bei mir in der Not ...*

Ein scharfer Schmerz durchzuckte ihn. Muscheln! Scharfkantige Muscheln! Sie saßen festgekrallt am Unterwasserschiff und rissen ihm den Rücken auf. Er schrie, sein Mund öffnete sich weit. Wasser drang gurgelnd in seine Luftröhre, salzig, gierig, als hätte es nur darauf gewartet, ihn zu ertränken. Er würgte, keuchte, schluckte, wollte atmen, doch statt der ersehnten

Luft drang neues Wasser in ihn ein. Wie von Sinnen begann er mit den Beinen zu stoßen, wollte nach oben, zum Licht, zur Luft, doch das Wasser war überall. Wasser, Wasser, Wasser! Panik erfasste ihn, doch neue, noch stärkere Schmerzen jagten über seinen Rücken und lenkten ihn ab.

Herr, Du bist mein Schild und mein Trost,
mein Fels und mein Schutz ...

Macht schneller, ihr Teufel da oben! Zieht doch, zieht, damit ich wieder Luft bekomme! Was macht ihr denn? Was macht ihr denn?

Das Tau war zum Stillstand gekommen und bewegte sich wieder nach oben. Neuerlicher Schmerz setzte ein. Sein Rücken brannte wie Feuer. Er versuchte sich abzulenken, stellte sich vor, wie Salzwasser auf offene Wunden wirkte. Hewitt, dem Zuverlässigen, war die Hand durchstochen worden von Jawy, dem Menschenschlächter. Eine Ewigkeit schien das zurückzuliegen. Aber er wusste noch genau: Die Wunde war vom Gangrän verschont geblieben. Durch das Salzwasser? Oder wodurch? Müßige Gedanken. Lächerlich! Ich brauche Luft, Luft, Luft!

Das Tau bewegte sich jetzt im Wechsel hinauf und herunter. Er hing daran wie ein Kokon am Faden. Neue Torturen jagten durch seinen Körper. Dann ein Widerstand: der Kiel! Er befand sich direkt unter der Schiffsmitte. Zieht mich hoch, um der barmherzigen Mutter Maria willen, so zieht doch! Zieht mich hoch, rasch, rasch! Ich kann nicht mehr!

Wild warf er den Kopf hin und her. Dann wurden seine Bewegungen schwächer. Gedankenfetzen liefen durch sein Hirn, Bilder entstanden vor seinen Augen, Bilder von besseren Tagen. Arlette stand da an Bord der *Phoenix*, lächelnd, strahlend, in einem salamandergrünen Kleid. Wo bist du, Arlette? Wo bist du? Warum bist du nicht gekommen? Ich habe dich so gesucht, habe auf dich gewartet. Ich sterbe, ich sterbe, Arlette ...

Herr, Du bist mein Schild und mein Trost,
mein Fels und mein Schutz ...

Jawy hatte sich zur Steuerbordseite begeben, wo er das Hoch-hieven des Kielgeholten verfolgte. Der blonde Bursche wurde mit den Füßen zuerst an Bord gezogen. Bäche von Seewasser rannen an seinem Körper herab. Er wirkte wie tot; die Bord-wand unter ihm färbte sich rot. Er musste aus vielen Wunden bluten. Der Pirat empfand darüber grimmige Freude. »Na, Leute, wie fandet ihr das? Hat Jawy euch zu viel versprochen?« Die Antwort war ein vielstimmiges Gebrüll.

»Hat Jawy das wieder mal gut hingekriegt?«

Abermals zustimmendes Gejohle.

»Na also. Das war's!«, verkündete der Pirat zufrieden. »Jetzt geht's mit vollen Segeln zurück. Legen uns nördlich der Bahía de Matanzas auf die Lauer. Müsste doch mit dem Teufel zuge-hen, wenn die verdammten Dons nicht endlich aus ihren Lö-chern kommen!« Er drehte ab und wollte schon seine Kajüte aufsuchen, da fiel ihm etwas ein: »Atmet der Klugscheißer überhaupt noch?«, fragte er.

Tipper hob mit seinen Männern den schlaffen Körper über das Schanzkleid. »Weiß nich, Jawy, mal sehen.« Er ließ Vitus un-sanft aufs Deck fallen. »Wenn er zu viel Wasser in der Lunge hat, is er hin.« Tipper beugte sich herab und hob das eine Lid hoch. »Hm, weiß nich, 's Auge bewegt sich nich.«

»Dann mach irgendwas«, schnappte Jawy. Er dachte an das Lösegeld.

»Darf ich mal?« Das war Hewitt, der sich aus dem Pulk der Gaffer gelöst hatte. Ohne Jawys Zustimmung abzuwarten, ging er auf den Gemarterten zu und drehte ihn auf den Bauch. Der Rücken wurde sichtbar. Er war eine einzige Wunde. Der junge Matrose presste die Lippen zusammen, doch konnte der Anblick ihn nicht abschrecken. Er packte Vitus um die Taille und hob ihn mehrere Male ruckartig an. Nichts geschah. Er wiederholte den Vorgang. Wieder nichts. Die Männer um ihn herum verloren langsam das Interesse, aber Hewitt war hart-näckig. Er machte weiter. Wieder und wieder riss er den leblo-sen Körper hoch, und endlich: Seine Bemühungen hatten Er-folg! Ein Schwall Wasser brach aus Vitus' Mund hervor, und Augenblicke später begann er sich zu rühren.

Jawy knirschte. »Wer sagt's denn! Der Klugscheißer ist zäh wie Leder. Sollte man gar nicht vermuten bei einem, der blaues Blut hat. Und jetzt schafft ihn wieder runter. Tipper, du steuerst den Kahn nach Westen, doppelter Ausguck in den Fockmars. Wehe, die Dons entwischen uns. Ich bin in meiner Kajüte.«

In der Arrestzelle tief unten im Orlopdeck saß der Magister und behandelte Vitus' Rücken. Hewitt, der Zuverlässige, hielt ein Töpfchen mit Honigsalbe durch die Gitterstäbe, aus dem der kleine Gelehrte sich bediente. Es war der fünfte Tag nach der Tortur des Kielholens. Vitus ging es schon deutlich besser. Blutverlust und Schock waren zwar stark gewesen, aber die Wunden gottlob nicht so schlimm wie zunächst angenommen. Sie hatten aus einem dichten Gitterwerk tiefer Schnitte bestanden, die kreuz und quer über den Rücken liefen und deren Ursache die scharfen Kanten der Saugmuscheln waren. In den ersten Tagen hatten sich einige Partien der Wundfläche entzündet, was für Vitus mit weiteren Schmerzen und Fieber verbunden war, doch der kleine Gelehrte hatte sich als guter Arztassistent erwiesen. Er war mit Hilfe des Zwergs, der noch immer unentdeckt im Beiboot der *Torment* hauste, an einen Haufen Kohlblätter aus den Küchenvorräten gekommen. Diese Blätter zerquetschte er, bis sie feucht und saftig waren, und setzte sie anschließend als Wundauflage ein.

Damit nicht genug, hatte er einen guten Einfall gehabt: Er hatte Hewitt gebeten, doch einmal in Vitus' Kiepe und Instrumentenkoffer nach Heilkräutern zu suchen, und der junge Matrose war tatsächlich fündig geworden. Er hatte Kalkpulver aufgetrieben und dazu einen Salbenrest aus Wallwurz und Meerrettichwurzeln. Diese Arzneien, zusammen mit der Honigsalbe, hatten sehr geholfen.

»Unkraut vergeht nicht«, brummte der kleine Gelehrte, während er sich anschickte, Vitus' Verband zu wechseln. »Wird Zeit, dass du gesund wirst, die Salbe reicht höchstens noch für eine Anwendung, und außerdem gefällt es mir in unserer Herberge zunehmend schlechter.« Er blickte auf zu Hewitt. »Du sagst zwar, dass ein Ausbruch zwecklos ist, weil die Piraten uns sofort überwältigen würden, aber mir wär's trotzdem lieb, wenigstens den Versuch zu machen. Wenn wir erst einmal draußen sind, wird es schon irgendwie weitergehen.«

Vitus meldete sich: »Ich bin auch dafür, den Versuch zu wagen. Wie ihr wisst, hatte ich viel Muße zum Nachdenken, und ich glaube, es gibt einen Weg, um an Blubbers Schlüssel heranzukommen.«

»Was? Erzähle!« Die Freunde sprachen wie aus einem Munde.

»Es ist ein Plan, der riskant ist und der keineswegs klappen muss, aber mir ist kein anderer eingefallen.«

»Erzähl schon, was sollen wir tun?« Der Magister, der die letzten Stoffstreifen um Vitus' Oberkörper wickelte, unterbrach gespannt seine Tätigkeit.

»Ihr sollt gar nichts tun. Und auch ich werde nichts unternehmen. Keiner von uns kann sich an der Ausführung des Plans beteiligen. Passt auf, ich denke mir Folgendes.«

Und dann erklärte Vitus seine Idee.

Blubber saß im äußersten Bug der *Torment* und entleerte sich geräuschvoll. Es ging schon gegen Mitternacht, eine ungewöhnliche Zeit, um zu Stuhle zu kommen, doch Blubber hatte, wie viele seiner Spießgesellen, häufig Durchfall. Grund dafür waren die ausgiebigen Gelage, das schlechte Essen, das faule Trinkwasser und die mangelnde Sauberkeit an Bord. Aber das wusste Blubber nicht. »Was soll ich sagen«, pflegte er zu sagen, »solange man nich die rote Scheißerei hat, is alles halb so wild.« Und seine Kumpane, die neben ihm im Gärtchen saßen, nickten jedes Mal.

Wer an der Ruhr litt, hatte wässrigen, schleimigen, blutdurchsetzten Stuhl und innere Geschwüre. Ein Leiden, das mehr als unangenehm war, weil es mit krampfartigen Leibschmerzen einherging und weil es in den seltensten Fällen von selbst wieder verschwand.

Heute Nacht saß Blubber allein. Allein über dem kreisrunden Loch, unter sich nur das Meer und die gischtende Bugwelle. Allein mit sich und seinen Gedanken. Wie lange hatte er den Durchfall jetzt schon? Eine Woche? Zwei Wochen? Er glaubte sich zu erinnern, dass die lästige Lauferei an dem Tag angefangen hatte, als Jawy die Klugscheißer in seiner Kajüte erwischt hatte. Ja, das konnte sein! An dem Tag hatte auch eine schwarze Möwe über dem Hauptmast gekreist. Man stelle sich vor: Eine Möwe, die schwarz war! Wo doch alle Welt wusste, dass es keine schwarzen Möwen gab. Nur weiße.

Blubber wollte sich erheben, aber er spürte, wie sich seine Gedärme neuerlich zusammenzogen und für einen neuen Schub sorgten. Er musste sich noch gedulden. Wieder kreisten seine Gedanken um die schwarze Möwe. Er war nicht abergläubisch, beileibe nicht, aber der Fisch mit den zwei Köpfen, der Fletcher vor zwei Tagen an die Angel gegangen war, der gab ihm doch zu denken. Und dann dieses seltsame Licht, das er in der vergangenen Nacht beobachtet hatte: Die *Torment* war auf ihrer Jagd nach den Schatzgaleonen an den Rand einer Gewitterfront geraten, und plötzlich hatten die Mastspitzen und auch die Bugsprietspitze hell aufgeleuchtet. Die Bugsprietspitze ganz besonders. Es war ein intensives, büschelförmiges Licht gewesen, das die *Torment* vor sich hergetragen hatte und das im Takte der Gewitterblitze aufzuleuchten schien. Unerklärlich und bedrohlich …

Nun, heute Nacht gab es kein Gewitter, nur den Wind, der so viele Sprachen sprach. Er konnte flüstern, singen, jaulen, pfeifen, brausen, tosen; er konnte ganz verstummen, aber auch in Sturmstärke brüllen; er hatte unendlich viele Möglichkeiten, sich mitzuteilen. »Wuuuuui, wuuuuui«, machte der Wind, und abermals: »Wuuuuui, wuuuuui!«

Blubber, dem als erfahrenem Piraten die Windgeräusche in Fleisch und Blut übergegangen waren, achtete zunächst nicht darauf, denn er spürte, dass der letzte Schub vorüber war. Aufseufzend wollte er sich die Hose hochziehen und den Ort der Notdurft verlassen, als plötzlich der Wind erneut zu sprechen begann: »Wuuuuui, wuuuuui, Bluhuuuhuuubber!«

Blubber fiel auf den Sitz zurück. Was war das?, fragte er sich. Hatte der Wind seinen Namen gerufen? Ein Schauer des Schreckens durchrieselte ihn. Konnten Windgeräusche Worte formen? Oder war da irgendwo einer, der ihn foppen wollte? Natürlich, so musste es sein! Langsam stand er auf und fixierte seine Umgebung in alle Richtungen. Die schwere Eichentür, die zum Mannschaftslogis führte, sie stand halb offen und schwang im Auf und Ab der dahingleitenden *Torment*. Nein, dahinter war keiner. Auf dem Backsdeck darüber? Auch nicht. In den Rahen des Fockmasts? Nichts. Außenbords auf den Rüsten? Nichts. Auf den festgelaschten Ankern? Unter der Gräting? An der Galionsfigur? Nichts, nichts, nichts. Und im

Bugsprietsegel? Es war nur aufgegeit und nicht festgemacht, was bedeutete, dass Spiel in seinen Bahnen war, aber es war so wenig, dass kein Mensch sich darin verbergen konnte. Kein Mensch, und war er noch so klein.

Er musste sich getäuscht haben.

»Bluhuuuhuuubber!«

Da war es wieder! Er hatte es ganz deutlich gehört! Mit zitternden Knien setzte Blubber sich. Die Hose, die er schon halb hochgezogen hatte, rutschte wieder auf seine nackten Füße. Es musste der Wind sein! Eine andere Möglichkeit gab es nicht, denn weit und breit war kein Mensch zu sehen!

»Bluhuuuhuuubber!«

Tod und Teufel! Blubbers Herz begann zu rasen. Er war kein Feigling, im Gegenteil: Er nahm es mit jedem auf. Wenn's sein musste, sogar mit Jawy, aber das hier, das war etwas anderes. Das war kein Wind und auch kein Mensch. Das war ein Geist, ein Hexer, ein Troll! Kam jetzt die Strafe für alles, was er auf dem Kerbholz hatte? Die Rache für die Erschlagenen, Geschändeten und Beraubten? »T - t - tu mir nichts!«, stammelte Blubber. »T - t - tu mir nichts! B - b - bitte!«

»Fliiiehiiiehiiiehe, Bluhuuuhuuubber, fliiiehiiiehiiiehe!«

Fliehen! Er sollte fliehen! Das ließ er sich nicht zweimal sagen. Fort, nur fort von diesem unheimlichen Platz! Blubber sprang auf, verheddert sich mit den Füßen in seinen Hosenbeinen und schlug der Länge nach hin. Er schrie auf, weniger vor Schmerz als vor Schreck, strampelte halb wahnsinnig vor Angst die Hose von den Füßen und hetzte, nackt wie er war, davon.

Das Beinkleid blieb verwaist auf der Gräting.

Der Schlüssel zur Arrestzelle, der im Beutel am Hosenbund gesteckt hatte, war herausgefallen. Er lag auf dem hölzernen Kreuzgitter, halb über eines der quadratischen Löcher ragend. Eine kleine Hand kam geschwind und wollte ihn aufnehmen, doch in diesem Augenblick sank die *Torment* in ein Wellental, der Schlüssel verlor das Gleichgewicht und fiel in die schäumende Bugsee.

»Du dümmeler Knochen!«, schimpfte ein Stimmchen. »Du dümmeler Hausknochen!«

Es war ein Fistelstimmchen. Und es hatte nichts mehr mit den Windgeräuschen gemein.

Wieder waren einige Tage vergangen. Unten im Orlopdeck, wo die Freunde nach wie vor hinter Schloss und Riegel saßen, hatte Langeweile Einzug gehalten. Es war irgendwann am Vormittag, jedenfalls vermutete der Magister das, denn die genaue Tageszeit war in dem schummrigen Kerzenlicht schwer abzuschätzen, und der kleine Gelehrte fühlte sich alles andere als zufrieden. »Diese Piratenbande scheint kein anständiges Glasen zu kennen, nie weiß man, was die Stunde geschlagen hat. Ein ziemlicher Sauhaufen, den Jawy da befehligt. Und so etwas ist man nun auf den Leim gegangen! Na ja, lerne leiden, ohne zu klagen, wie es so schön heißt. Wenn mich nicht alles täuscht, rückt die Mittagszeit heran, und Hewitt hat sich noch immer nicht sehen lassen, von dem Zwerg gar nicht zu reden. Der glänzt durch Abwesenheit. Will einen Besen fressen, wenn da alles so gelaufen ist, wie wir's uns vorgestellt haben.«

»Wir können nur warten.« Vitus legte sich vorsichtig auf den Rücken und freute sich, dass seine Verletzungen diese Position bereits zuließen.

»Warten, warten, warten. Du weißt, dass Geduld nicht gerade zu meinen Tugenden zählt.«

»Komm, nimm mir lieber den Verband ab. Ich glaube, die Wunden sind so weit zugeheilt, dass ich keinen neuen mehr brauche.«

»Wie der Herr Cirurgicus befehlen.« Grummelnd machte der kleine Mann sich an die Arbeit. Während er schnell und geschickt die einzelnen Bahnen abwickelte, erklärte er: »Zuerst war es ja nicht so schlimm in diesem Loch. Fast vertraut war es, wie in alten Zeiten, als wir gemeinsam im Inquisitionskerker schmachteten. Aber auf die Dauer kann ich mir doch etwas Besseres vorstellen, als tagein, tagaus hier unten zu hocken. Ob der Zwerg wohl etwas ausrichten konnte?«

»Ich weiß es nicht, mein Alter. Wir können nur warten.«

»Du sagtest es bereits.« Der kleine Gelehrte wickelte die letzte Bahn ab und beäugte kritisch die Wunden. Die Schnitte waren zum größten Teil verheilt, nur an wenigen Stellen hatte der Schorf sich noch nicht gelöst. »Du brauchst tatsächlich keinen neuen Verband, hast gutes Heilfleisch!«

Vitus lächelte. »Und einen guten Arzt.«

»Schon gut, nicht der Rede wert.« Der kleine Mann blickte zur Seite, denn er wollte nicht, dass Vitus seine aufkommende Verlegenheit bemerkte. »Ich finde, wir sollten wirklich sehen, dass wir die Gittertür bald öffnen können, auch wenn wir damit unser Gefängnis nur vergrößern, weil wir vom Schiff nicht herunterkommen.«

»Worauf willst du hinaus?«

»Darauf, dass ich keine Lust habe, bei einem Gefecht hier unten zu schmoren, während mir die feindlichen Kugeln um die Ohren fliegen. Stell dir vor, wenn der Kahn absäuft, saufen wir mit ab, eingeschlossen und hilflos, jämmerlich wie die Ratten. Dabei würde ich dem Menschenschlächter nichts mehr wünschen, als dass er mit seiner *Torment of Hell* auf den Grund des Meeres geschickt wird. Nur bitte nicht dann, wenn wir hier unten eingesperrt sind.«

»Stimmt. Sag, merkst du das auch? Da oben ist irgendetwas los!«

Tatsächlich herrschte plötzlich Unruhe auf dem gesamten Schiff. Unverständliche Rufe erklangen an Oberdeck, Pfiffe gellten, heftiges Fußgetrampel, unterbrochen vom Quietschen schwerer Ketten, war zu vernehmen, dann wieder dröhnten rumpelnde Geräusche durch die Decks. »Beim Blute Christi!«, rief der Magister. »Denkst du, was ich denke? Jawy lässt die Kanonen ausrennen. Sicher hat er ein Opfer ausgemacht!«

»Kann sein.« Vitus hielt die Augen geschlossen, um sich besser aufs Lauschen konzentrieren zu können. »Oder er wird selbst angegriffen. Der Hektik da oben nach zu urteilen, ist das genauso gut möglich.«

»Hm, hm. Kaum spricht man davon, dass man in kein Gefecht verwickelt werden möchte, schon scheint eines stattzufinden. Und wir stecken hier …«

Der Magister hatte »fest« sagen wollen, war aber nicht mehr dazu gekommen, denn unter ohrenbetäubendem Krachen hatte die *Torment* sich auf die Seite gelegt und den kleinen Mann aus dem Gleichgewicht gebracht. »Das war eine Breitseite!«, keuchte er.

Unwillkürlich duckten die Freunde sich, denn sie erwarteten die Antwort des Gegners. Doch die blieb aus. Als sie sich wieder entspannt hatten, brach es über ihnen erneut los. Abermals brüllten die Geschütze auf. »Der Gegner scheint Fersengeld zu geben!«, rief der kleine Mann, während er sich an einen der Gitterstäbe klammerte. »Der Allmächtige gebe, dass es ihm gelingt!«

»Vielleicht wartet der andere auch nur ab«, überlegte Vitus, »um sich in bessere Schussposition zu bringen. Oder er hat nicht so weit tragende Kanonen. Oder er hofft auf Verstärkung. Wenn es ein Don der Armada ist, und vieles spricht dafür, dann segelt er bestimmt nicht allein. Die *naos*, die Frachtschiffe, werden immer von Kriegsgaleonen begleitet, die allerdings nicht überall sein können. Wie gesagt, vielleicht hofft der Angegriffene nur auf Verstärkung …«

»Während er gleichzeitig zu entwischen versucht, was der Allmächtige so einrichten möge!«

Wieder donnerten Kanonen los, doch diesmal leiser, entfernter. Vitus rief: »Da haben wir die Antwort! Der Gegner versteckt sich also nicht!«

Augenblicke später zeigte sich, dass der Unbekannte sich nicht nur keineswegs versteckte, sondern auch unangenehm genau zu schießen in der Lage war. Die Breitseite traf dicht vor der Bordwand auf die See. Gischt spritzte hoch, eine Wasserwand türmte sich auf und schlug gegen den Rumpf, es klang, als würden Brandungsbrecher gegen Felsen schlagen. »Das war knapp.« Unwillkürlich flüsterte der Magister. »Hoffen wir, dass er nicht immer so gut zielt.«

Nach bemerkenswert kurzer Zeit schoss der Gegner die nächste Breitseite ab. Diesmal flogen keine Kugeln ins Meer, vielmehr war plötzlich ein kräftiger Knall zu hören, wie beim Schlagen einer Peitsche, nur ungleich lauter. »Was war das?«, fragte der Magister und wurde im selben Moment wieder durchgeschüttelt, denn die *Torment* war die Antwort nicht schuldig geblieben.

»Der Gegner hat vermutlich eines der Stage durchschossen«, antwortete Vitus. »Sein Stückmeister schießt eine Gabel: Erst hält er niedrig, dann hoch, und dann …«

»Und dann wird's langsam ungemütlich.« Der kleine Mann nickte grimmig. »Ehe ich hier Wasser schluckend zugrunde gehe, möchte ich lieber durch einen sauberen Schuss getötet werden. Schnell und ohne viel Federlesens.«

»Noch ist es nicht so weit. Vielleicht erhalten wir nur ein paar harmlose Treffer. Ich habe mir sagen lassen, so etwas ist gar nicht so selten. Die Präzision der Geschütze lässt häufig zu wünschen übrig, dazu kommt, dass beide Kontrahenten fahren, was eine ständige Veränderung des Ziels mit sich bringt. Vielleicht besinnt Jawy sich ja auch eines Besseren und lässt den Unbekannten in Ruhe. Vieles ist möglich.«

»Vieles ist möglich und alles ist *mierda,* jedenfalls, solange wir hier wie der Fuchs in der Falle hocken. Verzeih den Ausdruck, er ist eines Gelehrten unwürdig, aber …«

Wooommmmm!

Das war schon wieder der Fremde, der mit beachtlicher Schnelligkeit seine Breitseiten abschoss. Die Tatsache, dass die gesamte Breitseite fast wie ein einziger Schuss klang, zeugte von hervorragendem Geschützdrill. Vitus schätzte, dass der Gegner um ein Drittel rascher feuerte als die *Torment.* Wer immer er war, er würde schwer zu besiegen sein.

Jetzt schoss die *Torment* wieder. Die eigene Backbordbatterie donnerte los, nicht so einheitlich wie der Gegner, doch immerhin so gewaltig, dass der Segler sich durch den Rückstoß nach Steuerbord überlehnte. Der kleine Gelehrte flog zum wiederholten Mal durch die Zelle. »Man bricht sich noch Arm und Bein, und die Ohren klingeln mir, als säße ein Glockenspiel darin!«, beschwerte er sich.

»Hier, nimm das als Schutz vor dem Lärm!« Vitus warf ihm seinen Verband zu. »Schling dir die Streifen um die Ohren. Ich werde für mich mein Hemd zerreißen.«

Plötzlich hörten sie hektische Stimmen in unmittelbarer Nähe. Ein paar von Jawys Männern waren in die Tiefen der *Torment* hinabgestiegen, um Kugeln zu holen. Der Magister mit seinem großen Kopf hatte Schwierigkeiten, durch die Gitterstäbe zu spähen, schaffte es aber dennoch, einen Blick nach draußen zu erhaschen. »Sie bilden eine Kette!«, rief er. »Ich glaube, sie schleppen Neunpfünderkugeln für die Half-Culverins! He, ihr Burschen, was tut sich da oben? Wie heißt der Gegner? Ist es eine Schatzgaleone?«

»Halt's Maul, Bücherwurm!« Das war die Stimme von Blubber. »Du krepierst noch früh genug!«

Wooommmmm!

Schon wieder hatte der unbekannte Gegner seine Kanonen sprechen lassen. Und diesmal kam die Wirkung einer Katastrophe gleich. In unmittelbarer Nähe schlug eine seiner Kugeln unter Wasser ein, durchbrach die Bordwand, schoss um Haaresbreite an der Zelle der beiden Freunde vorbei und grub sich mit einem dumpfen Laut in den Hauptmast. Für ein paar Augenblicke geschah nichts, dann war das Orlopdeck ein einziger Schrei. Große, umherfliegende Splitter hatten Blubber und seine Kameraden getroffen; sie waren aufgespießt worden, an die Wand genagelt, abgeschossen mit der Präzision eines Scharfschützen. Blubber, der eben noch dem Magister den Tod vorausgesagt hatte, lag nun selber im Sterben. Der kleine Gelehrte sah es mit Grauen.

Wooommmmm!

Ohne Pause schoss der Gegner weiter. Er war mittlerweile zu Einzelfeuer übergegangen, ein Hinweis darauf, dass auch er schon Treffer hatte einstecken müssen. Die Schüsse des Fremden klangen näher. Musketengeknatter mischte sich darunter. Wooommmmm! Es war schon das zweite oder dritte Mal, dass der andere schoss, ohne dass die *Torment* mit gleicher Münze zurückzahlte. Krachen, Splittern, Schreie. Wieder ein Einschlag, und wieder in unmittelbarer Nähe.

Wooommmmm! Jetzt ging es Schlag auf Schlag. Es schien, als wüsste der Fremde um seinen Treffer im Hauptmast der *Torment,* denn immer wieder zielte er genau nach mittschiffs. Und schon wieder: ein ohrenzerreißender Einschlag in der Backbordseite! Der Hauptmast, nur wenige Schritte von Vitus' und des Magisters Zelle entfernt, begann zu zittern, als friere ihn in der Hitze der Schlacht. Dann ein Inferno unterschiedlichster Geräusche: Knallen, Krachen, Knirschen, Ächzen und abermaliges Krachen! Der Hauptmast schien gebrochen zu sein, er war seitlich nach Backbord übers Schanzkleid gefallen und schleifte samt Takelage durch die See. Wie ein waidwundes Wild krängte die *Torment* und verlor sämtliche Fahrt.

Ein Schrei ertönte und pflanzte sich durch alle Decks fort: »Wasser im Schiff! Wasser im Schiff!«

Vitus und der Magister hatten die letzten Ereignisse zusammengekauert in der hintersten Ecke ihrer Zelle verbracht. Jetzt blickten sie nach unten und erstarrten: Sie standen bereits bis zu den Knien im Wasser, ein Umstand, den sie gar nicht bemerkt hatten. Ihr Strohsack schwamm auf der Brühe, ebenso ein paar andere Utensilien. Der kleine Gelehrte schüttelte sich. »Der Kahn sinkt wie ein Stein! Wenn nicht ein Wunder geschieht, gehen wir alle zu den Fischen! Oh, Vitus, was können wir nur tun!« Echte Verzweiflung lag in des kleinen Mannes Stimme, eine Verzagtheit, die, wie Vitus wusste, höchst selten bei ihm vorkam.

»Uns bleibt nur zu beten. Und zu hoffen.« Vitus wollte den Arm um den Magister legen, um ihn zu trösten, doch seine Bewegung wurde jählings unterbrochen. Der Rumpf der *Torment* begann auf ganzer Länge zu knirschen und zu knarzen, hob sich kurzzeitig und sackte dann schwerfällig wieder in die alte Lage zurück. »Der Fremde ist längsseits gegangen!«, erkannte Vitus. »Der Enterkampf beginnt!«

»Fragt sich nur, wer wen entert«, gab der kleine Gelehrte zurück. Sein Anfall der Verzagtheit hatte sich gelegt, und er begann wieder praktisch zu denken. »Wenn die Männer des Unbekannten sich beeilen, können sie uns vielleicht noch heraushauen.«

»Dann müssten sie sich aber schon sehr beeilen.« Vitus wies mit zusammengebissenen Zähnen auf den Wasserspiegel in der Zelle. Er war inzwischen bis über seine Hüften gestiegen, und er stieg weiter, so schnell, dass man dabei zusehen konnte. »Was sollen wir nur tun? Allmächtiger im Himmel, was sollen wir nur tun?«

Während das Wasser unbarmherzig höher stieg, drangen von oben Befehle, Schreie, Kommandos in die Tiefen des Schiffs. Es schien ein Kampf auf Biegen oder Brechen entbrannt zu sein, was kein Wunder war angesichts der Tatsache, dass Jawys Männern nichts anderes als die Flucht nach vorn blieb. Da sie ihr eigenes Schiff mit Sicherheit verlieren würden, mussten sie das fremde kapern, koste es, was es wolle.

Und das Wasser stieg und stieg, es stand Vitus bis zur Schulter, dem Magister bereits bis zu den Nasenlöchern …

Vitus faltete die Hände und begann zu beten. Einer Eingebung folgend, betete er mit denselben Worten, die er gefunden hatte, als er kielgeholt wurde:

»Herr, Du bist mein Schild und mein Trost,
mein Fels und mein Schutz,
Du bist bei mir in der Not.
Herr, ob ich den Kelch trinken kann,
den Du getrunken hast, weiß ich nicht,
doch ich weiß, Du schaffst Hilfe dem,
der sie von Dir erfleht ...«

»Wui, wui, Hilfe! Hier isse schon!«, klang eine Fistelstimme dazwischen.

Wer war das? Das war doch ... Tatsächlich! Es war der Zwerg! Er schwamm vor ihrer Zelle, auf einem klobigen Schemel rudernd. »Wie strömt's euch beiden denn?«

»Mensch, Enano, wo kommst du denn her? Gibt's dich noch? Wo warst du so lange? Was ist mit Hewitt? Kannst du uns helfen?«, redeten die Freunde durcheinander, von neuem Mut beseelt.

»Wui, wui, gewisslich doch, Schäntelmin! Habe den Hausknochen dabei.« Der Winzling hielt einen dreizinkigen Schlüssel hoch. »Hab ihn von Jawy gestochen!«

»Von Jawy?«, wunderte sich Vitus. »Ich dachte, du hättest versucht, den Schlüssel von Blubber ...«

»Bah! Blubber! Hat Manschetten vorm Wind!« Der Gnom kicherte und tauchte den Schlüssel ins Wasser ein, denn das Gitterschloss war bereits nicht mehr zu sehen. Er zog die Stirn kraus, stülpte sein Fischmündchen vor, stocherte eifrig herum und rief endlich: »Auf is die Schränke! Nun walzt heraus, geschwind, geschwind!«

Das ließen sich die Freunde nicht zweimal sagen. Halb gehend, halb schwimmend, strebten sie hinaus auf den Gang, arbeiteten sich zum nächsten Niedergang vor, von dessen Stufen nur noch die beiden obersten aus dem Wasser ragten. Ein Bild des Schreckens bot sich ihnen hier, denn es war der Ort, wo Blubber und seine Kumpane vom Splitterregen gefällt worden waren.

Vitus nahm sich nicht die Zeit, über den Grauen erregenden Anblick nachzudenken, sondern griff sich einen Degen und gab auch dem Magister eine Waffe. »Wir müssen uns oben unserer Haut erwehren können!«

»Du sagst es. Ich kann zwar nicht besonders weit sehen, aber wehe demjenigen, der in meine Nähe kommt!« Der kleine Gelehrte wirkte sehr entschlossen. »Wer zur See fährt, lernt beten, sagen die spanischen Matrosen, und wie man sieht, wirkt das auch. Dank dem Allmächtigen und dank Enano!«

»Wui, wui, ihr zwo! Macht nich so große Worte nich.« Der Winzling wirkte so fröhlich, als befände er sich auf einem Jahrmarkt, wo Mummenschanz und Gauklerei die Sinne erfreuten. Doch die Fröhlichkeit des Zwergs hielt nicht lange vor – zu blutig war das, was sich den Augen der Freunde an Deck bot. Überall auf der Backbordseite wurde gekämpft, geschlagen, gerungen. Die Piraten, des eigenen Untergangs gewiss, kämpften mit allem, was sie hatten, und wenn sie nichts mehr hatten, nur noch mit Zähnen und Klauen. Auch Hewitt war dabei. Er wurde von einem drahtigen Mann angegriffen, der ein riesiges Entermesser schwang. Die Augen des Drahtigen blitzten, es schien ihm einen Höllenspaß zu machen, auf den armen Hewitt einzudreschen. Kaum konnte der junge Matrose sich der wütenden Schläge erwehren.

»Ich komme! Halt aus, Hewitt!«, schrie Vitus und stürzte vor. »Bleib hinter mir, Magister! Enano, pass auf dich auf!«

Doch Vitus kam nicht heran, vor ihm, neben ihm, überall wurde gekämpft. Ehe er sich's versah, musste er sich selbst verteidigen. Er parierte den Schlag eines baumlangen Kerls, stieß ihn zurück und sprang weiter vor, wollte zu Hewitt – und blieb vor Verblüffung stocksteif stehen. Der Drahtige, der den jungen Matrosen so bedrängte, war McQuarrie. McQuarrie, der Maat der *Falcon*, des Schiffs von Taggart! McQuarrie war Schotte und schlachtenerprobt wie so viele der *Falcons*. Erst jetzt, bei näherem Hinsehen, erkannte Vitus das eine oder andere Gesicht. Richtig, da hinten, auf dem Oberdeck, focht John Fox, der rotblonde Hüne, der als Erster Offizier unter Taggart diente. Er kämpfte mit ein paar Männern gegen Jawy, den Menschenschlächter, und den letzten Rest seiner Spießgesellen. Vitus wollte rufen, doch ein neuerlicher Angriff richtete sich gegen ihn. Unbekannte Männer drangen auf ihn ein. Er sprang zurück, den Magister mit sich ziehend. Mit ein, zwei Ausfällen verschaffte er sich Respekt. Wieder ging sein Blick zu Hewitt, der in diesem Augenblick in höchste Not geriet. Er war getaumelt, hatte seine Waffe verloren und erwartete den Todesstoß des drahtigen Schotten.

»McQuarrie! Halt! McQuarrie!« Vitus schrie so laut, wie er es eben vermochte, und riss sich die Hemdstreifen von den Ohren. Und tatsächlich: Für den Bruchteil eines Augenblicks ließ der Schotte sich ablenken, blickte zu Vitus herüber und – erkannte ihn.

»Der Cirurgicus! Bei der Seele meiner Mutter! Was macht Ihr denn hier?«

»Lasst den Jungen, McQuarrie, er ist ein Freund. Genauso wie der Magister hier an meiner Seite.«

»Der Herr Magister persönlich!« McQuarrie kam aus dem Staunen nicht heraus. »Das nenne ich eine Überraschung! Nun, Sir, Eure Freunde sind selbstverständlich auch die meinen. Der Junge hat Glück gehabt. Ich wollte ihm gerade das Lebenslicht auspusten. Übrigens, Sir, wenn ich Euch einen Rat geben darf, begebt Euch rasch an Bord der *Falcon*, der Kahn hier säuft gleich ab!« Er winkte seinen Männern. »He, Leute, macht Schluss mit dem Piratenpack! Kämpfe einstellen und zurück an Bord, zurück an Bord!«

»Danke für den Rat, McQuarrie, aber ich muss noch einmal ins Mannschaftslogis, meine Habe befindet sich dort.«

»Aye, Sir.« Der Schotte, der ein Mann schneller Entschlüsse war, nickte. »Ich gebe Euch ein paar *Falcons* mit, dann trägt sich's leichter.«

Vitus atmete durch. Wie von Zauberhand war plötzlich Friede auf Deck eingekehrt. Die wenigen Piraten, die noch am Leben waren, hatten sich ergeben oder lagen verwundet am Boden. Nur achtern, als einer der Letzten, wehrte Jawy sich mit blitzender Klinge gegen die Streiche von John Fox.

»Gehen wir«, sagte Vitus, und der kleine Gelehrte pflichtete ihm bei: »Ja, gehen wir. Süß ist die Freiheit. Und von unschätzbarem Wert!«

Kapitän Sir Hippolyte Taggart war kein Mann unnützer Worte. Er war bekannt dafür, hart, aber gerecht zu sein. Oder, wie manche seiner Männer hinter der vorgehaltenen Hand meinten: »Der Alte hat 'ne raue Schale, aber 'n weichen Kern. Darfst ihn bloß nich merken lassen, dassde 's weißt.«

Taggart war schon in den Fünfzigern, groß, hager, um nicht zu sagen knorrig, und seine ganze Liebe galt noch immer der See. Und seinen Männern. Er hätte es nie im Leben zugegeben, aber er liebte seine *Falcons*. Und die *Falcons* liebten ihn. Taggart war ein hochdekorierter Mann. Nach einem außergewöhnlich erfolgreichen Kaperzug anno 70 und 71 hatte Ihre Majestät Elisabeth I. von England es sich nicht nehmen lassen, ihn zum Ritter zu schlagen. Dies nicht zuletzt, weil sie inoffiziell an der Unternehmung beteiligt gewesen war und ein erklecklicher Teil der Beute ihre Privatschatulle bereichert hatte. Seitdem hieß Taggart nicht einfach nur Taggart oder Captain Taggart, sondern Sir Hippolyte, und so ehrenhaft der Titel auch sein mochte, Taggart hasste ihn, denn er hasste seinen Vornamen.

Eine weitere Besonderheit an Taggart war, dass er niemals lachte, was nicht an mangelndem Humor lag, sondern seine Ursache in einem spanischen Schwerthieb hatte, der ihn vor vielen Jahren in der Karibik ereilte. Der Hieb hatte ihm die linke Gesichtshälfte gespalten, und die Wundränder waren später schief zusammengewachsen, wodurch ihm fortan der linke Mundwinkel herabhing und für einen immer währenden bärbeißigen Ausdruck sorgte. »Guten Tag, Cirurgicus«, rief Taggart und verzog keine Miene, obwohl er sich ehrlich freute, Vitus an Bord zu haben. »Ich hatte mir den Anlass unseres Wiedersehens erbaulicher gewünscht, aber immerhin ...« Er ließ den Rest des Satzes unausgesprochen und winkte Vitus und den Magister hinauf zu sich aufs Kommandantendeck. »Auch Ihr, Magister García, seid mir willkommen.«

McQuarrie, der an Oberdeck blieb, da er nicht eingeladen worden war, meldete stramm: »Feind ist niedergekämpft, Sir. Nur der Erste scheint mit dem Piratenhäuptling noch nicht fertig zu sein.« Er machte eine Pause und sagte dann: »Wie ich unseren Ersten kenne, ist das aber nur eine Frage der Zeit, wenn die Bemerkung gestattet ist, Sir.«

»So, meint Ihr, Maat McQuarrie.« Taggart wirkte ungerührt, zumindest im Gesicht, denn seine Augen hatten die ganze Zeit den Kampf von John Fox auf der *Torment* verfolgt. »Ich wäre Euch verbunden, wenn Ihr nicht länger Mutmaßungen über die Fechtkünste Eures Ersten Offiziers anstellen würdet.

Bringt stattdessen die verwundeten *Falcons* zu Doktor Hall. Er soll sich um sie kümmern. Sobald das geschehen ist, erwarte ich Meldung über die Schwere der Verletzungen.«

»Aye, aye, Sir.« Ohne mit der Wimper zu zucken, schluckte der Schotte den Rüffel, grüßte und beeilte sich, den Befehl auszuführen. Taggart wandte sich an Vitus. »Bevor ich Euch frage, wie es Euch geht, Cirurgicus, gestattet, dass ich den Kampf des Ersten noch bis zum Schluss verfolge.« Es war typisch für den Kommandanten, dass er zunächst das Wohl seiner Männer im Auge hatte und erst danach bereit war, der Etikette Genüge zu tun.

John Fox, der Hüne, hatte Jawy mittlerweile in arge Bedrängnis gebracht. Der Piratenanführer, noch immer behindert durch die nicht vollends ausgeheilte linke Hand, war mehr und mehr zum achteren Flaggenstock der *Torment* gedrängt worden. Hier stand er nun und konnte nicht länger zurückweichen, während der Erste ihn nach wie vor mit einem Wirbel aus Hieben, Schlägen und Stößen attackierte. Jawys Gesicht mit dem gewaltigen Unterkiefer hatte jegliche Überheblichkeit verloren. Anstrengung, Schmerz und Furcht standen darin. Es spiegelte die Ausweglosigkeit seiner Situation wider. Wie um das zu untermauern, schlug ihm John Fox in diesem Augenblick die Waffe aus der Hand. Sie flog in die Luft, blitzte hell auf und landete in der See. Gehetzt wie ein Tier blickte Jawy sich um, hinüber zur *Falcon,* von der er keine Hilfe erwarten konnte, und noch weniger von dem Guineaman, der die *Torment* nach wie vor begleitete. Er kreuzte einige Kabellängen entfernt, was so viel wie die Entfernung zum Mond war, und überdies war er nur mit einer Hand voll Piraten besetzt. Jawys gesunde Hand fuhr zu einer der Schnapphahnpistolen im Gürtel, doch schon war John Fox heran und setzte ihm die Degenspitze auf die Brust. Man sah, dass er zustoßen wollte, doch Jawy schien irgend etwas zu rufen, was, das war nicht zu verstehen, in jedem Fall ließ der Erste überraschend von seinem Gegner ab, verbeugte sich kurz und eilte zum Schanzkleid der *Torment,* von wo er mit einem gewaltigen Satz zurück auf die *Falcon* sprang.

»Kommt unverzüglich zu mir herauf, John!«, rief Taggart, und als der rotblonde Hüne auf dem Kommandantendeck erschien, setzte er hinzu: »Keine Meldung, nur eine Erklärung. Warum habt Ihr Jawy Cutter, diesen Abschaum, nicht getötet?«

»Nun, Sir«, John Fox verschlug es gleich aus zwei Gründen die Sprache. Einmal, weil er sich so unversehens Vitus und dem Magister gegenübersah, zum anderen, weil der Kampf mit dem Piratenanführer kein Spaziergang gewesen war. Doch dann brach es aus ihm heraus: »Bei allen Teufelsrochen! Ihr hier, Cirurgicus? Und der Magister García an Eurer Seite? Das macht mich staunen! Ich freue mich …«

»Ich hatte Euch um eine Erklärung ersucht, Erster!«, unterbrach Taggart, der es nicht schätzte, wenn die Disziplin aus dem Ruder lief, auch nicht bei so außergewöhnlichen Anlässen wie diesem.

»Verzeihung, Sir. Nun, Sir, der Halunke bat mich um etwas, das man keinem Schiffsführer dieser Welt abschlagen kann.«

»Und?«, knurrte Taggart, dem man ansah, dass er sich beim besten Willen nicht vorstellen konnte, was das sein mochte.

»Er bat mich darum, mit seinem Schiff untergehen zu dürfen, Sir.«

»Pah, ›seinem Schiff‹, wenn ich das höre!« Der Kommandant schnaufte verächtlich. »Wenn ich mich richtig erinnere, ist die *Torment of Hell* die alte *Vigilance* und damit keineswegs sein Schiff, sondern das unserer Jungfräulichen Majestät, denn es lief auf der Königlichen Schiffswerft am Medway bei London vom Stapel. Liebend gern hätte ich es zurückerobert, aber Jawy und seine Mörderbrut haben mir keine Wahl gelassen. Auf Hau und Stich, auf Leben und Tod, so ging es. Ich darf gar nicht daran denken, wie viele Männer ich verloren habe. Nun, Hall wird es mir berichten.« Der Kommandant unterbrach sich, weil er merkte, dass er ins Schwätzen gekommen war, und schalt sich dafür. »Immerhin, ich stimme Euch zu, ich hätte wohl genauso gehandelt und den Halunken am Leben gelassen.«

»Verbindlichsten Dank, Sir.« Der Erste war froh, dass der gestrenge Taggart seine Auffassung teilte.

Die ehemals so stolze *Vigilance* war mittlerweile nur noch ein dem Untergang geweihtes Wrack. Alle Enterhaken, Seile und sonstigen Verbindungen zu ihr waren in Windeseile von den *Falcons* gelöst worden, damit sie das eigene Schiff nicht mit in die Tiefe zog. Auf dem achtersten, höchsten Deck stand Jawy allein und schaute herüber. Sein Blick hatte wieder den berüchtigten wilden, überheblichen Ausdruck. Da! Ein Ächzen ging durch die *Vigilance,* den einstigen Stolz der *New Fighting Galleons.* Ihr Rumpf sackte abrupt ein weiteres Stück ab, so dass nur noch das Kommandantendeck mit Jawy und dem behelfsmäßigen Besan aus dem Wasser ragte.

»Da geht sie hin mit ihrer schwarzen Mörderflagge«, murmelte Taggart mehr zu sich selbst, »gottlob, dass sie das ehrenvolle englische Tuch, unser rotes Kreuz auf weißem Grund, nicht mehr führt.« Sein Kopf fuhr herum, denn während er das sagte, hatten seine Männer lautstark ein Lied angestimmt; es war das Lied der *Falcons,* das Lied, das sie zusammenschweißte, das Lied, mit dem sie in den Kampf zogen und siegten:

> »*Brave bird*, Falcon, *brave bird,*
> *fights like an eagle,*
> *fights like a knight,*
> *fights by day*
> *and fights at night,*
> *spreads horror and spreads hurt,*
> *brave bird, brave bird,*
> Falcon, *brave bird.*«

»Bin gespannt, was Jawy dazu sagt.« Taggart reckte das Kinn vor und spähte zu dem Piraten hinüber, von dem nur noch der Kopf aus dem Wasser ragte. »Sieh da, er reagiert.«

Der Anführer grüßte herüber, und wieder lag der überbliche, ja hämische Ausdruck in seinem Gesicht. Doch dann, schlagartig, änderte sich das. Jawys Blick wurde steinern, seelenlos, und mit einem Knirschen, das bis zur *Falcon* herüberklang, hakte er seinen Unterkiefer aus:

> »*Pirate's blessing*
> *is slitting,*
> *is killing,*
> *... is maha-ssa-cring!*«

Dann schlugen die Wellen über seinem Kopf zusammen.

481

»Tipperton! Tip - per - ton! Bei allen Tritonshörnern! Wo bleibt der Schiffsschreiberling nur? Tip - per - ton!« Taggart saß in seiner spartanisch eingerichteten Kajüte und brüllte mit Stentorstimme. Endlich waren seine Bemühungen von Erfolg gekrönt, denn es klopfte zaghaft. »Herein!«

»Bin schon zur Stelle, Sir.« Der Schiffsschreiber war ein verweichlicht wirkender, schmächtiger Mann, dessen Erscheinung so sehr jedes militärischen Anspruchs spottete, dass selbst Taggart es ihm nachsah, wenn er sich unmilitärisch benahm. Auf Flinkheit allerdings wollte der Kommandant nicht verzichten, und wenn sie nicht an den Tag gelegt wurde, wehte ein Sturm durch die Kajüte.

»Tipperton, stellt fest, wen McQuarrie von den Piraten für tauglich befindet, ein *Falcon* zu werden, und dann ... Himmelherrgott noch mal, was starrt Ihr für Löcher in die Luft? Ach so. Nun, Ihr konntet es vielleicht nicht wissen. Ja, dort sitzen leibhaftig der Cirurgicus und der Magister García. Sie wurden auf dem Piratenschiff gefangen gehalten. Dem Allmächtigen sei Dank, dass wir sie retten konnten.«

»Aye, aye, Sir.« Tipperton hatte sich wieder in der Gewalt. »Und dann, Sir?«

»Was: und dann?«

»Ihr sagtet eben: ›und dann‹, Sir.«

»So, tat ich das? Ach so, und dann schickt mir Fernandez her. Der Zweite wird Bauklötze staunen über unseren Besuch.«

Taggart behielt Recht. Als Fernandez, der Navigator und Zweite Offizier der *Falcon,* wenig später auf der Bildfläche erschien, drückte sein Gesicht ein Wechselbad der Gefühle aus. Neugier, Ungläubigkeit und helle Freude standen nacheinander darin, und er ließ es sich nicht nehmen, die Freunde mit einem kräftigen Händedruck zu begrüßen.

»Wir haben von Euch immer mal wieder etwas gehört, Cirurgicus, allerdings nur von heimfahrenden Seglern, und so waren es wohl eher Gerüchte. Man sagte, Ihr würdet Lady Arlette in Habana suchen, aber wie ich sehe, ist das Unsinn, sonst hätten wir Euch nicht auf einem Piratenschiff gefunden.«

»Die Gerüchte stimmen, Mister Fernandez. Doch verzeiht, ich möchte im Augenblick nicht darüber reden.«

Die klugen Augen des Navigators blickten verständnisvoll. »Natürlich, Ihr müsst viel durchgemacht haben.«

»Und darüber wird zu sprechen sein«, warf Taggart ein. »Jedoch nicht jetzt, Zweiter. Ich habe Euch rufen lassen, weil Ihr den Guineaman aufbringen sollt. Das Schiff ist zwar nur ein Spanier, aber solide gebaut, und Gott allein weiß, wozu es uns noch von Nutzen sein kann.«

Fernandez, dem die schnellen Entschlüsse seines Kommandanten nichts Unbekanntes waren, verbarg seine Überraschung. »Aye, aye, Sir. Habe ich freie Hand bei der Auswahl der Männer?«

Der Kommandant zögerte kurz. »Ja. Aber nehmt McQuarrie als Maat, er ist bewährt wie kaum ein anderer. Im Augenblick ahnt er noch nichts von seinem Glück. Bringt die Verwundeten zum Doktor und prüft, welche Piraten zu *Falcons* werden können. Ach ja, und nehmt nicht mehr als zwanzig Mann für den Handstreich. Achtet darauf, dass es handfeste Burschen sind, die mit der alten Besatzung schnell fertig werden.«

»Aye, aye, Sir. Ist das alles, Sir?«

»Ja. Das heißt, nein. Mir wäre lieb, wenn die Burschen sich freiwillig meldeten.«

»Jawohl, Sir.« Fernandez grüßte und verschwand.

Tipperton hatte unterdessen den Weg in die Kajüte zurückgefunden, drückte sich herum und machte sich an dem Globus neben dem Kartentisch zu schaffen. Taggart schnaufte:

»Habt Ihr McQuarrie gefragt, wie viele taugliche Männer unter den Piraten sind?«

»Mit Verlaub, nein, Sir.« Der Schreiber drehte ziellos an dem Globus, unterbrach sein Tun aber erschreckt, als er Taggarts vernichtender Blicke gewärtig wurde.

»Nein? Was heißt nein?«

»Nun, Sir, McQuarrie befand sich noch im Orlopdeck, wo er geholfen hatte, die Verwundeten zu versorgen. Er konnte also noch nicht …«

»Schon gut.« Der Kommandant klang strenger als gewollt, denn die Antwort gefiel ihm nicht. Es war verständlich, dass McQuarrie helfen wollte, denn einige der verwundeten *Falcons* gehörten seit Jahren zu seiner Wache. Da konnte der andere

Auftrag warten. »Ich nehme an, Doktor Hall hat inzwischen einen Überblick gewonnen, meine Empfehlung an ihn, er möge sich umgehend in meiner Kajüte einfinden.«

»Sir, heißt das …?«

»Ja, das heißt es!«, polterte Taggart. »Und ich bitte mir flinke Beine aus!« Tipperton eilte im Laufschritt hinaus, was bei ihm aussah, als liefe er über heiße Asche.

Wenig später klopfte es an der Tür, und der Kommandant, diesmal ganz Gentleman, rief: »Nur herein, mein lieber Doktor! Ihr werdet nicht glauben, wer bei mir ist!«

»Wui, wui, 's kann ich wohl holmen. Der Vitus ist's un auch der Magister. Un das hier, das is Hewitt!«

Nun war es an Taggart, Mund und Nase aufzusperren. Er hatte zwar schon mehrfach fragen wollen, wo der Zwerg, von dem er wusste, dass er zu Vitus' besten Freunden gehörte, wohl sei, doch hatte er es über der Hektik der Ereignisse immer wieder vergessen. Dabei war ihm der Zwerg Enano besonders lieb, weil unter seinen Kindern ebenfalls eines war, das der Allmächtige mit einem Buckel geschlagen hatte.

»Nun«, Taggart grinste halbseitig, »das ist aber ein angenehmer Überfall!«

Der Winzling griente zurück. »So isses wohl, nich?« Dann wiederholte er: »Un das hier, das is'n Gack von uns, Hewitt, Herr Kaptein!«

»Ahem, ja.« Taggart wurde dienstlich. Sein erfahrenes Auge taxierte den jungen Mann und kam zu dem Schluss, dass der Anblick durchaus vielversprechend war. »Wie heißt du?«

Hewitt straffte sich. »Ich bin Hewitt, Sir.«

»Das weiß ich, der Zwerg sagte es bereits. Hast du keinen Vornamen?«

Noch ehe der junge Matrose antworten konnte, schauten sich Vitus und der Magister erstaunt an. Der Gedanke, dass Hewitt, der stets nur einfach Hewitt gerufen worden war, einen zweiten Namen haben sollte, war gänzlich ungewohnt.

Der Angesprochene schluckte. »Doch, Sir. Natürlich, Sir. Eustace. Ich heiße Eustace mit Vornamen.«

»Eustace? Eustace Hewitt? Ziemlicher Zungenbrecher!« Taggart stellte fest, dass ihm der Vorname des Burschen ähnlich wenig gefiel wie sein eigener. Ein Gefühl der Verbundenheit kam in ihm auf. »Nun, äh … Eustace Hewitt, verstehst du etwas von Seemannschaft?«

»Wenn Ihr gestattet, Sir«, mischte Vitus sich ein, »antworte ich für Hewitt: Ja, er versteht etwas von Seemannschaft. Eine ganze Menge sogar.«

Der Magister ergänzte: »Immerhin so viel, Capitán, dass er uns, schiffbrüchig, wie wir waren, über das halbe Westmeer gesegelt hat. Im Beiboot der *Gallant*.«

»Westmeer? Beiboot? *Gallant?*« Der Kommandant verstand nicht, schob die sich aufdrängenden Fragen aber beiseite. Alles zu seiner Zeit, das war seine Devise. Im Übrigen schätzte er es nicht, wenn ihm die Gesprächsführung aus der Hand glitt. »Nun, Hewitt, gute Männer kann ich immer brauchen. Was hieltest du davon, ein *Falcon* zu werden?«

»Ein *Falcon?* Oh, Sir! Sir, es wäre mir eine Ehre, unter Euch dienen zu dürfen!« Hewitts Augen leuchteten. Wie so viele Gleichaltrige hatte er schon als Junge immer davon geträumt, irgendwann einmal bei dem berühmten Korsaren anheuern zu können.

»Dann ist es abgemacht. Tipperton wird dich in die Mannschaftsliste eintragen. Mein Gott, wo steckt die Schlafmütze schon wieder? Tipperton? Tip - per - ton!«

Die Tür öffnete sich, und Taggart schnaufte, ohne aufzublicken: »Los, Tipperton, Feder, Tinte und die Liste, aber dalli!« Doch draußen stand nicht der Schreiber, sondern Hall. Und erst in dessen Kielwasser, so schmal, dass er sogar von des Doktors nicht gerade breiten Schultern verdeckt wurde, befand sich Tipperton.

»Ah, Doktor, schön, dass Ihr da seid.« Taggart musste umdenken. »Tipperton, Ihr wartet, nein, Ihr holt Euer Schreibzeugs.« Und wieder zum Doktor: »Nehmt Platz. Habe mich schon die ganze Zeit auf Euer erstauntes Gesicht gefreut, wenn Ihr seht, welch hohen Besuch ich habe.«

Die Überraschung war Taggart tatsächlich gelungen. Der alte Arzt brauchte geraume Zeit, um sich von dem freudigen Schreck zu erholen. »Unfasslich, unfasslich«, waren die Worte, die er immer wieder hervorstieß und die sich, seines zahnlosen Mundes wegen, anhörten wie »unfafflisch, unfafflisch«. Er schlug sich an den Kopf. »Deshalb also hat McQuarrie unten im Orlop so geheimnisvoll getan! Unfasslich!«

485

Dann erfolgte die übliche Begrüßung, verbunden mit den Fragen, wie es den Freunden ergangen war. Doch wie zuvor schnitt Taggart alle Antworten ab. Einerseits, weil er wusste, dass Vitus noch nicht über seine Erlebnisse reden mochte, andererseits, weil zu vieles an diesem ereignisreichen Tag noch darauf wartete, erledigt zu werden. Und der Dienst ging vor. »Das Private«, wie Taggart sich auszudrücken pflegte, konnte warten.

Er stellte fest, dass seine nicht eben kleine Kajüte vor Menschen überquoll, wozu auch Tipperton, der unerwartet schnell mit seinen Schreibutensilien zurückgekehrt war, beitrug. Damit nicht genug, hatte sich John Fox, der Hüne, eingefunden. Seine Fragen an die Freunde nach dem Warum und Woher waren wie die aller anderen von Taggart im Keime erstickt worden, dennoch war es so, dass ein Schnattern wie im Gänsestall eingesetzt hatte.

Taggart richtete sich zu seiner vollen Höhe auf, schnippte ein nicht vorhandenes Staubkorn von seiner alten, aber penibel gepflegten Uniform und machte dem Gebrabbel ein Ende: »Doktor Hall, ich bitte um einen Rapport über den Kranken- und Verletztenstand.«

Hall berichtete in knappen Sätzen, was er unternommen hatte. Zunächst führte er aus, dass von den dreizehn überlebenden Piraten nahezu alle unverletzt waren. Der Grund dafür lag in der Tatsache, dass sie sich rechtzeitig ergeben hatten. Dann kam der alte Arzt zu den *Falcons,* und hier war die Bilanz bei weitem nicht so erfreulich. Wie er festgestellt hatte, waren drei von ihnen schwer, fünfzehn weitere leicht verletzt worden. Die Blessuren waren die üblichen: Hieb-, Stich-, Quetsch- und Schusswunden. Sieben Mann der Besatzung waren tot.

»Sieben Tote!«, schnaufte Taggart. »Wer ist es?«

Hall nannte die Namen.

»Sieben Tote!«, wiederholte Taggart. »Das ist eine gute und eine schlechte Nachricht. Gut, weil es nur sieben sind, ich hatte befürchtet, es wären mehr. Schlecht, weil sieben Tote immer noch sieben zu viel sind. Sie werden morgen Vormittag bei vier Glasen mit allen Ehren der See übergeben. Ich werde mich persönlich darum kümmern. Nun, mein lieber

Doktor, ich danke Euch dennoch, ich bin überzeugt, Ihr habt Euer Möglichstes getan, um das Leben meiner Männer zu retten.«

Hall schwieg geschmeichelt.

»Nun zu den Aufgaben, die ich noch bis sechs Glasen der Abendwache erledigt wissen will: Mister Fox, Ihr seht nach den Piraten, die McQuarrie als neue *Falcons* vorgesehen hat. Prüft, ob sie zu uns passen. Die letzte Entscheidung überlasse ich Euch. Dann bereitet alles für die Vereidigung vor. Sie findet statt, sagen wir«, er überlegte kurz, »in einer Stunde. Anschließend sorgt Ihr dafür, dass die Wachen neu eingeteilt werden. McQuarrie fällt als Wachführer aus, ich entscheide später, wer ihn ersetzt. Weiter: Schickt dem Zimmermann ein paar Leute zur Verstärkung, er wird sie brauchen können. Wir haben mindestens fünf Treffer erhalten. Weiter: ...«

»Verzeihung, Sir«, nuschelte Hall dazwischen, »unter den Piraten sind zwei Zimmerleute, die sich Jim und Tom nennen, anständige Burschen, soweit ich's beurteilen kann, wirklich anständige Burschen.« Er sprach das Wort »Burschen« wie »Burffen« aus.

»Sehr gut. Berücksichtigt das, Erster. Die Männer werden dem Zimmermann zugeteilt. Allerdings erst nach der Vereidigung. Weiter: Wie sich herumgesprochen haben dürfte, habe ich Fernandez als Schiffsführer auf den Guineaman abkommandiert. Ebenso McQuarrie und zwanzig weitere Männer. Sie sollen die Prise segeln. Geht mit Fernandez die wichtigsten Flaggenzeichen durch, ich will, dass die Verständigung zwischen den Schiffen wie am Schnürchen klappt. Und dann lasst neuen Kurs für beide Schiffe absetzen. Wir gehen durch die Floridastraße Richtung Heimat. Wenn uns dabei ein versprengter Don über den Weg läuft, soll es uns recht sein, wenn nicht, dann eben nicht. Die Fahrt war ohnehin schon recht erfolgreich. Das war's zunächst, Erster.«

»Aye, aye, Sir.« John Fox grüßte und wollte davoneilen, wurde vom Kommandanten aber zurückgehalten. »Bleibt, Erster, ich bin noch nicht fertig, die weiteren Befehle dürften Euch ebenfalls interessieren: Doktor Hall, ich nehme an, Ihr habt nichts dagegen, Eure Kammer wieder mit dem Cirurgicus und seinen Freunden zu teilen?«

»Aber nein, Sir, natürlich nicht.« Man sah, dass Hall sich ehrlich freute. »Das ist ja wie in alten Zeiten!«

»Schön. Weiter: Tipperton, Ihr fertigt eine extra Mannschaftsliste für die Männer des Guineaman an. Sofort, hier an meinem Kartentisch. Ich will, dass alles mit rechten Dingen zugeht. Ferner prüft Ihr, ob auf der bestehenden Liste noch Platz für die Neuzugänge ist, nehmt gegebenenfalls ein weiteres Blatt. Und kleckert nicht wieder so, Papier ist teuer. Außerdem tragt Ihr die Beuteanteile eines jeden neuen Mannes ein. Wieviel das ist, sage ich Euch später.«

Taggart, der die ganze Zeit kerzengerade dagestanden hatte, machte eine Pause. »So weit die Pflicht, Gentlemen. Und nun zu etwas Angenehmerem: Ich denke, das glückliche Wiedersehen mit dem Cirurgicus und seinen Freunden ist ein kleines Essen wert. Wir können dabei über alte Zeiten plaudern und dazu all die Fragen stellen, die zu stellen sind. Ich darf die Gentlemen bitten, sich heute Abend um acht Glasen hier in der Kajüte einzufinden.«

»Aye, aye, Sir.« Die Einladung wurde mit Begeisterung angenommen.

Taggart hatte von einem kleinen Essen gesprochen, was sich als stark untertrieben erwies. Der große Kartentisch, an dem außer den zuletzt Anwesenden auch Fernandez Platz genommen hatte, war beladen mit den leckersten Früchten, Fleischgerichten und Köstlichkeiten. Es gab frisches Obst, knusprige Kapaune, ein halbes Ferkel vom Spieß, Käse, kandierte Früchte, süßen andalusischen Wein und vielerlei mehr – alles Kostbarkeiten, die auf einem Kriegsschiff Seltenheitswert hatten und die nur deshalb vorhanden waren, weil der *Falcon* kurz zuvor die *Nuestra Señora de la Caridad* über den Weg gelaufen war, ein riesiger Schatzfahrer, nicht nur voll gestopft mit Gold und Silber aus Peru, sondern auch wohl versehen mit frischer Speise aus Habana. Mit eben jenem Segler hatte Taggart ohnehin noch eine Rechnung offen gehabt, und umso schneidiger hatten die *Falcons* ihn niedergekämpft.

Die Gespräche am Tisch, an dem auch Hewitt sitzen durfte, allerdings nur in seiner Eigenschaft als Freund des Cirurgicus und nicht als Mitglied der Mannschaft, hatten sich lange um die Erlebnisse gedreht, welche die Freunde durchgestanden hatten, und ein ums andere Mal waren den Zuhörern Augen und Ohren übergegangen bei dem, was sie hörten.

Langsam begann die Stimmung sich zu lockern, was nicht bedeutete, dass die Herren die Hemden öffneten, doch der eine oder andere Scherz stahl sich schon zwischen die gesetzten Reden. Taggart, mit Leib und Seele Fahrensmann und allem Ländlichen abhold, unterdrückte ein Rülpsen: »Wie sage ich immer, Gentlemen? Die schönste Gegend ist doch ein gedeckter Tisch!« Dann hob er sein leeres Glas und hielt es Tipperton, der zu seinem Leidwesen wie üblich zum Butler umfunktioniert worden war, entgegen: »Tipperton, seid so gut und schenkt uns allen noch einmal ein.«

Es dauerte geraume Weile, bis der Schiffsschreiber den Befehl ausgeführt hatte, denn bei dieser Tätigkeit war er womöglich noch langsamer als gewöhnlich. Nachdem alle endlich versorgt waren, stand der Kommandant auf: »Gentlemen, aus erfreulichem Anlass trinke ich auf unsere erlauchte Majestät, unsere Jungfräuliche Königin Elisabeth I., der ein langes Leben beschieden sein möge und der ich wünsche, dass, äh … die *Falcon* eine glückliche Heimreise hat, weil sie, unsere Herrscherin, dann wieder um einiges reicher sein wird.«

Die Anwesenden hatten sich ebenfalls erhoben, schmunzelten ob der eigenwilligen Formulierung und tranken. Aber der Kommandant war noch nicht fertig. »Außerdem trinke ich auf den Cirurgicus, mit dem ich auf eine besondere Weise verbunden bin, denn er wurde seinerzeit an Bord meiner *Thunderbird* geboren, was mich fast zwang, zur Hebamme zu werden …« Er blickte um sich, und pflichtschuldiges Lachen schlug ihm von allen Seiten entgegen. »Schon gut, Gentlemen, ich denke, jeder von Euch kennt die Geschichte zur Genüge. Trinken wir also auf den Cirurgicus!«

Nachdem die Gläser geleert waren und alle wieder saßen, fuhr Taggart ungewöhnlich redselig fort: »Das waren noch Zeiten, was, John? Ihr wart der Einzige, der auf der *Thunderbird* schon dabei war, außer dem Cirurgicus, der natürlich von alledem nichts mitbekam. Ihr wart Schiffsjunge und Pulveräffchen in einem und, wenn man so will, auch noch Assistent von Whitbread, dem alten Kurpfuscher, der den Cirurgicus mit eigenen Händen auf die Welt gezogen hat.«

»Aye, Sir. Das ist lange her.« John Fox war es ein wenig peinlich, vor versammelter Gesellschaft als Pulveräffchen bezeichnet zu werden.

»Ja, ja, die Zeit ist eine lautlose Feile. Ich spür's in sämtlichen Knochen. Wäre früher nicht vorgekommen, dass ich wie heute einen Angriff vom Kommandantendeck aus befehligt hätte.«

»Sir, der Kapitän muss den Überblick haben, und den hat er am besten vom höchsten Punkt aus.«

»Nett, John, dass Ihr das sagt. Aber dieses Zur-Untätigkeit-verdammt-Sein hat mich schon beim letzten Tänzchen mit der *Torment* gewurmt.«

»Also doch!«, entfuhr es Vitus. »Ihr habt schon einmal gegen die *Torment of Hell* gekämpft?«

»So ist es, nicht wahr, John?«

»Aye, Sir. Sogar schon mehrere Male, und jedes Mal ist sie uns irgendwie entwischt.« Der Erste lehnte sich zurück und spreizte die Beine, eine Angewohnheit, die es ihm erlaubte, bei schwerer See sicherer zu sitzen. »John ›Jawy‹ Cutter ist Abschaum, der über Leichen geht, oder besser: ging. Er raubte, plünderte, mordete; in seinem Kielwasser hinterließ er Bäche von Blut und Tränen. Er tötete Frauen und Kinder von harmlosen Kauffahrern, ohne auch nur mit der Wimper zu zucken. Er scheute sich nicht, ganze Sklavenladungen in Habana zu verkaufen oder, wenn das nicht möglich war, sie einfach ins Meer zu werfen. Und wenn seine Taten am grausamsten waren, ließ er sein Lied am lautesten ertönen.«

John Fox unterbrach sich, winkte den Schreiber herbei und wies ihn an, sein Glas noch einmal zu füllen. Ohne sich die Zeit zu nehmen, das Ergebnis von Tippertons Bemühungen abzuwarten, sprach er weiter: »Das alles unterscheidet Jawy von uns. Er war ein Pirat im übelsten Sinne, der den Ehrenkodex der Korsaren mit Füßen trat. Wir englischen Freibeuter jagen den Dons die Schätze ab, die sie sich unrechtmäßig angeeignet haben, und je mehr wir davon erwischen, desto besser. Dazu stehen wir. Aber niemals würden wir auf die Idee kommen, Frauen und unschuldige Kinder zu töten. Danke, Tipperton!« Der Erste nahm einen großen Schluck, stellte das Glas ab und setzte seine Rede fort:

»Nun, wir stießen vor zehn oder elf Tagen auf Jawy, gerade als er den Guineaman gekapert hatte. Natürlich griffen wir sofort an, aber die einsetzende Dunkelheit und der widrige Wind machten uns einen Strich durch die Rechnung. Er konnte sich aus dem Staub machen, zusammen mit dem Sklavenfahrer. Wir waren bitter enttäuscht, und selbst der Umstand, dass wir ihm ein paar mächtige Löcher in die Bordwand geschossen hatten, vermochte uns wenig zu trösten.«

»Ja, so war's«, bestätigte Taggart. Seine Narbe zuckte.

John Fox nahm einen weiteren Schluck Wein. »Tja, und seitdem haben wir ihn gejagt, und ich bin froh, dass er heute zur Hölle gefahren ist, auch wenn das wenig christlich klingt.«

»Er war ein teuflischer Mensch«, pflichtete Vitus bei.

Hewitt, der bislang geschwiegen hatte, ergriff zum ersten Mal das Wort:

»Vielleicht war er sogar der Teufel selbst.« Scheu bekreuzigte er sich.

»Aber jetzt ist er tot, mausetot, und darauf trinken wir noch einen«, entschied Taggart.

Sie taten es, nachdem Tipperton sie erneut auf eine harte Geduldsprobe gestellt hatte. Doch sei es, dass der Tag zu anstrengend gewesen war, sei es, dass John Fox' Schilderung sie zu nachdenklich gemacht hatte, in jedem Fall wollte die gelöste Stimmung sich nicht wieder einstellen.

Der Erste blickte düster: »Schade, dass ich ihm nicht seinen Degen abnehmen konnte. Es war ein herrliches Stück, aus blitzendem Damaszenerstahl, noch nie sah ich eine so gute Klinge.«

Vitus riss die Augen auf. »Das muss die meine gewesen sein! Mein guter Degen! Ein persönliches Geschenk von Haffissis, dem Schmied.« Er erzählte, wie er an die Waffe gekommen war, und die *Falcons* waren voll des Bedauerns für ihn. Schließlich meinte Taggart:

»Nehmt es nicht so schwer, Cirurgicus, die Hauptsache ist doch, Ihr lebt, nicht wahr?«

»Ja, Sir«, antwortete Vitus leise. »Ich lebe, und auch der Ma-

gister und Enano leben, wir alle leben, aber … was ist mit ihr?«
»Ich weiß schon, wen Ihr meint, aber glaubt mir, jeden Morgen geht die Sonne auf, und für jeden von uns hat sie ein paar Strahlen übrig. Auch für Euch.«
Taggart klang sehr väterlich.

DER SCHIFFSARZT DOKTOR HALL

*»Wisst Ihr, Cirurgicus, ich mache mir keine Illusionen über
meine Qualitäten als Arzt. Meine Kunst ist eher Durchschnitt,
auch wenn ich in einem langen Leben schon den einen oder
anderen Erfolg verbuchen konnte.«*

Taggart hatte am ersten Abend davon gesprochen, dass
die Sonne für jedermann auf dieser Welt ein paar Strahlen übrig habe, aber sein aufmunterndes Wort zeigte
nicht die gewünschte Wirkung: Auch an den folgenden Tagen
hielt die düstere Stimmung bei Vitus an.

Er hatte es sich zur Gewohnheit werden lassen, am Nachmittag für ein oder zwei Stunden in den Fockmars zu klettern und
von dort oben, aus schwindelnder Höhe, Himmel, Meer und
Schiff zu beobachten. Doch selbst der herrliche Ausblick auf
die in den unterschiedlichsten Blau- und Grüntönen leuchtende See, auf die unter ihm dahingleitende *Falcon* mit ihren weiß
geblähten Segeln, auf die schäumende Bugwelle, deren Höhe
ein Zeichen dafür war, mit welcher Geschwindigkeit es der
Heimat entgegenging – all das vermochte sein Gemüt nicht
aufzuheitern.

»Du darfst nicht immer an Arlette denken«, sprach der kleine
Gelehrte, der auch an diesem Tag neben ihm saß, »lenk dich
ab, versuch, auf andere Gedanken zu kommen. Tu irgendetwas, das dir Spaß macht. Warum liest du nicht im Werk *De
morbis?*«

»Dafür ist das Wetter zu schön.«

»Dann tu irgendetwas anderes. So wie du jetzt bist, so kenne
ich dich gar nicht.«

»Ich frage mich immer, wo ich Arlette noch suchen könnte. In
Habana jedenfalls nicht.«

»Hm. Und wer sagt dir, dass du in England mehr Glück hast?
Wenn sie dorthin zurückgesegelt ist, hätte Taggart, der seit
Monaten in der Karibik kreuzt, doch wahrscheinlich davon
gehört.«

Vitus blickte unglücklich. »Ich weiß auch nicht mehr, was ich denken soll.«

»Denk nicht so viel, sag mir lieber, was das Gewusel da unten auf dem Hauptdeck zu bedeuten hat.« Der kleine Mann griff Halt suchend in die Webeleinen, lehnte sich weit aus dem Korb hinaus und blinzelte kurzsichtig. »Irgendwer taumelt da herum.« Vitus blickte hinab. »Du hast Recht. Da schwankt einer hin und her, als sei er betrunken. Ein paar andere stehen um ihn herum und wissen nicht, was sie machen sollen.«

»Doktor Hall!«, erscholl da plötzlich ein Ruf unter ihnen. »Holt Doktor Hall, schnell!« Es war die Stimme von Dorsey. Eilige Schritte entfernten sich in Richtung Heck.

»Komm, Magister!« Alle Trübsal schien bei Vitus wie weggeblasen. »Mal sehen, was dem Mann fehlt.« Gemeinsam hasteten sie die Wanten nach unten, wobei der kleine Gelehrte weit hinter Vitus zurückblieb, da er beim Klettern seinem Augenlicht nicht recht vertraute.

An Deck ergriff Vitus die Initiative. Er winkte zwei Umstehende heran und befahl ihnen, den Taumelnden festzuhalten und auf eine stabile Kiste neben dem Beiboot zu setzen. »Wie ist dein Name, Mann?«, fragte er den einen.

»Pint, Sir. Pint wie ein Pint Ale.« Pint war ein untersetzter Bursche, fast so breit wie lang, mit den Oberarmen eines Preisringers. »Un das is Muddy.« Er wies auf den anderen Mann, ebenfalls ein muskulöser Bursche, der gut im Saft stand.

»Gut, Pint und Muddy, haltet den Mann weiter fest. Kann mir einer sagen, was hier passiert ist?«

»Aye, Sir, ich, Sir«, antwortete Pint. »Also, Dunc, das is der Verletzte, Sir, Dunc also is über 'n aufgeschossenes Tau gestolpert, einfach so, un keiner weiß warum. Jedenfalls is er mit'm Kopp gegen den Vorsteven von unserm großen Beiboot geknallt. Da!« Er wies auf die Stelle.

Vitus schritt, den Magister, der glücklich an Deck zurückgekehrt war, an seiner Seite, zu dem bezeichneten Punkt. Ein paar von Duncs dunklen Haaren klebten dort, versetzt mit einigen kräftigen Spritzern Blut. Auch auf den Decksplanken fanden sich Blutspuren. Der Magister stieß hörbar Luft durch die Zähne. »Der Bursche muss gehörig dagegen geschmettert sein, ich ahne nichts Gutes.«

»Ich auch nicht«, murmelte Vitus. »He, Dunc, kannst du mich erkennen?«

»Ja-jaaa, Sir.«

»Gut. Darf ich deine Verletzung einmal untersuchen?« Vitus drehte den Kopf behutsam in die Sonne. Es war nicht viel zu sehen. Jedenfalls nicht auf den ersten Blick. Doch als er die Haare auseinander strich, bemerkte er eine blutverkrustete Platzwunde. Er befühlte sie, betastete sie, und dann hatte er die Gewissheit, dass seine Befürchtung stimmte: Duncs Schädeldecke war eingedrückt, nicht übermäßig, aber doch so deutlich, dass ein Biegungsbruch angenommen werden musste. Vermutlich saß zudem ein Bluterguss unter dem Schädeldach, der wiederum der Grund für Duncs Gleichgewichtsstörungen sein mochte.

»Nun, was diagnostiziert Ihr, Cirurgicus?« Hall war, so schnell ihn seine alten Beine trugen, herbeigeeilt und stand nun atemlos vor Vitus.

»So wie es aussieht, Impressionsfraktur der Kalotte, dazu wohl auch ein intrakranielles Hämatom, Sir. Doch verzeiht, ich will mich nicht in Eure Belange einmischen. Ihr seid der Arzt, und ich bin nur ein Passagier.«

»Unsinn!« Hall bekam langsam wieder Luft. »Ihr wisst, wie sehr ich Euer Urteil schätze. Dennoch, wenn Ihr erlaubt, sehe ich mir den Mann einmal selbst an. Wie ist dein Name, *Falcon?*«

»Er heißt Dunc, Sir. Duncan Rider«, antwortete Pint für den Verletzten.

»Schön, Dunc. Steh einmal auf und komm auf mich zu.«

Dunc erhob sich mühsam und bewegte sich leicht schwankend auf den Arzt zu.

»Schön, schön. Du kannst dich wieder setzen.«

Hall untersuchte im Folgenden das Trauma auf dem Kopf, registrierte, wie schon Vitus zuvor, die Einbuchtung des Schädeldachs, prüfte sodann die Nasenlöcher und die Ohren auf austretendes Blut, stellte nichts fest und richtete sich schließlich mühsam wieder auf. »Sag, Dunc, siehst du mich doppelt?«

»N-nein, Sir.«

»Schön, schön, hast du Schleier vor den Augen?«

»N-nein, Sir.«

»Dunkle Flecken oder Ähnliches?«

»N-nein, Sir.«

»Aber das Geradeausgehen fällt dir schwer«, sprach Hall mehr zu sich selbst. Er nahm Vitus beiseite. »Wie nicht anders zu erwarten, hattet Ihr mit Eurer Diagnose Recht, Cirurgicus, ich bin in allen Punkten Eurer Ansicht. Ich denke, der Mann muss trepaniert werden.« Halls Stimme klang jetzt unglücklich, und Vitus sollte auch gleich erfahren, warum: »Das Problem ist nur, mein chirurgisches Instrumentarium ist begrenzt. Ich besitze keine Trepane und auch keine Trephinen für die Schädelöffnung. Oder haltet Ihr es für vertretbar, den Mann zunächst in diesem Zustand zu belassen?«

Vitus schüttelte energisch den Kopf. »Auf keinen Fall, Doktor. Wer weiß, was das von uns beiden vermutete Hämatom noch alles anrichtet? Es drückt in jedem Fall auf das Gehirn, was bleibende Schäden nach sich ziehen kann, erst recht, wenn es sich noch vergrößern sollte.«

»Eine grässliche Situation, einfach grässlich!«, nuschelte der alte Arzt unglücklich. Das Wort »grässlich« hörte sich dabei an wie »gräfflisch«.

»Ich stimme Euch zu. Wir müssen etwas unternehmen. Mein Instrumentarium ist auch nicht gerade üppig, aber ich habe drei unterschiedlich große Trepane in meinem Koffer. Ich denke, der mittlere könnte zur Anwendung kommen. Selbstverständlich stelle ich ihn Euch gern zur Verfügung.«

»Ahem, äh ... ja.«

Vitus bemerkte die Unsicherheit des alten Mannes. »Wenn Ihr gestattet, Sir, lasse ich alles vorbereiten.« Er schaute sich um und bemerkte einen *Falcon,* der, wie eine ganze Reihe anderer, scheinbar zufällig in der Nähe beschäftigt war. »Wie ist dein Name, Mann?«

»Arch, Sir.«

»Gut, Arch. Lauf zum Kommandanten und melde ihm, dass Dunc einen Unfall hatte und ihm deshalb der Schädel geöffnet werden muss. Die Operation wird hier an Deck erfolgen.«

»Aye, aye, Sir. Bin schon unterwegs.«

Als Taggart wenig später herbeischritt, nicht ohne einen schief stehenden Belegnagel an Steuerbord und einen herumstehenden Teertopf bemängelt zu haben, hatte Vitus Dunc bereits in die richtige Operationsposition bringen lassen. Der Verletzte saß auf Deck, den Rücken fest an die Kiste gebunden. Die Höhe der Kiste hatte Vitus so ausrichten lassen, dass Duncs Kopf halb über den Rand ragte.

»Aaachtung!«, schrie Dorsey, als Taggart den Ort des Geschehens erreicht hatte und sich kritisch umblickte. »Sir, ich melde ...«

Der Kommandant winkte ab. »Lasst es gut sein, Dorsey. Ich wurde bereits über alles unterrichtet. He, Dunc, bleib sitzen, mein Junge, kannst sowieso nicht aufstehen.« Taggart beugte sich herab und klopfte dem Verletzten auf die Schulter. »Das wird schon wieder, mein Sohn. Mit Doktor Hall und dem Cirurgicus hast du die besten Ärzte der Flotte. Bald tanzt du wieder eine Hornpipe oder einen Jig, was!«

»Aye - ye, aye, S - Sir!«

»Na denn.« Taggart blickte in die Rahen, wo, wie von Zauberhand, jeder *Falcon* plötzlich Wichtiges zu erledigen hatte. »Dorsey, sorgt dafür, dass die Gaffer verschwinden. Und lasst Tuch wegnehmen, damit die *Falcon* nicht so stampft. Sagen wir, jeweils das Großsegel von Fock- und Hauptmast. Wenn Fragen sind, lasst es mich wissen.«

»Aye, aye, Sir.«

»Gut, ich empfehle mich.« Sein Blick streifte Hall und Vitus. »Ich wünsche Euch eine ruhige Hand, Gentlemen. Duncan Rider ist ein braver Mann. Hat Familie zu Hause, Frau und Kinder, wenn Ihr versteht, was ich meine.« Er nickte kurz und stelzte dann zurück nach achtern. Es gehörte nicht zu seiner Art, den Leuten auf die Finger zu sehen, denn er hatte die Erfahrung gemacht, dass Vertrauen viel mehr bewirkte als ängstliches Überwachen. Natürlich passierten auf diese Weise Fehler, die sonst vielleicht nicht passiert wären, aber in der Regel geschah das nur einmal, und Taggart wusste, dass er sich in Zukunft umso mehr auf den jeweiligen Mann verlassen konnte. Auch in diesem Fall war er sicher, dass er auf Hall zählen konnte, zumal der Cirurgicus ihm mit kundiger Hand assistieren würde. Im Übrigen war er, Taggart, ohnehin nicht in der Lage, bei einem derartigen Eingriff Unterstützung zu geben. Da half, wenn überhaupt, nur ein Stoßgebet. Mit solcherart Gedanken strebte er wieder seiner Kajüte zu, wo er, zusammen mit dem Ersten, beim Kartenstudium gesessen hatte.

»Die Sprache von Dunc ist auch gestört«, bemerkte Vitus,

während er die Trepane aus seinem Instrumentenkoffer nahm. »Höchste Zeit, dass Ihr operiert, Sir.«

»Ahem … natürlich, ja, mein Junge.« Hall schwenkte ein braunes Fläschchen in der Hand, auf dem *Liquor Laudanum* zu lesen stand. »Ich habe Dunc bereits eine kräftige Dosis gegeben, vielleicht rührt seine gestörte Sprechweise auch daher. Jedenfalls scheint er keine Schmerzempfindlichkeit mehr in der Kopfhaut zu haben.«

»Das ist gut. Notfalls muss noch einmal etwas appliziert werden.« Vitus hielt die Trepane einzeln über die Verwundung, um festzustellen, welcher der drei in Frage kam. Wie er vermutet hatte, erwies sich der mittelgroße als der richtige.

Ein Trepan war ein metallischer Bohrzylinder, dessen eines Ende in scharfe Sägezähne auslief. Er sah damit aus wie eine umgekehrte Krone, weshalb viele Ärzte ihn auch als Kronentrepan bezeichneten. In der Mitte des Trepans befand sich ein herausnehmbarer Dorn, mit dem er im Schädelknochen fixiert wurde. Vitus legte den vorgesehenen Trepan bereit und tat den zusammengelegten Trepanierbogen dazu. »Ich denke, wir beginnen. Bei Komplikationen kann uns der Magister García zur Hand gehen, und …«

»Un gewisslich der Zwerg Enano, wui, wui!« Ohne dass einer es bemerkt hätte, war der Winzling zwischen sie getreten. Er war von der Kochstelle im Vorschiff gekommen, wo er, seiner Gewohnheit gemäß, ein gutes Verhältnis zu den Herrschern der Fleischtöpfe hergestellt hatte. Er guckte die Ärzte treuherzig von unten an und fistelte: »Bin Blutstiller un Glücksbringer, Glücksbringer un Blutstiller …«

»Schon gut, Enano, lass den Unsinn.« Vitus war nicht zu Scherzen aufgelegt. Er reichte Hall ein Schermesser und sagte: »Sir, ich schlage vor, Ihr rasiert Dunc zunächst das Haupthaar ab. Am besten alles, da sich der Verband dann später besser anlegen lässt.«

»Gewiss, mein Junge, gewiss.« Der alte Arzt machte sich an die Arbeit.

»Und du, Enano, holst uns einen großen Krug Wasser.«

»'n Ohrhansel Gänsewein? Wiewo nich?« Der Winzling wollte sich entfernen, doch Vitus hielt ihn zurück, denn ihm war noch zweierlei eingefallen:

»Bring diese Kauter zum Kochfeuer, sorg dafür, dass sie glühend gemacht werden, damit wir sie jederzeit einsetzen können. Und dann nimm den Trepan mit. Geh zum Kapitän, und bitte ihn um eine Goldmünze, die dem Instrument im Durchmesser entspricht. Es kann ein Golddukaten sein, ein Goldtaler, eine Golddublone, ein Escudo oder Escudillo, je nachdem. Ich bin sicher, er wird das Passende haben. Sag ihm, wir brauchen die Münze, um das Loch im Schädel zu verschließen, und es müsse Gold sein, weil es das edelste Material sei und am wenigsten Infektionen oder Brände hervorriefe.«

»Wui, wui, Cirurgicus, wenn's weiter nix is. Bin schon auf der Walz!« Enano entfernte sich hüpfend.

Hall war unterdessen dabei, dem Verletzten das Haupthaar in großen Büscheln vom Kopf zu rasieren. In seiner Nähe hatte sich wieder eine Reihe *Falcons* angesammelt. Sie standen an Deck oder in den Wanten und machten lange Hälse, darunter auch Arch, Muddy und Pint. Dorsey als Maat und Vorgesetzter hätte sie eigentlich fortscheuchen müssen, aber er blickte ebenso gebannt auf das, was der alte Doktor tat. Wie Vitus beruhigt feststellte, schien Dunc von alledem nichts mitzubekommen. Schließlich legte Hall das Schermesser fort und richtete sich auf. »Der Anfang wär geschafft.«

»Wie wollt Ihr die Inzision vornehmen, Sir?«, fragte Vitus. Und als er bemerkte, dass der alte Arzt zögerte, schlug er behutsam vor: »Vielleicht ein Einschnitt in Doppel-T-Form? Die klassischen Ärzte pflegten häufig so vorzugehen, da auf diese Weise zwei leicht auseinander zu klappende Hautlappen entstehen. Natürlich ist in unserem Fall darauf zu achten, dass die Schläfenarterie nicht verletzt wird.«

»Natürlich, natürlich«, murmelte Hall.

Vitus beobachtete mit gerunzelten Brauen, wie unsicher der alte Doktor war. Er sagte sich, dass Hall womöglich nicht viel Erfahrung mit Schädelöffnungen hatte, was keine Schande war, nur hätte er es dann ansprechen müssen. Das wiederum fiel ihm natürlich schwer, besonders einem jüngeren Kollegen gegenüber. Doch schließlich nahm Hall sich zusammen und setzte das Skalpell an. Aufatmend sah Vitus, dass er nicht zitterte, vielmehr mit ruhiger Hand einschnitt und die erforderlichen Linien zog. Aus den Inzisionen quoll Blut, ziemlich viel

Blut sogar, was die Arbeit erschwerte. Sollte Hall die Schläfenarterie doch verletzt haben?

»Einen Kauter!«, rief Vitus. »Wir brauchen einen Kauter!
Enano?«

»Wui, wui, hui, hui! Bin allhier, un bin der Blutstiller!«

Der Zwerg war mit allem Gewünschten zurück, setzte den
Wasserkrug auf der Kiste ab und legte den Trepan und eine
Golddublone griffbereit daneben. »Bin der Blutstiller!«, rief er
abermals, und noch ehe Vitus einschreiten konnte, hatte er
sich vor dem apathisch wirkenden Dunc aufgebaut und sang
mit fistelnder Stimme:

> *»Blutiges Blut,*
> *glutige Glut,*
> *fließ zurück*
> *über die Brück,*
> *sollst stehen, sollst stehen,*
> *sollst ruhen still*
> *nach meinem Will!«*

Er trug den Vers noch einmal vor, machte das Kreuzeszeichen,
und Hall, der ebenso wie alle anderen sprachlos dem seltsamen
Treiben zugeschaut hatte, rief: »Unfasslich, unfasslich! Die
Blutung kommt tatsächlich zum Stehen.«

Die *Falcons* an Deck, die des Winzlings Handlung mit Argus-
augen verfolgt hatten, traten scheu einen Schritt zurück. Wie
alle Salzbuckel waren sie abergläubisch bis in die Fußspitzen.
Pint flüsterte: »Bei der Heiligen Mutter, das is Hexerei, un
keiner weiß warum, Hexerei is das.«

Ungläubig besah Vitus sich Halls Einschnitte, doch er konnte
nicht umhin, des Doktors Beobachtung zu bestätigen.

»Wui, wui, 's Blut is still nach meinem Will«, wiederholte Enano
noch einmal grinsend. »Willste den Ohrhansel nu, Cirurgicus?«

»Nein, nein, das Wasser brauchen wir erst beim Trepanieren.«

Vitus konnte noch immer nicht glauben, was er sah. Sollte
Enano über Kräfte verfügen, die es ihm ermöglichten, derlei
Unerklärliches zu bewirken? Seltsam, so vertraut der Winzling
ihm und dem Magister auch war, ein Stück seines Wesens blieb
ihnen stets verborgen.

Hall schien von allen am wenigsten beeindruckt. Er war schon dabei, eine Sonde unter die Einschnitte zu schieben und die Hautlappen auseinander zu ziehen. Einmal dabei, ließ er sich anschließend einen Schaber geben, um die freigelegte Fläche von allen Haut- und Geweberesten zu befreien. »Da haben wir's ja! Ein schönes weißes Schädeldach! Wie wir bereits vermuteten, Cirurgicus, ist eine deutliche Impressionsfraktur zu konstatieren. Drei Risse in der Kalotte, sternförmig angeordnet. Wollt Ihr den Dorn des Kronentrepans in der Mitte ansetzen?«

»Wieso ich?«, entfuhr es Vitus. »Ich war davon ausgegangen, dass Ihr …« Er brach ab, denn er wollte den alten Arzt nicht in Verlegenheit bringen. Doch war seine Sorge unbegründet, denn für Hall war die Sache eindeutig:

»Nun, mein Junge, ich denke, es ist ganz klar, dass Ihr es seid, der trepaniert. Zum einen ist es Euer Instrument, mit dem Ihr selbst am besten umzugehen versteht, zum anderen hat mich, und wer wüsste das besser als Ihr, bis vor nicht allzu langer Zeit noch die Gicht in den Händen geplagt. Es ist also nur im Sinne des Patienten, wenn Ihr operiert.«

Vitus wollte dagegenhalten, besann sich dann aber eines Besseren. Es hatte noch nie einen guten Eindruck gemacht, wenn Ärzte ihre Meinungsverschiedenheiten *coram publico* austrugen. Das führte nur zu Verunsicherungen und Gerede. »Also gut, Sir, ich mache es. Magister, gib mir mal den Trepanierbogen und halte den Wasserkrug bereit. Wir brauchen ihn gleich.«

Vitus nahm rittlings auf der Kiste Platz, so, dass Duncs Kopf zwischen seinen gespreizten Beinen hervorragte. Er klappte den Bogen auseinander und legte ihn neben sich. Dann griff er zum Kronentrepan und verglich seine Größe mit jener der Golddublone. Beide hatten denselben Durchmesser. Beruhigt gab er das Goldstück an den Zwerg weiter. »Mach sie sauber, dass sie nur so blitzt! Alles, was ihr später noch an Dreck anhaftet, bringt sie in den Schädel hinein.«

»Wui, wui, Vitus.«

Er setzte den Trepan mit Hilfe des Dorns an. Ja, das kreisförmige Loch würde groß genug sein, um so viel Schädeldach herauszutrennen, dass der Druck vom Gehirn genommen wurde. Er drehte das Instrument ein paar Mal von Hand, bis seine Zähne gefasst hatten. Dunc zeigte keine Reaktion. Das Laudanum hielt ihn nach wie vor in einem Zustand barmherzigen Dämmerschlafs.

Bevor er mit der eigentlichen Operation begann, prüfte Vitus noch einmal alle Vorbereitungen. Der Zwerg war da, die Dublone putzend und ansonsten wachsam und bereit, weitere Instrumente aus dem Koffer anzureichen, ferner der getreue Magister, der den Wasserkrug in der Hand hielt. So weit schien alles in schönster Ordnung. Nur Hall stand tatenlos da, aber das war seine eigene Schuld, denn wenn er schon nicht operieren wollte, brauchte er auch nicht zu assistieren.

Vitus atmete durch. Wie immer kurz vor einem wichtigen Eingriff fiel alle Anspannung von ihm ab. Er nahm den Bogen, wickelte die Saite um den Körper des Trepans und begann ihn einige Male probehalber hin- und herzuziehen. Mit leichtem Druck fraßen die Zähne sich in den Knochen. Die Funktion war gut. Er konnte anfangen. »Bist du bereit, Magister? Wenn ich ›Wasser‹ sage, kühlst du die Bohrstelle.«

»Mach ich.«

Gleichmäßig führte Vitus den Bogen, was durch die verlangsamte Fahrt des Schiffs erleichtert wurde. Der Kronentrepan drehte sich nach links ... nach rechts ... nach links ... Kleine Knochenspäne, fein wie Mehl, flogen zur Seite. »Wasser!«, befahl Vitus, und der Magister goss einen kühlenden Schwall über das Operationsfeld. Dunc schniefte, schien im Übrigen aber nichts bemerkt zu haben. Vitus machte weiter. Mit knirschenden, ratschenden Lauten fraßen die Zähne sich in den Schädel. »Enano, nimm den Pinsel aus dem Koffer und fege die Späne weg.«

»Wui, Cirurgicus.«

Weiter und weiter gruben sich die Zähne in die Kalotte, nur unterbrochen von der regelmäßig notwendigen Kühlung und dem Fortfegen der Späne. Ruhig und stetig arbeitend wie das Laufwerk einer Räderuhr, bewegte Vitus den Bogen, bis plötzlich ein Widerstand auftrat – Zeichen dafür, dass der Trepan sich fast durch die Knochendecke gefressen hatte. Vitus nahm das Instrument fort und streckte sich für einen Augenblick. Dann griff er zu einem kleinen Spatel, setzte ihn am Rand der Bohrrinne an und hob die Knochenscheibe mit einem knackenden Laut heraus. Der Blick in die Schädelöffnung offenbarte, dass die Hirnhaut gottlob unverletzt geblieben war, wenn sich auch, bedingt durch die Frakturen, einige grobkrustige Blutklümpchen zeigten. »Die *Dura mater* ist unverletzt, Doktor«, meldete Vitus, und der alte Arzt nickte ihm erleichtert zu. »Enano, gib mir die abgewinkelte Pinzette ... danke.« Mit äußerster Vorsicht und Akribie beseitigte er die Blutverkrustungen, forschte nach Knochenmehl und -splittern, pustete mehrmals kräftig in die Öffnung und gab sich endlich, da alles makellos sauber zu sein schien, mit einem Seufzer zufrieden. »Enano, die Dublone.«

Das Goldstück ließ sich problemlos in das geschaffene Rundloch drücken, zeigte sich dann aber, kurz bevor es eine plane Fläche mit dem Schädeldach bildete, widerborstig. Irgendwo am Rand der Bohrung musste es eine Unebenheit geben. Vitus nahm die Münze wieder heraus, fand eine winzige hervorstehende Zacke und beseitigte sie mit einem Dreikantschaber. Wenig später konnte er die Golddublone mit sanftem Druck genau in die Öffnung einpassen. Was er nicht zu hoffen gewagt hatte, trat ein: Sie saß so stramm, dass eine weitere Befestigung am Knochen nicht vonnöten war. Dazu kam, dass der Schädel, in seinem Bemühen zuzuwachsen, Wülste ausbilden würde, die das Goldstück wie ein Ring umspannten.

»Das wär erst einmal geschafft.« Mit steifen Gliedern stieg er von der Kiste und schaute Dunc ins Gesicht. Der *Falcon* jedoch befand sich noch immer im Dämmerzustand. »Es scheint, als würde die einmalige Dosis durchaus hinreichen, Doktor.«

»Ihr sagt es, Cirurgicus. Nehmt mein Kompliment entgegen: großartiger Eingriff!« Das Wort »großartiger« hörte sich dabei an wie »grofartischer«. »Wenn Ihr gestattet, nehme ich Euch das Nähen ab.« Hall klang munter, während er nun seinerseits auf die Kiste kletterte und, geschäftig vor sich hin summend, die Ligaturen setzte.

»Das sieht nach guter Arbeit aus!« Die sonore Stimme von Taggart ließ alle aufschrecken. Er hatte sich unbemerkt vom Achterdeck nähern können, was unter normalen Umständen ein Ding der Unmöglichkeit gewesen wäre. Die Ereignisse jedoch waren nicht normal; noch nie hatten die *Falcons* einem derartig schauerlichen Akt beigewohnt. Der Kommandant, dieses wohl wissend, hatte deshalb Gnade vor Recht ergehen lassen. Dennoch wurde Dorsey kreidebleich und setzte zu einer Meldung an, wurde aber unerwartet milde daran gehindert. »Wir wollen Dunc nicht stören. Wie es aussieht, hat er alles überstanden. Ist die Münze eingearbeitet, Doktor?«

»Jawohl, Sir«, antwortete Hall, der gerade den letzten Stich setzte. »Alles ist gut verlaufen. Mit Glück und Gottes Segen kann Dunc in ein paar Tagen wieder springen wie ein junges Lamm.«

»Das höre ich gern. Er wird fortan der Einzige unter meinen Männern sein, der Gold im Kopf hat.« Taggart verzog halbseitig sein Gesicht, was als Lächeln ausgelegt werden konnte, und fuhr fort: »Nehmt meinen ausdrücklichen Dank entgegen, Doktor, ich hätte nicht zu hoffen gewagt, dass Ihr, äh … nun, dass die Operation so glatt verläuft. Nochmals meinen Dank.«

»Sir, ich …«, Hall wollte etwas einwenden, doch der Kommandant winkte ab:

»Schon recht, Ihr wollt mir sagen, dass Ihr nur Eure Pflicht getan habt. Ich nehme das zur Kenntnis. So weit, so gut. Und auch Euch und Euren Freunden«, er wandte sich Vitus zu, »schulde ich Dank für die Unterstützung. Gute Arbeit, Gentlemen, gute Arbeit.«

Er grüßte lässig und stelzte zufrieden wieder nach achtern, seiner Kajüte entgegen.

»Cirurgicus, schschscht, Cirurgicus? Schlaft Ihr?«

»Nein, Doktor, ich schlafe nicht. Die Operation geht mir noch immer im Kopf herum.« Vitus lag, genauso wie Hall, wach in der gemeinsamen Kammer. Sie führten ihre Unterhaltung im Flüsterton, was aber gar nicht nötig war, denn der Magister und Enano schliefen tief und fest in ihren Kojen.

»Eben darüber wollte ich mit Euch reden, Cirurgicus. Es lässt mir keine Ruhe, dass der Kommandant mich zu Unrecht gelobt hat.«

»Aber wieso denn? Ihr habt doch das Eurige zum Gelingen des Eingriffs beigetragen.«

»Das schon, aber ich habe den Kommandanten nicht korrigiert, als er annahm, ich hätte die eigentliche Operation vorgenommen. Immer wieder muss ich daran denken. Ich möchte mich bei Euch entschuldigen.«

In der Tat war Vitus über das Verhalten von Hall verstimmt gewesen, fand es nun aber hochanständig von dem alten Arzt, dass er den Mut aufbrachte, die Dinge beim Namen zu nennen. »Nun, Sir, um der Wahrheit die Ehre zu geben: Er hat Euch auch wenig Gelegenheit dazu gelassen.«

»Schon, schon, und trotzdem.« Hall wälzte sich unruhig auf seiner Schlafstatt. »Wisst Ihr, Cirurgicus, ich mache mir keine Illusionen über meine Qualitäten als Arzt. Meine Kunst ist eher Durchschnitt, auch wenn ich in einem langen Leben schon den einen oder anderen Erfolg verbuchen konnte.« Hall unterdrückte ein Hüsteln, bevor er fortfuhr: »Umso mehr tut es meiner alten Seele gut, wenn sie einmal vor versammelter Mannschaft gelobt wird. Tja, ich hatte einfach nicht den Mumm, die Sache richtig zu stellen.«

»Macht Euch nicht so viele Gedanken, Sir. Der Wert eines Menschen sollte nicht nur an seinen Taten festgemacht werden. Bedenkt, wie sehr Ihr mir damals geholfen habt. Auf diesem Schiff war es, als Ihr mein Wappen als das der Collincourts erkanntet. Wenn Ihr nicht gewesen wäret, hätte ich keine Vorstellung gehabt, wo ich in England meine Familie suchen sollte.«

»Wisst Ihr was?« Hall klang plötzlich sehr lebhaft. »Wir sollten noch ein wenig nach draußen gehen. Die frische Luft auf dem Oberdeck wird uns gut tun.«

»Einverstanden.«

Sie erhoben sich vorsichtig und traten auf Deck. Hall umkurvte zielstrebig die Überdachung des Ruderstands, ließ einen der vier Mastknechte links liegen und griff in die Steuerbordwanten des Hauptmasts. »Mein Lieblingsplatz. Bin öfter nachts hier. Wir alten Leute brauchen nicht mehr so viel Schlaf, Cirurgicus.« Im fahlen Licht des Mondes wirkte sein Grinsen maskenhaft.

Vitus blickte sich um. »Es ist angenehm hier um diese Zeit.« In der Tat war die Nacht so klar, die Luft so weich und die Fahrt der *Falcon* so stetig, dass Vitus' Gedanken an die komplizierte Operation im Nu verschwanden. Er stellte sich neben den alten Arzt und genoss den Augenblick. Sie waren die Ein-

zigen an Oberdeck, wenn man von dem Kopf des Rudergängers, der wachsam zu ihren Füßen aus seinem Stand hervorspähte, einmal absah. Die *Falcon* glitt ruhig dahin. Vor ihnen senkte sich in ewigem Ablauf ihr Bug, tauchte in die See, hob sich wieder, um bald darauf abermals einzutauchen, dem angestammten Element entgegen. Neben ihnen rauschte das Meer an der Bordwand entlang, einer Stromschnelle gleich, und hinter ihnen, achteraus, verliefen sich glitzernde Heckseen bis zum Horizont. Über ihnen sang der Wind in der Takelung, und es klang, als wäre es schon immer so gewesen und würde immer so sein. »Frieden«, sagte Hall. »Ein bisschen mehr von diesem Frieden, und die Welt sähe anders aus. Ein bisschen mehr Verständnis, das ist es, was die Menschen füreinander aufbringen sollten. Und ein bisschen mehr Selbsterkenntnis.«
Er räusperte sich. »Womit ich nochmals bei mir und meinen Fähigkeiten als Arzt wäre. Seht, Cirurgicus, ich mache mir nichts vor. Ich bin der Sohn eines armen Brunnenmachers aus Cornwall, und insoweit habe ich es mit dem Doktor der Medizin schon weit gebracht. Ich vermag Quetschungen, Stauchungen, Brüche, Flüsse, Fisteln und Furunkel zu behandeln, auch ein Schlüsselbeinbruch oder eine Nasenfraktur sind für mich kein Buch mit sieben Siegeln, ebenso weiß ich trefflich über Bedeutung und Anwendung der Vier-Säfte-Lehre zu disputieren, aber wenn es um eine lebensgefährliche Operation geht, dann ... dann bin ich regelmäßig mit meinem Mut am Ende. Wenn es gilt, einen Steinschnitt zu setzen, einen Starstich vorzunehmen, einen brandigen Fuß zu amputieren, dann stockt mir die Hand. Nicht dass ich mich vor der Arbeit drücken würde, ich führe sie aus, selbstverständlich, aber ich tue es mit Widerwillen, ja, und häufig auch mit ... Angst.«
Vitus schwieg. Einerseits fühlte er sich geehrt, dass der alte Mann ihm gegenüber so offen war, andererseits waren ihm die Enthüllungen peinlich.
»Vielleicht ist es Euch unangenehm, dass ich so freiheraus rede, Cirurgicus, und wenn es so ist, bitte ich Euch um Entschuldigung, aber dies sind Dinge, über die ich einfach einmal reden musste, und ich denke, Ihr seid dafür der richtige Zuhörer.«
»Ich fühle mich durch Eure Freimütigkeit geehrt, Sir.« Vitus

empfand die Offenbarungen des alten Arztes plötzlich gar nicht mehr als peinlich.

»Seht, Cirurgicus, es ist nun knapp zwei Jahre her, dass Ihr mir sämtliche Zähne extrahiert habt, weil Ihr die Vermutung hegtet, meine Gicht würde dadurch ausgemerzt werden. Eine mutige Entscheidung von Euch, und der Erfolg gab Euch Recht. Doch glaubt mir: Ich an Eurer Stelle hätte mich das nicht getraut. Versteht Ihr, was ich meine?«

»Ich denke, ja, Sir. Es ist das Problem, inwieweit man als Arzt Verantwortung übernehmen will. Manchmal scheint eine Operation für den Augenblick nicht zwingend notwendig zu sein. In diesem Fall kann man es sich leicht machen und den Eingriff aufschieben, zumal dann, wenn er lebensgefährlich ist. Oder aber man operiert, und dazu gehört Mut. Und Gottvertrauen. Ich glaube, ich habe bisher das Glück gehabt, dass meine schweren Operationen alle glatt verliefen.« Vitus machte eine Pause und musste an die Trepanation des vergangenen Tages denken.

»Ich hoffe, ich kann das bald auch von Dunc sagen.«

»Das glaube ich bestimmt, mein Junge. Doch selbst wenn sich noch Komplikationen einstellen sollten, vergesst nicht: Ihr habt Euer Bestes getan, und das ganze Leben liegt noch vor Euch.«

»Danke, Sir.«

Hall wechselte das Thema: »Wo wir gerade von dem vor Euch liegenden Leben sprechen: Was lässt Euch eigentlich hoffen, Lady Arlette in England zu finden, wenn die Frage gestattet ist?«

»Nun«, Vitus suchte nach den richtigen Worten, »ich fürchte, ich habe keine andere Möglichkeit, da sie in Habana offenbar nicht ist. Auch auf Roanoke dürfte sie nicht sein, nachdem die Indianer das Eiland zurückerobert haben. Natürlich könnte ich darüber hinaus in der gesamten Karibik nach ihr forschen, aber wo? Nein, da kann ich genauso gut nach England zurückfahren.«

»Ich sage es ungern, Cirurgicus, aber ich denke, dort werdet Ihr kein Glück haben. Natürlich kann ich mich irren, aber wenn Lady Arlette eine Passage nach England genommen hätte, wäre Kapitän Taggart und uns das nicht verborgen geblieben. Ihr müsst wissen, dass wir alle paar Wochen Kontakte mit englischen Kauffahrern haben, und keiner von ihnen hat auch nur im Entferntesten etwas Derartiges erwähnt, geschweige denn die Lady an Bord gehabt.«

Vitus nickte schwer. »Wisst Ihr, dass Ihr schon der Zweite seid, der nicht an Arlettes Rückkehr nach England glaubt? Der Magister García äußerte sich ganz ähnlich.«

»Nehmt es nicht so schwer, mein Junge, vielleicht irren wir uns ja auch. Man soll die Hoffnung nie aufgeben. Und außerdem, wie ich bereits sagte, liegt das ganze Leben noch vor Euch.« Hall legte tröstend seine Hand auf Vitus' Schulter.

»Jawohl, Sir.«

»Kommt, gehen wir schlafen. Morgen sieht alles vielleicht schon anders aus.«

Die Kajüte von Kapitän Taggart entsprach in vielem seiner geradlinigen Persönlichkeit. Sie war einfach und schnörkellos eingerichtet, ohne Effekthascherei, mit wenigen, aber kostbaren Möbeln. Neben dem Globus und dem großen Kartentisch aus Mahagoni, an dem alle für das Schicksal der *Falcon* wichtigen Entscheidungen gefällt wurden, stand ein weiterer, seefest verschraubter Tisch, der dem Kommandanten zur Einnahme der Mahlzeiten diente. An Steuerbord über der Koje befand sich eine Vitrine, ebenfalls aus Tropenholz, deren unschätzbarer Vorteil die sturmsichere Aufhängung für kostbare venezianische Kristallgläser war. Dazu kamen vier schwere spanische Schatztruhen, denen man schon von außen ihren kostbaren Inhalt ansah. Sie hatten unter den Heckfenstern Platz gefunden, dicht neben der Waschgelegenheit und dem Paravent, hinter dem der Stuhl zur Darmentleerung verborgen war.

Der insgesamt recht großzügige Eindruck wurde nur unterbrochen durch das massive Rund des Besanmasts, das mittig durch die Kajüte stieß. Im Gegensatz zu manchem spanischen Kapitän, der seinen Besan mit Gottesbildnissen geradezu pflasterte, hatte Taggart es bei einer einzelnen Christusfigur belassen. Dafür stand am Fuße des Masts das womöglich kostbarste Beutestück: ein Chrismatorium. Dieser aus feinstem, ziseliertem Silber gefertigte Behälter besaß einen gewölbten Deckel, unter dem das Chrisam, ein Salböl, bestehend aus Olivenöl und Balsam, verwahrt wurde.

Als sichtbarer Ausdruck einer anderen Glaubensrichtung hatte dieses Stück eigentlich nichts in der Kajüte eines Anglikaners zu suchen, doch Taggart pfiff darauf, denn nicht wenige der *Falcons* bekannten sich zum katholischen Glauben, und bei ebendiesen, sofern sie krank wurden oder dem Tode nahe waren, ließ er es sich nicht nehmen, sie zu salben, damit sie, ihrem Bekenntnis gemäß, der göttlichen Gnade teilhaftig werden konnten. Er wusste nicht, ob er den Segen des Erzbischofs von Canterbury dazu hatte, und auch in den *Articuli fidei*, den 39 Glaubensartikeln der Anglikanischen Kirche, kannte er sich nicht sonderlich gut aus, aber danach fragte er nicht. Auf See galten eigene Gesetze. Was zählte, war, dass die Männer ihr Los gelassener ertrugen. Und wenn er von den Männern sprach, dann meinte er alle: vom einfachen Matrosen bis hin zum studierten Schiffsarzt.

Deshalb hatte er Vitus an diesem Vormittag zu sich in die Kajüte gebeten und stand nun mit ihm vor dem drehbaren Globus. »Habana, Cirurgicus«, sagte er ernst, während sein knorriger Finger auf Kuba wies, »Ihr werdet dorthin zurückkehren.«

Vitus, der sich die ganze Zeit gefragt hatte, was der Kommandant wohl von ihm wollte, verstand nicht. »Äh … wie meint Ihr, Sir?«

»Ich meine, dass Eure Aussichten, Lady Arlette in England anzutreffen, gering sind, sehr gering, wenn nicht gleich null. Entschuldigt, dass ich es so offen sage, aber man muss den Dingen ins Auge sehen.«

»Sir, Ihr seid schon der Dritte, der daran zweifelt, dass Arlette zurück nach England gefahren ist.«

Taggart gab dem Globus einen kräftigen Schwung. »Und wie ich glaube zu Recht. Segelt lieber zurück nach Habana. Wenn es dem Allmächtigen gefällt, werdet Ihr sie dort treffen.« Er verzog den narbigen Mundwinkel, was seinem Gesicht einen fast gutmütigen Ausdruck verlieh. »Ihr jungen Leute seid immer viel zu ungeduldig. Kaum wartet ihr ein paar Wochen vergebens auf eure Geliebte, schon glaubt ihr, sie käme im Leben nicht mehr. Ich bin nicht blind, Cirurgicus, mir ist nicht verborgen geblieben, wie, äh … schwermütig Ihr bisweilen seid. Deshalb habe ich mich entschlossen, Euch den Guineaman zu geben. Ihr setzt noch heute mit Euren Freunden über und segelt Richtung Kuba.«

»Sir, Ihr könnt doch nicht einfach auf Eure Prise verzichten!«

»Das tue ich auch nicht. Der Guineaman wird Euch in Habana absetzen und anschließend mit der *Falcon* an einem bestimmten Punkt wieder zusammentreffen. Eine ganz einfache Sache.«

»Aber, Sir, aber … aber …«

»Kein aber. Ich habe mit Doktor Hall gesprochen, und er ist auch der Meinung, es wäre das Beste für Euch. Überhaupt war der Mann des Lobes voll über Eure Person; er hat mir erzählt, dass Ihr es wart, der die erfolgreiche Operation an Duncan Rider durchgeführt habt, was ich anständig finde, nun ja, ich kenne meinen Hall, im Grunde ist er ehrlich bis auf die Knochen, fährt schon achtzehn Jahre mit mir, oder sind es neunzehn? In dieser Zeit hat er sich das eine oder andere Mal bestens bewährt, auch als Mensch …«

Taggart merkte, dass er ins Schwätzen gekommen war, und schalt sich dafür. »Jedenfalls ist alles geklärt. Fernandez ist per Flaggensignal über seine neue Order informiert und freut sich auf Euch. Natürlich auch auf den Magister García und den Zwerg, welchen ich, wie ich zugebe, nur ungern ziehe lasse. Ihr wisst schon, warum.«

Vitus' Augen leuchteten. »Sir, ich weiß nicht, was ich sagen soll, das ist … das ist …«

»Das ist ein Befehl«, sagte Taggart trocken.

DER KUTSCHERJUNGE PEDRO

»Achille is tot, un die Leute sagen, er is so kurios gestorben,
wie er kurios gelebt hat. Hat sich anner Grete verschluckt un is
erstickt. Is schon 'ne Weile her.«

Pedro! Wo steckst du Herumtreiber nur? Peeeeedro!«,
rief die Wirtin der Albergue Pescador schrill, während
sie mit einer langen Stange doppelt gebackenes Hartbrot aus dem Ofen fischte. »Das Brot muss zum Hafen, und
du bist nicht da! Der Teufel hole dich und deinen Kutschwa-
gen! Peeeeedro!«

»Ja doch, ja«, brummte Pedro. Er betrat vom Hinterhof aus
den Küchenbereich der Herberge, wobei er noch rasch sein
Hemd in die Hose steckte. Bei der morgendlichen Verrich-
tung, von der er soeben kam, war es besser, sich von der Wirtin nicht erwischen zu lassen, denn sie liebte es nicht, wenn andere außer ihren Gästen den Abtritt benutzten. Und Pedro
gehörte nicht zu den Gästen, auch wenn er sein eigener Herr
war und sein eigenes Geld verdiente. Er war erst zwölf und
doch schon selbständiger Kutscher, seitdem sein Vater vor
zwei Jahren gestorben war und ihm den Karren samt einem
braven Gaul hinterlassen hatte.

»Es gibt auch noch andere Pferdefuhrwerke in Habana, die
mir mein Brot zum Hafen fahren!«, keifte die Wirtin. »Ständig
muss man auf dich warten. Wo hast du dich nur wieder herum-
getrieben? Dein Karren steht doch schon die ganze Zeit an der
Straße!«

Pedro zog es vor zu schweigen. Es war besser so. Überhaupt
war er ein Junge, der wenig Worte machte und nur redete,
wenn er direkt angesprochen wurde. Und auch dann nicht immer. Er hatte festgestellt, dass die Menschen zum größten Teil
überflüssiges Zeug von sich gaben. Sie riefen ihm zu: »Wie
geht es dir, Pedro?«, aber wollten es gar nicht wissen. Warum
fragten sie dann? Sie sagten: »Ich weiß, dass du kein Geld hast,
Pedro, kannst du mir trotzdem fünf Maravedis leihen?« Wenn

sie wussten, dass er kein Geld hatte, warum fragten sie dann? Sie stöhnten: »Muss die Fuhre so teuer sein, Pedro?« Dabei war ihnen bekannt, dass er nur das Nötigste nahm. Warum fragten sie dann?

Seltsam waren die Menschen. Sie baten um Dinge, die sie nicht brauchten, und sie dankten für Dinge, die sie nicht wollten. Warum nur? Ja, es gab viele in Habana, die überflüssiges Zeug redeten, und er, Pedro, wollte nicht dazugehören.

»Du bringst die zehn Brotkörbe zum Anleger vier. Hilf dem Schiffskoch, sie an Bord zu tragen. Die Ware ist bereits bezahlt, ich sagte es dir schon, aber es ist besser, dir alles zweimal zu sagen. Hier, nimm deinen Lohn, und dann beeil dich.« Sie drückte Pedro ein paar Kupfermünzen in die Hand und wandte sich der Feuerstelle zu, um die Glut zu schüren. An diesem Tag wartete noch viel Arbeit auf sie, und sie hatte keine Zeit mehr zu verlieren.

»Ja doch, ja«, sagte Pedro.

»Schlag … und Schlag … und Schlag … Riemeeeeen … hebt an!«, brüllte McQuarrie. Die Rudergasten im kleinen Beiboot des Guineaman stellten in vorschriftsmäßiger Manier die Riemen senkrecht, während der Maat an der Pinne einen Bogen fuhr und die Bordwand sich langsam dem steinernen Anleger näherte.

Der vordere Mann sprang an Land und vertäute das Boot an einem der eisernen Ringe.

»Boot wie befohlen zum Anleger vier gerudert, Sir!«, meldete McQuarrie stramm.

»Danke, McQuarrie«, sagte Fernandez verbindlich. »Wartet hier mit Euren Männern, ich bringe den Cirurgicus und seine Freunde noch an Land.«

»Aber das ist doch nicht nötig, Mister Fernandez!«, protestierte Vitus.

Fernandez, der nicht nur einer der besten Navigatoren im westindischen Raum war, sondern darüber hinaus auch von umgänglichem Wesen, lächelte. »Nötig vielleicht nicht, Cirurgicus, aber ich tue es gern. Um die Wahrheit zu sagen, fällt mir die Trennung nicht leicht, zu angenehm waren die Gespräche mit Euch und Euren Freunden in den vergangenen Tagen.«

Er deutete hinaus aufs Wasser, wo einige Kabellängen entfernt der Sklavenfahrer ankerte.

»Uns geht es genauso, mein lieber Fernandez«, bestätigte der Magister, »Abschied nehmen ist nicht jedermanns Sache. Es war schon schwer genug, Hewitt und den anderen *Falcons* Lebewohl zu sagen. Mit jedem Abschied stirbt ein Stück von einem selbst, nicht wahr? Wenn ich nur an unsere Abende auf dem Kommandantendeck denke: Eure Ausführungen über die Unterschiede in der Anwendung zwischen Kreuzstab und Astrolabium waren hochinteressant, wirklich hochinteressant! Von Euren Erklärungen zur Funktion der tragbaren Sonnenuhr ganz zu schweigen.«

Fernandez winkte ab. »Nicht der Rede wert, lieber Magister.«

Vitus sprang an Land. »Ihr seid zu bescheiden, Mister Fernandez. Auch ich habe wieder eine Menge von Euch über die Positionsbestimmung gelernt, fast so viel wie seinerzeit auf der guten alten *Cargada de Esperanza*.« Er half zunächst dem kleinen Gelehrten aus dem Boot und reichte dann auch dem Navigator seine Hand.

»Oh, so weit ist es noch nicht, Cirurgicus!« Ohne fremde Hilfe stieg Fernandez aus dem Boot und machte dabei, obwohl schon Mittfünfziger, eine gute Figur. »He, McQuarrie, lasst Kiepe und Koffer und die andere Habe der Herren an Land bringen. Stellt die Sachen dort drüben bei den zwei Palmen ab, da halten gewöhnlich die Kutschen, die in die Stadt fahren.«

»Aye, aye, Sir.« Der Maat gab die entsprechenden Befehle.

Fernandez nahm Vitus' Rechte: »Manchmal möchte man die Zeit stillstehen lassen, Cirurgicus. Jetzt ist ein solcher Zeitpunkt. Nun ja, das Leben schert sich nicht darum, es geht weiter. Wie Ihr wisst, gehe ich noch heute wieder ankerauf und versuche, mit Kapitän Taggart am Ausgang der Floridastraße zusammenzutreffen. Doch Ihr bleibt hier, und ich wünsche Euch von Herzen alles Gute. Des Allmächtigen Segen über Euch, und«, er zögerte kurz und verstärkte den Händedruck, »möget Ihr Lady Arlette recht bald finden.«

»Danke, Mister Fernandez, danke.« Vitus schluckte. »Auch für Euch nur das Beste!«

Der kleine Gelehrte blinzelte. »Schließe mich den guten Wünschen an.«

»Wui, wui, glatten Schein un alles Schöne!«

Achtern an der Pinne des Boots stand McQuarrie stramm wie ein Spatenstiel und grüßte: »Mit Verlaub, Cirurgicus, die Kameraden und ich wünschen Euch ebenfalls erfolgreichen Kurs!«

»Danke, Männer, und: *goodbye!*«

»Ein dreifaches Hurra auf den Cirurgicus, der Duncan Rider so prachtvoll wieder zurechtgeflickt hat!« Das war noch einmal McQuarrie, der den Takt für die Rufe der Männer angab:

»*Hurray! Hurray! Hurray!*«

Vitus musste abermals schlucken, winkte, gab sich einen Ruck und schritt mit den Freunden zu dem wartenden Gepäck. Viel war es nicht, was da stand, doch immerhin hatte Taggart es sich nicht nehmen lassen, ihnen eine Seekiste zu schenken, darin auch ein paar Kleidungsstücke. Außerdem hatte er, an der Steuerborddecksporte der *Falcon* stehend, wie zufällig seine Hand in Vitus' Tasche gleiten lassen und ihn, als er nachforschen wollte, energisch daran gehindert. Später hatte sich Taggarts Handgriff als ein Beutel mit einigen spanischen Gold- und Silberstücken entpuppt. Ein willkommenes Geschenk, denn Vitus schuldete der Albergue Pescador noch die Rechnung für Kost und Logis, und er hatte sich vorgenommen, als Erstes dorthin zu fahren.

Der Zwerg wischte sich ein rotes Haarbüschel aus der Stirn, denn es war Mittag, und die Sonne brannte aus einem tiefblauen Junihimmel herab. »Wo bleibt'n nu der Rädling?«

Vitus hielt nach einem Wagen Ausschau. »Ich weiß auch nicht. Fernandez sagte doch, hier würden Fuhrwerke halten.«

Der Magister versuchte zu witzeln: »Vielleicht waren die Winde widrig, und der Herr Navigator hat sich in seiner Berechnung geirrt?«

»Wiewo?« Der Zwerg hüpfte auf die Seekiste, was putzig aussah, denn er war so klein, dass seine Beinchen nicht einmal den Boden berührten. Sein kaulquappenartiges Mündchen öffnete und schloss sich. »Möcht fast krick auf'm Guineakahn sein, wui, da draußen is wenigstens Blasemann, nich?«

»Ja, es ist wirklich sehr heiß.« Vitus spähte nach Norden, zur Stadt, von wo die Wagen eigentlich kommen mussten, und war dann umso überraschter, als er plötzlich rumpelnde Räder hinter sich hörte. Er drehte sich um und sah einen Pferdekarren, der von der Spitze des Anlegers kommend langsam auf sie zufuhr. Kurz bevor er auf gleicher Höhe mit den Freunden war, hielt er an. Der Kutscher, ein Knabe, blickte herüber.

»Nanu, das ist doch Pedro!«, rief Vitus. »Du bist doch Pedro, nicht wahr?«

Wieder so eine überflüssige Frage, dachte der Kutscherjunge und zog es vor zu schweigen.

Der Magister, der ganz nah an den Karren herangetreten war, blinzelte. »Natürlich ist es Pedro, nicht wahr, mein Sohn?«

Pedro antwortete nicht, sondern begnügte sich damit, die Freunde anzustarren.

Vitus fragte: »Kannst du uns in die Stadt fahren? Wir müssen zur Albergue Pescador.«

Pedro nickte langsam.

»Heißt das ja? Es soll dein Schaden nicht sein!«

»Ja doch, ja, ich fahr Euch, Señores.« Pedro sprang vom Wagen herab und half den Freunden beim Aufladen des Gepäcks. Wenig später waren sie unterwegs durch die von der Mittagshitze gelähmte Stadt. Vorbei an den Werftanlagen und die Calle de los Oficios hinauf und schließlich nach rechts, wo hundert Schritte weiter die Herberge auftauchte. Vitus hielt dem Kutscherjungen eine kleine Silbermünze vor die Nase: »Ist das genug?«

»Ja, 's is genug.«

»Dann schaff unsere Habe hinein. Ich fürchte, wir müssen uns hier wieder für einige Zeit einquartieren.« Vitus strebte in den großen Gastraum und dem Pult zu, an dem Angel, der Wirt, seine Rechnungen zu schreiben pflegte. Auch heute war es nicht anders: Gerade nahm der dicke Wirt dienernd die Zeche von einigen Gästen entgegen. Vitus tippte ihm auf die Schulter. »*Buenos días,* Angel, ich komme zurück, um Kost und Logis zu zahlen und um zu fragen, ob Ihr wieder ein Zimmer für uns habt.«

»*Buenos días.*« Angels Stimme klang gedehnt, während er die Fäuste in die Hüften stemmte. »Ich hatte nicht mehr zu hoffen gewagt, Euch jemals wiederzusehen, Cirurgicus! Himmel und Hölle habe ich in Bewegung gesetzt, um herauszufinden, wo Ihr seid. Wie vom Erdboden verschluckt wart Ihr, wie vom Erdboden verschluckt!«

»Ja, wir hatten eine, äh … unaufschiebbare Angelegenheit zu erledigen.«

»So, hattet Ihr das?« Angel wippte auf den Zehenspitzen.

»Nun, ich will Euch sagen, dass auch ich etwas hatte, Señor: Auslagen hatte ich, versteht Ihr? Auslagen! Schließlich wusste ich nicht, was mit Euch los war, und habe Euch noch eine ganze Woche lang das Zimmer freigehalten!«

Vitus begann sich zu ärgern. Sicher, er und seine Freunde waren über Nacht verschwunden, und der Gedanke an Zechprellerei lag nahe, aber jetzt war er wieder da und wollte zahlen, und der Wirt hatte nicht das Recht, ihn so abzukanzeln. »So, Ihr habt uns also das Zimmer freigehalten?« Angel konnte ihm viel erzählen. Wie er ihn kannte, hatte er den Raum schon am nächsten Tag wieder vermietet. »Dann habt Ihr sicher auch unsere Habseligkeiten verwahrt, unter anderem einen Fellsack.«

»Pah, das mottenzerfressene Ding! Hab es versetzen müssen, um wenigstens einen Bruchteil meiner Kosten wieder hereinzubekommen. Nein, nein, da ist noch vieles offen!«

»Wie viel?«, fragte Vitus zähneknirschend.

Der Wirt hörte zu wippen auf. Er witterte Morgenluft. »Oh, Señor, ich wusste, dass Ihr mich verstehen würdet. Nun, das haben wir gleich.« Er trat ans Pult und kritzelte mit spitzer Feder Zahlen auf einen Bogen Papier, bewegte die Lippen, trat, während er rechnete, von einem Bein aufs andere, addierte nochmals und verkündete schließlich: »Macht alles zusammen achtzehn Goldstücke, der Herr.«

»Was?« Vitus schnappte nach Luft. »Das ist Wucher!«

»Ich sagte Euch eben schon, dass ich Auslagen hatte, große Auslagen, vielfältige Auslagen!« In Angels Augen leuchtete Gier, während er beschloss, es auf die alte Masche zu versuchen, die da hieß: Rede die Leute an die Wand und führe dabei das Wort Gottes im Mund. »Bedenkt«, hob er an zu jammern, »dass mein Weib jeden Tag für Euch gekocht hat! Gute, teure Fleischmahlzeiten, Señor, die anschließend wertlos waren! Denn wie spricht der Herr? Du sollst die Speise nicht verschmähen, sie ist mein Leib! Außerdem, Señor, die Kosten für das Zimmer! Es war mein bestes, wie Ihr wisst, ohne Wanzen, ohne Ratten, ohne Läuse! Sieben Tage Logis, sieben lange Tage! Das macht allein schon, wartet …« Er lutschte an der Feder, rechnete emsig und nannte wieder eine viel zu hohe Summe. »Jede Arbeit ist ihres Lohnes wert, nur Gottes Lohn ist unbezahlbar, so steht es schon in der Schrift! Ferner meine Bemühungen, Euch aufzuspüren: Suchet, so werdet ihr finden, so sagte einst unser Heiland, und ich habe mich daran gehalten, doch ich habe Euch nicht gefunden, obwohl ich keine Kosten und Mühen gescheut habe. Halb Habana habe ich Euretwegen auf den Kopf gestellt, und beileibe nicht nur des Geldes wegen! Liebe deinen Nächsten wie dich selbst, heißt es, und …«

Der Magister platzte dazwischen: »Eure Rede aber sei: Ja, ja, nein, nein. Was drüber ist, das ist von Übel. Habt Ihr davon schon einmal gehört, Wirt?«

»Nein, äh …«

»Matthäus, Kapitel 5, Vers 37, zu Eurer Information. Und nun schlage ich vor, dass Ihr Eure Rechnung noch einmal überprüft.« Die Stimme des kleinen Gelehrten ließ keinen Widerspruch zu.

»Nun, wenn es Euch beruhigt, Herr Magister.« Achselzuckend begann Angel, sich abermals mit dem Papierbogen zu beschäftigen. Und dann, nach einer geraumen Weile, stieß er völlig überrascht aus: »Das ist doch nicht möglich! Ich hatte mich tatsächlich verrechnet!«

»Ich nehme an, zu Euren Gunsten«, sagte der Magister trocken. Ohne auf die bissige Bemerkung einzugehen, fuhr Angel fort: »Ich freue mich, Señor Cirurgicus, dass es jetzt nur noch die Hälfte ist.«

Vitus, des lächerlichen Spiels überdrüssig, drehte jetzt den Spieß um: »Ich mache Euch einen Gegenvorschlag, Angel: Ich zahle gar nichts, und wenn der von Euch eben so oft zitierte Gott es fügt, dass Ihr oder jemand aus Eurer Familie krank wird, behandele ich ihn umsonst. Wir sind noch einige Tage in der Stadt, und Ihr braucht es mich nur wissen zu lassen, wenn es so weit ist.«

Das Aufheulen des Wirtes ersetzte jede Antwort.

»Nun gut«, Vitus zog den von Taggart erhaltenen Geldbeutel, »von Eurer soeben errechneten Hälfte ziehe ich nochmals die Hälfte ab, das dürfte immer noch üppig sein. Das ist mein letztes Wort.«

Begleitet vom Jammern des Wirtes traten die Freunde nach draußen.

»Dem hast du aber tüchtig eingeheizt«, meinte der kleine Gelehrte auf der Straße, »der wird so schnell nicht wieder versuchen, die Leute übers Ohr zu hauen. Nur schade, dass wir jetzt keine Bleibe haben. Es wäre schon praktisch gewesen, gleich bei Angel zu bleiben.«

»Man darf dem Wucher nicht Vorschub leisten«, erwiderte Vitus, »sieh mal, da sitzt Pedro auf seinem Wagen und nimmt seine Mahlzeit ein.«

»Mahlzeit ist gut«, brummte der Magister, der die Habseligkeiten der Freunde an den Wegrand stellte. »He, Pedro, mein Junge, was du da isst, sieht aus wie einfache Erbspastete, hab ich Recht?«

Der Kutscherjunge antwortete nicht. Wenn der Magister wusste, dass es Erbspastete war, warum fragte er dann?

Vitus ging zu Pedro hinüber und fragte ihn: »Kannst du uns zum Escargot kutschieren?«

Pedro blickte ihn an, während er den letzten Bissen hinunterschluckte. Der Cirurgicus hatte eine vernünftige Frage gestellt, und deshalb bekam er auch eine vernünftige Anwort. »Ja. Aber 's is nur um die Ecke, nich mal zweihundert Schritt.«

»Ich weiß, aber es ist zu heiß zum Laufen, erst recht mit Gepäck.«

»Gut, ich helf Euch.«

Kurz darauf saßen sie erneut auf dem alten Gefährt und zuckelten die Straße hinunter. Der Magister, der neben Pedro saß, blinzelte. »Da vorn ist schon das Escargot! Oder täusche ich mich?«

Der Kutscherjunge antwortete nicht. Dafür sagte Vitus: »Es ist das Escargot, aber merkwürdig ruhig sieht es aus. Niemand geht hinein oder kommt heraus.«

Pedro beschloss, an dieser Stelle das Wort zu ergreifen: »Das Escargot is zu, Achille is tot.«

»Was?« Die Freunde fuhren von ihren Sitzen hoch. »Das kann nicht sein!«

Pedro schwieg. Es bestand kein Anlass, den Satz noch einmal zu wiederholen.

»Was ist passiert? Wieso ist Achille tot? Was ist ihm zugestoßen?«, riefen die Freunde durcheinander, und da keine ihrer Fragen überflüssig war, antwortete der Kutscherjunge:

»Achille is tot, un die Leute sagen, er is so kurios gestorben, wie er kurios gelebt hat. Hat sich anner Grete verschluckt un is erstickt. Is schon 'ne Weile her.« Pedro brachte das Gefährt zum Stehen, denn sie hatten ihr Ziel erreicht.

»Ja, aber«, Vitus war noch völlig verwirrt, »Achille war doch so lebenslustig, so gesund, so …«

»Sie ham ihn irgendwo verscharrt, weiß nich, wo. Er war ja 'n Hugo… 'n Hegu… jedenfalls kein richtiger Christ nich, un der Pfarrer hat gesagt, auf'n Gottesacker gehört er nich hin. Ja, so war's.«

Der Magister stöhnte auf. »Um Christi willen, das ist ja grauenhaft! Als hätte Achille keine unsterbliche Seele gehabt! So ein verblendeter Pharisäer, dieser Pfarrer! Oh, wie ich solche Ignoranz hasse!« Vor Wut ballte er die Fäuste.

Der Zwerg fistelte: »Alle Kuttengeier sin Kappenhansel, Kugelfranzen, Kapuzenwürger!«

»Ich würde gern herausfinden, wo er begraben liegt, um ihm Lebewohl zu sagen«, murmelte Vitus.

Der Magister beruhigte sich nur langsam. »Die guten Freunde, so gehen sie dahin! Und mit jedem, der fort ist, wird die Welt ein wenig ärmer.«

»Und was ist aus Louise geworden?«, fragte Vitus, einem plötzlichen Gedanken folgend. »Die Arme hat nun ja keinen Brotherren mehr. Es dürfte Ihr schwer fallen, eine neue Stelle zu finden, so, äh … wie sie aussieht.« Mit Scheu dachte er an die Liebesnacht, die ihm seit vielen Wochen nicht aus dem Kopf gehen wollte. Immer wieder hatte die Erinnerung sich ihm aufgedrängt.

»Wui, wui, wie strömt's Louise?«, wollte auch der Zwerg wissen. »Alleweil den Kürbis unterm Laken?«

»Louise? Nee, nee. Aus Louise is 'ne Schönheit geworden, - sagen die Leute.« Unverhofft wurde der Kutscherjunge gesprächig, vielleicht, weil er allmählich zum Jüngling heranreifte und sein Interesse für alles Weibliche wuchs. »Schön wie 'ne Madonna is sie, sagen die Leute, un dass 'n Wunder geschehn is. Eines Tags, ich glaub, Ihr wart gerad weg, Señores, da kam sie un war 'ne Schönheit. Hatte kein schwarzes Gewand nich mehr an, hatte 'ne Haut wie Milch un Blut, ganz fein un ganz weiß, un Zähne wie 'ne Perlenschnur un Haare wie Kupferdraht so rot! Ja, das hatte sie. Alle sagen's, wahrhaftig, un ich sag's auch. Hoppla, was is'n los, Señor?«

»Nichts, Pedro, nichts.« Vitus saß da und konnte kein Wort hervorbringen. Er hatte einen Gedanken gehabt, der so ungeheuer war, so bar jeder Vorstellungskraft … »Nichts, Pedro, nichts.«

Auch dem kleinen Gelehrten, sonst niemals um Worte verlegen, hatte es die Sprache verschlagen. »Moment mal, das klingt ja so, als wäre Louise, als könnte Louise …«

Jählings streckte der Zwerg seine Kinderärmchen in die Luft und schrillte: »Wuiiiii, Louise is Arlette!«

Was nun folgte, war ein Freudengebrüll, wie Pedro es sein Lebtag noch nicht gehört hatte. Es dauerte minutenlang und war so laut, dass es die ganze lange Calle de los Oficios hinauf und hinunter zu vernehmen war. Ein Sturm von Fragen prasselte auf ihn herab. Als er sie nach bestem Wissen beantwortet hatte, war klar geworden, dass Louise, die vielleicht Arlette war, von Achille das Escargot geerbt hatte. Der kuriose Hermaphrodit hatte es ihr auf dem Sterbebett vermacht, vielleicht, weil sie sich in seinen letzten Stunden als Einzige um ihn gekümmert hatte. Doch schon nach wenigen Tagen hatte Louise gemerkt, dass mit Achille auch die Seele dieses außergewöhnlichen Etablissements gestorben war. Schweren Herzens hatte sie es daraufhin verkauft.

»Und wo ist Louise nun?«, drängte Vitus. Er sagte absichtlich »Louise«, denn bevor er nicht mit eigenen Augen sah, dass sie Arlette war, wollte er noch nicht daran glauben.

»Wo sie is?«, erwiderte Pedro und merkte gar nicht, wie überflüssig seine eigene Frage war. »Tja, man sagt, sie will nach England fahrn, mit der *Boisterous*.«

»Und wann geht das Schiff? Oder ist es schon in See gestochen?«

»Weiß nich genau, gestern oder heut sollt's gehen, denk ich, vom Anleger sieben.«

»Und das sagst du erst jetzt?«, brüllte der Magister. »Los, nichts wie hin zum Anleger sieben!«

»Ja doch, ja.« Pedro ließ die Peitsche knallen.

»Mensch, Vitus, stell dir vor, das Schiff liegt noch da, und Arlette ist an Bord!«

»Das glaube ich erst, wenn ich sie sehe.« Vitus' Stimme klang ganz klein.

»Hüa! Hüa! Hüa!« Pedro feuerte seinen Braunen ein letztes Mal an, als das Gefährt in die Auffahrt zum Anleger sieben einbog. Eine halsbrecherische Fahrt lag hinter ihm, bei der er all seine Geschicklichkeit hatte aufbieten müssen, um nicht den einen oder anderen Habanero zu überfahren.

Keinen der Insassen hielt es mittlerweile noch auf dem Sitz. Der Zwerg stand hoch aufgerichtet hinter dem Magister und fistelte: »Da vorn, ihr Gacken! Das is der Kahn! Das musser sein!« Er wies auf eine mächtige Galeone, die noch fest an der Pier vertäut war. Ein großer Pulk Menschen drängte sich um die Laufbrücke, die an Bord führte. Reges Treiben herrschte darauf. Kisten, Ballen und Fässer wurden noch übernommen. Tauwerk und Kanonenkugeln, Ersatzstengen und -segel, Frachtgut wie Mahagoniholz, Tabak, Kakao, Tierhäute, Ambra, Zucker und vielerlei mehr.

Auf dem Anleger selbst hatten sich fahrende Händler ausgebreitet, die noch schnell ein Geschäft machen wollten. Stände mit Leckereien waren aufgeschlagen worden, Gaukler, Possenreißer und Antipodisten traten auf, sogar ein Priester stand da, der mit lauter Stimme den Segen des Herrn auf das Schiff herabflehte.

Pedro hatte mittlerweile seinen Karren zum Stehen bringen müssen, zu groß war das Gedränge geworden. Der Zwerg verharrte noch immer hoch aufgerichtet und machte das Hälschen lang. »Un da! Die Schöne inner grünen Schale, das isse, das isse, ich wett meinen Kürbis, dasse 's is!«

»Wo? Wo?« Vitus war heiser vor Aufregung. Sein Herz klopfte wie ein Schmiedehammer und nahm ihm die Luft. »Großer Gott, ich glaube, ich sehe sie! Sie geht da hinten, scheint Träger dabeizuhaben. Mein Gott, Magister, sieh nur, sieh! Ach, du kannst ja nichts sehen …«

Der kleine Gelehrte fuchtelte mit den Armen. »Worauf wartest du noch? Lauf hin zu ihr!«

Doch Vitus war schon vom Wagen gesprungen und in die

Menge eingetaucht. Ohne Rücksicht zu nehmen, drückte, schob, drängte er sich durch die Massen, trat hier jemandem auf den Fuß, stieß dort jemanden beiseite, wurde beschimpft, bedroht, doch er kümmerte sich nicht darum, eilte weiter, den Kopf hoch erhoben und nach der Frau in dem salamandergrünen Kleid spähend. Da! Sie wies auf die Laufbrücke, und ihre Träger schickten sich an, das Gepäck an Bord zu tragen. Warte, Arlette!, wollte er rufen, aber die Stimme versagte ihm. Er hetzte weiter, nur noch wenige Schritte – ich komme, ich komme! Die junge Frau hatte jetzt selbst die Laufbrücke betreten. »Arlette! Arleeeeette!«

Sie hatte den Ruf gehört, doch sie entdeckte ihn nicht. »Warte, ich komme, ich komme!« Endlich war er heran und stürzte auf den Steg. »Arlette!«

Sie fuhr herum und stolperte über ein Matrosenbein, strauchelte und fiel fast, doch Vitus fing sie im letzten Moment auf. »Arlette, ich bin's!«

Sie blickte ihn an, und ihr Gesicht, eben noch neugierig, wer sie wohl gerufen habe, und erschreckt ob des unverhofften Stolperns, nahm einen grenzenlos ungläubigen Ausdruck an. Dann, nach einer kleinen Ewigkeit, begannen ihre Mundwinkel zu zucken, und ihre Augen füllten sich mit Tränen.

Er sah sie an und sah vor sich die schönste Frau der Welt. Tausendmal hatte er sich überlegt, was er ihr alles sagen wollte, doch nun brach nur das eine Wort immer wieder aus ihm hervor: »Arlette, Arlette, Arlette …«

Er schloss sie in die Arme, und sie standen da, die Welt um sich vergessend.

Und die Weissagung der alten Marou, die für das Wiedersehen Wasser, Holz und Eisen und das Straucheln von Arlette angekündigt hatte, sie war in Erfüllung gegangen.

»Ihr seht mich untröstlich, Lady Arlette.« Jonathan Coolidge, Eigner und Kapitän der *Boisterous,* wanderte in seiner Kajüte auf und ab, die Hände auf dem Rücken gefaltet. »Ich habe nur die eine Kabine, sie ist groß, gewiss, aber es ist nur eine, und sie ist für Euch. Eine zweite für den Herrn Cirurgicus und seine Freunde steht nicht zur Verfügung.«

»Ich glaube Euch, Kapitän Coolidge.« Arlette blickte ihrem

Gegenüber direkt in die Augen und setzte ihr strahlendstes Lächeln auf, was augenblicklich dazu führte, dass Coolidge verlegen wurde und zur Seite sah. »Aber gibt es denn wirklich keine Möglichkeit? Überlegt doch noch einmal.«

Zwei Stunden waren seit dem Wiedersehen vergangen, zwei Stunden voller Glück, in denen es unendlich viel zu erzählen gegeben hätte, doch nur wenig gesprochen worden war. Nur eines hatte von Anfang an festgestanden: Vitus wollte Arlette nie wieder aus den Augen lassen, und Arlette erging es mit Vitus ebenso. Umso ärgerlicher war die Sturheit von Coolidge. Er war bekannt als korrekter Mann, wenn auch als einer mit geringer geistiger Beweglichkeit. Seine eng zusammenstehenden Augen und die hohe, gewölbte Stirn, hinter der viel Platz für Trotz und Trägheit war, mochten Hinweise darauf sein.

»Tut mir leid.« Coolidge hob bedauernd die Hände. »Was nicht geht, geht nicht.« Sein Ton war jetzt schärfer, denn die Situation begann ihm auf die Nerven zu fallen, zumal er schon häufig derartige Gespräche hatte führen müssen. Jedes Mal, wenn seine *Boisterous* nach England zurücklief, war es dasselbe: Es gab mehr Passagiere als Platz, und er hatte nun mal nur die eine Kabine! Und eine Umorganisation in der Belegung der Offizierskammern kam selbstverständlich überhaupt nicht in Frage.

»Tut mir Leid«, wiederholte Coolidge und feuerte abschließend sein bestes Argument ab: »Ich kann nun mal nicht aus einer Kabine zwei machen.«

»Warum eigentlich nicht, Sir?«, fragte Vitus. Er hatte mit Arlette am Kartentisch Platz genommen und hielt ihre Hand. Coolidge, der gemeint hatte, die Unterredung beenden zu können, reagierte verwirrt: »Wie meinen, Sir?«

»Ich sagte: ›Warum eigentlich nicht?‹«

»Nun, äh … Sir.« Coolidge geriet außer Fassung, und eine Falte bildete sich über seiner Nasenwurzel. »Weil es nicht geht. Ich sagte es bereits.«

Vitus hakte nach. »Wenn ich richtig beobachtet habe, besitzt die Kabine zwei Türen, warum lasst Ihr nicht einfach eine Trennwand ziehen? Dann hättet Ihr zwei Räume und jeder sogar einen eigenen Zugang. Den einen Raum würde Lady Arlette bewohnen, den anderen meine Freunde und ich. Es

wäre zwar eng, aber glaubt mir, ich habe schon ganz anders
geschlafen.«

»Unmöglich!«, knirschte Coolidge. »So etwas gab es auf meinem Schiff noch nie!«

Arlette lächelte ihn entwaffnend an. »Aber möglich wäre es
doch, nicht wahr, Herr Kapitän?«

»Nun ... schon. Möglich ist vieles. Aber die Zeit! Und die
Kosten!«

Jetzt war Vitus wieder an der Reihe: »Beabsichtigt Ihr denn,
noch heute auszulaufen, Sir? Wenn mich nicht alles täuscht,
wäre es günstiger, morgen ankerauf zu gehen, der Tide wegen
und der damit verbundenen günstigeren Winde.«

»Richtig, richtig.« Coolidge wurde zum ersten Mal unsicher.
»Vor morgen segele ich nicht. Wollte eigentlich heute schon in
See stechen, aber Ihr sagtet es ja selbst: Die Verhältnisse sind
nicht danach.« Dennoch war der Sturkopf noch nicht besiegt:
»Aber die Kosten! Wer zahlt mir das, wenn ich so mir nichts,
dir nichts eine Trennwand durch meine Kabine ziehen lasse?«

»Ich«, lächelte Vitus. Er zog Taggarts Lederbeutel hervor und
kippte ihn auf dem Tisch aus. Eine Reihe von Münzen, die
meisten aus Gold, kullerte über die Seekarten. »Reicht das?«

»Hmja, natürlich.« Wie alle Kaufleute mochte auch Coolidge
Geld gut leiden, und der Anblick überwand auch den Rest seines Widerstands.

»Dann schlage ich vor, Euer Zimmermann fängt gleich mit der
Arbeit an. Ich bin sicher, er wird bis morgen fertig sein. Einverstanden?«

»Hmja ... ja.«

Arlette beugte sich zu Vitus hinüber und wisperte so leise, dass
der Sturkopf es nicht hörte: »Die Festung ist besiegt.«

Zärtlich drückte er ihre Hand.

Die Casa Sevilla war nicht gerade die Herberge, die ein Reisen-
der sich erträumte, selbst dann nicht, wenn es nur um eine einzige Übernachtung ging. Andererseits war das Haus besser als
nichts und billig obendrein. Vom Gang im oberen Stockwerk
gingen zwei Zimmer ab, muffige, stickige Räume, in denen
Arlette, Vitus und die Freunde Quartier gefunden hatten. Die
»Casa«, wie das Haus kurz genannt wurde, lag etwas außer-

halb, weshalb Pedro und sein Fuhrwerk noch einmal bemüht worden waren. Der Kutscherjunge hatte Order, am nächsten Morgen in aller Frühe vorzufahren und die Freunde zur *Boisterous* zu bringen.

»Ich hoffe nur, Arlette kommt mit ihrem Zimmer zurecht«, sagte Vitus. Er saß, wie auch der Magister und der Zwerg, splitternackt in einem Waschzuber. Arme und Beine hingen über den Rand, während ihm das warme Wasser bis zum Hals reichte.

»Vielleicht badet sie ja auch«, brummte der kleine Gelehrte, der sich gerade kräftig einseifte. »Man kann dem Laden hier nachsagen, was man will, aber an heißem Wasser mangelt es nicht.« Er gab das Stück Seife an Vitus weiter.

»Danke, Magister.«

»Wui, wui, der Gänsewein tut gut.« Der Winzling pfiff vergnügt und ließ einen Wind fahren. Es gab ein blubberndes Geräusch, als die Blasen aufstiegen und an der Wasseroberfläche zerplatzten. »Hi, hi!«

»Muss das sein?«, schimpfte der kleine Gelehrte. Er hielt sich eine Kanne Wasser über den Kopf, um sich den Schaum vom Körper zu spülen. »Dein Benehmen, Zwerg, lässt sehr zu wünschen übrig.«

»Wui, wui, hi, hi.«

»Ich komme mir vor wie eine Schildkröte, die auf dem Rücken liegt«, sagte Vitus, obwohl er mit seinen Gedanken ganz woanders war. Was Arlette wohl gerade tat? Er musste daran denken, dass er sie, trotz der zärtlichen Umarmung auf der Laufbrücke der *Boisterous,* noch nicht einmal geküsst hatte. Zu viele Gaffer waren um sie herum gewesen. Zu viele Gaffer? Oder hatte er sich womöglich nur nicht getraut? Vielleicht. Er wusste es nicht. Er wusste nur, dass er es nachholen würde. Das und mehr … Aber wann?

Der Magister gähnte herzhaft. »Ich glaube, ich begebe mich in Morpheus' Arme.« Der kleine Mann stieg aus dem Zuber, trocknete sich ab und kroch, nackt wie er war, unter die Decke seines Lagers. »Wozu soll ich mich anziehen? Das kann ich morgen früh noch tun.«

»Ich bin auch müde«, sagte Vitus, obwohl er sich keineswegs so fühlte. Er entstieg ebenfalls der Wanne, trocknete sich ab und fischte ein frisches Hemd aus Taggarts Seekiste. Es widerstrebte ihm, schmutzige Kleider über seinen gesäuberten Körper zu ziehen. Dann ging er zum Zwerg hinüber, half dem Winzling auf die Beine und rubbelte ihn ab. Enano war so klein, dass er dazu die unbenutzte Ecke seines Trockentuchs nehmen konnte.

»Gramersi, Vitus.«

»Gern geschehen, mein Freund.«

Beide suchten ihr Lager auf, und alsbald hörte Vitus nur noch die regelmäßigen Atemzüge des Winzlings, unterbrochen vom Schnarchen des Magisters.

Er selber bekam kein Auge zu. Er lauschte gespannt hinüber zum anderen Zimmer. Nichts. Ob sie schon schlief? Die Wände waren dünn wie Pergament, irgendetwas musste doch zu hören sein! Doch da war nichts. Nur die üblichen Geräusche des nächtlichen Habana. Er löschte das Öllämpchen neben sich, in der Hoffnung, die Dunkelheit würde ihn schläfrig machen. Das Gegenteil war der Fall. Die Finsternis erinnerte ihn an die Nacht im Escargot, als er mit Louise ... Und Louise war Arlette gewesen. Er hatte damals mit Arlette geschlafen. Herrgott im Himmel, wenn er das geahnt hätte!

Was sie sich wohl dabei gedacht hatte, als sie ihn mit in ihre Kammer nahm? Sie war so verzweifelt gewesen. Und so leidenschaftlich ... Warum hatte sie sich nicht zu erkennen gegeben? Ob sie wirklich eine Hautkrankheit gehabt hatte? Alles an ihr hatte er berühren und liebkosen dürfen, nur nicht ihr Gesicht. Er merkte, wie sein Schaft hart wurde, und lauschte abermals nach drüben. Nichts.

Der Zwerg und der Magister schliefen weiter den Schlaf der Gerechten. Nur er lag wach. Und hatte Sehnsucht. Vielleicht wartete sie auf ihn? Ohne sich zu besinnen, erhob er sich, schlüpfte hinaus auf den Gang und stand vor ihrer Tür.

Da verließ ihn der Mut.

Wenn er nun nicht willkommen war? Andererseits hatte sie ihn im Escargot mit in ihre Kammer genommen, und sie hatte gewusst, wer er war. Also liebte sie ihn doch? Und wenn das so war, sehnte auch sie sich vielleicht nach ihm? Er holte tief Luft und klopfte leise.

»Ja?«

Das war ihre Stimme. Zu seiner großen Erleichterung klang sie weder reserviert noch erschreckt. Eher überrascht und – erwartungsfroh? Er drückte die Klinke herunter und trat ein. »Ich … ich … habe dich noch gar nicht geküsst«, stammelte er.

Sie lag halb aufgerichtet in ihrem Bett, das Gesicht von einer Kerze erhellt. »Das stimmt«, lächelte sie, und ihr Lächeln wurde zu einem Strahlen, das für ihn schöner war als alle Sonnenaufgänge der Welt. »Aber wir können es sofort nachholen.«

Er eilte zu ihr und riss sie in die Arme. »Ich liebe dich so sehr, oh, wie ich dich liebe, Arlette, du mein Leben!« Er spürte, wie ihm die Tränen kamen, doch er scherte sich nicht darum. »Arlette, oh, Arlette, wenn du wüsstest, was alles geschehen ist seit … seit unserer Nacht auf der *Phoenix.*«

»Du wolltest mich doch küssen«, flüsterte sie und zog ihn zu sich aufs Lager. »Jetzt küsse ich dich.« Ihre Lippen waren warm und weich, und er merkte, wie die Erregung erneut in ihm wuchs.

»Erzähle mir, wie es dir ergangen ist«, wisperte sie an seinem Ohr. »Erzähle mir alles, was nach unserer Nacht auf der *Phoenix* geschehen ist.«

»Es gibt so vieles zu berichten. Ich weiß nicht, wo ich anfangen soll.«

»Warst du mir untreu?«, fragte sie schelmisch und zeigte auf den kleinen Anhänger, den Vitus einst von Drake erhalten hatte.

Statt einer Antwort betätigte er den Aufklappmechanismus und wies auf das medaillonförmige Bild, das die Mutter Gottes zeigte. »Mit dieser Dame? Lies nur, was unter der Miniatur steht.«

»*Madre dolorosa*«, entzifferte sie.

»Richtig, die Schmerzensreiche Mutter. Du wirst es nicht glauben: Ich bekam die Miniatur von Francis Drake höchstpersönlich geschenkt.« Er erzählte, wie es dazu gekommen war. Dann fuhr er lächelnd fort: »Aber es gab noch eine andere Frau in der Zwischenzeit. Sie war eine Magd und hieß Louise. Sie war wunderschön.«

Arlette lachte leise auf und wurde dann übergangslos ernst. Ein Schatten fiel über ihre Augen, als sie sagte: »Es war eine furchtbare Zeit für mich im Escargot. Furchtbar und wundervoll zugleich. Die ganze Zeit warst du da, und ich konnte mich dir nicht zu erkennen geben. Ich wollte nicht, dass du mich so entstellt sahst.«

»Du hattest also eine Krankheit? Eine Hautkrankheit im Gesicht?«

»Ja.« Sie schauderte bei dem Gedanken an ihr tückisches Leiden. »Ich war von der Gürtelrose geschlagen. Und ich konnte mich dir nicht zeigen, denn ich wünschte, dass du Arlette so in Erinnerung behältst, wie du sie auf der *Phoenix* kennen gelernt hattest. Und trotzdem: Ich wollte dich, ich sehnte mich nach dir, wie ich mich noch nie zuvor nach einem Menschen gesehnt hatte. Die Sehnsucht schmerzte viel mehr als die Rose, denn du warst unerreichbar. Da kam ich auf den Gedanken, dich mit in meine Kammer zu nehmen. Es war die einzige Möglichkeit, dir nahe zu sein. Als Unbekannte, als eine Frau ohne Gesicht. Und es war schön, wunderschön, ich musste ständig weinen, vor Verzweiflung und vor Glück.«

»Du meine Liebste!« Er nahm ihr Gesicht in seine Hände und küsste sie zärtlich auf den Mund. »Und bei alledem hast du niemals gesprochen. Nicht ein einziges Wort! Dass du dich mir nicht zu erkennen geben wolltest, kann ich in gewisser Weise verstehen, aber du sprachst ja überhaupt nicht, warum nur?«

»Es war eine Folge meiner Kerkerhaft. Du musst wissen, dass die Spanier mich nach meiner Ankunft in Habana einsperrten. Und das nur, weil ich mich mit einem dieser subalternen Beamten gestritten hatte! Es war grauenvoll! Auch Okumba hat mir nicht helfen können. Ach, du kannst ja nicht wissen, wer Okumba ist. Er ist der prachtvollste Bursche, der mir je begegnete. Außer dir natürlich, und …«

»Ich weiß, ich kenne ihn«, schob er ein. »Von ihm weiß ich auch, dass du im Kerker warst.« Er küsste sie abermals.

»Aber wieso?«

»Das erzähle ich dir später.«

»Gut.« Sie schmiegte sich an ihn. »Weißt du, ich bekam die Rose im Kerker, und sie war zäh und hartnäckig und ließ mich nicht los. Und auch, als man mich endlich wieder freilassen musste, hatte ich sie noch. In den ersten Tagen schämte ich mich meines Gesichts so sehr, dass mir kein Wort über die Lippen kommen wollte. Ich ging nur noch gebeugt und tief verhüllt. Später merkte ich dann, dass Stummheit auch ein gewisser Schutz sein kann. Und sogar von Vorteil. Ich glaube, dass meine Stummheit auch ein Grund dafür war, dass Achille mich als Magd nahm. So konnte ich niemandem gegenüber ausplaudern, dass er zwei Leben führte: eines als Patron und eines als Wahrsagerin.«

»Das ist jetzt alles vorbei.« Er begann sie zu streicheln, sanft und voller Liebe, und ihr Körper drängte sich ihm entgegen wie damals im Escargot.

Nach einer Weile entspannte sie sich, wurde ruhiger und begann nun ihrerseits, ihn zu liebkosen. »Und jetzt erzähle mir, was du erlebt hast.«

»Das will ich tun. Aber es wird lange dauern. Bist du auch nicht zu müde?«

»Oh, nein. Wir Frauen sind nun einmal neugierig, und ich will alles hören.« Sie lachte leise, während sie sich an ihn kuschelte.

Und Vitus berichtete ihr, was er und die Freunde erlebt hatten, und während er erzählte und von ihr mit zärtlichen Händen liebkost wurde, vergingen die Stunden.

Danach erzählte auch sie ihre Geschichte, die nicht minder abenteuerlich war, und während sie sprach, bettete er ihren Kopf in seine Halsbeuge. Er stellte fest, dass ihre Haut noch immer so betörend roch, genau wie damals auf der *Phoenix*. Es war kaum vorstellbar, dass diese Haut jemals krank gewesen sein sollte. »Kannst du dir vorstellen, was die Rose ausgelöst haben mag, Liebste?« Aus seinen Worten sprach das Interesse des Arztes.

»Ich glaube, es war, nachdem ich gehört hatte, dass bei den Spaniern des Öfteren Gefangene, trotz nichtigem Anlass, bis an ihr Lebensende eingekerkert bleiben – nur, weil die Behörden sie vergessen. Der Gedanke war für mich einfach unvorstellbar, denn er bedeutete, dass ich dich nie wiedersehen würde.« Sie drehte den Kopf aus seiner Halsbeuge und hauchte ihm einen Kuss auf das Grübchen in seinem Kinn. »Ich glaube, die Rose kam über Nacht, wobei ich niemals genau wusste, wann Tag und wann Nacht war, denn in dem Verlies herrschte ständiges Halbdunkel.«

»Du Arme.« Sein Herz quoll über vor Mitleid und Liebe. »Komm wieder zu mir.«

»Jedenfalls hatte ich plötzlich diese furchtbaren Schmerzen im

Gesicht, und wenig später spürte ich mit den Fingern überall grässliche Risse und Pusteln. Es war entsetzlich.«

Er strich über die jetzt makellose Rundung ihrer Wange. »Wie gut, dass die alte Marou dir helfen konnte.«

»Ja, die alte Marou war weise. Gott schütze sie.«

»In gewisser Hinsicht war auch Achille weise. Er liebte die Menschen, obwohl viele sich an ihm versündigt hatten. Er half, wo er konnte. Ich bin stolz, ihn gekannt zu haben.«

Sie schwieg. »Ja«, sagte sie dann. »Mit dem Kennen ist es ein seltsames Ding. Wir haben uns zwei Jahre nicht gesehen, und trotzdem glaube ich dich heute viel besser zu kennen als damals. Ich kenne dich wie mich selbst. Vielleicht liegt es daran, dass ich in Gedanken immer bei dir war.«

»Und ich bei dir.«

Ihre Unterhaltung verstummte, denn es war alles gesagt, und während sie sich weiter liebkosten, spürten sie, wie sehr sie einander begehrten. Gott der Allmächtige hatte sie zusammengeführt, wie er Adam und Eva zusammengeführt hatte, und es konnte nichts Verwerfliches dabei sein, sich zu lieben, sich gegenseitig anzuschauen, sich zu entdecken.

»Du bist so schön«, stöhnte er heiser, »so wunderschön, ich habe es schon im Escargot gewusst. Ich habe es immer gewusst.« Er strich über ihre Brustspitzen, und die Berührung war so sacht, dass sie ein Schauer durchlief.

»Du auch. Du bist auch schön. Alles an dir.« Sanft streichelte sie über sein hoch aufgerichtetes Glied und betrachtete es. »Auch dein … du weißt schon. Die Öffnung sieht aus wie ein kleiner Mund.«

»Wie ein kleiner Mund?« Er lachte leise auf.

»Wie ein kleiner Mund. Man muss ihn nur von der Seite anschauen«, sagte sie zärtlich.

Und ihr großer Mund küsste den kleinen.

»Die Zeit des Abschieds ist gekommen«, sagte Vitus am Kai zu Pedro, der soeben die letzten Gepäckstücke auf die *Boisterous* gebracht hatte. »Ich danke dir für alles. Hier, nimm deinen Lohn.«

Der Kutscherjunge nahm die Münze, betrachtete sie und ließ sie vor Schreck beinahe fallen, denn sie war aus purem Gold.

»Das is zu viel, Señor, viel zu viel!«

»Nein, das ist es nicht. Du warst für uns nicht nur ein braver Kutschfahrer, sondern auch der Überbringer guter Kunde. Ohne dich hätte ich Lady Arlette vielleicht nie wiedergesehen.«

»Ja, hm, wenn's so is.« Pedro steckte die Münze ein, nicht ohne vorher gewohnheitsmäßig darauf gebissen zu haben. »Un ich hab auch was für Euch, dacht mir, Ihr wolltet's vielleicht haben.« Er ging zu seinem Gefährt und zog etwas unter dem Kutschbock hervor. »Hier is es.«

Es war das Wams von Achille: das blaue Stück mit den goldenen Sternzeichen und den schillernden Steinen. Beides, Zeichen und Steine, blinkte in der Sonne wie ein letzter Gruß des Hermaphroditen. Vitus hielt staunend das Geschenk in den Händen. »Danke, Pedro, danke! Und du bist sicher, dass du es mir geben willst?«

Trotz der überflüssigen Frage lächelte Pedro.

»Ja doch, ja.«

DIE BRAUT ARLETTE

»Ja. Es passierte in der Nacht im Escargot.«

Mit kleinen Schritten, die Schiffsbewegungen dabei fast wie ein Seemann ausgleichend, strebte Arlette ihrer Kabine zu. Es war spät in der Nacht, und nur der fahle Schein der Hecklaterne spendete etwas Licht. Sie öffnete die Tür und drückte mit einer anmutigen Bewegung ihre weit ausladenden Röcke zusammen, damit sie hindurchschlüpfen konnte. An diesem Abend hatte sie einen pinkfarbenen Traum von Kleid getragen, mit weiten, bauschigen Ärmeln und tief herabgezogener Korsage. Dazu ein Goldkettchen mit einem Kreuz aus roter Koralle um den Hals und einen Ring aus Granat am Mittelfinger. Die Sparsamkeit ihres Schmucks hatte die makellose Blässe ihrer Haut nur umso mehr betont.

»Komm, Liebster, es ist spät geworden.«

Vitus stieg hinter ihr über das Süll. Sie waren Gäste von Coolidge gewesen, der es sich nicht hatte nehmen lassen, anlässlich des bevorstehenden Endes der Reise an seine Tafel zu bitten. Das Essen hatte nicht sonderlich gut gemundet, was aber kein Wunder war, immerhin lagen über siebzig Seetage hinter der *Boisterous,* eine Zeitspanne, in der selbst die üppigsten Vorräte sich irgendwann erschöpften und karge Kost Einzug hielt.

»Du bist wunderschön. Ich habe mich den ganzen Abend nicht satt sehen können an deinem Anblick.«

Sie lachte und legte den Zeigefinger in sein Grübchen. »Ich habe es gemerkt. Und Coolidge und der Magister und alle anderen auch.«

»Allmächtiger! Habe ich dich denn so angestarrt?«

Sie küsste ihn. »Das hast du. Und ich habe es als sehr angenehm empfunden. Angenehmer jedenfalls als das Pökelfleisch von Coolidge. Ich habe kaum einen Bissen hinuntergebracht, ich meine, es roch auch schon.«

»Mir ist nichts aufgefallen.« Er setzte sich auf ihre Koje.

»Das glaube ich dir. Ihr Männer habt gröbere Nasen als wir Frauen.«

»Darf ich dir beim Entkleiden zusehen?«

»Das weißt du doch.« Abermals küsste sie ihn und widmete sich dann der Arbeit des Ausziehens. Wie immer staunte er dabei über die zahllosen Häkchen, die Schnürchen, die Bändchen, die gelöst und geöffnet werden mussten, um Stück für Stück die nackte Haut preiszugeben, und wie immer wuchs die Erregung bei ihm.

Sie atmete auf, als sie sich der Korsage entledigte. »Wer als Dame gern ausgiebig speist oder herzhaft lacht, ist darin verloren. Nun ja, heute hatte ich keinen Anlass, ausgiebig zu speisen, wohl aber zu lachen. Hast du Coolidge gesehen, wie gravitätisch er das Fleisch zum Munde führte?« Sie machte die Bewegung des Kapitäns nach. »Und wie ihm ein Stückchen davon im Schnauzbart festklebte? Alle haben es gesehen, aber keiner hat es ihm sagen mögen. Ich hätte laut losprusten können, wenn dieses Ding nicht gewesen wäre.« Sie legte die Korsage in eine Truhe.

Vitus lachte. »Ja, Coolidge sah komisch aus. Je wichtiger sich einer nimmt, desto lustiger wird's.«

Sie stimmte mit ein. »Lange müssen wir seine Steifheit nicht mehr ertragen. Er sagte, dass an Backbord schon die Scillys aufgetaucht seien, ein Ende der Fahrt ist also abzusehen. Schade trotzdem, dass er nicht bis Portsmouth fährt, sondern nur bis Plymouth. Der Weg von dort nach Greenvale Castle dürfte mit der Kutsche nochmals drei oder vier Tage dauern.«

»Wir könnten auch einen Küstensegler von Plymouth direkt bis Worthing nehmen. Dann ist es nur noch ein Katzensprung zum Schloss.«

»Gott bewahre! Über zwei Monate sind wir nun schon auf dem Wasser, und ich sehne mich nach Land. Nach guter, englischer Erde.«

Wieder widmete sie sich dem Auskleiden. »Das Lästigste bei dieser Prozedur ist immer das Fischbeingestell.« Sie stieg aus der kreisrunden Konstruktion, über die man als Dame von Stand jeden Tag ein anderes Kleid zog. »Ich sehne mich nicht nach meinem schwarzen Umhang zurück, der Herrgott ist

mein Zeuge, aber ein solches Gestell war dafür nicht nötig.«
Sie schob den Apparat in die äußerste Ecke der Kabine und
wandte sich Vitus wieder zu, jetzt nur noch mit einem spitzenbesetzten Leinenhöschen bekleidet.

Seine Erregung wuchs weiter. »Jedes Mal, wenn du dich vor
mir ausziehst, ist es um mich geschehen«, sagte er, »obwohl
du es schon so oft getan hast. Wir sind schon fast wie ein altes
Ehepaar.«

»Ja, Liebster.« Ihre Augen leuchteten, als sie vor ihn hintrat
und er die Knospen ihrer Brüste streichelte.

»Wir werden in England so rasch wie möglich heiraten.«

»Ja, Liebster«, sagte sie abermals und ließ sich neben ihm nieder. »Das sollten wir. Das sollten wir wirklich.«

Er blickte ihr in die Augen, denn irgendetwas an ihrem Tonfall
hatte ihn aufhorchen lassen. »Das sagst du so seltsam. Hast du
etwas?«

»Oh nein.« Ihr Lächeln wurde wieder zu jenem Strahlen, für
das er sie so liebte. »Oh nein, es ist nur, dass ich nicht mehr
lange solche Korsagen werde tragen können.«

»Nanu? Das tut mir aber Leid.« Er begann ihre Brustspitzen
zu küssen. »Aber mir ist es egal, was du trägst, ich werde dich
immer lieben, und wenn du von heute an nur noch in einem
Jutesack herumliefst.« Er machte sich am Bund ihres Hös-
chens zu schaffen, doch sie hielt seine Hand fest, legte sie auf
ihren Bauch und sagte:

»Du Dummer, ich werde keine Korsagen mehr tragen können,
weil ich nicht mehr hineinpasse.« Sie drückte seine Hand. »Ich
bin schwanger.«

»Du bist …?« Der Mund klappte ihm auf, als säße ein Scharnier darin. Dann hatte er die ganze Tragweite des Satzes ermessen. »Du bist schwanger? Wirklich?«

»Ja, ich bin ganz sicher.«

»Hurraaaaa!« Er riss sie an sich, bedeckte sie mit Küssen, ließ
von ihr ab, küsste sie wieder, während die Worte nur so aus
ihm hervorsprudelten: »Das ist ja wunderbar! Oh, Liebste, ich
konnte es im ersten Moment gar nicht glauben, ich dachte, ich
höre nicht richtig! Wunderbar ist das, großartig, phantastisch!
Sag, geht es dir auch gut? Du musst dich von heute an schonen, darfst nichts mehr machen, ich werde dir alles abnehmen,

alles! Schwanger bist du, schwanger, um Gottes willen, schwanger! Wie freue ich mich! Was werden die anderen nur dazu sagen, na, die erfahren's noch früh genug. Dein Bauch, dein Bauch, dein süßer Bauch! Aber er ist ja noch gar nicht rund? Man sieht ja noch gar nichts? Ach, ich rede Unsinn, man kann ja noch gar nichts sehen, wir sind ja noch keine drei Monate auf See, keine drei Monate. Oh, Liebste, oh, Liebste …«

Sanft, aber nachdrücklich hielt Arlette ihm den Mund zu. »Es wird ein ganz normales Kind sein, und es wird im Februar nächsten Jahres geboren werden.«

»Ja, im Februar, wunderbar!« Er küsste sie, diesmal behutsamer, während er mit äußerster Vorsicht ihren Bauch streichelte. Dann stutzte er. »Aber das hieße, dass du schon im vierten Monat schwanger bist?«

»Das bin ich doch auch.«

»Aber … man sieht doch noch gar nichts?«

Sie lachte. »Es ist nicht ungewöhnlich, dass man zu diesem Zeitpunkt noch nichts sieht.«

»Ja, natürlich. Natürlich. Aber das hieße auch, dass wir das Kind, ich meine, dass ich das Kind schon vor unserer Seereise gezeugt habe, und ich wüsste ehrlich gesagt nicht, wann das geschehen sein sollte.«

»Oh, Liebster, natürlich weißt du das.«

»Ja?«

»Ja. Es passierte in der Nacht im Escargot.«

Das rote Schild mit der Aufschrift POLLY'S WHARF rückte näher. Vitus wies mit dem Arm darauf und sagte: »Da vorn ist es schon, Kutscher. Halte dort bitte.«

Der Mann auf dem Bock, ein brummiger Alter mit gebeugtem Rücken, nuschelte etwas in seinen eisgrauen Bart, gehorchte aber.

»Liebste, du musst ganz vorsichtig sein. Warte, ich helfe dir.« Vitus' kräftige Hände umspannten Arlettes immer noch schlanke Taille, und mit behutsamem Schwung setzte er sie auf dem Boden ab. Als er sah, wie Arlette den Abfall und Unrat musterte, der wie überall auch hier die Gasse bedeckte, sagte er entschuldigend: »Es ist nicht die sauberste Gegend, aber ich bin sicher, dass wir gastliche Aufnahme finden werden.«

Bei seinen letzten Worten hatte ein lautstarkes Gepolter eingesetzt, unterbrochen von kräftigem Gebrüll. Plötzlich wurde
die Tür der Herberge aufgestoßen, und ein Körper flog ihnen,
einer Kanonenkugel gleich, entgegen. Der Mann landete in
der Straßenrinne, wo er stöhnend und schimpfend liegen
blieb.

»So gastlich scheint mir das Haus nicht zu sein«, meinte Arlette trocken. Sie zog die Fingerlinge ihrer Handschuhe glatt
und musterte das rote Schild.

»Das haben wir gleich, Liebste. He, Magister, sag dem Kutscher, dass er uns gerne beim Abladen helfen darf. Vorher gibt
es keine Entlohnung.« Vitus ging zur Herbergstür und drückte sie vorsichtig auf. Doch ehe er sie ganz öffnen konnte, erklang von drinnen eine starke Stimme:

»Amos Potter, du alte Saufnase, wenn du es wagst, noch einmal hier hereinzukommen, dreh ich dir den Hals um, so wahr
ich Polyhymnia heiße. Geh deiner Wege.«

Vitus musste grinsen, während er vorsichtig die Tür weiter öffnete. Er tat einen Schritt in die Herberge – und nahm den
Kopf sofort wieder zurück. Ein hölzerner Humpen hatte ihn
um Haaresbreite verfehlt und schlug nun gegen die Wand.

»Amos Potter, du ... du ... du, Gabriel? Ja, da brat mir doch
einer 'nen Storch!« Polly hatte schon einen zweiten Humpen
in der Hand, setzte diesen nun aber krachend wieder ab. »Ich
werd verrückt! Gabriel!« Sie stürzte auf Vitus zu. »Mensch,
Gabriel, ich hätte nie geglaubt, dich noch mal lebend wiederzusehen.« Ohne darüber nachzudenken, küsste sie ihn geräuschvoll auf beide Wangen. »Bist du allein?«

Als Antwort schob sich der kleine Gelehrte grinsend durch die
Tür. »Nein, Barnabas ist auch da.«

»Bei unserer Jungfräulichen Königin, die der Allmächtige be-
hüten möge! Der Magister! Und da kommt auch noch die
wandelnde Kriegskasse!« Polly schlug dem Winzling auf die
Schulter, dass er in die Knie ging. »Ich muss euch Burschen
wohl nicht sagen, wie ich mich freue, euch gesund und munter
hier reinschneien zu sehen, und ... und ... ooohhhhh!«

»Und das ist meine Braut Arlette«, stellte Vitus vor.

Arlette stand in der Tür, schön wie ein Engel. »Guten Tag,
Polly«, sagte sie, »ich freue mich, dich kennen zu lernen.«

»Ooohhhhh«, war noch immer das Einzige, was die Wirtin herausbrachte. Dann fasste sie sich und verfiel in einen tiefen Hofknicks, was, angesichts ihrer Männerhosen, einigermaßen komisch aussah. »Lady Arlette, es ist mir eine große, äh … Ehre, Euch in meinem bescheidenen Haus, äh …«

»Sag einfach, dass ich willkommen bin«, lächelte Arlette, »und sag Arlette zu mir. Vitus' Freunde sind auch die meinen.«

»Will… willkommen, Arlette«, stotterte Polly, die sonst alles andere als auf den Mund gefallen war. »Bitte, nehmt Platz!« Sie zerrte eine Bank heran, an deren anderem Ende noch zwei Zecher saßen. »He, Will, he, Jock, für heute ist Schluss, bewegt eure Är…, äh … hoch mit euch, kommt morgen wieder.« Sie stemmte die Arme in die Hüften. »Herrschaften, das gilt für alle! Der Laden ist geschlossen, Privatgesellschaft!«

Maulend zogen die Zecher von dannen. Polly sperrte hinter ihnen die Tür ab und schrie: »Sue, bring Wein, den guten, du weißt schon, den samtigen Bordeaux!«

Sue, die ihren Auftrag in der Küchentür entgegengenommen hatte, knickste und verschwand.

»Das hätten wir schon mal. Nun setzt euch, ja, du auch, Enano. Wie ich dich kenne, hast du heute nur Luftklöße und Windsuppe geschnappt, stimmt's?«

»Wui, wui, Frau Zapfhenne.«

»Ahhh, da kommt der Wein ja schon. Danke, Sue, stell die Becher vor uns hin. Ja, ich trinke auch einen, guck nicht so blöd. Lady Arlette bekommt zuerst, dummes Ding! Und dann sieh nach, was wir auf den Tisch bringen können. Ann soll mit dem Holzhacken aufhören, das hat Zeit bis morgen. Lass dir von ihr helfen. Ist noch von der frischen Lauchsuppe da? Gut. Bring die zuerst.«

Sich an Arlette wendend, fragte sie: »Es ist Euch doch recht, wenn wir mit einer frischen Suppe beginnen?«

»Aber ja, liebe Polly.« Arlette saß auf der groben Holzbank, als hätte sie nie woanders gesessen. »Eine Lauchsuppe ist genau das, was ich mir auf der langen Seereise immer gewünscht habe. Wundervoll! Wenn ich nur an das grässliche Pökelfleisch denke, das uns in den letzten Wochen aufgetischt wurde …«

»Pökelfleisch? Pfui Teufel!« Polly schnitt eine abfällige Grimasse. »Ich habe ein Stück frische Schweineschulter, das lasse ich für Euch kochen, anschließend wird es klein geschnitten und gebraten. Dazu gibt es Äpfel vom Markt, gewürfelt und in Schmalz gesotten, verfeinert mit Rosinen und zerstoßenem Ingwer ... Sue! He, Suuue! Haben wir noch von dem arabischen Ingwer? Gut, gut. Wie findet Ihr das Rezept, Arlette?«

Wie sich herausstellte, kannte Arlette das Rezept nicht, fand die Zutaten aber sehr vielversprechend. Dasselbe sagte sie zum dritten und letzten Gang, für den Polly Salbeitorte vorgesehen hatte. Es handelte sich dabei um eine Köstlichkeit, bei der ein Dutzend Eier verquirlt und mit zwei Bechern Mehl, zwei Bechern gemahlenen Mandeln und einem Löffel gemahlenem Salbei zu einem Teig verknetet wurde. Der Teig kam anschließend in eine mit Schmalz ausgeriebene Form und wurde eine halbe Stunde lang ausgebacken.

»Mir läuft das Wasser im Munde zusammen, Polly«, sagte Arlette und nahm einen winzigen Schluck Bordeaux. »Machst du auch manchmal gefüllte Eierkuchen mit Preiselbeersauce?«

»Nein, das Rezept kenne ich nicht.«

»Es ist ganz einfach ...«

Während die beiden Frauen über das Kochen sprachen und darüber alles andere zu vergessen schienen, brummte der Magister zu Vitus: »Von mir aus braucht die Speise gar nicht so exorbitant zu sein, Hauptsache, sie kommt bald. Wie heißt es so schön: *Malum panem tibi tenerum et siligineum fames reddet.* Schlechtes Brot wird dir der Hunger zu zartem Weizenbrot machen, oder auch: Hunger ist der beste Koch!«

Vitus schmunzelte. »Kannst es mal wieder nicht abwarten, was, altes Unkraut? Beruhige dich, da kommt schon die Suppe.«

Die Lauchsuppe war heiß, pikant und ein wahrer Genuss, zumal Polly es sich nicht hatte nehmen lassen, jedem ihrer Gäste einen eigenen Teller hinzustellen.

Nach diesem ersten Gang bat Arlette, sich ein wenig frisch machen zu dürfen, und Polly ging mit ihr ins obere Stockwerk, um ihr die vorgesehenen Zimmer zu zeigen.

Als die Frauen fort waren, seufzte der kleine Gelehrte: »Stecke zwei Frauen zusammen und lasse sie über Rezepte schwatzen, schon sind die Herren der Schöpfung Luft für sie. Immerhin, das Süppchen wusste zu munden.« Er hielt seinen Napf hoch, und Sue beeilte sich, ihn erneut zu füllen.

Vitus nahm einen Schluck Wein. »Ich bin froh, wieder im Polly's Wharf zu sein. Es ist ein bisschen so, als wäre man nach Hause gekommen. Weißt du noch, wie rührend sich Polly um uns gekümmert hat, als wir das letzte Mal hier logierten?«

»Weiß ich, weiß ich.«

»Polly ist eine gute Seele, rau und voller Kanten, gewiss, aber im Grunde ihres Herzens wohl auch einsam. Vielleicht fehlt ihr eine gute Freundin.«

»Oder ein Mann.« Der Magister hatte auch den zweiten Teller in Windeseile ausgelöffelt. »Ganz ohne uns geht es nämlich nicht. Auch wenn wir nicht kochen können. Apropos kochen können: Wann kommt eigentlich der zweite Gang?«

»Gleich, Herr Magister Nimmersatt!« Polly stand oben an der Treppe und lachte gutmütig. Sie musste den letzten Satz des kleinen Gelehrten mitbekommen haben. »Ich geh in die Küche und mache den Mädchen Beine. Arlette kommt übrigens nach, sie wechselt nur rasch die Kleidung, will sich was Bequemeres anziehen.«

»Ist gut«, brummten die Freunde einträchtig und widmeten sich ihren Weinbechern.

Als wenig später wieder alle am Tisch versammelt waren, trugen Sue und Ann das mit Apfelwürfeln übergossene Schweinefleisch auf, und Polly bemerkte, nachdem alle den ersten Bissen gekostet und gelobt hatten: »Solch Schweinernes hat Taggart, der Teufelskerl, auch immer gern bei mir gegessen. Lang, lang ist's her.« Sie seufzte. »Wisst ihr übrigens, dass er mit seiner *Falcon* heil in der Heimat angekommen ist? Es liegt wohl schon einen Monat zurück. Leider ist er direkt nach Portsmouth gesegelt, nun ja, ich kann's verstehen, hat schließlich Frau und Kind auf der Isle of Wight.«

Sie sprachen ausgiebig über den alten Korsaren und waren sich einig, dass er es verdient hatte, so reiche Schätze mit nach Hause zu bringen. Als sie bei der Salbeitorte waren, die wieder allseits gelobt wurde, erzählte Polly, dass es Gerüchte gab, Taggart plane schon wieder die nächste Reise.

»Seine arme Frau«, entfuhr es Arlette, wobei sie Vitus' Hand streichelte. »Sie hat nicht viel von ihrem Mann.«

»Das stimmt wohl.« Polly, die eine schnelle Esserin war und ihre Portion Torte schon verdrückt hatte, griff nach ihrer Pfeife. Tabak in den großen Kopf stopfend, meinte sie: »Aber es dürfte für ihn nicht leicht sein, seine *Falcon* wieder voll zu bemannen, obwohl er bei den jungen Burschen populärer denn je ist.«

»Warum das?«, fragte Vitus, von seinem Tortenstück aufblickend.

Polly ließ sich Zeit mit der Antwort. Sie ging zum Kamin, zündete sich die Pfeife mit einem Kienspan an und meinte dann mit einem Ernst, der gar nicht ihrer sonstigen Art entsprach: »Weil zurzeit die Presskommandos der Königlichen Marine besonders aktiv sind. Und dann ist da noch die Pest. Sie flackert immer wieder auf.«

Vitus nickte. »Eine Geißel Gottes. Möge der Allmächtige geben, dass sie sich bald totläuft. Es gibt viele Arzneien dagegen, vom Haarstrangziehen über purgierende Mittel, herzstärkende Sude, Techniken zum Aufstechen der Bubonen bis hin zur Anwendung von getrockneten Rosenblättern, der höchst umstrittenen Therapie eines gewissen Nostradamus.«

Polly paffte dicke Wolken. »Überall ist Unruhe, auch drüben auf dem Festland, obwohl die Pest dort gar nicht auftritt. Dafür braut sich anderes zusammen. Man sagt, es dauert nicht mehr lange, und in den Spanischen Niederlanden schließen sich die Nordprovinzen gegen die Dons zusammen. Wilhelm von Oranien heißt der Bursche, der sie einen soll.«

Arlette schüttelte sich. »Pest! Krieg! Gewalt! Gibt es denn nichts Erfreulicheres zu berichten, liebe Polly? Wir waren England so lange fern, und die Nachrichten, die Westindien erreichten, waren oftmals mehr als spärlich.«

Polly produzierte kunstvolle Rauchringe. »Ja und nein, man sagt, unsere Jungfräuliche Königin hätte sich verliebt.«

»Nanu? Und wer ist der Glückliche?« Arlette beugte sich neugierig vor. Wie alle Frauen lebte sie beim Thema Liebe auf. Mit der leichten Röte, die der Wein in ihr Gesicht gezaubert hatte, sah sie phantastisch aus.

»Der Herzog von Alençon.«

»Der Herzog von Alençon? Aber der ist doch ...«, Arlette unterbrach sich und rechnete nach, »zwanzig Jahre jünger als sie?«
»Und er ist ein Valois. Sie nennt ihn zärtlich *Frog*, weil die Franzmänner so gerne Froschschenkel essen. Man munkelt sogar, dass sie ihn heiraten will, und ein Kind will sie auch von ihm haben.« Polly wirkte auf einmal recht unglücklich. Sie dachte wie die meisten und wollte keinen Franzosen an der Seite ihrer Königin sehen – eine Meinung, die sich in nichts von der des Ersten Staatssekretärs Englands, William Cecil, unterschied.
»Na, das ist aber eine Überraschung.« Arlette, selbst gesegneten Leibes, versuchte sich in die Lage der Königin zu versetzen. »Ihre Majestät wird doch in wenigen Tagen, am 7. September, fünfundvierzig, und dann will sie noch ein Kind?«
»Ja, es ist nicht zu verstehen.« Polly klopfte die Pfeife auf einem leeren Teller aus. Entschlossen schob sie die unerfreulichen Gedanken beiseite. »Doch bis jetzt hat der Herzog nicht um ihre Hand angehalten, und vielleicht wird er es ja auch nicht tun. Kommen wir zu Angenehmerem. Was haltet Ihr davon, Arlette, ein wenig von meinem Marzipangebäck zu probieren? Ich habe es für besondere Anlässe aufgehoben.«
»Eine wundervolle Idee, obwohl ich kaum noch einen Bissen hinunterbringe.«
»Fein. So, und ihr Burschen«, wandte sie sich an die Freunde, »ihr trinkt doch sicher noch einen steifen Brandy?«
Wie nicht anders zu erwarten, fand ihr Vorschlag uneingeschränkte Zustimmung.
Später dann, als alle satt und wohl gestärkt waren, drehte die Unterhaltung sich um die kleinen Sorgen und Freuden des Alltags, und irgendwann, es ging schon auf Mitternacht zu, unterdrückte Arlette ein Gähnen und sagte: »Nehmt es mir nicht übel, aber wenn ich nicht umgehend ins Bett komme, schlafe ich hier auf der Bank ein.«
Vitus sprang auf. »Ich begleite dich, Liebste.«
»Ach, lass nur.« Sie küsste ihn sanft. »Ihr Männer wollt sicher noch ein bisschen reden.« Und zu Polly: »Es war ein wundervoller, harmonischer Abend, Polly. Es tut gut, dass es Menschen wie dich gibt.« Und ehe die Wirtin sich's versah, hatte auch sie einen Kuss bekommen.

»Ahem, ja, so.« Polly war aufs höchste verlegen, wollte sich aber nichts anmerken lassen. »Gute Nacht, Arlette … Und ihr Burschen? Noch einen Brandy?«

Der Zwerg gähnte ausgiebig und rieb sich die Äuglein. »Gramersi, nein, Frau Zapfhenne.«

»Ganz meinerseits«, pflichtete der Magister bei, »dein Brandy ist zwar aller Ehren wert, aber ich habe ein Gefühl, als hätte ich Blei in den Knochen. Werde mich ebenfalls aufs Ohr legen.«

Kurz darauf waren nur noch Polly und Vitus in der Schankstube, denn auch Sue und Ann, die beiden Küchenmägde, hatten sich zur Ruhe begeben. Polly stopfte sich die nächste Pfeife. Sie tat es gründlich und mit geübten Fingern, und als sie den würzigen Tabak in Brand gesetzt hatte, sagte sie: »Danke für die Parfumkugel, Gabriel. Die war doch von dir, nicht wahr?«

»Ja, Polly, die war von mir.«

»Hm. Es ist alles so gekommen, wie ich's dir gesagt habe, stimmt's?«

»Stimmt.«

»Du hast Arlette gefunden, und sie vergöttert dich, das sieht ein Blinder mit dem Krückstock.«

»Ja, sie liebt mich. Und ich liebe sie. Ich kann dir gar nicht sagen, wie sehr.«

»Das brauchst du auch nicht.« Polly erhob sich, grub die Finger in Vitus' Arm und sagte: »Du bist ein Glückspilz, Gabriel, ein verdammter Glückspilz.«

Dann ging sie.

Polly stand vor ihrer Herberge, Trauer in den Augen und ein wohl verschnürtes, mit einer Schleife versehenes Päckchen in der Hand. Neben ihr hatten sich Sue und Ann aufgebaut, deren Gesichtern man ansah, dass auch sie ungern von Vitus und den Seinen Abschied nahmen. Die Freunde hatten bereits in einer geschlossenen Kutsche Platz genommen, und Jack, der Fahrer, knallte ungeduldig mit der Peitsche.

»He, Jack, du fährst los, wenn ich's dir sage, und keinen Deut früher«, herrschte Polly den Mann auf dem Bock an.

Jack kam aus der Nachbarschaft, galt als zuverlässig und hatte sich erboten, die Freunde zu einem anständigen Preis nach

Greenvale Castle zu kutschieren. »Mach nich so'n Wind, Polly«, antwortete er, aber er sagte es so leise, dass niemand es hörte. Sein Repekt vor der Wirtin war groß.

Polly stellte sich auf die Zehenspitzen und reichte das Päckchen in den Wagen hinein. »Hier, Arlette, das ist für Euch, damit Ihr mich nicht vergesst.«

»Oh, danke, liebe Polly! Was ist denn darin?«

»Wird nicht verraten. Ihr dürft es erst am Sonntag öffnen, am Geburtstag der Königin.«

Arlette, die Geschenke über alles liebte, machte ein enttäuschtes Gesicht. »Aber das sind ja noch vier Tage. Ich weiß nicht, ob ich es so lange aushalten kann.«

Polly lachte. »Ihr könnt es bestimmt. Ihr erlaubt doch ...?« Sie küsste Arlette auf beide Wangen, und weil sie einmal dabei war, machte sie bei Vitus, dem Magister und dem Zwerg gleich weiter. »Lebt wohl, und lasst mal von euch hören.«

»Leb wohl, Polly, *goodbye,* Sue, *adiós,* Ann, auf Wiedersehen, *farewell, farewell* ...«

Polly schlug einem der beiden Gäule kräftig auf die Hinterhand. »So, Jack, ab durch die Mitte, spätestens nächste Woche will ich dich hier wiedersehen. Und wehe, du hast deine Fuhre nicht ordentlich abgeliefert!«

Jack grinste über alle Pockennarben seines Gesichts und ließ die Peitsche knallen. Langsam setzte das Gefährt sich in Bewegung.

Polly, Sue und Ann winkten noch lange hinterher.

Jack erwies sich als umsichtiger Fahrer, der nicht nur sein Handwerk verstand, sondern auch die Strecke wie seine eigene Tasche kannte. Am ersten Tag fuhren sie bis Exeter, wo sie gegen Mittag eintrafen und kurz rasteten. Dann ging es weiter, bei herrlichem Spätsommerwetter, durch Wiesen, Weiden und abgeerntete Felder. Die Luft war frisch und roch nach Meer, denn sie fuhren stets nah an der Küste. Spät am Abend trafen sie in Charmouth am Kanal ein, wo sie eine einfache, aber leidlich saubere Unterkunft fanden. Vitus, der sehr besorgt wegen Arlettes Zustand war, fragte sie: »Und du bist sicher, Liebste, dass die Schaukelei dem Kind nicht geschadet hat?«

Sie legte den Zeigefinger in sein Grübchen und antwortete:

»Ja, Liebster. So sicher wie bei den anderen hundert Malen, die du mich schon gefragt hast.«

»Verzeih, ich bin einfach in Sorge. Das Gerumpel kann doch nicht gut sein für unser Kind.«

Sie lachte. »Unser Kind liegt warm und sicher in einer gut gepolsterten Hülle. Du als Arzt müsstest das eigentlich wissen.«

»Natürlich, natürlich. Ich weiß das alles. Aber ... wie soll ich sagen? Bei dem eigenen Kind ist alles irgendwie anders.«

»Ich liebe dich«, flüsterte sie.

»Ich liebe dich auch. Mehr als mein Leben.«

Am zweiten Tag brachen sie schon im Morgengrauen auf, wandten sich von der Küste ab und lenkten die Pferde in Richtung Dorchester, dem antiken Durnovaria, wo schon die Römer gesiedelt hatten. Sie aßen gut und tranken von dem würzigen Ale, für das die Stadt berühmt war. Bevor sie weiterfuhren, beauftragte Vitus einen Boten, nach Greenvale Castle vorauszureiten und ihr Eintreffen für den Sonnabend anzukündigen.

Dann gönnten sie sich einen kurzen Mittagsschlaf, bevor sie erneut anspannten. Sie fuhren weiter, weiter und immer weiter, bis sie am Abend erschöpft in Bournemouth an der Poole Bay eintrafen. Hier nahmen sie Quartier in einem Gasthaus, das sich The Oxbow nannte. Der Wirt, ein ehemaliger Koch der Marine, ließ es sich nicht nehmen, ihnen eigens einen saftigen Rinderbraten auf Zwiebeln zu schmoren, eine Köstlichkeit, der sie aber nur in geringem Maße zusprachen, denn alle waren vor Müdigkeit wie gelähmt.

Der dritte Reisetag führte sie durch die große Hafenstadt Southampton, eine Metropole, in der das Leben pulsierte. Sie passierten die alte normannische Stadtmauer, ließen King John's Palace links liegen und machten, dass sie weiterkamen, denn die Stadt wirkte wenig einladend. Sie wandten sich südwärts, nach Portsmouth zu, wo sie am Nachmittag eintrafen. Sie waren froh über die zeitige Ankunft, denn sie glaubten, sich dadurch in Ruhe eine Bleibe für die Nacht suchen zu können.

Doch sie hatten sich getäuscht. Überall, wo sie es versuchten, wies man ihnen die Tür. Es schien, als hätten alle Reisenden

Südenglands sich in Portsmouth einquartiert. »Am liebsten würde ich mich hinüber zur Isle of Wight schiffen lassen«, murrte der kleine Gelehrte. »Wenn ich mich nicht irre, hat Taggart in der Nähe von Cowes ein Landgut. Dort könnten wir Unterschlupf finden.«

»Ein verlockender Gedanke«, bestätigte Vitus. »Er hat nur einen Haken: Um zum Eiland hinüberzukommen, brauchst du eine Fähre, und heute geht keine mehr.«

Der Magister winkte müde ab. Doch dann erblickten seine Augen verschwommen einen größeren Platz, wo emsiges Treiben herrschte. »Was machen die Leute da?«

»Sie scheinen Gerüste und Stände und dergleichen zu zimmern. Ich nehme an, anlässlich des Geburtstags unserer Königin.«

Arlette beugte sich aus der Kutsche. »Ich frage mal den jungen Mann da mit der Säge, vielleicht weiß er eine Herberge. Hallo, mein Freund, weißt du, wo wir für die Nacht eine Bleibe finden können? Wir haben schon überall gefragt, aber immer vergebens.«

»Tja, hm, Madam.« Der Jüngling legte umständlich sein Werkzeug beiseite, vielleicht um dadurch Zeit zum Überlegen zu gewinnen. »Da fällt mir auch nix ein …«

»Nun, trotzdem vielen Dank.« Arlette wollte sich schon zurücklehnen, als der Bursche weitersprach:

»Nur das Golden Galley. Die ham immer was, weil's da nich grad sauber is.«

Arlette und die Freunde blickten sich fragend an. Dann nickte Vitus. »Ehe wir gar nichts kriegen, nehmen wir das. He, mein Freund, kannst du uns auch sagen, wie wir zum Golden Galley kommen?«

»Kannich, Sir. Ihr fahrt den Spithead runter, immer nach Süden längs, bis die Königliche Werft kommt. Ihr seht's an den vielen Masten, wenn Ihr da seid. Gleich daneben is es. Is ne Galionsfigur über der Tür, könnt's nich verfehlen.«

»Danke.« Vitus gab dem Burschen eine kleine Münze.

Sie hielten sich an die Anweisungen und gelangten nach kurzer Zeit glücklich bis zum genannten Punkt. Das Golden Galley hatte, wie sich herausstellte, nicht nur eine Fassade, die keineswegs aus Gold war, auch der Rest der Herberge hielt nicht das, was der Name versprach. »Ziemlich heruntergekommen, der Laden«, meinte der Magister, als er aus der Kutsche kletterte. »Aber in der Not frisst der Teufel Fliegen. Autsch! Was war das? Da ist mir was über die Füße gelaufen.«

»Wui, 's war 'n Knagerling, vielleicht auch 'n Spitzerling«, fistelte der Zwerg und meinte damit eine Ratte oder eine Maus.

»Das kann ja heiter werden.«

»Lasst uns erst einmal hineingehen«, entschied Vitus.

Auch drinnen wirkte das Golden Galley alles andere als heimelig. Schmutzige Tische, Essenabfälle auf dem Boden und überall Staub und Spinnweben, so präsentierte sich der Schankraum. Die Formulierung des Burschen mit der Säge, im Golden Galley sei es »nich grad sauber« erwies sich als weit untertrieben. Arlette runzelte die Stirn, dann verkündete sie tapfer: »Es hilft nichts, wenn wir hier Zimmer bekommen, müssen wir sie nehmen. Es ist ja nur für eine Nacht. Morgen sind wir auf Greenvale Castle, dann ist alles vergessen.«

»Du hast Recht, Liebste. Ich kümmere mich um die Zimmer. Sieh mal, da hinten im Küchenraum, das ist bestimmt der Wirt. Ich gehe mal hin.«

Zwei Stunden später lagen alle in ihren Kammern, und es war gut, dass sie auch an diesem Abend wieder rechtschaffen müde waren, denn dadurch ließen sich Schmutz und Liederlichkeit der Räume gleichmütiger ertragen. Vitus und Arlette ruhten eng umschlungen auf einem Strohsack, eine Flickendecke um ihre Körper gehüllt. »Wenigstens ist es nicht kalt«, murmelte Arlette und legte ihren Zeigefinger in sein Grübchen.

»Nein, ich wärme dich. Das ist das wenigste, was ich machen kann.«

»Ich beklage mich ja gar nicht.«

»Nein, das tust du nicht. Du bist sehr tapfer, und ich liebe dich.«

»Ich dich auch. Wenn ich nur sicher sein könnte, dass hier keine Flöhe oder Wanzen herumspringen. Du weißt ja, dass ich genauso im Kerker war wie du, und ich bin einiges gewohnt, aber wenn ich etwas nicht ausstehen kann, dann sind es Flöhe und Wanzen.«

Er versuchte einen Scherz: »Ich werde alle Flöhe und Wanzen zum Duell fordern und sie eigenhändig mit dem Schwert

erschlagen, sollten sie es wagen, in deine Nähe zu kommen.«
Sie lachte leise. »Du bist mein starker Recke, ich hoffe, sie haben deine Drohung gehört.«

»Worauf du dich verlassen kannst.« Er küsste sie zärtlich und bettete ihren Kopf in seine Halsbeuge, denn es hatte sich gezeigt, dass sie in dieser Stellung am besten einschlafen konnten. »Ich liebe dich, Gott schütze dich.«

»Ich liebe dich auch …« Sie schlief schon halb. »Aber das weißt du ja …«

Am anderen Morgen beim Ankleiden bemerkte Arlette winzige rote Punkte an ihren Fesseln, juckende Stellen, die ganz nach Flohbissen aussahen. »Nun guck dir das an, die Viecher haben mich doch überfallen!«

Vitus eilte zu ihr und betrachtete die Punkte. »Es sind tatsächlich Flohbisse. Ich als dein Ritter habe versagt, bitte vergib mir.« Er guckte so komisch verzweifelt, dass sie lachen musste: »Ach was, ein paar Bisse bringen mich nicht um. Aber jucken tut es. Je mehr man an den Stichen reibt, desto schlimmer wird es.«

»Warte, Liebste, vielleicht haben wir Glück!« Er verschwand mit Riesensätzen aus dem Raum und war kurz darauf zurück, strahlend eine grüne Pflanze in der Hand schwenkend. »Farnkraut! Einfaches Farnkraut, wie es überall wächst. Ich werde es auf den Stellen verreiben, und du wirst sehen, dass der Juckreiz im Nu wie fortgeblasen ist.«

Er behielt Recht. Und als Arlette später nach einem kärglichen Morgenmahl in die Kutsche stieg, war der kleine Zwischenfall längst vergessen.

Auch an diesem Tag meinte das Wetter es gut mit ihnen. Die Sonne schien warm von einem Himmel herab, dessen Blau nur dann und wann von ein paar Wolken unterbrochen wurde. Bauern auf den Feldern winkten ihnen zu, und in ihrer Vorfreude auf die baldige Ankunft begannen sie zu singen, wobei der Magister einige spanische Weisen vortrug und der Zwerg mit einem Ländler aus dem Askunesischen aufwartete. Auch Arlette konnte ein Lied beisteuern, es war eine traurige Melodie, welche die scharzen Sklaven während der Feldarbeit auf Roanoke Island gesungen hatten. Und als die Reihe an Vitus war, hob der lachend die Schultern und sagte: »Ich könnte höchstens mit einem Gregorianischen Gesang dienen, aber das dürfte wohl kaum angemessen sein.«

Die heftigen Proteste der anderen wehrte er ab, indem er weit den Arm aus der Kutsche streckte. »Seht mal, da im Süden taucht ein Kirchturm auf. Er gehört zur Kathedrale Holy Trinity in Chichester. Er ist als einziger in ganz England so hoch, dass man ihn sogar vom Meer aus sehen kann und ...«

»Das ist weiß Gott bekannt«, schnitt ihm der kleine Gelehrte das Wort ab. »Schließlich habe auch ich schon eine Weile hier in der Gegend gewohnt. Und zwar mit dir und Enano auf Greenvale Castle, falls du das vergessen haben solltest.«

»Wui, wui, so isses.«

»Ach, Greenvale Castle«, seufzte Arlette, »ich kann es kaum erwarten anzukommen!«

Aber es dauerte noch geraume Zeit, bis sie das Ufer des Adur erreichten, von wo aus es nur wenige Meilen bis zum Schloss waren. Unterdessen hatte die Dunkelheit eingesetzt, und die Freunde fragten sich, ob zu so später Stunde überhaupt noch jemand von den Bediensteten auf den Beinen war.

»Da sind sie! Das müssen sie sein! Sie kommen!«, schrie plötzlich jemand neben ihrer Kutsche. »Sie sind es tatsächlich! Lauf voraus, Wat, und sag Bescheid!« Eilige Schritte entfernten sich, während die Kutsche im Bogen durch das kleine Wäldchen fuhr, das den Blick auf Greenvale Castle verdeckte.

»Ich glaube, das war die Stimme von Keith«, vermutete Vitus, »vielleicht sind doch noch nicht alle schlafen gegangen und ... großer Gott!« Vor der Freitreppe des Schlosses erstrahlte ein einziges Lichtermeer. Diener, Knechte, Mägde, Gärtner, alle dienstbaren Geister des Hauses standen da, hielten Kerzen, Laternen oder Windlichter in der Hand, in den Bäumen hingen Lampions, und sämtliche Fenster des alten Baus waren hell erleuchtet. Wie auf Kommando sprach das ganze Gesinde mit einer Stimme: »*Welcome to Greenvale Castle, Lady Arlette, welcome, Mylord!*«

»Ich bin überwältigt«, flüsterte Arlette mit Tränen in den Augen, doch blieb ihr keine Zeit, sich zu besinnen, denn schon wurde die Tür der Kutsche von außen aufgerissen, und hilfreiche Hände streckten sich ihr entgegen. »Oh, Hartford?«

»Jawohl, Mylady. Zu Euren Diensten.« Hartfords Gesicht, sonst stets leicht blasiert wirkend, strahlte mit den Lichtern um die Wette.

»Danke, Hartford.« Mit einem graziösen Schritt betrat Arlette den angestammten Boden ihrer Familie. Vitus folgte ihr auf dem Fuße. Danach kletterten der Magister und der Zwerg aus der Kutsche. Lichter und Kerzen waren inzwischen auf der Treppe abgesetzt worden, und jeder, der freie Hände hatte, klatschte. Einzelne Rufe wurden laut, Lachen erscholl, die Spannung, unter der alle gestanden hatten, lockerte sich zusehends. Vitus trat vor die Wartenden hin und musterte die vertrauten Gesichter: Da stand Keith mit den abstehenden Ohren, dessen stolzes Grinsen signalisierte, dass er es tatsächlich gewesen war, der ihre Ankunft gemeldet hatte. Daneben Wat, ebenfalls grienend, dann die Mägde der Küche, darunter die schneckenlangsame Mary und die hilfsbereite Marth, sodann Mrs Melrose, die ihren unwirschen Gesichtsausdruck ausnahmsweise einmal gegen einen freundlichen Blick ausgetauscht hatte, und die vielen, vielen anderen. Und Catfield. Er trat aus ihrer Mitte hervor, mit einer Miene, die dem freudigen Anlass kaum entsprach. Er verbeugte sich kurz und sagte mit großem Ernst:

»Auch ich entbiete Euch meinen Willkommensgruß. Ohne auf die Einzelheiten einzugehen, darf ich Euch versichern, dass sowohl im Schloss als auch im Gutsbereich alles zur Zufriedenheit läuft. Ich hoffe, Ihr hattet eine angenehme Reise und …« Er brach unvermittelt ab und schaute verlegen auf Arlette, die sich neben Vitus gestellt hatte.

Vitus fiel ein, dass es das erste Mal war, dass Arlette und Catfield einander gegenüberstanden, seit der Verwalter sich ihr an Bord der *Phoenix* unsittlich genähert hatte. In der Tat war es so gewesen, dass er ihr nur einen Kuss hatte rauben wollen, aber die Situation hatte so gefährlich ausgesehen, dass Vitus auf ihn losgestürzt war und ihm die Nase eingeschlagen hatte. In gewisser Weise musste Vitus ihm für seine Tat sogar dankbar sein, denn nur dadurch hatte er Arlette näher kennen gelernt.

»Guten Abend, Catfield.« Mit ihrem Lächeln, dem keiner widerstehen konnte, ging Arlette auf den Verwalter zu und bot ihm die Hand. »Ich bin froh, dass Ihr während unserer Abwesenheit so gute Arbeit geleistet habt.«

»Guten Abend, Mylady. Danke, Mylady. Nicht der Rede wert, Mylady.« Catfields Stimme klang wie zugeschnürt, während er zögernd ihre Hand ergriff und einen Handkuss andeutete. »Ich habe bei Mrs Melrose veranlasst, dass eine leichte Abendmahlzeit bereitsteht. Der Tisch im Grünen Salon ist bereits eingedeckt.«

»Ihr müsst Gedanken lesen können«, strahlte Arlette, die seine Unsicherheit nicht im Mindesten zu bemerken schien, »ein kleiner Imbiss wäre jetzt genau das Richtige. Bitte sorgt aber auch dafür, dass der Kutscher etwas zu essen bekommt.«

»Das ist kein Problem. Wie Mrs Melrose mir vorhin versicherte, hat sie noch eine Fleischsuppe auf dem Feuer.« Catfield gewann langsam seine Fassung wieder. Er wandte sich an die Umstehenden. »Und ihr, Leute, geht jetzt ins Bett oder an die Arbeit, je nachdem. He, Wat, schnapp dir ein paar Kerle, die sich um das Gepäck kümmern, Keith, spann die Pferde aus, und Ihr, Mrs Melrose, seid so gütig und gebt dem Kutscher in der Küche etwas zu beißen. So, das hätten wir. Gestattet Ihr, dass ich vorangehe, Mylady?«

»Ich gestatte es«, lächelte Arlette, die sich bei Vitus eingehakt hatte.

Mit federnden Schritten eilte Catfield die Stufen der Freitreppe empor. Vor dem Grünen Salon angekommen, winkte er Hartford heran: »Du, Hartford, wirst bei Tisch aufwarten, und zwar mit einem freundlichen Gesicht, wenn ich bitten darf, auch wenn du mit dem Servieren nicht mehr so in Übung bist, seit du mir bei der Verwaltung assistierst.« Er verbeugte sich vor Arlette und Vitus und sagte: »Wendet Euch getrost mit allen Wünschen an Hartford. Und nun erlaubt, dass ich mich zurückziehe. Auf mich wartet noch einige Schreibtischarbeit. Gute Nacht, Mylady, gute Nacht, Mylord.«

»Gute Nacht, Catfield.« Vitus musste sich zusammennehmen, um nicht zu stottern, denn zum ersten Mal hatte der Verwalter ihn »Mylord« genannt. Offenbar war es für ihn – und wohl auch für alle anderen – beschlossene Sache, ihn künftig so zu nennen. Und wenn man bedachte, dass er, Vitus, der einzige

noch lebende männliche Collincourt war, so stand dieser Anrede wohl nichts im Wege.

Dennoch: Es war ein seltsames Gefühl. Und er musste sich erst
noch daran gewöhnen.

Den Sonntagvormittag nutzten Vitus, Arlette, der Magister
und der Zwerg zum Kirchgang, wozu sie eigens nach Worthing fuhren. Der Magister, der zunächst nicht mit von der
Partie sein wollte, da er katholischen Glaubens war, hatte sich
schließlich anders entschlossen und verkündet: »Wenn der
Pfarrer zu einem anderen Gott betet als ich, möge er es mir sagen. Wenn nicht, will ich gerne seinen Segen empfangen.«

Doch wie sich zeigte, erflehte der Gottesmann nicht nur den
Segen für die Gemeinde, und damit auch für den Magister,
sondern ganz besonders für Ihre Majestät Königin Elisabeth I.
von England, denn man schrieb den 7. September, den Tag also, an dem sie geboren worden war.

Anschließend lenkten sie nach Greenvale Castle zurück und
sprachen ein stilles Gebet in der Familiengruft unter der
Schlosskapelle, wo der alte Lord seine letzte Ruhe gefunden
hatte.

Der Nachmittag brachte ungleich fröhlichere Stunden, denn
allerorten fanden Festlichkeiten zum Geburtstag der Königin
statt, und auch auf Greenvale Castle erschienen Gaukler, Jon-
gleure, Schwertschlucker, Rezitatoren und andere Spielleute.
Die große Wiese, zwischen Gutshof und Schloss gelegen, war
Schauplatz der Darbietungen, und man hatte lange Tische in
U-Form aufbauen lassen, an denen das Gesinde saß, sich an
Speis und Trank labte und an den Künsten der Auftretenden
ergötzte.

Auch für Vitus, Arlette und die Freunde war ein Tisch aufgebaut
worden. An ihm hatte, zu seiner Freude und Ehre, Catfield
ebenfalls Platz nehmen dürfen. Neben ihm saß der alte Dorfarzt
Doktor Burns und an seiner Seite der Reverend von Worthing,
ein Mann namens Pound, dessen Beleibtheit Zeugnis dafür ablegte, dass er den Freuden der Tafel sehr zugetan war.

Nach einiger Zeit gesellte sich der Runde ein fröhliches brü-
nettes Mädchen hinzu, das Catfield ständig schöne Augen
machte und das ganz offenbar sehr verliebt in ihn war.

»Mit wem habe ich das Vergnügen?«, fragte Arlette.

»Oh, verzeiht, dass ich sie Euch nicht gleich vorgestellt habe!« Catfield sprang auf und bedeutete seiner Angebeteten, sich gleichfalls zu erheben. »Ich darf Euch Anne Evans vorstellen.« Während Anne einen züchtigen Knicks machte, fuhr er eifrig fort: »Anne ist die Tochter von Timothy Evans, dem gefallenen Kapitän der *Argonaut*. Ihr wisst sicher noch, Mylord«, wandte er sich an Vitus, »dass Kapitän Taggart mich beauftragte, die Witwe Evans aufzusuchen, um ihr eine Bankorder zu überbringen. Nun, die Witwe hat zwei Töchter, und … und …«

»Und da war es als Offizier und Gentleman natürlich Eure Pflicht, sich um die Familie zu kümmern«, half Vitus nach. »Ich weiß, dass es Euch gelungen ist, die lecke *Argonaut* noch zu einem recht guten Preis zu verkaufen.«

»Sehr richtig, Mylord, und während dieser Bemühungen habe ich Anne kennen und lieben gelernt.« Mit einer scheuen Bewegung drückte er das Mädchen an sich.

Der Magister blinzelte. »Ich bin überzeugt, Ihr habt Euch von beiden Töchtern die hübschere ausgesucht.«

Der Verwalter lächelte geschmeichelt. »Anne und ich möchten uns vermählen, Mylord, vorausgesetzt, wir haben Euer Einverständnis.«

Vitus fühlte, wie Arlette seine Hand drückte, und antwortete: »Wie kann ich Euch die Hochzeit verweigern, wo Lady Arlette und ich doch selbst in Kürze heiraten wollen.«

»Oh, Mylord, danke! Meinen ergebensten Dank! Welch wundervolle Nachricht!« Catfield ließ offen, ob er mit seinem Jubelruf Vitus' Hochzeit oder die eigene meinte. Stattdessen vergaß er seine Würde als Verwalter und küsste Anne vor aller Augen auf den Mund. »Mit Eurer Erlaubnis würden wir uns jetzt gern entfernen«, sagte er etwas übergangslos. »Drüben am anderen Ende der Wiese sind Musikanten eingetroffen, sie spielen gerade einen Jig, und Anne tanzt für ihr Leben gern …«

»Natürlich, Catfield.«

Der Magister blickte dem jungen Paar nach und schob sich ein gebratenes Kapaunbein in den Mund. »Du kannst sicher sein, Vitus, dass spätestens in einer Stunde ganz Greenvale Castle von Eurer geplanten Hochzeit weiß.« Er schob ein weiteres Stück Kapaun nach. »Und wie ich Enano kenne, der seit geraumer Zeit verschwunden ist, sitzt er bei seiner Mrs Melrose, der Quelle aller leiblichen Genüsse, was ich durchaus in des Wortes doppelter Bedeutung verstanden wissen möchte, und tratscht, was die Zunge hergibt.«

Vitus lachte. »Wir können gewiss sein, dass sich unsere sämtlichen Abenteuer, mit gewaltiger Übertreibung natürlich, binnen vierundzwanzig Stunden über das Schloss, das Gut, die Dörfer, bis hin nach Worthing herumgesprochen haben werden.«

Reverend Pound fiel dröhnend in Vitus' Lachen ein. »Ja, so sind sie, meine Schafe, immer mit dem Maul voran, doch wenn sie den Allmächtigen loben sollen, versagt ihnen die Stimme. Nun«, setzte er versöhnlich hinzu, während er eine Portion vom Spanferkel kostete, »wir sind alle Sünder im Herrn. Übrigens, die Speisen auf Greenvale Castle sind heute wieder einmal vorzüglich, ganz vorzüglich. Nicht wahr, Doktor?« Er griff nach seinem Weinpokal und spülte den Bissen hinunter.

Burns, der nur sparsam den präsentierten Genüssen zusprach, nickte. »Sie sind einer Königin und ihres Geburtstages würdig.«

»Ihr sagt es.« Der Reverend stellte sich ächzend auf die Beine. »Mit Eurer Erlaubnis, Mylord, möchte ich einen Toast auf unsere Gloriana, unsere Jungfräuliche Königin, ausbringen.« Er hob seinen Pokal und rief mit jahrelang geschulter Kanzelstimme: »Ruhe. Ich bitte um einen Augenblick Gehör! Ruheee! Das gilt auch für die Musikanten! Jeder stehe auf und erhebe seinen Becher!

> *Wir danken dem Herrn,*
> *unserem allmächtigen Schöpfer,*
> *wir preisen Jesum Christum, der gekreuzigt,*
> *gestorben und am dritten Tage auferstanden ist,*
> *und wir loben Maria, die Gebenedeite,*
> *die uns ihren eingeborenen Sohn schenkte,*
> *weil wir heute bei guter Gesundheit*
> *auf den Geburtstag unserer geliebten Herrscherin*
> *trinken dürfen.*

Pound nahm einen gewaltigen Schluck und ließ sich, noch bevor er sich wieder setzte, von einem Diener nachschenken. »Nachdem nun der Verehrung von Gott dem Herrn sowie unserer Königin Genüge getan wurde, schmeckt es doch gleich noch einmal so gut.« Er häufte sich eine weitere Portion vom Ferkel auf seinen Teller.

»Ihr seid ein starker Esser«, bemerkte der kleine Gelehrte, und in seinem Tonfall schwang fast so etwas wie Neid mit.

»Man sieht's aber auch, Herr Magister, man sieht's!« Pound schlug sich auf den Wanst und lachte schallend. »Ich sage immer: ›Spare in der Zeit, so hast du in der Not! Und esse beizeiten, so viel wie du kannst!‹ Nach sieben fetten Jahren kommen sieben magere! Hahaha!«

Arlette, die sich den Gottesmann schwerlich mager vorstellen konnte, stand auf. »Ich für meinen Teil habe genug gegessen. Ich würde gern ein wenig herumgehen und mit den Leuten sprechen. Nein, nein, behaltet Platz, Reverend, auf Greenvale Castle isst jeder so lange, bis er satt ist.«

»Ich begleite dich, Liebste.« Vitus hatte sich ebenfalls erhoben.

»Das ist lieb von dir.« Sie nahm seinen Arm.

»Ich schließe mich euch an, wenn's recht ist.« Der Magister nahm ein Mundtuch, tupfte sich die Lippen ab und folgte den beiden. Zurück am Tisch blieben der unverdrossen weiterspeisende Pound und der alte Arzt.

Die Freunde schlenderten zu einer Gruppe von Menschen, die einem Taschenspieler zusahen. Unter den Gaffern waren auch Mrs Melrose und der Zwerg. Während der Taschenspieler fortwährend Eier, Äpfel, Nüsse und anderes aus Ohren und Taschen der Zuschauer zog, hatte der Winzling sich ein eigenes Spiel ausgedacht. Er saß neben der dicken Köchin im Gras, und immer, wenn der Zauberer gerade etwas besonders Staunenswertes vollbrachte und Mrs Melrose demzufolge abgelenkt war, fuhr er mit seinem Ärmchen hinterrücks zu ihrer anderen Seite und zwickte ihr ins Gesäß.

»Autsch!« Zum wiederholten Male fuhr die dicke Köchin hoch, blickte vorwurfsvoll zur Seite, sah dort niemanden, blickte zur anderen Seite, wo der Zwerg angelegentlich die Possen des Taschenspielers bekicherte, konnte sich auf alles das keinen Reim machen und verfiel endlich auf die Idee, dass nur ein einziger Mensch für den dummen Spaß in Frage kam: »He, Bursche«, schimpfte sie, »hör auf damit, sonst wirst du Catherine Melrose kennen lernen.« Sie rieb sich die Stelle, die allmählich unangenehm schmerzte.

Der Taschenspieler kam heran und runzelte die Brauen. »Was sagst du? Ich soll aufhören? Aber ich habe doch gerade erst angefangen!« Spielerisch fuhr er ihr mit der Hand über die Nase und zog ein großes, offensichtlich schon stark benutztes Schnupftuch hervor.

Die Zuschauer lachten lauthals.

»Ist das dein Schnäuzlappen, Köchin?«

»N - nein.«

»Wui, wui, 's is ihr Wischling!«

»Ja, so ... Wenn du's unbedingt wissen willst: Er gehört mir.« Mrs Melrose riss dem Zauberer das Tuch aus der Hand und stopfte es in die Tasche ihrer Schürze. Sie hatte bis kurz vor Beginn des Festes mit ihren Mägden in der Küche geschuftet und über der Vorfreude ganz vergessen, das gute Stück abzunehmen. »Autsch!« Wieder hatte ihr jemand in den Podex gekniffen, und der Taschenspieler hatte dabei genau neben ihr gestanden! »Jetzt reicht's aber, du vermaledeiter Possenreißer!« Schnaufend kam sie hoch und stürzte sich auf den Mann, der lachend die Flucht ergriff.

Vitus drohte dem Winzling scherzhaft mit dem Finger. »Du hast der Köchin aber übel mitgespielt.«

»Wiewo? Der Bratwachtel schad das nix.«

»Na, mach, was du willst.« Vitus dachte bei sich, dass der Gnom damit gar nicht einmal so Unrecht hatte, und zog Arlette und den Magister weiter. Sie kamen zu den Musikern, die auf einem eigens hergerichteten Tanzboden standen und ihre Fideln, Lauten, Trommeln und Flöten nach Kräften bearbeiteten. Eben hatte Keith mit Marth einen Tanz beendet und wandte sich nun atemlos ab, um für sich und die Magd etwas zu trinken zu holen, da entdeckte er Vitus und rief:

»Oh, Sir, äh ... Mylord. Ich habe Euch gar nicht kommen sehen.«

»Lass dich nicht stören, Keith.«

»Danke, Mylord. Ich kann Euch sagen, dass es Odysseus gut geht, und wenn Ihr ihn mal reiten wollt ...«

»Danke, Keith, ich melde mich, wenn es so weit ist.«

»Überhaupt ist in den Stallungen alles in Ordnung. Ich habe alles so gemacht, wie es der alte Pebbles immer gehalten hat, Mylord.«

»Gut, gut. Ich wusste, dass du einen guten Stallmeister abgeben würdest.« Vitus' Blick fiel auf Marth, die sich an Keith schmiegte. In der Bewegung lag etwas Liebevolles, Vertrautes. Sollte sich hier eine zweite Hochzeit anbahnen? Nun, Keith war Manns genug, darüber zu reden, wenn die Zeit gekommen war. »Doch jetzt macht weiter, lasst euch durch uns nicht ablenken.«

Als sie sich entfernten, rief Arlette plötzlich aus: »Das hätte ich fast vergessen! Pollys Abschiedsgeschenk, das ich erst am Geburtstag der Königin öffnen sollte. Ich habe es in meiner Ankleidekammer.«

»Wir lassen es holen, Liebste.«

Arlette sah sich um und erkannte, dass sich inzwischen auch die Diener auf dem Tanzboden vergnügten, selbst der blasierte Hartford, der ihnen eigentlich zugeteilt war, befand sich darunter. »Ach nein, wir gehen selbst. Es kann nicht schaden, dem Trubel für eine Weile zu entfliehen. Außerdem«, sie blickte schelmisch, »ziemt es sich nicht, dich in aller Öffentlichkeit zu küssen, und genau das wünsche ich mir schon die ganze Zeit.«

»Deine Argumente überzeugen mich, besonders das letzte«, erwiderte Vitus lächelnd.

»Mich auch, mich auch«, beeilte der kleine Gelehrte sich zu versichern. »Lasst euch durch mich nicht abhalten, ich stiefele zurück zum Tanzboden. Irgendwer sagte vorhin, die Schwester von Catfields Braut wäre auch hier. Wenn ja, will ich sehen, ob sie eine Galliarde auf die Bretter bringt.«

Oben im Ankleidezimmer nahm Arlette das Päckchen aus ihrer Reisetasche und löste die Schleife. »Was wohl darin ist?«

»Du wolltest mich küssen.« Er trat hinter sie und legte seine Hände auf ihre Schultern.

»Gleich, Liebster, ich bin so gespannt, es gibt nichts Schöneres, als Pakete zu öffnen. Nun sieh dir das an! Es ist Marzipan-gebäck, eine ganze Schachtel voller Marzipangebäck. Komm, wir essen jeder ein Stück und denken dabei an Polly.«

»Und an die Königin.« Er nahm eines und betrachtete es. »Besonders beeindruckend ist es nicht. Das Marzipan ist schon grau geworden und ziemlich fest.« Er kostete. »Aber drinnen ist es schön weich.«

Arlette nickte. »Es ist wie Polly selbst. Raue Schale, weicher Kern. Dass sie so ist, war mir sofort klar, als ich sie das erste Mal sah. Frauen erkennen so etwas gleich.«

»Ach ja?«

»Ja. Und jetzt möchte ich dich küssen.«

Montag war der Tag, der sich beim Gesinde keiner großen Beliebtheit erfreute. Zu sehr war der Sonntag mit seinem Müßiggang noch allen im Gedächtnis. Dennoch wurde sowohl auf dem Schloss als auch auf dem Gut schon beim ersten Hahnenschrei mit der Arbeit begonnen. Etwas anderes wäre bei Catfield undenkbar gewesen.

Das Wetter war nicht mehr so schön wie an den vergangenen Tagen; die Sonne versteckte sich hinter Regenwolken, und ein böiger Wind fegte aus Nordwest heran. Vitus hatte, in warme Kleidung gehüllt, den ganzen Vormittag im Freien verbracht. An der Seite von Catfield war er über die Stoppelfelder geritten, hatte das Weideland begutachtet, auf dem Rinder und Schafe standen, hatte die Heu- und Weizenernte inspiziert, war anschließend über das weitläufige Gutsgelände geschritten, hatte dabei die Vorräte an Hack- und Hülsenfrüchten geprüft, vom Schinken in der Rauchkammer gekostet, hatte Geräteschuppen und Gutsschmiede besucht, danach die Viehunterkünfte und die großen Pferdestallungen, in denen Keith das Sagen hatte. Am Ende war er nicht umhin gekommen, Catfield und Keith, aber auch vielen anderen, ein uneingeschränktes Lob auszusprechen. Gut und Schloss waren tadellos in Schuss, die Leute, das merkte man, waren mit dem Herzen bei der Arbeit.

Catfield hatte sich über Vitus' anerkennende Worte sehr gefreut, bevor er sich, wie bei ihm üblich, zurückzog, um in seinem Kontor Schreibarbeiten zu erledigen.

Jetzt, am frühen Nachmittag, saß Vitus im Grünen Salon und nahm mit Arlette und dem Magister eine Vesper ein. Der Zwerg war nicht anwesend. Die Vermutung lag nahe, dass er sich in der Küche bei Mrs Melrose herumtrieb, dem Ort, wo man für sie eine leckere Kaninchenpastete, etwas Obst und einen Krug Ale vorbereitet hatte.

Vitus zerteilte gerade eine Birne, als Hartford erschien und einen unerwarteten Besucher anmeldete: »Es ist der Advocatus Hornstaple aus Worthing, Mylord«, sagte er mit einer leichten Verbeugung. »Ich habe ihm schon bedeutet, dass Ihr beim Mahl seid und gewiss nicht gestört werden wollt, aber er ließ sich nicht abweisen.«

Vitus tauschte einen Blick mit Arlette und dem Magister. Er hätte nicht zu sagen vermocht, warum, aber ein ungutes Gefühl beschlich ihn. »Nun, in der Tat kommt der Advocatus nicht sehr gelegen, aber wenn es denn so dringend ist, gewähre ihm Einlass.«

»Ich habe mir schon erlaubt, näher zu treten.« Hornstaple stand in der Tür, wichtigtuerisch wie eh und je.

»Was verschafft uns die Ehre Eures Besuchs?« Vitus verbarg seine Verärgerung über das unangebrachte Benehmen. Arlette, die ebenfalls Mühe hatte, ein Stirnrunzeln zu unterdrücken, meinte: »Ihr müsst gewichtige Gründe haben, Sir, uns um diese Zeit und, äh … unter diesen Umständen aufzusuchen. Nehmt immerhin Platz.«

Sie wies auf ein achtbeiniges Daybed mit Kopflehne. Es war ein Liege- und Sitzmöbel, das sowohl dem Wunsch nach Bequemlichkeit als auch der Mode entsprach, ebenso wie das Gestell, auf dem Arlette saß: Es handelte sich um ein Caquetoire, einen tragbaren Frauenstuhl mit bequemen Armlehnen, der nach vorne hin breiter wurde, um das Sitzen in weiten Frauenröcken zu ermöglichen.

»Nun, ahem«, Hornstaple ordnete umständlich seine Kleider, bevor er sich niederließ, »die Sache, um deretwillen ich hier bin, erlaubt in ihrer Dringlichkeit keinen Aufschub.« Aus seinem Umhang fingerte er mehrere Pergamentrollen hervor, die er neben sich ablegte und in aller Ruhe ordnete.

Geraume Zeit verging, nur unterbrochen vom Rascheln des Pergaments und dem Hüsteln Hornstaples. Der kleine Gelehrte blinzelte. »Wenn Eure Sache so eilbedürftig ist, Herr Kollege, warum sagt Ihr nicht geradeheraus, worum es sich handelt?«

»So einfach liegen die Dinge nicht, Sir, bei Euch in Spanien mag man schneller mit dem Wort sein«, der Advocatus gestattete sich ein Lächeln, »in England pflegen wir die Sachverhalte erst zu bedenken, bevor wir sie aussprechen.«

Vitus fragte: »Und? Habt Ihr sie bedacht?«

»Jawohl – Sir.« Der Advocatus lächelte abermals, diesmal durchaus mit hämischem Ausdruck. »Wie Ihr bemerkt habt, rede ich Euch mit ›Sir‹ an, obwohl, wie man hört, Ihr Euch schon gern mit ›Mylord‹ ansprechen lasst.«

»Ihr könnt mich anreden, wie Ihr wollt, Hornstaple, Titel – außer dem des *Cirurgicus Galeonis* – bedeuten mir nicht viel. Sagt meinetwegen ›Sir‹ oder ›Cirurgicus‹, wenn Ihr Euch dabei wohler fühlt.«

»Nun – Sir –, es geht hierbei keineswegs um mich, sondern vielmehr um die Frage, ob Ihr dem Gesetz nach ein Lord seid, denn nur ein solcher hat die entsprechenden Privilegien, und nur ein solcher darf sich mit ›Mylord‹ anreden lassen.«

»Das sind Binsenweisheiten, Hornstaple.« Vitus begann sich ernsthaft über den Mann zu ärgern. »Nach dem Tod meines Großonkels wäre Thomas Collincourt der nächste Träger der Peerswürde gewesen, aber Thomas ist tot, ermordet auf Roanoke Island, somit bin ich der letzte männliche Collincourt. Ich gebe zu, dass ein winziger Zweifel an meiner Identität seine Berechtigung hat, und so lange darf mich jeder anreden, wie er will, aber das ist reine Theorie.«

»Nun – Sir –, dass Thomas Collincourt auf Roanoke von Wilden ermordet wurde, pfeifen mittlerweile die Spatzen von den Dächern. Ich darf Euch dennoch darauf aufmerksam machen, dass Thomas Collincourt dem Gesetz nach lebt, jedenfalls noch so lange, bis er rechtmäßig für tot erklärt wurde. Und allein schon aus diesem Grund steht Euch der Titel ›Mylord‹ nicht zu – Sir.«

Vitus zuckte mit den Schultern.

»Aber selbst wenn eine diesbezügliche Urkunde ausgefertigt würde – ich wäre selbstverständlich dazu bereit, und es bedürfte nur einer beglaubigten Zeugenaussage von Lady Arlette –, selbst dann würde Euch der Titel nicht zustehen, da Ihr nicht zweifelsfrei ein Collincourt seid.« In Hornstaples Augen blitzte Genugtuung auf.

»Ich ahne, worauf Ihr hinauswollt. Aber wart Ihr es nicht selbst, der mir auf ausdrücklichen Wunsch meines Onkels diesen Ring übergeben hat?« Vitus hielt den Finger hoch, an dem er den Wappenring der Collincourts trug. »Wart Ihr es nicht, durch den mein Onkel ausrichten ließ, ich möge den Ring zu allen Zeiten tragen?«

»Sehr richtig!«, rief der kleine Gelehrte, der sich bislang mühsam zurückgehalten hatte. »Und habt Ihr nicht, Hornstaple, dadurch, dass Ihr Euch zum Überbringer des Rings machtet, stillschweigend die Familienzugehörigkeit des Vitus von Campodios anerkannt?«

»Ahem, ja.« Der Advokatus wand sich. Mit diesem Argument hatte er nicht gerechnet. »Nun, äh … Herr Kollege, ich darf Euch versichern, dass ich schon seinerzeit erhebliche Zweifel an der Familienzugehörigkeit hegte … Dies ist die eine Seite, die andere ist, dass ich einem alten Mann nicht einen seiner letzten Wünsche verweigern wollte. Meine Handlung hat nichts mit der Tatsache zu tun, dass es Zweifel an der Identität gibt. Massive Zweifel, und solange diese nicht ausgeräumt sind, ist Vitus von Campodios kein Collincourt.«

Vitus musste sich beherrschen, um nicht aufzuspringen und dem Advokaten an den Kragen zu gehen. Dass der Mann seine Zweifel vortrug, mochte noch angehen, dass er es aber mit einer so offensichtlichen Freude tat, war eine Unverschämtheit. »Was meint Ihr mit ›massiven Zweifeln‹?«

Hornstaple ließ sich Zeit mit der Antwort. Er ordnete seine Papiere, an denen nichts zu ordnen war, und versetzte endlich: »Nun – Sir –, so zweifelsfrei, wie Jean Collincourt anno 56 ein Kind erwartete, so zweifelsfrei, wie sie an Bord der *Thunderbird* von einem Knaben entbunden wurde, so zweifelsfrei, wie sie anschließend die Hafenstadt Vigo landeinwärts mit unbekanntem Ziel verließ, so hochgradig unwahrscheinlich ist es, dass es sich bei ihrem Sohn um Euch handelte – Sir.«

»Ihr vergesst das rote Damasttuch, mit dem Jean das letzte Mal gesehen wurde und in das ich gehüllt war, als man mich vor dem Kloster Campodios fand.«

»Keineswegs – Sir.«

»Und?«

Hornstaple glich jetzt einer Spinne, die ihre Beute im Netz beobachtet, bevor sie sich auf sie stürzt. »Erstens einmal ist durch nichts bewiesen, dass Jean Collincourt es war, die das rote Damasttuch mit dem Säugling vor dem Klostertor ablegte. Es kann genauso gut eine andere Frau gewesen sein, eine, die Jean das Tuch entwendete, um das eigene Kind auszusetzen. In diesem Fall – Sir – wäret Ihr kein Collincourt.«

»Das sind doch Haarspaltereien!«

»So, meint Ihr?« Die Spinne zog das Netz enger. »Ich halte diese Möglichkeit für durchaus denkbar.«

»Sie ist reine Theorie.«

»Sie ist nicht weniger Theorie als die Annahme, dass Ihr ein Collincourt seid. Selbst wenn Jean ihr Kind nach Campodios brachte, um es dort abzulegen, hätte eine andere Mutter die Säuglinge noch immer vertauschen können. Auch in diesem Fall – Sir – wäret Ihr kein Collincourt.«

»Nun ist es aber genug.« Arlettes Augen blitzten vor Zorn. »So wie Ihr kann nur ein Mann reden. Keine Mutter würde so etwas jemals tun.«

»Ihr habt Recht, Mylady, ich bin keine Frau«, versetzte Hornstaple ungerührt. »Aber ich kann logisch denken. Drittens ist es ebenso möglich, dass Jeans Kind lange tot war, bevor ihr jemand das Tuch – immerhin ein sehr auffälliges und wertvolles Tuch, bei dem man sicher sein konnte, dass es gefunden werden würde –, bevor ihr also jemand das Damasttuch entwendete und den eigenen Säugling hineinlegte. Ich muss nicht mehr erwähnen – Sir –, dass Ihr auch unter diesen Umständen kein Collincourt wärt.«

»Nein, das müsst Ihr nicht. Seid Ihr nun fertig? Dann würde ich Euch bitten zu gehen.«

»Nein – Sir –, ich bin noch nicht fertig. Noch lange nicht. Ich darf annehmen, dass Ihr Euch noch an die Testamentseröffnung nach dem Hinscheiden Eures Onkels erinnert? Die Eröffnung fand ja erst nach Klärung einiger, äh …«, Hornstaple hüstelte geziert, »Schwierigkeiten bei mir in der Kanzlei statt, und sie ergab, dass Lady Arlette weder Schloss, Gut noch Ländereien erben sollte, stattdessen eine hohe Summe Geldes, welche in einem Londoner Bankhaus hinterlegt wurde. Hier ist die entsprechende Urkunde. Ich darf sie Euch, Lady Arlette, informell, jedoch unter Zeugen, überreichen. Legt sie dem Bankhaus vor, und Ihr könnt über die erwähnten Mittel verfügen.« Hornstaple erhob sich steif und übergab Arlette das Papier.

Die nahm es, ohne es eines Blickes zu würdigen. »Seid Ihr nun fertig, Sir?«

»Nein, das bin ich nicht.« Hornstaple nahm wieder Platz. »Ich stelle vielmehr fest, Lady Arlette, dass Euch, gemäß dem Testament, Schloss, Gut und Ländereien nicht gehören. Wenn Ihr nun dennoch Euren Wohnsitz auf Greenvale Castle nehmt, so bedarf es dazu der Genehmigung des Eigentümers.«

»Aber die hat sie doch!«, entfuhr es Vitus. »Von mir!«

»Das mag sein – Sir –, doch Eure Genehmigung ist gänzlich irrelevant, da Ihr sie nicht erteilen könnt.«

»Aber ich … ich …«

»Ihr seid nicht der Eigentümer von Greenvale Castle und dem dazugehörigen Besitz«, die Spinne schlug jetzt endgültig zu, »solange nicht zweifelsfrei bewiesen ist, dass Ihr derjenige seid, für den Ihr Euch ausgebt. Und solange dies nicht geschehen ist, braucht auch Ihr eine Genehmigung des Eigentümers, um auf diesem Schloss zu leben.«

»Aha. Und wie ich Euch kenne, werdet Ihr gleich mit der Sprache herausrücken und uns verraten, wer denn nun der wirkliche Eigentümer der Erbmasse ist.« Vitus musste insgeheim zugeben, dass die Unterredung immer bedrohlicher wurde. Der Advocatus verstand seine Ansichten sehr gut vorzutragen, so gut zumindest, dass auch dem kleinen Rechtsgelehrten an seiner Seite keine Gegenargumente einfielen. Alles, was Hornstaple vorbrachte, war reine Theorie, waren Annahmen und Spitzfindigkeiten. Und dennoch: Vom logischen Standpunkt her ließ sich wenig dagegen sagen. Was blieb, war die Frage, für was oder wen Hornstaple sich so stark machte.

»Der wahre Eigentümer heißt Warwick Throat.«

»Warwick Throat? Nie gehört!« Vitus blickte Arlette fragend an, doch auch die schüttelte den Kopf.

»Genau der. Mister Throat ist ein Leinenwebergeselle aus Worthing, mittlerweile einundfünfzig Jahre alt und Vater von

Jean Collincourts Kind. Er bat mich, hier seine Interessen zu vertreten.«

Bei Hornstaples letztem Satz fuhr der kleine Gelehrte wie von der Tarantel gestochen hoch. »Ich habe wohl nicht richtig gehört? Ihr wollt die Belange von diesem, diesem Dingsda wahrnehmen?«

Ehe der Advocatus antworten konnte, setzte Vitus nach: »Wenn ich nicht irre, Hornstaple, arbeitet Ihr für mich. Es handelt sich also hier um eine Interessenkollision.«

Hornstaple setzte zum zweiten Mal zu einer Replik an, kam aber immer noch nicht zu Wort, denn der Magister sprühte Gift und Galle: »Interessenkollision ist noch viel zu milde ausgedrückt! Parteiverrat nenne ich so etwas. Parteiverrat!«

»Davon kann keine Rede sein.« Die Spinne labte sich jetzt an ihrem Opfer. »Schließlich steht keinesfalls fest, dass Vitus von Campodios ein Collincourt ist, ich sagte es bereits. Und nun frage ich Euch: Wie kann ich jemanden verraten, für den ich gar nicht arbeite? Meine Loyalität gilt den Collincourts, und wenn Ihr – Sir – keiner seid, wovon auszugehen ist, habe ich mit Euch nichts zu schaffen. Anders dagegen verhält es sich mit Warwick Throat. Er ist der Vater von Jean Collincourts Kind, mit anderen Worten also außer Lady Arlette, die mit Geld abgefunden wurde, der einzige in Frage kommende Eigentümer des Schlosses.«

Der Magister beruhigte sich nur schwer. »Und was ist mit Jean Collincourt, Herr Kollege? Sie kommt ja wohl durchaus als Erbin in Frage.«

»Richtig. Aber Jean wurde schon vor Jahren für tot erklärt. Sie scheidet also aus.«

»Hm. Woher wollt Ihr eigentlich wissen, dass dieser Warwick Throat der Vater von Jean Collincourts Kind ist? Soviel bekannt wurde, hat sie niemals den Namen des Erzeugers preisgegeben.«

»Das hat sie auch nicht. Aber es gibt Zeugen, die bestätigen können, dass sie zu der fraglichen Zeit öfter in Worthing weilte und sich mit Mister Throat traf.«

»Das kann jeder behaupten.« Die Augen des kleinen Gelehrten blitzten kampflustig. Zwar hatte die Spinne ihr Opfer nach wie vor in den Fängen, aber sie musste sich jetzt selber ihrer Haut erwehren.

»Ich behaupte es nicht nur, ich beweise es auch.« Der Advocatus griff neben sich, wo die peinlich ausgerichteten Pergamentrollen lagen. »Ich habe hier beglaubigte und gesiegelte Aussagen von Zeugen, die vor Gott und der Welt geschworen haben, dass Jean Collincourt mit Warwick Throat ein Verhältnis hatte. Wenn Ihr Einsicht nehmen wollt, bitte, bedient Euch.« Hornstaple dachte nicht daran, seinem Kollegen die Papiere zu bringen. Aber das war auch nicht nötig, denn der Magister war schon auf dem Weg. Er hielt die Schriftstücke dicht vor seine Augen, prüfte sie lange, wobei er mehrfach blinzelte, las alles bis zur letzten Zeile durch und gab sie dann zurück. Wer ihn kannte, wusste, dass Hornstaple fortan einiges zu erwarten hatte.

»Gehe ich recht in der Annahme, Herr Kollege«, der kleine Mann sprach das Wort »Kollege« wie ein Schimpfwort aus, »dass Ihr es selbst wart, der die Aussagen aufnahm und beglaubigte?«

»Allerdings. Wollt Ihr etwa meine Integrität in Zweifel ziehen?«

»Nein, oh, nein!« Der Magister setzte sich wieder neben seine Freunde. »Ich ziehe nur in Zweifel, dass Warwick Throat der Vater von Jeans Kind ist.«

»Die Dokumente sind echt.«

»Sie mögen echt sein, aber ihr Inhalt ist falsch.«

»Wie könnt Ihr das behaupten! Meine Zeugen haben alles mit angesehen: die Gespräche, das Gekicher, das verliebte Getue, die Küsse, die Umarmungen am geheimen Ort …«

»Der Mensch neigt dazu, Dinge zu sehen, die es nicht gibt, und Worte zu hören, die nie gesagt wurden.«

»Aber, aber …«

»Wer von Euren Zeugen war beim Zeugungsakt dabei?«

»Nun …«

»Also keiner. Könnt Ihr wenigstens zweifelsfrei ausschließen, dass Jean im fraglichen Zeitraum mit anderen Männern Kontakt hatte?«

»Ich muss doch sehr …« Langsam und widerstrebend löste die Spinne ihre Umklammerung.

»Haben Warwick Throat und Jean Collincourt seinerzeit geheiratet?«

»Nein, das nicht ...«

»Ich stelle also fest, dass weder eine Ehe geschlossen wurde noch ein Liebesakt unter Zeugen stattfand noch ausgeschlossen werden kann, dass Jean mit anderen Männern Kontakt hatte. Ich stelle ferner fest, dass ein nicht angeheirateter Kindesvater, sollte er denn tatsächlich der Erzeuger sein, ohnehin nicht erbberechtigt sein dürfte. Oder könnt Ihr mir einen Präzedenzfall im englischen Recht nennen, Herr Kollege? Aha, Ihr könnt es nicht. Ich dachte es mir. Nichtsdestoweniger erlaubt Ihr Euch, auf dem Boden derartig dürftiger Vermutungen den Anspruch auf ein Schloss, einen Gutshof und ausgedehnte Ländereien zu erheben.«

»Sir, ich muss ...«

»Und alles das für einen Leinenweber namens Warwick Throat! Wo ist der Bursche eigentlich? Weiß er überhaupt von seinem Glück? Am Ende gibt es ihn gar nicht? Und wenn ja, vielleicht steckt Ihr mit ihm unter einer Decke?« Der kleine Gelehrte erhob sich drohend. »Papier ist geduldig, Herr Kollege, und die Natur spricht eine deutlichere Sprache. Habt Ihr Euch einmal die Ahnengalerie der Collincourts angesehen? Nein? Nun, wenn Ihr sie abschreitet, werdet Ihr feststellen, dass die männlichen Vorfahren von Jeans Kind allesamt ein kräftiges Grübchen im Kinn hatten. Und nun richtet Euren Blick freundlicherweise auf diesen Mann.« Er wies auf Vitus. »Auch er hat, abgesehen von weiterer Familienähnlichkeit, ein Grübchen im Kinn. Und nun dürft Ihr dreimal raten, was das wohl zu bedeuten hat!«

»Das heißt überhaupt nichts.« Hornstaple wirkte plötzlich gar nicht mehr so wichtig und würdevoll, sondern eher nervös. Die Spinne zog sich zurück. »Die Eigentumsverhältnisse sind keineswegs geklärt, und die Beweispflicht ...«

»Schnickschnack! *Dominus habetur qui possidet, donec probetur contrarium!* Dieser alte Rechtssatz dürfte auch in England seine Gültigkeit haben. Und falls Eure Lateinkenntnisse nicht mit dem Grad Eurer Wichtigtuerei Schritt halten können, will ich ihn gern übersetzen. Er heißt: Für den Eigentümer wird gehalten, wer besitzt, bis das Gegenteil bewiesen wird. Und da es zweifellos so ist, dass Vitus von Campodios dieses Schloss und alles andere besitzt, er wohnt ja de facto hier und

wird als Herr anerkannt, ist er es auch, der als Eigentümer anzusehen ist. Jedenfalls so lange, bis Ihr, Herr Kollege, in der
Lage seid, schlüssig und zweifelsfrei das Gegenteil zu beweisen. Zusammenfassend konstatiere ich also, dass Vitus von
Campodios unter gewissen, sehr unwahrscheinlichen Umständen kein Collincourt ist – ich betone: unter gewissen, sehr
unwahrscheinlichen Umständen –, aber das alles spielt keine
Rolle, bis Ihr nicht in der Lage seid, Eure Behauptungen zu
beweisen. Ihr, Herr Advocatus, seid in der Beweispflicht,
nicht wir!«

Vitus, der während der leidenschaftlichen Argumentation des
kleinen Gelehrten mehrfach genickt hatte, sagte kalt: »Im Übrigen seid Ihr ab sofort von Euren Aufgaben als mein Rechts-
beistand entbunden. Sucht Euch einen anderen Mandanten.«
Ohne ein weiteres Wort zu verlieren, raffte Hornstaple seine
Papiere zusammen und ging.

Als der Advocatus fort war, musste Vitus erst einmal tief
durchatmen. »Was ist nur in den Mann gefahren? So viel Hä-
me, so viel Missgunst, so viel Unverschämtheit! Ich denke, es
ist kein großer Schaden, ihn verloren zu haben. Aber dir, altes
Unkraut, muss ich ein Kompliment machen. Deine Verteidi-
gungsrede war großartig, eines Cicero würdig.«

»Ach was.« Der kleine Gelehrte nahm sich ein Stück Kaninchenpastete. »Vergleiche mich nicht mit Cicero. Der Mann
war zwar ein exzellenter Jurist und Rhetoriker, aber er wurde
ermordet, und sein Haupt und seine Hände wurden auf der
rostra, der Rednertribüne von Rom, ausgestellt.«

Arlettes Hand fuhr zum Mund. »Wie schrecklich!«

»Ja, die Zeiten waren damals nicht besser als heute. Aber dadurch sollte man sich den Appetit nicht verderben lassen. Und
durch solche Winkeladvokaten wie Hornstaple erst recht
nicht. Die Kaninchenpastete zergeht auf der Zunge.«

»Ich kriege nichts mehr hinunter. Und ein wenig übel ist mir
auch. Die letzten Tage waren so harmonisch, dass ich ein Ungeheuer wie Hornstaple nicht mehr gut vertrage.«

»Um Gottes willen, Liebste!« Vitus war aufgesprungen und
überlegte laut. »Bleibe ganz ruhig, Liebste, ich werde sofort
feststellen, woran es liegt.«

»Aber ich bin doch ganz ruhig.«

»Natürlich, natürlich. Dein Unwohlsein kann selbstverständlich von Hornstaples hanebüchenem Benehmen herrühren, nicht umsonst sagt der Volksmund, dass einem etwas ›auf den Magen schlägt‹, es kann aber auch an der Pastete liegen. Ich habe sie nicht gekostet, vielleicht ist sie schlecht?«

Der Magister schob, mit vollem Mund kauend, ein: »Beileibe nicht, sie ist köstlich, ganz köstlich.«

Arlette entzog Vitus, der schon dabei war, ihr den Puls zu fühlen, die Hand. »Liebster, mach nicht so viel Umstände, nur weil ich mich einmal nicht gut fühle.« Sie lächelte ihn an. »Für das Unwohlsein einer Frau gibt es andere, völlig natürliche Erklärungen.«

»Wie bitte? Ach! Ich Dummkopf! Das Kind, natürlich, das Kind.« Vitus fiel ein Stein vom Herzen. Es war das erste Mal gewesen, dass Arlette in seinem Beisein über Unwohlsein geklagt hatte. Selbst während der anstrengenden Kutschfahrt durch ganz Südengland hatte sie sich niemals beschwert. Umso besorgter war er jetzt. »Du musst dich schonen. Am besten, du legst dich gleich zu Bett.« Er rechnete damit, dass sie ihm energisch widersprechen würde, doch sie tat es nicht.

Und ein klein wenig beunruhigte ihn das.

Am Abend hatte sich das Unwohlsein zu einem starken Fieber ausgewachsen. Vitus saß besorgt am Rand des großen Pfostenbetts, in dem Arlette lag, und fühlte seiner Braut den Puls. Er war schnell und unruhig. Wie schon am Nachmittag entzog sie ihm ihre Hand. »Lass doch, Liebster, ein bisschen Fieber, was macht das schon.« Sie versuchte zu lächeln, doch es gelang ihr kaum.

»Fieber kann unzählige Ursachen haben«, überlegte er laut. »Die kommenden Stunden werden hoffentlich Aufschluss darüber geben, welche.«

»Ich werde in den kommenden Stunden schlafen. Vielleicht ist morgen schon alles wieder vorbei.« Sie bewegte sich unruhig. »Ich habe grässliche Kopfschmerzen, und das Licht ist so grell.«

Vitus schickte Hartford los, eine Schüssel mit Wasser zu holen, um kalte Kompressen auf der Stirn machen zu können. Er fand das Licht in Arlettes Schlafgemach keineswegs grell, löschte aber dennoch alle Lichtquellen bis auf zwei Öllampen links und rechts des Betts. Als Hartford mit der Wasserschüssel kam und Vitus sich ihm zuwandte, vernahm er plötzlich ein knöchern klingendes Geräusch. Es kam von Arlette, die mit den Zähnen klapperte. Ihr sei eiskalt, stöhnte sie und bemühte sich gleichzeitig um ein Lächeln.

Vitus tat die Schüssel fort, sorgenvoll die Stirn runzelnd. Dann sagte er bemüht forsch: »Das Fieber scheint nicht zu wissen, was es will, Liebste, mal ist es da, mal verlässt es dich. Ich jedenfalls bin da. Immer!« Er beugte sich über sie und küsste ihre kalten Lippen. »Hier ist noch eine dicke Decke aus Fuchsfell, sie wird dich wärmen wie ein Ofen.« Er wickelte ihren Körper darin ein.

»Danke, Liebster. Ich komme mir so nutzlos vor.«

»Unsinn. Jeder kann Fieber bekommen. Ich selbst habe es schon gehabt, und glaub mir, es war viel schlimmer als dieses.« Er dachte an das Schwarze Erbrechen, das er zusammen mit dem Magister und den anderen Freunden besiegt hatte. »Was dir fehlt, ist nur Schlaf. Ich gebe dir einen Extrakt von Baldrianblättern und dazu einen Becher Weidenrindensud gegen die Kopfschmerzen.«

Bald darauf nickte sie ein. Er blieb die ganze Nacht an ihrem Bett, denn ihr Körper wurde abwechselnd von Gluthitze und Eiseskälte gepeinigt, und je nachdem, worunter sie litt, kühlte oder wärmte er sie. Endlich, gegen Morgen, übermannte auch ihn der Schlaf. Sein letzter Gedanke war, dass am kommenden Tag das Fieber vielleicht schon fort sein würde.

Ein lautes Gepolter riss Vitus aus seinen oberflächlichen Träumen. Er schlug die Augen auf und erkannte Arlette, die wenige Schritte entfernt zu Boden gefallen war. »Großer Gott, Liebste!« Er rappelte sich aus seinem Stuhl hoch und half ihr auf die Beine. »Was ist geschehen?« Er wollte sie zum Bett zurückbringen, doch sie stemmte sich dagegen.

»Bitte, lass mich allein, nur für einen kurzen Augenblick!«

»Aber warum denn?«

Sie blickte ihn aus fiebrigen Augen an. »Bitte!«

Als er wenig später wieder eintrat, fiel ihm sofort der unangenehme Geruch auf. Es stank nach Fäkalien, und der Gestank war von jener Art, wie er für Durchfall typisch ist. Er zog das Nachtgeschirr unter dem Bett hervor, nahm den Deckel ab und sah, dass seine Vermutung richtig gewesen war: Arlette litt unter Diarrhö. Sie lag auf ihrem Bett, hatte ihm den Rücken zugewandt und schluchzte.

Er biss die Zähne zusammen, um sich nichts anmerken zu lassen, und sagte betont fröhlich: »Erst einmal einen guten Morgen, Liebste. Deine Nacht war recht unruhig, und du scheinst auch Durchfall zu haben, aber das ist in Verbindung mit Fieber durchaus nicht ungewöhnlich. Ich werde Hartford klingeln, dass er das Nachtgeschirr fortbringt.«

Als der Diener wieder gegangen war, setzte er sich zu ihr aufs Bett und nahm sie in die Arme. »Sei doch nicht so verzweifelt. Alles wird gut, ich verspreche es dir. Darf ich dich untersuchen?«

»Ich weiß nicht. Es geht mir miserabel.«

»Besser oder schlechter als gestern Abend?«

Sie spürte, dass er eine gute Nachricht hören wollte, brachte es aber nicht übers Herz, ihn anzulügen. »Vielleicht ein kleines bisschen schlechter.«

»Nun ja, man kann nicht erwarten, dass ein starkes Fieber über Nacht verschwindet. Hast du noch Kopfschmerzen?«

»Ja, und mir tun sämtliche Glieder weh.«

»Du Arme.« Er wollte sie küssen, aber sie wehrte ab:

»Nicht, Liebster. Ich fühle mich so … so unsauber.«

»Du könntest von Kopf bis Fuß dreckverkrustet sein, ich würde dennoch jedes einzelne Schmutzkorn an dir lieben – so wie dich selbst.«

Sie lachte leise auf, und für einen kleinen Augenblick war sie wieder die alte Arlette. Vor Erleichterung und Glück kamen ihm fast die Tränen, deshalb redete er schnell weiter: »Du nimmst noch einmal Weidenrindensud, gleich jetzt. Er verjagt die Schmerzen und drückt das Fieber hinunter. Und dann gebe ich dir noch etwas gegen den Durchfall. Die Diarrhö muss verschwinden, denn sie entkräftet den Körper zusätzlich. Ich gebe dir einen Trank aus Heidelbeerblättern, Salbei und Gänsefingerkraut, versetzt mit Kohlepulver. Wenn das nicht hilft, versuchen wir es mit weißem Lehm. Die Diskrasie im Darm wird schnell verschwinden.«

»Wie gut, dass ich einen Arzt im Hause habe.« Sie streichelte ihm die Hand. »Dennoch ist mir so komisch bei alledem. Ich fühle mich kraftlos und gleichzeitig unruhig, ich möchte im Bett bleiben und zur selben Zeit aufstehen.«

»Das wird sich geben«, besänftigte er sie, obwohl er sich auf diese Symptome keinen Reim machen konnte. »Ich untersuche dich jetzt.« Im Folgenden stellte er fest, dass ihr Puls noch immer nicht stark und regelmäßig schlug und in ihren Augen nach wie vor ein Fieberglanz saß. Allerdings war eine deutliche Rötung der Bindehäute dazugekommen. Er verordnete ihr ein Kollyrium, das er selbst sogleich herstellte und applizierte.

Arlettes Zunge war dunkel verfärbt und strömte einen leichten Geruch aus, gottlob aber nicht nach frisch geschlachteter Leber, was ein sicheres Erkennungsmerkmal des Schwarzen Erbrechens gewesen wäre. Gegen das Erbrechen sprach auch die Gesichtshaut, die keine Spur einer Gelbverfärbung aufwies. Dafür waren die Lymphknoten am Hals geschwollen, was allerdings nicht überraschte. Bei Fiebererkrankungen trat derlei häufig auf. Vitus musste an Jaime denken, dem Kantharidin und Mäusedorn wieder auf die Beine geholfen hatten, doch er entschloss sich, vom Gebrauch beider Arzneien zunächst einmal abzusehen. In der Medizin war es wie in der Kochkunst: Zu viele Kräuter hoben einander in der Wirkung auf.

»Und wie ist die Diagnose des Herrn Cirurgicus?«, meldete Arlette sich schwach.

»Die steht noch nicht fest«, lächelte er und tastete behutsam die Organe des Leibes ab. Alles fühlte sich normal an, auch die Leber – ein weiteres Zeichen, das gegen das Schwarze Erbrechen sprach. Er drückte auf Magen und Darm. »Tut es hier weh?«

»Nein. Doch! Da unten. Etwas …«

»Lass sehen.« Er schob ihr Nachtgewand gänzlich zur Seite und – erstarrte.

Aus Arlettes Leisten ragten mehrere eigroße Beulen hervor. Sie sahen verfärbt aus und wirkten bösartig. Mit aller Kraft schob er den ungeheuren Verdacht, der sich ihm aufdrängte, beiseite. »Ah ja«, hörte er sich sagen, »vielleicht sind es Bubonen, vielleicht auch nicht.« Nachdem er sich gefangen hatte, begann er die Beulen zu betasten. Sie fühlten sich weich und elastisch an, und es dauerte nicht lange, bis er festgestellt hatte, dass es sich um stark vergrößerte Lymphknoten handelte. Ein weiteres Symptom, und kein gutes …

»Was sind Bubonen?«, fragte Arlette. In ihrer Stimme schwang Angst mit.

Er schalt sich dafür, dass er sich so schlecht unter Kontrolle hatte. Er musste Optimismus verbreiten! »Bubonen«, entgegnete er beiläufig, »sind nichts als Beulen.«

»Sind … sind sie ein schlimmes Zeichen?«

»Iwo. Es ist das Fieber, das sie aus dem Körper heraustreibt.« Er hoffte inbrünstig, dass er ihr damit die Wahrheit gesagt hatte, und setzte seine Untersuchung fort.

Dann sah er sie. Die kleinen Einstichstellen an den Fesseln. Hinterlassenschaften der widerwärtigen Flöhe aus dem Golden Galley. Um die Stellen herum hatte die Haut sich schwärzlich verfärbt. Der Befund war eindeutig: nekrotische Läsionen … und diese in Verbindung mit Bubonen!

Er war wie vor den Kopf geschlagen. Lass dir nichts anmerken! Lass dir um Gottes willen nichts anmerken!, beschwor er sich. Vielleicht ist das alles gar nicht wahr, vielleicht hat das alles gar nichts zu bedeuten! Gott der Allmächtige hat nicht immer wieder seine schützende Hand über Arlette gehalten, nur damit sie jetzt … Doch er wusste, dass er sich etwas vormachte. Arlette hatte die Pest.

»Waum bist du vorhin so schnell fortgelaufen?« Arlettes Stimme war nur ein Hauch.

»Mir war plötzlich etwas eingefallen, Liebste«, log er, und er wusste, dass er sie in den nächsten Tagen noch öfter anlügen würde, denn er brachte es nicht fertig, ihr die Wahrheit zu sagen. Er war aufgesprungen, weil er es nicht mehr ausgehalten hatte, war aus dem Zimmer gestürmt und so schnell er konnte zum Magister gelaufen. Der kleine Gelehrte hatte sich am nahe gelegenen See aufgehalten, wo er voll Muße den Stock- und Krickenten zusah, die eifrig im Wasser gründelten. »Magister, ich muss dich sprechen!«, hatte Vitus gerufen.

»Nanu? Warum so förmlich?« Der kleine Gelehrte hatte geblinzelt und auf die Enten gewiesen. »Sie kommen mit der Zeit immer näher, possierlich, nicht wahr? Vielleicht wissen sie, dass ich sie beobachten möchte, oder sie haben sich an mich gewöhnt.«

»Mir ist wahrhaftig nicht danach zumute, über Enten zu reden.« Vitus hatte ohne Umschweife von seinem furchtbaren Verdacht gesprochen, und der Magister hatte genauso fassungslos reagiert wie er selbst.

»Das darf nicht wahr sein! Wenn es einen Gott gibt, und es gibt einen, dann kann er nicht zulassen, dass sie ... nun, nun, du weißt schon.«

»Ja. Ich bete darum, dass sie überlebt.«

Nach einer Weile hatte der kleine Mann sich wieder gefangen, und sein Pragmatismus setzte sich durch. »Dir als Arzt muss ich es ja nicht sagen, aber es gibt doch zwei Arten der Pest: die Lungenpest und die Beulenpest. Um welche, meinst du, handelt es sich?«

»Die Beulenpest.«

Der Magister hatte das Kreuzeszeichen gemacht. »Dem Allmächtigen sei wenigstens dafür Dank! Wenn es die Bubonenpest ist, besteht noch Hoffnung.«

»Ja, ich will alles tun, was in menschlicher Macht liegt, um den Schwarzen Tod zu besiegen. Und du musst mir dabei helfen. Bitte, lass Doktor Burns holen und gib auch Enano und Catfield Bescheid. Ich will euch alle zur Abendmahlzeit im Grünen Salon treffen. Wir müssen beratschlagen, was zu tun ist, müssen Therapien durchsprechen, müssen alles Wissen, das über diese verfluchte Krankheit vorhanden ist, sammeln, um sie unschädlich zu machen. Und Magister: Zu niemandem ein Wort über die Pest, ich werde die Menschen auf Greenvale Castle zu gegebener Zeit selbst informieren.«

»Verlass dich nur auf dein altes Unkraut«, hatte der Freund geantwortet und ihm einen aufmunternden Stoß in die Rippen versetzt. »Noch ist nicht aller Tage Abend.«

Arlette regte sich in ihrem Bett. »Was war dir denn eingefallen, Liebster?«

»Nun, äh ... dass ich für die Behandlung noch einige Arzneien brauchte, die ich nicht vorrätig hatte. Ich, äh ... wollte sie rasch holen lassen.« Er flößte ihr einen stopfenden Trank ein, um den Durchfall weiterhin zu bekämpfen, und gab danach einen Weißdornaufguss, um das Herz zu stärken. Das Fieber war

nach wie vor hoch. Arlettes Augen allerdings sahen nicht mehr ganz so entzündet aus. Er schöpfte wieder etwas Hoffnung.
»Kann ich dich jetzt für eine Weile verlassen? Hartford kann bei dir sitzen, falls du etwas wünschst. Ich habe noch einige Dinge zu erledigen.«
»Natürlich«, murmelte sie. »Aber ich will allein sein.«
»Ist recht.« Er atmete auf, denn im selben Augenblick, als er die Hilfe von Hartford angeboten hatte, war ihm eingefallen, dass dies ein verhängnisvoller Fehler sein konnte: zu ansteckend war die Pestilentia! Er war schon halb an der Tür, da hörte er sie noch einmal:
»Liebster, ich werde kämpfen.«
Mit Tränen in den Augen verließ er den Raum.

Vitus saß in seiner Kammer und studierte zum wiederholten Male die Kapitel in *De morbis hominorum et gradibus ad sanationem,* in denen die alten Meister sich über die Pest äußerten. Es gab zahllose Hinweise und Therapievorschläge, auch Anweisungen zur Prophylaxe, wie das Verbot des Genusses von Geflügel, Wasservögeln, Spanferkel, altem Ochsenfleisch und Ähnlichem. Die Fülle der Maßnahmen war höchst verwirrend, denn die Meister definierten die Pest immer wieder anders. Manche Krankheitsbilder ähnelten mehr dem Aussatz, dem Fleckfieber oder anderen Leiden. Dennoch schien der Aderlass in jedem Fall eine angezeigte Maßnahme zu sein. Ein weiterer ineressanter Punkt war, dass häufig Purgativa, also abführende Mittel, zur Anwendung gebracht werden sollten. Dieser Vorschlag ließ abermals Hoffnung in ihm aufkeimen, denn derlei Arzneien waren bei Arlette nicht nötig, im Gegenteil: Sie litt unter Durchfall.
Seufzend und nicht sehr viel klüger, schlug er das Buch zu, um sich in den Grünen Salon zu begeben.

»Danke, Marth, danke, Mary, stellt die Speisen nur ab. Und dann lasst uns allein. Wir werden uns selbst bedienen.«
Die Mägde knicksten und verließen den Salon.
Vitus blickte in die Runde. Alle waren erschienen. Catfield saß da, mit aufmerksamem, ernstem Blick, dann der Magister, kurzsichtig blinzelnd, da er noch keine neuen Berylle hatte,

daneben der Zwerg mit halb geöffnetem Fischmündchen und Burns, der brave, alte Dorfarzt. »Ich danke allen für ihr Erscheinen«, begann Vitus, »der Anlass dieses gemeinsamen Mahls ist … ist …«, er brach ab, denn die Gefühle überwältigten ihn. Er versuchte es erneut: »Nun, Gentlemen, es hat seinen Grund, warum ich so weit entfernt von Euch Platz genommen habe. Es gibt einen Krankheitsfall im Schloss. Es handelt sich um Lady Arlette. Sie ist … sie hat … nun, also«, er räusperte sich umständlich, »Lady Arlette wurde von der Pestilenz geschlagen.«

Die Umsitzenden waren wie vom Donner gerührt. Die Nachricht, das wusste jeder, kam einem Todesurteil gleich. Wo heute ein Pestfall auftrat, konnten morgen schon Dutzende von Menschen erkranken und übermorgen ganze Dörfer ausgestorben sein. Burns fing sich als Erster: »Und ein Irrtum ist gänzlich ausgeschlossen, Mylord?«, fragte er vorsichtig.

»Ich bin mir sicher. Gott weiß, wie sehr ich wünschte, Euch eine andere Antwort geben zu können.« Vitus schilderte präzise die beobachteten Symptome. Als er geendet hatte, nickte der alte Arzt schwer:

»Alles deutet darauf hin, dass Ihr Recht habt, Mylord.«

»Wir sind hier, um die erforderlichen Maßnahmen zu besprechen: für Lady Arlette, damit sie, was der Allmächtige geben möge, wieder gesund wird, und für die Menschen im Schloss, damit sie nicht zu Schaden kommen. Jede Meinung ist wichtig, jede Ansicht hörenswert, jeder Rat vielleicht lebensrettend.«

Der Magister, sonst ein starker Esser, betrachtete die aufgetischten Speisen und ließ sie unberührt. Ihm war nicht nach Gaumengenüssen zumute. Stattdessen sagte er: »Wir sollten zunächst Rat halten, wie Lady Arlette zu therapieren ist, denn das erscheint mir vorrangig. Außer ihr ist niemand erkrankt, und so Gott will, wird es auch keine weiteren Fälle geben.«

»Dazu bedarf es vorbeugender Schritte, zu denen wir später kommen«, stimmte Vitus zu.

Doktor Burns meldete sich abermals: »Es wäre gut, wenn die schreckliche Nachricht strengster Geheimhaltung unterläge. Die Leute machen sonst nur die Pferde scheu.«

Catfield nahm ein paar Trauben vom Tisch, führte sie aber

nicht zum Mund. Auch sein Appetit schien angesichts der Ereignisse verschwunden zu sein. »Im Prinzip bin ich Eurer Meinung, Doktor, aber die Leute im Schloss werden es sowieso erfahren, auch wenn wir alle schweigen wie ein Grab. Spätestens wenn die vorbeugenden Maßnahmen getroffen werden, dürften die Leute Bescheid wissen. Und dann ist die Panik nur umso größer.«

»Sicher, sicher«, murmelte Burns. »Vielleicht sollte man es bei Lady Arlette mit einem guten Theriak versuchen. Ich habe in meinen Beständen einen, der aus über siebzig Ingredienzen besteht, darunter Drogen, Gewürze und echte venezianische Viper.«

»Ein guter Vorschlag, will mir scheinen«, sagte Vitus. »Auch wenn der Theriak, wie ich weiß, in vielem dem Mithridatikum ähnelt.«

Burns blickte leicht verwirrt. Offenbar wusste er nicht, was ein Mithridatikum war. Er machte einen Rückzieher: »Wenn Ihr meint, Mylord. Vielleicht ist ein Theriak in diesem Fall nicht die geeignete Arznei.«

»O doch, o doch«, beeilte Vitus sich zu versichern. Seine Bemerkung tat ihm bereits Leid. Er musste sich zukünftig jeder vorschnellen Äußerung enthalten, sonst würde ein so scheuer Mann wie Burns sein Wissen nicht weitergeben. »Ich sagte das nur, weil ein Mithridatikum eigentlich gegen Vergiftungen wirkt. Doch wie ich bereits sagte: ein guter Vorschlag, Doktor. Bitte lasst mir eine entsprechende Menge Eures Theriaks zukommen.«

Burns taute auf. »Auch reiner Alkohol soll hilfreich sein, Mylord, allerdings nur, wenn er vorher mit poliertem Silber in Berührung kam, beispielsweise in einem Pokal.«

Vitus konnte sich nicht vorstellen, wodurch ein solcherart behandelter Alkohol helfen sollte, doch immerhin war Silber das edelste Metall nach Gold und Elektron. »Wenn Ihr mir auch etwas von diesem angereicherten Alkohol zur Verfügung stellen könntet, Doktor, wäre ich Euch sehr verbunden.«

Burns nickte zufrieden.

Der Magister schaltete sich ein: »Du erwähntest neulich bei Polly den Arzt und Astrologen Nostradamus, der Heilerfolge mit irgendwelchen Blättern erzielt haben soll.«

»Ja, es waren Rosenblätter.«

»Du sagtest auch, dass die Therapie höchst umstritten ist, andererseits ist bekannt, dass Nostradamus mehrere Pestwellen überlebte. Vielleicht ist also doch etwas an den Rosenblättern dran?«

»Ja, vielleicht. Wir können auch das versuchen. Ich selbst werde Arlette noch heute Abend zur Ader lassen. Dieser Schritt wird nahezu von allen alten Meistern angeraten.«

»Wui, wui, un ein Arcanum mit Belladonna un ein wenig Schallerei sin auch nich zu verachten. Schöne, lenzige Schallerei.« Das Fischmündchen öffnete und schloss sich eifrig.

»Musik? Warum nicht? Wenn es harmonische Musik ist, kann sie den Gleichklang im Körper vielleicht stärken und wieder zur Eukrasie zurückführen.« Vitus fragte sich zwar, woher die Melodien kommen sollten, denn ein Musizieren im Krankenzimmer war ausgeschlossen, schon wegen der Quarantäne, unter der es von nun an stand, aber der Vorschlag war nicht von der Hand zu weisen.

Der kleine Gelehrte stimmte zu: »Musik, ja, warum nicht! Ich als Homer-Jünger kann nur sagen, dass schon die Hellenen vor Troja die Pest mit Musik bekämpften, und Odysseus stillte das Bluten einer Wunde mit Gesang!«

Auch Burns fiel noch eine Behandlungsmethode ein: »Es soll da noch eine Therapie geben, die …«, er unterbrach sich, denn das, was nun kam, klang allzu seltsam, ja fast ketzerisch, durfte seiner Meinung nach aber trotzdem nicht unter den Tisch gekehrt werden, »die wie folgt zur Anwendung kommt: Man schneidet die Bubonen Verstorbener heraus, trocknet das Gewebe, pulverisiert es und verabfolgt es dem Patienten.«

Vitus schwieg und erwog die Therapie.

Burns war noch nicht fertig: »Es heißt auch, dass manch ein Kranker, der nicht mit dem Bubonenpulver behandelt werden konnte, sich selbst die Beulen aufstach und in seiner Verzweiflung den darin befindlichen Eiter trank. So sollen ebenfalls Heilerfolge erzielt worden sein.«

»Ich habe davon gehört, Doktor. Wir werden sehen, ob dieser Weg in Frage kommt. Wenn ich richtig verstanden habe, bedarf es zur Herstellung des Pulvers eines Verstorbenen, und soviel ich weiß, gibt es im weiten Umkreis gottlob keine Pesttoten. Was nun das Aufstechen der Beulen bei Lady Arlette anbelangt, so denke ich, warten wir erst noch diesen und den nächsten Tag ab, zumal in den Bubonen noch kein Eiter erkennbar ist.« Vitus wollte dem alten Arzt nicht sagen, dass die zweite Methode für ihn grundsätzlich nicht in Frage kam. Er konnte sich einfach nicht vorstellen, dass Arlette ihren eigenen Eiter trank. Schon deswegen, weil Eiter immer ein Ausdruck des Säfte-Ungleichgewichts war. Wie konnte ein Ungleichgewicht zur Wiederherstellung des Gleichgewichts beitragen!

Er räusperte sich. »Wenn keine weiteren Vorschläge gemacht werden, Gentlemen, möchte ich Euch zunächst herzlich danken. Ihr werdet dafür Verständnis haben, dass ich mir die letzte Entscheidung über die einzusetzenden Therapien vorbehalte. Ich habe beschlossen, dass niemand, ich wiederhole: niemand, das Krankenzimmer betreten darf. Wenn ich etwas brauche, so werde ich es Euch mitteilen. Die Ansteckungsgefahr ist einfach zu groß.«

Die Umsitzenden murmelten Zustimmung. Auch der Magister, dem es sichtlich schwer fiel.

»Ich komme damit zu den Maßnahmen, die dazu dienen sollen, die Leute von Greenvale Castle vor Schaden zu bewahren. Wie Euch bekannt sein dürfte, Gentlemen, wird als Verursacher der Pest verdorbene Luft angenommen. Die Wissenschaftler sind sich darüber keinesfalls einig, aber viele vertreten die Ansicht, miasmatische Luft dringe in die Lungen ein und führe dadurch zur Ansteckung. Eine These, die nicht von der Hand zu weisen ist. Weil nun der Mensch nicht einfach aufhören kann zu atmen, gilt es, die Luft von dem Miasma zu befreien. Ihr, Catfield, sollt deshalb dafür sorgen, dass im Schloss, im Gutsgebäude und auf allen Plätzen davor kräftige Feuer entzündet werden, damit die Flammen das Miasma fressen. Bei den alten Meistern ist zu lesen, Rebholz eigne sich dazu in besonderem Maße, aber da in England kaum solches Holz wächst, denke ich, müssen unsere normalen Kaminscheite genügen. Vielleicht findet sich in der Schlosskapelle auch noch etwas Weihrauch. Ich wünsche, dass die offenen Feuer mindestens die nächsten sieben Tage brennen. Wenn unsere Vorräte nicht ausreichen, lasst Bäume im umliegenden Wald schlagen.«

»Aye, aye, Mylord.« Durch Vitus' knappen Ton angeregt, war Catfield automatisch in die Marinesprache gefallen. »Soll ich die Befehle gleich weitergeben?«

»Nein, wartet. Sorgt ferner dafür, dass die um das Krankenzimmer gelegenen Räume mit Essigwasser abgewaschen werden. Diese Maßnahme wird, wie Ihr wisst, auch auf den Schiffen Ihrer Majestät angewandt. Sie mag der endgültigen Luftreinigung dienen.«

Burns meldete sich noch einmal in seiner scheuen Art. »Wenn Ihr gestattet, Mylord, wäre da noch ein weiteres Prophylaktikum zu nennen. Es ist das so genannte Haarstrangziehen. Habt Ihr schon einmal davon gehört?«

»Ja, in der Tat.«

»Das Haarstrangziehen war vor zweihundertdreißig Jahren, als der Schwarze Tod durch Europa zog, sehr im Schwange. Viele Ärzte schworen seinerzeit auf diese Art der Vorbeugung. Man benötigt dazu eine kräftige Nadel, durch deren Öhr ein Büschel zusammengedrehter Frauenhaare gezogen wird. Sodann tätigt man zwei parallele Hauteinschnitte – wo, darüber gehen die Meinungen auseinander –, sticht anschließend die Nadel unter der Haut zwischen den Einschnitten hindurch und zieht den Strang hinterher.«

»Ja, ich kenne die Maßnahme. Sie mag nützlich sein oder auch nicht. Ein Beweis fehlt. Natürlich führte man bei denen, die seinerzeit von der Pest verschont blieben, diesen Umstand auf die Behandlung zurück; bei denen aber, die erkrankten, behauptete man, die Prozedur sei falsch zur Anwendung gekommen. Immerhin mag sie der Beruhigung unserer Leute dienen. Ich würde Euch deshalb bitten, Doktor, die Behandlung bei allen, die es wünschen, vorzunehmen.«

»Mit Vergnügen, Mylord.«

»So, ich denke, damit haben wir alles Menschenmögliche besprochen. Darüber hinaus kann nur der Allmächtige helfen. Enano, ich bitte dich, reite noch heute nach Worthing, aber rücke dabei niemandem näher auf den Pelz als höchstens zehn Zoll. Niemandem! Reverend Pound möge einen Bittgottesdienst für Arlette halten. Und nun«, er erhob sich, »tue jeder, was er tun muss. Ich werde von heute an Tag und Nacht bei meiner Braut bleiben und sie pflegen. Der Magister García wird für mich die Verbindung zur Außenwelt halten. Ich werde das Krankenzimmer nicht eher verlassen, bis Arlette gesund ist oder ...« Er ließ den Satz unvollendet. »Doch zuvor werde ich zu den Leuten von Greenvale Castle sprechen. Catfield, bitte sorgt dafür, dass alle Bediensteten sich in einer halben Stunde vor der großen Freitreppe einfinden. Ich danke Euch, Gentlemen.«

Hastig verließ er den Salon.

> *»Männer und Frauen von Greenvale Castle!*
> *Ich habe euch rufen lassen, weil sich etwas*
> *zugetragen hat, das ihr wissen müsst.*
> *Es ist keine gute Nachricht, aber ich will sie euch*
> *ohne Umschweife sagen, denn niemandem*
> *ist damit gedient, wenn ich sie verschweige:*
> *Lady Arlette ist erkrankt, und ... es ist die Pest!«*

Kaum hatte Vitus das Schreckenswort ausgesprochen, setzte allseits ein großes Jammern unter den Bediensteten ein. Schreie und Klagerufe wurden laut, Hände wurden gerungen, und der heilige Christophorus, der Schutzpatron gegen Pest und frühen Tod, ein ums andere Mal angerufen. Es gelang Vitus nur mit Mühe, sich wieder Gehör zu verschaffen:

> *»Beruhigt euch, Leute, beruhigt euch!*
> *Alles wird unternommen, damit Lady Arlette*
> *mit Gottes Hilfe rasch wieder gesundet.*
> *Ebenso, wie alles getan werden wird,*
> *damit die Seuche sich nicht ausbreiten kann.*
> *Dazu sind Maßnahmen notwendig, die eure*
> *uneingeschränkte Unterstützung erfordern.*
> *Am wichtigsten ist, dass ihr Schloss- und Gutsgelände*
> *auf keinen Fall verlasst. Niemand darf fort,*
> *keiner darf unseren Boden betreten!*
> *Kein fahrendes Volk, keine Händler,*
> *keine Reisenden, keine Menschenseele!*
> *In den nächsten Monaten werden wir*
> *ganz auf uns allein gestellt sein.*
> *Achtet in der kommenden Zeit noch mehr darauf,*

dass ihr saubere Luft atmet, klares Wasser trinkt
und eure Kleider reinlich haltet.
Dafür, dass die Geißel an uns allen vorübergehen
möge, erflehe ich den Segen des Allmächtigen!
Und jetzt geht jeder wieder an seine Arbeit.«

Vitus machte das Kreuzeszeichen und entfernte sich rasch, froh, dass er alles Weitere dem bewährten Catfield überlassen konnte. Gern hätte er den Leuten ein paar freundliche, aufmunternde Worte gesagt, aber er war dazu nicht in der Lage gewesen. Sein ganzes Denken, Handeln, Streben galt einzig und allein Arlette. Er musste zu ihr und die Behandlung fortsetzen.

»Liebste, wie geht es dir?« Vitus stand vor dem riesigen Pfostenbett, in dem Arlettes fieberheißer Körper klein und verloren wirkte. »Arlette, Liebste?«
Sie schlug die Augen auf, und er sah, dass ihre Bindehäute wieder entzündet und rot waren. Ein Stich durchfuhr ihn, doch er ließ sich nichts anmerken. »Ich sehe, das Fieber scheint sich wohl in deinem Körper zu fühlen, nun, wir werden ihm Beine machen, spätestens morgen oder übermorgen ist es fort, und dann geht's bergauf.« Er küsste sie zart.
»Ich muss schrecklich aussehen.« Sie versuchte, ihre Frisur zu ordnen.
»Du bist die schönste Frau der Welt. So ein dummes Fieber kann daran gar nichts ändern. Ich sage dir jetzt, was wir heute Abend dagegen unternehmen: Zunächst einmal bekommst du wieder das Kollyrium für die Augen. Dann den Weidenrindensud. Den Weißdorn lassen wir weg, dafür isst du eine gute Suppe. Auch klares Wasser musst du trinken, viel klares Wasser, damit die Hitze dich nicht auszehrt. Der Magister wird alles bringen, wenn es so weit ist.«
Sie blickte ihn fragend an. »Wenn es so weit ist? Was meinst du damit?«
»Vorher untersuche ich dich und lasse dich zur Ader.«
Wie sich zeigte, hatten die Symptome der Pest sich weiter verstärkt. Das Fieber hatte sich zwar nicht erhöht, aber zu den Bubonen in der Leiste waren zwei weitere gekommen. In den

vorhandenen schien sich bereits Eiter angesammelt zu haben, doch für ein Aufstechen war es noch zu früh. Das nekrotische Gewebe um die Floheinstiche war schwärzer geworden und hatte sich vergrößert. Er fragte sich, ob die Flohstiche in irgendeiner Beziehung zum Ausbruch der Krankheit standen, aber gab den Gedanken sogleich wieder auf, denn er kannte die Antwort nicht. Keiner kannte die Antwort für die genaue Ursache der Pest. Er beschloss, das schwärzliche Gewebe fortzuschneiden. Aber nicht heute, noch nicht, denn noch hoffte er …

Insgesamt wirkte Arlette schwächer als am Morgen, aber das konnte, wie er sich einredete, auch an der späten Stunde liegen. Ein gutes Zeichen wiederum mochte sein, dass der Durchfall nicht erneut aufgetreten war, andererseits hatte sie auch kaum etwas zu sich genommen. Er schob die nutzlosen Überlegungen beiseite. »Der Schnäpper des Aderlassgeräts macht nur einen kleinen Pieks, es tut bestimmt nicht weh.«

Sie nickte, schloss die Augen und streckte ihm voller Vertrauen den Arm entgegen.

Sein Blick fiel auf ihre Hand, und er musste daran denken, dass es nur diese Hand gewesen war, diese feingliedrige Hand, die er über Wochen von ihr gesehen hatte. Damals, in Habana, als sie der Welt nur tief verhüllt entgegengetreten war. Heiße Tränen traten ihm in die Augen, und er wandte sich ab, damit sie seine Schwäche nicht bemerkte. Der Schnäpper schlug zu, und ein dünner Strahl ihres Bluts spritzte in die bereitgestellte Schüssel. »Du bist sehr tapfer, Liebste.«

Sie antwortete nicht, nur ihre Augenlider flatterten.

Er beschloss, die Blutmenge klein zu halten, denn ihr Körper war zart, und allzu viel Blut hatte sie nicht. Er legte eine Kompresse auf die Einstichstelle, wickelte einen Verband darum und schob den Arm zurück unter die Decke. An der Tür klopfte es.

»Ich bin's!«, rief der Magister.

Vitus ging zur Tür und holte die Suppe und einen Krug Wasser. Der kleine Gelehrte hatte beides vor der Tür abgestellt.

Arlette schlug die Augen auf. »Warum kommt der Magister nicht herein?«, flüsterte sie schwach.

»Ach, weißt du, er muss noch ein paar Dinge erledigen. Hier, probier einmal von der Gemüsesuppe.«

»Ich habe keinen Hunger.«

»Aber du musst etwas essen. Nun komm!« Er hob ihr den Kopf an und flößte ihr etwas Suppe ein. Brav wie ein Kind schluckte sie die Flüssigkeit hinunter. Dann blickte sie ihn direkt aus ihren fiebrigen Augen an und murmelte:

»Ich habe Angst um unser Kind. Das Fieber …«

»Mach dir keine Sorgen, Liebste, äh … Kinder vertragen hohes Fieber viel besser als Erwachsene, das ist eine altbekannte Tatsache.«

Sie nahm einen zweiten und noch einen dritten Löffel auf und ließ sich dann erschöpft in die Kissen zurückfallen. Unversehens begann sie wieder zu zittern. »Mir ist so kalt.«

Sein Herz floss über vor Angst, Trauer und Zärtlichkeit, und ohne sich lange zu besinnen, entledigte er sich seiner Kleidung. Er schlüpfte zu ihr unter die Bettdecke, umfasste sie sanft und wärmte sie mit seinem Körper.

»Wui, Magister, duften Zefir, 's is 'n schöner Morgen. 'n Gruß von der Bratwachtel, un das wär für dich.« Der Zwerg kam zur Tür des Krankenzimmers getrippelt, wo der kleine Gelehrte getreulich Wache hielt. Er schwenkte einen halben Wurstring und einen Kanten weißes Brot in der Hand.

»Von Mrs Melrose? Es geschehen noch Zeichen und Wunder.« Der Magister nahm die frugalen Speisen und legte sie neben seinem Schemel ab. »Gewöhnlich kann ich nicht behaupten, unter mangelndem Appetit zu leiden, aber im Augenblick will mir nichts so recht schmecken. Ist ja auch kein Wunder, wo es Arlette so schlecht geht.«

»Is es mieser geworden?«

»Tja, wenn ich das wüsste. Vitus kam irgendwann in der Nacht und verlangte nach neuen Bettlaken, wozu, wollte er nicht sagen. Er ist wie eine Auster. Aber wenn du mich fragst, sieht es nicht gut aus.« Der kleine Gelehrte schielte auf die Wurst, bei der es sich um eine leckere Sülzware handelte, und entschloss sich, doch hineinzubeißen. Kauend fuhr er fort: »Jedenfalls kann man nicht behaupten, dass ich mich in letzter Zeit der *gula* schuldig gemacht hätte.«

Der Winzling setzte sich auf den Boden und blickte fragend auf.

»Der Vielfresserei, einer der sieben Todsünden, die, laut unserer allein selig machenden Kirche, ohne Umwege in die Hölle führen.«

»Wui, wui, hast alleweil den Speisfang leer.«

»Zu den Sorgen um Arlette«, der Magister nahm einen weiteren Bissen, »kommt noch der allgegenwärtige Gestank nach verbranntem Holz. Mir will scheinen, dass die Flammen nur allzu gründlich arbeiten. Was nützt es, wenn sie alles Miasma vernichten, aber kein Jota Luft zum Atmen übrig bleibt!«

»Wui, wui. 's sin schlimme Jomme. 'ne Hand voll vom Gesinde is auch schon verblüht, über alle Berge, ham die Hosen voll, die Fieseln, un in Worthing ham sie zwei Schmuhls un ihre Schicksen gekeilt.«

»Zwei Juden?« Der Magister, der gerade einen dritten Bissen nehmen wollte, blickte erstaunt. »Was haben denn die damit zu schaffen, dass hier ein Pestfall vorliegt?«

»Wui, 's Pack tönt, sie ham's Wasser vergimpelt, 's gäb keinen guten Gänsewein aus der Täufe nich mehr, und 's wär der Grund für die Pest.«

»Die Juden sollen das Brunnenwasser in Worthing vergiftet haben? Beim Blute Christi! Was hätten sie davon, wo sie doch selber dort wohnen! Und überhaupt: Deshalb soll hier auf Greenvale Castle die Pest aufgetreten sein? So ein hirnverbrannter Blödsinn!« Der Magister war drauf und dran, sich mächtig aufzuregen, als plötzlich die Tür zum Krankenzimmer aufging und Vitus auf der Schwelle erschien. Er war kaum bekleidet und sah übernächtigt aus.

»Magister, ich brauche noch einmal neues Bettzeug. Und eine Schüssel Wasser; wenn es geht, recht kalt. Und frische Suppe, die aber heiß. Und etwas Fleisch mit wenig Fett, am besten Geflügel.«

»Sonst noch etwas?« Der kleine Gelehrte klang bissiger, als er eigentlich beabsichtigt hatte. »Entschuldige, es war nicht so gemeint. Wir sind wohl alle etwas durcheinander. Wie geht es Arlette?«

Vitus musterte ihn, und seine Augen waren wie tot. »Bitte besorge mir danach noch eine Flasche mit Salbeiöl, das Öl muss zusätzlich Kampfer und Thuja enthalten.« Die Tür schloss sich wieder.

Der Zwerg kratzte sich die Haarbüschel am Kopf. »Wui, wui, das sieht nich gut aus. Das sieht nich gut aus.«

»Ich fürchte, du hast Recht, Enano. Aber wir können gar nichts machen, gar nichts. Nur tun, was Vitus sagt. Allmächtiger Vater im Himmel, irgendwie muss der verfluchten Pest doch beizukommen sein! Also gut, gehen wir erst einmal, um Vitus' Aufträge zu erledigen. Hilfst du mir, Winzling?«

»Nee, muss was anderes machen, 's is genauso wichtig.«

Hüpfend entfernte sich der Zwerg, und der Magister fragte sich, was um alles in der Welt in diesem Augenblick genauso wichtig sein konnte wie Vitus' Wünsche.

»Es ist doch erst der dritte Tag nach dem Ausbruch des Fiebers, Liebste«, flüsterte er heiser, »du musst durchhalten, hörst du, morgen geht es dir bestimmt besser, ich verspreche es dir.«

Sie lag in seiner Halsbeuge und weinte lautlos. Ihre Schultern zuckten. Ein hilfloses Bündel Mensch, mal heiß, mal kalt und schwach bis auf den Tod. Dazu kam der Gestank, den ihr absterbender Körper mehr und mehr verströmte. Zu den Beulen in der Leiste waren noch weitere am Hals gekommen. Vitus hatte sie schon in der Nacht bemerkt, als er Arlette mit seinem Körper gewärmt und wieder und wieder ihr Gesicht gestreichelt hatte.

Am Morgen hatte er die Bubonen in der Leiste aufgestochen und den Eiter herausgedrückt, eine Ekel erregende, gelblich pastöse Flüssigkeit. Anschließend hatte er die Beulen mit Salbeiöl behandelt und danach mit dem durch Silber veredelten Alkohol abgerieben, in der Hoffnung, dass die Beulen verkümmern würden. Aber der Eiter floss weiter, und nichts hatte sich getan. Nichts, nichts, nichts …

Zwei der Bubonen, die er probehalber mit getrockneten Rosenblättern belegt hatte, wiesen ebenfalls keine Besserung auf. Er nahm die Blätter fort und ließ sie, verzweifelt wie er war, einfach auf den Boden fallen.

Der Theriak, den Burns, der alte Dorfarzt, gebracht hatte, war ihr nicht einzuflößen gewesen. Er hatte auf sie eingeredet, hatte gebettelt, gedroht, gefleht, aber sie war standhaft geblieben.

Eine Arznei, in der sich Schlangenfleisch befand, ging ihr nicht über die Lippen.

»Das Kind und ich, wir werden sterben«, hörte er sie flüstern.

»Unsinn! So schnell stirbt es sich nicht!«, begehrte er auf.

»Doch ...« Mit großer Anstrengung legte sie den Finger in sein Grübchen. »Mir ist kalt, so kalt! Ich habe die ... Pest. Ich wusste es ... schon, als du die Bubonen entdecktest ...«

»Aber, aber ...«

»Das Kind und ich, wir sterben ... aber du musst leben ... versprich es mir. Bekämpfe die Pest ... versprich es mir.«

»Ich verspreche es, bei allem, was mir heilig ist! Ich verspreche es!« Seine Gedanken rasten. Es durfte, es konnte nicht sein, dass Arlette starb!

> *Allmächtiger Vater im Himmel,*
> *in Deine Hände lege ich mein Hoffen,*
> *gib, dass sie gesund wird,*
> *erlöse sie von der Pest!*
> *Allmächtiger Vater im Himmel,*
> *Herrscher über alles auf Erden,*
> *so Du denn eine Seele zu dir nehmen willst,*
> *nimm mich, Deinen sündigen Sohn Vitus!*
> *Mit Freuden will ich sterben,*
> *wenn sie dafür lebt!*
> *Amen. Amen. Amen.«*

Er hatte stumm gebetet, und die Worte an seinen Schöpfer hatten ihm Kraft verliehen. Da hörte er wieder Arlette, so leise, dass sie kaum zu vernehmen war:

»Musik«, wisperte sie, »schöne Musik ... wie aus einer anderen Welt.«

Er spitzte die Ohren und stellte fest, dass sie Recht hatte. »Warte, Liebste, ich schaue mal nach.« Er löste sich behutsam von ihr, stand rasch auf und begab sich ans Fenster. Unten auf dem Hof standen vier oder fünf Gestalten, Burschen und Mädchen der Dienerschaft mit Flöten und Schalmeien, die eine einfache Weise spielten. Die Melodie war leicht, harmonisch und zu Herzen gehend. Und vor den Musizierenden, sie emsig dirigierend, stand der Zwerg.

Jetzt blickte der Winzling zu ihm herauf und rief mit fistelnder Stimme: »'s is die Schallerei, Vitus, die Schallerei is es, die wieder gesund macht, wui?«

Er kämpfte gegen die Tränen der Rührung an und rief hinunter: »Ja, die Harmonie ist es, ja!«

Dann ging er zurück, um Arlette zu wärmen.

EPILOG

Noch am selben Tag schlief Arlette ein. Sie starb in Vitus' Armen.

Als die Kunde sich im Schloss verbreitete, stand alles Leben still. Die Menschen schwiegen, waren sprachlos vor Kummer, und viele Hände falteten sich zum Gebet für die Verstorbene.

Nach gebotener Zeit, eine Stunde oder mehr mochte vergangen sein, befahl Catfield, die Arbeit wieder aufzunehmen. Sie machte sich nicht von allein, und er war sicher, dass er in Vitus' Sinne handelte. Als Erstes ordnete er an, dass die Feuer, die überall auf dem Gelände zu verlöschen drohten, weiter unterhalten werden sollten. Die Pest, das wusste er, war noch lange nicht besiegt. Noch immer konnte Miasma in versteckten Winkeln oder Ecken überlebt haben. Da die Flammen Unmengen an Holz verschlangen, stellte er einen Trupp Männer ab, der am folgenden Tag neues Brennmaterial besorgen sollte. Dann ließ er nach Doktor Burns schicken, damit er ein weiteres Mal das Gesinde auf Anzeichen der Seuche untersuchte. Der alte Arzt kam noch am selben Abend. Gottlob konnte er keine neuen Fälle konstatieren, was große Erleichterung auslöste.

Unter den Männern, die am nächsten Tag Holz schlagen sollten, war auch Keith. Der junge Mann mit den abstehenden Ohren trauerte auf seine Art. Er zog sich in die Stallungen zurück, wo er mit Odysseus und den anderen Pferden Zwiesprache hielt. Die Nähe der Tiere, ihre warmen Körper und der vertraute, strenge Geruch beruhigten seine aufgebrachten Nerven.

Auch Hartford trauerte. Und er tat dabei etwas, das er normalerweise niemals tat: Er betrank sich innerhalb kürzester Zeit und musste von der Dienerschaft vor Catfield versteckt werden. Mrs Melrose aß einen ganzen Mandelkäse auf und weinte zwischen den Bissen ihre Küchenschürze nass, was allseits viel Beachtung fand, denn noch nie hatte jemand sie so verzweifelt gesehen. Selbst der Zwerg vermochte sie nicht zu trösten, vielleicht, weil er selbst untröstlich war.

Der Magister lief den ganzen Abend mit grimmiger Miene durch das Schloss, stapfte durch die Ställe, ging über die Höfe, wanderte bis zu dem See, wo die Enten sich im Schilf zur Ruhe begeben hatten, und marschierte die gesamte Strecke wieder zurück. »Was mach ich nur? Was mach ich nur?«, murmelte er ein ums andere Mal. »Ich muss ihn aufrichten, sonst stirbt auch er noch!«

Doch Vitus war für niemanden zu sprechen. Die ganze Nacht und den folgenden Tag verbrachte er an der Seite der toten Arlette, und niemand traute sich zu ihm in das Sterbezimmer. Erst am darauf folgenden Tag erschien er, bleich und übernächtigt und nur noch ein Schatten seiner selbst. Mit steinerner Miene gab er die notwendigen Anweisungen für Trauerfeier und Beerdigung. Die Messe sollte in der Schlosskapelle gelesen werden, und alle, die Arlette ein letztes Lebewohl sagen wollten, sollten dazu Gelegenheit bekommen.

Reverend Pound reiste aus Worthing an, um den Trauergottesdienst zu halten. Ein Schritt, der ihm nicht leicht gefallen war, schließlich war auch er nur ein Mensch, und er wusste um die Ansteckungsgefahr der Pestilenz. Dennoch kam er. Und er fand einfache, eindringliche Worte, die allen zu Herzen gingen.

Arlettes sterbliche Hülle wurde in der Familiengruft der Collincourts unter einer granitenen Grabplatte beigesetzt. Vitus hatte lange überlegt, was er als letzten Gruß in den Stein meißeln lassen sollte, aber ihm war kein passender Spruch eingefallen, denn der Schmerz beherrschte alle seine Gedanken. So hatte er schließlich bestimmt, einfach nur Arlettes Namen und ihren Geburts- und Todestag festzuhalten.

Nachdem der Trauerakt vorüber war, winkte der kleine Gelehrte seinen Freund beiseite.

Vitus hob die Hand. »Komm mir nicht zu nahe. Vielleicht trage ich das Pestmiasma in mir.«

»Schon gut. Aber das Leben geht weiter, mein Alter, glaub mir's. Es wäre nicht in Arlettes Sinne, dass du bis in alle Ewigkeiten den Kopf hängen lässt. Denk nur daran, was für ein fröhlicher, lebensbejahender Mensch sie war.«

»Ja, das war sie. Sie war wunderbar. Sie ist unersetzlich. Sie war ...« Vitus wandte sich ab, denn Tränen schossen ihm in die Augen. »Entschuldige, es tut so weh ...« Er stürzte davon.

An den folgenden Tagen schloss Vitus sich ein, verweigerte Speise und Trank, und die Stimmung im Schloss wurde immer düsterer.

Wieder stapfte der Magister durch Höfe und Ställe und fragte sich verzweifelt, was um alles in der Welt er tun könne, um die Trauer, die Vitus wie ein Panzer umgab, aufzubrechen. »Was mach ich nur? Was mach ich nur?«, fragte er sich zum tausendsten Mal, und dann, endlich, hatte er einen Einfall, von dem er hoffte, dass er alles zum Guten wenden würde. Fortan sah man ihn häufiger mit einem Fäustel und einem Meißel in der Hand, was zu allerlei Vermutungen und sogar zu Gelächter Anlass gab, doch der kleine Gelehrte ließ sich nicht beirren.

Als er seine Arbeit beendet hatte, gelang es ihm tatsächlich, Vitus eines Morgens zu überreden, ihm in die Familiengruft zu folgen.

»Was soll das alles?«, fragte Vitus müde.

»Wart's nur ab. Du wirst an Arlettes Grab eine Botschaft vorfinden.«

Und so war es. Die Botschaft war in die große Grabplatte, direkt unter Arlettes Namen, eingemeißelt. Sie bestand nur aus drei Worten:

OMNIA VINCIT AMOR

»Ich habe die Nachricht selbst hineingeschlagen«, erklärte der Magister und wies mit einer fast entschuldigenden Geste auf sein Werk. In der Tat waren die Buchstaben weder gerade noch gleich groß noch besonders fein herausgearbeitet, dafür aber war der Inhalt der Worte umso eindrucksvoller.

»Die Liebe besiegt alles«, flüsterte Vitus.

»Ja, das tut sie«, bestätigte der kleine Mann ernst. »Sie besiegt Hass, Neid und Missgunst, sie überwindet Gewalt und Krieg, sie lässt Tränen trocknen und Trauer versiegen. Damit nicht genug, spendet sie Harmonie und neue Hoffnung – überall auf der Welt. Auch auf Greenvale Castle.« Er machte eine Pause und fuhr dann fort: »Ich war es, der die Botschaft eingemeißelt hat, aber sie ist nicht von mir. Ich habe es für jemanden getan, der es nicht mehr tun konnte: für Arlette. Es ist ihre Botschaft an dich, und es ist ihre Liebe zu dir, die aus den Worten spricht.«

Vitus' Hand näherte sich zögernd den ungelenk eingeschlagenen Buchstaben. »Ja, du magst Recht haben«, sagte er schwer. »Die Liebe besiegt alles. Und Arlettes Liebe ist in mir, das spüre ich wohl. Sie wird mich mein ganzes Leben lang begleiten.«

Der Magister atmete insgeheim auf. Wenn Vitus von »seinem ganzen Leben« sprach, so bedeutete dies immerhin, dass er weiterleben wollte. »Es kommen auch wieder schöne Stunden, bitte, glaub mir.«

»Ja, vielleicht.« Vitus zog mit dem Finger die rissigen Konturen der Buchstaben nach. »Aber die Pest ist noch unter uns, die Gefahr noch lange nicht gebannt. Gott verfluche sie, denn sie nahm mir das Liebste, was ich auf Erden hatte.«

»Wenn einer der Pest Herr werden kann, dann bist du es.«

»Ja, vielleicht«, sagte Vitus abermals. »Vielleicht auch nicht. Ich habe Arlette auf dem Sterbebett versprochen, dass ich die Seuche bekämpfen werde.«

»Ja, dann tu's doch!«

»Ich werde es allein nicht schaffen.«

»Enano und ich, wir sind an deiner Seite.«

»Ich werde alles Wissen, das es über die Geißel gibt, sammeln müssen. Alle Erfahrungen, Erkenntnisse, Behandlungsmethoden. Dazu werde ich reisen müssen.«

»Wir sind an deiner Seite. Wann fahren wir?«

Vitus lächelte. Es war das erste Mal nach Arlettes Tod, dass sich ein Lächeln auf seine Lippen stahl. Der Magister mit seinem unverbesserlichen Optimismus! Er stellte sich wieder einmal alles einfacher vor, als es in Wirklichkeit war. Nach dem Ausbruch der Pest, so stand es im Werk *De morbis* zu lesen, sollten die Betroffenen siebzig Tage von aller Welt abgeschlossen sein. Erst danach durften sie wieder mit anderen Menschen in Berührung kommen. Das bedeutete, dass Vitus und seine Freunde in jedem Fall noch auf Greenvale Castle überwintern mussten. Und erst danach, sofern die Schlange Pest verendet war, konnte man überlegen, wohin man sich wenden sollte. Vielleicht nach Paris, an die dortige Universität. Vielleicht auch nach Bologna oder Padua im Norditalienischen.

Doch bis dahin konnte viel geschehen. Es gab noch andere Geißeln außer der Pest, es gab Hungersnöte und Krankheiten ohne Zahl. Es gab Unwetter, Unfälle, Ungemach, und zu alledem gab es weiterhin einen Advocatus Hornstaple, von dem man hörte, dass er das Ränkespiel um Vitus' Herkunft noch lange nicht verloren gab.

Was blieb, war, auf Hoffnung und Liebe zu bauen und sich Gottes unerfindlichem Ratschluss zu beugen.

Alles lag in Seiner Hand.

Wolf Serno
Die Mission
des Wanderchirurgen

Vitus, der weit gereiste Wanderchirurg und mutmaßliche
Erbe von Schloss Collincourt, ist untröstlich: Seine geliebte
Arlette, nach der er so lange gesucht hat, stirbt in seinen
Armen an der Pest. Doch vorher nimmt sie ihm das Versprechen ab, ein Heilmittel gegen den Schwarzen Tod zu finden. Vitus macht sich mit seinen Freunden, dem Magister
und dem Zwerg Enano, auf die Reise, um dieses Gelöbnis
einzulösen. Mit einem englischen Kauffahrer segeln sie über
Gibraltar nach Venedig und machen Station in Tanger. Dort
erliegt Vitus den Reizen einer reichen persischen Kaufmanns-
frau, doch im Augenblick höchster Lust passiert ihm ein Mal-
heur: Statt den Namen der Geliebten auszurufen, kommt
ihm der Name »Arlette« über die Lippen! Die Perserin ist
zutiefst gekränkt und rächt sich bitter an ihm: Sie lässt ihn und
den Magister als Sklaven auf eine Galeere verschleppen!

Freuen Sie sich mit uns auf den neuen Roman
von Wolf Serno – Die Mission des Wanderchirurgen:

Knaur Taschenbuch Verlag

aus

WOLF SERNO

Die Mission des Wanderchirurgen

Roman

erschienen im

Knaur Taschenbuch Verlag

Die Gebieterin

Âmina Efsâneh blickte sich zufrieden in ihrem Schlafgemach um. Alles schien aufs Schönste vorbereitet. Die Fenster waren abgedunkelt, sanftes Kerzenlicht erhellte den Raum. Die Vorhänge ihres riesigen Pfostenbetts waren zurückgeschlagen und gaben den Blick frei auf ein Meer aus seidenbunten, einladenden Kissen. Sie stammten von dem Diwan, der in einen Nebenraum gerückt worden war, da er für das, was die Gebieterin vorhatte, zu wenig Platz bot. Der Schreibtisch war herausgeschafft worden und hatte einem viereckigen Eichentisch Platz gemacht, auf dem die verführerischsten Speisen bereitstanden: ein knusprig gebratener Kapaun, der bereits zerlegt worden war und kalt mit einem scharf gewürzten Mus aus Erbsen und Bohnen genossen werden sollte, dazu gebratene Lammkeule mit Minzsauce – eine Verbeugung vor der Herkunft des erwarteten Besuchers –, ferner eine auf einem Kräuterbett liegende gedünstete Meerbarbe, in deren Maul drei Datteln steckten, zarte, mundgerechte Häppchen vom Schwertfisch, Muscheln in allen Formen und Größen, dampfend in einem mit Harissa gewürzten Sud, und nicht zuletzt Austern, jene Früchte des Meeres, die so sehr die Kraft eines Mannes zu stärken vermochten.

Außerdem ein kräftiger Roter von der Iberischen Halbinsel, der die Zunge löste und die Dämme brach. Und als Zwischenmahlzeit waren kleine, süße, köstliche Bällchen gedacht, die immer wieder den Appetit anregten – allerdings nicht jenen, der einen Essenswunsch nach sich zog. Wo der Engländer nur blieb? Die Dame des Hauses blickte zum wiederholten Male an sich herab. Sie hatte jetzt nicht mehr das indigoblaue Seidengewand mit den weiten Ärmeln an, sondern ein rotes, eng geschnittenes, ihre Figur betonendes Kleid, dessen Stoff von

feinstem, mit Goldfäden durchzogenem Linnen war. Darunter trug sie nichts.

Ein herkulisch gebauter Schwarzer betrat das Schlafgemach, zwei hohe Stühle tragend. Es war ein Guinea-Neger, ein Leibeigener, den Chakir Efsâneh für sie auf dem Sklavenmarkt in Tanger zu einem sündhaft teuren Preis erstanden hatte. Der Zeitpunkt des Kaufs lag noch keine zwei Monate zurück, trotzdem war sie des Burschen schon überdrüssig geworden.

Der Schwarze stellte die Stühle an den Tisch und blieb abwartend stehen. Âmina machte eine herrische Handbewegung. »Worauf wartest du noch? Los, verschwinde!«

Der Riese gehorchte prompt. Die Gebieterin zog verächtlich die Mundwinkel herunter. Der Bursche hatte sich wie erwartet als stark erwiesen, aber nicht als ausdauernd. Auch war er eher lustlos bei der Sache gewesen. Wahrscheinlich, weil er Heimweh hatte, eine Gefühlsregung, die Âmina völlig fremd war. Sie selbst stammte aus Ascalon am östlichen Rande des Mittelländischen Meeres, und sie hatte in den elf Jahren, da sie schon in Tanger an der Seite ihres Mannes lebte, noch kein einziges Mal Sehnsucht nach ihrer Heimatstadt verspürt.

Sie ging zu dem Pfostenbett und zupfte ein paar Kissen zurecht. Wieder überkam sie Ungeduld. »Wo bleibt der Kerl nur?«, zischte sie halblaut vor sich hin. »Meint Ihr mich?«

Die Hausherrin fuhr zusammen. Nur für einen Augenblick war sie überrascht, dann hatte sie sich wieder gefangen. Sie musterte den Ankömmling, der da nur wenige Schritte von ihr entfernt stand. Ja, das war er! An seinem blonden gelockten Haar, das im Gegenlicht der Kerzen schimmerte, hätte sie ihn unter tausend anderen erkannt. Wie gut er mit seinen markanten Gesichtszügen aussah! Er war zwar nicht so groß wie der Guinea-Neger, aber von stattlicher Erscheinung. Nur seine Kleidung ließ etwas zu wünschen übrig. Die gepolsterte Hüfthose und das Wams über dem Spitzenhemd saßen zwar tadellos, hatten aber schon bessere Tage gesehen. Ein Umhang fehlte ganz, wäre aber bei dem heißen Wetter auch des Guten zuviel gewesen. Dafür trug er eine Art Kasten bei sich, dazu einen ledernen Beutel. Vermutlich führte er darin seine Arzneien mit sich.

»Ja, ich warte auf Euch«, erwiderte die Gebieterin. Sie ging langsam auf den Besucher zu und setzte ihr strahlendstes Lächeln auf. Sie wusste, dass sie verführerisch aussah, denn bei Kerzenlicht wirkten ihre herben Gesichtslinien weich, ihre Lippen voller, ihre kalten Augen wärmer. »Wie darf ich Euch anreden? Lord ...?«

Der Ankömmling hob abwehrend die Hand. »Nein, nein, das ist nicht nötig. Nennt mich einfach Cirurgicus. Als ein solcher darf ich mich mit Fug und Recht bezeichnen, denn ich habe in London das Examen als Cirurgicus Galeonis bei Professor Banester abgelegt.«

»Wie Ihr wollt. Allerdings scheint es mir ungewöhnlich, wenn jemand ein Lord ist und sich nicht so anreden lässt.« Das Lächeln der Hausherrin hielt unvermindert an. Es war ein Lächeln mit nichts dahinter als Zähnen.

»Nun«, hüstelte Vitus leicht verlegen, »um die Wahrheit zu sagen, spricht zwar alles dafür, dass ich von Adel bin, aber ein letztes Glied in der Beweiskette fehlt mir noch, und so lange dies nicht gefunden ist, bin ich einfach Vitus von Campodios oder, noch kürzer, Cirurgicus. Und wie darf ich Euch anreden?«

»Mich?« Die Gebieterin zog die Augenbrauen zusammen,

wie sie es immer tat, wenn sie scharf nachdachte. Was hatte der gut aussehende Besucher gesagt? Es müsse erst noch bewiesen werden, dass er ein Lord sei? Dann war er mit Sicherheit keiner. Ein Hochstapler also? Nein, ein armseliger Klosterschüler! Wenn überhaupt. Ein Stich des Ärgers durchfuhr sie. Dennoch lächelte sie

weiter und entspannte die Brauen. »Mein Name ist Âmina Efsâneh, wie Ihr durch meinen Brief schon wisst. Ich bin die Gemahlin von Chakir Efsâneh, dem reichsten Kaufherrn der Stadt. Doch sparen wir uns die Förmlichkeiten, Cirurgicus, nennt mich Âmina, das mag genügen.«

»Wie Ihr meint – Âmina.« Vitus deutete eine Verbeugung an, verzog dann aber plötzlich das Gesicht und verlagerte sein Gewicht auf das andere Bein. Die Hausherrin wollte nach dem Grund fragen, doch kam ihr der Besucher zuvor: »Ihr habt mich rufen lassen, weil Ihr an der Englischen Krankheit leidet. Nun, offen gestanden macht Ihr nicht den Eindruck, als hättet Ihr Fieber und Schweißausbrüche. Und todesmatt wirkt Ihr schon gar nicht.«

»Ähh, ich …« Âmina Efsâneh war für einen kleinen Moment verunsichert. Sie hatte nicht damit gerechnet, dass ihre List so leicht durchschaut werden würde.

Vitus' Blick wurde energisch. »Augenscheinlich ist das Ganze ein Missverständnis. Gestattet deshalb, dass ich mich empfehle …«

»Nein! Wartet!« Die Gebieterin hielt ihn am Ärmel fest. »Ihr habt natürlich Recht, es ist ein Missverständnis, und ein großes dazu! Ich werde es aufklären. Aber nun kommt erst einmal, legt Eure Utensilien ab. Alles Weitere können wir beim Essen besprechen.« Sie zog ihren Besucher mit überraschender Kraft in den Raum und bedeutete ihm, sich zu setzen.

Er gehorchte widerstrebend. »Wie Ihr meint. Ich möchte

nicht unhöflich sein. Meine Zeit ist begrenzt, denn Freunde warten auf mich.«

»Gewiss, gewiss.« Die Hausherrin setzte sich ebenfalls, darauf achtend, dass der Kerzenschein günstig auf ihr Gesicht fiel. »Wovon darf ich Euch anbieten? Ach, ich denke, als erstes trinken wir einen Schluck Wein. Er ist köstlich, eine andalusische Traube, die nicht verdünnt sein will ...« Sie betätigte ein Glöckchen, woraufhin wie aus dem Nichts der Guinea-Neger erschien und den Roten in zwei Pokale füllte. »Ich trinke auf Euch, Cirurgicus!«

»Und ich auf Eure Gesundheit, die offenbar kaum zu wünschen übrig lässt.«

Die Gebieterin lachte perlend. »Ihr nennt die Dinge beim Namen! Nun, um die Wahrheit zu sagen, ich bin tatsächlich nicht krank, zumindest nicht im üblichen Sinne. Dennoch interessiere ich mich sehr für Medizin.«

»Ihr interessiert Euch für Medizin?«

»Aber ja!«, log die Hausherrin strahlend. »Nicht nur für die arabische, auch für die indische und die des Abendlandes. Ihr als berühmter Arzt wisst doch sicher mehr als jeder andere darüber ...« Sie unterbrach sich. »Aber was bin ich nur für eine schlechte Gastgeberin! Nun greift erst einmal kräftig zu.«

»Wie Ihr meint – Âmina.« Der Cirurgicus suchte vergebens nach Löffel oder Messer. Âmina Efsâneh ließ ihn eine Weile zappeln, dann nahm sie selbst ein paar Bissen mit Daumen, Zeige- und Mittelfinger der rechten Hand, so wie es in der arabischen Welt üblich war. Er tat es ihr nach, klaubte ein Stück von dem Kapaun auf, steckte es in das Mus aus Erbsen und Bohnen und führte es zum Mund. Gleich darauf ging eine Veränderung mit ihm vor. Er würgte krampfhaft, keuchte und lief rot an.

»Oh, Cirurgicus!« Die Gebieterin legte ihre Hand besorgt

auf seinen Arm. »Wie dumm von mir! Ich hätte es Euch vorher sagen müssen. Hierzulande mögen wir es scharf. Nehmt rasch noch einen Tropfen von dem Andalusier, doch was sehe ich? Ihr habt ja kaum noch etwas im Glas!« Das stimmte zwar nicht, hielt sie aber nicht davon ab, erneut das Glöckchen stürmisch zu läuten. »Ngongo, Ngongo! Wo steckst du Faulpelz nur wieder!«

Der Schwarze eilte herbei und schenkte nach. Ein wenig Wein spritzte dabei auf das Tischtuch, eine Ungeschicktheit, welche die Gastgeberin allerdings nicht bemerkte. Sie beobachtete den Cirurgicus, dessen Interesse an dem Sklaven plötzlich geweckt zu sein schien. Er befahl dem Schwarzen innezuhalten und drehte dessen Kopf so, dass er das linke Auge gut betrachten konnte.

Âmina Efsâneh wusste genau, warum. »Ich sehe, die seltsame Nickhaut meines Sklaven ist Euch nicht entgangen«, rief sie.

»In der Tat.« Vitus nahm einen tiefen Schluck. »Das, was Ihr als Nickhaut bezeichnet, nennen wir Ärzte Pterygium oder Flügelfell. Wir verstehen darunter ein Phänomen, das an verschiedenen Körperstellen auftreten kann: etwa als Membran zwischen den einzelnen Fingern oder als Gewebe, das über die Nagelplatte wächst oder eben auch als Fell, das zum Teil die Hornhaut des Auges bedeckt.«

Vitus machte eine Pause, dann fuhr er fort: »Das Fell kann so auswuchern, dass die Sehfähigkeit deutlich eingeschränkt ist.«

»Interessant, interessant. Doch kümmert Euch nicht weiter um den Sklaven. Greift lieber kräftig zu und versucht einmal den Schwertfisch. Ich versichere Euch, er ist bei weitem nicht so scharf wie das Mus zum Kapaun.« In Âmina Efsânehs Stimme schwang jetzt leichte Ungeduld mit.

»Wie Ihr wollt.« Vitus gehorchte und stellte fest, dass seine Gastgeberin Recht hatte. Er nahm ein zweites Häppchen, dann ein drittes. »Ihr sagtet vorhin, Eure Vorliebe gelte der Medizin? Welches Gebiet beschäftigt Euch denn am meisten?«

Die Hausherrin tat, als sei sie leicht verlegen. »Welches Gebiet, fragt Ihr? Nun, ich fürchte, es ist ein unerforschtes. Und eines, über das man gemeinhin als Dame nicht spricht. Aber ich will es frei heraus sagen, schließlich seid Ihr Arzt. Es betrifft das Feuer, das zwischen Mann und Frau brennt. Die Hitze, die eine Frau zum Mann und einen Mann zur Frau treibt, der sehnlichste Wunsch nach immer neuer geschlechtlicher Vereinigung.«

Vitus blickte erstaunt. »Und dieses Thema bewegt Euch?«

Die Gebieterin atmete tief ein. Sie wusste, dass ihre Brüste sich auf diese Weise vorteilhaft unter ihrem Linnengewand abzeichneten. »Ja, sehr«, girrte sie, »was mag in einem Körper vorgehen, der solcherart fühlt?«

Ihr Gast setzte zu einer Entgegnung an, doch sie ließ ihn nicht zu Wort kommen. »Nehmt eines dieser Bällchen, es besänftigt die brennende Zunge.« Sie beugte sich vor und bot aus der Schüssel mit den Bällchen an. »Danke.« Vitus griff eines heraus und steckte es in den Mund. »Eure Frage ist schwer zu beantworten.«

Âmina Efsâneh nickte. Gespannt wartete sie auf die Wirkung des Kügelchens. Es bestand aus einer kleinen Menge Opium, Mandragora, Spargelessenz und einer Reihe anderer hochwirksamer Stoffe, als Trägermasse diente Gummiarabikum mit eingedicktem Honig, beides verlieh der Oberfläche eine gewisse Elastizität und Klebrigkeit. Auf der ganzen Welt gab es kein wirksameres Aphrodisiakum.

»Es hängt mit dem Gleichgewicht der Säfte zusammen, die im Leibe arbeiten«, sagte Vitus, »wir unterscheiden gelbe

Galle, Blut, Schleim und schwarze Galle. Wenn nun gelbe Galle und Blut überwiegen, entsteht zuviel Hitze im Körper und damit das Verlangen nach Fleischeslust.«

Die Hausherrin hatte kaum zugehört. Wie gut der blonde Cirurgicus doch aussah! So männlich, so stattlich. Wie tief seine Stimme war! Wie ernst er bei allem, was er sagte, wirkte! Unwiderstehlich. Sie musste ihn haben. Sofort. Ihre Worte klangen heiser, als sie sagte: »Ich verstehe, ich verstehe. Die Säfte sind in Wallung. Ich kenne das von einer Freundin. Sie gibt niemals Ruhe, bevor sie nicht einen Mann da hat, wo sie ihn hinhaben möchte.«

Sie stand auf und ging auf das Bett zu, ihn dabei nicht aus den Augen lassend. »Wollt Ihr nicht noch eines von den Kügelchen probieren?«

»Nein, warum?«

»Dann wollt Ihr vielleicht etwas anderes? Vielleicht einen Augenblick ruhen? Hier, bei mir?« Unvermittelt schlüpfte sie aus ihrem hauchzarten Gewand und legte sich auf das Bett. Sie schloss die Augen und seufzte. Es war ein sehnsuchtsvoller, lüsterner Laut. Dann zog sie langsam die Beine an und spreizte sie so weit, dass er tief in ihren Schoß blicken konnte, in ihren glatt rasierten Blütenkelch, den sie mit Henna rot gefärbt hatte, so wie es Chakir Efsâneh, der Perser, liebte, als er noch ein Stier war. Ihr Seufzen ging in Stöhnen über. Es würde den stattlichen Blonden wie magisch zu ihr hinziehen. Er würde es kaum erwarten können, in sie einzudringen. Sie wusste es, denn es war bei allen Männern so gewesen. Sie würde sich noch ein wenig zieren und ihm als erstes die Weidengerte geben, damit er sie schlug. Nicht zu fest und nur auf das Gesäß. Hundert Mal, das würde genügen, um sie die höchsten Wonnen erreichen zu lassen. Und dann, dann würde auch er seine Lust haben dürfen. Vielleicht …

»Es scheint, Ihr und Eure Freundin seid ein und dieselbe Person.« Die Stimme des Cirurgicus riss sie aus ihren Träumen. Sie klang sachlich und keineswegs erregt. Die Gebieterin schlug die Augen auf. Da stand er, seine Instrumente und Medikamente wieder in der Hand. Er wollte doch nicht etwa gehen?

»Ich bin Arzt und kein lüsterner Satyr, merkt Euch das. Ihr leidet zwar an Hitze, nicht aber an der Englischen Krankheit.«

»Aber ich ...«

»Ich empfehle Euch dreimal am Tag ein Kaltwasserbad und dazu eine Arbeit, die Euch ausfüllt. Ich wünsche Euch einen entspannten Tag.«

Sprach's und ging.

Neugierig geworden?
Die ganze Geschichte finden Sie in:

Die Mission des Wanderchirurgen
von Wolf Serno

Knaur Taschenbuch Verlag

Wolf Serno

Im Jahre 1576 stirbt im nordspanischen Kloster Campodius der alte Abt. Kurz vor seinem Tod gesteht er seinem Lieblingsschüler Vitus, dass dieser ein Findelkind ist. Vitus lässt dieses Geständnis nicht mehr los: Er will das Geheimnis seiner Identität lüften, und des Rätsels Lösung vermutet er in England. Auf seinem Weg quer durch Spanien muss er zahlreiche Abenteuer bestehen und macht sich als begnadeter Chirurg einen Namen.

Ein Buch, das durch seine atemberaubende Erzählweise jeden Fan hirstorischer Romane fesselt, ein Buch, das man mit dem Herzen liest und das alles um einen herum vergessen lässt.
Thüringer Allgemeine

Der Wanderchirurg
ISBN 3-426-62164-9

Wolf Serno

Hamburg im 18. Jahrhundert: Eines Nachts wird der Apotheker Teodorus Rapp hinterrücks überfallen und bewusstlos geschlagen. Als er wieder erwacht, sind seine Kleider blutüberströmt. Er eilt in seine Apotheke und entdeckt dort - sich selbst!

Wer ist der geheimnisvolle Doppelgänger? Hat er es etwa auf Teodorus' wertvolle Naturaliensammlung abgesehen oder stecken andere Motive hinter den rätselhaften Vorgängen?

Tod im Apothekenhaus
ISBN 3-426-62533-4